U0886928

经纬度·原典系列

资治通鉴

全本全注全译

第十六册

陈纪　隋纪

[宋]司马光　编著
张大可　韩兆琦　等　注译

浙江人民出版社

中文简体版通过成都天鸾文化传播有限公司代理，经三民书局股份有限公司授予浙江人民出版社有限公司在中国大陆地区独家出版发行，非经书面同意，不得以任何形式，任意重制转载。

浙江省版权局著作权合同登记章
图字：11-2023-344号

图书在版编目（CIP）数据

资治通鉴全本全注全译. 第十六册 /（宋）司马光编著 ; 张大可等注译. -- 杭州 : 浙江人民出版社, 2024. 10（2025. 6重印）. -- ISBN 978-7-213-11681-0

Ⅰ. K204. 3

中国国家版本馆CIP数据核字第202463GV99号

资治通鉴全本全注全译　第十六册

ZIZHI TONGJIAN QUANBEN QUANZHU QUANYI

［宋］司马光　编著　　张大可　韩兆琦　等　注译

出版发行：浙江人民出版社（杭州市环城北路 177 号　邮编　310006）
市场部电话：（0571）85061682　85176516
选题策划：胡俊生
项目统筹：潘海林　魏　力
责任编辑：卓挺亚　徐　婷　祝含瑶　吴紫欣
特约编辑：张梦玉
营销编辑：杨　悦
责任校对：何培玉　马　玉
责任印务：程　琳　幸天骄
封面设计：北京之江文化传媒有限公司
电脑制版：北京之江文化传媒有限公司
印　　刷：浙江新华数码印务有限公司
开　　本：710 毫米 ×1000 毫米　1/16　　印　　张：44.25
字　　数：865 千字　　插　　页：4
版　　次：2024 年 10 月第 1 版　　印　　次：2025 年 6 月第 2 次印刷
书　　号：ISBN 978-7-213-11681-0
定　　价：124.00 元

如发现印装质量问题，影响阅读，请与市场部联系调换。

目　录

卷第一百七十一　陈纪五

起玄黓执徐（壬辰，公元五七二年），尽阏逢敦牂（甲午，公元五七四年），凡三年。

【题解】

本卷载述公元五七二至五七四年南北朝三年史事，当陈宣帝太建四年、五年、六年，北周武帝建德元年、二年、三年，北齐后主武平三年、四年、五年。陈宣帝内清叛逆，外伐北齐，恢复江北淮南之地，使南朝一度出现中兴之象，陈朝达于鼎盛。北周武帝亲政，灭佛。北齐国主高纬亲小人，远贤臣，国势日衰。

【原文】

高宗宣皇帝上之下

太建四年（壬辰，公元五七二年）

春，正月丙午①，以尚书仆射②徐陵为左仆射，中书监王劢为右仆射。

己巳③，齐主祀南郊④。

庚午⑤，上享太庙。

辛未⑥，齐主赠⑦琅邪王俨为楚恭哀帝以慰太后心，又以俨妃李氏为楚帝后。

二月癸酉⑧，周遣大将军昌城公深⑨聘于突厥，司宾李除、小宾部贺遂礼聘于齐。深，护之子也。

己卯⑩，齐以卫菩萨为太尉。辛巳⑪，以并省⑫吏部尚书高元海为尚书左仆射。

【语译】

高宗宣皇帝上之下

太建四年（壬辰，公元五七二年）

春，正月初三日丙午，陈朝任命尚书仆射徐陵为左仆射，中书监王劢为右仆射。

二十六日己巳，北齐国主高纬在南郊祭天。

二十七日庚午，陈宣帝到太庙祭祀祖先。

正月二十八日辛未，北齐国主高纬追赠琅邪王高俨为楚恭哀帝，以安慰胡太后的心，又封高俨妃李氏为楚帝皇后。

二月初一日癸酉，北周派大将军昌城公宇文深到突厥通问修好，派司宾李除、小宾部贺遂礼到北齐通问修好。宇文深是宇文护的儿子。

二月初七日己卯，北齐任命卫菩萨为太尉。初九日辛巳，任命并省吏部尚书高元海为尚书左仆射。

乙酉⑬，封皇子叔卿为建安王。

庚寅⑭，齐以尚书左仆射唐邕为尚书令，侍中祖珽为左仆射。初，胡太后既幽于北宫，珽欲以陆令萱为太后，为令萱言魏保太后故事⑮。且谓人曰："陆虽妇人，然实雄杰，自女娲⑯以来，未之有也。"令萱亦谓珽为"国师⑰""国宝⑱"，由是得仆射。

三月癸卯朔⑲，日有食之。

初，周太祖为魏相，立左右十二军⑳，总属相府。太祖殂，皆受晋公护处分，凡所征发，非护书㉑不行。护第屯兵侍卫，盛于宫阙㉒。诸子、僚属皆贪残恣横，士民患之。周主深自晦匿㉓，无所关预，人不测其浅深。

护问稍伯大夫庾季才㉔曰："比日天道何如？"季才对曰："荷恩㉕深厚，敢不尽言。顷上台㉖有变，公宜归政天子，请老私门㉗。此则享期颐㉘之寿，受旦、奭之美㉙，子孙常为藩屏。不然，非复所知。"护沉吟㉚久之，曰："吾本志如此，但辞未获免耳。公既[1]王官，可依朝例，无烦别参㉛寡人也。"自是疏之。

卫公直，帝之母弟㉜也，深昵于护。及沌口之败，坐免官，由是怨护，劝帝诛之，冀得其位。帝乃密与直及右宫伯中大夫宇文神举㉝、内史下大夫太原王轨㉞、右侍上士宇文孝伯㉟谋之。神举，显和之子。孝伯，安化公深㊱之子也。

帝每于禁中见护，常行家人礼㊲，太后赐护坐，帝立侍于旁。丙辰㊳，护自同州还长安，帝御文安殿见之。因引护入含仁殿谒太后，且谓之曰："太后春秋高，颇好饮酒，虽屡谏，未蒙垂纳㊴。兄今入朝，愿更启请。"因出怀中《酒诰》㊵授之，曰："以此谏太后。"护既入，如帝所戒读《酒诰》，未毕，帝以玉珽㊶自后击之，护踣㊷于地。帝令宦者何泉以御刀斫之，泉惶惧，斫不能伤。卫公直匿于户内，跃出，斩之。时神举等皆在外，更无知者。

二月十三日乙酉，陈朝封皇子陈叔卿为建安王。

二月十八日庚寅，北齐任命尚书左仆射唐邕为尚书令，侍中祖珽为左仆射。当初，胡太后被幽闭在北宫后，祖珽想让陆令萱当太后，就替陆令萱在北齐国主高纬面前说北魏太武帝拓跋焘尊立保姆窦氏为保太后的先例。并且对人说："陆令萱虽是妇人，但实际上才智出众，自女娲以来，还从来没有过。"陆令萱也称祖珽为"国师""国宝"，因此祖珽才得到仆射的职位。

三月初一日癸卯，发生日食。

当初，北周太祖宇文泰为西魏丞相，设立左右十二军，统属相府管理。宇文泰死后，十二军都受晋国公宇文护调度指挥，凡是军队的征发，没有宇文护签发的文书不得行动。宇文护的府第驻兵护卫的人数比皇宫还多。宇文护的几个儿子、僚属都贪婪残暴，恣意横行，士民都觉得是个祸害。北周国主宇文邕的心思却深藏不露，对宇文护的所作所为不加干预，人们都猜测不出周主的深浅。

宇文护询问稍伯大夫庾季才，说："近来天象怎么样？"庾季才回答说："我受您的恩惠深厚，怎敢不毫无保留地相告。最近上台两星有变异，晋国公您应当还政给天子，请求告老回家。这样您就能安享百年寿考，得到周公旦、召公奭那样的美名，子子孙孙也都能长久享有封邑为国藩屏。不这样，其后果就不是我所知道的了。"宇文护沉思了许久，说："我的本意也是这样，只是辞任没有得到恩准。公既然是朝廷的官员，可以按照朝廷的常例相处，不麻烦你特别来参见寡人了。"从此，宇文护疏远了庾季才。

卫国公宇文直，是北周武帝宇文邕的同母弟弟，与宇文护的关系非常亲密。等到沌口战败，他获罪免官，由此怨恨宇文护，甚至劝北周武帝杀了宇文护，企图让自己得到宇文护的职位。北周武帝于是秘密与宇文直，以及右宫伯中大夫宇文神举、内史下大夫太原人王轨、右侍上士宇文孝伯等人谋划。宇文神举是宇文显和的儿子。宇文孝伯是安化公宇文深的儿子。

北周武帝宇文邕每次在皇宫中见到宇文护，常常按照家庭尊卑长幼的礼节相待，太后给宇文护赐座，周武帝就站立在旁边。三月十四日丙辰，宇文护从同州回到长安，周武帝在文安殿召见宇文护。随后周武帝带宇文护进含仁殿谒见太后，并且对宇文护说："太后年事已高，很爱饮酒，虽然多次劝谏，还是未蒙采纳。兄长今天入宫朝见，希望你再劝一劝。"说着便从怀中取出《酒诰》交给宇文护，说："拿这篇诰文劝谏太后。"宇文护进入含仁殿后，按照周武帝的嘱咐向太后读《酒诰》，还没有读完，周武帝用玉笏从宇文护的身后击打他，宇文护仆倒在地。周武帝命令宦官何泉拿着自己的佩刀砍杀宇文护，何泉恐惧，没能砍伤宇文护。卫国公宇文直躲在门内，突然跳出，砍了宇文护的头。这时宇文神举等都在宫门外，无人知道发生的事。

帝召宫伯长孙览㊸等，告以护已诛，令收护子柱国谭公会、大将军莒公至㊹、崇业公静、正平公乾嘉及其弟乾基、乾光、乾蔚、乾祖、乾威并柱国北地侯龙恩、龙恩弟大将军万寿、大将军刘勇、中外府司录尹公正、袁杰、膳部下大夫李安等，于殿中杀之。览，稚之孙也。

初，护既杀赵贵等㊺，诸将多不自安[2]。侯龙恩为护所亲，其从弟开府仪同三司植谓龙恩曰："主上春秋既富，安危系于数公。若多所诛戮以自立威权，岂唯社稷有累卵㊻之危？恐吾宗㊼亦缘此而败。兄安得知而不言？"龙恩不能从。植又承间㊽言于护曰："公以骨肉之亲㊾，当社稷之寄㊿，愿推诚王室，拟迹伊、周(51)，则率土幸甚！"护曰："我誓以身报国，卿岂谓吾有他志邪？"又闻其先与龙恩言，阴忌之，植以忧卒。及护败，龙恩兄弟皆死，高祖以植为忠，特免其子孙。

大司马兼小冢宰、雍州牧齐公宪，素为护所亲任，赏罚之际，皆得参预，权势颇盛。护欲有所陈(52)，多令宪闻奏，其间或有可不(53)，宪虑主相嫌隙(54)，每曲而畅之，帝亦察其心。及护死，召宪入，宪免冠拜谢，帝慰勉之，使诣护第收兵符及诸文籍。卫公直素忌宪，固请诛之，帝不许。

护世子训为蒲州(55)刺史，是夜，帝遣柱国越公盛(56)乘传征训，至同州，赐死。昌城公深使突厥未还，遣开府仪同三司宇文德赍(57)玺书就杀之。护长史代郡叱罗协(58)、司录弘农冯迁(59)及所亲任者，皆除名。

丁巳(60)，大赦，改元(61)。

以宇文孝伯为车骑大将军，与王轨并加开府仪同三司。初，孝伯与帝同日生，太祖爱之，养于第中，幼与帝同学。及即位，欲引致左右，托言欲与孝伯讲习旧经，故护弗(62)之疑也，以为右侍上士(63)，出入卧内，预闻机务。孝伯为人，沉正(64)忠谅，朝政得失，外间细事，无不使帝闻之。

帝阅护书记(65)，有假托符命(66)妄造异谋者，皆坐诛。唯得庾季才

周武帝宣召官伯长孙览等，告诉他们宇文护已被诛杀，下令抓捕宇文护的儿子柱国谭国公宇文会、大将军莒国公宇文至、崇业公宇文静、正平公宇文乾嘉，以及其弟弟宇文乾基、宇文乾光、宇文乾蔚、宇文乾祖、宇文乾威，还有柱国北地侯龙恩、侯龙恩弟弟大将军侯万寿、大将军刘勇、中外府司录尹公正、袁杰、膳部下大夫李安等，在殿中把这些人都杀了。长孙览是长孙稚的孙子。

当初，宇文护杀了赵贵等人之后，一些将领内心多不安定。侯龙恩受宇文护亲近信任，他的堂弟开府仪同三司侯植对侯龙恩说：“皇上十分年轻，社稷安危全靠几位王公大臣维系，如果用诛杀一个又一个人来确立自己的声威权势，岂止是社稷有累卵那样的危险？恐怕我们宗族也会因此而败亡。堂兄您怎么可以明知这个道理而不去劝谏晋国公呢？”侯龙恩没能听从这个建议。侯植又找机会对宇文护说：“晋国公您以皇上骨肉之亲的身份，担当国家的重托，希望您忠诚王室，仿效伊尹、周公行事，那么全国人士都将十分庆幸！”宇文护说：“我发誓以身报国，你难道觉得我另有打算吗？”宇文护又听说侯植早先劝说过侯龙恩，便暗中忌恨侯植，侯植忧虑而死。等到宇文护败亡，侯龙恩兄弟都被杀，高祖宇文邕认为侯植是忠臣，特别赦免了他的子孙。

大司马兼小冢宰、雍州牧齐国公宇文宪，一向受到宇文护的亲近信任，当宇文护决定赏罚他人的时候，宇文宪都能参与意见，他的权势也很重。宇文护想要向皇上陈说什么事，往往是让宇文宪来上奏，其中皇上有的同意有的不同意，宇文宪担心皇上与丞相间发生矛盾，常常想方设法婉转地加以协调疏通，周武帝也看出了他的良苦用心。等到宇文护死后，周武帝召宇文宪入宫，宇文宪摘下官帽，磕头谢罪。周武帝安慰勉励他，派他到宇文护家中收缴调兵的符节以及其他各种文书。卫国公宇文直一向忌恨宇文宪，一再请求杀了他，但周武帝不允许。

宇文护的世子宇文训为蒲州刺史，当夜周武帝派柱国越国公宇文盛乘驿车征召宇文训，宇文训到了同州，被赐死。昌城公宇文深出使突厥还没有回来，周武帝派开府仪同三司宇文德拿着诏书前去将他就地处决。宇文护的长史代郡叱罗协、司录弘农冯迁以及其他亲信，全部罢官。

三月十五日丁巳，北周实行大赦，改年号为建德。

北周任命宇文孝伯为车骑大将军，与王轨一起加封开府仪同三司。当初，宇文孝伯与周武帝宇文邕同日降生，北周太祖宇文泰十分喜爱他，把他养在自己的府第里，幼时与周武帝一起学习。等到周武帝宇文邕即帝位，想把他放到自己的身边，便假称自己要与宇文孝伯一起讨论研习旧经，所以宇文护没有怀疑，任命宇文孝伯为右侍上士，可以出入周武帝的卧室，参与机密事务。宇文孝伯为人沉静正直而又忠信，凡是朝政的得失，乃至外间的小事，无不让周武帝知晓。

周武帝翻阅宇文护的文书记录，发现有假托符命制造不轨阴谋的人，全都获罪

书两纸，盛言纬候[67]灾祥，宜返政归权。帝赐季才粟三百石，帛二百段[68]，迁太中大夫[69]。

癸亥[70]，以尉迟迥为太师，柱国窦炽为太傅，李穆为太保，齐公宪为大冢宰，卫公直为大司徒，陆通为大司马，柱国辛威为大司寇[71]，赵公招为大司空。

时帝始亲览朝政，颇事威刑，虽骨肉无所宽借[72]。齐公宪虽迁冢宰，实夺之权。又谓宪侍读裴文举[73]曰："昔魏末不纲[74]，太祖辅政。及周室受命，晋公复执大权。积习生常，愚者谓法应如是。岂有年三十天子[75]而可为人所制乎？《诗》云：'夙夜[76]匪懈，以事一人。'一人，谓天子耳。卿虽陪侍齐公，不得遽同为臣，欲死于所事。宜辅以正道，劝以义方[77]，辑睦[78]我君臣，协和我兄弟，勿令自致嫌疑。"文举咸以白宪，宪指心抚几[79]曰："吾之夙心，公宁[80]不知？但当尽忠竭节耳，知复何言。"

卫公直，性浮诡[81]贪狠，意望大冢宰，既不得，殊怏怏[82]。更请为大司马，欲据兵权。帝揣知[83]其意，曰："汝兄弟长幼有序，岂可返居下列？"由是用为大司徒。

夏，四月，周遣工部成公建、小礼部辛彦之[84]聘于齐。

庚寅[85]，周追尊略阳公为孝闵皇帝[86]。

癸巳[87]，周立皇子鲁公赟[88]为太子，大赦。

【段旨】

以上为第一段，写北周权臣晋国公宇文护被杀，周武帝宇文邕亲政。

诛杀。只有庾季才写给宇文护的一封信，有两页纸，信上极力申说谶纬星象暗示的灾祥，劝宇文护应该把处理政务的大权交回给皇上。周武帝下令赐给庾季才粟三百石，帛二百段，升迁庾季才为太中大夫。

三月二十一日癸亥，北周任命尉迟迥为太师，柱国窦炽为太傅，李穆为太保，齐国公宇文宪为大冢宰，卫国公宇文直为大司徒，陆通为大司马，柱国辛威为大司寇，赵国公宇文招为大司空。

当时，周武帝宇文邕刚开始亲理朝政，多用严厉的刑法，即使骨肉至亲也不加宽容。齐国公宇文宪虽然升为冢宰，实际上是夺了他的权。周武帝又对宇文宪的侍读裴文举说："先前魏朝末年，国君不能掌握朝纲，所以太祖宇文泰才来辅政。等到周朝建立，晋国公宇文护又执掌大权。积习成了常规，愚蠢的人认为国家的法制就应当是这样。哪有年已三十的天子可以受人控制的呢?《诗经》里说：'白天黑夜都不懈怠，以侍奉一个人。'这一个人，指的就是天子。你虽然陪侍齐国公，不能就把自己等同于做他的臣属，只想为他拼死尽力。应当用正道去辅佐他，用大义去劝导他，让我们君臣和睦、兄弟融洽，不要让他自招嫌疑。"裴文举把这番话全都转告了宇文宪，宇文宪指着自己的心窝，拍着几案说："我平素的心愿，你难道还不知道？我只会竭尽忠诚和气节报效国家而已，知道了我的心迹又有什么可说的呢。"

卫国公宇文直，生性轻浮诡诈，又贪婪狠毒，一心希望得到大冢宰一职，可是没有得到，心里特别不痛快。他便请求担任大司马，想要掌握兵权。周武帝揣摩到他的心意，就说："你们兄弟长幼有序，怎么哥哥反而在弟弟的下位呢?"因此任用宇文直为大司徒。

夏，四月，北周派工部成国公宇文建、小礼部辛彦之到北齐通问修好。

四月十九日庚寅，北周追尊略阳公宇文觉为孝闵皇帝。

二十二日癸巳，北周立皇子鲁国公宇文赟为皇太子，实行大赦。

【注释】

①丙午：正月初三日。②尚书仆射：尚书省置二仆射，分为左、右；若省一仆射，则只称仆射。③己巳：正月二十六日。④祀南郊：北齐制，南、北郊每年一祀，皆以正月上辛日。今以己巳日祀，当以致斋之日为始。南郊，设坛于国都之南祀天。⑤庚午：正月二十七日。⑥辛未：正月二十八日。⑦赠：旧时帝王对已死者所追封的官爵称为赠。⑧癸酉：二月初一日。⑨昌城公深：即宇文深（？至公元五七二年），宇文护之子，封昌城公。事附《周书》卷十一《宇文护传》、《北史》卷五十七《宇文护传》。⑩己

卯：二月初七日。⑪ 辛巳：二月初九日。⑫ 并省：自北魏置诸道行台，各置令、仆、尚书等官。北齐高欢破尔朱兆，占据晋阳，于此建大丞相府居之。文宣帝受禅，遂置尚书省。⑬ 乙酉：二月十三日。⑭ 庚寅：二月十八日。⑮ 魏保太后故事：北魏太武帝母后死，保姆窦后尽心抚育，为感谢其养育之恩，太武帝特给予保太后的尊号。事见本书卷一百二十《宋纪》二文帝元嘉二年。⑯ 女娲：神话中的古帝名，传说古时出现天崩地裂，女娲乃炼五彩石以补天，断鳌足以支撑四极。⑰ 国师：辅佐皇帝的官职，王莽所置，与太师、太傅、国将并称为四辅。⑱ 国宝：国家的宝器，此指杰出的人才。⑲ 癸卯朔：三月初一日。⑳ 立左右十二军：西魏丞相宇文泰改革军制，设八柱国、十二大将军、二十四开府，组成府兵系统。事见本书卷一百六十三《梁纪》十九简文帝大宝元年。㉑ 护书：指宇文护签发的文书。㉒ 宫阙：古时帝王所居宫门有双阙，故称宫殿为宫阙。㉓ 晦匿：韬光养晦。㉔ 庾季才（？至公元六〇三年）：原为南朝梁人，后历仕后梁、北周、隋，官至太史中大夫。传见《梁书》卷五十一、《隋书》卷七十八、《北史》卷八十九。㉕ 荷恩：蒙受恩惠。㉖ 上台：天上星座名。据《隋书》卷十九《天文志》上，三台六星，两两而居，起文昌，列招摇。西近文昌二星称上台，为三公之位。㉗ 请老私门：请告老还家。㉘ 期颐：百年。期，百岁。颐，养护。㉙ 旦、奭之美：指周公旦、召公奭辅佐周成王的美名。㉚ 沉吟：深深体味其言，轻微发声而犹豫不决的样子。㉛ 别参：特别参见，言非朝例参见。㉜ 母弟：同母之弟。㉝ 宇文神举（公元五三一至五七八年）：仕北周，官至并州总管，封东平公。传见《周书》卷四十、《北史》卷五十七。㉞ 王轨（？至公元五七九年）：仕北周，官至柱国、徐州总管，封郯国公。传见《周书》卷四十、《北史》卷七十三。㉟ 宇文孝伯（公元五四四至五七九年）：仕北周，官至小冢宰。传见《周书》卷四十、《北史》卷五十七。㊱ 安化公深：即宇文深（？至公元五六八年），字奴干，仕北周，官至吏部中大夫，封安化公。传见《周书》卷二十七、《北史》卷五十七。㊲ 行家人礼：遵行家里兄弟长幼之礼。㊳ 丙辰：三月十四日。㊴ 垂纳：垂意听取，用于上对下。㊵《酒诰》：《尚书·周书》中的一篇。康叔封于殷之故都，周公以成王之命戒酒，是为《酒诰》。㊶ 玉珽：玉笏，或指大圭，长三尺。隋制：珽长一尺二寸，方而不折，以球玉制成。㊷ 踣：仆倒。㊸ 长孙览：历仕北周、隋，官至大司徒，封薛国公。传见《隋书》卷五十一、《北史》卷二十二。㊹ 护子柱国谭公会、大将军莒公至：谭公会、莒公至，即宇文护子宇文会（？至公元五七二年）、宇文至（？至公元五七二年）。事附《周书》卷十《邵惠公颢传》《莒庄公洛生传》与《北史》卷五十七《邵惠公颢传》《莒庄公洛生传》。㊺ 杀赵贵等：杀赵贵等事见本书卷一百六十七《陈纪一》武帝永定元年。㊻ 累卵：堆栈起来的蛋，极易倾倒打碎，比喻非常危险。㊼ 宗：宗族。㊽ 间：空隙。㊾ 骨肉之亲：比喻至亲。㊿ 社稷之寄：指受国家重托。社稷，指国家。(51) 拟迹伊、周：仿效伊尹、周公行事。伊，伊尹，曾辅佐商汤灭桀。汤卒，历佐卜丙、仲壬二王。仲壬卒，太甲即位，不理国政，被伊尹放逐，三年后太甲悔过，被伊尹接回复位。历代均把伊尹视为辅弼之臣的典范。周，周公旦，周武王之弟，曾助武王灭商。武王卒，成王年幼即位，周公摄政，平定管叔、蔡叔之乱。成王成年后，周公返政于成王。㊾陈：述事。㊿不：同“否”。(54)主相嫌隙：君臣相疑。主相，指君主与辅相。嫌隙，由猜疑而形成仇怨。(55)蒲州：州名，治所蒲阪县，在今山西永济西。(56)越公盛：即宇文盛（？至公元五八〇年），宇文泰之子，封越国公。传见《周书》卷十三《文闵明武宣诸子传》、《北史》卷五十八《周室诸王传》。(57)赍：拿着。(58)叱罗协（公元四九八至五七三年）：历仕西魏、北周，官至柱国，封南阳郡公。叱罗，复姓。传附《周书》卷十一《晋荡公护传》、《北史》卷五十七《周宗室传》。(59)冯迁：历仕西魏、北周，官至骠骑大将军、开府仪同三司。传附《周书》卷十一《晋荡公护传》、《北史》卷五十七《周宗室传》。(60)丁巳：三月十五日。(61)改元：北周由天和七年改为建德元年。(62)弗：不。(63)右侍上士：官名，主侍从左右。(64)沉正：沉静正直。(65)书记：指记事之文。(66)符命：古代谓天赐祥瑞与人君，以为受命的根据。(67)纬候：纬指七纬日月五行之行，失行则灾。候指月令七十二候，失节则为灾。纬，行星的古称，对经星而言。恒星称经星。(68)段：古时布帛等之一截称段。(69)太中大夫：官名，掌论议。(70)癸亥：三月二十一日。(71)大司寇：官名，主管刑狱。(72)宽借：宽容。(73)裴文举（？至公元五七八年）：历仕西魏、北周，官至司宪中大夫。传见《周书》卷三十七、《北史》卷三十八。(74)不纲：人君不能操持大纲，致朝政紊乱。(75)年三十天子：三十岁的天子。(76)夙夜：早晚；朝夕。(77)义方：做人的正道。(78)辑睦：和睦。(79)指心抚几：指着心，抚摸着几，此在表白心迹。几，古时小桌。(80)宁：岂；难道。(81)浮诡：轻浮狡诈。(82)怏怏：不乐意；不服气。(83)揣知：料知；料想到。(84)辛彦之（？至公元五九一年）：陇西狄道（今甘肃临洮）人，历仕北周与隋，官至太常少卿。著有《坟典》《礼要》等书。传见《隋书》卷七十五、《北史》卷八十二。(85)庚寅：四月十九日。(86)孝闵皇帝：北周第一代皇帝宇文觉，宇文泰第三子。因忌宇文护专权，被废为略阳公。事见《周书》卷三、《北史》卷九、本书卷一百六十七《陈纪一》武帝永定元年。(87)癸巳：四月二十二日。(88)鲁公赟：即宇文赟，周武帝长子，时封鲁国公，即后来的周宣帝。事见《周书》卷七、《北史》卷十。

【校记】

［1］既：原作“既为”。据章钰校，十二行本、乙十一行本皆无“为”字，张敦仁《通鉴刊本识误》同，今据删。〖按〗《隋书·艺术·庾季才传》《通鉴纪事本末》卷二四皆无“为”字。［2］诸将多不自安：原无此六字。据章钰校，十二行本、乙十一行本、孔天胤本皆有此六字，张敦仁《通鉴刊本识误》同，今据补。〖按〗《通鉴纪事本末》卷二四、《通鉴纲目》卷三五皆有此六字。

【原文】

五月癸卯[89]，王励卒。

齐尚书右仆射祖珽，势倾朝野，左丞相咸阳王斛律光恶之，遥见，辄骂曰："多事乞索[90]小人，欲行何计！"又尝谓诸将曰："边境消息[3]，兵马处分，赵令[91]恒与吾辈参论。盲人[92]掌机密以来，全不与吾辈[93]语，正恐误国家事耳。"光尝在朝堂垂帘坐，珽不知，乘马过其前，光怒曰："小人乃敢尔！"后珽在内省[94]，言声高慢，光适过，闻之，又怒。珽觉之，私赂光从奴问之，奴曰："自公用事，相王[95]每夜抱膝叹曰：'盲人入，国必破矣。'"

穆提婆求娶光庶女[96]，不许。齐王赐提婆晋阳田，光言于朝曰："此田，神武帝以来常种禾，饲马数千匹，以拟寇敌[97]。今赐提婆，无乃阙[98]军务也？"由是祖、穆皆怨之。

斛律后无宠，珽因而间之。光弟羡[99]，为都督、幽州刺史、行台尚书令，亦善治兵，士马精强，鄣候[100]严整，突厥畏之，谓之"南可汗"。光长子武都[101]，为开府仪同三司及梁[102]、兖二州刺史。

光虽贵极人臣，性节俭，不好声色，罕接宾客，杜绝馈饷[103]，不贪权势。每朝廷会议[104]，常独后言，言辄合理。或有表疏，令人执笔，口占[105]之，务从省实[106]。行兵仿其父金之法，营舍未定，终不入幕。或竟日不坐，身不脱介胄[107]，常为士卒先。士卒有罪，唯大杖挞[108]背，未尝妄杀，众皆争为之死。自结发[109]从军，未尝败北[110]，深为邻敌所惮[111]。周勋州[112]刺史韦孝宽密为谣言曰："百升飞上天，明月照长安。"又曰："高山不推自崩，槲木[113]不扶自举。"令谍人传之于邺，邺中小儿歌之于路。珽因续之曰："盲老公背受大斧，饶舌[114]老母不得语。"使其妻兄郑道盖奏之。帝以问珽，珽与陆令萱皆曰："实闻有之。"珽因解之曰："百升者，斛也。盲老公，谓臣也，与国同忧。饶舌老母，似谓女侍中陆氏也。且斛律累世大将，明月[115]声震关西，丰乐[116]威行突厥，女为皇后，男尚公主，谣言甚可畏也。"帝以问韩长鸾，长鸾以为不可，事遂寝[117]。

【语译】

五月初二日癸卯，陈朝尚书右仆射王劢去世。

北齐尚书右仆射祖珽，权势压倒朝廷内外所有人，左丞相咸阳王斛律光十分厌恶他，远远看见，就骂他说：“使得朝廷多事、贪得无厌的小人，又在玩弄什么计谋！”又曾经对各位将领说：“边境的消息，军事兵马调动安排，中书令赵彦深常会与我们讨论，自从瞎子执掌机密以后，全都不告诉我们，只怕这样会误了朝廷的大事。”斛律光曾经在朝堂上垂下帘子坐在帘后，祖珽不知道他在，乘马从他前面经过，斛律光大怒说：“这小人竟敢这样！”后来祖珽在门下省，说话声音高，显得很傲慢，斛律光恰好路过，听见了，又大怒。祖珽也察觉了，私下贿赂斛律光的随从奴仆，询问情况，奴仆说：“自从您当权，丞相王爷每天夜里抱膝长叹，说：‘瞎子进来了，朝廷一定要完了。’”

穆提婆请求娶斛律光小妾生的女儿，斛律光没有许可。北齐国主高纬把晋阳田地赐给穆提婆，斛律光在朝堂上说：“这些田地，从神武帝高欢以来一直在种庄稼，用以养马数千匹，准备抵御入侵的敌人。如今赐给穆提婆，恐怕要损伤军务吧？”因此祖珽、穆提婆都怨恨斛律光。

斛律皇后失去了宠爱，祖珽乘机离间北齐国主与斛律光的关系。斛律光的弟弟斛律羡，任都督、幽州刺史、行台尚书令，也善于治军，战士精良，马匹强壮，边塞警戒防御的亭障土堡完善严整，突厥人怕他，称他为“南可汗”。斛律光长子斛律武都，任职开府仪同三司及梁州、兖州两州刺史。

斛律光虽然地位之尊贵在朝臣中无人可及，但生性节俭，不喜好声色，也很少结交宾客，拒绝别人的馈赠，不贪图权势。每次朝廷会集百官议事，斛律光常常自己最后发言，说的话往往合理。有时有表疏上奏，令人执笔，他口授，务必简洁实在。用兵仿效父亲斛律金的做法，将士的营舍没有安定，他始终不入帐幕。有时一整天不坐下来，盔甲不离身，经常冲杀在士兵的前面。士兵犯了罪，只用大木棒打他后背，从来不胡乱杀人，士兵们都争相替他拼命作战。斛律光自结发的年龄从军，从没有打过败仗，深深地让邻国敌人感到害怕。北周勋州刺史韦孝宽秘密编造歌谣说：“百升飞上天，明月照长安。”又说：“高山不推自崩，槲木不扶自举。”派间谍到邺城散布，邺城中的小孩子们都在路上传唱。祖珽又接续了一段，说：“盲老公背受大斧，饶舌老母不得语。”让他妻子的哥哥郑道盖把歌谣的事上奏北齐国主高纬。高纬询问祖珽，祖珽与陆令萱都说：“确实听到了，有这些歌谣。”祖珽乘机解释这些歌谣说：“百升，就是斛字。盲老公，说的是臣，与国家同忧。饶舌老母，好像是说女侍中陆氏。况且斛律氏几代接连担任大将，斛律明月声震关西，斛律丰乐威震突厥，女儿为皇后，儿子娶公主，这些歌谣所说的还是十分令人畏惧的。”高纬又去问韩长鸾，韩长鸾认为不必追究，这事就搁了下来。

斑又见帝，请间，唯何洪珍⑱在侧，帝曰："前得公启⑲，即欲施行，长鸾以为无此理。"珽未对，洪珍进曰："若本无意则可，既有此意而不决行，万一泄露，如何？"帝曰："洪珍言是也。"然犹未决。会丞相府佐封士让密启云："光前西讨还，敕令散兵，光引兵逼帝城⑳，将行不轨㉑，事不果而止。家藏弩甲，奴僮㉒[4]千数，每遣使往丰乐、武都所，阴谋往来。若不早图，恐事不可测。"帝遂信之，谓何洪珍曰："人心亦大灵，我前疑其欲反，果然。"帝性怯，恐即有变，令洪珍驰召祖珽告之："欲召光，恐其不从命。"珽请："遣使赐以骏马，语云：'明日将游东山，王可乘此同行。'光必入谢，因而执之。"帝如其言。

六月戊辰㉓，光入，至凉风堂，刘桃枝自后扑之，不仆。顾曰："桃枝常为如此事。我不负国家。"桃枝与三力士以弓弦罥㉔其颈，拉而杀之，血流于地，刬㉕之，迹终不灭。于是下诏称其谋[5]反，并杀其子开府仪同三司㉖世雄、仪同三司恒伽。

祖珽使二千石郎㉗邢祖信簿录㉘光家。珽于都省㉙问所得物，祖信曰："得弓十五，宴射㉚箭百，刀七，赐矟㉛二。"珽厉声㉜曰："更得何物？"曰："得枣杖㉝二十束，拟奴仆与人斗者，不问曲直，即杖之一百。"珽大惭，乃下声㉞曰："朝廷已加重刑，郎中㉟何宜为雪？"及出，人尤㊱其抗直，祖信慨然曰："贤宰相尚死，我何惜余生？"

齐主遣使就州斩斛律武都，又遣中领军贺拔伏恩乘驿捕斛律羡，仍以洛州行台仆射中山独孤永业㊲代羡，与大将军鲜于桃枝发定州㊳骑卒续进。伏恩等至幽州，门者白："使人衷甲㊴，马有汗，宜闭城门。"羡曰："敕使㊵岂可疑拒？"出见之。伏恩执而杀之。初，羡常以盛满为惧，表解所职，不许。临刑，叹曰："富贵如此，女为皇后，公主满家，常使三百兵㊶，何得不败？"及其五子伏护、世达、世迁、世辨、世酋皆死。

祖珽又朝见皇上高纬，请求单独说话，只有何洪珍在旁边。皇上说："先前收到你的奏启，就想去施行，但韩长鸾认为没有这个道理。"祖珽还没有回答，何洪珍上前说："如果本来没有处置的意思也就算了，既然有了这个意思，而不去果断施行，万一泄露了，怎么办?"皇上说："何洪珍的话说得很有道理。"但还是没有下定决心。适逢丞相府佐封士让送来密奏，说："斛律光先前西征回来，皇上敕令散兵，斛律光却领兵逼近京城，图谋不轨，只是事情没有办成而终止了。斛律光家里藏着弓弩铠甲，奴仆上千，常常派人到斛律丰乐、斛律武都那里，酝酿阴谋，开展联络，如果不及早设法对付，恐怕事情难以预测。"皇上于是相信斛律光要造反，对何洪珍说："人心真是非常灵验，我先前怀疑斛律光要谋反，果然是这样。"皇上生性怯懦，担心立即会有事变，派何洪珍驰马召来祖珽，告诉他说："我要召见斛律光，担心他不听从命令。"祖珽请求说："派使者赐给斛律光一匹骏马，告诉他说：'明天皇上要游东山，相王就乘这匹骏马陪同前往。'斛律光一定会入朝谢恩，乘此机会把他抓起来。"皇上高纬按照他的话去做了。

六月戊辰日，斛律光入宫，走到凉风堂，刘桃枝从背后扑上去，斛律光没有跌倒，回头说："刘桃枝你经常干这种事。我没有辜负皇上。"刘桃枝和三个力士用弓弦缠住斛律光的脖子，把他勒死了，血流满地，削掉了这层地皮，血迹却始终留在地上。于是颁下诏书说斛律光谋反，并杀掉他的儿子开府仪同三司斛律世雄、仪同三司斛律恒伽。

祖珽派二千石郎邢祖信查抄斛律光的家产并登记造册。祖珽在尚书省问查抄所得的东西，邢祖信说："得到弓十五张，聚宴习射的箭一百支，刀七把，皇上所赐长矛两杆。"祖珽又声音严厉地问道："还得到了什么东西?"回答说："还得到枣木杖二十束，以备如果出现奴仆与人斗殴的情况，不问是非曲直，用枣木杖责打奴仆一百下。"祖珽非常惭愧，便低声说："朝廷已经对斛律光处了重刑，邢郎中你又何必替他申雪呢?"等到邢祖信从尚书省出来，有人责备他太刚直，邢祖信感慨地说："贤宰相尚且被处死，我为什么还要爱惜余生?"

北齐国主高纬派使者到州里就地杀了斛律武都，又派中领军贺拔伏恩乘驿车前去抓捕斛律羡，并任命洛州行台仆射中山人独孤永业去代替斛律羡，与大将军鲜于桃枝调发定州骑兵紧随贺拔伏恩进发。贺拔伏恩等到达幽州，守门人向斛律羡报告说："使者在衣服里穿有铠甲，驿马全身有汗，应当关闭城门。"斛律羡说："怎么可以猜疑、拒绝奉敕而来的使者?"便出城见使者。贺拔伏恩抓住斛律羡把他杀了。当初，斛律羡常常因为一门贵盛已极而忧虑，上表请求解除所担任的职务，没被批准。临刑时他长叹说："富贵到如此程度，女儿为皇后，公主娶进家，日常使用三百名士兵，怎么能不败亡?"他的五个儿子斛律伏护、斛律世达、斛律世迁、斛律世辨、斛律世酋全被处死。

周主闻光死，为之大赦[142]。

祖珽与侍中高元海共执齐政。元海妻，陆令萱之甥也，元海数以令萱密语告珽。珽求为领军[143]，齐主许之，元海密言于帝曰："孝徵[144]汉人，两目又盲，岂可为领军？"因言珽与广宁王孝珩交结[145]，由是中止。珽求见，自辨，且言："臣与元海素嫌，必元海谮臣。"帝弱颜[146]，不能讳，以实告之，珽因言元海与司农卿尹子华等结为朋党[147]。又以元海所泄密语告令萱，令萱怒，出元海为郑州[148]刺史。子华等皆被黜。

珽自是专主机衡[149]，总知骑兵、外兵[150]事，内外亲戚，皆得显位。帝常令中要人[151]扶侍出入，直至永巷，每同御榻论决政事，委任之重，群臣莫比。

【段旨】

以上为第二段，写北齐奸佞祖珽得势，权倾朝野，谗害忠良，国主高纬杀死功臣斛律光满门，自毁长城。

【注释】

⑧⑨癸卯：五月初二日。⑨⓪乞索：求取。⑨①赵令：指赵彦深，时为中书令，以其官称之。⑨②盲人：祖珽双目失明，故诋称其盲人。⑨③吾辈：我们。⑨④内省：北齐称门下省为内省。⑨⑤相王：时斛律光为左丞相，又封咸阳王，故以"相王"称之。⑨⑥庶女：庶出之女。⑨⑦拟寇敌：准备抵御敌人。⑨⑧阙：损伤。⑨⑨羡：指斛律羡（？至公元五七二年），北齐人，官至幽州刺史、行台尚书令。传附《北齐书》卷十七《斛律金传》、《北史》卷五十四《斛律金传》。⑩⓪鄣候：障蔽。鄣，障的本字。候，土堡，边境用以伺望侦察。⑩①武都：即斛律武都（？至公元五七二年），斛律光长子，官至开府仪同三司。传附《北齐书》卷十七《斛律金传》、《北史》卷五十四《斛律金传》。⑩②梁：州名，治所浚义县，在今河南开封西北。⑩③馈饷：赠送。⑩④朝廷会议：朝廷百官会集议事。⑩⑤口占：口授。⑩⑥省实：语省事实。⑩⑦介胄：盔甲。⑩⑧挞：击打。⑩⑨结发：古代男子自成童开始束发，因谓童年或年轻时为结发。⑪⓪败北：失败；败逃。⑪①惮：畏惧。⑪②勋州：高欢与宇文泰相争，泰使韦孝宽守玉壁（在今山西稷山县西南），高欢力攻不克，返回后死去。泰于此立勋州，以旌其功。⑪③槲木：树木名，意指斛律光。⑪④饶舌：多嘴多舌。⑪⑤明月：斛律光字明月。⑪⑥丰乐：斛律羡字丰乐。⑪⑦寝：本意为睡，引申为停息、搁置。⑪⑧何洪珍：仕北齐，受恩

北周国主宇文邕听到斛律光死了，为此特地实行大赦以表庆幸。

祖珽与侍中高元海共同执掌北齐政务。高元海的妻子，是陆令萱的外甥女，高元海多次把陆令萱秘密说的话告诉祖珽。祖珽请求当领军，北齐国主高纬答应了，高元海暗中对皇上高纬说："祖孝徵是汉人，双目失明，怎么可以做领军？"同时还说了祖珽与广宁王高孝珩勾结的事，因此对祖珽新的任命被中止了。祖珽请求参见皇上，自我辩解，并且说："臣与高元海平素就有嫌隙，一定是高元海在中伤我。"皇上高纬脸皮薄，无法隐瞒，就把实际情况告诉了祖珽，祖珽于是说了高元海与司农卿尹子华等结为朋党的事，又把高元海所泄露的陆令萱秘密说的话告诉了陆令萱。陆令萱大怒，便外放高元海为郑州刺史，尹子华等人也被罢了官。

祖珽从此独掌朝廷枢要机密，统领骑兵、外兵军务，他的内亲外亲都获得显要职位。皇上高纬经常让亲信宦官搀扶侍候祖珽出入皇宫，直送到官里的长巷，还时常与祖珽同坐在御床上讨论决定朝政。对祖珽信任之深，群臣无人能比。

幸，封王。传见《北齐书》卷五十《恩幸传》、《北史》卷九十二《恩幸传》。⑲ 启：书函。⑳ 帝城：指北齐国都邺城（在今河北临漳西南）。㉑ 不轨：越出常轨，谓谋反。㉒ 奴僮：奴仆。㉓ 戊辰：六月辛未朔，无戊辰。〖按〗《北齐书》卷八《后主纪》："武平三年，七月，戊辰，诛左丞相、咸阳王斛律光"，《北史》卷八《后主纪》同。《通鉴》作六月，误。㉔ 罥：挂；缠绕。㉕ 刬：削。㉖ 开府仪同三司：北齐制，开府仪同三司从一品，下句仪同三司第二品。㉗ 二千石郎：官名，掌畿外得失等事。㉘ 簿录：指没收斛律光家财，登记造册。㉙ 都省：即尚书都省。《隋书》卷二十六《百官志》上载：北齐制，录、令、仆射总理六尚书事，谓之都省。㉚ 宴射：聚宴习射。古代射礼之一。㉛ 矟：同"槊"，矛之类的兵器。㉜ 厉声：声色俱厉。㉝ 枣杖：枣木杖。枣木坚而细密，可以做杖。㉞ 下声：低声。㉟ 郎中：指二千石郎邢祖信。㊱ 尤：责怪。㊲ 独孤永业（？至公元五八〇年）：本姓刘。仕北齐，官至洛州道行台仆射、洛州刺史，封临川王。传见《北齐书》卷四十一、《北史》卷五十三。㊳ 定州：州名，治所安喜县，在今河北定州。㊴ 衷甲：衣服里穿有铠甲。㊵ 敕使：奉敕使者，至唐率称宦者。㊶ 使三百兵：指准许其私人役使三百名兵士。㊷ 大赦：周主庆幸斛律光父子之死，故大赦天下。㊸ 领军：官名，主管禁卫军，设有领军府。㊹ 孝徵：祖珽字孝徵。㊺ 交结：互相勾结。㊻ 弱颜：脸皮薄，见人则羞怯。㊼ 朋党：为私利而勾结同类、排除异己的宗派集团。㊽ 郑州：州名，治所颍阴县，在今河南许昌。㊾ 机衡：比喻政权的枢要机关，一般特指机密事务与铨选。㊿ 外兵：北齐制，尚书郎有中兵、外兵，各分左、右，左外兵掌河南及潼关以东诸州，右外兵掌河北及潼关以西诸州丁帐及发召征兵等事。(51) 中要人：指宦官中的亲要者。

【校记】

[3] 边境消息：原无此四字。据章钰校，十二行本、乙十一行本、孔天胤本皆有此四字，张敦仁《通鉴刊本识误》同，今据补。〖按〗《北齐书·祖珽传》《北史·祖莹传附祖

【原文】

秋，七月，遣使如周。

八月庚午[152]，齐废皇后斛律氏为庶人[153]。以任城王湝为右丞相，冯翊王润为太尉，兰陵王长恭为大司马，广宁王孝珩为大将军，安德王延宗为大司徒。

齐使领军封辅相[154]聘于周。

辛未[155]，周使司城中大夫杜杲来聘。上谓之曰："若欲合从[156]图齐，宜以樊、邓[157]见与。"对曰："合从图齐，岂弊邑[158]之利？必须城镇，宜待得之于齐，先索汉南[159]，使臣不敢闻命。"

初，齐胡太后自愧失德，欲求悦[160]于齐主，乃饰其兄长仁之女置宫中，令帝见之，帝果悦，纳为昭仪[161]。及斛律后废，陆令萱欲立穆夫人[162]，太后欲立胡昭仪，力不能遂，乃卑辞厚礼以求令萱，结为姊妹。令萱亦以胡昭仪宠幸方隆，不得已，与祖珽白帝立之。戊子[163]，立皇后胡氏。

己丑[164]，齐以北平王仁坚[165]为尚书令，特进许季良为左仆射，彭城王宝德[166]为右仆射。

癸巳[167]，齐主如晋阳。

九月庚子朔[168]，日有食之。

辛亥[169]，大赦。

冬，十月庚午[170]，周诏："江陵所虏充官口[171]者，悉免为民。"

辛未[172]，周遣小匠师杨勰等来聘。

周绥德公陆通[173]卒。

乙酉[174]，上享太庙[175]。

珽传》皆有此四字。[4]奴僮：原作“僮奴”。据章钰校，十二行本、乙十一行本、孔天胤本二字皆互乙，今据改。〖按〗《北齐书·斛律金传附斛律光传》《北史·斛律金传附斛律光传》皆作“奴僮”。[5]谋：原作“欲”。据章钰校，十二行本、乙十一行本、孔天胤本皆作“谋”，今据改。

【语译】

秋，七月，陈宣帝派使臣前往北周。

八月初一日庚午，北齐废斛律皇后为庶人。任命任城王高湝为右丞相，冯翊王高润为太尉，兰陵王高长恭为大司马，广宁王高孝珩为大将军，安德王高延宗为大司徒。

北齐派领军封辅相到北周通问修好。

八月初二日辛未，北周派司城中大夫杜杲到陈朝来通问修好。陈宣帝对他说：“如果要联合攻打齐国，应当把樊城、邓县让给陈朝。”杜杲回答说：“联合攻打齐国，难道只是对我国有利？如果一定要有城镇的回报，那也应当等从齐国手里夺得之后，事先就索要汉南地区，我作为使臣可不敢领受这个要求。”

当初，北齐胡太后因为自己不守贞节而感到羞愧，想求得北齐国主高纬的欢心，就把自己哥哥胡长仁的女儿打扮一番后安置在宫中，让高纬看见，高纬果然很喜欢，纳入后宫成为昭仪。等到斛律皇后被废，陆令萱想立穆夫人为皇后，胡太后想立胡昭仪为皇后，但力不从心，于是就言辞谦恭地去求陆令萱，送上厚礼，表示愿结为姐妹。陆令萱也因为胡昭仪受皇上宠幸正隆，不得已而与祖珽一同向皇上高纬建议立胡昭仪为皇后。八月十九日戊子，正式册立胡昭仪为皇后。

八月二十日己丑，北齐任命北平王高仁坚为尚书令，特进许季良为左仆射，彭城王高宝德为右仆射。

二十四日癸巳，北齐国主前往晋阳。

九月初一日庚子，发生日食。

十二日辛亥，陈朝大赦天下。

冬，十月初二日庚午，北周下诏：“先前攻陷江陵被俘虏而发配为官府奴婢的，全部释放为平民。”

十月初三日辛未，北周派小匠师杨勰等到陈朝来通问修好。

北周绥德公陆通去世。

十七日乙酉，陈宣帝到太庙祭祀祖先。

齐陆令萱欲立穆昭仪为皇后，每[6]私谓齐主曰："岂有男为皇太子而身为婢妾者乎[7]？"胡后有宠于帝，不可离间，令萱乃使人行厌蛊之术⑰⑥，旬朔⑰⑦之间，胡后精神恍惚⑰⑧，言笑无恒⑰⑨，帝渐畏而恶之。令萱一旦忽以皇后服御衣被⑱⓪穆[8]昭仪，又别造宝帐⑱①，爰⑱②及枕席器玩，莫非珍奇。坐昭仪于帐中，谓帝曰："有一圣女⑱③出，将大家⑱④看之。"及见昭仪，令萱乃曰："如此人不作皇后，遣何物人作？"帝纳其言。

甲午⑱⑤，立穆氏为右皇后⑱⑥，以胡氏为左皇后。

十一月庚戌⑱⑦，周主行如羌桥⑱⑧，集长安以东诸军都督以上，颁赐有差。乙卯⑱⑨，还宫。以赵公招⑲⓪为大司马。壬申⑲①，周主如斜谷，集长安已西诸军[9]都督已上，颁赐有差。丙戌⑲②，还宫。

庚寅⑲③，周主游道会苑，以上善殿壮丽，焚之。

十二月辛巳⑲④，周主祀南郊。

齐胡后之立，非陆令萱意，令萱一旦于太后前作色⑲⑤而言曰："何物⑲⑥亲侄？作如此语！"太后问其故，令萱曰："不可道。"固问之，乃曰："语大家云：'太后行多非法，不可以训。'"太后大怒，呼后出，立剃其发，送还家。辛丑⑲⑦，废胡后为庶人。然齐主犹思之，每⑲⑧致物以通意。

自是令萱与其子侍中穆提婆势倾内外，卖官鬻狱，聚敛⑲⑨无厌。每一赐与，动倾府藏⑳⓪。令萱则自太后以下，皆受其指麾⑳①。提婆则唐邕之徒，皆重足⑳②屏气⑳③。杀生⑳④予夺，唯意所欲。

乙巳⑳⑤，周以柱国田弘⑳⑥为大司空。

乙卯⑳⑦，周主享太庙。

是岁，突厥木杆可汗卒，复舍其子大逻便而立其弟，是为佗钵可汗⑳⑧。佗钵以摄图⑳⑨为尔伏可汗，统其东面；又以其弟褥但可汗之子为步离可汗，居西面。周人与之和亲，岁给缯㉑⓪絮锦彩㉑①十万段。突厥在长安者，衣锦食肉，常以千数。齐人亦畏其为寇，争厚赂之。佗钵益骄，谓其下曰："但使我在南两儿㉑②常孝，何忧于贫？"

北齐陆令萱想立穆昭仪为皇后，常私下对北齐国主高纬说："哪有儿子当了皇太子而母亲自己还是婢妾的道理？"胡皇后受到高纬宠爱，无法离间，陆令萱就派人施行咒人的巫术。不过十来天个把月的时间，胡皇后精神恍惚，言笑无常，皇上高纬逐渐害怕而对她心生厌恶。有一天陆令萱突然用胡皇后的衣饰披在穆昭仪身上，又另外置办了华丽的帐子，以及一整套床上用品和供赏玩的器物，都是珍奇之品。陆令萱让穆昭仪坐在宝帐中，对皇上高纬说："一位有圣德的女子出现了，请陛下去看一看。"等到高纬见到了穆昭仪，陆令萱说："这样的人不做皇后，还让什么人做皇后呢？"皇上听进了陆令萱的话。

十月二十六日甲午，北齐册立穆昭仪为右皇后，让胡昭仪做左皇后。

十一月十二日庚戌，北周国主宇文邕前往羌桥，召集长安以东各军都督以上官员，按等级给予不同赏赐。十七日乙卯，回到长安宫中。任命赵国公宇文招为大司马。壬申日，北周国主宇文邕前往斜谷，召集长安以西各军都督以上官员，按等级给予不同赏赐。十二月十八日丙戌，回到长安宫中。

十二月二十二日庚寅，北周国主宇文邕到道会苑游玩，看到上善殿过于壮丽，下令烧毁。

十二月辛巳日，北周国主宇文邕在南郊祭天。

北齐册立胡皇后，不是陆令萱的本意，陆令萱有一天在胡太后面前显出一副生气的脸色说："这个亲侄女是什么样的人？竟说出这种话来！"胡太后问其中的缘故，陆令萱说："不能说。"胡太后一再问，陆令萱才说："胡皇后对皇上说：'太后行为大多不规矩，不足为训。'"胡太后大怒，把胡皇后叫出来，立即剃了她的头发，送她回家。辛丑日，废胡皇后为庶人。但是北齐国主高纬依然思念她，常常送东西给她以表达心意。

从此，陆令萱和她的儿子侍中穆提婆权势压倒朝廷内外，他们收受财物卖官枉法，聚敛没有满足的时候。皇上每次对他们赏赐，差不多要搬空府库。在宫内，胡太后以下的人都得接受陆令萱的指使安排。在朝堂上，连尚书令唐邕这类人都对穆提婆心生畏惧，不敢出大气。生杀予夺，全凭他们母子的心意。

闰十二月初八日乙巳，北周任命柱国田弘为大司空。

十八日乙卯，北周国主宇文邕到太庙祭祀祖先。

这一年，突厥木杆可汗去世，不立他的儿子大逻便而立他的弟弟，这就是佗钵可汗。佗钵任命摄图为尔伏可汗，统领东部突厥；又任命他的弟弟褥但可汗的儿子为步离可汗，统领西部突厥。北周与佗钵可汗和亲，每年送其十万段丝绸锦缎。住在长安的突厥人，穿着锦绣衣裳，吃着粱肉，经常有上千人。北齐也害怕突厥侵犯，争着送厚礼给突厥。佗钵可汗更加骄横，对他的臣下说："只要我在南边的两个儿子经常孝顺我，哪里还用担心贫困呢？"

阿史那后[213]无宠于周主，神武公窦毅[214]尚襄阳公主，生女尚幼，密言于帝曰："今齐、陈鼎峙[215]，突厥方强，愿舅抑情慰抚，以生民[216]为念！"帝深纳之。

【段旨】

以上为第三段，写北周武帝宇文邕，对内循抚军人，对外联络陈国和突厥，志在吞齐；而北齐国主高纬仍内惑于女宠，荒怠政事。

【注释】

⑫庚午：八月初一日。⑬庶人：指无官爵的平民百姓。⑭封辅相：历仕北齐、北周，官至朔州总管。传附《北齐书》卷十九《张保洛传》、《北史》卷五十三《张保洛传》。⑮辛未：八月初二日。⑯合从：指北周与陈朝南北联合攻齐。⑰樊、邓：皆地名。樊指樊城，在今湖北襄阳。邓指邓城，在今湖北襄阳西北。⑱弊邑：指北周，杜杲谦称。⑲汉南：泛指今汉水以南地区。樊、邓二地大致在汉水以南。⑳求悦：取得欢心。㉑昭仪：宫中女官名，地位仅次于皇后。㉒穆夫人：名邪利，北齐后主先立为夫人，后立为皇后。传见《北齐书》卷九、《北史》卷十四。㉓戊子：八月十九日。㉔己丑：八月二十日。㉕北平王仁坚：即北平王高贞，字仁坚，武成帝第七子，官至尚书令、录尚书事，封北平王。传见《北齐书》卷十二、《北史》卷五十二下。㉖彭城王宝德：北齐彭城景思王高浟之子，嗣爵，官至尚书左仆射。传附《北史》卷五十一《彭城王浟传》。㉗癸巳：八月二十四日。㉘庚子朔：九月初一日。㉙辛亥：九月十二日。㉚庚午：十月初二日。㉛官口：奴婢。㉜辛未：十月初三日。㉝陆通（？至公元五七二年）：历仕北魏、北周，官至大司寇，封绥德郡公。传见《周书》卷三十二、《北史》卷六十九。㉞乙酉：十月十七日。㉟享太庙：《隋书》卷七《礼仪志》二载，陈立七庙，每年五祀，谓春、夏、秋、冬、腊。每祭，供以一太牢，始祖以三牲首，余唯骨体而已。㊱厌蛊之术：古代用诅咒等邪术加害他人的方法。㊲旬朔：十天或一月。㊳恍惚：神志不清。㊴无恒：无常。㊵被：同"披"。㊶宝帐：华美的帐子。㊷爰：语首助词，无实义。㊸圣女：圣德的女子。㊹大家：宫中近臣或后妃对皇帝的称呼。㊺甲午：十月二十六日。㊻右皇后：北齐后主同时立皇后二人，分为左、右。㊼庚戌：十一月十二日。㊽羌桥：地名，在今陕西西安西北汉长安城东。以苻氏、姚氏诸羌而得名。㊾乙卯：十一月十七日。㊿赵公招：即宇文招（？至公元五八〇年），宇文泰之子，官至太师。封赵国公，后晋爵为王。事见《周书》卷十三、《北史》卷五十八。[191]壬申：十一月己亥朔，无壬申。〖按〗《周书》卷五《武帝纪》上，"壬

阿史那皇后得不到北周国主宇文邕的宠爱，神武公窦毅娶襄阳公主为妻，生了一个女儿还幼小。这个小女儿偷偷地对周武帝说："如今齐、陈两国和我国三足鼎立对峙，突厥势力正强，希望舅舅抑制个人感情，对阿史那舅妈多加抚慰，以国家百姓为念！"周武帝认为她说得很对，应该接受。

申"在十二月，《北史》同。《通鉴》误将十二月事记入十一月。壬申，十二月四日。"壬申"前应补"十二月"三字。⑲²丙戌：十二月十八日。⑲³庚寅：十二月二十二日。⑲⁴十二月辛巳：《周书》卷五《武帝纪》作"正月辛丑，祀南郊"，《北史》同。"辛巳"应作"辛丑"。辛丑，陈历闰十二月四日。"十二月"前应加"闰"字。陈朝闰十二月，恰为周一月，二者相符。⑲⁵作色：改变脸色，指生气。⑲⁶何物：什么东西。⑲⁷辛丑：十二月己巳朔，无辛丑。〖按〗《北齐书》卷八《后主纪》作"十二月辛丑"，《北史》同。此辛丑亦为闰十二月四日。⑲⁸每：常常。⑲⁹聚敛：搜刮财物。⑳⁰府藏：官府储存货物之所。⑳¹指麾：指挥。麾，旌旗之类，作指挥用。⑳²重足：叠足而立，甚为惧怕，不敢稍有移动。⑳³屏气：抑制呼吸，不敢出声，形容恭谨畏惧的神态。⑳⁴杀生：或杀或生。⑳⁵乙巳：闰十二月八日。⑳⁶田弘（？至公元五七四年）：历仕西魏、北周，官至大司空。传见《周书》卷二十七、《北史》卷六十五。⑳⁷乙卯：闰十二月十八日。⑳⁸佗钵可汗：或作他钵可汗。突厥人，木杆可汗弟，公元五七二年继木杆可汗立为突厥可汗。事见《周书》卷五十《突厥传》、《隋书》卷八十四《突厥传》、《北史》卷九十九《突厥传》。⑳⁹摄图：突厥乙息记可汗之子，佗钵立为尔伏可汗。又号沙钵略。事见《隋书》卷八十四《突厥传》、《北史》卷九十九《突厥传》。㉑⁰缯：丝织物的总称，古谓之帛。㉑¹彩：彩色丝织物。㉑²在南两儿：戏指周、齐二主。㉑³阿史那后：来自突厥，周武帝皇后。㉑⁴窦毅（公元五一九至五八二年）：字天武，历仕西魏、北周与隋，官至大司马，封神武郡公。传见《周书》卷三十、《北史》卷六十一。㉑⁵鼎峙：时北齐、周与陈三国鼎足而立。㉑⁶生民：人民。

【校记】

［6］每：原无此字。据章钰校，十二行本、乙十一行本、孔天胤本皆有此字，今据补。〖按〗《北史·恩幸·穆提婆传附陆令萱传》、《通鉴纪事本末》卷二五皆有此字。［7］乎：原无此字。据章钰校，十二行本、乙十一行本、孔天胤本皆有此字，今据补。［8］穆：原无此字。据章钰校，十二行本、乙十一行本、孔天胤本皆有此字，张敦仁《通鉴刊本识误》同，今据补。〖按〗《北史·恩幸·穆提婆传附陆令萱传》《通鉴纪事本末》卷二五皆有此字。［9］诸军：原无此二字。据章钰校，十二行本、乙十一行本、孔天胤本皆有此二字，今据补。〖按〗《周书·武帝纪上》《北史·高祖武帝纪》皆有此二字。

【原文】

五年（癸巳，公元五七三年）

春，正月癸酉[217]，以吏部尚书沈君理[218]为右仆射。

戊寅[219]，齐以并省尚书令高阿那肱[220]录尚书事，总知外兵及内省机密，与侍中城阳王穆提婆、领军大将军昌黎王韩长鸾共处衡轴[221]，号曰“三贵”，蠹国[222]害民，日月滋甚[223]。

长鸾弟万岁，子宝行、宝信，并开府仪同三司，万岁仍兼侍中，宝行、宝信皆尚公主。每群臣旦参[224]，帝常先引长鸾顾访[225]，出后，方引奏事官[226]。若不视事，内省有急事[10]，皆附长鸾奏闻，军国要密，无不经手。尤疾士人，朝夕宴私，唯事谮诉[227]。常带刀走马，未尝安行，瞋目[228]张拳，有啖人之势。朝士咨事[229]，莫敢仰视，动致呵叱。每骂云：“汉狗[230]大不可耐[231]，唯须杀之！”

庚辰[232]，齐遣崔象来聘。

辛巳[233]，上祀[11]南郊。甲午[234]，享太庙。二月辛丑[235]，祀明堂[236]。

乙巳[237]，齐立右皇后穆氏为皇后。穆后母名轻霄，本穆氏之婢也，面[12]有黥字[238]。后既以陆令萱为母，穆提婆为外家[239]，号令萱曰“太姬”。太姬者，齐皇后母号也，视一品，班在长公主上[240]。由是不复问轻霄。轻霄自疗面，欲求见后，太姬使禁掌之，竟不得见。

齐主颇好文学。丙午[241]，祖珽奏置文林馆[242]，多引文学之士以充之，谓之待诏[243]。以中书侍郎博陵李德林[244]、黄门侍郎琅邪颜之推[245]同判馆事，又命共撰《修文殿御览》[246]。

甲寅[247]，周太子赟巡省西土。

乙卯[248]，齐以北平王坚[249]录尚书事。丁巳[250]，齐主如晋阳。

壬戌[251]，周遣司会[252]侯莫陈凯[253]等聘于齐。

庚辰[254]，齐主还邺。

三月己卯[255]，周太子于岐州[256]获二白鹿以献，周主诏曰：“在德不在瑞。”

帝谋伐齐，公卿各有异同，唯镇前将军[257]吴明彻决策请行。帝

【语译】

五年（癸巳，公元五七三年）

春，正月初六日癸酉，陈朝任命吏部尚书沈君理为右仆射。

十一日戊寅，北齐任命并省尚书令高阿那肱录尚书事，总管外兵及内省机密，与侍中城阳王穆提婆、领军大将军昌黎王韩长鸾一起身居中枢要职，号称“三贵”，祸国殃民，日盛一日。

韩长鸾的弟弟韩万岁，儿子韩宝行、韩宝信，都官封开府仪同三司，韩万岁还兼任侍中，韩宝行、韩宝信都娶公主为妻。每逢群臣清早朝参，皇上高纬经常先宣召韩长鸾问询，等韩长鸾离开后，才宣召主管进奏事宜的官员入内。高纬如果不临朝，内省又有紧急的事，则都由韩长鸾附带上奏。军国机密大事，他无不经手。韩长鸾特别厌恶士人，他早晚闲居之时，只知道对士人诋毁攻讦。他经常带着刀跑马，从不曾缓步慢行，瞪着眼睛，张牙舞爪，摆出要吃人的架势。朝中人士与他商量事情，没人敢抬头看他，动辄受他呵斥。他经常骂道：“汉狗无法让人忍受，只该杀了他们！”

正月十三日庚辰，北齐派崔象到陈朝来通问修好。

十四日辛巳，陈宣帝到南郊祭天。二十七日甲午，到太庙祭祀祖先。二月初五日辛丑，举行明堂的祭典。

二月初九日乙巳，北齐册立右皇后穆氏为皇后。穆皇后母亲名叫轻霄，原本是穆氏家的奴婢，脸上有被刺的字。穆皇后既然认陆令萱为养母，就把穆提婆当作娘家人，称陆令萱为“太姬”。太姬是北齐皇后母亲的称号，地位等同一品，等级在长公主之上。从此穆皇后不再理生母穆轻霄。穆轻霄自己医好脸上的疤痕，想求见穆皇后，太姬叫禁卫打她的耳光，结果没能见面。

北齐国主高纬十分爱好文学。二月初十日丙午，祖珽上奏请求设立文林馆，多多延揽文学之士来充实它，称这些人为待诏。任命中书侍郎博陵人李德林和黄门侍郎琅邪人颜之推一同署理馆中事务，又命令馆内文学之士共同修撰《修文殿御览》。

二月十八日甲寅，北周皇太子宇文赟巡视西部疆土。

十九日乙卯，北齐任命北平王高仁坚录尚书事。二十一日丁巳，北齐国主高纬前往晋阳。

二十六日壬戌，北周派司会侯莫陈凯等到北齐通问修好。

庚辰日，北齐国主高纬回到邺城。

三月十三日己卯，北周皇太子宇文赟在岐州猎获了两只白鹿献给朝廷，北周国主宇文邕下诏说：“治理国家在于有德，不在于祥瑞。”

陈宣帝打算讨伐北齐，公卿大臣有的赞同有的反对，只有镇前将军吴明彻坚决

谓公卿曰："朕意已决，卿可共举元帅。"众议以中权将军[258]淳于量位重[259]，共署推之。尚书左仆射徐陵独曰："吴明彻家在淮左[260]，悉彼风俗，将略人才，当今亦无过者。"都官尚书[261]河东裴忌[262]曰："臣同徐仆射。"陵应声曰："非但明彻良将，裴忌即良副也。"壬午[263]，分命众军，以明彻都督征讨诸军事，忌监军事，统众十万伐齐。明彻出秦郡[264]，都督黄法氍出历阳[265]。

夏，四月己亥[266]，周主享太庙。

癸卯[267]，前巴州[268]刺史鲁广达[269]与齐师战于大岘[270]，破之。

戊申[271]，齐以兰陵王长恭为太保，南阳王绰为大司马，安德王延宗为太尉，武兴王普为司徒，开府仪同三司宜阳王赵彦深为司空。

齐人于秦郡置秦州，州前江浦通涂水[272]，齐人以大木为栅于水中。辛亥[273]，吴明彻遣豫章[274]内史程文季[275]将骁勇拔其栅，克之。文季，灵洗之子也。

齐人议御陈师，开府仪同三司王纮[276]曰："官军比屡失利，人情骚动。若复出顿江、淮，恐北狄[277]、西寇[278]，乘弊而来，则世事去矣[13]。莫若薄赋省徭，息民养士，使朝廷协[14]睦，遐迩[279]归心。天下皆当肃清[280]，岂直陈氏而已？"不从。遣军救历阳。庚申[281]，黄法氍击破之。又遣开府仪同三司尉破胡、长孙洪略救秦州。

赵彦深私问计于秘书监[282]源文宗[283]曰："吴贼[284]侏张[285]，遂至于此。弟往为秦、泾[286]刺史，悉江、淮间情事，今何术以御之？"文宗曰："朝廷精兵，必不肯多付诸将，数千已下，适足为吴人之饵。尉破胡人品，王[287]之所知，败绩[288]之事，匪朝伊夕[289]。国家待遇淮南[290]，失之同于蒿箭[291]。如文宗计者，不过专委王琳，招募淮南三四万人，风俗相通，能得死力。兼令旧将将兵屯于淮北[292]，足以固守[15]。且琳之于顼[293]，必不肯北面事之，明矣。窃谓[294]此计之上者。若不推赤心[295]于琳，更遣余人掣肘[296]，复成速祸，弥[297]不可为。"彦深叹曰："弟此策诚足制胜千里，但口舌争之十日，已不见从[298]。时事至此，安可尽言？"因相顾流涕。文宗名彪，以字行，子恭之子也。

文宗子师[299]为左外兵郎中[300]，摄祠部[301]，尝白高阿那肱："龙见当

请求领兵北伐。陈宣帝对公卿大臣说："朕的主意已定，你们可以共同推举一位元帅。"大家商议认为中权将军淳于量地位高，就共同署名推举他。唯独尚书左仆射徐陵说："吴明彻家在淮南，熟悉那里的风土人情，个人的将略才干，当今也没有人能超过他。"都官尚书河东人裴忌说："臣赞同徐仆射的看法。"徐陵随声说："不但吴明彻是良将，裴忌也是一位很好的副手。"三月十六日壬午，陈宣帝向各路兵马下达命令，任命吴明彻为都督征讨诸军事，裴忌为监军事，统领十万大军讨伐北齐。吴明彻指向秦郡，都督黄法𣰰指向历阳。

夏，四月初四日己亥，北周国主宇文邕到太庙祭祀祖先。

初八日癸卯，前巴州刺史鲁广达与北齐军队在大岘交战，打败了北齐军。

十三日戊申，北齐任命兰陵王高长恭为太保，南阳王高绰为大司马，安德王高延宗为太尉，武兴王高普为司徒，开府仪同三司宜阳王赵彦深为司空。

北齐在秦郡设置秦州，州城前的江浦直通涂水，北齐军队用大木料在水中设置了栅栏。四月十六日辛亥，吴明彻派豫章内史程文季率领勇猛之士拔掉栅栏，打败了北齐军队。程文季是程灵洗的儿子。

北齐群臣商议抵御陈朝军队的事，开府仪同三司王纮说："官军近来屡屡失利，人心骚动。如果又出兵屯驻江淮，恐怕北狄突厥、西寇周师乘虚而来，就会大事不妙。不如减轻赋税，减省劳役，让平民士人得以休养生息，使朝廷上下和睦，远近的人都诚心前来归附。那么天下都会安定太平，岂止是陈朝而已？"皇上没有听从。派兵救援历阳。四月二十五日庚申，黄法𣰰打败了北齐军队。北齐又派开府仪同三司尉破胡、长孙洪略率军救援秦州。

赵彦深私下向秘书监源文宗询问计策办法，说："陈朝敌寇嚣张，竟至如此地步。弟先前出任秦州、泾州刺史，熟悉江淮间的情况，如今用什么办法来抵御陈朝呢？"源文宗说："朝廷的精兵，一定不肯多调拨给南征的诸将，只派几千人，正好成为陈军的饵食。尉破胡的人品，是你宜阳王所知道的，他统率的军队遭遇大败，只是早晚间的事。皇上对待淮南，失去它如同丢弃蒿箭一样。按我源文宗的应对办法，只须专任王琳，由他去招募三四万淮南人，因为风俗习惯相通，这些人能替王琳拼死效力。同时命令以前的将领率军屯驻在淮北，足以固守。况且王琳对于陈顼，是绝对不肯俯首称臣的，这是十分明显的。我私下认为这是上策。如果对王琳不推诚相待，另派其他人牵制他，则只会招来祸患，淮南的战事更没有什么前途了。"赵彦深感叹说："弟的这一办法确实足以决胜千里，但我费尽口舌争论了十天，仍然没有被采纳。当今的事情已到了这个地步，哪里还能尽情直言呢？"于是两人相视流泪。源文宗，名彪，用字号行世，是源子恭的儿子。

源文宗的儿子源师任左外兵郎中，兼任祠部郎中，曾经对高阿那肱说："龙出现

雩[302]。”阿那肱惊曰：“何处龙见？其色如何？”师曰：“龙星[303]初见，礼当雩祭，非真龙也。”阿那肱怒曰：“汉儿多事，强知星宿[304]！”遂不祭。师出，窃叹曰：“礼既废矣，齐能久乎？”

齐师选长大有膂力者为前队，号[16]苍头、犀角、大力[305]，其锋甚锐。又有西域胡，善射，弦无虚发[306]，众军尤惮之。辛酉[307]，战于吕梁[308]。将战，吴明彻谓巴山太守萧摩诃曰：“若殪[309]此胡，则彼军夺气[310]，君才不减关羽矣。”摩诃曰：“愿示其状，当为公取之。”明彻乃召降人有识胡者，使指示之，自酌酒以饮摩诃。摩诃饮毕，驰马冲齐军。胡挺身出陈[311]前十余步，彀弓未发[312]，摩诃遥掷铣𫓶[313]，正中其额，应手而仆。齐军大力十余人出战，摩诃又斩之。于是齐军大败，尉破胡走，长孙洪略战死。

破胡之出师也，齐人使侍中王琳与之俱[314]。琳谓破胡曰：“吴兵甚锐，宜以长策[315]制之，慎勿轻斗！”破胡不从而败。琳单骑仅免，还，至彭城[316]，齐人即使之赴寿阳[317]召募以拒陈师，复以卢潜[318]为扬州道[319]行台尚书。

甲子[320]，南谯[321]太守徐槾克石梁城。五月己巳[322]，瓦梁城[323]降。癸酉[324]，阳平郡[325]降。甲戌[326]，徐槾克庐江城[327]。历阳窘蹙[328]乞降，黄法𣰰缓之，则又拒守。法𣰰怒，帅卒急攻。丙子[329]，克之，尽杀戍卒。进军合肥[330]。合肥望旗请降，法𣰰禁侵掠，抚劳[331]戍卒，与之盟而纵之。

丁丑[332]，周以柱国侯莫陈琼[333]为大宗伯，荥阳公司马消难为大司寇，江陵总管[334]陆腾为大司空。琼，崇之弟也。

己卯[335]，齐北高唐郡[336]降。辛巳[337]，诏南豫州[338]刺史黄法𣰰徙镇历阳。乙酉[339]，南齐昌太守黄咏克齐昌[340]外城。丙戌[341]，庐陵[342]内史任忠[343]军于东关[344]，克其东、西二城，进克蕲城[345]。戊子[346]，又克谯郡城[347]。秦州城降。癸巳[348]，瓜步、胡墅[349]二城降。帝以秦郡，吴明彻之乡里，诏具太牢[350]，令拜祠上冢[351]，文武羽仪[352]甚盛，乡人荣之。

了，应当举行求雨的祭祀。”高阿那肱惊问：“龙在什么地方出现了？是什么颜色？”源师说：“是龙星刚刚出现，按照礼制应当举行求雨的祭祀，并非真龙出现。”高阿那肱大怒说：“汉儿多事，对星宿不懂装懂！”于是不去举行祭祀。源师告退走出，私下感叹说：“礼制都不要了，齐国还能长久吗？”

北齐军队挑选高大有体力的人为先锋，号称苍头、犀角、大力队，攻击力很强。军队中还有西域胡兵，善于射箭，百发百中，陈朝各支部队对他们尤其害怕。四月二十六日辛酉，两军将要在吕梁交战。开战前，吴明彻对巴山太守萧摩诃说：“如果你能一下子杀死胡兵，那么敌军就会丧失勇气，你的才能就不亚于关羽了。”萧摩诃说：“希望告诉我胡兵的相貌，我一定替你消灭他们。”吴明彻于是召来认识胡兵的北齐降兵，让他指点给萧摩诃看，又亲自斟酒请萧摩诃喝，萧摩诃喝完酒，策马冲向北齐军阵。胡兵挺身出阵向前十余步，拉满弓还没来得及射出箭，萧摩诃远远地掷出小铁矛正中胡兵的额头，胡兵应声仆倒。北齐军大力分队的十几个人冲出来交战，又被萧摩诃斩杀，于是北齐兵大败，尉破胡逃走，长孙洪略战死。

尉破胡出兵的时候，北齐派侍中王琳和他同行。王琳对尉破胡说：“陈朝军队气势很盛，应当用好的计谋来取胜，千万小心，不要轻率出战！”尉破胡不听而大败。王琳单骑逃脱，回到彭城，北齐立即派他到寿阳招募士兵来抵御陈朝军队，又任命卢潜为扬州道行台尚书。

四月二十九日甲子，南谯郡太守徐槾攻占石梁城。五月初四日己巳，瓦梁城投降陈军。初八日癸酉，阳平郡投降陈军。初九日甲戌，徐槾攻占庐江城。历阳陷入困境，要求投降。黄法氍减缓了攻势，不料历阳又重新抵抗坚守起来，黄法氍大怒，率兵加紧攻击。十一日丙子，攻占了历阳城，杀死全部守城的北齐兵。接着，黄法氍进军合肥。合肥守军望见陈军旗帜就请求投降，黄法氍禁止士兵侵犯抢掠，安抚北齐的守城士兵，同他们盟誓以后释放了他们。

五月十二日丁丑，北周任命柱国侯莫陈琼为大宗伯，荥阳公司马消难为大司寇，江陵总管陆腾为大司空。侯莫陈琼是侯莫陈崇的弟弟。

十四日己卯，北齐北高唐郡投降陈军。十六日辛巳，陈宣帝下诏命南豫州刺史黄法氍徙镇历阳。二十日乙酉，南齐昌郡太守黄咏攻占了北齐齐昌郡城的外城。二十一日丙戌，庐陵郡内史任忠率军抵达东关，攻占了东、西两城，又进军攻占了蕲城。二十三日戊子，又攻占了谯郡城。北齐秦州城投降。二十八日癸巳，瓜步、胡墅两城投降。陈宣帝认为秦郡是吴明彻的家乡，下诏备办猪牛羊齐备的祭品，让吴明彻去拜祭祖坟，文武羽仪非常隆盛，乡亲们感到十分荣耀。

【段旨】

以上为第四段，写陈宣帝大举北伐北齐，初战告捷。

【注释】

㉑⑦癸酉：正月初六日。㉑⑧沈君理（公元五二五至五七三年）：字仲伦，吴兴（今浙江湖州）人，仕陈，官至尚书右仆射。传见《陈书》卷二十三、《南史》卷六十八。㉑⑨戊寅：正月十一日。㉒⓪高阿那肱：仕北齐，官至并省尚书令、录尚书事，封淮阴王。齐亡，降北周。传见《北齐书》卷五十、《北史》卷九十二。㉒①衡轴：喻国家枢纽要害。衡，车辕前架在牛、马颈上的横木。轴，车轴。衡与轴皆为车前行的关键。㉒②蠹国：祸害国家。㉒③滋甚：日益严重。㉒④参：朝参。㉒⑤顾访：犹垂访、询问。㉒⑥奏事官：官名，主管向皇上进奏章事宜。㉒⑦谮诉：谗毁攻讦；讲别人的坏话。㉒⑧瞋目：怒目。瞋，睁大眼睛，发怒的样子。㉒⑨咨事：商量事情。㉓⓪汉狗：对汉人的贱称。㉓①耐：忍受。㉓②庚辰：正月十三日。㉓③辛巳：正月十四日。㉓④甲午：正月二十七日。㉓⑤辛丑：二月初五日。㉓⑥明堂：古代帝王宣明政教的地方，凡朝会、祭祀、庆赏、养老、教学等大典，均在此举行。㉓⑦乙巳：二月初九日。㉓⑧面有黥字：轻霄原本是穆子伦婢女，转入宋钦道家，宋钦道与轻霄通奸而生穆后，宋钦道之妇嫉妒轻霄，就在轻霄的脸上黥了一个“宋”字。㉓⑨外家：陆令萱为穆提婆母，故称穆提婆为外家。㉔⓪班在长公主上：指太姬陆令萱的品位在长公主之上。班，官位等级。长公主，皇帝的姐姐称长公主。㉔①丙午：二月初十日。㉔②文林馆：官署名，掌著作及校理典籍，兼训生徒，置学士。㉔③待诏：官名，汉代征士，待诏金马门以备顾问，至此，以文林馆学士为待诏。㉔④李德林（公元五四〇至五九〇年）：字公辅，博陵安平（今河北安平）人，历仕北齐、北周与隋朝，历官中书侍郎、怀州刺史等职。有文集五十卷。传见《隋书》卷四十二、《北史》卷七十二。㉔⑤颜之推（公元五三一年至？）：字介，琅邪临沂（今山东临沂北）人，历仕北齐、北周与隋朝，官至黄门侍郎。有文集三十卷，《家训》二十篇，并行于世。传见《梁书》卷五十、《北齐书》卷四十五、《北史》卷八十三。㉔⑥《修文殿御览》：书名，因在修文殿所修，故名。已佚。㉔⑦甲寅：二月十八日。㉔⑧乙卯：二月十九日。㉔⑨北平王坚：齐北平王高贞，字仁坚。“坚”字上逸一“仁”字。本书上年八月，齐以北平王仁坚为尚书令，亦有“仁”字。事见《北齐书》卷十二《武成十二王传》。㉕⓪丁巳：二月二十一日。㉕①壬戌：二月二十六日。㉕②司会：官名，属天官（吏部），主选举。㉕③侯莫陈凯：历仕西魏、北周，官至礼部中大夫。传附《周书》卷十六《侯莫陈崇传》、《北史》卷六十《侯莫陈崇传》。㉕④庚辰：三月十四日。二月丁酉朔，无庚辰。疑庚辰上脱“三月”两字。㉕⑤己卯：三月十三日。㉕⑥岐州：州名，治所雍县，在今陕西凤翔东南义坞堡。㉕⑦镇前将军：梁武帝置八镇将军，东、西、南、北在外，左、右、前、后在内。陈沿梁制。㉕⑧中权将

军：将军名号，梁武帝天监六年（公元五〇七年）置，授予在京师任职者，地位显要，为武职二十四班中的二十三班。㉙淳于量位重：淳于量（公元五一一至五八二年），字思明，世居京师（今江苏南京），历仕梁、陈，官至中军大将军、侍中，封始安郡公。传见《陈书》卷十一、《南史》卷六十六。淳于量所任中权将军班在四征将军、八镇将军之上，所以说淳于量"位重"。㉖淮左：淮南。㉖都官尚书：官名，领都官诸曹，主军事刑狱。㉖裴忌（公元五二二至五九四年）：字无畏，河东闻喜（今山西闻喜）人，历仕梁、陈、隋朝，官至谯州刺史。传见《陈书》卷二十五、《南史》卷五十八。㉖壬午：三月十六日。㉖秦郡：郡名，治所堂邑县，在今江苏南京市六合区北。㉖历阳：郡名，治所历阳县，在今安徽和县。㉖己亥：四月初四日。㉖癸卯：四月初八日。㉖巴州：州名，治巴陵县，在今湖南岳阳。㉖鲁广达（公元五三一至五八九年）：历仕梁、陈，官至侍中、中领军，封绥越郡公。传见《陈书》卷三十一、《南史》卷六十七。㉗大岘：地名，在今安徽和县北。㉗戊申：四月十三日。㉗涂水：即滁水，流经今安徽滁州。㉗辛亥：四月十六日。㉗豫章：郡名，治所南昌县，在今江西南昌。㉗程文季（？至公元五七九年）：字少卿，仕陈，官至安远将军、谯州刺史。传附《陈书》卷十《程灵洗传》、《南史》卷六十七《程灵洗传》。㉗王纮（？至公元五七三年）：字师罗，仕北齐，官至侍中。传见《北齐书》卷二十五、《北史》卷五十五。㉗北狄：指突厥。㉗西寇：指北周。㉗遐迩：远近。㉘肃清：清平。㉘庚申：四月二十五日。㉘秘书监：官名，秘书省长官，掌禁中图书秘记。㉘源文宗（公元五二一至五八六年）：名彪，字文宗，历仕东魏、北齐、北周与隋，官至秘书监。传见《魏书》卷四十一、《北齐书》卷四十三、《北史》卷二十八。㉘吴贼：指陈人。古时称江、浙一带为吴。㉘侏张：嚣张；放肆。㉘秦、泾：二州名，北齐置秦州于秦郡，在今江苏南京市六合区北，置泾州于石梁城，在今安徽天长西北。㉘王：赵彦深封宜阳王，故称之。㉘败绩：军队溃败。㉘匪朝伊夕：不经早晚，言为时甚快。匪，同"非"。伊，语助词。㉙淮南：泛指淮河以南长江以北地区。㉙蒿箭：用蓬蒿做的箭，此喻丢弃淮南不值得可惜。㉙淮北：泛指淮河以北，黄河以南地区。㉙顼：指陈宣帝，宣帝名顼。㉙窃谓：私下认为。㉙推赤心：推心置腹，喻以至诚相待。㉙掣肘：比喻使人做事而故意牵制。掣，拉牵。㉙弥：益；更加。㉙见从：被采纳、听从。见，助动词，表被动。㉙师：源师（？至公元六〇五年），字践言，历仕北齐、北周与隋，官至大理少卿。传见《北齐书》卷四十三、《隋书》卷六十六、《北史》卷二十八。㉚左外兵郎中：官名，隶郎中令，在左外兵中做侍卫。㉚祠部：官署名，祠部郎中主祠祀、享祭。㉚雩：古祈雨之祭祀。㉚龙星：星名，指二十八宿之东方苍龙中角、亢、房、心、尾诸宿。㉚星宿：泛指列星。古人相信"天人相应"说，认为某些星座位置的移动，是人事变化的征兆。㉚苍头、犀角、大力：皆骁勇善战之士。㉚弦无虚发：同"箭无虚发"，拉弦即箭出中的。㉚辛酉：四月二十六日。㉚吕梁：吕梁在彭城（今江苏徐州），而战事发生在秦、泾州，即石梁城（今江苏南京市六合区西）一带，疑“吕梁”当作“石梁”。㉙殪：死，矢一发而死为殪。㉚夺气：慑于声威，丧失胆气。㉛陈：通“阵”。㉜彀弓未发：张满弓弩而未射。㉝铣钡：小铁㮶或锏。㉞与之俱：与破胡同往。㉟长策：犹言良策。㊱彭城：地名，在今江苏徐州。㊲寿阳：地名，在今安徽寿县。㊳卢潜（公元五一八至五七四年）：范阳涿（今河北涿州）人，仕北齐，官至五兵尚书。传见《北齐书》卷四十二、《北史》卷三十。㊴扬州道：政区名，行台治所寿阳，在今安徽寿县。㊵甲子：四月二十九日。㊶南谯：侨郡名，治所涡阳县，在今安徽蒙城。㊷己巳：五月初四日。㊸瓦梁城：地名，在今江苏南京市六合区。㊹癸酉：五月初八日。㊺阳平郡：郡名，治所阳平城，在今江苏淮安市淮阴区西。㊻甲戌：五月初九日。㊼庐江城：地名，在今安徽庐江西南。㊽窘蹙：窘迫困厄。㊾丙子：五月十一日。㊿合肥：地名，即汝阴郡城，在今安徽合肥。[331]抚劳：安抚慰劳。[332]丁丑：五月十二日。[333]侯莫陈琼：历仕西魏、北周，官至大宗伯，加上柱国，封武威郡公。传见《周书》卷十六、《北史》卷六十。[334]总管：武官名，北周由都督所改，都督军事。[335]己卯：五月十四日。[336]北高唐郡：侨郡名，治所宿松县，在今安徽宿松。[337]辛巳：五月十六日。[338]南豫州：侨州名，治所宛陵县，在今安徽宣城。[339]乙酉：五月二十日。[340]齐昌：郡名，治所蕲春县，在今湖北蕲春。[341]丙戌：五月二十一日。[342]庐陵：郡名，治所石阳县，在今江西吉水东北。[343]任忠（公元五一三至五八九年）：仕陈，官至领军将军。传见《陈书》卷三十一、《南史》卷六十七。[344]东关：地名，在今安徽无为东北。[345]蕲城：地名，在今安徽无为西南。[346]戊子：五月二十三日。[347]谯郡城：地名，即南谯郡城，在

【原文】

齐自和士开用事以来，政体隳紊[353]。及祖珽执政，颇收举才望，内外称美。珽复欲增损政务，沙汰人物，官号服章，并依故事[354]。又欲黜诸阉竖[355]及群小辈，为致治之方，陆令萱、穆提婆议颇同异。珽乃讽御史中丞[356]丽伯律，令劾主书[357]王子冲纳赂。知其事连提婆，欲使赃罪相及，望因此并坐及令萱。犹恐齐主溺[358]于近习[359]，欲引后党为援，乃请以胡后兄君瑜为侍中、中领军[360]，又征君瑜兄梁州刺史君璧，欲以为御史中丞。令萱闻而怀怒，百方排毁，出[361]君瑜为金紫光禄大夫[362]，解中领军，君璧还镇梁州。胡后之废，颇亦由此。释王子冲不问。

今安徽蒙城。㊽ 癸巳：五月二十八日。㊾ 瓜步、胡墅：二地名，皆在今江苏南京市六合区，临近长江。㊿ 太牢：在祭祀时，牛、羊、猪三牲具备的供品称为太牢。(351) 上冢：祖坟。(352) 羽仪：仪仗中以羽毛装饰的旌旗之类。

【校记】

［10］事：原作“奏事”。据章钰校，十二行本、乙十一行本、孔天胤本皆无“奏”字，今据删。〖按〗《通鉴纪事本末》卷二五无“奏”字。［11］祀：原作“幸”。据章钰校，十二行本、乙十一行本、孔天胤本皆作“祀”，今据改。［12］面：原作“而”。据章钰校，十二行本、乙十一行本、孔天胤本皆作“面”，熊罗宿《胡刻资治通鉴校字记》同，今据改。［13］则世事去矣：原无此五字。据章钰校，十二行本、乙十一行本、孔天胤本皆有此五字，张敦仁《通鉴刊本识误》同，今据补。〖按〗《北齐书·王纮传》有此五字。［14］协：原作“辑”。据章钰校，十二行本、乙十一行本、孔天胤本皆作“协”，今据改。［15］足以固守：原无此四字。据章钰校，十二行本、乙十一行本、孔天胤本皆有此四字，张敦仁《通鉴刊本识误》同，今据补。〖按〗《通鉴纪事本末》卷二四有此四字。［16］号：原作“又有”。据章钰校，十二行本、乙十一行本、孔天胤本皆作“号”，张敦仁《通鉴刊本识误》同，今据改。〖按〗《通鉴纪事本末》卷二四、《通鉴纲目》卷三五皆作“号”。

【语译】

北齐自和士开当权以来，朝政体制败坏紊乱。等到祖珽执政，网罗推举了一批有才能声望的人，朝廷内外都加以称赞。祖珽还想对政务有所增减，淘汰冗官，对官名以及象征等级的服饰，都依旧日的制度加以整顿。祖珽又想罢免一批宫中的宦官及群小，作为使国家清明安定的一个方面，但陆令萱、穆提婆在商议时意见不同。祖珽就示意御史中丞丽伯律，让他弹劾中书省主书王子冲接受贿赂。祖珽知道这件事会牵连穆提婆，想使受贿罪也涉及穆提婆，并希望因此而一并株连陆令萱。祖珽仍然担心北齐国主高纬沉迷身边亲信，想拉拢胡太后一党作为后援，于是奏请高纬任命胡太后的哥哥胡君瑜为侍中、中领军，又征召胡君瑜的哥哥梁州刺史胡君璧，想让他做御史中丞。陆令萱知道后心怀愤怒，千方百计排斥诋毁，让胡君瑜出内省为金紫光禄大夫，解除了他的中领军职务，让胡君璧仍回到梁州做刺史。后来胡太后被废，也由此而起。王子冲被释，不再追究。

珽日以益疏，诸宦者更共谮之。帝以问陆令萱，令萱悯默不对，三问，乃下床拜曰："老婢应死。老婢始闻和士开言孝徵多才博学，意谓善人，故举之。比来观之，大是奸臣。人寔难知，老婢应死。"帝令韩长鸾检按[363]。长鸾素恶珽，得其诈出敕[364]受赐等十余事。帝以尝与之重誓，故不杀，解珽侍中、仆射，出为北徐州[365]刺史。珽求见帝，长鸾不许，遣人推出柏阁，珽坐，不肯行，长鸾令牵曳而出。

癸巳[366]，齐以领军穆提婆为尚书左仆射，侍中、中书监段孝言[367]为右仆射。孝言，韶之弟也。初，祖珽执政，引孝言为助，除吏部尚书。孝言凡所进擢，非贿则旧[368]，求仕[369]者或于广会[370]膝行跪伏，公自陈请[371]，孝言气[17]色扬扬[372]，以为己任，随事酬许。将作丞[373]崔成忽于众中抗言[374]曰："尚书[375]，天下尚书，岂独段家尚书也？"孝言无辞以应，唯厉色遣下而已。既而与韩长鸾等[18]共构[376]祖珽，逐而代之。

齐兰陵武王长恭貌美而勇，以邙山之捷[377]，威名大盛，武士歌之，为《兰陵王入陈曲》[378]，齐主忌之。及代段韶督诸军攻定阳，颇务聚敛，其所亲尉相愿[379]问之曰："王受朝寄[380]，何得如此？"长恭未应。相愿曰："岂非以邙山之捷，欲自秽[381]乎？"长恭曰："然。"相愿曰："朝廷若忌王，即当用此为罪，无乃[382]避祸而更速之乎？"长恭涕泣前膝[383]问计。相愿曰："王前既有功，今复告捷，威声太重。宜属疾[384]在家，勿预时事。"长恭然其言[385]，未能退。及江、淮用兵，恐复为将，叹曰："我去年面肿，今何不发？"自是有疾不疗。齐主遣使鸩杀之。

六月庚子[386][19]，郢州[387]刺史李综克湓口城[388]。乙巳[389]，任忠克合州[390]外城。庚戌[391]，淮阳[392]、沭阳[393]郡并[20]弃城走。

祖珽一天天被疏远，众宦官又一起说祖珽的坏话。皇上高纬就此询问陆令萱，陆令萱装出一副忧伤沉默的样子不开口回答。高纬再三追问，陆令萱才下床叩拜说：“老奴婢该死。老奴婢一开始听和士开说祖孝徵很有才学，觉得他是个好人，所以推举他。近来观察他，是一个大大的奸臣，了解一个人实在太难了，老奴婢该死。”皇上高纬派韩长鸾查核。韩长鸾一向厌恶祖珽，查出祖珽假传敕令收取贿赂之事十多起。皇上高纬因曾经与祖珽发过重誓，所以不杀他，解除了他的侍中、仆射职务，外放为北徐州刺史。祖珽请求面见皇上，韩长鸾不允许，派人把祖珽推出柏阁。祖珽坐着不走，韩长鸾派人把他拖了出去。

五月二十八日癸巳，北齐任命领军穆提婆为尚书左仆射，侍中、中书监段孝言为右仆射。段孝言是段韶的弟弟。当初，祖珽执政，把段孝言引为自己的帮手，任命他为吏部尚书。段孝言所引进提拔的人，不是行贿的就是他的故旧，求官的人有的甚至在大庭广众向段孝言磕头、跪着行走，自己公开陈述要官。段孝言神色扬扬得意，以此作为自己应做的事，随随便便就答应了。将作丞崔成有一次突然在众人面前高声说：“吏部尚书，是国家的尚书，难道只是你段家的尚书吗？”段孝言无辞回答，只是神色严厉地让崔成退下罢了。不久，段孝言就和韩长鸾等人一起编造罪名诬陷祖珽，把祖珽逐出尚书省，取而代之。

北齐兰陵武王高长恭相貌英俊而且十分勇敢，因在邙山一战中战胜北周，高长恭威名大震，兵士们歌颂他，作了《兰陵王入陈曲》的歌舞曲，这使得北齐国主高纬对他心怀猜忌。等到代替段韶督率诸军攻打定阳时，他大肆聚敛财物。高长恭的亲信尉相愿问他说：“大王您接受朝廷委托，怎么能这样做呢？”高长恭没有回答。尉相愿又说：“难道是因为有了邙山大捷，您想用贪财来给自己脸上抹黑吗？”高长恭说：“是这个想法。”尉相愿说：“朝廷如果猜忌大王，立即就会用这件事治您的罪，岂不是想逃避灾祸，反而招致了灾祸吗？”高长恭流着眼泪移膝向前询问避祸之计。尉相愿说：“大王先前已经有大功，如今又打了胜仗，威望名声太重，应该托病在家，不要参与政事。”高长恭同意尉相愿的话，可惜未能引退。等到江淮地区用兵，高长恭担心要再次担任大将，叹息说：“我去年脸面肿胀，如今为什么不复发？”从此有了病也不医治。北齐国主高纬还是派人用毒酒杀死了高长恭。

六月初六日庚子，陈朝郢州刺史李综率军攻占滠口城。十一日乙巳，任忠又攻占合州外城。十六日庚戌，北齐淮阳、沭阳两郡郡守都丢弃城池逃走。

【段旨】

以上为第五段，写北齐祖珽乃一奸佞臣，见国势日非，尚思改革以苟延国运，而国主高纬昏然不悟，祖珽一务正事竟不能容。时值陈朝犯境，大敌当前再次自毁长城，继斛律光之后又杀高长恭，淮南战事，无可挽回。

【注释】

[353]隳紊：败坏紊乱。[354]故事：旧日的制度。[355]阉竖：太监的贱称。男子去势曰阉，供奔走役使的人称竖。[356]御史中丞：官名，掌督司百官。[357]主书：官名，在中书省主管文书。[358]溺：沉迷。[359]近习：亲近；亲信。[360]中领军：官名，主管禁卫官。[361]出：自内省出就朝列。[362]金紫光禄大夫：散官名，有品秩而无职事，位在中领军上。[363]检按：检查。检，察看。按，考验。[364]诈出敕：假称皇帝之命而发出敕书。[365]北徐州：侨州名，治所即丘县，在今山东临沂。[366]癸巳：五月二十八日。[367]段孝言：历仕北齐、北周，官至尚书右仆射。传附《北齐书》卷十六《段荣传》、《北史》卷五十四《段荣传》。[368]非贿则旧：不是接受贿赂，便是故人。[369]求仕：求官。[370]会：众人聚会。[371]公自陈请：自己公开述说请求做官。[372]扬扬：扬扬得意的样子。[373]将作丞：官名，辅佐将作监，掌修造宗庙、宫室等土木之工。[374]抗言：高声而言。[375]尚书：官名，此指吏部尚书，主管选举。[376]构：编造罪名。[377]邙山之捷：指公元五六四年周伐齐，两军在邙山交战，北齐

【原文】

壬子[394]，周皇孙衍[395]生。

齐主游南苑，从官赐死[396]者六十人。以高阿那肱为司徒。

癸丑[397]，程文季攻齐泾州，拔之。乙卯[398]，宣毅司马[399]湛陀克新蔡城[400]。

丙辰[401]，齐使开府仪同三司王纮聘于周。

癸亥[402]，黄法氍克合州[403]。吴明彻进攻仁州[404]，甲子[405]，克之。

治[406]明堂[407]。

秋，七月戊辰[408]，齐遣尚书左丞[409]陆骞将兵二万救齐昌，出自巴、蕲[410]，遇西阳太守[411]汝南周炅[412]。炅留羸弱，设疑兵以当之，身帅精锐，由间道邀其后，大破之。己巳[413]，征北大将军吴明彻军至峡口，克其北

获胜。㊲⑱《兰陵王入陈曲》：北齐兰陵王高长恭，才武而貌美，作战时常戴假面具。在金墉城出击周军时，勇冠三军。齐人赞叹，作此舞曲，仿其指挥击杀之状，称《兰陵王入陈曲》。379尉相愿：仕北齐，官至领军大将军。传附《北齐书》卷十九《张保洛传》、《北史》卷五十三《张保洛传》。380朝寄：朝廷的委托。381自秽：自己往脸上抹黑。382无乃：莫非；岂不是。383前膝：俯身而问，膝前于座席，故称前膝。这是一种真诚急迫的样态。384属疾：托病。385然其言：同意尉相愿说的话。386庚子：六月初六日。387郢州：州名，治所夏口城，在今湖北武昌。388滠口城：地名，在今湖北武汉东北长江北岸滠口。389乙巳：六月十一日。390合州：州名，治所合肥县，在今安徽合肥西。391庚戌：六月十六日。392淮阳：郡名，治所淮阳县，在今江苏淮安市淮阴区西。393沭阳：郡名，治所怀文县，在今江苏沭阳。

【校记】

［17］气：原作“颜”。据章钰校，十二行本、乙十一行本、孔天胤本皆作“气”，今据改。［18］等：原无此字。据章钰校，十二行本、乙十一行本、孔天胤本皆有此字，今据补。〖按〗《通鉴纪事本末》卷二五有此字。［19］庚子：原无此二字。据章钰校，十二行本、乙十一行本、孔天胤本皆有此二字，张敦仁《通鉴刊本识误》同，今据补。〖按〗《陈书·宣帝纪》有此二字。［20］并：原作“皆”。据章钰校，十二行本、乙十一行本、孔天胤本皆作“并”，今据改。〖按〗《陈书·宣帝纪》作“并”。

【语译】

六月十八日壬子，北周皇孙宇文衍降生。

北齐国主高纬游幸南苑，随从官员中暑而死的达六十人。任命高阿那肱为司徒。

六月十九日癸丑，程文季攻打北齐泾州，占领了它。二十一日乙卯，宣毅司马湛陀攻占了新蔡城。

二十二日丙辰，北齐派开府仪同三司王纮到北周通问修好。

二十九日癸亥，黄法氍攻占合州。吴明彻进攻仁州，三十日甲子，占领了仁州。

陈朝整修明堂。

秋，七月初四日戊辰，北齐派尚书左丞陆骞率军二万救援齐昌，从巴水、蕲水间出兵，遇到陈朝西阳太守汝南人周炅。周炅留下体弱的士兵，设置疑兵抵挡北齐军队，自己率领精锐部队，从偏僻小道绕到北齐军队的背后发动攻击，大败齐兵。初五日己巳，陈朝征北大将军吴明彻进军到达峡口，攻占了北岸城，南岸城守军弃

岸城，南岸守者弃城走。周炅克巴州[414]。淮北绛城[415]及谷阳士民，并杀其戍主，以城降。

齐巴陵王王琳与扬州刺史王贵显保寿阳外郭，吴明彻以琳初入，众心未固，丙戌[416]，乘夜攻之，城溃。齐兵退据相国城及金城[417]。

八月乙未[418]，山阳城[419]降。壬寅[420]，盱眙城[421]降。壬子[422]，戎昭将军[423]徐敬辩克海安城[424]。青州东海城[425]降。戊午[426]，平固侯敬泰等克晋州[427]。九月甲子[428]，阳平城[429]降。壬申[430]，高阳太守沈善庆克马头城[431]。甲戌[432]，齐安城[433]降。丙子[434]，左卫将军[435]樊毅[436]克广陵[437]楚子城[438]。

壬午[439]，周太子赟纳妃杨氏。妃，大将军随公坚[440]之女也。

太子好昵近小人，左宫正[441]宇文孝伯言于周主曰："皇太子四海所属，而德声未闻，臣忝[442]宫官，实当其责。且春秋尚少，志业未成，请妙选正人，为其师友，调护圣质[443]，犹望日就月将[444]。如或不然，悔无及矣。"帝敛容曰："卿世载[445]鲠直，竭诚所事。观卿此言，有家风矣。"孝伯拜谢曰："非言之难，受之难也。"帝曰："正人[446]岂复过卿?"于是以尉迟运[447]为右宫正[448]。运，迥之弟子也。

帝尝问万年县[449]丞[450]南阳乐运[451]曰："卿言太子何如人?"对曰："中人。"帝顾谓齐公宪曰："百官佞[452]我，皆称太子聪明睿[453]智。唯运所言忠直耳。"因问运中人之状。对曰："如齐桓公[454]是也：管仲[455]相之则霸，竖貂[456]辅之则乱，可与为善，可与为恶。"帝曰："我知之矣。"乃妙选宫官以辅之，仍擢运为京兆丞。太子闻之，意甚不悦。

癸未[457]，沈君理卒。

壬辰晦[458]，前鄱阳[459]内史[460]鲁天念克黄城[461]。冬，十月[21]甲午[462]，郭默城[463]降。

己亥[464]，以特进[465]领国子祭酒[466]周弘正[467]为尚书右仆射。

齐国子祭酒张雕[468]，以经授齐主为侍读[469]，帝甚重之。雕与宠胡何洪珍[470]相结，穆提婆、韩长鸾等恶之。洪珍荐雕为侍中，加开府仪同三司，奏度支事[471]，大为帝所委信[472]，常呼"博士"。雕自以出于微贱，致位大臣，欲立效以报恩，论议抑扬[473]，无所回避，省宫掖[474]不急之

城逃走。周炅攻占了巴州。江北诸城和谷阳等地士民杀了戍守的长官，献城投降。

北齐巴陵王王琳与扬州刺史王贵显守卫寿阳外城，吴明彻认为王琳初到寿阳，军心尚未稳固，七月二十二日丙戌，乘夜攻城，寿阳外城被攻破，北齐兵退守相国城和金城。

八月初二日乙未，北齐山阳城投降。初九日壬寅，盱眙城投降。十九日壬子，陈朝戎昭将军徐敬辩攻占海安城。北齐青州东海城投降。二十五日戊午，平固人侯敬泰等攻占晋州。九月初一日甲子，阳平城投降。初九日壬申，高阳太守沈善庆攻占马头城。十一日甲戌，齐安城投降。十三日丙子，左卫将军樊毅攻占广陵楚子城。

九月十九日壬午，北周皇太子宇文赟娶杨氏为太子妃。杨氏太子妃，是大将军随国公杨坚的女儿。

皇太子宇文赟喜欢亲近小人，左宫正宇文孝伯对北周国主宇文邕说："皇太子是四海所瞩目的人，但他仁德的声誉尚未广为人知，臣愧为宫官，实在应当承担起这个责任。况且皇太子年纪还轻，志向和学业尚未完成，请求皇上好好挑选品行端正的人做皇太子的师友，调养皇太子优异的秉性，希望日有所得，月有所进。如果不这样，后悔就来不及了。"北周武帝神色肃穆地说："你家世代耿直，对所承担的事竭尽忠诚。听了你这番话，可以想见你是保有你家家风的了。"宇文孝伯拜谢说："不是说这话有多难，而是接受这些话很难。"北周武帝说："品行端正的人难道还有超过你的吗？"于是任命尉迟运为右宫正。尉迟运是尉迟迥弟弟的儿子。

北周武帝曾经问万年县丞南阳人乐运说："卿说说皇太子是什么样的人？"乐运回答说："中等人。"北周武帝回头对齐国公宇文宪说："百官奉承讨好我，都夸皇太子聪慧英明有远见，只有乐运说的才是忠诚正直之言。"于是接着问乐运中等人是什么样子，乐运回答说："像齐桓公就是中等人。管仲辅佐他可以称霸，竖貂辅佐他就会发生动乱。中等人可以与他一起为善，也可以与他一起为恶。"周武帝说："我知道了。"于是认真挑选好的宫官辅导太子，并提升乐运为京兆丞。皇太子听说后，心里很不高兴。

九月二十日癸未，陈朝尚书右仆射沈君理去世。

九月最后一天二十九日壬辰，陈朝前鄱阳内史鲁天念攻占黄城。冬，十月初二日甲午，北齐郭默城投降。

十月初七日己亥，陈宣帝任命特进兼国子祭酒周弘正为尚书右仆射。

北齐国子祭酒张雕，为北齐国主高纬讲授经书而担任侍读，高纬非常器重他。张雕与受宠胡人何洪珍结交，穆提婆、韩长鸾等厌恶他。何洪珍推荐张雕任职侍中，加官开府仪同三司，让他奏报财政收支方面的事，很受国主高纬的信任，经常称呼他"博士"。张雕觉得自己出身微贱，而职位达到大臣，想要尽快立功以报恩，所以议论政务、褒贬人物，无所回避。他提出减省宫中不必要的开支，制止和约束皇上

费，禁约左右骄纵之臣，数讥切⑮宠要，献替⑯帷幄⑰，帝亦深倚仗之。雕遂以澄清为己任，意气甚高，贵幸皆侧目⑱，阴谋陷之[22]。

尚书左丞封孝琰⑲，隆之之弟子也[23]，与侍中崔季舒⑳，皆为祖珽所厚。孝琰尝谓珽曰："公是衣冠㉑宰相，异于余人。"近习闻之，大以为恨。

会齐主将如晋阳，季舒与张雕议，以为寿阳被围，大军出拒之，信使㉒往还，须禀节度㉓。且道路小人，或相惊恐，以为大驾㉔向并州，畏避南寇㉕。若不启谏，恐人情骇动，遂与从驾文官连名进谏。时贵臣赵彦深、唐邕、段孝言等意有异同，季舒与争，未决。长鸾遽言于帝曰："诸汉官连名总署，声云谏幸并州，其实未必不反，宜加诛戮。"辛丑㉖，齐主悉召已署名者集含章殿，斩季舒、雕、孝琰及散骑常侍刘逖㉗、黄门侍郎裴泽㉘、郭遵㉙于殿庭，家属皆徙北边，妇女配奚官㉚，幼男下蚕室㉛，没入赀产。癸卯㉜，遂如晋阳。

【段旨】

以上为第六段，写北齐前线败报频传，而朝内仍内讧不已，国主高纬仍然沉迷不醒，是非不辨，善恶不分，昏聩之极，凶暴之极。亡国之主，心理扭曲，大体如是。

【注释】

㊱④壬子：六月十八日。㊱⑤周皇孙衍：周武帝孙宇文衍，后即位，是为周静帝。事见《周书》卷八、《北史》卷十。㊱⑥赐死：《北齐书》卷八《后主纪》"赐"作"暍"，《北史》同。《通鉴》因形近致误。暍死，中暑而死。㊱⑦癸丑：六月十九日。㊱⑧乙卯：六月二十一日。㊱⑨宣毅司马：武官名，辅佐宣毅将军以治军事。㊵⓪新蔡城：地名，新蔡郡治所，在今河南固始。㊵①丙辰：六月二十二日。㊵②癸亥：六月二十九日。㊵③克合州：前言攻克合州外城，今才攻克合州城。㊵④仁州：州名，治所赤坎城，在今安徽泗县西南。㊵⑤甲子：六月三十日。㊵⑥治：整治。㊵⑦明堂：陈制，明堂殿屋十二间，中央六间，安六座，四方帝各依其方位，黄帝居坤维（西南方）。㊵⑧戊辰：七月初四日。㊵⑨尚书左丞：官名，辅佐尚书仆射，掌辖吏部、户部、礼部十二司事。㊶⓪巴、蕲：指巴水、蕲水，均在今湖北英山一带。㊶①西

周围那些骄傲放纵的大臣，多次批评受宠的权要，向皇上提出可办与不可办的兴革建议，皇上也深深倚仗他。张雕于是视澄清政事为己任，意气高昂，权贵和宠佞们对他都侧目而视，阴谋陷害他。

尚书左丞封孝琰是封隆之弟的儿子，他与侍中崔季舒都受到祖珽的厚待。封孝琰曾经对祖珽说："你是由衣冠士族出任的宰相，和别的人不同。"皇上高纬身边那些亲信听到了，非常痛恨他。

恰逢北齐国主高纬准备前往晋阳，崔季舒与张雕商议，认为寿阳被围，大军外出抵御，使者的派遣返回，都要向皇上禀报，由皇上节制调度。再说，路上平民见皇上离开都城，或许会惊慌恐惧，认为皇上车驾向并州进发，是因为害怕而在躲避南方的敌寇。如果不启奏劝谏，恐怕人心受到惊动，于是与随从皇上车驾的文官联名上奏劝谏。当时权贵赵彦深、唐邕、段孝言等人持有不同意见，崔季舒与他们争论，尚未最终决定。韩长鸾突然对皇上高纬说："众汉官联名共署上奏，表面上是劝谏皇上不要去并州，其实未必不是想谋反，对这些人应当加以诛杀。"十月初九日辛丑，北齐国主高纬把在奏章上已经署名的文官全部召集到含章殿，将崔季舒、张雕、封孝琰及散骑常侍刘逖、黄门侍郎裴泽、郭遵等在殿庭就地处斩，家属全都流放到北边，妇女发配奚官署为官奴婢，小男孩受宫刑做宦官，并没收这些人的财产。十一日癸卯，高纬启程前往晋阳。

阳太守：按《陈书·周炅传》，炅伐齐时已为安州刺史，非西阳太守。⑫周炅（公元五一三至五七六年）：字文昭，陈朝人，官至平北将军、定州刺史。传见《陈书》卷十三、《南史》卷六十七。⑬己巳：七月初五日。⑭巴州：州名，北齐置，治所黄冈，在今湖北武汉市新洲区。⑮淮北绛城：《陈书》卷十三《周炅传》云炅"进攻巴州，克之，于是江北诸城及谷阳士民并诛渠帅，以城降"。此为《通鉴》所本，"淮北绛城"当是"江北诸城"之误。钱大昕《通鉴注辨正》已指出其误。⑯丙戌：七月二十二日。⑰相国城及金城：二城皆在寿阳城中。相国城，刘裕伐长安时所筑，故名。金城，寿阳中城。自晋以来，率谓中城为金城。⑱乙未：八月初二日。⑲山阳城：即山阳郡城，在今江苏淮安。⑳壬寅：八月初九日。㉑盱眙城：即盱眙郡城，在今江苏盱眙东北。㉒壬子：八月十九日。㉓戎昭将军：将军号，品第八，秩六百石。㉔海安城：地名，即海安郡城，在今江苏涟水。㉕东海城：地名，即东海郡城，在今江苏连云港东南。㉖戊午：八月二十五日。㉗晋州：州名，治所怀宁县，在今安徽潜山。㉘甲子：九月初一日。㉙阳平城：地名，即阳平郡城，在今江苏宝应。㉚壬申：九月初九日。㉛马头城：地名，在今安徽寿县西北。㉜甲戌：九月十一日。㉝齐安城：地名，在今湖北武汉市新洲区。㉞丙子：九月十三日。㉟左卫将军：

武官名，掌禁卫。㊱樊毅（？至公元五八九年）：字智烈，历仕梁、陈，官至侍中。传见《陈书》卷三十一、《南史》卷六十七。㊲广陵：北魏东豫州治所，在今河南息县。㊳楚子城：地名，即楚城，楚州治所，在今河南信阳北。㊴壬午：九月十九日。㊵随公坚：即随国公杨坚，后来建隋称帝，是为文帝。㊶左宫正：官名，掌皇后、太子宫事。㊷忝：有愧于。㊸圣质：好的秉性。㊹日就月将：日有所得，月有所进。㊺世载：世代。㊻正人：品行端正之人。㊼尉迟运（公元五三九至五七九年）：北周人，官至上柱国，封卢国公。传见《周书》卷四十、《北史》卷六十二。㊽右宫正：官名，与左宫正同掌皇后、太子宫事。㊾万年县：县名，县治在长安城（今陕西西安西北）中。㊿丞：官名，县丞主管刑狱、囚徒。(451)乐运：字承业，南阳淯阳（今河南鲁山）人，仕周、隋，官至京兆郡丞。著《谏苑》四十一卷。传见《周书》卷四十、《北史》卷六十二。(452)佞：奸巧谄谀。(453)睿：看得深远。(454)齐桓公：春秋时齐君，五霸之一，名小白。事见《史记》卷三十二《齐太公世家》。(455)管仲：名夷吾，春秋时著名政治家，辅佐齐桓公首先称霸中原。(456)竖貂：即竖刁。齐桓公末年用竖刁，桓公死而作乱。事见《史记》卷三十二《齐太公世家》。(457)癸未：九月二十日。(458)壬辰晦：九月二十九日。每月最后一日称晦。(459)鄱阳：郡名，治所鄱阳县，在今江西鄱阳。(460)内史：官名，主管一郡政务。(461)黄城：地名，在今湖北武汉市黄陂区北。(462)甲午：十月初二日。(463)郭默城：地名，在今安徽寿县西。(464)己亥：十月初七日。(465)特进：官名，无职掌，为加官。(466)国子祭酒：官名，掌领太学、国子监所属各学。(467)周弘正（公元四九六至五七四年）：字思行，汝南安城（今河南原阳西南）人，历仕梁、陈，官至尚书右仆射。著《周易讲疏》等，有文集二十卷。传见《陈书》卷二十四、《南史》卷三十四。(468)张雕（？至公元五七三年）：又作张彫武。历仕东魏、北齐，官至侍中，加开府。传见《北齐书》卷四十四、《北史》卷八十一。(469)侍读：官名，主管给帝王讲经学。(470)何洪珍：胡人，齐后主宠臣，封王。传见《北齐书》卷五十、《北史》卷九

【原文】

吴明彻攻寿阳，堰肥水(493)以灌城，城中多病肿泄，死者什六七(494)。齐行台(495)右仆射琅邪皮景和(496)等救寿阳，以尉破胡新败，怯懦不敢前，屯于淮口(497)，敕使屡促之。然始渡淮，众数十万，去寿阳三十里，顿军不进。诸将皆惧，曰："坚城未拔，大援在近，将若之何？"明彻曰："兵贵神速，而彼结营不进，自挫其锋，吾知其不敢战，明矣。"乙巳(498)，躬擐(499)甲胄，四面疾攻，一鼓拔之，生擒王琳、王贵显、卢潜及扶风王可朱浑孝[24]裕(500)、尚书左丞李驹駼(501)送建康。景和北遁，

十二。㊼①奏度支事：度支为北齐六尚书之一，统度支、仓部、左户、右户、金部、库部六曹。凡度支事张雕得以奏闻。㊼②委信：托付、信任。㊼③抑扬：褒贬。㊼④宫掖：皇宫。掖，掖庭，宫内的旁舍，妃嫔所居。㊼⑤讥切：谴责；责备。㊼⑥献替："献可替否"的略语，此为诤言进谏之意。㊼⑦帷幄：宫中的帷幕。㊼⑧侧目：不敢正视的样子。㊼⑨封孝琰（？至公元五七三年）：北齐人，官至尚书左丞。传附《北齐书》卷二十一《封隆之传》、《北史》卷二十四《封隆之传》。㊽⓪崔季舒（？至公元五七三年）：历仕东魏、北齐，官至侍中、监国史。传见《北齐书》卷三十九、《北史》卷三十二。㊽①衣冠：指士大夫的穿戴。此谓缙绅之家。㊽②信使：使者，古代称使者为信。㊽③节度：部署；节制调度。㊽④大驾：指皇帝车驾。㊽⑤南寇：指南方陈兵。㊽⑥辛丑：十月初九日。㊽⑦刘逖（公元五二五至五七三年）：字子长，彭城丛亭里（今江苏徐州）人，仕北齐，官至仪同三司。传见《北齐书》卷四十五、《北史》卷四十二。㊽⑧裴泽（？至公元五七三年）：仕北齐，官至中书侍郎。传附《北史》卷三十八《裴延儁传》。㊽⑨郭遵（？至公元五七三年）：北齐人，官至黄门侍郎。传见《北史》卷八十一。㊾⓪奚官：官署名，掌管守宫人疾病、罪罚、丧葬等事。㊾①蚕室：古代受宫刑者所居之室。㊾②癸卯：十月十一日。

【校记】

［21］冬十月：原无此三字。据章钰校，十二行本、乙十一行本、孔天胤本皆有此三字，今据补。〖按〗《陈书·宣帝纪》有此三字。［22］阴谋陷之：原无此四字。据章钰校，十二行本、乙十一行本、孔天胤本皆有此四字，张敦仁《通鉴刊本识误》同，今据补。〖按〗《通鉴纪事本末》卷二五有此四字。［23］也：原无此字。据章钰校，十二行本、乙十一行本、孔天胤本皆有此字，今据补。

【语译】

吴明彻攻打寿阳，在淝水筑堤蓄水灌城，城中很多人得了浮肿腹泻的病，死的人占十分之六七。北齐行台右仆射琅邪人皮景和等救援寿阳，但因为看到尉破胡新近吃了败仗，他们心中胆怯不敢向前，屯驻在淮口，皇上的敕使多次催促他们进军，皮景和这才渡过淮河，兵力数十万，离寿阳城三十里，又驻扎下来不再前进。陈朝众将都感到害怕，说："坚城没有攻下来，敌方大批援军已在附近，怎么办呢？"吴明彻说："用兵贵在神速，而敌方援军驻扎不前，自己挫伤了锐气，我知道他们不敢来交战，这是很清楚的。"十月十三日乙巳，吴明彻亲自穿上铠甲，戴上头盔，指挥士兵四面猛攻，一鼓作气攻破了寿阳城，活捉了王琳、王贵显、卢潜，以及扶风王可朱浑孝裕、尚书左丞李騊駼等人，押送建

尽收其驼马辎重。

琳体貌闲雅，喜怒不形于色。强记内敏，军府佐吏[502]千数，皆能识[503]其姓名。刑罚不滥，轻财爱士，得将卒心。虽失地流寓在邺，齐人皆重其忠义。及被擒，故麾下将卒多在明彻军中，见者皆歔欷，不能仰视，争为之请命及致资给。明彻恐其为变，遣使追斩之于寿阳东二十里，哭者声如雷。有一叟以酒脯[504]来祭，哭尽哀，收其血而去。田夫野老[505]，知与不知，闻者莫不流涕。

齐穆提婆、韩长鸾闻寿阳陷，握槊不辍[506]，曰："本是彼物[507]，从[508]其取去。"齐主闻之，颇以为忧，提婆等曰："假使国家尽失黄河以南，犹可作一龟兹国[509]。更可怜人生如寄[510]，唯当行乐，何用愁为？"左右嬖臣[511]因共赞和之，帝即大喜，酣饮鼓舞[512]，仍使于黎阳[513]临河筑城戍[514]。

丁未[515]，齐遣兵万人至颍口[516]，樊毅击走之。辛亥[517]，遣兵援苍陵[518]，又破之。齐主以皮景和全军而还，赏之，除尚书令。

丙辰[519]，诏以寿阳复为豫州，以黄城为司州。以明彻为都督豫、合等六州诸军事，车骑大将军，豫州刺史，遣谒者[520]萧淳风就寿阳册命，于城南设坛，士卒二十万，陈旗鼓戈甲。明彻登坛拜受，成礼而退，将卒荣之。上置酒，举杯属徐陵曰："赏卿知人。"陵避席[521]曰："定策圣衷[522]，非臣力也。"以黄法氍为征西大将军[523]、合州刺史。

戊午[524]，湛陀克齐昌城。十一月甲戌[525]，淮阴城[526]降。庚辰[527]，威虏将军刘桃枝[528]克朐山城[529]。辛巳[530]，樊毅克济阴城[531]。己丑[532]，鲁广达攻济南徐州[533]，克之，以广达为北徐州[534]刺史，镇其地。

齐北徐州[535]民多起兵以应陈，逼其州城，祖珽命不闭城门，禁人不得出衢路，城中寂然。反者不测其故，疑人走城空，不设备。珽忽令鼓噪震天，反者皆惊走。既而复结陈向城，珽令录事参军[536]王君植将兵拒之，自乘马临陈[537]左右射。反者先闻其盲，谓其必不能出，忽见之，大惊。穆提婆欲令城陷，不遣援兵，珽且战且守，十余日，反者竟散走。

康。皮景和向北逃走，丢下驼马辎重全被陈军缴获。

王琳体态容貌安详文雅，喜怒不显现在脸上。记忆力强而文思敏捷，军府僚佐官员有上千人之多，他都能记住他们的姓名。他不滥用刑罚，轻视钱财，关爱部下，得到将士的拥护。他虽然丢了地方流寓在邺城，北齐人都十分敬重他的忠义。他原来的部下将士很多在吴明彻军中，见到他被擒无不哀伤哭泣，不敢抬头看他，都争着替他说情并送财物用品。吴明彻担心在押送途中发生变故，派使者追上押送队伍，在寿阳城东边二十里处斩杀王琳。为王琳痛哭的人声震如雷。有一位老人用酒和肉干来祭奠王琳，哭得十分悲伤，收集了王琳的血之后离开了。当地的农夫野老，不管认不认识王琳，听到消息没有不流泪的。

北齐穆提婆、韩长鸾听到寿阳失陷，仍继续玩握槊赌博的游戏而不停止，说："本来就是南方朝廷的地方，任凭他取去吧。"北齐国主高纬听到寿阳失陷，深深忧虑，穆提婆等说："即使朝廷全部丢失黄河以南的土地，还可以像一个龟兹国那样生存下去。最可怜的是人的一生十分短促，犹如寄居一般，只应当及时行乐，何必去忧愁呢？"高纬身边的那些宠臣乘机一起赞同附和，高纬立即转忧为喜，尽情饮酒，和着鼓乐之声起舞，并让人在黎阳沿着黄河修筑城堡。

十月十五日丁未，北齐派兵一万到颍口，陈将樊毅把他们打跑了。十九日辛亥，北齐又派兵救援苍陵，又被打败。北齐国主高纬认为皮景和让军队未受损失退回，给了他奖赏，提升为尚书令。

二十四日丙辰，陈宣帝下诏恢复寿阳为豫州，以黄城为司州治所。任命吴明彻为都督豫州、合州等六州诸军事、车骑大将军、豫州刺史，派谒者萧淳风到寿阳去颁布册命，在城南设坛举行拜授仪式，士卒二十万，披甲执戈，陈列旌旗战鼓。吴明彻登坛拜受皇帝的册命，仪式完成后退下，将士们都感到荣耀。陈宣帝设宴，亲自举杯向徐陵劝酒，说："这杯酒赏赐卿能够识人。"徐陵避席答礼说："英明决策的是圣明皇上，不是臣的力量。"又任命黄法𣰋为征西大将军、合州刺史。

二十六日戊午，陈朝湛陀攻占齐昌城。十一月十二日甲戌，淮阴城投降。十八日庚辰，威虏将军刘桃枝攻占朐山城。十九日辛巳，樊毅攻占济阴城。二十七日己丑，鲁广达进攻北齐南徐州，将它攻占，陈朝任命鲁广达为北徐州刺史，镇守这个地方。

北齐北徐州许多民众起兵响应陈朝军队，逼近州城。祖珽下令不闭城门，禁止人们出来到大街上行走，城中一片寂静。造反的人不知此中缘故，怀疑是人走城空，于是不设防备。这时祖珽忽然命令击鼓呐喊，其声震天，造反的人都受惊退走了。不久又结成阵势逼向州城，祖珽命令录事参军王君植领兵抵抗，自己乘马到阵前命左右的人放箭。造反的人先前听说祖珽是一个瞎子，认为他绝不会出城，现在忽然看见了他，非常惊讶！穆提婆存心要让这座城失陷，所以不派援兵，祖珽且战且守，坚持了十几天，造反的人终于散走了。

诏悬王琳首于建康市。故吏梁骠骑仓曹参军[538]朱玚致书徐陵求其首，曰："窃以典午[539]将灭，徐广[540]为晋家遗老；当涂[541]已谢，马孚[542]称魏室忠臣。梁故建宁公琳，当离乱之辰[543]，总方伯[544]之任，天厌梁德[545]，尚思匡继[546]，徒蕴包胥之志[547]，终遘[548]苌弘之眚[549]，至使身没九泉，头行千里。伏惟圣恩博厚，明诏爰[550]发，赦王经之哭[551]，许田横之葬[552]。不使寿春城下，唯传报葛之人[553]；沧洲岛上，独有悲田之客[554]。"陵为之启上。十二月壬辰朔[555]，并熊昙朗[556]等首皆还其亲属。玚瘗[557]琳于八公山[558]侧，义故[559]会葬者数千人。玚间道奔齐，别议迎葬，寻[560]有寿阳人茅智胜等五人，密送其柩[561]于邺。齐赠琳开府仪同三司、录尚书事，谥[562]曰忠武王，给辒辌车[563]以葬之。

癸巳[564]，周主集群臣及沙门[565]、道士，帝自升高坐，辨三教先后[566]，以儒为先，道为次，释[567]为后。

乙未[568]，谯城[569]降。

乙巳[570]，立皇子叔明[571]为宜都王，叔献[572]为河东王。

壬午[573]，任忠克霍州[574]。

诏征安州[575]刺史周炅入朝。初，梁定州[576]刺史田龙升以城降，诏仍旧任。及炅入朝，龙升以江北六州、七镇叛入于齐，齐遣历阳王景安[577]将兵应之。诏以炅为江北道大都督，总众军以讨龙升，斩之。景安退走，尽复江北之地。

是岁，突厥求婚于齐。

【段旨】

以上为第七段，写陈朝大败北齐，全部光复梁朝末年丢失的淮水以南、长江北岸的淮南地方，国势此时达于鼎盛。

陈宣帝下诏把王琳的头悬挂在建康闹市示众。王琳的旧僚属原梁朝骠骑仓曹参军朱玚写信给徐陵，要求收殓王琳的首级，说："我私下认为，晋朝将要灭亡，徐广成为晋室的遗老；曹魏亡国，司马孚可称魏室忠臣。梁朝原建宁公王琳，生当动乱的年代，担当一方诸侯的重任，老天要梁朝灭亡，他却仍想匡扶延续，空怀申包胥乞兵复国的志愿，最终犯下了苌弘那样的错误，以致身死九泉之下，头颅却传送千里。拜伏念及圣主的恩德广博深厚，祈望颁示明诏，像司马昭那样宽赦向雄抱哭王经，像汉高祖刘邦那样允许礼葬田横。不要使寿春城下，只流传诸葛诞的部下为主而死；沧洲海岛上，只有悲悼田横的宾客。"徐陵替朱玚把这一请求上奏陈宣帝。十二月初一日壬辰，把王琳以及熊昙朗等人的首级一起交还他们的亲属。朱玚把王琳安葬在八公山旁，参加会葬的义士故旧有几千人。朱玚从小路赶往北齐，另外商议迎葬的事。不久有寿阳人茅智胜等五人，秘密送王琳的灵柩到邺城。北齐追赠王琳开府仪同三司、录尚书事，谥号为忠武王，特赐辒辌车安葬王琳。

十二月初二日癸巳，北周国主宇文邕召集群臣，以及沙门、道士，周武帝自己登上高座，辩论三教地位高下，论定儒教为先，道教第二，佛教第三。

初四日乙未，谯城投降。

十四日乙巳，陈朝立皇子陈叔明为宜都王，陈叔献为河东王。

壬午日，任忠攻占霍州。

陈宣帝下诏征召安州刺史周炅入朝。当初，后梁定州刺史田龙升献城投降陈朝，陈宣帝下诏让他仍旧担任原职。等到周炅入朝，田龙升献出江北六州、七镇之地反叛投降北齐，北齐派历阳王元景安率军接应。陈宣帝下诏任命周炅为江北道大都督，统率众军征讨田龙升，把他斩首。元景安退走，陈朝全部收复了江北之地。

这一年，突厥向北齐求婚。

【注释】

㊾㊸肥水：河名，在今安徽寿县东，亦称"淝水"。㊾㊹什六七：十分之六七。㊾㊺行台：指河南行台，治洛州，在今河南洛阳。㊾㊻皮景和（公元五二一至五七五年）：北齐人，官至尚书令，封西河郡开国公。传见《北齐书》卷四十一、《北史》卷五十三。㊾㊼淮口：地名，在今安徽寿县西。㊾㊽乙巳：十月十三日。㊾㊾躬擐：亲身穿着。擐，穿。㊿⓪可朱浑孝裕：可朱浑，三字姓，孝裕，名。㊿①李驹駼：历仕北齐与隋，官至永安太守。传附《北齐书》卷二十二《李义深传》、《北史》卷三十三《李义深传》。㊿②佐吏：军府中参谋议、备顾问的官员。㊿③识：通"志"，记住。㊿④脯：干肉。㊿⑤野老：农夫；乡下人。㊿⑥辍：停；

中止。⑤⓪⑦本是彼物：寿阳本属南朝领土。彼，指南朝。⑤⓪⑧从：任其。⑤⓪⑨龟兹国：古代西域城邦名，在今新疆西北部库车一带。此言虽尽失黄河以南国土，仍可如龟兹国一样，偏安一隅。⑤①⓪人生如寄：人的生命短促，犹如暂时寄居人间。⑤①①嬖臣：受宠的臣子。⑤①②鼓舞：和着鼓乐声起舞。⑤①③黎阳：郡名，治所黎阳县，在今河南浚县东北。⑤①④城戍：城堡。此为北齐惧陈兵北上，欲划河自保。⑤①⑤丁未：十月十五日。⑤①⑥颍口：颍水入淮河之口，在今安徽颍上东南。⑤①⑦辛亥：十月十九日。⑤①⑧苍陵：在今安徽寿县西南淮河南岸。⑤①⑨丙辰：十月二十四日。⑤②⓪谒者：陈依梁制，谒者仆射由宦官充任，掌传达诏命。⑤②①避席：古时席地而坐，有所敬则离座而起，称为避席。⑤②②圣衷：皇帝的心意。⑤②③征西大将军：加封的将军号，无职掌。下文“威虏将军”同此。⑤②④戊午：十月二十六日。⑤②⑤甲戌：十一月十二日。⑤②⑥淮阴城：地名，即淮阴郡城，在今江苏淮安。⑤②⑦庚辰：十一月十八日。⑤②⑧刘桃枝：《陈书》卷五《宣帝纪》作刘桃根。⑤②⑨朐山城：地名，即朐山郡城，在今江苏连云港市西南。⑤③⓪辛巳：十一月十九日。⑤③①济阴城：地名，即济阴郡，在今安徽明光东北。⑤③②己丑：十一月二十七日。⑤③③济南徐州：胡三省注认为“济”当作“齐”。书“齐南徐州”以与京口之南徐州相区别。南徐州，州名，治所宿预县，在今江苏宿迁东南。⑤③④北徐州：州名，当是北齐之南徐州，陈人书之如此。⑤③⑤齐北徐州：州名，治所即丘，在今山东临沂西。⑤③⑥录事参军：官名，掌总录众官署文簿，举弹善恶。⑤③⑦临陈：亲自到军阵上。⑤③⑧仓曹参军：官名，骠骑将军府参军之一，掌仓谷事务。梁制，将军府有功曹、仓曹、中兵、外兵、骑兵、长流、城局等参军。⑤③⑨典午：典，司之意。午，属马。故称司马为典午。指东晋司马氏。⑤④⓪徐广：东晋秘书监。晋恭帝禅位，宋武帝即皇帝位，他以晋朝遗老，悲感流涕。事见本书卷一百一十九《宋纪一》武帝永初元年。⑤④①当涂：即当涂高。东汉末年谶书有“代汉者当涂高”之语。当涂高隐喻魏。魏，像宫门外两阙，当道而高。代汉者当涂高，即代汉者魏。⑤④②马孚：即司马孚，魏国太傅。魏帝禅位于晋，他握魏帝手说：“臣死之日，固大魏之纯臣也。”详见本书卷七十九《晋纪一》武帝泰始元年。⑤④③辰：时。⑤④④方伯：一方诸侯之长，后泛指地方长官。⑤④⑤天厌梁德：上天厌弃梁朝；天灭亡梁朝。⑤④⑥匡继：匡复梁室，以继绝世。⑤④⑦包胥之志：申包胥救楚之志。包胥，

【原文】

六年（甲午，公元五七四年）

春，正月壬戌朔⑤⑦⑧，周齐公宪等七人进爵为王。

己巳⑤⑦⑨，周主享太庙。乙亥⑤⑧⓪，耕藉田。

壬午⑤⑧①[25]，上享太庙。

即申包胥，楚国人。吴国灭楚，他赴秦请救，以秦军破吴复楚。⑱ 遘：遭遇。⑲ 苌弘之眚：春秋时周灵王即位，诸侯不朝，周大夫苌弘以鬼神之术招致诸侯，诸侯竟不朝。至周敬王时，晋人杀苌弘。眚，过错。⑳ 爰：乃。㉑ 赦王经之哭：魏元帝景元元年，司马昭弑高贵乡公，并捕王经。其吏向雄，抱王经哭于东市，司马昭赦向雄。㉒ 许田横之葬：汉高祖灭齐，齐王田横入居海岛，高祖征入朝，行至洛阳自杀，高祖仍以王者之礼安葬。事见本书卷十一《汉纪三》高帝五年。㉓ 报葛之人：葛指诸葛诞。司马昭破寿春，诸葛诞麾下不降而死。事见本书卷七十七《魏纪九》高贵乡公甘露三年。㉔ 悲田之客：田指田横。田横死，其客五百人，闻之皆自杀于海岛之上。㉕ 壬辰朔：十二月初一日。㉖ 熊昙朗：诛熊昙朗事见本书卷一百六十八《陈纪二》文帝天嘉元年。㉗ 瘗：埋葬。㉘ 八公山：山名，在今安徽寿县东。㉙ 义故：义士及旧友。㉚ 寻：不久。㉛ 柩：已装尸体的棺材。㉜ 谥：帝王、大臣、士大夫死后，依其生前事迹给予的称号。㉝ 辒辌车：丧车。自秦汉以来，天子葬用辒辌车。㉞ 癸巳：周历十二月癸巳朔，当陈历十二月初二日。㉟ 沙门：僧徒。㊱ 三教先后：三教的地位高低。三教，时称儒、佛、道为三教。先后，指政治地位的高低。㊲ 释：即佛教。因印度人释迦牟尼创始，故名。㊳ 乙未：十二月初四日。㊴ 谯城：地名，即谯州城，在今安徽蒙城北。㊵ 乙巳：十二月十四日。㊶ 叔明：陈宣帝第六子。㊷ 叔献：陈宣帝第九子。与宜都王叔明二人传均见《陈书》卷二十八、《南史》卷六十五。㊸ 壬午：十二月壬辰朔，无壬午，疑为“壬子”之误。壬子，十二月二十一日。㊹ 霍州：州名，治所庐江郡霍山县，在今安徽霍山。㊺ 安州：州名，治所安陆县，在今湖北安陆。㊻ 定州：州名，治所信安县，在今湖北麻城东北。㊼ 景安：即元景安，北魏宗室后裔。历仕北齐、北周，官至行台尚书令，封历阳郡王。传见《北齐书》卷四十一、《北史》卷五十三。

【校记】

［24］孝：原作“道”。据章钰校，十二行本、乙十一行本皆作“孝”，今据改。〖按〗《陈书·吴明彻传》《南史·吴明彻传》皆作“孝”。

【语译】

六年（甲午，公元五七四年）

春，正月初一日壬戌，北周齐国公宇文宪等七人晋爵为王。

初八日己巳，北周国主宇文邕到太庙祭祀祖先。十四日乙亥，举行亲耕籍田典礼。

二十一日壬午，陈宣帝到太庙祭祀祖先。

甲申[582]，广陵[583]金城降。

二月壬辰[584][26]朔，日有食之。

乙未[585]，齐主还邺。

丁酉[586]，周纪国公贤[587]等六人进爵为王。

辛亥[588]，上耕藉田[589]。

齐朔州[590]行台南安王思好[591]，本高氏养子，骁勇，得边镇人心。齐主使嬖臣斫骨光弁[592]至州，光弁不礼于思好，思好怒，遂反，云“欲入除君侧之恶”。进军至阳曲[593]，自号大丞相。武卫将军[594]赵海在晋阳掌兵[27]，苍猝不暇奏，矫诏发兵拒之。帝闻变，使尚书令唐邕等驰之晋阳，辛丑[595]，帝勒兵继进。未至，思好军败，投水死。其麾下二千人，刘桃枝围之，且杀且招[596]，终不降，以至于尽。

先是有人告思好谋反，韩长鸾女适[597]思好子，奏言：“是人[598]诬告贵臣，不杀无以息后[599]。”乃斩之。思好既诛，告者弟伏诉[28]阙下[600]求赠官，长鸾不为通。

丁未[601]，齐主还邺。甲寅[602]，以唐邕为录尚书事[603]。

乙卯[604]，周主如云阳宫。

丙辰[605]，周大赦。

庚申[606]，周叱奴太后[607]有疾。三月辛酉[608]，周主还长安。癸酉[609]，太后殂。帝居倚庐[610]，朝夕进一溢[611]米。群臣表请，累旬[612]乃止。命太子总厘[613]庶政。

卫王直谮齐王宪于帝曰：“宪饮酒食肉，无异平日。”帝曰：“吾与齐王异生[614]，俱非正嫡[615]，特以吾故，同袒[616]括发[617]。汝当愧之，何论得失？汝，亲太后之子，特承慈爱，但当自勉，无论他人。”

夏，四月乙卯[618]，齐遣侍中薛孤康买[619]吊于周，且会葬。

初，齐世祖为胡后造珠裙袴[620]，所费不可胜计，为火所焚。至是，齐主复为穆后营之[621]。使商胡赍锦彩三万，与吊使[622]偕往市珠[623]。周人

二十三日甲申，广陵金城投降。

二月初二日壬辰，发生日食。

初五日乙未，北齐国主高纬回到邺城。

初七日丁酉，北周纪国公宇文康等六人晋爵为王。

二十一日辛亥，陈宣帝举行亲耕籍田典礼。

北齐朔州行台南安王高思好，原本是高氏养子，十分骁勇，深得边镇民心。北齐国主高纬派宠臣斫骨光弁到朔州，斫骨光弁对高思好傲慢无礼，高思好大怒，于是造反，声称“要带兵进京除掉国君身边的坏人”。高思好进军到达阳曲，自称大丞相。武卫将军赵海在晋阳掌握军权，匆忙间来不及上奏，就假传诏令出动军队去抵抗。皇上高纬听说发生变乱，派尚书令唐邕等快马赶到晋阳。二月十一日辛丑，高纬亲自指挥军队随后进发。高纬还没到达晋阳，高思好的军队已战败，高思好也投水而死。高思好的部下两千人被刘桃枝包围，北齐军一边杀一边招降，但高思好的这些部下始终不投降，以至全部战死。

此前，有人告发高思好谋反，因韩长鸾的女儿嫁给了高思好的儿子，韩长鸾便启奏说：“这人诬告贵臣，不杀掉他就不能让后来的效尤之风止息。”于是杀了告发者。高思好被诛杀后，告发人的弟弟拜伏在皇宫门前请求给他的哥哥赠官，韩长鸾不替他向皇上通报。

二月十七日丁未，北齐国主高纬回到邺城。二十四日甲寅，任命唐邕为录尚书事。

二十五日乙卯，北周国主宇文邕前往云阳宫。

二十六日丙辰，北周实行大赦。

二月三十日庚申，北周叱奴太后生病。三月初一日辛酉，北周国主宇文邕回到长安。十三日癸酉，叱奴太后去世。皇上宇文邕居倚庐守丧，早晚只吃一勺米的饭。群臣上表请求皇上节哀，一连十几天上表后皇上才不再住在倚庐。皇上命令太子宇文赟总理各项政务。

北周卫王宇文直在皇上宇文邕面前说齐王宇文宪的坏话，说：“宇文宪饮酒吃肉，跟平日没有不同。”皇上说：“我与齐王宇文宪同父异母，都不是嫡子。只因我是国君的缘故，他也跟我一起解衣露袒，用麻束发，为我母服丧。你应当感到羞愧，怎么反而去议论别人的是非？你，是太后的亲生儿子，又特别受到太后的慈爱，你只该自己努力去做，不要去议论别人。”

夏，四月二十五日乙卯，北齐派侍中薛孤康买到北周吊唁，并参加太后的葬礼。

当初，北齐世祖高湛为胡皇后制作珍珠裙裤，所花费的钱财不计其数，不料失火被烧毁。这时，北齐国主高纬又想为穆皇后做一条珍珠裙裤。高纬派胡商携带三万匹彩色绸缎，与吊唁使者一起到北周去购买珍珠。北周人不卖给他珍珠，高纬

不与，齐主竟自造之。及穆后爱衰，其侍婢冯小怜大幸，拜为淑妃[624]，与齐主坐则同席，出则并马，誓同生死。

五月庚申[625]，周葬文宣皇后于永固陵，周主跣行[626]至陵所。辛酉[627]，诏曰："三年之丧，达于天子。但军国务重，须自听朝。衰麻[628]之节，苫庐[629]之礼，率[630]遵前典[631]，以申罔极[632]。百僚宜依遗令[633]，既葬而除[634]。"公卿固请依权制，帝不许，卒申三年之制。五服[635]之内，亦令依礼。

庚午[636]，齐大赦。

齐人恐陈师渡淮，使皮景和屯西兖州[637]以备之。

丙子[638]，周禁佛、道二教，经、像[639]悉毁，罢沙门、道士，并令还俗。并禁诸淫祀[640]，非祀典[641]所载者尽除之。

六月壬辰[642]，周弘正卒。

壬子[643]，周更铸五行大布钱，一当十，与布泉[644]并行[645]。

戊午[646]，周立通道观以壹[647]圣贤之教。

秋，七月庚申[648]，周主如云阳，以右宫正尉迟运兼司武[649]，与薛公长孙览辅太子守长安。

初，帝取卫王直第为东宫[650]，使直自择所居。直历观府署[651]，无如意者，末取[652]废陟屺寺[653]，欲居之。齐王宪谓直曰："弟子孙多，此无乃褊小[654]？"直曰："一身尚不自容，何论子孙？"直尝从帝校猎而乱行[655]，帝对众挞之，直积怨愤，因帝在外，遂作乱。乙酉[656]，帅其党袭肃章门[657]。长孙览惧，奔诣帝所。尉迟运偶在门中，直兵奄至，手自阖[658]门。直党与运争门，斫伤运指，仅而得闭。直不得入，纵火焚门。运恐火尽，直党得进，取宫中材木及床榻[659]以益火，膏[660]油灌之，火转炽[661]。久之，直不得进，乃退。运帅留守兵，因其退而击之，直大败，帅百余骑奔荆州[662]。戊子[663]，帝还长安。八月辛卯[664]，擒直，废为庶人，囚于别宫，寻杀之。以尉迟运为大将军[665]，赐赉[666]甚厚。

竟然自己设法制作了一条珍珠裙裤。等到穆皇后失宠，穆皇后的侍女冯小怜大受宠幸，被封为淑妃，与高纬坐则同席，出则并马，发誓要同生共死。

五月初一日庚申，北周在永固陵安葬文宣皇后叱奴氏，北周国主宇文邕光着脚走到陵前。初二日辛酉，周帝下诏说："为父母守三年之丧，从庶民直到天子都是一样的。但是军国事务繁重，皇上要亲自临朝听政。至于身穿孝服，头戴孝麻的服制，卧苫居庐的礼节，一概遵守先前的规定，以表达对母亲无尽养育之恩的思念。文武百官则应遵守太后遗命，在她安葬之后，就可以除去孝服。"公卿大臣一再请求皇上依照变通的制度守丧，周帝不同意，始终遵守守丧三年的礼制。对五服之内的亲属，也下令依礼守丧。

五月十一日庚午，北齐实行大赦。

北齐害怕陈朝军队渡过淮河，派皮景和屯驻在西兖州以做防备。

五月十七日丙子，北周禁佛教、道教，把佛、道两教的经典和佛像全部销毁，取缔和尚、道士，勒令他们还俗。并禁止一切不符合礼制的祭祀，凡不是礼仪制度规定的祭祀一律废除。

六月初三日壬辰，陈朝周弘正去世。

二十三日壬子，北周改铸五行大布钱，一个五行大布钱兑换民间私铸的十个细钱，与布泉钱一起流通。

二十九日戊午，北周建立通道观以统一圣贤的教化。

秋，七月初二日庚申，北周国主宇文邕前往云阳，任命右宫正尉迟运兼职司武，与薛国公长孙览辅佐太子镇守长安。

当初，周武帝征用卫王宇文直的府第为东宫，让宇文直自己另外选择一处住所。宇文直一一察看了所有的府署，没有一处满意的，最后选定了荒废的陟屺寺，想居住在那里。齐王宇文宪对宇文直说："弟弟你子孙众多，这地方恐怕太狭小了吧?"宇文直说："我自己这一个身子尚且不见得能容下，哪里还谈得上子孙?"宇文直曾经随从周武帝围猎而乱了队列，周武帝当众鞭打他，宇文直便积下怨愤，趁周武帝外出，在长安起兵作乱。七月二十七日乙酉，他率领党羽袭击肃章门。长孙览害怕，逃到周武帝的行在所。尉迟运正巧在肃章门内，宇文直领兵突然到来，尉迟运亲手关门。宇文直的党羽与尉迟运争门，砍伤了尉迟运的手指，尉迟运勉强把门关上了。宇文直不能进入皇宫，就放火烧门。尉迟运担心火灭了，宇文直的党羽会冲进宫来，便命人搬来宫中的木材和床榻等物投入火中加大火势，又用油脂灌浇，火势转大。双方僵持了很久，宇文直一直进不了宫，这才退走。尉迟运率领留守的士兵，趁宇文直退走时追击，宇文直大败，率领一百余骑逃奔荆州。三十日戊子，周武帝回到长安。八月初三日辛卯，抓获宇文直，废为庶人，禁闭在别宫，不久又杀了他。任命尉迟运为大将军，赏赐非常优厚。

丙申[667]，周主复如云阳。

癸丑[668]，齐主如晋阳。甲辰[669]，齐以高劢为尚书右仆射。

九月庚申[670]，周主如同州。

冬，十月丙申[671]，周遣御正[672]弘农杨尚希[673]、礼部[674]卢恺[675]来聘。恺，柔之子也。

甲寅[676]，周主如蒲州。丙辰[677]，如同州。十一月甲戌[678]，还长安。

十二月戊戌[679]，以吏部尚书王玚[680]为右仆射，度支尚书[681]孔奂[682]为吏部尚书。玚，冲之子也。

时新复淮、泗[683]，攻战、降附，功赏纷纭。奂识鉴[684]精敏，不受请托[685]，事无凝滞[686]，人皆悦服[687]。湘州[688]刺史始兴王叔陵[689]，屡讽[690]有司，求为三公[691]。奂曰："衮章之职[692]，本以德举，未必皇枝[693]。"因以白帝。帝曰："始兴那忽望公？且朕儿为公，须在鄱阳王[694]后。"奂曰："臣之所见，亦如圣旨。"

齐定州[695]刺史南阳王绰[696]，喜为残虐，尝出行，见妇人抱儿，夺以饲狗。妇人号哭，绰怒，以儿血涂妇人，纵狗使食之。常云："我学文宣伯[697]之为人。"齐主闻之，锁诣行在，至而宥之。问："在州何事最乐？"对曰："多聚蝎于器，置狙[698]其中，观之极乐。"帝即命夜索蝎一斗，比晓[699]，得三二升，置浴斛[700]，使人裸卧斛中，号叫宛转。帝与绰临观，喜噱[701]不已。因让[702]绰曰："如此乐事，何不早[29]驰驿[703]奏闻？"由是大[30]有宠，拜大将军，朝夕同戏。韩长鸾疾之，是岁，出为齐州[704]刺史。将发，使人诬告其反，奏云："此犯国法，不可赦！"帝不忍明诛[705]，使宠胡何猥萨与之手搏[706]，扼[707]而杀之。

【段旨】

以上为第八段，写陈朝收复江北淮南之地，庆功封赏。北周武帝亲政、灭佛。北齐国主高纬残虐无道，变本加厉，国势日衰。

八月初八日丙申，北周国主宇文邕再次前往云阳。

二十五日癸丑，北齐国主高纬前往晋阳。十六日甲辰，北齐任命高劢为尚书右仆射。

九月初三日庚申，北周国主宇文邕前往同州。

冬，十月初九日丙申，北周派御正弘农人杨尚希、礼部卢恺到陈朝来通问修好。卢恺是卢柔的儿子。

十月二十七日甲寅，北周国主宇文邕前往蒲州。二十九日丙辰，前往同州。十一月十八日甲戌，回到长安。

十二月十二日戊戌，陈宣帝任命吏部尚书王玚为右仆射，度支尚书孔奂为吏部尚书。王玚是王冲的儿子。

这时陈朝刚刚收复淮、泗地区，将士进攻交战，敌方投降归附，论功行赏等事情纷杂。孔奂有见地，善于鉴别人，为人精细敏捷，不接受人情请托，事情办得迅速顺畅，人们心悦诚服。湘州刺史始兴王陈叔陵，多次暗示主管部门，希望担任三公之职。孔奂说："三公的职位，本是依照德行来选拔的，未必一定是皇室宗亲。"并把这事报告给陈宣帝。陈宣帝说："始兴王怎么突然想要做三公？再说朕的儿子要做三公，也得在鄱阳王之后。"孔奂说："臣的看法，也和皇上的意思一样。"

北齐定州刺史南阳王高绰，好做残暴狠毒的事。有一次外出，他看到一个妇人抱着婴儿，就夺过来喂狗。妇人高声哭喊，高绰大怒，把这个婴儿的血涂在妇人身上，放狗去咬这个妇人。他常常说："我学文宣帝伯伯的样子做人。"北齐国主高纬听说了，命人把高绰锁了押往行在所，等押送到后，又宽赦了他。高纬问高绰："在州里做什么事最快乐？"高绰回答说："把许多蝎子聚集在一个容器里，再把一只猴子放进去，看蝎子蜇猴子最快乐。"高纬于是立即派人连夜去捉一斗蝎子，等到天亮，只捉到两三升蝎子，然后把蝎子放进澡盆，让一个人光着身子躺在澡盆里，那人被蝎子蜇得团团打滚，号叫不已。高纬与高绰临盆观看，大笑不止。高纬责备高绰说："这么让人快乐的事，为什么不早用快马驿传奏上？"由此高绰大受宠信，升为大将军，两人从早到晚在一起嬉戏。韩长鸾十分憎恨高绰。这一年，外放高绰为齐州刺史。高绰将要启程赴任时，韩长鸾又派人诬告高绰谋反，随即上奏说："这是犯了国法，不能赦免！"皇上高纬不忍公开处死高绰，让宠胡何猥萨与他徒手搏斗，把他掐死了。

【注释】

⑤⑦⑧ 壬戌朔：正月初一日。⑤⑦⑨ 己巳：正月初八日。⑤⑧⓪ 乙亥：正月十四日。⑤⑧① 壬午：正月二十一日。⑤⑧② 甲申：正月二十三日。⑤⑧③ 广陵：州名，东魏分东豫州置，治所宋安县，在今河南息县。⑤⑧④ 壬辰：陈历二月初二日。周历则为二月初一日。⑤⑧⑤ 乙未：二月初五

日。㉟⑥丁酉：二月初七日。㉟⑦纪国公贤：据《周书》卷五《武帝纪》上，保定元年（公元五六一年）五月封康为纪国公，四年五月封贤为毕国公。《周书》卷十三《文闵明武宣诸子传》亦云纪国公康、毕国公贤，《北史》同。“贤”为“康”之误。《通鉴》误记。㉟⑧辛亥：二月二十一日。疑《通鉴》纪日有误，“辛亥”当下移至“丁未”后。《陈书》卷五《宣帝纪》亦作“辛亥”。㉟⑨上耕藉田：梁初，依宋、齐制，正月耕籍田。梁武帝改为二月，陈因而不改。㊿⓪朔州：州名，治所新城县，在今山西朔州西南。㊿①思好：即高思好（？至公元五七四年），仕北齐，官至朔州刺史，封南安王。传附《北齐书》卷十四《上洛王思宗传》、《北史》卷五十一《上洛王思宗传》。㊿②斫骨光弁：斫骨为少数民族复姓，光弁为名。钱大昕《通鉴注辩正》引《广韵》云：“汉复姓有斫胥氏”，“骨”为“胥”字之讹。可备一说。㊿③阳曲：地名，旧称太原郡汾阳县为阳曲，在今山西阳曲东北。㊿④武卫将军：武官名，左右卫将军之副将，掌宿卫营兵。㊿⑤辛丑：二月十一日。辛丑当在“辛亥”之前，此《通鉴》排比干支时有误。㊿⑥招：劝降。㊿⑦适：女子出嫁。㊿⑧是人：这人，指告谋反者。㊿⑨息后：使后来效法者止息。⑥⓪⓪伏诉阙下：拜伏于宫门下。⑥⓪①丁未：二月十七日。⑥⓪②甲寅：二月二十四日。⑥⓪③录尚书事：官名，位在尚书令上，职掌与令同，总揽机衡。⑥⓪④乙卯：二月二十五日。⑥⓪⑤丙辰：二月二十六日。⑥⓪⑥庚申：二月三十日。周历则为二十九日。⑥⓪⑦叱奴太后：宇文泰姬（？至公元五七四年），后尊为后。传见《周书》卷九。⑥⓪⑧辛酉：三月初一日。⑥⓪⑨癸酉：三月十三日。⑥①⓪倚庐：庐舍依东墙而建，故称“倚庐”。⑥①①一溢：一升的二十四分之一为一溢。⑥①②累旬：连续十来天。旬，十日。⑥①③厘：治理。⑥①④异生：谓同父异母。⑥①⑤正嫡：嫡子。⑥①⑥袒：肉袒，即脱去上衣，裸露肢体。⑥①⑦括发：用麻束发，此是居丧时的装束。⑥①⑧乙卯：四月二十五日。⑥①⑨薛孤康买：薛孤，复姓。康买，名。⑥②⓪袴：裤子。⑥②①营之：制作珍珠裙裤。⑥②②吊使：吊丧的使者。⑥②③市珠：买珍珠。市，买。⑥②④淑妃：宫中女官名，位在贵妃之下。⑥②⑤庚申：五月初一日。⑥②⑥跣行：光着脚走。古代孝行之一。⑥②⑦辛酉：五月初二日。⑥②⑧衰麻：身着丧服，头发用麻束起。⑥②⑨苫庐：睡在苫上，住在小房内。苫，古人居丧时睡的草垫。⑥③⓪率：一律；一概。⑥③①前典：过去的典制。⑥③②以申罔极：以表示对父母无尽养育之恩的思念。罔极，无穷尽。⑥③③遗令：太后临死时留下的教令。⑥③④除：脱下丧服。⑥③⑤五服：旧时丧服制度，以亲疏为差等，有斩衰、齐衰、大功、小功、缌麻五种名称，统称五服。⑥③⑥庚午：五月十一日。⑥③⑦西兖州：州名，治所定陶，在今山东定陶。⑥③⑧丙子：五月十七日。⑥③⑨经、像：经，指佛、道二教之经书。像，谓佛像、天尊像。⑥④⓪淫祀：指不合礼制的祭祀。⑥④①祀典：祭祀的礼仪和制度。⑥④②壬辰：六月初三日。⑥④③壬子：六月二十三日。⑥④④布泉：钱名，北周武帝保定元年（公元五六一年）七月，更铸钱，文曰“布泉”，以一当五，与五铢钱并行。建德三年（公元五七四年）六月，更铸五行大布钱。事载《周书》卷五《武帝纪》。⑥④⑤并行：一起通用。⑥④⑥戊午：六月二十九日。⑥④⑦壹：同“一”。一致；统一。⑥④⑧庚申：七月初二日。⑥④⑨司武：官名，司马之别称。隶大司马，专掌军事。⑥⑤⓪为东宫：建德元年，立太子，始建东宫。651府署：官署或贵族住宅。652末取：最后选定。653陟屺寺：寺名，取望母为名。宇文直取该寺，欲以同母感动周武帝。654褊小：狭小；狭隘。655乱行：乱了行列，亦作胡作非为解。656乙酉：七月二十七日。657肃章门：宫门名，唐长安太极宫，在太极殿后，两仪殿前，中为朱明门，东则虔化门，西则肃章门，大概是用周遗制。658阖：关闭。659床榻：坐卧用具。660膏：油脂。661炽：猛烈。662荆州：州名，治所江陵县，在今湖北江陵。江陵时为后梁都城。663戊子：七月三十日。664辛卯：八月初三日。665大将军：武官名，周十二大将军，每一大将军领二开府。666赐赉：赐予。667丙申：八月八日。668癸丑：八月二十五日。据《北齐书》卷八《后主纪》、《北史》卷八《齐本纪》下，当作"癸卯"。癸卯为八月十五日。669甲辰：八月十六日。670庚申：九月初三日。671丙申：十月初九日。672御正：北周官名，北周依《周礼》改官制，武成元年，增置御正四人，掌王言，在皇帝左右。673杨尚希（公元五二四至五八〇年）：仕北周与隋，历官计部上大夫、礼部尚书。传见《隋书》卷四十六、《北史》卷七十五。674礼部：北周官名，保定四年，改礼部为司宗，大司礼为礼部。掌礼部诸事。675卢恺：仕北周与隋，官至礼部尚书，摄吏部尚书事。传见《周书》卷三十二、《隋书》卷五十六、《北史》卷三十。676甲寅：十月二十七日。677丙辰：十月二十九日。678甲戌：十一月十八日。周历则为十七日。679戊戌：十二月十二日。680王玚（公元五二三至五七六年）：陈朝人，官至中书令。传见《陈书》卷二十三、《南史》卷二十一。681度支尚书：官名，领度支、金部、仓部、起部四曹，类似后世户部尚书。682孔奂（公元五一四至五八三年）：历仕梁、陈，官至中书令。传见《陈书》卷二十一、《南史》卷二十七。683淮、泗：当指淮水、泗水一带，在今江苏、安徽境内。684识鉴：能赏识人才，辨别优劣。685请托：私相嘱托。686凝滞：停止流动。此指办事不顺畅。687悦服：心悦诚服。688湘州：州名，治所临湘县，在今湖南长沙。689始兴王叔陵：即陈叔陵（？至公元五八二年），陈宣帝第二子，字子嵩，封始兴郡王，官至扬州刺史。传见《陈书》卷三十六、《南史》卷六十五。690讽：暗示；不正面说，托词婉言劝说。691三公：辅佐国君掌握军政权的最高官员。三公历代所指不同。陈以太宰、太傅、太保为三公。692衮章之职：指三公职。衮章，指衮服的文采。693皇枝：皇帝宗室。694鄱阳王：即陈伯山，陈文帝第三子，封鄱阳王。传见《陈书》卷二十八、《南史》卷六十五。695定州：州名，治所安喜县，在今河北定州。696南阳王绰：即高绰（？至公元五七四年），武成帝长子，封南阳王。传见《北齐书》卷十二、《北史》卷五十二。697文宣伯：即文宣帝高洋。698狙：猿猴之类的动物。699比晓：等到天亮。700浴斛：洗澡盆之类的浴器。701噱：大笑。702让：责备。703驰驿：古时官员因急事入奏或外出，由沿途驿站供给夫马粮食，兼程而行，称驰驿。704齐州：州名，治所历城县，在今山东济南。705明诛：公开处死。706手搏：徒手搏击。707扼：用力掐住。

【校记】

［25］壬午：原作“壬子”。据章钰校，十二行本、乙十一行本皆作“壬午”，张敦仁《通鉴刊本识误》同，今据改。〖按〗《陈书·宣帝纪》作“壬子”。［26］壬辰：原作“壬午”。据章钰校，孔天胤本作“壬辰”，张敦仁《通鉴刊本识误》同，今据改。〖按〗《陈书·宣帝纪》《周书·武帝纪上》皆作“壬辰”。［27］掌兵：原无此二字。据章钰校，十二行本、乙十一行本、孔天胤本皆有此二字，张敦仁《通鉴刊本识误》同，今据补。〖按〗《北齐书·上洛王高思宗传附高思好传》《北史·上洛王高思宗传附高思好传》皆有此二字。［28］诉：原无此字。据章钰校，十二行本、乙十一行本、孔天胤本皆有此字，张敦仁《通鉴刊本识误》同，今据补。［29］早：原无此字。据章钰校，十二行本、乙十一行本、孔天胤本皆有此字，张敦仁《通鉴刊本识误》同，今据补。〖按〗《北齐书·南阳王高绰传》《北史·南阳王高绰传》皆有此字。［30］大：原无此字。据章钰校，十二行本、乙十一行本、孔天胤本皆有此字，张敦仁《通鉴刊本识误》同，今据补。

【研析】

本卷所记公元五七二至五七四年三年间史事，最值得关注的是周武帝从政治、军事与思想等方面强化皇权。

西魏北周政权相继，政治上逐步稳定，经历三十多年的发展，由创立时的弱小状态，业已成当时鼎立三方中最有影响力的政权。但其政治上的缺陷仍相当明显，那就是辅政体制造成的权力分散。北周虽与草原上强大的突厥结为政治盟友，但在与齐、陈两方的角逐中，并没有体现出绝对优势。

第一，所谓“辅政体制”，缘于西魏创立。年轻的宇文泰因缘际会，为“群公”所推，执掌西魏大政，而名义上的最高权力仍旧在西魏皇帝手中。宇文泰死后，宇文护执政，名义上的最高权力却是北周皇帝所有，最高权力的名义所有者与实际行使者分离。在特定的政治形势下，这种政治体制可以使执政者在未具备绝对的统治力时，避免改朝换代可能引发的激烈政治冲突，更为灵活地笼络各种政治势力。但这种体制也掣肘执政者，使其一方面要尽可能遏止皇权的伸张，一方面在权力行使过程中又不得不考虑政治利益的平衡，而政治上的野心家、失利者，也往往利用这种体制，在皇帝与执政者必然产生的矛盾之中寻求自身的利益。这不仅是破坏政治稳定的潜在因素，也使该政权在多政权并立时，不能为实现一个特定的目标投入全部的资源。如本卷所记周武帝强化个人权力时所说：“昔魏末不纲，太祖辅政。及周室受命，晋公复执大权。积习生常，愚者谓法应如是。”所谓“法”，那就是在专制政治下，权力必须集中。我们尽可以以当代人的眼光对专制政治进行批判，但就专制政治本身来说，英明而强势的皇帝，正是历代“圣世”出现的前提。

在宇文泰死后，当“群公各图执政，莫相率服”的情况下，宇文护对西魏北周的政治稳定与宇文氏北周政权的创立，无疑立有大功。如《周书》卷十一《宇文护传》史臣评论所说：“有周受命之始，宇文护寔预艰难。及太祖崩殂，诸子冲幼，群公怀等夷之志，天下有去就之心。卒能变魏为周，俾危获乂者，护之力也。”同卷也批评他“暗于大体。自恃建立之功，久当权轴。凡所委任，皆非其人。兼诸子贪残，僚属纵逸，恃护威势，莫不蠹政害民。上下相蒙，曾无疑虑”。

周武帝宇文邕被宇文护立为皇帝后，“常自晦迹，人莫测其深浅”，他利用亲情，使宇文护疏于防范，将其刺杀，并清除其党羽。所利用的力量与刺杀过程，本卷已有详细交代，不再细说。《周书·武帝纪下》评论他随后的政治举措说：“及诛护之后，始亲万机。克己励精，听览不怠。用法严整，多所罪杀。号令恳恻，唯属意于政。群下畏服，莫不肃然。性既明察，少于恩惠。凡布怀立行，皆欲逾越古人。”

周武帝“用法严整，多所罪杀”，“少于恩惠”，并非对百姓实施的暴政，目的是扭转权臣执政时期皇权不伸的弊端，使群臣听命于已，故“颇事威刑，虽骨肉无所宽借”。其异母弟齐王宇文宪是他诛除宇文护重要的支持者，事后，周武帝对曾为齐王侍读的裴文举说：“卿虽陪侍齐公，不得遽同为臣，欲死于所事。”其实是意图通过裴文举告诫宇文宪：不得培育自己的势力，所有臣子均得听命于皇帝。宇文宪知晓后表示：“但当尽忠竭节耳。”周武帝同母弟宇文直，虽是诛除宇文护势力的积极推动者，但由于认不清形势，试图如同宇文护一样执政，不得志则起而反叛，结果连同其十子一并被杀。兄弟亲情必须让位于皇权至上的原则。

第二，军队的忠诚，是皇帝个人专制最重要的保证。宇文泰创立的六柱国、十二大将军为核心的指挥系统，在宇文护执政时期已发生了很大的改变，柱国大将军已大大增加。如《周书·武帝纪上》所记：宇文护被诛的前一年，正月，王杰、宇文会、田弘、李晖等四人升任柱国；四月，司马消难、侯莫陈琼、阎庆、窦毅、叱罗协、侯伏侯龙恩等六人升为柱国；五月，李昞、宇文训、宇文亮、陆腾、宇文丘、寇绍、宇文善、高琳、达奚震、杨纂、于翼等十一人又被提升为柱国。利用政治上有影响力的老人逝去的有利时期，短时期内提升众多此前作为最高军事指挥者的柱国大将军，使柱国大将军失去了往日举足轻重的显赫地位，从而有利于改变以前军队浓重的私属性色彩，使“群公怀等夷之志”局面消于无形。这实际上也为周武帝强化对军队的直接控制创造了条件。

本卷记公元五七二年十一月庚戌，“周主行如羌桥，集长安以东诸军都督以上，颁赐有差”，“壬申，周主如斜谷，集长安已西诸军都督已上，颁赐有差。”都督在当时已是中下级武官，这显示出周武帝力图改变此前府兵制度下军人与主将同姓氏、中下层军事指挥人员效忠于高层武将的传统，在中下层武官中树立效忠皇帝的意识。而这只是一个开始。据《周书·武帝纪上》，建德二年（公元五七三年）六月，周

武帝“集诸军将，勖以戎事”；建德三年正月，“享二十四军督将以下，试以军旅之法，纵酒尽欢”；六月，“集诸军将，教以战阵之法”；十二月，“大会卫官及军人以上，赐钱帛各有差”，同月，“改诸军军士并为侍官”。《周书·武帝纪下》卷末还称：“每宴会将士，必自执杯劝酒，或手付赐物。”不断与军队接触，特别是与中下层武官甚至兵士接触，通过集训、宴会、赏赐，拉近他们与皇帝的私人情感，并改军士名为“侍官”，所有军队在名义上都成了皇帝的卫队。北周军队的指挥权，由此真正集中到皇帝手中。在日后平齐之战中，我们再也见不到此前将领率其所统各自为战的情形。

第三，本卷记公元五七四年五月，“周禁佛、道二教，经、像悉毁，罢沙门、道士，并令还俗”。这是周武帝在思想文化上强化集权的重要举措。汉代传入中土的佛教，在魏晋南北朝动荡时期获得了快速发展，以至于有学者称之为“佛教征服中国”。秉持众生平等、追求来生幸福的佛教，与专制权力并不发生直接冲突，但其影响扩大之后，仍与传统的专制集权产生了矛盾。“溥天之下，莫非王土；率土之滨，莫非王臣”，原本是专制集权的一种理论支撑，但佛教僧侣，置身化外，“沙门”应否向王者致拜，在这一时期竟然成了僧俗热烈讨论的话题，这无疑冲击着专制权威；“身之发肤，受之父母，不可毁伤”，而僧侣按宗教律法削发受戒，冲击着作为专制集权传统基础的儒教论理；“不孝有三，无后为大”，僧侣们居处庙宇，向往灵魂皈依西方极乐世界，在俗世的批评者看来，长久以往，现世将成“鬼域”。而且，寺庙在当时广占土地、依附大量人口，确实影响了国家的赋税力役征收。《周书·武帝纪上》载建德三年正月诏书：“自今已后，男年十五，女年十三已上，爰及鳏寡，所在军民，以时嫁娶，务从节俭，勿为财币稽留。”反映了北周政权扩大人口规模的急切要求，僧尼的生活方式与现实政治的要求，极不合拍。

热爱儒学的周武帝原本希望以和平的方式，清除佛教的影响。建德二年（公元五七二年）十二月，“集群臣及沙门、道士，帝自升高坐，辨三教先后”。从《广弘明集》所载当时诸方辩论之语可知，擅长于理论说教的佛教僧侣显然在口辞上占了上风，但政治的需要压倒一切，周武帝不得不强行断定：“儒为先，道为次，释为后。”而且只要第一，严禁第二、第三，以暴力方式焚毁佛教寺庙经像，没收寺院财产，严令僧尼还俗。此与北魏太武帝、唐代武宗废佛合称为“三武灭佛”，在佛教界看来，这是佛教中国化过程中的“三厄”，即三次灾难。

周武废佛，被僧人指责为“求兵于僧众之间，取地于塔庙之下”。兵源、财富自然是周武帝废佛的一个原因，但如同其他两次废佛运动一样，经济问题只不过是一种表象，政治的、文化的目的才是根本。周武帝在儒学衰落、佛教昌炽的背景下大规模地废佛，是非得失可以讨论，但在当时来说，无疑是汉代“独尊儒术”的历史回响，预示着十六国北朝少数民族华夏化过程的终结，华夏文明强盛时代即将来临。

卷第一百七十二　陈纪六

起旃蒙协洽（乙未，公元五七五年），尽柔兆涒滩（丙申，公元五七六年），凡二年。

【题解】

本卷记述公元五七五至五七六年南北朝两年史事，当陈宣帝太建七年、八年，北周武帝建德四年、五年，北齐后主高纬武平六年、隆化元年。重点记述北周武帝连年用兵讨伐北齐的事件。周武帝第一次伐齐，出兵指向北齐重点防御的洛阳，无功而返；武帝及时总结教训，再次伐齐，直指并州，一举端掉高氏起家的晋阳，奠定了灭亡北齐的基础。

【原文】

高宗宣皇帝中之上

太建七年（乙未，公元五七五年）

春，正月辛未①，上祀南郊。

癸酉②，周主如同州。

乙亥③，左卫将军樊毅克潼州④。

齐主还邺。

辛巳⑤，上祀北郊⑥。

二月丙戌朔⑦，日有食之。

戊申⑧，樊毅克下邳⑨、高栅⑩等六城。

齐主言语涩呐⑪，不喜见朝士，自非宠私昵狎⑫，未尝交语⑬。性懦，不堪人视⑭，虽三公、令、录⑮奏事，莫得仰视，皆略陈大指⑯，

【语译】

高宗宣皇帝中之上

太建七年（乙未，公元五七五年）

春，正月十六日辛未，陈宣帝在南郊祭天。

十八日癸酉，北周国主宇文邕前往同州。

二十日乙亥，陈朝左卫将军樊毅攻克潼州。

北齐国主高纬回到邺城。

二十六日辛巳，陈宣帝在北郊祭地。

二月初一日丙戌，发生日食。

二十三日戊申，樊毅攻克下邳、高栅等六城。

北齐国主高纬说话迟钝不流利，不喜欢接见朝廷官员，如果不是他宠爱亲近的人，从不与之交谈。高纬生性怯懦，忍受不了别人的注视，即使是朝廷三公、尚书令、录尚书事奏事，也都不能抬头看他，都是简要说个大意，便惊恐地退出。高纬

惊走而出。承世祖⑰奢泰⑱之余，以为帝王当然，后宫皆宝衣玉食⑲，一裙之费，至直⑳万匹，竞为新巧，朝衣夕弊㉑。盛修宫苑，穷极壮丽，所好不常，数毁又复。百工土木㉒，无时休息，夜则然火照作，寒则以汤㉓为泥。凿晋阳西山为大像，一夜然油万盆，光照宫中㉔。每有灾异寇盗，不自贬损㉕，唯多设斋㉖，以为修德。好自弹琵琶，为《无愁》㉗之曲，近侍和之者以百数，民间谓之“无愁天子”。于华林园立贫儿村，帝自衣蓝缕㉘之服，行乞其间以为乐。又写筑西鄙诸城㉙，使人衣黑衣㉚攻之，帝自帅内参㉛拒斗。

宠任陆令萱、穆提婆、高阿那肱、韩长鸾等宰制㉜朝政，宦官邓长颙㉝、陈德信㉞、胡儿何洪珍等并参预机权㉟，各引亲党，超居显位㊱。官由财进，狱以贿成㊲，竞为奸谄㊳，蠹政害民。旧苍头㊴刘桃枝等皆开府封王，其余宦官、胡儿、歌舞人、见鬼人㊵、官奴婢等滥得富贵者，殆将万数，庶姓封王者以百数，开府㊶千余人，仪同㊷无数，领军一时至二十人，侍中㊸、中常侍㊹数十人，乃至狗、马及鹰亦有仪同、郡君㊺之号，有斗鸡号开府，皆食其干禄㊻。诸嬖幸朝夕娱侍左右，一戏之赏[1]，动逾巨万。既而府藏㊼空竭，乃赐二三郡或六七县，使之卖官取直㊽。由是为守令㊾者，率㊿皆富商大贾(51)，竞为贪纵，赋繁役重[2]，民不聊生。

周高祖谋伐齐，命边镇益储偫(52)，加戍卒。齐人闻之，亦增修守御(53)。柱国(54)于翼(55)谏曰：“疆埸(56)相侵，互有胜负，徒损兵储，无益大计。不如解严继好，使彼懈而无备，然后乘间，出其不意，一举可取也。”周主从之。

韦孝宽上疏陈三策：

其一曰：“臣在边积年(57)，颇见间隙(58)，不因际会(59)，难以成功。是以往岁出军(60)，徒有劳费，功绩不立，由失机会。何者？长淮(61)之南，旧为沃土，陈氏以破亡余烬(62)，犹能一举平之(63)，齐人历年赴救，丧败而返。内离外叛，计尽力穷，雠敌有衅(64)，不可失也。今大军若出轵

承接其父世祖高湛奢靡风气的余绪，认为皇帝就应该这样。后宫嫔妃都是穿珠宝缝制的衣服，吃十分精美的食物，一条裙子的费用，甚至价值万匹锦帛，大家竞相攀比新奇精巧，早上新穿的衣服，到了晚上就被看作破旧了。他大肆修建宫室园林，雄伟华丽达到极点，他的爱好没有常性，一次又一次地毁掉后又重新修建。从事土木建筑的各种工匠，没有一刻休息，夜晚点起火把干活，天冷了烧热水和泥。在晋阳西山上雕凿大佛像，一个夜晚点燃上万油盆照明，亮光可以照到晋阳宫中。每当有了灾异或盗寇，皇上从不自我反省节制享乐，只是多设斋饭施舍，认为这样就是修炼功德。他喜欢亲自弹奏琵琶，谱了一首名叫《无愁》的乐曲，弹奏时要成百的近侍伴唱应和，民间戏称他为“无愁天子”。他在华林园设立贫儿村，亲自穿上破烂的衣衫，装扮成乞丐在村中乞讨并以此为乐。又仿造北齐西部的几座边境城市，派人穿上黑色戎装扮作周军进攻，他亲自率领宫中太监在城上防守战斗。

北齐国主宠信陆令萱、穆提婆、高阿那肱、韩长鸾等，让他们主宰朝政，宦官邓长颙、陈德信、胡人何洪珍等都参与执掌枢要大权，各自招引亲戚朋党，破格担任显要职位。官位由钱财决定升迁，狱讼靠贿赂判决定案，这些人竞相行奸邪谄媚之事，败坏朝政，祸害百姓。旧日不过是奴仆的刘桃枝等都位居开府，有的封王，其他宦官、胡人、歌舞艺人、巫师、官府奴婢等滥得富贵的，大约有上万人。平民姓氏被封王的数以百计，位居开府的有上千人，位居仪同三司的不计其数，被任职为领军将军的有时一次就达二十人，侍中、中常侍数十人，甚至狗、马和鹰等禽兽也有仪同、郡君的封号，有的斗鸡被封为开府，这些有职位封号的禽兽都享有相应等级的俸禄。那些受到宠幸的人从早到晚陪在北齐后主高纬的身边娱乐，一次游戏的赏赐，动辄数目巨大。不久国库空虚了，于是赐给这些人两三个郡或六七个县，让他们出卖官爵来获取钱财。从此，担任郡守县令的人，大抵都是富商，他们竞相贪污放纵，百姓的税赋繁杂，徭役沉重，民不聊生。

北周高祖宇文邕谋划讨伐北齐，命令边镇增加储备，加派戍守士兵。北齐得知消息，也修缮设施，增加守卫力量。北周柱国于翼劝谏说：“两国在边境互相侵犯，互有胜负，白白地损耗兵力和储备，无补于大计。不如解除边境的戒备措施，继续两国的友好关系，使对方松懈而不设防备，然后寻找机会，出其不意，可以一举占领敌国。”北周国主听从了于翼的建议。

韦孝宽上疏北周国主陈述三条计策。

第一条说：“臣在边镇多年，多次看到对方的空隙，若不抓住时机，仍然难以成功。所以往年出兵，白白耗费人力、物力，却不能建立功绩，都是因为失去了时机。为什么这么说呢？长长的淮河之南，从前是肥沃的土地，陈朝承梁朝破亡之后，整顿残余力量，仍能一举讨平那里，北齐连年派兵救援，都丧师大败而回。现在北齐内部离心，外有大军压境，计尽力穷，我们的仇敌有了这样可利用的空隙，我们绝不可丧失时

关，方轨而进[65]，兼与陈氏共为掎角[66]，并令广州[67]义旅出自三鸦[68]，又募山南[69]骁锐，沿河[70]而下，复遣北山稽胡[71]，绝[72]其并、晋[73]之路。凡此诸军，仍令各募关、河之外[74]劲勇之士，厚其爵赏，使为前驱。岳动川移，雷骇电激，百道俱进，并趋虏庭。必当望旗奔溃，所向摧殄[75]，一戎大定[76]，寔在此机。"

其二曰："若国家更为后图[77]，未即大举，宜与陈人分其兵势。三鸦以北，万春[78]以南，广事[79]屯田[80]，预为贮积，募其骁悍[81]，立为部伍[82]。彼既东南有敌[83]，戎马相持[84]，我出奇兵，破其疆埸。彼若兴师赴援，我则坚壁清野[85]，待其去远，还复出师。常以边外之军，引其腹心之众。我无宿舂[86]之费，彼有奔命之劳[87]，一二年中，必自离叛。且齐氏昏暴，政出多门[88]，鬻狱[89]卖官，唯利是视，荒淫酒色，忌害忠良，阖境嗷然[90]，不胜其弊。以此而观，覆亡可待。然后乘间电扫[91]，事等摧枯[92]。"

其三曰："昔句践[93]亡吴，尚期十载。武王取纣[94]，犹烦再举[95]。今若更存遵养[96]，且复相时，臣谓宜还崇邻好[97]，申其盟约，安民和众，通商惠工[98]，蓄锐养威，观衅[99]而动。斯乃长策远驭[100]，坐自兼并[101]也。"

书奏，周主引开府仪同三司伊娄谦[102]入内殿，从容谓曰："朕欲用兵，何者为先？"对曰："齐氏沉溺[103]倡优，耽昏[104]曲蘖[105]。其折冲[106]之将斛律明月，已毙于谗口[107]。上下离心，道路以目[108]。此易取也。"帝大笑。三月丙辰[109]，使谦与小司寇元伟[3]聘于齐以观衅。

丙寅[110]，周主还长安。

夏，四月甲午[111]，上享太庙。

监豫州[112]陈桃根得青牛，献之，诏遣还民。又表上织成罗文锦被各二百首[113]，诏于云龙门外焚之。

庚子[114]，齐以中书监[115]阳休之[116]为尚书右仆射。

六月壬辰[117]，以尚书右仆射王玚[118]为左仆射。

甲戌[119]，齐主如晋阳。

机。如今如果大军从轵关出击，两车并行大规模推进，加上联合陈朝两面夹击，并命令广州义军从三鸦出兵，再招募山南地区骁勇精锐之士，沿着黄河东下，同时派北山稽胡，截断敌人并州、晋州的通道。以上各军，还可让他们各自招募潼关、黄河之外即敌境之内的强劲勇敢之士，赐给他们优厚的官爵和奖赏，让他们当前锋。这样出征，如山动川移，雷惊电闪，百路齐进，直指敌人都城。敌人一定会望旗崩溃，我军则所向披靡。一旦出兵则天下大定，就在于要抓住这一良机。”

第二条说：“如果朝廷另有今后灭齐的计划，当前还不会立即大规模出兵，那就应当与陈朝共同分散齐国的兵势。在三鸦之北，万春以南，大规模屯田，预先做好贮备积蓄，招募骁勇凶悍的兵士，编成部队。齐国既然东南方向有陈朝这一个敌人，双方军事对峙，我军就可以突然出奇兵，攻破齐国边防。齐国如果派兵救援，我军则坚壁清野，等待他们撤离远去，我军再重新出兵。我军常常用边境的守军，牵制齐国腹心要害地区的部队。我军无须准备隔夜的粮米，对方却有应命奔走的劳累。在一两年之内，齐人自己一定会众叛亲离。况且齐主昏庸暴虐，政出多门，刑狱、官职都可以用钱买卖，唯利是图，荒淫无度，沉迷酒色，猜忌残害忠良，全国百姓愁苦哀号，不堪忍受这样的弊政。由此看来，齐国的灭亡指日可待。然后我军寻机发起闪电般的扫荡，那就如同摧枯拉朽一样了。”

第三条说：“从前勾践灭亡吴国，尚且等了十年。周武王夺取商纣的天下，还曾两度用兵。如今陛下如果顺应时势蓄养国力，等待时机再行动，臣认为那就应该恢复过去邻邦间的友好关系，重申盟约，安定人民，和睦部众，使商品流通，让工匠得到实惠，养精蓄锐，培植威力，看准对方空虚之机，采取行动。这样做便是长远谋略，不用费力而兼并齐国。”

韦孝宽的奏疏呈上以后，北周国主宇文邕召开府仪同三司伊娄谦入内殿，不慌不忙地问伊娄谦说：“朕想用兵，先打哪个国家?”伊娄谦回答说：“齐主沉湎歌舞玩乐，嗜好饮酒而终日昏昏沉沉。能够御敌的战将斛律明月，已被谗言杀害。君臣上下离心，路上行人以目示意，不敢交谈。这种情况最容易攻取。”宇文邕大笑。三月初二日丙辰，宇文邕派伊娄谦与小司寇元伟出使北齐以了解虚实。

三月十二日丙寅，北周国主宇文邕回到长安。

夏，四月初十日甲午，陈宣帝到太庙祭祀祖先。

豫州监军陈桃根得到一头青牛，献给朝廷，陈宣帝下诏让他退还给百姓。陈桃根又上表进贡丝织的罗纹锦被两种各二百件，陈宣帝下诏在云龙门外全部烧毁。

四月十六日庚子，北齐任命中书监阳休之为尚书右仆射。

六月初九日壬辰，陈朝任命尚书右仆射王玚为左仆射。

甲戌日，北齐国主高纬前往晋阳。

秋，七月丙辰[120][4]，周主如云阳宫。

大将军杨坚姿相奇伟[121]。畿伯下大夫[122]长安来和[123]尝谓坚曰："公眼如曙星[124]，无所不照，当王有天下，愿忍诛杀。"

周主待坚素厚，齐王宪言于帝曰："普六茹坚[125]，相貌非常，臣每见之，不觉自失[126]，恐非人下，请早除之！"帝亦疑之，以问来和。和诡对[127]曰："随公[128]止是守节[129]人，可镇一方，若为将领，陈无不破[130]。"

丁卯[131]，周主还长安。

先是周主独与齐王宪及内史[132]王谊[133]谋伐齐，又遣纳言[134]卢韫乘驲[135]三诣安州[136]总管于翼问策，余人皆莫之知。丙子[137]，始召大将军以上于大德殿告之。

丁丑[138]，下诏伐齐，以柱国陈王纯、荥阳公司马消难[139]、郑公达奚震[140]为前三军总管，越王盛、周昌公[141]侯莫陈崇[142]、赵王招为后三军总管。齐王宪帅众二万趋黎阳，随公杨坚、广宁公薛迥将舟师三万自渭入河[143]，梁公侯莫陈芮[144]帅众二万守太行道[145]，申公李穆帅众三万守河阳道[146]，常山公于翼帅众二万出陈、汝[147]。谊，盟之兄孙。震，武之子也。

周主将出河阳[148]，内史上士[149]宇文弢[150]曰："齐氏建国，于今累世[151]，虽曰无道，藩镇之任，尚有其人。今之出师，要须择地，河阳冲要[152]，精兵所聚，尽力攻围，恐难得志。如臣所见，出于汾曲[153]，戍小山平，攻之易拔。用武之地，莫过于此。"民部中大夫[154]天水赵煚[155]曰："河南、洛阳，四面受敌，纵得之，不可以守。请从河北[156]直指太原，倾其巢穴，可一举而定。"遂伯下大夫[157]鲍宏[158]曰："我强齐弱，我治齐乱，何忧不克？但先帝[159]往日屡出洛阳，彼既有备，每用[5]不捷。如臣计者，进兵汾、潞[160]，直掩晋阳，出其不虞，似为上策。"周主皆不从。宏，泉之弟也。

壬午[161]，周主帅众六万，直指河阴[162]。杨素请帅其父麾下先驱，周主许之。

八月癸卯[163]，周遣使来聘。

周师入齐境，禁伐树践稼[164]，犯者皆斩。丁未[165]，周主攻河阴大城，

秋，周历七月初三日丙辰，北周国主宇文邕前往云阳宫。

大将军杨坚姿容相貌奇特英伟。畿伯下大夫长安人来和曾经对杨坚说："您的眼睛如晨星闪烁，无所不照，应当称王而领有天下，希望您能克制诛杀。"

北周国主宇文邕一向厚待杨坚，齐王宇文宪对宇文邕说："普六茹坚，相貌非同寻常，臣每次见到他，不由得会内心茫然而无所措，他恐怕不是一个能在别人下位的人，请及早除掉他！"宇文邕对杨坚也有猜疑，就去问来和，来和诡称："随公杨坚只是一个信守名节的人，可以镇守一方，如果用他为大将，遇上敌阵将攻无不克。"

七月十五日丁卯，北周国主宇文邕回到长安。

此前北周国主宇文邕只是与齐王宇文宪以及内史王谊谋划讨伐北齐之事，又派纳言卢韫乘驿车三次到安州向总管于翼问计，其他的人都不知道。七月二十四日丙子，宇文邕第一次在大德殿召见大将军以上大臣通告伐齐的事。

七月二十五日丁丑，北周国主宇文邕下诏讨伐北齐，任命柱国陈王宇文纯、荥阳公司马消难、郑公达奚震为前三军总管，任命越王宇文盛、周昌公侯莫陈崇、赵王宇文招为后三军总管。齐王宇文宪率军两万直趋黎阳，随国公杨坚、广宁公薛迥率水军三万从渭河进入黄河，梁国公侯莫陈芮率军两万扼守太行道路，申公李穆率军三万扼守河阳道路，常山公于翼率军两万出征陈郡、汝南郡。王谊是王盟哥哥的孙子。达奚震是达奚武的儿子。

北周国主宇文邕打算亲自出征河阳，内史上士宇文弢说："北齐建国，至今连续几代，虽说齐国君主无道，但在藩镇任上的，还是有称职的人。如今出兵，最重要的是必须选择合适的地方，河阳是要冲之地，敌人屯聚精兵，我军即使尽力攻围，恐怕也难以如愿。依臣的意见，出兵汾曲，那里戍守的城堡小、山势平坦，容易攻克。用兵的地方，没有比这更好的了。"民部中大夫天水人赵煚说："河南、洛阳，四面受敌，即使得到了，也守不住。请从河北直指太原，捣毁敌方的巢穴，可以一战平定。"遂伯下大夫鲍宏说："周强大齐虚弱，周安定齐动乱，何愁不能攻克？只是先帝往日多次出兵洛阳，对方已经有了防备，所以常常不能取胜。依臣之计，进兵汾水、潞水地区，直接袭击晋阳，出其不备，似乎才是上策。"北周国主宇文邕都没有听从。鲍宏是鲍泉的弟弟。

七月三十日壬午，北周国主宇文邕率军六万，直指河阴。杨素请求率领其父原先的部众为先锋，周主同意了。

八月二十一日癸卯，北周派使者到陈朝来通问修好。

北周军队进入齐国境内，严禁砍伐树木、践踏庄稼，违犯者一律杀头。八月二十五日丁未，北周国主宇文邕进攻河阴大城，攻占了它。齐王宇文宪攻占了武济

拔之。齐王宪拔武济⑯，进围洛口⑰，拔东、西二城，纵火船[6]焚浮桥，桥绝。齐永桥⑱大都督太安傅伏⑲，自永桥夜入中潬城⑳。周人既克南城，围中潬，二旬不下。洛州㉑刺史独孤永业㉒守金墉㉓，周主自攻之，不克。永业通夜办马槽二千，周人闻之，以为大军且至而惮之。

九月，齐右丞相[7]高阿那肱自晋阳将兵拒周师。至河阳，会周主有疾，辛酉㉔夜，引兵还。水军焚其舟舰。傅伏谓行台乞伏贵和㉕曰："周师疲弊，愿得精骑二千追击之，可破也。"贵和不许。

齐王宪、于翼、李穆，所向克捷，降拔㉖三十余城，皆弃而不守。唯以王药城㉗要害，令仪同三司韩正守之，正寻以城降齐。

戊寅㉘，周主还长安。

庚辰㉙，齐以赵彦深为司徒，斛阿列罗㉚为司空。

闰月㉛，车骑大将军吴明彻将兵击齐彭城，壬辰㉜，败齐兵数万于吕梁㉝。

甲午㉞，周主如㉟同州。

冬，十月己巳㊱，立皇子叔齐㊲为新蔡王，叔文㊳为晋熙王。

十二月辛亥朔㊴，日有食之。

壬戌㊵，以王玚为尚书左仆射，太子詹事㊶吴郡陆缮㊷为右仆射。

庚午㊸，周主还长安。

【段旨】

以上为第一段，载述公元五七五年史事，北周武帝宇文邕大规模伐齐，未采纳臣下正确建议，出兵洛阳而败还。但北齐腐朽之形已现，陈朝趁机北伐，取得大胜。

城，进兵包围洛口，攻占了东、西二城，用火船焚烧浮桥，桥被烧断。北齐永桥大都督太安人傅伏，从永桥乘夜进入中潬城。周军攻克南城，进而围攻中潬城，二十天没有攻下来。洛州刺史独孤永业守卫金墉城，周主宇文邕亲自率军攻打，未能攻下。独孤永业通宵赶制两千个马槽，周军听说后，以为北齐救援大军即将到达，感到恐惧。

九月，北齐右丞高阿那肱从晋阳率军抵御周军。到达河阳，适逢北周国主宇文邕有病，初九日辛酉夜，率军退回。北周水军烧毁了舟船。北齐傅伏对行台乞伏贵和说："周军疲弊，我希望得到精锐骑兵两千赶去追击，可以打败他们。"乞伏贵和不允许。

齐王宇文宪、于翼、李穆，所到之处都取得胜利，受降或攻占了三十余城，但都放弃了，并没有留兵驻守。只有王药城属要害之地，派仪同三司韩正留守，但韩正不久便献城投降了北齐。

九月二十六日戊寅，北周国主宇文邕回到长安。

二十八日庚辰，北齐任命赵彦深为司徒，斛阿列罗为司空。

闰九月，陈朝车骑大将军吴明彻率军攻击北齐的彭城，十一日壬辰，吴明彻在吕梁击败了几万齐兵。

闰九月十三日甲午，北周国主宇文邕前往同州。

冬，十月十八日己巳，陈宣帝册立皇子陈叔齐为新蔡王，陈叔文为晋熙王。

十二月初一日辛亥，发生日食。

十二月十二日壬戌，陈宣帝任命王玚为尚书左仆射，太子詹事吴郡人陆缮为尚书右仆射。

十二月二十日庚午，北周国主宇文邕回到长安。

【注释】

①辛未：正月十六日。②癸酉：正月十八日。③乙亥：正月二十日。④潼州：州名，治所取虑城，在今安徽灵璧东北潼郡村。⑤辛巳：正月二十六日。⑥祀北郊：陈制：以间岁正月上辛日用牲牛祀天、地于都城南、北二郊。间岁，即一年祀南郊，一年祀北郊。⑦丙戌朔：二月初一日。⑧戊申：二月二十三日。⑨下邳：郡名，治所宿豫，在今江苏宿迁东南。⑩高栅：地名，在今江苏宿迁境。⑪涩呐：说话迟钝不流利。呐，同"讷"。⑫昵狎：亲近；亲密。⑬交语：交谈；说话。⑭不堪人视：经受不住别人目

视，谓见人羞怯。⑮令、录：令，指尚书令；录，指录尚书事官。⑯略陈大指：简要地说说大意。指，通“旨”。⑰世祖：北齐武成帝，后主之父。⑱奢泰：挥霍无度；奢靡。泰，通“汰”。⑲宝衣玉食：穿珠宝之衣，吃精美的食品。⑳直：同“值”。㉑朝衣夕弊：早晨穿的衣服，到晚上则视若破衣，不再穿用。㉒百工土木：百工，各种工匠。土木，土木建筑。㉓汤：指热开水。㉔宫中：谓晋阳宫。㉕贬损：损减；抑制。古代迷信天人相应，认为天灾是上帝对帝王的某种谴告，帝王常以损减衣食住行，承认过错。㉖设斋：施给道士僧尼以财物饭食。㉗《无愁》：曲名。㉘蓝缕：衣服破烂。㉙写筑西鄙诸城：画下北周边城的形状，仿图形以筑。㉚黑衣：北周的军服。㉛内参：指宦官。㉜宰制：主宰。㉝邓长颙：北齐宦官，备受后主恩幸，得以任参宰相，干预朝政。传附《北齐书》卷五十《韩宝业传》、《北史》卷九十二《韩宝业传》。㉞陈德信：北齐宦官，受后主恩幸，官至开府。传附《北齐书》卷五十《韩宝业传》、《北史》卷九十二《韩宝业传》。㉟机权：指政权枢要机关的大权。㊱显位：显要的职位。㊲狱以贿成：指狱讼的结果以受贿而定。㊳奸谄：邪诈谄媚。㊴苍头：奴仆。汉代奴仆常以深青色巾包头，故称奴仆为苍头。㊵见鬼人：指巫觋之类的人。㊶开府：官名，一般能开建府署，辟置僚属。㊷仪同：官名，即仪同三司，谓仪制同于三公。㊸侍中：官名，门下省长官，掌献纳谏正等。㊹中常侍：官名，出入宫廷，侍从皇帝。㊺郡君：妇女的封号。㊻干禄：俸禄。北齐官分九品，俸禄各以品秩为差。如官一品每年禄八百匹，从九品每年禄二十四匹。㊼府藏：官府储藏财物之所。㊽卖官取直：谓卖官取其钱。直，通“值”。㊾守令：指地方官。守，郡守。令，县令。㊿率：大概；一般。(51)大贾：居货待售的坐商。(52)储偫：存备。(53)守御：防守；戒备。(54)柱国：武官名，周有八柱国，掌管府兵。(55)于翼（？至公元五八三年）：字文若，燕公于谨之子，历仕西魏、北周与隋，官至太尉。传见《周书》卷三十、《北史》卷二十三。(56)疆埸：国界。(57)积年：谓时间长久。(58)间隙：空隙。此指可乘之机。(59)际会：时机。(60)往岁出军：指北周攻洛阳、出轵关和争宜阳、汾北之战。事分见本书卷一百六十九《陈纪三》文帝天嘉四年、五年和卷一百七十《陈纪四》宣帝太建元年至三年。(61)长淮：长长的淮河。(62)破亡余烬：指陈氏承梁元帝江陵破亡之后，收合余烬，再于江南建立陈朝。(63)一举平之：指陈攻占淮南诸城。(64)有衅：有空隙可乘。(65)方轨而进：谓大规模向前推进。方轨，即两车并行。(66)掎角：《左传》襄公十四年云，“譬如捕鹿，晋人角之，诸戎掎之”。谓抓角于前，拉腿于后，此指北周与陈夹击北齐。(67)广州：侨州名，治所山北县，在今河南鲁山县东。(68)三鸦：此为镇名，扼三鸦路，地当伏牛山南北交通要隘，在今河南南召县、鲁山县交界处。(69)山南：地区名，周以褒、汉、荆、襄为山南。(70)河：指黄河。(71)北山稽胡：指生活在北山一带的南匈奴余部。北山，山名，在今山西岚县一带。(72)绝：断绝。(73)并、晋：皆州名。并，指并州，治所太原，在今山西太原西南。晋，指晋州，治所白马城，在今山西临汾。(74)关、河之外：指齐境而言。(75)摧殄：摧毁消灭。⑯一戎大定：如周武王伐纣，一着戎服而灭纣，天下大定。语出《尚书·武成》："一戎衣，天下大定。"⑰后图：后来的计划。⑱万春：地名，在今山西河津东北。⑲广事：大规模推行。⑳屯田：利用军队或农民垦种土地，征收地租以为军饷。㉑骁悍：骁勇凶悍。㉒部伍：部曲行伍。㉓东南有敌：谓齐与东南的陈国为敌。㉔戎马相持：谓军事对立。㉕坚壁清野：加固壁垒不易被敌人攻破，转移人口、物资，使敌人无所获取。㉖宿舂：隔夜粮米。㉗奔命之劳：指来回应命奔走，疲惫不堪。㉘政出多门：政令不统一。㉙鬻狱：卖狱；刑狱用钱买卖。㉚阖境嗷然：全国喧闹不平。阖，全。㉛电扫：迅速清除。㉜摧枯：摧折枯枝，不费气力。㉝句践：春秋时越王。为吴国所败后发愤图强，十年生聚，十年教训，终于灭掉吴国。详见《史记》卷四十一《越王勾践世家》。㉞武王取纣：指周武王灭商纣王事。㉟再举：武王三年曾集兵孟津，欲伐纣王，认为时机不成熟而止。过了三年，见纣王更加残暴，才再次兴兵灭纣。㊱遵养：《诗经·酌》，"于铄王师，遵养时晦"。朱熹集传："于，叹辞；铄，盛；遵，循。此亦颂武王之诗，言其初有于铄之师而不用，退自循养，与时皆晦。"后用为暂时隐居以待时机之意。㊲还崇邻好：恢复过去邻邦友好。㊳惠工：让手工业者得到实惠。㊴观衅：瞅准时机。⑩⓪远驭：远远地驾驭形势。⑩①坐自兼并：谓不费举步之劳，则轻易兼并北齐。⑩②伊娄谦：鲜卑人，历仕周、隋，官至左武候大将军。传见《隋书》卷五十四、《北史》卷七十五。伊娄，复姓。⑩③沉溺：陷入不良的境地而不能自拔。⑩④耽昏：沉醉。⑩⑤曲蘖：酒。⑩⑥折冲：使敌人战车后退。此谓御敌之将。冲，战车的一种。⑩⑦谗口：指谗言。⑩⑧道路以目：言路人以目示意而不敢言。⑩⑨丙辰：三月初二日。⑪⓪丙寅：三月十二日。⑪①甲午：四月初十日。⑪②监豫州：即豫州监军。⑪③首：计数纺织品的量词。⑪④庚子：四月十六日。⑪⑤中书监：官名，中书省长官，或称中书令，掌赞诏命。⑪⑥阳休之（公元五〇九至五八二年）：字子烈，历仕北齐、北周与隋，官至中书监，封燕郡王。传见《北齐书》卷四十二、《北史》卷四十七。⑪⑦壬辰：六月初九日。⑪⑧王玚（公元五二三至五七六年）：历仕梁、陈，官至尚书左仆射。传见《陈书》卷二十二、《南史》卷二十一。⑪⑨甲戌：六月甲申朔，无甲戌。〖按〗《北齐书》卷八《后主纪》作"秋，七月，甲戌，行幸晋阳"，《北史》同。《通鉴》误作"六月"。⑫⓪丙辰：周历七月初三日。⑫①姿相奇伟：史载杨坚龙颜，额有五柱入顶，目光外射，手上有字曰"王"。身体上长下短，深沉严肃。⑫②畿伯下大夫：官名，周地官之属，隶大司徒，掌邦教。⑫③来和：历仕周、隋，官至开府。好相术，著《相经》四十卷。传见《隋书》卷七十八、《北史》卷八十九。⑫④曙星：向晓之星，其光闪烁。⑫⑤普六茹坚：即杨坚。坚父杨忠，从周太祖屡有战功，赐姓普六茹氏。⑫⑥自失：茫然无所措。⑫⑦诡对：不以实话回答。⑫⑧随公：即杨坚。杨坚袭父爵为随国公。⑫⑨守节：信守名分，保持节操。⑬⓪陈无不破：犹战无不胜。陈，通"阵"。⑬①丁卯：七月十五日。⑬②内史：官名，北周内史署长官。内史署属春官府。内史掌诏书撰写，与议刑罚爵赏及军国要事。⑬③王谊（公元五四〇至五八五年）：字宜君，仕北周与隋，官至大司徒，封郢国公。传见《隋书》卷四十、《周书》卷二十、《北史》卷六十一。⑬④纳言：官名。此当指纳言中大夫，为北周天官府纳言司长官。掌出纳帝命，陪侍皇帝左右。⑬⑤驲：古代驿站专用的车，后亦指驿马。⑬⑥安州：州名，北周置安州于安陆，在今湖北安陆。⑬⑦丙子：七月二十四日。⑬⑧丁丑：七月二十五日。⑬⑨司马消难（？至公元五八九年）：原北齐人，后降北周与陈，官至郧州总管。传见《北齐书》卷十八、《周书》卷二十一、《北史》卷五十四。⑭⓪达奚震：历仕西魏、北周，官至上柱国。传附《周书》卷十九《达奚武传》、《北史》卷六十五《达奚武传》。⑭①周昌公：按《隋书·地理志》西魏北周有同昌县，而无周昌郡，疑周作“同”是。⑭②侯莫陈崇：侯莫陈崇已死于保定三年，崇乃“琼”字之误。事见《周书》卷十六、《北史》卷六十。⑭③自渭入河：即自渭水进入黄河。渭水，河名，即今陕西西安以北的渭河。⑭④侯莫陈芮：侯莫陈崇之子，袭爵梁国公。传附《周书》卷十六《侯莫陈崇传》、《北史》卷六十《侯莫陈崇传》。⑭⑤太行道：道路名，在今河南孟津以北。⑭⑥河阳道：道路名，在今河南孟津西南。⑭⑦陈、汝：陈，指陈郡，治所陈县，在今河南周口市淮阳区。汝，指汝南郡，治所悬瓠城，在今河南汝南县。⑭⑧河阳：县名，县治河阳邑，在今河南洛阳市孟津区西北。古军事要冲。⑭⑨内史上士：官名，北周春官府内史署属员，秩位在内史大夫下，掌起草诏制。⑮⓪宇文弼（公元五四六至六〇七年）：字公辅，历仕周、隋，官至刑部尚书。传见《隋书》卷五十六、《北史》卷七十五。⑮①累世：连续几代。⑮②冲要：在军事或交通等方面的要冲之地。⑮③汾曲：地名，即汾水之曲，在今山西临汾西南。⑮④民部中大夫：官名，属大司徒，掌邦教。⑮⑤赵煚（公元五三四至五九九年）：字贤通，仕周、隋，官至大宗伯。传见《隋书》卷四十六、《北史》卷七十五。⑮⑥河北：郡名，治所河北县，在今山西永济西南。⑮⑦遂伯下大夫：官名，北周地官府民部中大夫属官，掌管日常政令事务。⑮⑧鲍宏：字润身，东海郯（今江苏连云港）人，历仕梁、周、隋，官至均州刺史，修《皇室谱》一部。传见《隋书》卷六十六、《北史》卷七十七。⑮⑨先帝：谓宇文泰。⑯⓪汾、潞：地名。汾，指汾水。潞，指渭潞水。在今山西南部。⑯①壬午：七月三十日。⑯②河阴：郡名，治所河阴县，在今河南洛阳东北。⑯③癸卯：八月二十一日。⑯④践稼：践踏庄稼。⑯⑤丁未：八月二十五日。⑯⑥武济：城名，周武王伐纣，由此济河，故以名城。在今河南洛阳东北。⑯⑦洛口：城名，洛水入黄河之口，于此置城，在今河南巩义东北。⑯⑧永桥：城名，地近河阳。在今河南武陟西。⑯⑨傅伏：北齐人，官至上大将军。传见《北齐书》卷四

十一、《北史》卷五十三。⑰中潬城：城名，河阳三城之一。在今河南孟州西南。⑰洛州：州名，治所洛阳，在今河南洛阳。⑰独孤永业（？至公元五八〇年）：本姓刘，随母改嫁独孤氏而改姓。历仕北齐、北周，官至襄州总管。传见《北齐书》卷四十一、《北史》卷五十三。⑰金墉：城名，在今河南洛阳东北。⑰辛酉：九月初九日。⑰乞伏贵和：人名，历仕北齐、北周与隋。传附《北齐书》卷十九《张保洛传》。⑰降拔：降，降服。拔，以兵攻取。⑰王药城：地名，在今河南洛阳附近。⑰戊寅：九月二十六日。⑰庚辰：九月二十八日。⑱斛阿列罗：斛阿列为三字姓，罗为名。⑱闰月：指闰九月。⑱壬辰：闰九月十一日。⑱吕梁：地名，在今江苏徐州东南。⑱甲午：闰九月十三日。⑱如：往。⑱己巳：十月十八日。⑱叔齐：陈宣帝第十一子，封新蔡王，陈亡降隋。⑱叔文：陈宣帝第十二子，封晋熙王，陈亡降隋。与叔齐两人之传均见《陈书》卷二十八、《南史》卷六十五。⑱辛亥朔：十二月初一日。⑲壬戌：十二月十二日。⑲太子詹事：官名，掌太子家事。⑲陆缮（公元五一八至五八〇年）：历仕梁、陈，官至尚书左仆射。传见《陈书》卷二十三、《南史》卷四十八。⑲庚午：十二月二十日。

【校记】

［1］赏：原作“费”。据章钰校，十二行本、乙十一行本、孔天胤本皆作“赏”，今据改。〖按〗《北齐书·恩幸·韩宝业传》、《北史·恩幸·韩宝业传》、《通鉴纪事本末》卷二五、《通鉴纲目》卷三五皆作“赏”。［2］赋繁役重：原无此四字。据章钰校，十二行本、乙十一行本、孔天胤本皆有此四字，张敦仁《通鉴刊本识误》同，今据补。〖按〗《通鉴纪事本末》卷二五、《通鉴纲目》卷三五皆有此四字。［3］伟：原作“卫”。严衍《通鉴补》改作“伟”，今据以校正。〖按〗《周书·武帝纪下》《周书·韦孝宽传》《周书·元伟传》皆作“伟”。［4］丙辰：原作“丙戌”。据章钰校，孔天胤本作“丙辰”，今据改。〖按〗《周书·武帝纪下》作“丙辰”。［5］用：原作“有”。据章钰校，十二行本、乙十一行本皆作“用”，张敦仁《通鉴刊本识误》同，今据改。［6］船：原无此字。据章钰校，十二行本、乙十一行本、孔天胤本皆有此字，张敦仁《通鉴刊本识误》同，今据补。〖按〗《通鉴纪事本末》卷二五有此字。［7］相：原无此字。据章钰校，十二行本、乙十一行本、孔天胤本皆有此字，张敦仁《通鉴刊本识误》同，今据补。

【原文】

八年（丙申，公元五七六年）

春，正月癸未[194]，周主如同州。辛卯[195]，如河东涑川[196]。甲午[197]，复还同州。

甲寅[198]，齐大赦。

乙卯[199]，齐主还邺。

二月辛酉[200]，周主命太子巡抚西土[201]，因伐吐谷浑[202]，上开府仪同大将军[203]王轨、宫正宇文孝伯从行。军中节度，皆委[204]二人，太子仰成[205]而已。

齐括杂户[206]女[8]未嫁者悉集，有隐匿者，家长坐死[207]。

壬申[208]，以开府仪同三司吴明彻为司空[209]。

三月壬寅[210]，周主还长安。夏，四月乙卯[211]，复如同州。

己未[212]，上享太庙。

尚书左仆射王玚卒。

五月壬辰[213]，周主还长安。

六月戊申朔[214]，日有食之。

辛亥[215]，周主享太庙。

初，太子叔宝欲以左户部[216]尚书江总[217]为詹事[218]，令管记[219]陆瑜[220]言于吏部尚书孔奂。奂谓瑜曰："江有潘、陆[221]之华，而无园、绮[222]之实，辅弼储宫[223]，窃有所难。"太子深以为恨，自言于帝。帝将许之，奂奏曰："江总，文华之士。今皇太子文华不少，岂藉[224]于总？如臣愚[9]见，愿选敦重[225]之才，以居辅导之职。"帝曰："即如卿言，谁当居此？"奂曰："都官尚书[226]王廓，世有懿德[227]，识性敦敏，可以居之。"太子时在侧，乃曰："廓，王泰之子，不宜为太子詹事。"奂曰："宋朝范晔[228]，即范泰之子，亦为太子詹事，前代不疑。"太子固争之，帝卒以总为詹事。总，敩[229]之曾孙也。

甲寅[230]，以尚书右仆射陆缮为左仆射。帝欲以孔奂代缮，诏已出，太子沮之[231]而止，更以晋陵[232]太守王克[233]为右仆射。

【语译】

八年（丙申，公元五七六年）

春，正月初四日癸未，北周国主宇文邕前往同州。十二日辛卯，前往河东涑川。十五日甲午，又回到同州。

甲寅日，北齐实行大赦。

乙卯日，北齐国主高纬返回邺城。

二月十二日辛酉，北周国主宇文邕命太子宇文赟巡视安抚西部疆土，就便讨伐吐谷浑，上开府仪同大将军王轨、宫正宇文孝伯随行。军中的指挥调度，都托付给这两人，太子只是依赖他人取得成功而已。

北齐查验登记被俘供役使的官奴婢户口中的未嫁女子，把她们全部集中起来，凡有隐匿的人家，家长获罪处死。

二月二十三日壬申，陈宣帝任命开府仪同三司吴明彻为司空。

三月二十四日壬寅，北周国主宇文邕回到长安。夏，四月初七日乙卯，再次前往同州。

四月十一日己未，陈宣帝到太庙祭祀祖先。

陈朝尚书左仆射王玚去世。

五月十五日壬辰，北周国主宇文邕回到长安。

六月初一日戊申，发生日食。

初四日辛亥，北周国主宇文邕到太庙祭祀祖先。

当初，陈朝太子陈叔宝想任用左户部尚书江总为太子詹事，让东宫管记陆瑜告诉吏部尚书孔奂。孔奂对陆瑜说："江总有潘岳、陆机那样的文采，却没有东园公、绮里季那样的实学，让他来辅佐太子，我有为难之处。"太子对此很是恼火，便亲自去向陈宣帝请求。陈宣帝准备答应，孔奂上奏说："江总，是一个有文学才华的人，如今皇太子文学才华不少，难道还要借重江总吗？依臣的愚见，希望挑选一个敦厚持重的人，来担任辅导皇太子的职务。"陈宣帝说："如果依照卿的意见，谁能担任这个职务呢？"孔奂说："都官尚书王廓，世代有美德，他识见敏捷，品性敦厚，可以担任这个职务。"太子陈叔宝当时在旁边，便插话说："王廓，是王泰的儿子，不适宜担任太子詹事。"孔奂说："刘宋朝范晔，就是范泰的儿子，也曾担任太子詹事，前朝并没有疑惑。"太子一再力争，陈宣帝最终还是任命江总为太子詹事。江总是江敩的曾孙。

六月初七日甲寅，陈宣帝任命尚书右仆射陆缮为左仆射。陈宣帝想用孔奂接替陆缮，诏书已经发出，因太子陈叔宝的阻止而作罢，改用晋陵太守王克担任尚书右仆射。

顷之[234]，总与太子为长夜之饮，养良娣[235]陈氏为女。太子亟[236]微行[237]，游总家。上怒，免总官。

周利州[238]刺史纪王康[239]，骄矜无度，缮修戎器[240]，阴有异谋[241]。司录[242]裴融谏止之，康杀融。丙辰[243]，赐康死。

丁巳[244]，周主如云阳。

庚申[245]，齐宜阳王赵彦深卒。彦深历事累朝[246]，常参机近[247]，以温谨著称。既卒，朝贵典机密者，唯侍中、开府仪同三司斛律孝卿[248]一人而已，其余皆嬖幸也。孝卿，羌举之子，比于余人，差[249]不贪秽。

秋，八月乙卯[250]，周主还长安。

周太子伐吐谷浑，至伏俟城[251]而还。

宫尹[252]郑译[253]、王端等皆有宠于太子。太子在军中多失德，译等皆预焉。军还，王轨等言之于周主。周主怒，杖太子及译等，仍除译等名，宫臣[254]亲幸者咸被谴。太子复召译，戏狎[255]如初。译因曰："殿下何时可得据天下？"太子悦，益昵之[256]。译，俨之兄孙也。

周主遇[257]太子甚严，每朝见，进止[258]与群臣无异，虽隆寒[259]盛暑，不得休息。以其嗜[10]酒[260]，禁酒不得至东宫。有过，辄加捶挞。尝谓之曰："古来太子被废者几人？余儿岂不堪立邪？"乃敕东宫官属录太子言语动作，每月奏闻。太子畏帝威严，矫情[261]修饰[262]，由是过恶不上闻。

王轨尝与小内史[263]贺若弼[264]言："太子必不克负荷[265]。"弼深以为然，劝轨陈之。轨后因侍坐，言于帝曰："皇太子仁孝无闻，恐不了[266]陛下家事。愚臣短暗[267]，不足可信。陛下恒以贺若弼有文武奇才，亦常以此为忧。"帝以问弼，对曰："皇太子养德春宫[268]，未闻有过。"既退，轨让弼曰："平生言论，无所不道，今者对扬[269]，何得乃尔[270]反覆？"弼曰："此公之过也！太子，国之储副[271]，岂易发言[272]？事有蹉跌[273]，便至灭族。本谓公密陈臧否[274]，何得遂至昌言[275]？"轨默然久之，乃曰："吾专心国家，遂不存私计[276]。向者对众，良实[277]非宜。"

后轨因内宴[278]上寿，捋[279]帝须曰："可爱好老公，但恨后嗣[280]弱

不久，江总和太子陈叔宝通宵达旦饮酒，收太子的良娣陈氏为养女。太子多次隐匿身份便装出行，到江总家游玩。陈宣帝大怒，罢免了江总的官职。

北周利州刺史纪王宇文康，骄傲自负，不守法度，修整兵器，暗中图谋造反。司录裴融劝阻他，宇文康杀了裴融。六月初九日丙辰，北周国主赐宇文康自尽。

六月初十日丁巳，北周国主宇文邕前往云阳宫。

十三日庚申，北齐宜阳王赵彦深去世。赵彦深历事几代国君，经常居于机密近要位置，以温和谨慎著称。赵彦深去世后，掌管机密的朝中贵臣，只有侍中、开府仪同三司斛律孝卿一人而已，其余都是受北齐国主宠幸的人。斛律孝卿是斛律羌举的儿子，与其他人相比，略微不那么贪婪秽乱。

秋，八月初九日乙卯，北周国主宇文邕回到长安。

北周太子宇文赟讨伐吐谷浑，到达伏俟城后退回。

北周宫尹郑译、王端等人都受到太子的宠幸。太子在军中有许多失德行为，郑译等人都参与了。军队回到长安，王轨等人向北周国主宇文邕报告了这些事。宇文邕大怒，用棍棒责打了太子及郑译等人，并将郑译等革职除名，在太子宫任职的臣子和亲信都受到斥责。过后太子又召回郑译，像先前一样轻浮嬉戏。郑译于是对太子说："殿下什么时候能够据有天下?"太子听了很高兴，更加亲近他。郑译是郑俨哥哥的孙子。

北周国主宇文邕对待太子很严格，每次朝见，进退举止的要求与群臣没有两样，即便是隆冬或盛夏，也得不到休息。因为太子爱好喝酒，宇文邕禁止送酒到东宫。太子犯了过错，就会遭杖击鞭打。他曾经对太子说："自古以来被废掉的太子有多少?别的儿子难道就不能立为太子吗?"于是敕令东宫官员记录太子的言语动作，每月上奏。太子畏惧周武帝的威严，便遮掩自己的真性情，故意修饰自己的言行，从此太子的过失和恶行便没有向上奏报过。

王轨曾经对小内史贺若弼说："太子一定不能胜任治国重任。"贺若弼非常赞同，劝王轨向周武帝陈说。王轨其后借陪坐在周武帝身边的机会，对周武帝说："皇太子并无仁爱孝顺的名声，恐怕不懂陛下的家事。愚臣见识短浅看不明白，不值得相信，陛下一向认为贺若弼有文武奇才，他也时常为这件事而忧虑。"周武帝于是询问贺若弼，贺若弼回答说："皇太子在东宫修养品德，没听说有什么过失。"退朝以后，王轨责备贺若弼说："你平日谈论，没有什么不敢说的，今天面对皇上回答询问，怎么能这样反复无常?"贺若弼说："这是你的不对啊！太子，是朝廷的储君，怎能轻易议论？事情稍有失误，就要灭族。原本以为你会秘密向皇上陈奏太子的善恶，怎么能公开谈论?"王轨沉默了好久，才说："我一心为了朝廷，就没有为个人考虑过。刚才对着众人谈论，确实不妥当。"

过后，王轨借宫中宴会的机会，向皇上敬酒祝颂长寿，用手捋着周武帝的胡须

耳。”先是，帝问右宫伯宇文孝伯曰：“吾儿比来㉘何如？”对曰：“太子比惧天威㉒，更无过失。”罢酒，帝责孝伯曰：“公常语我㉓云：‘太子无过。’今轨有此言，公为诳矣。”孝伯再拜曰：“臣闻[11]父子之际，人所难言。臣知陛下不能割慈忍爱㉔，遂尔结舌㉕。”帝知其意，默然久之，乃曰：“朕已委公矣，公其勉之㉖！”

王轨骤言㉗于帝曰：“皇太子非社稷主㉘，普六茹坚貌有反相。”帝不悦，曰：“必天命㉙有在，将若之何㉚？”杨坚闻之，甚惧，深自晦匿㉛。

帝深以轨等言为然，但汉王赞㉜次长，又不才，余子皆幼，故得不废。

丁卯㉝，以司空吴明彻为南兖州㉞刺史。

齐主如晋阳。营邯郸宫㉟。

九月戊戌㊱，以皇子叔彪㊲为淮南王。

【段旨】

以上为第二段，重点载述北周武帝太子宇文赟和陈朝宣帝太子陈叔宝，均是不才储君，相映成趣。王轨谏周武帝暗示太子不才，为后来遭杀身伏笔。

【注释】

⑲癸未：正月初四日。⑲辛卯：正月十二日。⑲涑川：河名，即涑水，流经今山西闻喜、临猗、永济，入黄河。⑲甲午：正月十五日。⑲甲寅：正月庚辰朔，无甲寅。二月初五日为甲寅。疑此甲寅在二月，《通鉴》记载干支有误。⑲乙卯：正月庚辰朔，亦无乙卯，二月初六日为乙卯。疑此乙卯在二月。⑳辛酉：二月十二日。⑳巡抚西土：巡抚，巡视、安抚。西土，即北周西部地区。⑳吐谷浑：古代鲜卑族所建立的王朝名，疆域在今青海北部、新疆东南部一带。⑳上开府仪同大将军：官名，周武帝建德四年，改骠骑大将军开府仪同三司为开府仪同大将军，仍增上开府仪同大将军。⑳委：托付。⑳仰成：坐享其成。⑳杂户：指俘虏后供役使的奴隶户口。⑳坐死：处死刑。⑳壬申：二月二十三日。⑳司空：官名，三公之一。辅佐天子，治理邦国。㉑壬寅：三月二十四日。㉑乙卯：四月初七日。㉑己未：四月十一日。㉑壬辰：五月十五日。㉑戊申朔：六月初一

说:“可爱的好老头，只是继承人太弱了让人遗憾。”此前，周武帝问右宫伯宇文孝伯说:“我儿近来怎么样?”回答说:“太子近来畏惧皇上的威严，再没有什么过失。”宴会过后，周武帝责备宇文孝伯说:“你曾经告诉我说:‘太子没有过失。’今天王轨有这样的话，可见你是在骗我。”宇文孝伯拜了两拜说:“臣听说父子之间的事，别人难以说话。臣知道陛下不能舍弃慈爱，所以才这样闭嘴不敢多说。”周武帝知道宇文孝伯的意思，沉默了很久，才说:“朕已经把太子托付给你了，你就努力去做吧!”

王轨屡次对周武帝说:“皇太子不适合做一国之主，普六茹坚有反叛的相貌。”周武帝很不高兴，说:“如果天命在他身上，那又有什么办法?”杨坚听到了这件事，非常害怕，竭力韬晦隐蔽。

周武帝深深觉得王轨等人的话有道理，只是汉王宇文赞虽年龄排第二，却很不成器，其他儿子又都年幼，所以宇文赟的皇太子身份才能不被废除。

八月二十一日丁卯，陈宣帝任命司空吴明彻为南兖州刺史。

北齐国主高纬前往晋阳。营建邯郸宫。

九月二十三日戊戌，陈宣帝以皇子陈叔彪为淮南王。

日。㉑⑤辛亥：六月初四日。㉑⑥左户部:《隋书·百官志上》：梁尚书省置吏部、祠部、度支、左户、都官、五兵等六尚书;陈因梁制。胡三省注认为，此盖左户，“部”字衍。㉑⑦江总（公元五一九至五九四年）：字总持，济阳考城（今河南民权东）人，历仕梁、陈与隋，官至尚书令。传见《陈书》卷二十七、《南史》卷三十六。㉑⑧詹事：官名，总东宫内外庶务。㉑⑨管记：官名，东宫、相府、王府均置此职，掌文书，常以文学之士担任，类似记室参军。㉒⓪陆瑜：陈朝人。传附《陈书》卷三十四《陆琰传》、《南史》卷四十八《陆琰传》。㉒①潘、陆：指晋代潘岳、陆机，晋惠帝为太子时，皆为东宫官。㉒②园、绮：指汉代东园公、绮里季，曾羽翼汉太子盈，高祖遂不更易太子。㉒③储宫：储君所居之宫，即太子东宫。㉒④藉：借。㉒⑤敦重：敦厚持重。㉒⑥都官尚书：官名，尚书省六尚书之一，掌都官诸曹，主军事刑狱。㉒⑦懿德：美德。㉒⑧范晔（公元三九八至四四五年）：南朝刘宋人，著名史学家，著有《后汉书》行世。㉒⑨敩：即江敩，南朝齐朝人，以风流冠冕一时。传见《南齐书》卷四十三、《南史》卷三十六。㉓⓪甲寅：六月初七日。㉓①沮之：指太子阻止宣帝以孔奂代陆缮事。㉓②晋陵：郡名，治所晋陵县，在今江苏常州。㉓③王克：历仕梁、陈，官至尚书右仆射。传附《南史》卷二十三《王彧传》。㉓④顷之：不久。㉓⑤良娣：女官名，太子之妾。㉓⑥亟：屡次；一再地。㉓⑦微行：隐蔽自己的高贵身份，便装出行。㉓⑧利州：州名，治所兴安县，在今四川广元。㉓⑨纪王康：即宇文康（？至公元五八

一年），孝闵帝长子，封纪王。传见《周书》卷十三《文闵明武宣诸子传》。㉔⓪戎器：兵器。㉔①异谋：指反叛的图谋。㉔②司录：官名，北周大丞相府、都督中外诸军事府、开府将军及诸州府皆有司录之职，位在长史、司马之下，设于州者自六命至四命，总录一府之事，掌总录诸曹文簿。㉔③丙辰：六月初九日。㉔④丁巳：六月初十日。㉔⑤庚申：六月十三日。㉔⑥历事累朝：赵彦深事高欢，至后主，历事六主。㉔⑦机近：谓处于机密近要的地位。㉔⑧斛律孝卿：仕北齐、北周与隋，官至尚书令，封义宁王。传见《北齐书》卷二十、《北史》卷五十三。㉔⑨差：比较；略微。㉕⓪乙卯：八月初九日。㉕①伏俟城：城名，吐谷浑国都，在今青海共和县西北黑马镇东北。㉕②宫尹：官名，北周时职掌如太子詹事。㉕③郑译（公元五三九至五九一年）：字正义，荥阳开封（今河南开封南）人，历仕周、隋，官至内史上大夫。传见《隋书》卷三十八、《周书》卷三十五、《北史》卷三十五。㉕④宫臣：指在太子宫任职的臣子。㉕⑤戏狎：轻浮嬉戏。㉕⑥益昵之：更加亲近他。㉕⑦遇：待遇；对待。㉕⑧进止：进退举止。㉕⑨隆寒：严寒。㉖⓪嗜酒：爱好饮酒。㉖①矫情：掩饰真性情。㉖②修饰：搞形式；装门面。㉖③小内史：北周官名，同中书侍郎之职。佐中书令，凡邦国之庶务，朝廷大政，皆得参议。㉖④贺若弼（公元五四四至六〇七年）：字辅伯，河南洛阳（今河南洛阳）人，历仕周、隋，官至右武候大将军，封宋国公。传见《隋书》卷五十二、《周书》卷二十八、《北史》卷六十八。㉖⑤不克负荷：此指不能担负起治国大任。负荷，负担。㉖⑥不了：不懂。㉖⑦短暗：短浅昏暗。㉖⑧春宫：即东宫。因太子居东宫，东方主春，故亦称春宫。㉖⑨对扬：以对面奏陈为对扬。对，回答。扬，称举。㉗⓪乃尔：如此。㉗①储副：指太子，君主之副，被确认为君位的继承者。㉗②发言：说话；议论。㉗③蹉跌：失足，比喻失误。㉗④密陈臧否：谓秘密述说其善恶得失。臧，善。否，恶。㉗⑤昌言：

【原文】

周主谓群臣曰："朕去岁属有疾疢[298]，遂不得克平逋寇[299]。前入齐境，备见其情，彼之行师，殆同儿戏。况其朝廷昏乱，政由群小，百姓嗷然，朝不谋夕[300]。天与不取，恐贻[301]后悔。前出河外，直为拊背[302]，未扼其喉[303]。晋州本高欢所起之地，镇摄[304]要重，今往攻之，彼必来援，吾严军以待，击之必克。然后乘破竹之势，鼓行而东，足以穷其巢穴，混同文轨[305]。"诸将多不愿行。帝曰："机不可失。有沮吾军者，当以军法裁[306]之！"

公开谈论。昌，明显。㉗⑥私计：个人打算。㉗⑦良实：确实。良，副词，甚、很。㉗⑧内宴：在宫中宴会。㉗⑨捋：顺手抚摸。㉘⓪后嗣：后世，后代，指太子。㉘①比来：近来。㉘②天威：上天的威严。此指帝王的威严。㉘③语我：告诉我。㉘④割慈忍爱：舍弃慈爱。㉘⑤遂尔结舌：就这样不敢说话。㉘⑥公其勉之：你就努力做吧。㉘⑦骤言：屡次说。㉘⑧社稷主：关系国家安危兴衰的君主。㉘⑨天命：古代把天当作神，称天神的意旨为天命。㉙⓪若之何：怎么办。㉙①晦匿：隐匿声迹。㉙②汉王赞：即宇文赞（？至公元五八〇年），北周武帝第二子，封汉王。传见《周书》卷十三、《北史》卷五十八。㉙③丁卯：八月二十一日。㉙④南兖州：梁于江都郡置南兖州，北齐改为东广州，陈改回。治所广陵，在今江苏扬州西北。㉙⑤邯郸宫：于赵故都营造邯郸宫，在今河北永年。㉙⑥戊戌：九月二十三日。㉙⑦叔彪：即陈叔彪，陈宣帝第十三子，封淮南王。传见《陈书》卷二十八、《南史》卷六十五。

【校记】

［8］女：原无此字。据章钰校，十二行本、乙十一行本、孔天胤本皆有此字，张敦仁《通鉴刊本识误》同，今据补。〖按〗《北齐书·后主纪》《北史·后主纪》皆有此字。［9］愚：原作“所”。据章钰校，十二行本、乙十一行本、孔天胤本皆作“愚”，今据改。［10］嗜：原作“耆”。胡三省注云：“‘耆’读曰‘嗜’。”据章钰校，十二行本、乙十一行本、孔天胤本皆作“嗜”，今据改。［11］臣闻：原无此二字。据章钰校，十二行本、乙十一行本、孔天胤本皆有此二字，张敦仁《通鉴刊本识误》同，今据补。〖按〗《周书·宇文孝伯传》《北史·广传公宇文测传附宇文孝伯传》皆有此二字。

【语译】

北周国主宇文邕对群臣说：“朕去年出征，适逢有病，于是没能荡平逃亡的敌寇。不过上次进入齐境，详细了解了敌情，他们用兵打仗，几乎如同儿戏。何况他们朝廷昏乱，政令出自一帮小人，百姓痛苦哀号，早上不知道晚上又会怎样，境况十分窘迫。上天赐给了机会却不去取过来，恐怕要后悔。上次出兵河外，只是拍了他的后背，没能扼住他的咽喉。晋州原本是高欢兴起的地方，统摄地位十分重要，如今我们去攻击晋州，他们一定会派兵前来救援，我军严阵以待，攻击一定会取胜。然后乘破竹之势，一路向东击鼓进军，完全可以直捣巢穴，一统天下。”诸将都不愿出征。周武帝说：“机不可失。如有阻止进军的人，当以军法制裁！”

冬，十月己酉[307]，周主自将伐齐，以越王盛[308]、杞公亮[309]、随公杨坚为右三军，谯王俭[310]、大将军窦泰、广化公丘崇为左三军，齐王宪、陈王纯为前军。亮，导之子也。

丙辰[311]，齐主猎于祁连池[312]，癸亥[313]，还晋阳。先是，晋州行台左丞张延隽公直勤敏，储偫有备，百姓安业，疆埸无虞。诸嬖幸恶而代之，由是公私烦扰。

周主至晋州，军[314]于汾曲，遣齐王宪将精骑[12]二万守雀鼠谷[315]，陈王纯步骑二万守千里径[316]，郑公达奚震[317]步骑一万守统军川[318]，大将军韩明[319]步骑五千守齐子岭[320]，焉氏公尹升步骑五千守鼓钟镇[321]，凉城公辛韶[322]步骑五千守蒲津关，赵王招步骑一万自华谷[323]攻齐汾州[324]诸城，柱国宇文盛[325]步骑一万守汾水关[326]。

遣内史王谊监诸军攻平阳城[327]，齐行台仆射海昌王尉相贵[328]婴城[329]拒守。相贵，相愿之兄也[13]。甲子[330]，齐集兵晋祠。庚午[331]，齐主自晋阳帅诸军趣晋州。周主日自汾曲至城下督战，城中窘急。庚午[332]，行台左丞侯子钦出降于周。壬申[333]，晋州刺史崔景嵩守北城，夜，遣使请降于周，王轨帅众应之。未明，周将北海段文振，杖[334]槊与数十人先登，与景嵩同至尉相贵所，拔佩刀劫之。城上鼓噪，齐兵大溃，遂克晋州，虏相贵及甲士八千人。

齐主方与冯淑妃[335]猎于天池[336]，晋州告急者，自旦至午，驿马三至。右丞相高阿那肱曰："大家正为乐，边鄙[337]小小交兵，乃是常事，何急奏闻？"至暮，使更至，云平阳已陷，乃奏之。齐主将还，淑妃请更杀一围[338]，齐主从之。

周齐王宪攻拔[339]洪洞[340]、永安[341]二城，更图进取。齐人焚桥守险，军不得进，乃屯永安。使永昌公椿[342]屯鸡栖原[343]，伐柏为庵[344]以立营。椿，广之弟也。

癸酉[345]，齐主分军万人向千里径，又分军出汾水关，自帅大军上鸡栖原。宇文盛遣人告急，齐王宪自救之。齐师退，盛追击，破之。俄而椿告齐师稍逼[346]，宪复还救之。与齐对陈，至夜不战。会周主召宪还，宪引兵夜去。齐人见柏庵在，不之觉，明日，始知之。齐主使高

冬，十月初四日己酉，北周国主宇文邕亲自率军讨伐北齐，任命越王宇文盛、杞公宇文亮、随公杨坚为右三军，谯王宇文俭、大将军窦泰、广化公丘崇为左三军，齐王宇文宪、陈王宇文纯为前锋。宇文亮是宇文导的儿子。

十一日丙辰，北齐国主高纬在祁连池围猎，十八日癸亥，回到晋阳。此前，晋州行台左丞张延隽公正勤敏，储存了充足的物资做好了战备，百姓安居乐业，边境无忧。但是高纬身边那些受宠幸的人厌恶他，取代了他的职务，从此官家百姓深受搅扰，不得安宁。

北周国主宇文邕到达晋州，驻扎在汾曲，派齐王宇文宪率精骑二万守卫雀鼠谷，陈王宇文纯率步骑二万守卫千里径，郑公达奚震率步骑一万守卫统军川，大将军韩明率步骑五千守卫齐子岭，焉氏公尹升率步骑五千守卫鼓钟镇，凉城公辛韶率步骑五千守卫蒲津关，赵王宇文招率步骑一万从华谷出兵攻击北齐汾州诸城，柱国宇文盛率步骑一万守卫汾水关。

宇文邕派内史王谊监督诸军攻打平阳城，北齐行台仆射海昌王尉相贵据城抵抗。尉相贵是尉相愿的哥哥。十月十九日甲子，北齐调兵集结晋祠。二十五日庚午，北齐国主高纬从晋阳率诸军向晋州进发。北周国主宇文邕天天从汾曲赶到晋州城下督战，城内情况窘迫危急。同一天，晋州行台左丞侯子钦出城向周军投降。二十七日壬申，晋州刺史崔景嵩守卫北城，入夜，派使者向周军请求投降，王轨领兵接应。天还没亮，北周将领北海人段文振，手持长矛与几十个人率先登上城头，与崔景嵩一同来到尉相贵处，拔出佩刀劫持了尉相贵。周军在城上呐喊杀敌，北齐兵大败溃散，于是攻克了晋州，俘虏了尉相贵及其部下士兵八千人。

北齐国主高纬正与冯淑妃在天池围猎，从晋州来告急的人，从早晨到中午，乘驿站快马来了三批。右丞相高阿那肱说：“皇上正在游乐，边境地区小小的交战，是常有的事，何必急着奏报？”到了晚上，又一批使者到达，说平阳已经失陷，这才上奏。北齐国主打算回去，冯淑妃请求再围猎一场，北齐国主依从了她。

北周齐王宇文宪攻占了洪洞、永安两城，还想继续进军攻城略地。北齐军队烧毁桥梁，扼守险要，宇文宪的部队前进不了，就屯驻在永安。派永昌公宇文椿屯驻鸡栖原，砍伐柏树造庵屋建立军营。宇文椿是宇文广的弟弟。

十月二十八日癸酉，齐主分军一万人向千里径进发，又分军向汾水关出兵，自己率领大军登上鸡栖原。宇文盛派人告急，齐王宇文宪亲自率军救援。北齐军队后退，宇文盛追击，打败了北齐军队。不久，宇文椿通报北齐军队渐渐逼近鸡栖原，宇文宪又回军救援。宇文宪列阵与北齐军相对，直到天黑也不交战。适逢北周国主宇文邕召宇文宪回军，宇文宪率军乘夜色离去。北齐军队看见柏树建造的庵屋还在，没有发觉周军撤退，第二天天亮后才知道这件事。北齐国主派高阿那肱率前军先行

阿那肱将前军先进，仍节度诸军。

甲戌[347]，周以上开府仪同大将军[348]安定梁士彦[349]为晋州刺史，留精兵一万镇之。

十一月己卯[350]，齐主至平阳。周主以齐兵新集，声势甚盛，且欲西还以避其锋。开府仪同大将军宇文忻[351]谏曰："以陛下之圣武[352]，乘敌人之荒纵[353]，何患不克？若使齐得令主[354]，君臣协力，虽汤、武之势[355]，未易平也。今主暗臣愚[356]，士无斗志，虽有百万之众，实为陛下奉[357]耳。"军正[358]京兆王韶[14]曰："齐失纪纲[359]，于兹累世。天奖周室，一战而扼其喉。取乱侮亡[360]，正在今日。释[361]之而去，臣所未谕[362]。"周主虽善其言，竟引军还。忻，贵之子也。

周主留齐王宪为后拒，齐师追之，宪与宇文忻各将百骑与战，斩其骁将贺兰豹子等，齐师乃退。宪引军渡汾[363]，追及周主于玉壁[364]。

齐师遂围平阳，昼夜攻之。城中危急，楼堞[365]皆尽，所存之城，寻仞[366]而已。或短兵相接，或交马出入，外援不至，众皆震惧。梁士彦慷慨[367]自若[368]，谓将士曰："死在今日，吾为尔先。"于是勇烈齐奋，呼声动地，无不一当百。齐师少却，乃令妻妾、军民、妇女，昼夜修城，三日而就。周主使齐王宪将兵六万屯涑川[369]，遥为平阳声援。齐人作地道攻平阳，城陷十余步，将士乘势欲入。齐主敕且止，召冯淑妃观之。淑妃妆点[370]，不时[371]至，周人以木拒塞之，城遂不下。旧俗相传，晋州城西石上有圣人迹，淑妃欲往观之。齐主恐弩矢及桥，乃抽攻城木造远桥。齐主与淑妃度桥，桥坏，至夜乃还。

癸巳[372]，周主还长安。甲午[373]，复下诏，以齐人围晋州，更帅诸军击之。丙申[374]，纵[375]齐降人使还。丁酉[376]，周主发长安，壬寅[377]，济河，与诸军合。十二月丁未[378]，周主至高显[379]，遣齐王宪[15]帅所部先向平阳。戊申[380]，周主至平阳。庚戌[381]，诸军总集，凡八万人，稍进，逼城置陈，东西二十余里。

先是齐人恐周师猝至[382]，于城南穿堑[383]，自乔山[384]属于汾水。齐

进发，自己仍调度指挥诸军。

十月二十九日甲戌，北周任命上开府仪同大将军安定人梁士彦为晋州刺史，留下精兵一万镇守。

十一月初四日己卯，北齐国主高纬进军到达平阳。北周国主宇文邕认为北齐军队重新集结，声势很盛，打算向西撤退以避开锋芒。开府仪同大将军宇文忻进谏说："凭着陛下的圣明英武，利用敌人的荒淫放纵，何愁不能战胜？如果让北齐得到一位贤明的君主，君臣同心协力，即使有商汤王、周武王那样的威势，也不容易平定。如今北齐君主昏聩，臣下愚昧，兵士没有斗志，即使有百万之众，实际上都是奉送给陛下的礼物。"军正京兆人王韶说："北齐丧失法纪政纲，至今已连续几代。这是上天在扶助周室，可以一战就扼住敌人的咽喉。攻取昏乱衰亡的国家，正在今日，放弃这个良机离开，臣实在无法理解。"北周国主宇文邕虽然认为他们说得对，但最终还是率军退还。宇文忻是宇文贵的儿子。

北周国主宇文邕留齐王宇文宪断后，北齐军队追击，宇文宪与宇文忻各自率领百名骑兵与追兵交战，杀死北齐骁将贺兰豹子等人，北齐军队才退走。宇文宪领兵渡过汾河，在玉壁追上了周主。

北齐军队于是包围平阳，昼夜攻城。城内形势危急，城墙上的敌楼和矮垣都被毁坏，残存的城墙只有六七尺高。双方有时短兵相接，有时驰马交战，互有出入，城外的援兵不来，守城的军众都惊惶恐惧。梁士彦意气昂扬，就像平日一样，他对将士们说："如果今天就战死，我一定死在你们的前头。"于是勇猛刚烈的气概一齐奋发出来，喊声动地，无不以一当百。北齐军队稍微后退后，梁士彦便令妻妾、军民、妇女，昼夜修城，三天修复了城墙。北周国主宇文邕派齐王宇文宪率军六万屯驻在涑川，远远地声援平阳。北齐军队挖地道攻城，城墙倒塌了十多步宽，将士乘势将要攻入。北齐国主高纬下令暂且中止攻城，宣召冯淑妃前来观看。冯淑妃梳妆打扮，没有及时到来，周军用木头阻塞缺口，平阳城便没有被齐军攻下来。旧时民间相传，晋州城西的石头上有圣人足迹，冯淑妃想去观看。齐主担心敌人的弓箭会射到桥上，于是抽走攻城的木料在离城较远的地方造桥。齐主与冯淑妃过桥，木桥损坏，到天黑时才回营。

十一月十八日癸巳，北周国主宇文邕回到长安。十九日甲午，周主重又下诏，因为北齐军队围攻晋州，再次亲率诸军进击北齐。二十一日丙申，释放北齐投降的人让他们回去。二十二日丁酉，周主从长安出发，二十七日壬寅，渡过黄河，与各军会合。十二月初三日丁未，周主到达高显，派齐王宇文宪率领所部先行向平阳进发。初四日戊申，周主也到达平阳。初六日庚戌，各军完成集结，总计八万人，逐渐向前推进，逼近晋州城列成阵势，东西长达二十余里。

此前，北齐军队担心北周军队突然杀来，在晋州城南挖下深沟，从乔山一直通

主大出兵，陈于堑北。周主命齐王宪驰往观之。宪复命[385]曰：“易与耳，请破之而后食。”周主悦，曰：“如汝言，吾无忧矣！”周主乘常御马，从数人巡陈，所至辄呼主帅姓名慰勉之。将士喜于见知[386]，咸思自奋[387]。将战，有司请换马。周主曰：“朕独乘良马，欲何之？”周主欲薄[388]齐师，碍堑而止。自旦至申[389]，相持不决。

齐主谓高阿那肱曰：“战是邪？不战是邪？”阿那肱曰：“吾兵虽多，堪战者［16］不过十万，病伤及绕城樵爨[390]者复三分居一。昔攻玉壁[391]，援军来即退。今日将士，岂胜神武[392]时邪？不如勿战，却守[393]高梁桥[394]。”安吐根[395]曰：“一撮许[396]贼，马上刺取，掷著[397]汾水中耳！”齐主意未决。诸内参曰：“彼亦天子，我亦天子。彼尚能远来，我何为守堑示弱？”齐主曰：“此言是也。”于是填堑南引[398]。周主大喜，勒[399]诸军击之。

兵才合[400]，齐主与冯淑妃并骑观战。东偏[401]小［17］却，淑妃怖曰：“军败矣！”录尚书事城阳王穆提婆曰：“大家去！大家去！”齐主即以淑妃奔高梁桥。开府仪同三司奚长谏曰：“半进半退，战之常体[402]。今兵众全整，未有亏伤，陛下舍此安之？马足一动，人情骇乱，不可复振。愿速还安慰之！”武卫[403]张常山自后至，亦曰：“军寻收讫[404]，甚完整，围城兵亦不动。至尊[405]宜回。不信臣言，乞将[406]内参往视。”齐主将从之。穆提婆引齐主肘曰：“此言难信。”齐主遂以淑妃北走。齐师大溃，死者万余人，军资器械，数百里间，委弃山积[407]。安德王延宗[408]独全军[409]而还。

齐主至洪洞，淑妃方以粉镜自玩[410]，后声乱，唱[411]贼至，于是复走。先是齐主以淑妃为有功勋，将立为左皇后[412]，遣内参诣晋阳取皇后服御袆翟[413]等。至是，遇于中涂[414]，齐主为按辔[415]，命淑妃著[416]之，然后去。

辛亥[417]，周主入平阳。梁士彦见周主，持周主须而泣曰：“臣几[418]不见陛下！”周主亦为之流涕。

周主以将士疲倦［18］，欲引还[419]。士彦叩马[420]谏曰：“今齐师遁散[421]，众心皆动[422]，因其惧而攻之，其势必举[423]。”周主从之，执其手曰：“余得晋州，为平齐之基[424]，若不固守，则大事不成。朕无前忧，唯虑后

到汾水。齐主派出大批军队，在深沟的北面列阵。周主派齐王宇文宪驰马前往观察。宇文宪返回报告说："容易对付，请允许我打败了敌人再吃饭。"周主非常高兴，说："真像你说的，我就没有什么可忧虑的了！"周主骑上他平时骑的那匹马，带了几个随从巡视阵地，所到之处都能叫出主帅姓名并加以抚慰勉励。将士因受到皇上知遇而非常高兴，都想着自己一定要奋勇杀敌。即将交战，有关官员请求给周主换一匹马。周主说："朕独自骑一匹好马，想到哪里去呢？"周主想亲自逼近北齐军队，被深沟挡住了去路才停止。从早晨直到傍晚，两军相持，没有决出胜负。

北齐国主高纬对高阿那肱说："是战好呢，还是不战好？"高阿那肱说："我军人数虽多，能够战斗的也只不过十万人，伤病人员以及在城四周打柴做饭的人又占去三分之一。从前攻打玉壁时，敌方援军一到我军就撤退。今天的将士，难道能比神武时期强吗？不如不战，退守高梁桥。"安吐根说："不过一小撮贼兵，待我上马刺取过来，丢到汾水里去罢了！"齐主仍犹豫不决。一些太监们说："他是天子，我也是天子。他尚且能远道而来，我为什么要守着深沟示弱？"齐主说："此话说得对。"于是填塞了深沟，向南进发。北周国主十分高兴，部署各路兵马发动攻击。

双方军队刚开始交战，北齐国主高纬与冯淑妃并排骑着马观战。东侧部队稍稍后退，冯淑妃就惊恐地说："军队败了！"录尚书事城阳王穆提婆说："皇上快离开，皇上快离开！"齐主立即带着冯淑妃逃向高梁桥。开府仪同三司奚长进谏说："进一点退一点，是交战中很正常的现象。如今我军人员完整，没有损伤，陛下丢下他们要到哪里去呢？陛下马足一动，人心惊恐慌乱，士气难以再提振起来。希望陛下赶快回到军中安慰士众！"武卫张常山从后赶到，也说："军队很快集中完毕，人员装备很完整，围城部队也没有移动。皇上应当赶快回去。如不信臣的话，请允许我带太监前去察看。"齐主准备听从。穆提婆拉着齐主的胳膊说："这种话难以相信。"齐主于是带着冯淑妃向北逃跑。北齐军队大败，死了一万多人，逃跑中丢弃的军资器械，在几百里间堆积如山，唯独安德王高延宗所部全军完整无损地退回。

北齐国主逃到洪洞，冯淑妃正在对镜施粉梳妆自我欣赏，突然后面声音杂乱，有人大喊敌人来了，齐主与冯淑妃于是又继续往北跑。此前齐主认为冯淑妃有功，打算册立她为左皇后，派太监到晋阳取皇后服饰车马等。这时，两队人在中途相遇，齐主拉紧马缰停住了马，让冯淑妃穿好皇后服饰，然后才离开。

十二月初七日辛亥，北周国主进入平阳。梁士彦参见周主，用手拉着周主的胡须哭着说："臣差点见不着陛下了！"周主也为之流下了眼泪。

周主认为将士非常疲惫，打算率军回去。梁士彦拉着马劝谏说："现今北齐军队逃散，众心动摇，趁敌方恐惧之际攻击他，势必能够成功。"周主听从了，拉着梁士彦的手说："我得到晋州，作为平定北齐的基地，如果不能固守，那么大事不能成功。朕不担忧前方的战事，只担心后方可能发生的变化，你要好好替我守住啊！"于是率

变，汝善为我守之！”遂帅诸将追齐师。诸将固请西还，周主曰：“纵敌患生[425]。卿等若疑，朕将独往。”诸将乃不敢言。癸丑[426]，至汾水关。

齐主入晋阳，忧惧不知所之[427]。甲寅[428]，齐大赦。齐主问计于朝臣，皆曰：“宜省赋息役[429]，以慰民心。收遗兵[430]，背城死战[431]，以安社稷。”齐主欲留安德王延宗、广宁王孝珩守晋阳，自向北朔州[432]。若晋阳不守，则奔[433]突厥。群臣皆以为不可，帝不从。

开府仪同三司贺拔伏恩等宿卫近臣三十余人西奔周军，周主封赏各有差[434]。

高阿那肱所部兵尚一万，守高壁[435]，余众保洛女砦[436]。周主引军向高壁，阿那肱望风退走。齐王宪攻洛女砦，拔之。有军士告称[19]：“阿那肱遣臣[20]招引西军[437]。”齐主令侍中斛律孝卿[438]检校[439]，孝卿以为妄。还，至晋阳，阿那肱腹心复告阿那肱谋反，又以为妄，斩之。

乙卯[440]，齐主诏安德王延宗、广宁王孝珩募兵。延宗入见，齐主告以欲向北朔州，延宗泣谏[441]，不从，密遣左右先送皇太后、太子于北朔州。

丙辰[442]，周主与齐王宪会于介休[443]。齐开府仪同三司韩建业[444]举城降，以为上柱国[445]，封郇[446]公。

是夜[447]，齐主欲遁去，诸将不从。丁巳[448]，周师至晋阳。齐主复大赦，改元隆化[449]。以安德王延宗为相国[450]、并州刺史，总山西[451]兵，谓曰：“并州兄自取之[452]，儿[453]今去矣！”延宗曰：“陛下为社稷勿动。臣为陛下出死力战，必能破之。”穆提婆曰：“至尊计已成，王不得辄[454]沮。”齐主乃夜斩五龙门而出，欲奔突厥，从官多散。领军梅胜郎[455]叩马谏，乃回向邺。时唯高阿那肱等十余骑从，广宁王孝珩、襄城王彦道继至，得数十人与俱。

穆提婆西奔周军，陆令萱自杀，家属皆诛没[456]。周主以提婆为柱国、宜州[457]刺史。下诏谕齐群臣曰：“若妙尽人谋[458]，深达[459]天命，官荣爵赏，各有加隆。或我之将卒，逃逸彼朝[460]，无问贵贱，皆从荡涤[461]。”自是齐臣降者相继。

初，齐高祖[462]为魏丞相，以唐邕典外兵曹[463]，太原白建[464]典骑兵曹，皆以善书计[465]、工[466]簿帐受委任。及齐受禅[467]，诸司咸归尚书，唯

领众将追击北齐军队。众将一再请求向西回到长安去，周主说："放跑了敌人要生后患。卿等如果有疑虑，朕准备独自前往。"众将这才不敢说话。十二月初九日癸丑，进军到汾水关。

北齐国主进入晋阳，忧愁恐惧不知如何是好。十二月初十日甲寅，北齐大赦。齐主向朝臣询问应当采取什么办法，朝臣们都说："应当减少赋税，停止徭役，以安慰民心。收合残存的兵力，背靠城池与敌决一死战，以安定国家。"齐主想留下安德王高延宗、广宁王高孝珩守晋阳，自己逃往北朔州。如果晋阳守不住，他就逃往突厥。群臣都认为不可以，齐主却不听从。

开府仪同三司贺拔伏恩等宿卫近臣三十多人向西投奔周军，周主对他们加以封赏，多少不等。

北齐高阿那肱所统率的兵力还有一万人，守卫高壁，其余部队退守洛女砦。北周国主领兵向高壁进发，高阿那肱听到风声就退走了。齐王宇文宪攻打洛女砦，把它攻了下来。有军士控告说："高阿那肱派臣去勾结周军。"齐主派侍中斛律孝卿查核，斛律孝卿认为虚妄不实。高阿那肱回到晋阳，他的亲信部属又控告他谋反，斛律孝卿仍认为虚妄不实，把控告的人杀了。

十二月十一日乙卯，北齐国主下诏安德王高延宗、广宁王高孝珩招募士兵。高延宗进宫拜见齐主，齐主告诉高延宗想逃往北朔州，高延宗哭着苦谏，齐主不听，秘密派亲信先送皇太后、太子到北朔州。

十二日丙辰，北周国主与齐王宇文宪会师介休。北齐开府仪同三司韩建业举城投降北周，被任命为上柱国，封为郇公。

此日夜里，北齐国主想要逃走，众将领不肯服从。十二月十三日丁巳，北周军队到达晋阳。齐主再次大赦，改年号为隆化。齐主任命安德王高延宗为相国、并州刺史，总领山西兵马。齐主对高延宗说："并州请兄自己去经营，我现今要离开这里！"高延宗说："陛下为了社稷不要动身，臣替陛下拼死奋战，一定能够打败敌人。"穆提婆说："皇上计划已定，安德王不得总是阻止。"齐主于是当夜砍开五龙门逃出，想逃奔突厥，随从官员大多四散。领军梅胜郎拉住齐主的马缰劝谏，齐主这才回头转向邺城。当时只有高阿那肱等十几个人骑马随从，广宁王高孝珩、襄城王高彦道相继来到，合在一起有几十个人同行。

穆提婆西逃投降周军，陆令萱自杀，她的家属全被诛杀或没为官府奴婢。周主任命穆提婆为柱国、宜州刺史。周主下诏劝谕北齐群臣说："如能献出人间最好的计谋，深明天命，那么官禄爵赏，各有增加。如有我国的将士，逃奔北齐，那么不论贵贱，一律清除歼灭。"从此北齐官吏投降北周的接连不断。

当初，北齐高祖高欢担任东魏丞相，任用唐邕掌管外兵曹，太原人白建掌管骑兵曹，两个人都因精通文字与筹算，擅长管理账目簿册而受到信任。等到北齐受禅，

二曹不废，更名二省。邕官至录尚书事，建官至中书令，常典二省，世称“唐、白”。邕兼领度支，与高阿那肱有隙，阿那肱谮之，齐主敕侍中斛律孝卿总知骑兵、度支。孝卿事多专决，不复询禀⑱。邕自以宿旧习[21]事，为孝卿所轻，意甚郁郁⑲。及齐主还邺，邕遂留晋阳。并州将帅请于安德王延宗曰：“王不为天子，诸人实不能为王出死力。”延宗不得已，戊午⑳，即皇帝位，下诏曰：“武平㊶孱弱，政由宦[22]竖，斩关夜遁，莫知所之。王公卿士，猥见推逼㊷，今祇承宝位㊸。”大赦，改元德昌。以晋昌王唐邕为宰相，齐昌王莫多娄敬显㊹、沭阳王和阿干子[23]、右卫大将军段畅、开府仪同三司韩骨胡等为将帅。敬显，贷文之子也。众闻之，不召而至者，前后相属㊺。延宗发㊻府藏及后宫美女以赐将士，籍没㊼内参十余家。齐主闻之，谓近臣曰：“我宁使周得并州，不欲安德㊽得之。”左右曰：“理然㊾。”延宗见士卒，皆亲执手称名，流涕呜咽㊿，众争为死。童儿女子，亦乘㊶屋攘袂㊷，投砖石以御敌。

己未㊸，周主至晋阳。庚申㊹，齐主入邺。周军[24]围晋阳，四合如黑云㊺。安德王延宗命莫多娄敬显、韩骨胡拒城南，和阿干子、段畅拒城东，自帅众拒齐王宪于城北。延宗素肥，前如偃，后如伏㊻，人常笑之。至是，奋大矟往来督战，劲捷若飞，所向无前㊼。和阿干子、段畅以千骑奔周军。周主攻东门，际昏㊽，遂入之，进焚佛寺。延宗、敬显自门入，夹击之。周师大乱，争门，相填压㊾，塞路不得进。齐人从后斫㊿刺，死者二千余人。周主左右略尽，自拔㊶无路。承御上士㊷张寿牵马首，贺拔伏恩以鞭拂其后，崎岖得出㊸。齐人奋击，几中之。城东道阨曲㊹，伏恩及降者皮子信㊺导之，仅得免，时已四更㊻。延宗谓㊼周主为乱兵所杀，使于积尸中求长鬣㊽者，不得。时齐人既捷，入坊㊾饮酒，尽醉卧，延宗不复能整。

周主出城，饥甚，欲遁去，诸将亦多劝之还。宇文忻勃然㊿进曰：“陛下自克晋州，乘胜至此。今伪主㊶奔波，关东㊷响振[25]，自古行兵，未有若斯之盛。昨日破城，将士轻敌，微有不利，何足为怀？丈夫当死中求生，败中取胜。今破竹之势已成，奈何弃之而去？”齐王

丞相府各司都归并到尚书省，只有外兵曹和骑兵曹没有裁撤，改名为外兵省和骑兵省。唐邕官至录尚书事，白建官至中书令，两人长期掌管这两个省，世人并称“唐、白”。唐邕兼管度支省，与高阿那肱有嫌隙，高阿那肱中伤唐邕，齐主敕令侍中斛律孝卿主持骑兵省和度支省。斛律孝卿办事常常专断，不再向唐邕询问通报。唐邕自认是旧臣且熟悉政务，现在却被斛律孝卿看不起，心中非常郁闷。等到齐主要回邺城，唐邕便留在了晋阳。并州将帅向安德王高延宗请求说：“大王不当天子，众人实在不能再为大王出死力。”高延宗迫不得已，十二月十四日戊午，即位为皇帝，下诏书说：“武平皇帝软弱无能，朝政被宦官小人把持，夜晚砍开门闩逃跑，不知道到了哪里。我被王公卿士推举逼迫，如今只好恭恭敬敬地继承皇位。”于是实行大赦，改年号为德昌。任命晋昌王唐邕为宰相，齐昌王莫多娄敬显、沭阳王和阿干子、右卫大将军段畅、开府仪同三司韩骨胡等为将帅。莫多娄敬显是莫多娄贷文的儿子。众人听到消息，不召而来的人，前后相继不断。高延宗打开府库，把财物和后宫美女赏赐给将士，抄没了十几家宦官的家产。齐主听到消息，对亲近的臣下说：“我宁肯让北周得到并州，也不想让安德王得到。”左右亲信说：“理所当然。”高延宗见到士兵，都亲自拉着他的手称呼他姓名，众人感动得流泪抽泣，争相出死力。儿童妇女，也都登上屋顶卷起衣袖，投掷砖头石块打击敌人。

十二月十五日己未，北周国主到达晋阳。十六日庚申，齐主进入邺城。北周军队包围晋阳，身穿黑色戎装的周军如同黑云四面聚合。安德王高延宗命令莫多娄敬显、韩骨胡在南城拒敌，和阿干子、段畅在东城拒敌，他自己率领兵众在北城抗击北周齐王宇文宪。高延宗素来肥胖，前面看像仰面朝天，后面看像俯伏在地，人们常常笑话他。而今，他奋力挥舞长矛，往来督战，强劲敏捷，行走如飞，所向无敌。和阿干子、段畅率领一千骑兵逃向周军。北周国主攻打东门，接近黄昏时分，便攻入东城，放火焚烧了佛寺。高延宗、莫多娄敬显从东门外进入，夹击周军。周军大乱，纷纷夺门逃跑，互相挤压在一起，堵住了道路，无法前进。北齐军士从后砍杀，周军死了两千多人。北周国主身边的人差不多死光了，他自己也无路脱身。幸亏承御上士张寿牵着马头，贺拔伏恩用鞭子从马后抽打，历尽艰险才出了城。北齐军士奋勇追击，差点击中北周国主。城东的道路狭窄曲折，有了贺拔伏恩和投降周军的皮子信带路，这才幸免于难，当时已到四更天了。高延宗以为周主已被乱兵所杀，派人在堆积的尸体中找长胡须的人，没有找到。当时北齐军队打了胜仗，纷纷进入店铺饮酒，全都醉倒，高延宗也不再能整顿此时的部队了。

北周国主出城以后，十分饥饿，想要撤退离开，众将领也大多劝他回军。宇文忻勃然变色进谏说：“陛下自攻占晋州后，乘胜到达这里。如今伪齐之主奔逃，关东震惊，自古用兵，没有像这样的盛大胜利。昨日攻破城池，将士轻敌，稍有不利，何必放在心上？大丈夫理当死中求生，败中取胜。如今破竹之势已经形成，为什么要丢下

宪、柱国王谊亦以为去必不免[503]，段畅等又盛言[504]城内空虚。周主乃驻马，鸣角收兵，俄顷[505]复振[506]。辛酉[507]，旦，还攻东门，克之。延宗战力屈，走至城北，周人擒之。周主下马执其手，延宗辞曰："死人手[508]，何敢迫[509]至尊？"周主曰："两国天子，非有怨恶，直为百姓来耳。终不相害，勿怖也。"使复衣帽而礼之[510]。唐邕等皆降于周。独莫多娄敬显奔邺，齐主以为司徒。

延宗初称尊号[511]，遣使修启[512]于瀛州[513]刺史任城王湝，曰："至尊出奔，宗庙[514]事重，群公劝迫，权主[515]号令。事宁，终归叔父。"湝曰："我人臣，何容受此启？"执使者送邺。

壬戌[516]，周主大赦。削除齐制。收礼[517]文武之士。

初[26]，伊娄谦聘于齐，其参军[518]高遵以情输于齐[519]，齐人拘之于晋阳。周主既克晋阳，召谦，劳之。执遵付谦，任其报复。谦顿首[520]，请赦之，周主曰："卿可聚众唾面，使其知愧。"谦曰："以遵之罪，又非唾面可责。"帝善其言而止。谦待遵如初。

臣光曰："赏有功，诛有罪，此人君之任也。高遵奉使异国，漏泄大谋，斯叛臣也。周高祖不自行戮[521]，乃以赐谦，使之复怨，失政刑[522]矣！孔子谓以德报怨[523]者，何以报德？为谦者，宜辞而不受，归诸有司[524]，以正典刑[525]。乃请而赦之以成其私名，美则美矣，亦非公义也。"

齐主命立重赏以募战士，而竟不出物。广宁王孝珩请："使任城王湝将幽州道[526]兵入土门[527]，扬声[528]趣并州，独孤永业将洛州道[529]兵入潼关[530]，扬声趣长安，臣请将京畿[531]兵出滏口[532]，鼓行逆战。敌闻南北有兵，自然逃溃。"又请出宫人珍宝赏将士。齐主不悦。斛律孝卿请齐主亲劳将士，为之撰辞[533]，且曰："宜慷慨流涕，以感激人心。"齐主既

它离开呢？”齐王宇文宪、柱国王谊也认为如果离开一定难以脱身，而降将段畅等又极力陈说城内已经空虚。周主这才停住马，下令吹响号角收拢部队，不久士气重又振作起来。十二月十七日辛酉，清晨，北周军队返回攻打东门，终于攻下东门。高延宗苦战力竭，逃到北城，被周军擒获。周主下马握住他的手，高延宗推辞说：“死罪之人的手，哪敢接近天子？”周主说：“两国天子，并没有个人间的怨恨憎恶，我只是为百姓才来的。我终究不会加害于你，请不要害怕。”他让高延宗重新穿戴好衣帽并以礼相待。唐邕等都投降周军。只有莫多娄敬显逃回邺城，齐主任命他为司徒。

高延宗刚称皇帝之号时，写了一封信派使者带给瀛州刺史任城王高湝，信中说：“皇上出逃，宗庙之事关系重大，群臣强行劝进，我暂且主持国政。等战事结束，我终究会将皇位归还叔父的。”高湝说：“我是臣子，怎么可以接受这样的信？”把使者抓起来送到邺城。

十二月十八日壬戌，北周国主实行大赦。取消北齐的制度。网罗文武贤才，并以礼相待。

当初，北周的伊娄谦到北齐通问修好，他的参军高遵把北周准备伐齐的情报泄露给了北齐，北齐把伊娄谦扣留在晋阳。周主攻克晋阳后，召见伊娄谦，并慰劳他。周主逮捕了高遵交给伊娄谦，听凭他进行报复。伊娄谦磕头，请求赦免高遵。周主说：“卿可以召集众人，向他脸上吐口水，让他知道羞愧。”伊娄谦说：“高遵所犯的罪行，又不是向脸上吐口水可以责罚的。”周主认为伊娄谦说得好，便不再惩罚高遵。伊娄谦对待高遵和从前一样。

臣司马光说：“奖赏有功的人，惩罚有罪的人，这是人君的责任。高遵奉命出使他国，泄露重大谋略，他就是一个叛臣。北周高祖不自己下令处死高遵，却把他赐给伊娄谦，让他去报复，这就有失于政令和刑法了。孔子说如果以德报怨，那么又用什么来报德呢？作为伊娄谦，理当推辞而不接受，把高遵送回主管部门定罪，依法惩处。但伊娄谦却请求周主赦免高遵，以成就个人的美名，名声倒是美，但这也不是公正的义理啊。”

北齐国主命令设立重赏来招募战士，而最终却不拿出财物来。广宁王高孝珩请求：“派任城王高湝率幽州道兵马进入土门关，扬言进袭并州，派独孤永业率洛州道兵马进入潼关，扬言进袭长安，臣请求率京畿的兵马出滏口，击鼓行军前往迎战。敌人听说南北有兵，自然逃走。”又请求放出宫女、拿出珍宝来赏赐将士。齐主很不高兴。斛律孝卿请求齐主亲自慰劳将士，还替齐主写了慰劳时该说的话，并且说：“说的时候应当慷慨激昂，动情流泪，用以感动激励人心。”齐主出宫后，面对众将

出，临众[534]，将令之，不复记所受言，遂大笑，左右亦笑。将士怒曰："身尚如此，吾辈何急?"皆无战心。于是自大丞相[535]已下，太宰、三师[536]、大司马、大将军、三公[537]等官，并增员而授，或三或四，不可胜数[538]。

朔州[539]行台仆射高劢将兵侍卫太后、太子，自土门道还邺。时宦官仪同三司苟子溢[540]犹恃宠纵暴[541]，民间鸡彘，纵鹰犬搏噬[542]取之。劢执以徇[543]，将斩之，太后救之，得免。或谓劢曰："子溢之徒，言成祸福[544]，独不虑后患邪?"劢攘袂曰："今西寇[545]已据并州，达官[546]率皆委叛[547]，正坐[548]此辈浊乱朝廷。若得今日斩之，明日受诛，亦无所恨[549]!"劢，岳之子也。甲子[550]，齐太后至邺。

丙寅[551]，周主出齐宫中珍宝服玩及宫女二千人，班赐[552]将士，加立功者官爵各有差。周主问高延宗以取邺之策，辞曰："此非亡国之臣所及。"强问之，乃曰："若任城王据邺，臣不能知。若今主自守，陛下兵不血刃[553]。"癸酉[554]，周师趣邺，命齐王宪先驱，以上柱国陈王纯为并州总管。

齐主引诸贵臣入朱雀门[555]，赐酒食，问以御周之策，人人异议，齐主不知所从。是时人情恟惧[556]，莫有斗心，朝士[557]出降，昼夜相属[558]。高劢曰："今之叛者，多是贵人，至于卒伍[559]，犹未离心。请追五品已上[560]家属，置之三台[561]，因胁之[562]以战，若不捷，则焚台[563]。此曹顾惜[564]妻子，必当死战。且王师频北[565]，贼徒轻我，今背城一决，理必破之。"齐主不能用。望气[566]者言，当有革易[567]。齐主引尚书令高元海等议，依天统故事[568]，禅位皇太子。

士，准备讲话，却不记得斛律孝卿写的文辞，于是大笑，身边的亲信也大笑。将士们愤怒地说：“皇上自己尚且如此，我们急什么?”于是全无斗志。这时，从大丞相以下，太宰、三师、大司马、大将军、三公等官，都增加员额封授，一个职位有的三人有的四人，多得不可胜数。

朔州行台仆射高劢率军护送太后、太子，从土门道回邺城。当时宦官仪同三司苟子溢仍仗着齐主的宠幸放纵暴虐行为，百姓养的鸡、猪，他放出猎鹰猛犬去搏杀撕咬，取为己有。高劢把他抓起来审问，公布了他的罪状，准备处死他，太后出面救他，他得以免死。有人对高劢说：“苟子溢这帮人，一句话就能成为你的祸福，你难道不考虑后患吗?”高劢挽起衣袖激奋地说：“如今西边的敌寇已经占领并州，达官显宦都弃官反叛，正是因为这帮家伙把朝廷搞得污浊混乱不堪。如果今天能杀掉他们，明天我就被处死，我也没有什么可遗憾的!”高劢是高岳的儿子。十二月二十日甲子，北齐太后回到邺城。

十二月二十二日丙寅，北周国主拿出北齐晋阳宫中的珍宝、服饰、各种玩赏器物，以及两千名宫女，分赐将士，立功的人加官晋爵各有等差。北周国主向高延宗询问攻取邺城的计策，高延宗推辞说：“这不是亡国之臣该说的话。”周主再三询问，高延宗才说：“如果任城王据守邺城，我无法知道。如果是如今的齐主自己守卫，陛下不用攻打就可拿下。”二十九日癸酉，北周军队奔赴邺城，命齐王宇文宪为前锋，任命上柱国陈王宇文纯为并州总管。

北齐国主召集那些朝臣显贵进入朱雀门，赏赐酒食，询问抵御北周军队的计策，各人说法不同，齐主不知依从谁的好。这时人们惊慌恐惧，毫无斗志，朝廷官员出城投降的日夜不断。高劢说：“如今背叛的人，多是显贵，至于部队，还没有离心。请求拘押五品以上官员的家属，安置在三台，以此胁迫他们出战，如果不能取胜，就焚烧三台。这些官员顾全爱惜自己的老婆孩子，一定会拼死作战。况且王师多次打了败仗，敌人轻视我军，如今背靠邺城与敌决一死战，理应取胜。”北齐国主没能采纳。观察云气预卜吉凶的人说，朝廷将会有变革改易。齐主召集尚书令高元海等人商议，决定依照天统元年武成帝高湛禅位的旧例，把皇位禅让给皇太子高恒。

【段旨】

以上为第三段，记述公元五七六年北周武帝第二次大举讨伐北齐，夺取晋州平阳和晋阳的决定性胜利。

【注释】

㉘⑧疾疢：患病。㉙逋寇：逃亡的贼寇，此指北齐。㉚朝不谋夕：即朝不虑夕，指时间紧迫，情况危急。㉛贻：遗留。㉜拊背：拍打脊背。拊，拍、轻击。㉝未扼其喉：未能控制其要害之地。㉞摄：总持。㉟混同文轨：指一统天下。文，文字。轨，车道。㊱裁：裁定；制裁。㊲己酉：十月初四日。㊳越王盛：即宇文盛（？至公元五八〇年），宇文泰之子。传见《周书》卷十三、《北史》卷五十八。㊴杞公亮：即宇文亮（？至公元五八〇年）。传附《周书》卷十《邵惠公颢传》、《北史》卷五十七《周宗室传》。㊵谯王俭：即宇文俭（？至公元五八一年），宇文泰之子。传见《周书》卷十三、《北史》卷五十八。㊶丙辰：十月十一日。㊷祁连池：地名，一名天池（北方少数民族称天为祁连），在今山西宁武西南管涔山上。㊸癸亥：十月十八日。㊹军：驻扎。㊺雀鼠谷：地名，汾水南过冠爵津，在介休县西南，俗谓之雀鼠谷，数十里间，道路险隘。在今山西介休东南。㊻千里径：要路之一，在今山西临汾北。㊼达奚震：字猛略，历仕西魏、北周，官至上柱国。传附《周书》卷十九《达奚武传》、《北史》卷六十五《达奚武传》。㊽统军川：河名，一名统军水。即今山西洪洞南汾水东岸支流。㊾韩明（？至公元五八〇年）：韩果之子，大象末年，位至大将军、黎州刺史，与尉迟迥同谋被诛。传附《周书》卷二十七《韩果传》、《北史》卷六十五《韩果传》。㊿齐子岭：地名，一名秦岭，在今河南济源西北。㉑鼓钟镇：地名，在今甘肃永昌西。㉒辛韶：官至柱国，对隋文帝有佐命之功。传附《隋书》卷五十四《田仁恭传》、《北史》卷六十五《田仁恭传》。㉓华谷：地名，涑水出河东闻喜东山黍葭谷，俗谓之华谷，在今山西闻喜东。㉔汾州：州名，治所蒲子城，在今山西汾阳。㉕宇文盛（？至公元五八〇年）：字保兴，代（今山西代县）人，历仕西魏、北周，官至上柱国。传见《周书》卷二十九。㉖汾水关：关名，一名阴地关，在今山西灵石西南汾河东岸。㉗平阳城：地名，平阳郡治所，在今山西临汾。㉘尉相贵（？至公元五七六年）：仕北齐。传附《北齐书》卷十九《张保洛传》、《北史》卷五十三《张保洛传》。㉙婴城：环城固守。婴，环绕。㉚甲子：十月十九日。㉛庚午：十月二十五日。㉜庚午：前庚午事抄录《北齐书》，后庚午事抄录《周书》，故重复。㉝壬申：十月二十七日。㉞杖：通“仗”，手持。㉟冯淑妃：名小怜，深得齐后主宠幸。传见《北史》卷十四。㊱天池：地名，在今山西静乐境。〖按〗天池在晋阳北一百七十余里，晋州在晋阳南五百余里，时齐主已率军往晋州，不再北往。疑天池即祁连池，因北方人谓天为祁连。㊲边鄙：近边界的地方。㊳一围：古代围猎人把兽类围在圈内射杀，杀尽为止，一次称为一围。㊴攻拔：攻克。㊵洪洞：城名，取城北洪洞岭为名，在今山西洪洞北。㊶永安：城名，永安郡治所，在今山西霍州。㊷永昌公椿：即宇文椿（？至公元五八一年）。传附《周书》卷十《邵惠公颢传》、《北史》卷五十七《周宗室传》。㊸鸡栖原：地名，在今山西霍州北。㊹庵：圆形草屋。㊺癸酉：十月二十八日。㊻稍逼：渐渐逼近。㊼甲戌：

十月二十九日。㊽上开府仪同大将军：文散官名号，无职掌。㊾梁士彦（公元五一五至五八六年）：历仕西魏、北周与隋，官至上柱国，封郕国公。传见《周书》卷三十一、《隋书》卷四十、《北史》卷七十三。㊿己卯：十一月初四日。(351)宇文忻（公元五二三至五八六年）：字仲药，京兆（今陕西西安）人，历仕周、隋，官至右领军大将军，封杞国公。传见《周书》卷十九、《隋书》卷四十、《北史》卷六十。(352)圣武：圣明英武。(353)荒纵：迷乱放纵。(354)令主：贤明的君主。(355)汤武之势：谓商汤灭夏桀、周武王伐商纣王之优势。(356)主暗臣愚：君主昏暗，臣下愚昧。(357)奉：奉送。(358)军正：官名，军中执法之官。(359)纪纲：法度；法纪。(360)取乱侮亡：乱则取之，有亡形则侮之。侮，欺凌。(361)释：放弃。(362)谕：同"喻"，明白、理解。(363)汾：汾水，即今汾河。黄河支流，源出于山西宁武，南流经河津县入黄河。(364)玉壁：城名，勋州治所，在今山西稷山县西南。(365)楼堞：楼，城上敌楼。堞，城上矮墙。(366)寻仞：古代六尺为寻，七尺为仞。(367)慷慨：意气昂扬。(368)自若：和往常一样。(369)涑川：河名，即今山西西南部黄河支流涑水河。(370)妆点：化妆。(371)不时：没按时；不及时。(372)癸巳：十一月十八日。(373)甲午：十一月十九日。(374)丙申：十一月二十一日。(375)纵：释放。(376)丁酉：十一月二十二日。(377)壬寅：十一月二十七日。(378)丁未：十二月初三日。(379)高显：地名，在今山西曲沃西北高显镇。(380)戊申：十二月初四日。(381)庚戌：十二月初六日。(382)猝至：突然而至。(383)穿堑：挖壕沟。(384)乔山：地名，一作桥山，在今山西襄汾东南。(385)复命：谓完成使命后回报。(386)见知：为人所知；被人了解。(387)自奋：自我奋发。(388)薄：逼近。(389)自旦至申：从早晨到傍晚。旦，天明、早晨。申，申时，指每天下午三时至五时。(390)樵爨：打柴做饭。爨，烧火做饭。(391)昔攻玉壁：事见本书卷一百五十七《梁纪十三》武帝大同元年。(392)神武：指高欢，高欢谥神武皇帝。(393)却守：退守。(394)高梁桥：地名，晋州平阳县有高梁城，故址在今山西临汾东北。(395)安吐根（？至公元五七七年）：安西胡人，官至仪同三司。传见《北史》卷九十二。(396)一撮许：一小撮，言其少。许，约计的数量，大约之意。(397)掷著：投到。(398)南引：率兵南下。(399)勒：统率。(400)才合：刚开始交战。(401)东偏：谓作战的北齐东翼军队。(402)常体：常态；正常的情况。(403)武卫：官名，属左、右武卫将军。(404)收讫：集中完毕。(405)至尊：极其尊贵，对帝王的称呼。(406)乞将：乞请带领。将，领着、偕同。(407)委弃山积：扔掉的军器物资堆积如山。(408)安德王延宗：即高延宗（？至公元五七七年），文襄帝第五子，封安德王。传见《北齐书》卷十一、《北史》卷五十二。(409)全军：谓全军完整无损。(410)以粉镜自玩：施粉添妆，临镜自赏。(411)唱：长声高呼。(412)左皇后：齐后主立右皇后与左皇后二后，时有穆皇后，故欲立冯淑妃为左皇后。(413)皇后服御袆翟：服御，指衣服车马之类。袆翟，皇后所穿礼服。此服深青，上绘五彩长尾山雉。袆，袆衣，皇后之祭服。翟，山雉之尾长者。(414)中涂：半道。涂，通"途"。(415)按辔：扣紧马缰，使马缓步而行或停下。(416)著：穿着。(417)辛亥：十二月初七日。(418)几：几乎。(419)引还：率军回归。(420)叩马：勒住马。(421)遁散：逃散。遁，逃亡。(422)众心皆动：大家心里都发生动摇。(423)举：成功。㊶基：基地。㊷纵敌患生：放跑敌人，就要产生祸患。㊸癸丑：十二月九日。㊹所之：往哪里去。㊺甲寅：十二月初十日。㊻省赋息役：谓减少赋税，停止徭役。㊼遗兵：残存的士兵。㊽背城死战：背靠城池与敌决一死战。㊾北朔州：州名，治所古马邑城，在今山西朔州。㊿奔：前往投赴。(434)各有差：多少不等。(435)高壁：岭名，即高壁岭，又名韩壁岭。在今山西灵石南。(436)洛女砦：寨栅名，即洛水寨，在今山西灵石境。(437)招引西军：勾结敌军。招引，招致、勾搭。西军，指北周军。(438)斛律孝卿：北齐人，后降北周，官至尚书令，封义宁王。传附《北齐书》卷二十《斛律羌举传》、《北史》卷五十三《斛律羌举传》。(439)检校：查核。(440)乙卯：十二月十一日。(441)泣谏：哭泣着劝说。(442)丙辰：十二月十二日。(443)介休：县名，在今山西介休东南。(444)韩建业：历仕齐、周与隋，官至上柱国，封郇公。传附《北齐书》卷十九《张保洛传》、《北史》卷五十三《张保洛传》。(445)上柱国：官名，北周武官勋级中的最高级，无职掌。(446)郇：古国名，西周封置。在今山西临猗西南。(447)是夜：这一夜，即十二日夜。是，此。(448)丁巳：十二月十三日。(449)改元隆化：将武平七年改为隆化元年。(450)相国：官名，即宰相，全国最高行政长官，辅助天子处理军国大政。(451)山西：邺都称并州之地为山西。(452)并州兄自取之：齐后主谓延宗自取并州，为并州之主。(453)儿：齐后主自称。(454)辄：每；总是。(455)梅胜郎：人名，领军将军。传见《北史》卷九十二《恩幸传》。(456)诛没：诛杀或没为官府奴婢。(457)宜州：州名，治所华原县，在今陕西铜川市耀州区。(458)妙尽人谋：人们中最好的计谋。(459)深达：十分知道。(460)彼朝：指北齐朝。(461)荡涤：消除净尽。(462)齐高祖：齐尊高欢庙号为高祖。(463)曹：古代分职治事的官署或部门。(464)白建（？至公元五七六年）：仕北齐，官至中书令。传见《北齐书》卷四十、《北史》卷五十五。(465)书计：文字与筹算。(466)工：擅长。(467)受禅：王朝更替，新皇帝接受旧皇帝让给的帝位。(468)询禀：询问和禀告。(469)郁郁：因受抑制而气不得舒展。(470)戊午：十二月十四日。(471)武平：齐后主年号，此指后主。(472)猥见推逼：被众人推举逼迫。(473)宝位：皇帝之位。(474)莫多娄敬显（？至公元五七七年）：仕北齐，官至司徒。传附《北齐书》卷十九《莫多娄贷文传》、《北史》卷五十三《莫多娄贷文传》。莫多娄，三字姓。(475)属：跟随。(476)发：打开。(477)籍没：没收财物入官。(478)安德：指安德王高延宗。(479)理然：理所当然。(480)呜咽：悲泣声。(481)乘：登。(482)攘袂：挽袖捋臂，奋起之状。(483)己未：十二月十五日。(484)庚申：十二月十六日。(485)如黑云：周戎装及旗帜皆黑色，故如黑云。(486)“前如偃”二句：因高延宗过于肥大，从前面看他，如仰倒；从后看，又如伏倒之状。偃，仰倒。(487)无前：莫能居其前；无敌。(488)际昏：接近黄昏时。(489)填压：一个又一个地堆压在一起。填，加入。(490)斫：用刀斧砍。(491)自拔：脱身。(492)承御上士：官名，侍卫左右之官。(493)崎岖得出：比喻历尽困难艰险，才得以出城。(494)阨曲：狭窄曲折。阨，通“隘”。(495)皮子信：即皮信，皮景和之子。降北周，官至上开府、军正大夫。传附《北齐书》卷四十一《皮景和传》、《北史》卷五十三《皮景和传》。《北齐书》与《北史》中，或作“皮信”，或作“皮子信”。(496)四更：古时每夜分为五更，四更当在凌晨三时至四时。497 谓：以为。498 长鬣：长胡须。鬣，胡须。499 坊：店铺。500 勃然：发怒变色。501 伪主：指齐主。周将以北周为正统，以北齐为伪。502 关东：古代泛指函谷关以东地区。503 不免：指将被齐军捉住，不免于死。504 盛言：极言。盛，极点。505 俄顷：不一会儿。506 复振：散兵复聚，士气重又振作起来。507 辛酉：十二月十七日。508 死人手：谓死罪之人的手。509 迫：接近。510 礼之：谓以礼相待高延宗。511 尊号：谓皇帝的称号。512 修启：写书信。启，书函。513 瀛州：州名，治所赵都军城，在今河北河间。514 宗庙：谓国家。515 权主：暂且主持。516 壬戌：十二月十八日。517 收礼：招集文武之士，并以礼相待。518 参军：官名，掌参议军事。519 以情输于齐：指把周将伐齐，使伊娄谦前来观察情况事泄漏给北齐。520 顿首：头叩地而拜。521 不自行戮：不自行杀戮。522 失政刑：有失于政令与刑法。523 以德报怨：用恩德来回报怨恨的人。524 有司：主管官吏。古代设官分职，事各有专司，故称有司。525 典刑：常刑。526 幽州道：指从幽州（治所今北京市）出发的进军路线。道，行军路线。527 土门：关口名，是当时由幽州道进入太行山的关口之一，故址在今河北井陉西南。528 扬声：犹扬言。529 洛州道：指从洛州（治所在今河南洛阳）出发的进军路线。530 潼关：关名，是军事上的要冲之地，故址在今陕西潼关吴村东北黄河南岸。531 京畿：北齐国都邺城。532 滏口：地名，古“太行八陉”之一，在今河北磁县西北鼓山。533 撰辞：撰写慰劳将士时应讲的话。534 临众：到了众将士面前。535 大丞相：官名，北齐承北魏官制，位望最崇重者任此官。536 三师：官名，包括太师、太傅、太保，位尊而无实权。537 三公：官名，包括太尉、司徒、司空，辅助国君掌握军政大权。538 胜数：尽数。胜，尽。539 朔州：州名，治所招远县，在今山西朔州。540 宦官仪同三司苟子溢：后主之朝，宦官苟子溢等奸佞败政，多开府封王，授仪同三司，亦有加光禄大夫、金章紫绶者，又多带中侍中、中常侍，横虐一时。传见《北史》卷九十二《恩幸传》。541 纵暴：放纵暴虐。542 噬：咬。543 徇：向众宣示。544 言成祸福：谓权势之大，说一句话就能造成别人的祸或福。545 西寇：指北周军队。周在齐之西，故称西寇。546 达官：有职任而显耀于当时的高官。547 委叛：言弃官而叛去。委，弃。548 坐：因为。549 恨：后悔；遗憾。550 甲子：十二月二十日。551 丙寅：十二月二十二日。552 班赐：颁赐。班，分发。553 兵不血刃：不经过战争就能取得胜利。554 癸酉：十二月二十九日。555 朱雀门：邺宫城正南门。556 恟惧：震惊恐惧。557 朝士：泛指中央的官吏。558 相属：相连不断。属，相连接。559 卒伍：泛指军队。560 五品已上：齐制，五品以上官谓自尚书郎、中书侍郎、谏议大夫、九寺少卿、给事黄门侍郎、通直散骑常侍、尚书左、右丞、三公府长史、谘议参军、太子三卿、直阁将军、东宫正都督以上。561 三台：曹操修筑的三座台榭的合称。在今河北临漳西南、邺县城西北隅，南为金雀台，北为冰井台，中为铜雀台。562 胁之：胁迫五品以上官将。563 焚台：焚烧三台，将置于三台内五品以上官将家属烧死。564 顾惜：眷念。565 频北：频频败北；接连失败。566 望气：古代迷信占卜法，望云气附会人事，预言凶吉。567 革易：指朝代更替。568 天统故事：指北齐天统元年武成帝禅位太子（后主）之事。

【校记】

［12］精骑：原作“兵”。据章钰校，十二行本、乙十一行本、孔天胤本皆作“精骑”，张敦仁《通鉴刊本识误》同，今据改。〖按〗《周书·武帝纪下》《北史·高祖武帝纪》皆作“精骑”。［13］相贵，相愿之兄也：原无此七字。据章钰校，十二行本、乙十一行本、孔天胤本皆有此七字，张敦仁《通鉴刊本识误》同，今据补。〖按〗《通鉴纪事本末》卷二五有此七字。［14］王韶：原作“王纮”。据章钰校，十二行本、乙十一行本、孔天胤本皆作“王韶”，今据改。〖按〗《隋书·王韶传》作“王韶”。［15］宪：原无此字。据章钰校，十二行本、乙十一行本、孔天胤本皆有此字，张敦仁《通鉴刊本识误》同，今据补。［16］者：原无此字。据章钰校，十二行本、乙十一行本、孔天胤本皆有此字，张敦仁《通鉴刊本识误》同，今据补。［17］小：原作“少”。据章钰校，十二行本、乙十一行本皆作“小”，今据改。〖按〗《通鉴纪事本末》卷二五、《通鉴纲目》皆作“小”。［18］倦：原作“弊”。据章钰校，十二行本、乙十一行本、孔天胤本皆作“倦”，今据改。〖按〗《隋书·梁士彦传》作“倦”。［19］称：原无此字。据章钰校，十二行本、乙十一行本、孔天胤本皆有此字，张敦仁《通鉴刊本识误》同，今据补。［20］遣臣：原无此二字。据章钰校，十二行本、乙十一行本、孔天胤本皆有此二字，张敦仁《通鉴刊本识误》同，今据补。〖按〗《北齐书·恩幸·高阿那肱传》《北史·恩幸·高阿那肱传》皆有此二字。［21］旧习：原作“习旧”。据章钰校，十二行本、乙十一行本、孔天胤本二字皆互乙，今据改。〖按〗《通鉴纪事本末》卷二五作“旧习”。［22］宦：原作“官”。章钰校云：“十二行本‘宫’作‘宦’，乙十一行本同。”是章钰所据胡克家刻本作“宫”，与校者所见不同。〖按〗《北齐书·安德王高延宗传》《北史·安德王高延宗传》皆作“宦”，《通鉴纪事本末》卷二五作“官”，此处作“宦”字义长，今据改。［23］和阿干子：原无此四字。据章钰校，十二行本、乙十一行本、孔天胤本皆有此四字，张敦仁《通鉴刊本识误》同，今据补。［24］军：原作“师”。据章钰校，十二行本、乙十一行本、孔天胤本皆作“军”，张敦仁《通鉴刊本识误》同，今据改。［25］振：原作“震”。据章钰校，十二行本、乙十一行本、孔天胤本皆作“振”，今据改。〖按〗《隋书·宇文忻传》作“振”。［26］初：原作“郱”。胡三省注云：“周遣伊娄谦聘齐，事见去年二月。此上不应有‘郱’字，盖‘初’字之误也。”据章钰校，十二行本、乙十一行本、孔天胤本皆作“初”，张敦仁《通鉴刊本识误》同，今据改。

【研析】

本卷以北周全面进攻北齐以及晋阳攻防战为主要内容。本卷对于齐后主高纬的劣行与北齐朝廷中的乱象，有较多的交代，北齐境内“赋繁役重，民不聊生”的总结，意在寻求北周灭北齐的原因与发起战争的正义性，总结历史上的治国经验。周武帝励精图治，志在灭齐，北齐后主高纬则沉迷于享乐，人称“无愁天子”，自然是战争尚未开始而胜负已分的重要原因。但就本卷所述相关战争过程中的史事来看，北周军队远非前歌后舞的正义之师，晋阳之战也绝非摧枯拉朽，北齐军队阵前倒戈以“迎接解放”的情形并没有发生。具体到战争本身，北周之所以获胜，还在于外交上的成功运作与战争的突然性。下面予以分析。

战争是政治的延续，面对军事仍然强大、经济力量雄厚的北齐，北周方面并没有必胜的把握，外交活动也就尤其重要。灭齐之战的外交准备，主要表现在南与陈朝修好，“合纵图齐”，北方则尽力笼络突厥，掩盖战争意图。

西魏北周长期庇护与陈朝敌对的梁残余势力于江陵，在宇文护执政时期，曾在陈天嘉二年（公元五六一年）、光大元年（公元五六七年）利用陈朝内乱，两次派兵进入陈境，试图占据湘江流域，均被陈朝军队驱逐，陈军甚至进而在三峡一带对北周军队堡垒展开过攻击行动。这些事件表明，周、陈关系并不友好，而陈朝势力不可小觑。北齐与陈之间除陈朝建立之初外，并没发生过军事冲突。如果不处理好周、陈关系，陈趁北周进攻北齐之机，进攻后梁，甚至进兵襄汉地区，并非不可能的事情。

如《通鉴》《陈纪五》所记，公元五七二年，即周武帝亲政的当年，便派出杜杲出使陈朝，表示愿与陈修好，陈朝要求“以樊、邓见与”，即要求北周将汉水中游一带让给陈朝，这也表明了陈朝保持中上游境土安全的急切要求。杜杲称：“合从图齐，岂弊邑之利？必须城镇，宜待得之于齐，先索汉南，使臣不敢闻命。”说明杜杲此次出使，负有与陈“合纵图齐”的使命，具体盟约已无从考知，但次年三月，陈将吴明彻统军十万，渡江北上，屡败齐军，攻占淮南重镇寿阳，淮河以南尽为陈土，在淮北地区也颇有斩获。

陈朝主动进攻北齐，鏖兵淮河南北，无疑因有“合纵图齐”盟约的保障，无须过分担心北周趁机进攻中上游境土；对北周来说，陈朝在淮河流域对北齐展开军事行动，既消解了灭齐之战时陈朝来攻的可能性，又使周灭齐之战展开时，北齐因两面对敌，难以全力应对周军。陈朝对北齐的军事行动，也为北周提供了观察北齐应对能力的极好机会。本卷所载韦孝宽“平齐三策”中说，北齐面对陈朝进攻，竟然束手无策：“长淮之南，旧为沃土，陈氏以破亡余烬，犹能一举平之，齐人历年赴救，丧败而返。”从而使北周坚定了灭齐的决心。当然，北周一旦灭齐成功，从陈朝手中夺取淮河流域，轻而易举。对于陈朝来说，要在江南地区长期图存，最佳的选择是使北方的周、齐两国长期对峙，而不是北方统一于同一个政权之下。从这一角度来看，陈朝进行的淮南之战，看似极大的胜利，实际上只不过是在北周外交政策操纵下的轻举妄动。

前面几卷我们曾分析过，与突厥成功结盟，是西魏北周逐渐摆脱北齐威胁的重要原因。突厥完全控制草原后，对于北周的态度显然也有了很大改变。北周军队曾数次迫于柔然的要求，勉强出击北齐，以配合柔然南下劫掠行动，突厥也曾有与北齐“和亲”的打算。《周书》卷九《武帝阿史那皇后传》说，突厥木杆可汗俟斤曾许嫁女于周武帝，北周派出以陈国公宇文纯为代表的堪称豪华的迎亲队伍前往迎娶，“俟斤又许齐人以婚，将有异志。纯等在彼累载，不得反命。虽谕之以信义，俟斤不从”。只因后来发生了连续十来天的震雷大风，所居“穹庐”毁坏，俟斤认为这是对自己违背盟国意图的“天谴”，才允许嫁女与周。传称：“后有姿貌，善容止，高祖深敬焉。”《通鉴》《陈纪五》却称：“阿史那后无宠于周主，神武公窦毅尚襄阳公主，生女尚幼，密言于帝曰：‘今齐、陈鼎峙，突厥方强，愿舅抑情慰抚，以生民为念！’帝深纳之。”看来周武帝强压厌恶之情，示好于阿史那氏，实因不愿得罪突厥人。

《通鉴》《陈纪五》还记俟斤之弟突厥佗钵可汗的骄横之态：“周人与之和亲，岁给缯絮锦彩十万段。突厥在长安者，衣锦食肉，常以千数。齐人亦畏其为寇，争厚赂之。佗钵益骄，谓其下曰：‘但使我在南两儿常孝，何忧于贫?’”周、齐二方争逐于黄河流域，正是突厥得以坐享中原农耕地区丰厚赠给的原因，北周如若消灭北齐，势必力量强大，且无后顾之忧，对于突厥来说，并非一件好事。事后，突厥庇护北齐残余势力，骚动北境，迫使周武帝欲大举进攻草原，也就可以理解了。因此，如本卷所记，北周发动灭齐战争时，我们未见到突厥方面有任何配合行动，显然北周并没有将这一重大军事行动知会突厥。

对陈朝在淮河流域的进攻，北齐并没有投入主力力争，正是因为“恐北狄、西寇乘弊而来”。无论是防止北齐预做准备，还是防范突厥横加干预，灭齐之战的准备都必须秘密进行。“周主独与齐王宪及内史王谊谋伐齐，又遣纳言卢韫乘驲三诣安州总管于翼问策，余人皆莫之知。”灭齐之战虽紧锣密鼓地准备着，却如韦孝宽建议的那样，向北齐派出使节，“还崇邻好，申其盟约，安民和众，通商惠工”。齐后主甚至毫无警觉地派胡商带三万匹锦彩到长安，欲购买珍珠为宠妃制作所谓“七宝车”。

灭齐之战发起后，首次出兵，周武帝不顾众人直指晋州与北齐主力决战的意见，而是如以前西魏、北周军事行动一样，率大军进攻洛阳外围，随即又主动退军，“降拔三十余城，皆弃而不守”。回军之后，又让太子率兵西击吐谷浑。这些应该都是有计划的行动，意在示敌以弱，掩饰决战的意图与作战方向，麻痹敌方，同时也更为有效地侦知北齐方面的应变能力，所谓“前入齐境，备见其情，彼之行师，殆同儿戏”。一年之后，周武帝再次举军，以晋阳为主攻方向，并以“军法裁之”督促不愿意出征的将领，晋阳攻防战因而爆发。

具体的战争过程，本卷已有详细叙述。值得注意的是，领袖或主帅的人格魅力往往能激发士气，成为决定战役胜负的重要因素。周、齐大军决战之际，周武帝“乘常御马，从数人巡陈，所至辄呼主帅姓名慰勉之。将士喜于见知，咸思自奋”。齐高延宗守晋阳，“见士卒，皆亲执手称名，流涕呜咽，众争为死。童儿女子，亦乘屋攘袂，投砖石以御敌”，几乎让周武帝“出师未捷身先死”。齐后主面浅，又不善言辞，对当众训话有严重的心理障碍。当其在邺城“亲劳将士”时，本应“慷慨流涕，以感激人心”，却因记不得讲稿，临阵大笑，结果适得其反：“将士怒曰：‘身尚如此，吾辈何急?’皆无战心”。

卷第一百七十三　陈纪七

起强圉作噩（丁酉，公元五七七年），尽屠维大渊献（己亥，公元五七九年），凡三年。

【题解】

本卷记述公元五七七至五七九年南北朝三年史事，当陈宣帝太建九年至十一年，北周武帝建德六年至周宣帝大成元年，北齐后主隆化元年，二年国灭。重点载述北周灭北齐，周武帝在凯歌声中不幸早逝，宣帝继位，骄恣放纵，政治急剧衰落，已露败亡之征。陈朝宣帝昏庸，政治腐败，是一个衰世之君。

【原文】

高宗宣皇帝中之下

太建九年（丁酉，公元五七七年）

春，正月乙亥朔[①]，齐太子恒即皇帝位[②]，生八年矣。改元承光[③]，大赦。尊齐主为太上皇帝，皇太后为太皇太后，皇后为太上皇后。以广宁王孝珩为太宰。

司徒莫多娄敬显、领军大将军尉相愿[④]谋伏兵千秋门[⑤]，斩高阿那肱，立广宁王孝珩。会阿那肱自他路入朝，不果。孝珩求拒周师，谓阿那肱等曰："朝廷不赐遣击贼，岂不畏孝珩反邪？孝珩若破宇文邕[⑥]，遂至长安，反亦何预国家事？以今日之急，犹如此猜忌邪！"高、韩[⑦]恐其为变，出孝珩为沧州[⑧]刺史。相愿拔佩刀斫柱，叹曰："大事去矣，知复何言？"

【语译】

高宗宣皇帝中之下

太建九年（丁酉，公元五七七年）

春，正月初一日乙亥，北齐太子高恒即皇帝位，当时出生才八年。改元承光，大赦天下。尊齐主高纬为太上皇帝，皇太后为太皇太后，皇后为太上皇后。任命广宁王高孝珩为太宰。

司徒莫多娄敬显、领军大将军尉相愿策划在千秋门埋伏武士，杀掉高阿那肱，立广宁王高孝珩为帝。赶巧高阿那肱从另一道门入朝，没能除掉他。高孝珩请求抵抗北周军队，对高阿那肱等说："朝廷不派我去迎击敌人，难道不是怕我反叛吗？我高孝珩如果打败了宇文邕，就可以到达长安，反叛又与朝廷有什么相干？现今形势这么危急，还这样猜忌呀！"高阿那肱、韩长鸾害怕高孝珩发动政变，便派他出京去任沧州刺史。尉相愿抽出佩刀砍屋柱子，叹息说："大势已去，还有什么好说的？"

齐主使长乐王尉世辩[9]帅千余骑觇[10]周师，出滏口，登高阜[11]西望，遥见群乌飞起，谓是西军旗帜，即驰还，比至紫陌桥[12]，不敢回顾[13]。世辩，粲之子也。于是黄门侍郎颜之推、中书侍郎薛道衡、侍中陈德信[14]等劝上皇[15]往河外[16]募兵，更为经略[17]。若不济[18]，南投陈国。从之。道衡，孝通之子也。丁丑[19]，太皇太后、太上皇后自邺先趣济州[20]，癸未[21]，幼主亦自邺东行。己丑[22]，周师至紫陌桥。

辛卯[23]，上祭北郊。

壬辰[24]，周师至邺城下，癸巳[25]，围之，烧城西门。齐人出战，周师奋击，大破之。

齐上皇从百骑东走，使武卫大将军[26]慕容三藏[27]守邺宫。周师入邺，齐王、公以下皆降。三藏犹拒战，周主引见，礼之，拜仪同大将军。三藏，绍宗之子也。领军大将军渔阳鲜于世荣[28]，齐高祖旧将也。周主先以马脑[29]酒钟遗之，世荣得即碎之。周师入邺，世荣在三台前鸣鼓不辍，周人执之，世荣不屈，乃杀之。

周主执莫多娄敬显，数之[30]曰："汝有死罪三：前自晋阳走邺，携妾弃母，不孝也；外为伪朝[31]戮力[32]，内实通启[33]于朕，不忠也；送款[34]之后，犹持两端，不信[35]也。用心如此，不死何待？"遂斩之。

使将军尉迟勤[36]追齐主。

甲午[37]，周主入邺。齐国子博士[38]长乐熊安生[39]，博通"五经"，闻周主入邺，遽[40]令扫门。家人怪而问之，安生曰："周帝重道尊儒，必将见我。"俄而周主幸其家，不听拜，亲执其手，引与同坐，赏赐甚厚，给安车驷马[41]以自随。又遣小司马唐道和就中书侍郎李德林宅宣旨慰谕，曰："平齐之利，唯在于尔[42]。"引入宫，使内史宇文昂访问齐朝风俗政教，人物善恶。即留内省[43]，三宿乃归。

乙未[44]，齐上皇渡河入济州。是日，幼主禅位于大丞相任城王湝。又为湝诏：尊上皇为无上皇，幼主为宋国[45]天王。令侍中斛律孝卿送禅文[46]及玺绂[47]于瀛州，孝卿即诣邺[48]。

周主诏："去年大赦所未及之处[49]，皆从赦例。"

齐主高纬派长乐王尉世辩率领一千多骑兵侦察北周军情，出了滏口，登上高的土山向西瞭望，远远看见一群鸟飞起，认为是北周军队的旗帜，立即飞奔回来，到了紫陌桥，也没敢回头瞭望。尉世辩是尉粲的儿子。于是黄门侍郎颜之推、中书侍郎薛道衡、侍中陈德信等劝太上皇高纬到黄河以南地区去招募士兵，再作谋划。如果不成功，就南去投靠陈朝。高纬听从了。薛道衡是薛孝通的儿子。正月初三日丁丑，太皇太后、太上皇后从邺先行前往济州，初九日癸未，北齐幼主高恒也从邺城东行。十五日己丑，北周军队到达紫陌桥。

正月十七日辛卯，陈宣帝到北郊祭地。

十八日壬辰，北周军队到达邺都城下，十九日癸巳，包围邺城，火烧邺城西门。北齐军队出城迎战，北周军队奋力攻击，大败北齐军队。

北齐太上皇高纬带领百名骑兵向东逃跑，派武卫大将军慕容三藏守卫邺宫。北周军队进入邺城，北齐王、公以下官员都投降了。慕容三藏仍坚持抵抗，北周国主宇文邕召见慕容三藏，以礼接待他，授予他仪同大将军。慕容三藏是慕容绍宗的儿子。北齐领军大将军渔阳人鲜于世荣，是北齐高祖高欢的老将。北周国主先把玛瑙石酒杯赠送给他，鲜于世荣拿到后立即打碎了它。北周军队进入了邺城，鲜于世荣仍在三台前不停地敲鼓，被北周军队抓住，鲜于世荣不屈服，于是被处死。

北周国主抓获了莫多娄敬显，数落他说："你有三大死罪：先前从晋阳逃回邺城，带走小老婆而丢弃母亲，这是不孝；表面上替伪齐卖力，暗中与朕通书信，这是不忠；向朕表示了忠心以后，仍然脚踏两条船，这是不诚信。用心如此，不处死你还等待什么？"于是杀了莫多娄敬显。

北周国主派将军尉迟勤追赶北齐国主高纬。

正月二十日甲午，北周国主进入邺城。北齐国子博士长乐人熊安生博通"五经"，听到北周国主进入邺城，立即让家人打扫门庭。家人感到奇怪询问他，熊安生说："周皇帝看重道德，尊崇儒学，一定会来看我。"不一会儿，北周国主亲自来到熊家，不让熊安生跪拜，亲自握住他的手，招呼他一同坐下，还赏赐了很多贵重的礼物，并给他四马驾的车，让他坐着随同自己入朝。又派小司马唐道和到北齐中书侍郎李德林家宣读圣旨慰劳告谕，说："平定齐国之利，就在于得到你。"带领李德林入宫，北周国主派内史宇文昂向他询问齐国风俗、政令、教化，以及先前执政人物的好与坏。随后留李德林在门下省住了三夜才让他回家。

二十一日乙未，北齐太上皇高纬渡过黄河进入济州城。这一天，北齐幼主高恒把皇位禅让给大丞相任城王高湝。又替高湝发布诏令，尊崇太上皇为无上皇帝，幼主为宋国天王。命令侍中斛律孝卿送禅让文书和系有丝带的受命玉玺给瀛州任城王高湝，斛律孝卿却立即赶往邺城把玉玺献给北周国主宇文邕。

北周国主下诏说："去年大赦令未能到达的地方，现在一律按大赦令例规执行。"

齐洛州刺史独孤永业，有甲士三万，闻晋州败[1]，请出兵击周，奏寝不报㊿。永业愤慨。又闻并州陷，乃遣子须达请降于周，周以永业为上柱国，封应公。

丙申(51)，周以越王盛为相州(52)总管。

齐上皇留胡太后于济州，使高阿那肱守济州关(53)，觇候(54)周师，自与穆后、冯淑妃、幼主、韩长鸾、邓长颙等数十人奔青州(55)。使内参(56)田鹏鸾西出，参伺(57)动静，周师获之，问齐主何在，绐(58)云："已去，计当出境(59)。"周人疑其不信(60)，捶之。每折一支(61)，辞色(62)愈厉，竟折四支而死。

上皇至青州，即欲入陈。而高阿那肱密召周师，约(63)生致(64)齐主，屡启云："周师尚远，已令烧断桥路。"上皇由是淹留(65)自宽。周师至关，阿那肱即降之。周师奄至青州，上皇囊金(66)，系于鞍后[2]，与后、妃、幼主等十余骑南走。己亥(67)，至南邓村(68)，尉迟勤追及，尽擒之，并胡太后送邺(69)。

庚子(70)，周主诏："故斛律光、崔季舒等，宜追加赠谥(71)，并为改葬，子孙各随荫叙录(72)，家口(73)田宅没官者(74)，并还之。"周主指斛律光名曰："此人在，朕安得至邺？"辛丑(75)，诏："齐之东山、南园、三台(76)，并可毁撤。瓦木诸物，可用者悉以赐民。山园之田，各还其主。"

二月壬午(77)，上耕藉田。

丙午(78)，周主宴从官将士于齐太极殿，颁赏有差。

丁未(79)，高纬(80)至邺，周主降阶(81)，以宾礼(82)见之。

齐广宁王孝珩至沧州，以五千人会任城王湝于信都(83)，共谋匡复(84)，召募得四万余人。周主使齐王宪、柱国杨坚击之。令高纬为手书招湝，湝不从。宪军至赵州(85)，湝遣二谍觇之，候骑(86)执以白宪。宪集齐旧将，遍示之，谓曰："吾所争者大，不在汝曹(87)。今纵汝还，仍充吾使。"乃与湝书曰："足下谍者为候骑所拘，军中情实(88)，具诸(89)执事(90)。战非上计，无待卜疑，守乃下策，或未相许。已勒诸军分道并

北齐洛州刺史独孤永业有带甲之士三万，听说晋州败亡，请求出兵攻打周军，奏章被搁置没有回复。独孤永业非常愤慨。又听说并州陷落，就派儿子独孤须达向北周请求投降，北周任命独孤永业为上柱国，封应公。

正月二十二日丙申，北周任命越王宇文盛为相州总管。

北齐太上皇高纬将胡太后留在济州，派高阿那肱守卫济州关，侦察北周军情，自己与穆后、冯淑妃、幼主、韩长鸾、邓长颙等数十人逃往青州。派宦官田鹏鸾去西部打探动静，周军抓获了他，问他北齐国主在哪里，田鹏鸾欺骗周军说："已经离去，估计该出北齐国境了。"周军怀疑田鹏鸾不诚实，拷打他。每打断他一根肢体，他的言辞和脸色便更加严厉而愤怒，直到四肢都被打断而死。

北齐太上皇到达青州，立即想进入陈朝国境。然而高阿那肱暗中招引周军，相约生擒北齐国主，又一再启奏北齐太上皇，说："周军还很远，已经下令烧毁桥梁，切断道路。"太上皇因此滞留下来，自我宽慰。北周军队到了济州关，高阿那肱就立刻投降了周军。北周军队突然到达青州，北齐太上皇用口袋装了金子，系在马鞍后，和皇后、妃子、幼主等十多人骑着马向南逃走。正月二十五日己亥，到达南邓村，尉迟勤追上了，把他们全部擒获，连同胡太后一起送回邺城。

正月二十六日庚子，北周国主下诏说："已故的斛律光、崔季舒等，应当追加封赠和谥号，并重新安葬，他们的子孙按照各自门荫的规定予以录用，家属奴婢田地房屋被官家没收的，一律发还。"北周国主指着斛律光的名字说："这个人如果还在，朕怎能到达邺城呢？"二十七日辛丑，又下诏说："齐国的东山、南园、三台，都可以拆毁撤除。屋瓦木材等物，可以利用的全部赏赐给平民。东山、南园所占的土地，各自归还其主。"

二月壬午日，陈宣帝到籍田举行耕种典礼。

初三日丙午，北周国主在北齐太极殿宴请随从官员和从征将士，按不同等级给予赏赐。

初四日丁未，高纬被押送到邺城，北周国主走下台阶，用对待宾客之礼接见他。

北齐广宁王高孝珩到达沧州，带领五千人在信都与任城王高湝相会，共同商议复国大计，招募到了四万多人。北周国主派齐王宇文宪、柱国杨坚攻打他们。命令高纬写亲笔信招降高湝，高湝没有听从。宇文宪的军队到达赵州，高湝派两名间谍前去侦察，却被周军的侦察骑兵抓获并报告宇文宪。宇文宪集合归降的北齐将领，一一指示给这两个间谍看，并对他们说："我们所要争取的目标宏大，不在乎你们。现在放你们回去，就充当我们的使者。"于是给高湝写信，说："足下派的间谍被我方侦察骑兵抓获，我军的真实情况，你的间谍会向你做详细的报告。足下出战，绝不是好办法，用不着占卜，防守更是下策，你或许不同意我的看法。我已指挥各路大

进，相望非远，凭轼有期⑨¹。'不俟终日⑨²'，所望知机⑨³也。"

宪至信都，湝陈于城南以拒之。湝所署领军尉相愿诈出略陈⑨⁴，遂以众降。相愿，湝心腹也，众皆骇惧。湝杀相愿妻子。明日，复战，宪击破之，俘斩三万人，执湝及广宁王孝珩。宪谓湝曰："任城王何苦至此？"湝曰："下官神武皇帝⑨⁵之子，兄弟十五人，幸而独存。逢宗社⑨⁶颠覆，今日得死[3]，无愧坟陵⑨⁷。"宪壮之，命归其妻子。又亲为孝珩洗疮傅药，礼遇甚厚。孝珩叹曰："自神武皇帝以外，吾诸父兄弟，无一人至四十者⑨⁸，命也。嗣君无独见⑨⁹之明，宰相非柱石⑩⁰之寄，恨不得握兵符⑩¹，受斧钺⑩²，展⑩³我心力耳！"

齐王宪善用兵，多谋略，得将士心。齐人惮其威声，皆[4]望风沮溃⑩⁴。刍牧⑩⁵不扰，军无私焉。

周主以齐降将封辅相为北朔州总管。北朔州，齐之重镇⑩⁶，士卒骁勇。前长史赵穆等谋执辅相迎任城王湝于瀛州，不果[5]，乃迎定州刺史范阳王绍义⑩⁷。绍义至马邑⑩⁸，自肆州⑩⁹以北二百八十余城皆应之。绍义与灵州⑪⁰刺史袁洪猛引兵南出，欲取并州。至新兴⑪¹，而肆州已为周守，前队二仪同⑪²以所部降周。周兵击显州⑪³，执刺史陆琼，复攻拔诸城。绍义还保北朔州。周东平公神举⑪⁴将兵逼马邑，绍义战败，北奔突厥，犹有众三千人。绍义令曰："欲还者从其意。"于是辞去者太半⑪⁵。突厥佗钵可汗常谓齐显祖⑪⁶为英雄天子，以绍义重踝⑪⁷，似之，甚见爱重，凡齐人在北者，悉以隶之⑪⁸。

于是齐之行台、州、镇⑪⁹，唯东雍州⑫⁰行台傅伏⑫¹、营州⑫²刺史高宝宁⑫³不下，其余皆入于周。凡得州五十，郡一百六十二，县三百八十，户三百三万二千五百。高宝宁者，齐之疏属，有勇略，久镇和龙，甚得夷⑫⁴、夏之心。周主于河阳、幽、青、南兖⑫⁵、豫⑫⁶、徐⑫⁷、北朔、定置总管府⑫⁸，相、并二州各置宫及六府官⑫⁹。

军分道并进，我与你相望的距离已经不远，我扶着战车的横木见你指日可待。‘君子要见机而作，不须等到天黑’，希望你能把握好时机。”

宇文宪到了信都，高湝在城南摆开阵势拒敌。高湝任命的领军尉相愿假装到阵前巡察，于是带领他的部属投降。尉相愿是高湝的心腹，因此大家很惊惧。高湝杀了尉相愿的妻儿。第二天，再战，宇文宪打败了高湝，俘虏和杀死的有三万人，抓获了高湝和广宁王高孝珩。宇文宪对高湝说：“任城王何苦要到这地步？”高湝说：“下官是神武皇帝的儿子，兄弟十五人，幸而只有我还在世。赶上宗庙社稷倾覆，今日能死，无愧于祖宗。”宇文宪敬重他的豪壮，下令归还他的妻儿。宇文宪又亲自替高孝珩洗伤口敷药，礼遇很重。高孝珩感叹地说：“除神武皇帝以外，我的父辈和兄弟，没有一个人活到四十岁，这是命中注定的。继位的国君缺乏远见，宰相又不是能寄托治理国家重任的人，我遗憾的是没握有兵权，担当征伐之任，施展我的谋略和勇力！”

齐王宇文宪善于用兵，颇多谋略，得到将士的拥戴。北齐人害怕他的威名，听到风声就都溃散了。齐王宇文宪的军队，秋毫无犯，军中也没有人勒索老百姓。

北周国主宇文邕任用北齐降将封辅相为北朔州总管。北朔州是北齐的重镇，士兵骁勇。前长史赵穆等人密谋抓捕封辅相，从瀛州迎请任城王高湝为军主，没有成功，就改迎定州刺史范阳王高绍义。高绍义到达马邑，从肆州以北二百八十余城都起来响应他。高绍义与灵州刺史袁洪猛领兵向南进击，打算夺取并州。到达新兴郡时，肆州已被北周占领，前锋两仪同带领所部投降了北周。周兵攻打显州，抓获了刺史陆琼，又攻占了几座城。高绍义回军退守北朔州。北周东平公宇文神举率军逼近马邑，高绍义战败，向北逃往突厥，还有部众三千多人。高绍义下令说：“想回去的人听从自己的想法。”于是告辞离开的人有一大半。突厥佗钵可汗常说北齐显祖高洋是一位英雄天子，因为高绍义大踝骨，很像高洋，甚被佗钵可汗亲爱敬重，凡是在突厥的北齐人，全都隶属于高绍义统管。

于是整个北齐的行台、州、镇，只有东雍州行台傅伏、营州刺史高宝宁没有攻下来，其他全部并入北周。总计获得五十个州、一百六十二个郡、三百八十个县，三百零三万二千五百户。高宝宁是北齐皇室的远支，有勇有谋，长久镇守和龙，颇受少数民族、汉人的拥护。北周国主在河阳、幽、青、南兖、豫、徐、北朔、定等州设置总管府，相、并两州分别设置行官和六府官。

【段旨】

以上为第一段，写北周灭北齐的战斗过程。

【注释】

①乙亥朔：正月初一日。②齐太子恒即皇帝位：高恒，北齐第六代皇帝，史称幼主，后主长子，在位仅二十一天。详见《北齐书》卷八、《北史》卷八《齐本纪》。③改元承光：由隆化二年改为承光元年。④尉相愿：代（今山西代县）人。仕北齐，官至领军大将军。传附《北齐书》卷十九、《北史》卷五十三《张保洛传》。⑤千秋门：邺宫西门。⑥宇文邕：周武帝名。⑦高、韩：高，指高阿那肱。韩，指韩长鸾。⑧沧州：州名，治所饶安县，在今河北盐山西南。⑨尉世辩：善无（今山西右玉南）人，历仕齐、周与隋，官至淅州刺史，袭爵长乐王。传附《北史》卷五十四《尉景传》。⑩觇：窥视；侦察。⑪阜：土山；丘陵。⑫紫陌桥：地名，在齐都邺城西郊外。⑬回顾：回头看。⑭陈德信：北齐宦官，官至侍中。传附《北齐书》卷五十、《北史》卷九十二《恩幸·韩宝业传》。⑮上皇：太上皇高纬。⑯河外：古地区名，黄河南岸洛阳、开封一带。⑰经略：筹划；治理。⑱不济：不能成事。⑲丁丑：正月初三日。⑳济州：州名，治所碻磝城，在今山东聊城市茌平区西南。㉑癸未：正月初九日。㉒己丑：正月十五日。㉓辛卯：正月十七日。㉔壬辰：正月十八日。㉕癸巳：正月十九日。㉖武卫大将军：武官名，本武卫将军，掌禁卫，阶从三品，加"大"者，更进一等。㉗慕容三藏（？至公元六一一年）：燕（今河北北部）人。历仕齐、周与隋，官至和州刺史，封河内县男。传见《隋书》卷六十五、《北史》卷五十三。㉘鲜于世荣（？至公元五七七年）：渔阳（今北京市怀柔区东）人，仕北齐，官至领军大将军、太子太傅。传见《北齐书》卷四十一、《北史》卷五十三。㉙马脑：即玛瑙石，似玉。㉚数之：责备莫多娄敬显。㉛伪朝：指北齐朝。周以自己为正统，故称北齐为伪朝。㉜勠力：勉力；尽力。㉝通启：通书函。㉞送款：表示忠诚。款，真诚、诚挚。㉟不信：不守信用。㊱尉迟勤：代人，北周大象末官青州总管。传附《周书》卷二十、《北史》卷六十二《尉迟纲传》。㊲甲午：正月二十日。㊳国子博士：官名，掌通古今，以"五经"教授子弟。㊴熊安生（？至公元五七八年）：字植之，长乐阜城（河北阜城）人，北齐儒学之宗，降北周，官至露门学博士、下大夫。撰有《周礼义疏》《礼记义疏》等多卷。传见《周书》卷四十五、《北史》卷八十二。㊵遽：速。㊶驷马：四马驾的车，高官所乘。㊷"平齐之利"二句：此暗用典。《世说新语·言语》"陆机诣王武子"条刘注引《晋阳秋》：晋平吴，陆机兄弟入洛，"张华见而说之，曰：'平吴之利，在获二俊'"。㊸内省：即北齐之门下省。㊹乙未：正月二十一日。㊺宋国：《北齐书》卷八《幼主纪》"宋"作"守"，《北史》同。据此，《通鉴》作"宋"误，当改。㊻禅文：禅让帝位的文书。㊼玺绂：天子印绶。天子六玺，受命玺在六玺之外。绂，系玺的丝带。㊽孝卿即诣邺：斛律孝卿未遵幼主之命，反往邺城将玺绂送于周。㊾去年大赦所未及之处：去年，指周克晋阳之年，发布大赦令。当时北齐的山东、河北、河南等地尚未被周师攻克，故赦令未及。㊿奏寝不报：将奏章搁置起来而未

做答复。㉛ 丙申：正月二十二日。㉜ 相州：州名，治所邺县。北魏置相州于邺，东魏、北齐以邺为都城，仿汉、晋之制而置司州。周既平齐，复为相州。故址在今河北临漳西南邺镇。㉝ 济州关：关名，在济州城（今山东聊城市茌平区）北。㉞ 觇候：侦伺；侦察。㉟ 青州：州名，治所益都县，在今山东青州。㊱ 内参：宦官的别称。㊲ 参伺：等候并观察周军动向。㊳ 绐：欺骗。㊴ 出境：谓出北齐国境。㊵ 不信：不诚实。㊶ 一支：四肢之一。支，通“肢”。㊷ 辞色：言语和神态。㊸ 约：约定。㊹ 生致：生擒齐主而献予北周。㊺ 淹留：滞留；停留。㊻ 囊金：把金宝装在口袋里。㊼ 己亥：正月二十五日。㊽ 南邓村：地名，因周兵突然而至，齐主等仓皇而逃，距青州城不远，当在茌平境内。㊾ 并胡太后送邺：先已擒胡太后于济州，今并齐主等送邺。㊿ 庚子：正月二十六日。(71) 赠谥：赠官与谥号。(72) 随荫叙录：按照门荫制度的规定分别录用任官。荫，荫官。自汉以来，将相公卿之子，以及兄弟，或孙子均可受恩荫叙录为官，称为门荫。(73) 家口：家中人口。(74) 没官者：没入官府为奴婢者。(75) 辛丑：正月二十七日。(76) 东山、南园、三台：皆齐主游宴之地。(77) 壬午：本年二月甲辰朔，无壬午。《南史》卷十《宣帝纪》作“壬子”，是。《通鉴》盖承《陈书》之误。壬子，二月初九日。又“壬子”当在“丙午”“丁未”之后，此处干支记录错乱。(78) 丙午：二月初三日。(79) 丁未：二月初四日。(80) 高纬：即原齐后主，今已为俘囚，故不复书其主。(81) 降阶：走下台阶。(82) 宾礼：接待宾客之礼。(83) 信都：地名，冀州治所，在今河北衡水市冀州区。(84) 匡复：挽救将亡之国，使转危为安。(85) 赵州：州名，治所广阿县，在今河北隆尧东。(86) 候骑：巡逻侦察的骑兵。(87) 汝曹：你们。曹，辈。(88) 情实：实情；真相。(89) 具诸：谓牒者当能尽言之。(90) 执事：各部门的专职官员，此处乃对高湝的敬称。唐赵璘《因话录》卷五有云：“与宰相大僚书，往往呼执事，言阁下之执事人耳。”(91) 凭轼有期：《左传》中记，城濮之战时，楚子玉遣使请战于晋文公说：“请与君之士戏，君凭轼而望之。”谓迅即交战。轼，战车前的横木，车上人站立时扶着。(92) 不俟终日：见机而作，不终日等待。俟，等待。(93) 知机：善于把握时机。(94) 略陈：巡视阵地。陈，通“阵”。(95) 神武皇帝：高欢死后谥号为神武皇帝。(96) 宗社：宗庙和社稷。古代作为国家的代称。(97) 坟陵：祖坟。此代指祖宗。(98) 至四十者：活到四十岁的。(99) 独见：非同一般的见地。(100) 柱石：比喻承担国家重任的人。谓其如柱支梁，如石承柱。(101) 握兵符：掌兵权。兵符，调遣军队的符节凭证。(102) 受斧钺：接受刑罚与杀戮之权。斧钺，本指两种兵器。北齐命将出征，皇帝亲授斧钺，使有专制之权。(103) 展：施展。(104) 沮溃：崩溃。(105) 刍牧：放牧牛羊。(106) 齐之重镇：北朔州控御突厥，齐以为重镇。(107) 范阳王绍义：即高绍义，文宣帝第三子，封爵号范阳王。传见《北齐书》卷十二、《北史》卷五十二。(108) 马邑：城名，北朔州治所，在今山西朔州。(109) 肆州：州名，治所九原县，在今山西忻州。(110) 灵州：州名，此为北灵州，治所繁峙县，在今山西繁峙西。(111) 新兴：郡名，治所九原县，在今山西忻州。(112) 二仪同：前队之将二人，官皆仪同。(113) 显州：州名，治所石城县，在今山西原平北崞阳镇。(114) 神举：即宇文神举。(115) 太半：过半数。⑯ 齐显祖：即北齐文宣帝高洋，其庙号为显祖。⑰ 重踝：大踝骨。重，厚。踝，小腿与脚相连接而突起的部分。⑱ 悉以隶之：全都隶属于他。⑲ 镇：军事据点，大的称军，稍小的称镇。⑳ 东雍州：州名，治所正平县，在今山西新绛。㉑ 傅伏：太安（今山西寿阳）人，历仕北齐与北周，官至岷州刺史。传见《北齐书》卷四十一、《北史》卷五十三。㉒ 营州：州名，治所龙城县，在今辽宁朝阳。㉓ 高宝宁：代（今山西代县）人，仕北齐，官至营州刺史。传见《北齐书》卷四十一、《北史》卷五十三。㉔ 夷：指营州周边少数民族。㉕ 南兖：即南兖州，州名，治所谯县，在今安徽亳州。㉖ 豫：即豫州，州名，治所上蔡县，在今河南汝南县。㉗ 徐：即徐州，治所彭城县，在今江苏徐州。㉘ 总管府：军事官署，主都督军事。㉙ 六府官：盖仿北周长安六官之府。六官，为天、地、春、夏、秋、冬等六官。

【原文】

周师之克晋阳也，齐使开府仪同三司纥奚永安⑬ 求救于突厥，比⑬ 至，齐已亡。佗钵可汗处永安于吐谷浑使者之下，永安言于佗钵曰："今齐国既[6]亡，永安何用余生？欲闭气自绝，恐天下谓大齐无死节⑬ 之臣。乞赐一刀，以显示远近。"佗钵嘉之，赠马七十匹而归之。

梁主入朝于邺⑬。自秦兼⑬ 天下，无朝觐⑬ 之礼，至是始命有司草具⑬ 其事：致积⑬，致饩⑬，设九傧⑬、九介⑭，受享⑭ 于庙，三公、三孤⑭、六卿⑭ 致食，劳宾，还贽⑭，致享，皆如古礼。

周主与梁主宴，酒酣，周主自弹琵琶。梁主起舞，曰："陛下既亲抚五弦，臣何敢不同百兽⑭？"周主大悦，赐赉甚厚。

乙卯⑭，周主自邺西还。

三月壬午⑭，周诏："山东诸军⑭，各举明经干治者⑭ 二人。若奇才异术，卓尔不群⑮ 者，不拘此数。"

周主之擒尉相贵也，招齐东雍州刺史傅伏，伏不从。齐人以伏为行台右仆射。周主既克并州，复遣韦孝宽招之⑮，令其子以上大将

【校记】

［1］败：原作“陷”。据章钰校，十二行本、乙十一行本皆作“败”，今据改。〖按〗《北齐书·独孤永业传》《北史·独孤永业传》作“败”。［2］后：原无此字。据章钰校，十二行本、乙十一行本、孔天胤本皆有此字，今据补。〖按〗《北齐书·后主纪》《北史·后主纪》皆有此字。［3］今日得死：原无此四字。据章钰校，十二行本、乙十一行本、孔天胤本皆有此四字，张敦仁《通鉴刊本识误》同，今据补。〖按〗《北齐书·任城王湝传》《北史·任城王高湝传》皆有此四字。［4］皆：原作“多”。据章钰校，十二行本、乙十一行本、孔天胤本皆作“皆”，今据改。〖按〗《通鉴纪事本末》卷二五作“皆”。［5］不果：严衍《通鉴补》改作“既而闻溃败”，其义长。

【语译】

北周军队攻克晋阳时，北齐派开府仪同三司纥奚永安向突厥求救，等他到达了突厥，北齐已经亡国。佗钵可汗把纥奚永安安置在吐谷浑使者之下，纥奚永安对佗钵可汗说：“如今齐国已经灭亡，我永安还要生命做什么？想要闭气自杀，怕全天下的人说大齐国没有一个死节的臣子。我请求你给我一刀，借此传示四方。”佗钵可汗赞赏他，赠送他七十四马让他回去。

后梁国主萧岿到邺城朝见北周国主。自从秦始皇兼并天下后，就废除了诸侯朝见天子的礼仪。到这时，北周国主才命令有关部门起草诸侯朝见的礼仪条文，包括诸侯朝见时所用的米粮刍薪标准，所用的牲牢标准，设九傧引导主人礼仪，设九介引导宾客行礼，在宗庙中进献贡礼，三公、三孤、六卿馈送食品、慰劳宾客、还礼、宴请等一系列礼仪，都一如古礼。

北周国主宇文邕和后梁国主萧岿宴饮，酒喝到酣畅时，北周国主亲自弹起琵琶。后梁国主起身跳舞，说：“陛下既然亲自弹奏琵琶，臣子萧岿怎敢不像百兽一样跳舞？”北周国主大为高兴，赠赐的礼物很丰厚。

二月十二日乙卯，北周国主从邺城西行返回长安。

三月初九日壬午，北周下诏说：“山东各总管，分别推荐两名通晓经学能干的人。如果有奇才异术，卓然出众的，不限于这个数额。”

北周国主擒获尉相贵时，曾经招降齐国东雍州刺史傅伏，傅伏不听从。北齐任命傅伏为行台右仆射。北周国主攻下并州后，又派韦孝宽去招降傅伏，让傅伏的儿

军、武乡公告身[152]及金、马脑二酒钟赐伏为信[153]。伏不受，谓孝宽曰：“事君有死无贰[154]。此儿为臣不能竭忠，为子不能尽孝，人所仇疾[155]，愿速斩之以令天下！”周主自邺还，至晋州，遣高阿那肱等百余人临汾水召伏。伏出军，隔水[156]见之，问：“至尊今何在？”阿那肱曰：“已被擒矣。”伏仰天大哭，帅众入城，于听事[157]前北面哀号良久，然后降。周主见之曰：“何不早下？”伏流涕对曰：“臣三世为齐臣，食齐禄，不能自死[158]，羞见天地！”周主执其手曰：“为臣当如此。”乃以所食羊肋骨[159]赐伏曰：“骨亲[160]肉疏，所以相付。”遂引使宿卫，授上仪同大将军[161]，敕之曰：“若亟与公高官，恐归附者心动。努力事朕，勿忧富贵。”他日，又问：“前救河阴得何赏？”对曰：“蒙一转[162]，授特进[163]、永昌郡公。”周主谓高纬曰：“朕三年教战，决取河阴。正为傅伏善守，城不可动，遂敛军[164]而退。公当时赏功，何其薄也？”

夏，四月乙巳[165]，周主至长安，置高纬于前，列其王公于后，车舆、旗帜、器物[166]，以次陈之。备大驾[167]，布六军[168]，奏凯乐[169]，献俘于太庙。观者皆称万岁。戊申[170]，封高纬为温公，齐之诸王三十余人，皆受封爵。周主与齐君臣饮酒，令温公起舞。高延宗悲不自持[171]，屡欲仰药[172]，其傅婢禁止之。

周主以李德林为内史上士，自是诏诰[173]格式[174]及用山东人物，并以委之。帝从容谓群臣曰：“我常日唯闻李德林名，复见其为齐朝作诏书[175]移檄，正谓是天上人，岂言今日得其驱使？”神武公纥豆陵[176]毅对曰：“臣闻麒麟凤皇，为王者瑞[177]，可以德感[178]，不可力致。麒麟凤皇，得之无用，岂如德林为瑞且有用哉？”帝大笑曰：“诚如公言。”

己巳[179]，周主享太庙。

五月丁丑[180]，周以谯王俭为大冢宰。庚辰[181]，以杞公亮为大司徒，郑公达奚震为大宗伯，梁公侯莫陈芮[182]为大司马，应公独孤永业为大司寇，郧公韦孝宽为大司空。

己丑[183]，周主祭方丘[184]。诏以：“路寝[185]会义、崇信、含仁、云和、思齐诸殿，皆晋公护专政时所为，事穷壮丽，有逾清庙[186]，悉可毁撤。

子用大将军、武乡公的委任状，以及两个镶金玛瑙酒杯作为信物。傅伏没有接受，对韦孝宽说："人臣事君，临难只能死节，不能有二心。我这个儿子为臣不能尽忠，为子不能尽孝，是人人痛恨仇视的人，希望尽快杀了他以号令天下！"北周国主从邺城返回，到达晋州，派高阿那肱等一百多人到汾水边招降傅伏。傅伏率军出城，隔着汾水看着高阿那肱等人，问："皇上现今在哪里？"高阿那肱说："已被抓获了。"傅伏仰天大哭，率领部众进城，在官署的厅堂前向北放声痛哭了很久，然后投降。北周国主见了他说："为何不早来投降？"傅伏流泪回答说："臣家三代为齐臣，食用齐国的俸禄，不能为国捐躯，愧见天地！"北周国主握住傅伏的手说："为臣子的应当这样。"于是把自己食用的羊排骨赐给傅伏，说："骨头亲近，肌肉疏远，所以把骨头赐给你。"于是派他宿卫宫廷，授予上仪同大将军，勉励他说："如果立刻给你高官，恐怕归附的人心中不平。你努力事朕，莫愁富贵。"另有一天，北周国主又问傅伏："先前你救援河阴，得了什么赏赐？"傅伏回答说："升迁一级，任命特进，封永昌郡公。"北周国主对高纬说："朕三年练兵备战，决心攻下河阴。只因傅伏善于防守，城坚不可撼动，于是收兵退回。你当时对傅伏功劳的赏赐，怎么那样微薄啊？"

夏，四月初三日乙巳，北周国主到达长安，把高纬安排在队伍的前列，将北齐的王公臣子排列在后边，车辆、旗帜、器物，依次陈列。备好天子出行车驾，排列六军队伍，奏上得胜音乐，在太庙举行献俘仪式。围观的人高呼万岁。初六日戊申，封高纬为温公，北齐诸王三十多人都得到封爵。北周国主与北齐君臣饮酒，命令温公高纬起身跳舞。高延宗悲伤得不能控制自己，多次要吞药自杀，被他的侍婢劝止了。

北周国主委任北齐旧臣李德林为内史上士，从此，诏诰文书和政府各部门的规章，以及任用山东北齐旧境的人士，全都托付李德林。周武帝闲谈时对群臣说："我平日只听到过李德林的名字，又见过他替齐朝写的诏书移檄，仅认为他是天上的人才，哪里想到他今天为我效力呢？"神武公纥豆陵毅回答说："臣听说麒麟凤凰，是王者的祥瑞，可以用圣德感召，不能用强力获取。麒麟凤凰，得到了也没有用处，哪里比得上李德林，既是祥瑞又有用处啊？"周武帝大笑，说："确实像你说的那样。"

四月二十七日己巳，北周国主享祭太庙。

五月初五日丁丑，北周任命谯王宇文俭为大冢宰。初八日庚辰，任命杞公宇文亮为大司徒，郑公达奚震为大宗伯，梁公侯莫陈芮为大司马，应公独孤永业为大司寇，郑公韦孝宽为大司空。

五月十七日己丑，北周国主到方丘祭祀。下诏认为："天子的正室会义、崇信、含仁、云和、思齐几个宫殿，都是晋公宇文护专权时兴建的，竭力营造，非常壮

雕斫[187]之物，并赐贫民。缮造之宜，务从卑朴[188]。”戊戌[189][7]，又诏并、邺诸堂殿壮丽者准此。

臣光曰：“周高祖可谓善处胜[190]矣！他人胜则益奢，高祖胜而愈俭。”

六月丁卯[191]，周主东巡。秋，七月丙戌[192]，幸洛州。八月壬寅[193]，议定权衡[194]度量[195]，颁于[8]四方。

初，魏虏西凉[196]之人，没为隶户[197]，齐氏因之，仍供厮役[198]。周主灭齐，欲施宽惠，诏曰：“罪不及嗣[199]，古有定科[200]。杂役之徒，独异常宪[201]，一从罪配，百代不免，罚既无穷，刑何以措[202]？凡诸杂户[203]，悉放为民。”自是无复杂户。

甲子[204]，郑州[205]获九尾狐[206]，已死，献其骨。周主曰：“瑞应之来，必彰有德。若五品[207]时叙[208]，四海和平，乃能致此。今无其时，恐非实录[209]。”命焚之。

九月戊寅[210]，周制：“庶人已上，唯听[211]衣绸、绵绸、丝布、圆绫[212]、纱、绢、绡[213]、葛[214]、布等九种，余悉禁之。朝祭之服[215]，不拘此制。”

冬，十月戊申[216]，周主如邺。

上[217]闻周人灭齐，欲争徐、兖[218]，诏南兖州[219]刺史、司空吴明彻督诸军伐之，以其世子戎昭[220]、将军惠觉[221]摄行[222]州事。明彻军至吕梁，周徐州总管梁士彦帅众拒战，戊午[223]，明彻击破之。士彦婴城自守，明彻围之。

帝锐意以为河南指麾可定。中书通事舍人[224]蔡景历[225]谏曰：“师老将骄，不宜过穷远略。”帝怒，以为沮众[226]，出为豫章[227]内史。未行，有飞章[228]劾景历在省赃污狼籍[229]，坐免官，削爵土[230]。

周改葬德皇帝[231]于冀州，周主服缞[232]，哭于太极殿。百官素服。

周人诬温公高纬与宜州[233]刺史穆提婆谋反，并其宗族皆赐死。众人多自陈无之，高延宗独攘袂泣而不言，以椒[234]塞口而死。唯纬弟仁英以清狂[235]，仁雅以喑疾[236]得免，徙于蜀。其余亲属，不杀者散配西

丽，规格超过了宗庙，要全部拆除。拆下来的雕饰物件，全部赏赐给贫民。修缮建造事宜，一定要低矮朴素。”二十六日戊戌，又下诏书说并州、邺城的各个壮丽宫殿，照此办理。

臣司马光说：“北周高祖宇文邕，可以说是善于处理大战胜利后事的高手！别的人胜利了会更加奢侈，周高祖胜利了更加节俭。”

六月二十六日丁卯，北周国主到东方巡视。秋，七月十五日丙戌，巡幸洛州。八月初二日壬寅，审议度量衡制度，颁行全国。

当初，北魏俘获西凉的人，没入为奴隶户籍，北齐沿袭这一制度，奴隶户仍然替官府服劳役。北周国主灭了北齐，想施行宽大恩惠的政策，下诏说：“判罪不应当牵连子孙，古代有法律规定。从事杂役的犯人，却独与常法不同，一旦犯罪发配，百代都得不到赦免，惩罚没完没了，怎能做到刑罚而不用呢？所有各类杂户，全部释放为良民。”从此，不再有杂户。

八月二十四日甲子，郑州猎获到一只九尾狐，已经死了，便把骨头献给北周国主。周主说：“祥瑞到来，一定是彰显君主有德。只有五常和顺，四海升平，才能让祥瑞降临。如今没有这样的时候，恐怕不符合实际。”下令烧毁九尾狐骨头。

九月初八日戊寅，北周规定：“庶民以上，可以穿绸、绵绸、丝布、圆绫、纱、绢、绡、葛、麻布等九种质料的衣服，其余的一律禁止。上朝、祭祀时的服装，不受这项规定的限制。”

冬，十月初九日戊申，北周国主前往邺城。

陈朝皇上听到北周灭了北齐，想和北周争夺徐州、兖州，下诏南兖州刺史、司空吴明彻总督各路军队讨伐北周，任命他的大儿子吴戎昭、将军惠觉代理南兖州行政事务。吴明彻的军队到达吕梁，北周徐州总管梁士彦领兵抗拒。十月十九日戊午，吴明彻打败了梁士彦。梁士彦环城自守，吴明彻把吕梁城包围了起来。

陈宣帝一心认为黄河以南挥手之间就可以平定。中书通事舍人蔡景历谏阻说：“军队疲惫，将帅骄矜，不宜穷兵远攻。”陈宣帝大怒，认为他败坏了士众的斗志，把他外放为豫章内史。还没有出发，有匿名信弹劾蔡景历在中书省大肆贪污，于是被判处免去官职，削除了爵位和封邑。

北周把德皇帝宇文肱改葬到冀州，北周国主穿了丧服，在太极殿上大哭。百官也都穿白色的丧服。

北周人诬告温公高纬与宜州刺史穆提婆谋反，包括他的宗族全都赐死。大家纷纷申辩没这回事，高延宗独自挽起衣袖哭泣不说话，用花椒堵住嘴死了。只有高纬的弟弟高仁英因为是白痴，高仁雅因为是哑巴，才得免死，迁徙到蜀地。其他亲眷，

土[237]，皆死于边裔[238]。

周主以高湝妻卢氏赐其将斛斯徵[239]。卢氏蓬首垢面[240]，长斋[241]，不言笑。徵放之，乃为尼。齐后、妃贫者，至以卖烛为业。

十一月壬申[242]，周立皇子衍为道王[243]，兑为蔡王。

癸酉[244]，周遣上大将军[245]王轨将兵救徐州。

初，周人败齐师于晋州，乘胜逐北[246]，齐人所弃甲仗[247]，未暇收敛，稽胡[248]乘间窃出，并盗而有之。仍立刘蠡升[249]之孙没铎[250]为主，号圣武皇帝，改元石平。

周人既克关东[251]，将讨稽胡，议欲穷其巢穴，齐王宪曰："步落稽种类既多，又山谷险绝，王师一举，未可尽除。且当翦其魁首，余加慰抚。"周主从之，以宪为行军元帅[252]，督诸军讨之。至马邑，分道俱进。没铎分遣其党天柱守河东[253]，穆支守河西[254]，据险以拒之。宪命谯王俭击天柱，滕王逌击穆支，并破之，斩首万余级。赵王招击没铎，禽之[255]，余众皆降。

周诏："自永熙三年[256]以来，东土[257]之民掠为奴婢，及克江陵之日，良人没为奴婢者，并放为良。"又诏："后宫唯置妃二人，世妇[258]三人，御妻[259]三人，此外皆减之。"

周主性节俭，常服布袍，寝布被，后宫不过十余人。每行兵，亲在行陈[260]，步涉山谷，人所不堪。抚将士有恩，而明察果断，用法严峻。由是将士畏威而乐为之死。

己亥[261]晦，日有食之。

周初行《刑书要制》[262]，群盗赃一匹，及正、长[263]隐五丁若地顷[264]以上，皆死。

十二月戊申[265]，新作东宫成，太子徙居之。

庚申[266]，周主如并州，徙并州军民四万户于关中。戊辰[267]，废并州宫及六府。

高宝宁自黄龙[268]上表劝进于高绍义，绍义遂称皇帝，改元武平[269]，以宝宁为丞相。突厥佗钵可汗举兵助之。

没被杀的都分散流放到西部州郡，全都死在边远的地方。

北周国主把高湝的妻子卢氏赐给他的将领斛斯徵。卢氏蓬头垢面，长期吃素，不说不笑。斛斯徵释放了她，卢氏于是出家为尼姑。北齐皇后、嫔妃中贫困的人，甚至以卖烛为生。

十一月初三日壬申，北周册立皇子宇文衍为道王，宇文兑为蔡王。

十一月初四日癸酉，北周派上大将军王轨率军救援徐州。

当初，北周军队在晋州打败北齐军队，乘胜追击败敌，北齐军队丢弃的盔甲兵器，北周军队无暇收拾，稽胡趁机暗暗地出来，偷盗占有了这些军备器械。稽胡人便拥立刘蠡升的孙子刘没铎为国主，称圣武皇帝，改元年号为石平。

北周平定关东后，将要讨伐稽胡，商议要深入稽胡的巢穴。齐王宇文宪说："步落稽种姓很多，所居山谷又险阻，朝廷军队一次兴师，不可能全部消灭。而应当除掉他们的首领，其余的人加以安抚。"北周国主听从了这个意见，任命齐王宇文宪为行军元帅，总督各军征讨。大军到达马邑，分道并进。刘没铎分派其党羽天柱守卫河东，穆支守卫河西，依靠险阻抵抗北周军队。宇文宪命谯王宇文俭攻击天柱，滕王宇文逌攻击穆支。宇文俭和宇文逌都打败了敌军，杀敌一万多人。赵王宇文招攻打刘没铎，活捉了他，其余稽胡全部投降。

北周下诏说："自从北魏永熙三年以后，东部被掳掠为奴婢的百姓，以及攻克梁朝江陵时，平民没入为奴婢的人，全都释放为平民。"又下诏书说："后宫只设置嫔妃两人，世妇三人，御妻三人，此外，全部裁减。"

北周国主生性节俭，经常穿麻布衣袍，盖麻布被褥，后宫不过十多个人。每次出兵，亲自在士兵队列中，步行山谷，一般人都受不了。他安抚将士，施给恩惠，明察果断，用法严峻，因此，将士敬畏他的威严而又愿意为他献身。

十一月最后一天三十日己亥，发生日食。

北周开始推行《刑书要制》，偷盗帛一匹，以及闾正、里正、族正、保长、党长隐瞒五个丁口或土地一百亩以上的，都要处死。

十二月初十日戊申，新建的东宫落成，皇太子迁居在那里。

十二月二十二日庚申，北周国主前往并州，迁移并州军民四万户到关中。三十日戊辰，裁撤并州行宫以及六府。

高宝宁从黄龙上表劝高绍义登基，高绍义于是称皇帝，改元年号武平，任命高宝宁为丞相。突厥佗钵可汗领兵援助他。

【段旨】

以上为第二段，写周武帝灭北齐后胜不骄，更加崇尚节俭，妥善安置降臣，录用北齐人才，而对北齐皇族大加杀戮，毫不手软。

【注释】

⑬⑩纥奚永安：仕北齐，官至开府仪同三司。事见《北齐书》卷四十一、《北史》卷五十三《傅伏传》。纥奚，北方少数民族的复姓。⑬①比：及；等到。⑬②死节：为守节而死。⑬③梁主入朝于邺：后梁臣于北周，今北周灭北齐，故来朝贺。⑬④兼：并吞；兼并。⑬⑤朝觐：古代诸侯定期朝见天子，并述职。⑬⑥草具：起草拟定朝觐之礼的条文。⑬⑦积：指诸侯朝觐时所用的米禾刍薪等物。⑬⑧饩：牲畜。⑬⑨傧：引导，即引导主人行礼之人。⑭⑩介：引导宾客行礼之人。⑭①享：供献，指把祭品献给祖先。⑭②三孤：官名。周制：少师、少傅、少保称为三孤，其位卑于公，尊于卿。⑭③六卿：周代六卿，指冢宰、司徒、宗伯、司马、司寇、司空。⑭④还贽：朝聘时回赠接待大臣的礼物。⑭⑤"陛下既亲抚五弦"二句：典出《尚书·舜典》。舜弹五弦琴，夔说："予击石拊石，百兽率舞。"梁主以舜比况周主。⑭⑥乙卯：二月十二日。⑭⑦壬午：三月初九日。⑭⑧诸军：时周分置诸州总管以抚镇山东，治军政，故称诸军。⑭⑨明经干治者：通晓经术办事干练的人。⑮⑩卓尔不群：超出众人。⑮①韦孝宽招之：时韦孝宽镇勋州，与东雍州接境，故使他招降。⑮②告身：古代凡授官爵，皆给符，以为凭证，谓之告身。⑮③为信：作为信物。信，凭据。⑮④贰：变节；背叛。⑮⑤仇疾：仇视疾恨。⑮⑥隔水：汾水流经晋、绛二州之间，东雍州在绛州界，故隔汾水。⑮⑦听事：即厅事，官府办事处。⑮⑧自死：指自己为齐而捐身。⑮⑨肋骨：动物胸腔两侧的长形骨。⑯⑩骨亲：肋骨相连接。亲，近、接近。⑯①上仪同大将军：官名，北周最高文散官，无职掌。⑯②一转：迁一级。转，品官级别。⑯③特进：勋官名，原以朝廷所敬异者，赐位特进，北齐以旧德就闲者居任此官。⑯④敛军：收军。⑯⑤乙巳：四月初三日。⑯⑥器物：古代标志名位、爵号的器具。⑯⑦大驾：帝王出行时的车驾。隋开皇中，大驾属车十二乘，盖北周与此相当。⑯⑧六军：周制，天子有六军。⑯⑨奏凯乐：周制：王师向祖庙献捷，则令奏凯乐。凯乐，献功之乐。⑰⑩戊申：四月初六日。⑰①悲不自持：因悲愤不能自我控制。⑰②仰药：服毒药自杀。⑰③诏诰：皇帝颁下的诏书和诰命。⑰④格式：法律文书中的两种形式。格，官吏处事的规则。式，则例。⑰⑤诏书：皇帝发布的命令文告。⑰⑥纥豆陵：三字姓，本姓窦，东汉窦融之后，因窦武之难，亡入鲜卑拓跋部，号没鹿回部，世为部落大人。北魏穆帝命其为纥豆陵氏。后孝文帝改制，复为窦氏。北周又改为纥豆陵氏。⑰⑦王者瑞：帝王的吉祥物。⑰⑧德感：谓修德感动上天而降吉祥之物。⑰⑨己巳：四月二十七日。⑱⑩丁丑：五月初五日。⑱①庚辰：五月初八日。⑱②侯莫陈芮：代郡武川（今内蒙古武川）人，北周侯莫陈崇之子。传附《周书》卷十六、《北史》卷六十

《侯莫陈崇传》。⑱③己丑：五月十七日。⑱④方丘：周制：方丘在都城北六里之郊，以其祖先炎帝神农氏配享。⑱⑤路寝：天子、诸侯的正室。⑱⑥清庙：宗庙的通称。清，肃穆清静。⑱⑦雕斫：雕饰。⑱⑧卑朴：低矮而朴素。⑱⑨戊戌：五月二十六日。⑲⓪处胜：善于处理大战胜利后的善后工作。⑲①丁卯：六月二十六日。⑲②丙戌：七月十五日。⑲③壬寅：八月初二日。⑲④权衡：称量物体轻重的器具。权，秤锤。衡，秤杆。⑲⑤度量：测量长短多少的器具。⑲⑥西凉：渭河西。自沮渠氏占据河西，称凉王；宋文帝元嘉十六年（公元四三九年），为魏太武帝所俘虏。⑲⑦隶户：没入为奴隶之户。⑲⑧厮役：役使。⑲⑨罪不及嗣：治罪不牵连子嗣，即父子罪不相及。《尚书·大禹谟》：皋陶曰："罚弗及嗣。"孔《传》云："父子罪不相及。"⑳⓪定科：定法。科，法令；条律。⑳①常宪：常法。宪，法。⑳②措：通"错"，安放。⑳③杂户：因犯罪连坐而没入官为奴婢之户。⑳④甲子：八月二十四日。⑳⑤郑州：州名，治所颍阴县，在今河南许昌。⑳⑥九尾狐：传说中的兽名。古代多以九尾狐为瑞兽。⑳⑦五品：谓五常。指父义、母慈、兄友、弟恭、子孝五伦之德。⑳⑧时叙：时间的先后，季节的次序。叙，同"序"。⑳⑨实录：此谓瑞应之来，与事实相符。㉑⓪戊寅：九月初八日。㉑①唯听：只允许。㉑②圆绫：丝织品名，即土绫，也称花绫。㉑③绡：丝织品名，生丝织成的薄纱、薄绢。㉑④葛：用葛的纤维织成的布，宜做夏服。㉑⑤朝祭之服：朝会与祭祀时所用的服装。㉑⑥戊申：十月初九日。㉑⑦上：指陈宣帝。㉑⑧徐、兖：此言禹迹徐、兖二州之地，大致包括江苏淮河以北、安徽东北部及山东大部。㉑⑨南兖州：侨州名，治所广陵县，在今江苏扬州西北蜀冈上。㉒⓪戎昭：吴明彻长子吴戎昭。㉒①惠觉：陈将吴明彻之子，官至丰州刺史。传附《陈书》卷九《吴明彻传》。㉒②摄行：代理。㉒③戊午：十月十九日。㉒④中书通事舍人：官名，南朝令舍人通事谓之通事舍人。陈朝称中书舍人。掌呈奏案，又掌诏命。㉒⑤蔡景历（公元五一九至五七八年）：字茂世，历仕梁、陈，官至员外散骑常侍，并御史中丞。传见《陈书》卷十六、《南史》卷六十八。㉒⑥沮众：败坏了士众的斗志。㉒⑦豫章：郡名，治所南昌县，在今江西南昌。㉒⑧飞章：匿名诬告的文书。㉒⑨赃污狼籍：大肆贪污。狼籍，散乱不整的样子。后常比喻行为或名声不检。㉓⓪爵土：爵位和封地。㉓①德皇帝：即宇文肱，宇文泰之父，战死于唐河。武成初，追谥为德皇帝。其地在齐，未能改葬，平齐之后，乃得改葬。㉓②服缞：穿丧服。缞，披于胸前的麻布条。㉓③宜州：州名，治所华原县，在今陕西铜川市耀州区。㉓④椒：植物名。㉓⑤清狂：犹白痴。㉓⑥喑疾：哑病。㉓⑦西土：谓西部远方州郡。㉓⑧边裔：边远的地方。㉓⑨斛斯徵：字士亮，河南洛阳（今河南洛阳）人，历仕西魏、北周与隋，官至上大将军、大宗伯。传见《周书》卷二十六、《北史》卷四十九。㉔⓪蓬首垢面：谓不事修饰。蓬，乱草。垢，污秽。㉔①长斋：依佛教吃蔬素，不食荤肉。㉔②壬申：十一月初三日。㉔③立皇子衎为道王：《周书》卷六《武帝纪》作"封皇子充为道王"，《北史》同。据此，作"衎"误。㉔④癸酉：十一月初四日。㉔⑤上大将军：武官名，北周武帝建德五年（公元五七六年）置，位高权重，受非常之任，为正九命。㉔⑥逐北：追逐败走敌兵。㉔⑦甲仗：兵器。㉔⑧稽胡：少数民族名，又称步落稽，匈奴族中的一支，生活在今山西吕梁市离石区以西。㉔⑨刘蠡升：稽胡首领，曾自称天子，为高欢所杀。传见《周书》卷四十九《异域传上》、《北史》卷九十六《稽胡传》。㉕⓪没铎：传见《周书》卷四十九《异域传上》、《北史》卷九十六《稽胡传》。㉕①克关东：谓克北齐，因北齐在函谷关以东。㉕②行军元帅：出征作战的最高统帅。㉕③河东：此指西河离石（今山西吕梁市离石区）附近黄河以东。㉕④河西：此指西河离石（今山西吕梁市离石区）附近黄河以西。㉕⑤禽之：捉住没铎。禽，通"擒"。㉕⑥永熙三年：即公元五三四年。这年，魏孝武帝西入关中，自是宇文泰与高欢各拥其主，连年交战，得其人口，变为奴婢。永熙，魏孝武帝年号。㉕⑦东土：指北齐。北齐在北周东，故称其为东土。㉕⑧世妇：宫中女官，相当于妃嫔之类。㉕⑨御妻：宫中女官，位在世妇以下。㉖⓪行陈：军队行列。陈，通"阵"。㉖①己亥：十一月三十日。此处所据为周历，陈历则为十二月初一日。㉖②《刑书要制》：刑法名，北周武帝于建德六年（公元五七七年）制定。㉖③正、长：北周基层设五家为保，保设长；五保为闾，四闾为族，皆设正。正谓

【原文】

十年（戊戌，公元五七八年）

春，正月壬午㉗⓪，周主幸邺。辛卯㉗①，幸怀州㉗②。癸巳㉗③，幸洛州。置怀州宫。

二月甲辰㉗④，周谯孝王俭卒。

丁巳㉗⑤，周主还长安。

吴明彻围周彭城，环列舟舰于城下，攻之甚急。王轨引兵轻行㉗⑥，据淮口㉗⑦，结长围，以铁锁贯车轮数百，沉之清水㉗⑧，以遏㉗⑨陈船归路。军中恟惧㉘⓪。谯州㉘①刺史萧摩诃㉘②言于明彻曰："闻王轨始锁下流，其两端筑城，今尚未立，公若见遣击之，彼必不敢相拒。水路未断，贼势不坚。彼城若立，则吾属㉘③必为虏矣。"明彻奋髯㉘④曰："搴旗陷陈㉘⑤，将军事也。长算远略，老夫事也。"摩诃失色㉘⑥而退。一旬之间，水路遂断。

周兵益至㉘⑦。诸将议破堰拔军㉘⑧，以舫㉘⑨载马而去，马主㉙⓪裴子烈㉙①曰："若决[9]堰下船，船必倾倒，不如前[10]遣马出。"时明彻

闾正、族正，长谓保长。㉖④隐五丁若地顷：《周书》卷六《武帝纪》作“隐五户及十丁以上，隐地三顷”，《北史》及《隋书》卷二十五《刑法志》皆同，此处当脱“户及十”及“三”四字。若，或。㉖⑤戊申：十二月初十日。㉖⑥庚申：十二月二十二日。㉖⑦戊辰：十二月三十日。㉖⑧黄龙：地名，一名和龙。在今辽宁朝阳。㉖⑨改元武平：齐幼主曾改元为承光，今高绍义又由承光改为武平，恢复了齐后主年号。

【校记】

［6］既：原作“已”。据章钰校，十二行本、乙十一行本、孔天胤本皆作“既”，今据改。［7］戊戌：原无此二字。据章钰校，十二行本、乙十一行本、孔天胤本皆有此二字，今据补。〖按〗《周书·武帝纪下》《北史·高祖武帝纪》皆有此二字。［8］于：原作“之于”。据章钰校，十二行本、乙十一行本、孔天胤本皆无“之”字，今据删。

【语译】

十年（戊戌，公元五七八年）

春，正月十四日壬午，北周国主巡幸邺城。二十三日辛卯，巡幸怀州。二十五日癸巳，巡幸洛州。建置怀州宫。

二月初七日甲辰，北周谯孝王宇文俭去世。

二十日丁巳，北周国主返回长安。

陈将吴明彻包围北周彭城，把战船环绕城下，进攻十分猛烈。北周王轨领兵轻装行进，占据淮口，结成长围，使用铁链连接几百个车轮，沉在清水河里，用来切断陈朝战船的归路。陈朝军队惊恐万分。谯州刺史萧摩诃对吴明彻说：“听说王轨刚封锁下游，在河的两岸筑城，现在还没有完成，您如果派我去攻击他，他一定不敢抵抗。水路还没有断绝，敌人阵势还不坚固。如果敌人筑城完成，那么我们一定成为俘虏了。”吴明彻气得胡子都翘起来，说：“拔取敌人的旗帜，攻陷敌人阵地，是将军你的事。长远战略，深谋远虑，是老夫我的事。”萧摩诃脸色大变，退出。十天内，水路便切断了。

到来的北周援兵日益增多。诸将商议掘堤拔营突围，用船载马撤离，骑兵军主裴子烈说：“如果掘堤下船，船定会倾倒，不如先派骑兵突围。”当时吴明彻苦于脊

苦背疾甚笃㉜，萧摩诃复请曰："今求战不得，进退无路。若潜军突围，未足为耻。愿公帅步卒、乘马舆㉝徐行，摩诃领铁骑数千驱驰前后，必当使公安达京邑㉞。"明彻曰："弟之此策，乃良图也。然步军既多，吾为总督，必须身居其后，相帅兼行。弟马军宜须[11]在前，不可迟缓。"摩诃因帅马军夜发。甲子㉟，明彻决堰，乘水势退军，冀以入淮。至清口㊱，水势渐微，舟舰并碍车轮，不复得过。王轨引兵围而蹙㊲之，众溃。明彻为周人所执，将士三万并器械辎重皆没于周。萧摩诃以精骑八十居前突围，众骑继之，比旦㊳，达淮南㊴，与将军任忠、周罗睺㊵独全军得还。

初，帝谋取彭、汴㉛，以问五兵尚书㉜毛喜㉝，对曰："淮左㉞新平，边民未辑。周氏始吞齐国，难与争锋。且弃舟楫之工㉟，践车骑之地，去长就短，非吴人所便。臣愚以为不若安民保境，寝兵㊱结好，斯久长之术也。"及明彻败，帝谓喜曰："卿言验于今矣。"即日，召蔡景历，复以为征南谘议参军㊲。

周主封吴明彻为怀德公，位大将军㊳。明彻忧愤而卒。

【段旨】

以上为第三段，写陈朝与北周争彭城，陈军主将不明而遭惨败。

【注释】

㉚壬午：正月十四日。㉛辛卯：正月二十三日。㉜怀州：州名，治野王县，在今河南沁阳。㉝癸巳：正月二十五日。㉞甲辰：二月初七日。㉟丁巳：二月二十日。㊱轻行：轻装行进。㊲淮口：地名，即泗水入淮河之口，在今江苏淮安市淮阴区西南。㊳清水：河名，即泗水之别名。发源于今山东泗水县，南流经江苏徐州，至淮阴西南入淮河。㊴遏：阻止。㊵恟惧：震动恐惧。㉛谯州：州名，此指南谯州，治所全椒县，在今安徽滁州西南。㉜萧摩诃（公元五三二至六〇四年）：字符胤，祖籍兰陵（今山东枣庄），陈朝著名大将，官至车骑将军、南徐州刺史。入周授开府仪同三司，追随汉王杨谅叛乱，伏诛。传见《陈书》卷三十一、《南史》卷六十七。㉝吾属：我们。㉞奋髯：扬

背生疮，十分严重，萧摩诃再次请求说：“如今求战不得，进退无路。如果暗中派兵突围，并不是羞耻。希望元帅您率领步兵，乘坐马车慢慢走，我萧摩诃率领数千骑兵奔驰在前后，一定让您安全抵达京都。”吴明彻说：“将军的这个计策，是好办法。但是我军步兵多，我是全军的总督，一定要亲自断后，率领步兵一起行动。将军率领骑兵应该走在前面，不可迟缓。”萧摩诃于是率领骑兵夜里出发。二月二十七日甲子，吴明彻挖开堤坝，乘着水势撤军，希望进入淮河。到达清水入淮河口，水势渐小，舟船被水下车轮阻碍，过不了河口。王轨率军围攻，逼近对方，陈朝军队溃散。吴明彻被北周军队俘虏，将士三万连同军资器械，全部陷落周军之手。萧摩诃率领八十名骑兵在前面突围，其余骑兵紧随其后，天亮时到达淮水南岸，与将军任忠、周罗睺全军返回。

当初，陈宣帝图谋夺取彭州、汴州，询问五兵尚书毛喜，毛喜回答说：“淮南刚刚平定，边地百姓还没有安定。周朝刚刚吞并了齐国，难以和他争胜负。何况放弃船舰水战的长处，到车马奔驰的平地打仗，去长就短，对我军不利。臣的愚见是不如安境保民，停止用兵，与周交善，这才是长久之策。”等到吴明彻战败，陈宣帝对毛喜说：“卿说的话今天应验了。”当天，陈宣帝召回蔡景历，又起用他为征南谘议参军。

北周国主封吴明彻为怀德公，位大将军。吴明彻忧愁悲愤而死。

起胡须。㉟搴旗陷陈：拔取敌旗，攻陷敌阵。搴，拔取。陈，同“阵”。㊱失色：惊恐变色。287益至：到来的越来越多。288拔军：起军。289舫：两船相并。290马主：谓马军之主。291裴子烈（？至公元五八六年）：字大士，祖籍河东闻喜（今山西闻喜），仕陈，官至北谯州太守。传附《陈书》卷九、《南史》卷六十六《吴明彻传》。292笃：病情严重。293马舆：马车。舆，车。294京邑：指陈都建康（今江苏南京）。295甲子：二月二十七日。296清口：地名，即淮口，在今江苏淮安市淮阴区西南。297蹙：逼近。298比旦：及至天亮。299淮南：淮水南岸。300周罗睺（公元五四一至六〇四年）：字公布，九江寻阳（今江西九江西南）人，历仕陈、隋，官至右武候大将军。传见《隋书》卷六十五、《南史》卷七十六。301彭、汴：彭，指彭城。汴，指汴水。泛指淮北与河南。302五兵尚书：官名，尚书省列曹尚书之一。以掌中兵、外兵、别兵、都兵、骑兵而名官。303毛喜（公元五一六至五八七年）：字伯武，祖籍荥阳阳武（今河南荥阳），历仕梁、陈，官至吏部尚书。传见《陈书》卷二十九、《南史》卷六十八。304淮左：指淮南之地。305舟楫之工：陈兵擅长乘舟舰水战。工，擅长。306寝兵：休兵。307谘议参军：官名，备询问商议。308位大将军：朝会时列座于大将军位，无职事。

【校记】

[9] 决：原作“破”。据章钰校，十二行本、乙十一行本、孔天胤本皆作“决”，今据改。〖按〗《陈书·吴明彻传》《南史·吴明彻传》皆作“决”。[10] 前：原作“先”。据

【原文】

乙丑[309]，周以越王盛为大冢宰。

三月戊辰[310]，周于蒲州置宫，废同州及长春二宫[311]。

甲戌[312]，周主初服常冠，以皂纱全幅向后襆发[313]，仍裁为四脚[314]。

丙子[315]，命中军大将军[316]、开府仪同三司淳于量为大都督，总水陆诸军事，镇西将军[317]孙玚[318]都督荆、郢[319]诸军，平北将军[320]樊毅都督清口上至荆山[321]缘淮诸军，宁远将军[322]任忠都督寿阳、新蔡[323]、霍州[324]诸军，以备周。

乙酉[325]，大赦。

壬辰[326]，周改元宣政[327]。

夏，四月庚申[328]，突厥寇周幽州，杀掠吏民。

戊午[329]，樊毅遣军渡淮北，对清口筑城。壬戌[330]，清口城[331]不守。

五月己丑[332]，周高祖帅诸军伐突厥，遣柱国原公姬愿、东平公神举等将兵五道俱入。

癸巳[333]，帝不豫[334]，留止云阳宫[335]。丙申[336]，诏停诸军。驿召宗师[337]宇文孝伯赴行在所[338]，帝执其手曰：“吾自量必无济理[339]，以后事付君。”是夜，授孝伯司卫上大夫[340]，总宿卫兵。又令驰驿入京镇守，以备非常。六月丁酉朔[341]，帝疾甚，还长安，是夕殂[342]，年三十六。

戊戌[343]，太子即位。尊皇后阿史那氏[344]为皇太后。宣帝始[12]立[345]，即逞奢欲。大行在殡，曾无戚容[346]，扪[347]其杖痕[348]，大骂曰：“死晚矣！”阅视高祖[349]宫人，逼为淫欲。超拜吏部下大夫[350]郑译为开府仪同大将军、内史中大夫[351]，委以朝政。

章钰校，十二行本、乙十一行本、孔天胤本皆作“前”，今据改。〖按〗《陈书·吴明彻传》《南史·吴明彻传》皆作“前”。[11] 须：原作“速”。据章钰校，十二行本、乙十一行本、孔天胤本皆作“须”，今据改。〖按〗《陈书·萧摩诃传》作“须”。

【语译】

二月二十八日乙丑，北周任命越王宇文盛为大冢宰。

三月初一日戊辰，北周在蒲州建造行宫，废除同州和长春二宫。

三月初七日甲戌，北周国主初次戴普通的帽子，用整块黑色纱巾从前向后缠头束发，裁剪四个帽脚。

三月初九日丙子，陈宣帝命令中军大将军、开府仪同三司淳于量为大都督，总领水陆诸军事，镇西将军孙玚都督荆州、郢州各军，平北将军樊毅都督清口以上至荆山缘淮各军，宁远将军任忠都督寿阳、新蔡、霍州诸军，用以防备北周。

三月十八日乙酉，陈朝大赦天下。

三月二十五日壬辰，北周改年号为宣政。

夏，四月二十三日庚申，突厥进犯北周的幽州，杀害劫掠官吏和百姓。

四月二十一日戊午，樊毅派兵渡过淮水到北岸，在清口筑城。二十五日壬戌，清口城失守。

五月二十三日己丑，北周高祖宇文邕率领各军讨伐突厥，派柱国原公宇文姬愿、东平公宇文神举等率领五路兵马同时进入突厥。

五月二十七日癸巳，周武帝生病，停留云阳宫。三十日丙申，下诏北伐各路兵马停止前进。用驿马宣召宗师宇文孝伯赶往行在所，周武帝握住他的手说：“我自己估量一定没有疾愈之道，把后事托付给你。”当夜，任命宇文孝伯为司卫上大夫，总领宿卫兵。又命令宇文孝伯乘驿站快马入京师长安镇守，防备意外事件。六月初一日丁酉，周武帝病情加重，返回长安，当夜崩殂，享年三十六岁。

六月初二日戊戌，北周皇太子宇文赟即皇帝位。尊皇后阿史那氏为皇太后。周宣帝刚即位，便奢侈纵欲。大行皇帝灵柩还没下葬，周宣帝竟没有伤心的表情，他摸着身上被杖责的伤疤，大骂道：“死得太晚了！”巡视高祖后宫的嫔妃，逼迫其满足自身淫欲。越级提拔吏部下大夫郑译为开府仪同大将军、内史中大夫，把朝政委托给他。

己未[352]，葬武皇帝于孝陵，庙号高祖。既葬，诏内外公除[353]，帝及六宫皆议即吉[354]。京兆郡丞[355]乐运上疏，以为“葬期既促，事讫即除，太为汲汲[356]”。帝不从。

帝以齐炀王宪属尊[357]望重[358]，忌之。谓宇文孝伯曰：“公能为朕图[359]齐王，当以其官相授。”孝伯叩头曰：“先帝遗诏，不许滥诛[360]骨肉。齐王，陛下之叔父，功高德茂[361]，社稷重臣。陛下若无故害之，臣又顺旨曲从[13]，则臣为不忠之臣，陛下为不孝之子矣。”帝不怿[362]，由是疏之。乃与开府仪同大将军于智[363]、郑译等密谋之，使智就宅候宪，因告宪有异谋。

甲子[364]，帝遣宇文孝伯语[365]宪，欲以宪为太师，宪辞让。又使孝伯召宪，曰：“晚与诸王俱入。”既至殿门，宪独被引进。帝先伏壮士于别室，至，即执之。宪自辩理，帝使于智证宪，宪目光如炬，与智相质[366]。或谓宪曰：“以王今日事势[367]，何用多言？”宪曰：“死生有命，宁复图存？但老母在堂，恐留兹恨耳！”因掷笏[368]于地。遂缢[369]之。

帝召宪僚属，使证成宪罪。参军[370]勃海李纲，誓之以死，终无桡辞[371]。有司以露车[372]载宪尸而出，故吏皆散，唯李纲抚棺号恸，躬自瘗之，哭拜而去。

又杀上大将军王兴，上开府仪同大将军独孤熊，开府仪同大将军豆卢绍[373]，皆素与宪亲善者也。帝既诛宪而无名[374]，乃云与兴等谋反，时人谓之“伴死”。

以于智为柱国，封齐公，以赏之。

闰月[375]乙亥[376]，周主立妃杨氏[377]为皇后。

辛巳[378]，周以赵王招为太师，陈王纯为太傅。

齐范阳王绍义闻周高祖殂，以为得天助。幽州人卢昌期，起兵据范阳[379]，迎绍义。绍义引突厥兵赴之。周遣柱国东平公神举将兵讨昌期。绍义闻幽州总管出兵在外，欲乘虚袭蓟[380]，神举遣大将军宇文恩将四千人救之，半为绍义所杀。会神举克范阳，擒昌期。绍义闻之，素衣举哀，还入突厥。高宝宁帅夷、夏数万骑救范阳，至潞水[381]，闻昌期死，还据和龙。

六月二十三日己未，安葬周武帝于孝陵，庙号高祖。安葬完毕，下诏朝廷内外都除去丧服，宣帝和六宫也都议论改穿吉服。京兆郡丞乐运上疏，认为“下葬期已经短促，葬完就除去丧服，太匆忙了”。周宣帝不听。

周宣帝因齐炀王宇文宪辈分高名望重，便猜忌他。他对宇文孝伯说：“你若能替朕除掉齐王，他的职位就授给你。”宇文孝伯磕着头说：“先帝遗诏，不得滥杀骨肉亲族。齐王是陛下的叔父，功劳大德行好，是国家的重臣。陛下如果无故杀害他，臣又顺从您的旨意，那么我就是不忠的臣子，陛下就是不孝的儿子了。”周宣帝很不高兴，从此疏远了宇文孝伯。周宣帝就与开府仪同大将军于智、郑译等密谋除掉宇文宪，派于智去刺探宇文宪的动静，于智趁机诬告宇文宪图谋不轨。

六月二十八日甲子，周宣帝派宇文孝伯告知宇文宪，想任用他为太师，宇文宪推辞不受，又派宇文孝伯宣召宇文宪，说：“晚间与诸王一同进宫。”到了殿门，宇文宪被单独引进宫内。周宣帝事先在另一房间埋伏壮士，宇文宪到了，立即被抓获。宇文宪自己申辩说理，周宣帝让于智做证，宇文宪目光像火炬，与于智当面对质。有人对宇文宪说：“按大王今天的情势，还有什么好说？”宇文宪说：“死生有命，我难道还想求活吗？只是老母还健在，恐怕要留下遗憾！”便把手板扔在地上。周宣帝于是将宇文宪绞死了。

周宣帝召见宇文宪的僚属，让他们证实宇文宪的罪行。参军勃海人李纲，以死起誓，始终没有说一句违心的话。主管部门用平板车拉着宇文宪的尸体出宫，宇文宪的旧部属全都散走，只有李纲摸着棺材号哭，亲自掩埋了宇文宪，然后哭拜一阵才离去。

周宣帝又杀上大将军王兴、上开府仪同大将军独孤熊、开府仪同大将军豆卢绍，这几个一向是宇文宪亲近的人。周宣帝已经杀害了宇文宪，却找不到什么罪名，便说他与王兴等人谋反，当时的人称为“伴死”。

周宣帝任命于智为柱国，封齐公，用以奖赏他。

闰六月初十日乙亥，周宣帝册立杨氏妃为皇后。

六月十六日辛巳，周宣帝任命赵王宇文招为太师，陈王宇文纯为太傅。

北齐范阳王高绍义听到周高祖死了，认为得到了天助。幽州人卢昌期起兵占据了范阳，迎接高绍义。高绍义带领突厥兵赶往范阳。北周派遣柱国东平公宇文神举率军讨伐卢昌期。高绍义听到幽州总管出兵在外，想乘机袭击蓟城，宇文神举派大将军宇文恩率领四千人救援，半数被高绍义杀死。适逢宇文神举攻克范阳，抓获了卢昌期。高绍义得知消息，穿白色丧服举行哀悼，退还突厥。高宝宁率领少数民族和汉人的数万骑兵救援范阳，到达潞水，听到卢昌期已死，就退守和龙。

秋，七月，周主享[382]太庙。丙午[383]，祀圜丘。

庚戌[384]，周以小宗伯[385]斛斯徵为大宗伯[386]。壬戌[387]，以亳州[388]总管杨坚为上柱国、大司马[389]。

癸亥[390]，周主尊所生母李氏为帝太后[391]。

八月丙寅[392]，周主祀西郊[393]。壬申[394]，如同州。以大司徒杞公亮为安州总管，上柱国长孙览为大司徒，杨公王谊为大司空。

丙戌[395]，以柱国〔14〕、永昌公椿为大司寇[396]。

九月乙巳[397]，立方明坛[398]于娄湖[399]。戊申[400]，以扬州刺史始兴王叔陵为王官伯[401]，临盟百官。

庚戌[402]，周主封其弟元[403]为荆王。

周主诏："诸应拜者，皆以三拜成礼。"

甲寅[404]，上幸娄湖誓众。乙卯[405]，分遣大使以盟誓班[406]下四方，上下相警戒。

冬，十月癸酉[407]〔15〕，周主还长安。以大司空王谊为襄州[408]总管。

戊子[409]，以尚书左仆射陆缮为尚书仆射。

十一月，突厥寇周边，围酒泉[410]，杀掠吏民。

十二月甲子[411]，周以毕王贤为大司空。

己丑[412]，周以河阳总管滕王逌为行军元帅，帅众入寇[413]。

【段旨】

以上为第四段，写周武帝勤劳国事，英年早逝。周宣帝在北周强盛时继位，上任伊始就猜忌、大开杀戒，又骄恣荒淫，为北周速亡伏笔。

【注释】

[309]乙丑：二月二十八日。[310]戊辰：三月初一日。[311]同州及长春二宫：宇文泰辅政时多居同州（治今陕西大荔），遂在同州置别宫。长春宫在朝邑县，即今陕西大荔东南朝邑镇。[312]甲戌：三月初七日。[313]襆发：用幅巾从前往后把头发包起。[314]四脚：襆头的别名，又称头巾。周武帝把幅巾裁为四脚，两脚结在脑后，两脚结在颔下，使之牢固

秋，七月，北周国主宇文赟到太庙祭祀祖先。十一日丙午，到圜丘祭天。

七月十五日庚戌，周宣帝任命小宗伯斛斯徵为大宗伯。二十七日壬戌，任命亳州总管杨坚为上柱国、大司马。

七月二十八日癸亥，北周国主尊崇生母李氏为帝太后。

八月初二日丙寅，北周国主到西郊祭祀。初八日壬申，前往同州。任命大司徒杞公宇文亮为安州总管，上柱国长孙览为大司徒，杨公王谊为大司空。

八月二十二日丙戌，任命柱国、永昌公宇文椿为大司寇。

九月十一日乙巳，陈朝在娄湖建造方明坛。十四日戊申，任命扬州刺史始兴王陈叔陵为王官伯，与百官盟誓。

九月十六日庚戌，北周国主册封弟弟宇文元为荆王。

北周国主下诏："凡应行跪拜礼的，一律以三拜成礼。"

九月二十日甲寅，陈宣帝巡幸娄湖誓师。二十一日乙卯，分派特命大使将盟誓颁布全国，让上下互相警惕戒备。

冬，十月初九日癸酉，北周国主返回长安。任命大司空王谊为襄州总管。

二十五日戊子，陈宣帝任命尚书左仆射陆缮为尚书仆射。

十一月，突厥侵犯北周边境，包围酒泉，斩杀抢掠官吏和百姓。

十二月初二日甲子，北周任命毕王宇文贤为大司空。

十二月二十七日己丑，北周任命河阳总管滕王宇文逌为行军元帅，率领军队侵入陈朝境内。

不脱掉。㉛⑮ 丙子：三月初九日。㉛⑯ 中军大将军：武官名，官品第二。㉛⑰ 镇西将军：将军号，陈前后左右东西南北八镇将军之一，拟二品。㉛⑱ 孙玚（公元五一六至五八七年）：字德琏，吴郡吴县（今江苏苏州）人，历仕梁、陈，官至侍中、五兵尚书。传见《陈书》卷二十五、《南史》卷六十七。㉛⑲ 郢：郢州，州名，治所夏口城，在今湖北武汉市武昌区。㉜⑳ 平北将军：将军号。陈东西南北四平将军之一，拟三品。㉜㉑ 荆山：郡名，治所马头县，在今安徽怀远南。㉜㉒ 宁远将军：将军号。陈拟五品。㉜㉓ 新蔡：郡名，治所固始县，在今河南固始东。㉜㉔ 霍州：州名，治所霍山县，在今安徽霍山。㉜㉕ 乙酉：三月十八日。㉜㉖ 壬辰：三月二十五日。㉜㉗ 改元宣政：即由建德七年改为宣政元年。㉜㉘ 庚申：四月二十三日。㉜㉙ 戊午：四月二十一日。〖按〗"戊午"当在"庚申"前，《周书》《北史》不误，《通鉴》误。㉝⑳ 壬戌：四月二十五日。㉝㉛ 清口城：即樊毅新在淮河北岸清口所筑之城，故址在今江苏淮安市淮阴区西南。㉝㉜ 己丑：五月二十三日。㉝㉝ 癸巳：五月二十七

日。(334)不豫：天子有病的讳称。(335)云阳宫：行宫名，在京兆郡云阳县，故址在今陕西淳化西甘泉山上。(336)丙申：五月三十日。(337)宗师：北周官名，掌宗室事宜。(338)行在所：天子所在的地方。(339)济理：成活之理。济，成。(340)司卫上大夫：官名，《周礼》官职，掌宿卫。(341)丁酉朔：六月初一日。以下干支所据为周历，与陈历略有不同。(342)殂：帝王之死曰崩，亦曰殂。(343)戊戌：六月初二日。(344)阿史那氏：周武帝皇后，天和三年（公元五六八年）娶于突厥。传见《周书》卷九《皇后传》、《北史》卷十四《后妃传》。(345)宣帝始立：太子宇文赟新即位。(346)戚容：悲哀难过的面容。(347)扪：用手抚摸。(348)杖痕：做太子时受杖打的伤痕。(349)高祖：即周武帝，庙号高祖。(350)吏部下大夫：北周官名，吏部副长官，掌选举。(351)内史中大夫：北周官名，协助天子管理爵、禄、废、置等。(352)己未：六月二十三日。(353)公除：帝王葬后百官除去丧服，称为公除。(354)即吉：除丧服，改吉服。(355)郡丞：官名，辅佐郡守，治理郡之政事。(356)汲汲：形容急切、匆忙。(357)属尊：行辈高。齐炀王乃周宣帝叔父，故属尊。(358)望重：齐炀王出将入相，屡建大功，故望重。(359)图：谋害。(360)滥诛：不守法律而随意杀人。(361)德茂：道德美好。茂，美好。(362)怿：欢喜；快乐。(363)于智：河南洛阳（今河南洛阳）人，北周燕国公于谨之子。仕北周，官至大司空。传附《周书》卷十五、《北史》卷二十三《于谨传》。(364)甲子：六月二十八日。(365)语：告诉；转告。(366)相质：互相对证。质，验证。(367)事势：事情的趋势。(368)笏：古代朝会时官员所执的手板，有事则书于上，以备遗忘。按官位的高下有玉与竹木之分。(369)缢：勒颈气绝而死。(370)参军：官名，齐王府僚属，参议军事。(371)桡辞：屈从的言辞。桡，弯曲、屈从。(372)露车：车无帷盖者。(373)豆卢绍：本姓慕容，燕北地王精之后裔，中山败，归北魏。北人谓归义为豆卢，遂因以为姓。(374)无名：无罪以加之。即无正当的理由。(375)闰月：此指北周闰六月。(376)乙亥：周闰六月初十日。(377)杨氏：即杨坚之女。(378)辛巳：六月十六日。(379)范阳：郡名，治所涿县，在今河北涿州。(380)蓟：即蓟城，幽州治所，在今北京市西南。(381)潞水：河名，一作潞河。大榆河流经潞县的一段称潞水，在今北京市通州东南。(382)享：祭祀。(383)丙午：七月十一日。(384)庚戌：七月十五日。(385)小宗伯：官名，《周礼》春官之属，为大宗伯的副职，掌宗庙祭祀等礼仪。(386)大宗伯：官名，

【原文】

十一年（己亥，公元五七九年）

春，正月癸巳[414]，周主受朝于露门[415]，始与群臣服汉、魏衣冠[416]。大赦，改元大成[417]。置四辅[418]官：以大冢宰越王盛为大前疑，相州总管蜀公尉迟迥为大右弼，申公李穆为大左辅，大司马随公杨坚为大后承。

古代六卿之一，《周礼》春官，掌邦国祭祀典礼。㊲壬戌：七月二十七日。㊳亳州：州名，治所小黄县（隋改谯县），在今安徽亳州。㊴大司马：官名，《周礼》夏官有大司马，掌国政。㊵癸亥：七月二十八日。㊶帝太后：与皇太后同义。因嫡母阿史那氏既尊为皇太后，故尊生母为帝太后，以示区别。㊷丙寅：八月初二日。㊸祀西郊：古代帝祀五郊之一。立秋之日，迎秋于西郊。㊹壬申：八月初八日。㊺丙戌：八月二十二日。㊻大司寇：官名，《周礼》秋官大司寇主管刑狱，为六卿之一。㊼乙巳：九月十一日。㊽方明坛：古代诸侯朝见天子、会盟或天子祭祀时所置祭祀坛。方明指上下四方神明之像。《仪礼·觐礼》云："诸侯觐于天子，为宫方三百步，四门，坛十有二寻，深四尺，加方明于其上。方明者，木也，方四尺，设六色：东方青，南方赤，西方白，北方黑，上玄，下黄。"㊾娄湖：湖名，在今江苏南京东南。㊿戊申：九月十四日。(401)王官伯：王官指天子之官，与诸侯之官相对。伯是最大的。王官伯是朝官中官位最显要的。(402)庚戌：九月十六日。(403)元：宇文元（？至公元五八〇年），周武帝之子。传见《周书》卷十三《文闵明武宣诸子传》、《北史》卷五十八《周室诸王传》。(404)甲寅：九月二十日。(405)乙卯：九月二十一日。(406)班：颁布。(407)癸酉：十月初九日。(408)襄州：州名，治所襄阳县，在今湖北襄阳。(409)戊子：十月二十五日。(410)酒泉：郡名，治所禄福县，在今甘肃酒泉。(411)甲子：十二月初二日。(412)己丑：十二月二十七日。(413)入寇：进攻陈朝。

【校记】

［12］始：原作"初"。据章钰校，十二行本、乙十一行本、孔天胤本皆作"始"，今据改。［13］臣又顺旨曲从：原无此六字。据章钰校，十二行本、乙十一行本、孔天胤本皆有此六字，张敦仁《通鉴刊本识误》、张瑛《通鉴校勘记》同，今据补。〖按〗《周书·宇文孝伯传》有此六字。［14］柱国：原无此二字。据章钰校，十二行本、乙十一行本、孔天胤本皆有此二字，今据补。〖按〗《周书·宣帝纪》《北史·宣帝纪》皆有此二字。［15］十月癸酉：原无此四字。据章钰校，十二行本、乙十一行本、孔天胤本皆有此四字，张敦仁《通鉴刊本识误》同，今据补。〖按〗《周书·宣帝纪》《北史·宣帝纪》皆有此四字。

【语译】

十一年（己亥，公元五七九年）

春，正月初一日癸巳，北周国主在露门接受百官朝拜，开始和群臣穿戴汉、魏时的衣冠。大赦天下，改年号为大成。设置四辅官：任命大冢宰越王宇文盛为大前疑，相州总管蜀公尉迟迥为大右弼，申公李穆为大左辅，大司马随公杨坚为大后承。

周主之初立也，以高祖《刑书要制》为太重而除之，又数行赦宥⑲。京兆⑳郡丞乐运上疏，以为："《虞书》㉑所称'眚灾㉒肆赦㉓'，谓过误为害，当缓赦之。《吕刑》㉔云：'五刑㉕之疑有赦'，谓刑疑从罚㉖，罚疑从免也。谨寻经典，未有罪无轻重，溥㉗天大赦之文。大尊㉘岂可数施非常之惠，以肆奸宄㉙之恶乎？"帝不纳。既而民轻犯法㉚，又自以奢淫多过失，恶人规谏，欲为威虐，慑服㉛群下。乃更为《刑经圣制》㉜，用法益深，大醮㉝于正武殿，告天而行之。密令左右伺察群臣，小有过失，辄行诛谴。

又，居丧才逾年，即[16]恣声乐，鱼龙百戏㉞，常陈殿前，累日继夜，不知休息。多聚美女以实后宫，增置位号㉟，不可详录。游宴沉湎㊱，或旬日不出，群臣请事者，皆因宦者奏之。于是乐运舆榇㊲诣朝堂，陈帝八失㊳：其一，以为"大尊比来事多独断，不参诸宰辅，与众共之"；其二，"搜美女以实后宫，仪同以上女不许辄嫁㊴，贵贱同怨"；其三，"大尊一入后宫，数日不出，所须闻奏，多附宦者[17]"；其四，"下诏宽刑，未及半年，更严前制"；其五，"高祖斫雕为朴㊵，崩未逾年㊶，而遽穷奢丽"；其六，"徭赋下民，以奉俳优㊷角抵㊸"；其七，"上书字误者，即治其罪，杜献书之路"；其八，"玄象㊹垂诫，不能谘诹㊺善道，修布㊻德政"。"若不革兹八事，臣见周庙不血食㊼矣。"帝大怒，将杀之。朝臣恐惧，莫有救者。内史中大夫洛阳元岩㊽叹曰："臧洪同死㊾，人犹愿之，况比干㊿乎？若乐运不免，吾将与之俱毙。"乃诣阁请见，曰："乐运不顾其死，欲以求名。陛下不如劳而遣之，以广圣度(451)。"帝颇感悟(452)。明日，召运，谓曰："朕昨夜思卿所奏，实为忠臣。"赐御食而罢之。

癸卯(453)，周立皇子阐(454)为鲁王。

甲辰(455)，周主东巡。丙午(456)[18]，以许公宇文善(457)为大宗伯。戊午(458)，周主至洛阳。立鲁王阐为皇太子。

二月癸亥(459)，上耕藉田。

周下诏，以洛阳为东京。发山东诸州兵治洛阳宫，常役四万人。徙相州六府于洛阳。

北周国主刚即位时，认为周高祖推行的《刑书要制》太苛重，就把它废除了，又多次发布大赦令。京兆郡丞乐运上疏，认为："《虞书》中所说'眚灾肆赦'，指的是没有主观动机而不幸因过失犯罪，应当宽恕赦免。《吕刑》上说：'犯五刑之罪证据不足的应予赦免'，指的是有怀疑的刑罪从轻改为罚罪，罚罪有怀疑的就赦免。认真地考查了经典，没有不论罪轻罪重，全天下一律赦免的条文。皇上岂能多次施行非常的恩惠，以放纵奸诈之徒作恶呢？"周宣帝不予采纳。不久，百姓就把犯法看得很轻，周宣帝自己又因奢侈淫乱有许多过失，讨厌大臣规谏他，想用威严酷虐的刑法来威慑压服臣民。于是另外制定《刑经圣制》，用刑更加严厉，并在正武殿设坛斋戒，进行祈祷仪式，祭告上天而后推行。密令自己身边的人监视群臣，稍有过失，就进行诛杀或流放。

又，居丧才满一年，就恣意纵情于声色歌舞，在殿前观赏鱼龙变化等成百种的新奇杂技，夜以继日，不知休息。聚集很多美女充实后宫，增加爵位名号，多得没法详细记录。游玩宴饮，沉迷于酒色，有时一连十天也不出宫，群臣奏事的，都经太监转奏。于是乐运拉了棺木到朝廷的议事堂，条陈周宣帝的八大过失：其一，以为"皇上近来凡事专断，不让宰辅参与共同商议"；其二，"搜索美女充实后宫，仪同以上官员的女儿不准及时出嫁，高官与百姓都十分怨恨"；其三，"皇上一入后宫，就几天不出宫，必须及时上奏的奏章，大多依赖宦官"；其四，"下诏减轻刑罚还不到半年，制度就比原先的更加严厉"；其五，"周高祖革除奢靡雕饰，提倡简朴，周高祖崩殂不到一年，就马上穷极奢侈华丽"；其六，"征收老百姓的徭役赋税，用来供养杂耍摔跤艺人"；其七，"给朝廷上奏写错了字要办罪，堵塞了上书的途径"；其八，"上天星象提出了警告，却仍然不能征询为善之道，改行德政"。又说："如果不革除这八件过失，臣将看到周朝的宗庙没有牺牲祭祀了。"周宣帝大怒，打算杀了乐运。朝臣惊恐，没有出来援救的。内史中大夫洛阳人元岩叹息说："袁绍杀臧洪，有人愿意一同受死，何况比干呢？如果乐运不免一死，我将陪他一同死。"于是到阁中求见，对宣帝说："乐运不顾自己生死，想以此求得名誉。陛下不如慰劳一番打发他走，以此扩大陛下的气度。"周宣帝颇有所悟。第二天，召见乐运，对他说："朕昨夜好好考虑了你的奏本，你实在是一个忠臣。"赐给他饮食，然后放他出宫。

正月十一日癸卯，北周册立皇子宇文阐为鲁王。

正月十二日甲辰，北周国主东巡。十四日丙午，任命许公宇文善为大宗伯。二十六日戊午，北周国主到达洛阳。册立鲁王宇文阐为皇太子。

二月初二日癸亥，陈宣帝举行亲耕籍田典礼。

北周下诏，以洛阳为东京。征调山东各地的士兵兴建洛阳宫，平常有工役四万人。迁移相州的六府到洛阳。

周徐州总管王轨，闻郑译用事，自知及祸，谓所亲曰："吾昔在先朝，实申[460]社稷至计[461]。今日之事，断可知矣。此州控带[462]淮南，邻接[19]强寇，欲为身计[463]，易如反掌。但忠义之节，不可亏违，况荷[464]先帝厚恩，岂可以获罪于[20]嗣主，遽忘之邪？正可于此待死，冀千载之后，知吾此心耳！"

周主从容问译曰："我脚杖痕，谁所为也？"对曰："事由乌丸轨[465]、宇文孝伯。"因言轨捋须事。帝使内史杜庆信就州杀轨，元岩不肯署诏[466]。御正中大夫[467]颜之仪[468]切谏，帝不听，岩进继之，脱巾顿颡[469]，三拜三进。帝曰："汝欲党[470]乌丸轨邪？"岩曰："臣非党轨，正恐滥诛失天下之望。"帝怒，使阉竖[471]搏其面。轨遂死，岩亦废于家[472]。远近知与不知，皆为轨流涕。之仪，之推之弟也。

周主之为太子也，上柱国尉迟运为宫正[473]，数进谏，不用。又与王轨、宇文孝伯、宇文神举皆为高祖所亲待，太子疑其同毁己。及轨死，运惧，私谓孝伯曰："吾徒[474]必不免祸，为之奈何？"孝伯曰："今堂上有老母，地下有武帝[475]，为臣为子，知欲何之[476]。且委质[477]事人，本徇[478]名义，谏而不入，死焉可逃？足下若为身计，宜且远之。"于是运求出为秦州[479]总管。

他日，帝托以齐王宪事让[480]孝伯曰："公知齐王谋反，何以不言？"对曰："臣知齐王忠于社稷，为群小所谮，言必不用，所以不言。且先帝付嘱[481]微臣，唯令辅导陛下。今谏而不从，实负顾托[482]。以此为罪，是所甘心。"帝大惭，俯首[483]不语，命将[484]出，赐死于家。

时宇文神举为并州刺史，帝遣使[485]就州鸩杀[486]之。尉迟运至秦州，亦以忧死[487]。

周罢南伐诸军。

突厥佗钵可汗请和于周，周主以赵王招女为千金公主，妻之[488]，且命执送高绍义，佗钵不从。

辛巳[489]，周宣帝传位于太子阐，大赦，改元大象[490]，自称天元皇帝，所居称"天台"，冕[491]二十四旒，车服旂[492]鼓皆倍于前王之数。皇帝称正阳宫，置纳言[493]、御正、诸卫等官[494]，皆准天台[495]。尊皇太后为天元皇太后。

北周徐州总管王轨，听到郑译掌权，自知已陷灾祸，对亲近的人说："我过去在先帝朝，确实说过为了国家另立储君的大计。今天的事，是绝然可知的。这个州控制淮南，邻近强敌，我想要为个人考虑，易如反掌。但是忠义的节操，不能违背，何况我蒙受先帝厚恩，岂能因为得罪了继位的君主，就马上忘了先帝的恩德呢？正可留在这里等死，希望千载之后，人们知道我的忠心！"

北周国主闲谈时询问郑译，说："我脚上的杖击伤疤，是谁弄的？"郑译回答说："事情的起因是乌丸轨、宇文孝伯。"便讲了王轨在宫中宴会时捋先帝胡须的事。周宣帝派内史杜庆信到徐州就地处死王轨，元岩不肯在诏书上签字。御正中大夫颜之仪极力谏阻，周宣帝不听，元岩接着谏阻，脱下头巾磕头请求，三拜三进。周宣帝说："你想偏袒乌丸轨吗？"元岩说："臣不是袒护王轨，只是担心滥杀会失掉天下人心。"周宣帝大怒，让宦官打元岩的耳光。王轨于是被处死，元岩也失官在家。远近认识和不认识王轨的人，都为他流泪。颜之仪是颜之推的弟弟。

北周国主宇文赟为太子时，上柱国尉迟运为太子宫正，多次进谏，不被采用。尉迟运与王轨、宇文孝伯、宇文神举又都受到高祖的亲近厚待，太子怀疑他们一同诋毁自己。等到王轨死后，尉迟运害怕了，私下对宇文孝伯说："我们肯定避免不了祸患，怎么办呢？"宇文孝伯说："如今堂上有老母，地下有周武帝，为臣为子，知道该怎么做。况且作为人臣奉侍君主，本有为名节而死的义务，谏阻而君主听不进去，面对死亡怎能逃避？您如果替自己考虑，应当离得远远的。"于是尉迟运请求外出任秦州总管。

有一天，周宣帝又借口齐王宇文宪的事责备宇文孝伯说："你知道齐王宇文宪谋反，为什么不说？"宇文孝伯回答说："臣知道齐王宇文宪忠于国家，被一群小人谗害，我说的话一定不会被采纳，所以不说了。何况先帝托付小臣，只是让我辅导陛下。如今谏阻不被听从，实在有负先帝的顾托。陛下如果拿这个作为罪名，臣死了也心甘情愿。"周宣帝大为惭愧，低头不语，命人带他出去，赐他在家自尽。

当时宇文神举担任并州刺史，周宣帝派使者到并州赐毒酒把他杀害。尉迟运到了秦州，也因忧愤而死。

北周撤回了南讨陈朝的各路军队。

突厥佗钵可汗向北周请求和好，北周国主以赵王宇文招的女儿为千金公主，出嫁佗钵可汗，并要求佗钵可汗捉住高绍义送给周国，佗钵可汗不听从。

二月二十日辛巳，周宣帝传位给太子宇文阐，大赦天下，改年号为大象，自称天元皇帝，所居住的地方称为"天台"，所戴的皇冠，冕旒二十四串，车驾、服饰、旗鼓的数量都比以前的皇帝增加一倍。皇帝宇文阐居住的宫殿称正阳宫，设置纳言、御正、诸卫等官，都比照天台。尊崇皇太后为天元皇太后。

天元既传位，骄侈弥[496]甚，务自尊大，无所顾惮[497]，国之仪典[498]，率情[499]变更。每对臣下自称为天，用樽、彝、珪、瓒以饮食[500]。令群臣朝天台者，致斋[501]三日，清身一日。既自比上帝，不欲群臣同己，常自带绶[502]及[21]冠通天冠[503]，加金附蝉[504]，顾见侍臣弁上有金蝉及王公有绶者，并令去之。不听人有"天""高""上""大"之称，官名有犯，皆改之。改姓高者为"姜"，九族称高祖者为"长祖"。又令天下车皆以浑木[505]为轮。禁天下妇人不得施粉黛[506]，自非宫人，皆黄眉墨妆[507]。

每召侍臣论议，唯欲兴造[508]变革，未尝言及政事。游戏无常，出入不节[509]，羽仪仗卫[510]，晨出夜还，陪侍之官，皆不堪命。自公卿以下，常被楚挞[511]。每捶人，皆以百二十为度[512]，谓之"天杖"，其后又加至二百四十。宫人内职[513]亦如之，后、妃、嫔、御[514]，虽被宠幸，亦多杖背。于是内外恐怖，人不自安，皆求苟免，莫有固志，重足[515]累息[516]，以逮[517]于终。

戊子[518]，周以越王盛为太保，尉迟迥为大前疑，代王达为大右弼。

辛卯[519]，徙邺城《石经》[520]于洛阳。诏："河阳、幽、相、豫、亳、青、徐七总管，并受东京六府[521]处分[522]。"

三月庚申[523]，天元还长安，大陈军伍，亲擐[524]甲胄，入自青门[525]，静帝备法驾[526]以从。

夏，四月壬戌朔[527]，立妃朱氏为天元帝后[528]。后，吴人，本出寒微[529]，生静帝，长于天元十余岁。疏贱无宠，以静帝故，特尊之。

乙巳[530]，周主祠太庙。壬午[531]，大醮于正武殿。

五月辛亥[532][22]，以襄国郡[533]为赵国，济南郡为陈国，武当、安富[534]二郡为越国，上党郡[535]为代国，新野郡[536]为滕国，邑各万户，令赵王招、陈王纯、越王盛、代王达、滕王逌并之国。

随公杨坚私谓大将军汝南公庆[537]曰："天元实无积德。视其相貌，寿亦不长。又，诸藩微弱，各令就国，曾无深根固本[538]之计。羽翮[539]既翦，何能及远哉？"庆，神举之弟也。

突厥寇周并州。六月，周发山东诸民修长城[540]。

天元皇帝传位之后，骄纵奢侈更加厉害，更加妄自尊大，无所顾忌，国家的礼仪典制，随意变更。每每对着臣下自称为天，用樽、彝、珪、瓒等礼器作为日常饮食用具。命令到天台见他的臣子，先要斋戒三天，洁身一天。既然自比天帝，就不想让群臣与自己相同，常常在自己衣服上配丝带、戴通天冠，冠上附有金蝉的装饰物，只要看到侍臣的帽子上有金蝉的装饰物，王公大臣的衣服上配有丝带，他就叫他们去掉。不允许人们有“天”“高”“上”“大”的称呼，官名犯了禁，都要改名。改姓高的人姓“姜”，九族中称“高祖”的，改称“长祖”。又命令全国的车辆一律用整块的圆木做轮子。禁止全国妇女涂脂抹粉，因此，除了宫女以外，全都黄眉墨妆。

天元皇帝每次召见侍臣商议事情，只想营造宫室、变改车服等事，未尝谈及政事。游戏无常，出入没有节制，仪仗侍卫，早晨出去，晚上回来，近侍之臣，都忍受不了这样的劳苦奔波。自公卿以下的官员，经常遭到杖责。每次打人，都要到一百二十下为限，称为“天杖”，后来又加到了二百四十下。宫女和在宫内任职的女官也一样。皇后、贵妃、嫔嫱、御女，虽然被宠幸，也多在背上受杖责。于是朝廷内外恐怖，人人心里不安稳，都想求得免祸，没有一个坚定地忠心尽职，大家重足而立，屏住呼吸不敢出大气，以至于死。

二月二十七日戊子，北周任命越王宇文盛为太保，尉迟迥为大前疑，代王宇文达为大右弼。

二月三十日辛卯，迁移邺城的《石经》到洛阳。下诏说：“河阳、幽州、相州、豫州、亳州、青州、徐州等七总管，都要接受东京六府的处置管理。”

三月二十九日庚申，天元皇帝返回长安，排列盛大的军人队伍。天元皇帝亲自穿戴铠甲头盔，从长安的青门进城，周静帝自备车驾随从。

夏，四月初一日壬戌，册立皇妃朱氏为天元帝后。天元帝后是吴郡人，原本出身寒微，生了静帝宇文阐，年长天元皇帝十多岁。因卑微疏远不受宠爱，由于静帝的原因，特别赐给尊号。

乙巳日，北周国主宇文阐祭祀太庙。四月二十二日壬午，在正武殿举行祷告神灵除灾的典礼。

五月二十一日辛亥，北周以襄国郡为赵国，济南郡为陈国，武当、安富两郡为越国，上党郡为代国，新野郡为滕国，邑各万户，命令赵王宇文招、陈王宇文纯、越王宇文盛、代王宇文达、滕王宇文逌都回各自的封国。

随公杨坚私下对大将军汝南公宇文庆说：“天元皇帝实在没有积下美德。看他的相貌，寿命也不长。另外，各个藩王势力很小，让他们各自回到封国，竟然没有深根固本的计划。羽翼剪除后，国家怎能长久呢？”宇文庆是宇文神举的弟弟。

突厥侵扰北周的并州。六月，北周征发山东各郡的百姓修筑长城。

秋，七月庚寅[541]，周以杨坚为大前疑，柱国司马消难为大后承。

辛卯[542]，初用大货[543]六铢钱[544]。

丙申[545]，周纳司马消难女为正阳宫皇后[546]。

己酉[547]，周尊天元帝太后李氏为天皇太后。壬子[548]，改天元皇后朱氏为天皇后，立妃元氏[549]为天右皇后，陈氏[550]为天左皇后，凡四后云。元氏，开府仪同大将军晟之女。陈氏，大将军山提[551]之女也。

八月庚申[552]，天元如同州。

丁卯[553]，上阅武[554]于大壮观。命都督任忠帅步骑十万陈于玄武湖，都督陈景帅楼舰[555]五百出瓜步江[556]，振旅[557]而还。

壬申[558]，周天元还长安。甲戌[559]，以陈山提、元晟并为上柱国。

戊寅[560]，上还宫。

豫章内史南康王方泰[561]，在郡秩满[562]，纵火延烧邑居，因行暴掠，驱录[563]富人，征求财贿。上阅武，方泰当从，启称母疾不行，而微服往民间淫人妻，为州所录。又帅人仗[564]抗拒，伤禁司[565]，为有司所奏。上大怒，下方泰狱，免官，削爵土[566]，寻而复旧。

壬午[567]，周以上柱国毕王贤为太师，郇公韩业为大左辅。九月乙卯[568]，以酆王贞[569]为大冢宰。以郧公韦孝宽[23]为行军元帅，帅行军总管杞公亮、郕[570]公梁士彦寇淮南。仍遣御正杜杲、礼部薛舒[571]来聘。

冬，十月壬戌[572]，周天元幸道会苑，大醮，以高祖配醮[573]。初复佛像及天尊[574]像，天元与二像俱南面坐[575]，大陈杂戏，令长安士民纵观[576]。

甲戌[577]，以尚书仆射陆缮为尚书左仆射。

十一月辛卯[578]，大赦。

周韦孝宽分遣杞公亮自安陆攻黄城[579]，梁士彦攻广陵[580]。甲午[581]，士彦至肥口[582]。

乙未[583]，周天元如温汤[584]。

戊戌[585]，周军进围寿阳。

周天元如同州。

诏开府仪同三司、南兖州刺史淳于量为上流[586]水军都督，中领军[587]樊毅都督北讨诸军事，左卫将军[588]任忠都督北讨前军事，前丰州[589]刺史皋文奏帅步骑三千趣阳平郡[590]。

秋，七月初一日庚寅，北周任命杨坚为大前疑，柱国司马消难为大后承。

七月初二日辛卯，陈朝开始使用大的货币六铢钱。

七月初七日丙申，北周静帝纳司马消难之女为正阳宫皇后。

七月二十日己酉，北周尊崇天元帝后李氏为天皇太后。二十三日壬子，改天元皇后朱氏为天皇后，册立贵妃元氏为天右皇后，陈氏为天左皇后，共四个皇后。元氏是开府仪同大将军元晟的女儿。陈氏是大将军陈山提的女儿。

八月初一日庚申，天元皇帝前往同州。

八月初八日丁卯，陈宣帝在大壮观检阅军队。命令都督任忠率领步兵、骑兵十万列阵于玄武湖，都督陈景率领楼船五百艘出瓜步江，然后整军而回。

八月十三日壬申，北周天元皇帝返回长安。十五日甲戌，任命陈山提、元晟两人同为上柱国。

八月十九日戊寅，陈宣帝回宫。

豫章内史南康王陈方泰在郡任职期满，放火焚烧民居，趁火大肆抢劫，抓捕富人，勒索钱财。陈宣帝阅兵，陈方泰应当随从，他上奏说母亲有病不能前往，却穿了便服到民间去奸淫别人的妻子，被州官抓获。他又率领徒众手持兵器拒捕，打伤执法人员，被主管部门弹劾上奏。陈宣帝大怒，把陈方泰打入大牢，免去官职，削除爵位和封邑，没多久又恢复原来的官爵。

八月二十三日壬午，北周任命上柱国毕王宇文贤为太师，郇公韩业为大左辅。九月二十七日乙卯，任命酆王宇文贞为大冢宰。任命郧公韦孝宽为行军元帅，率领行军总管杞公宇文亮、郕公梁士彦入侵陈朝淮南。还派遣御正杜杲、礼部薛舒出使陈朝。

冬，十月初四日壬戌，北周天元皇帝巡幸道会苑，举行祷告消灾的祭祀，以北周高祖为配享。开始恢复佛祖像和道教天尊像。天元皇帝与佛祖像、天尊像一同面南而坐，大规模演奏杂戏，让长安的士民任意观赏。

十月十六日甲戌，陈宣帝任命尚书仆射陆缮为尚书左仆射。

十一月初四日辛卯，陈朝大赦天下。

北周韦孝宽分派杞公宇文亮从安陆攻打黄城，梁士彦攻打广陵。十一月初七日甲午，梁士彦到达肥口。

十一月初八日乙未，北周天元皇帝前往骊山温泉。

十一日戊戌，北周进兵围攻寿阳。

北周天元皇帝前往同州。

陈宣帝下诏，开府仪同三司、南兖州刺史淳于量为上游水军都督，中领军樊毅都督北讨诸军事，左卫将军任忠都督北讨前锋军事，前丰州刺史皋文奏率领步骑兵三千名赶赴阳平郡。

壬寅[591]，周天元还长安。

癸卯[592]，任忠帅步骑七千趣秦郡。丙午[593]，仁威将军[594]鲁广达帅众入淮。是日，樊毅将水军二万自东关[595]入焦湖[596]，武毅将军[597]萧摩诃帅步骑趣历阳[598]。戊申[599]，韦孝宽拔寿阳，杞公亮拔黄城，梁士彦拔广陵，辛亥[600]，又取霍州[601]。癸丑[602]，以扬州刺史始兴王叔陵为大都督，总水步众军。

丁巳[603]，周铸永通万国钱[604]，一当千，与五行大布并行。

十二月戊午[605]，周天元以灾异屡见，舍仗卫，如天兴宫。百官上表，劝复寝膳。甲子[606]，还宫，御正武殿，集百官及宫人、外命妇[607]，大列伎乐，初作乞寒[608]胡戏。

乙丑[609]，南、北兖[610]，晋[611]三州及盱眙[612]，山阳[613]，阳平[614]，马头[615]，秦，历阳，沛[616]，北谯[617]，南梁[618]等九郡民并自拔还江南。周又取谯[619]、北徐州[620]。自是江北之地尽没于周。

周天元如洛阳，亲御驿马[621]，日行三百里，四皇后及文武侍卫数百人并乘驲[622]以从。仍令四后方驾[623]齐驱，或有先后，辄加谴责，人马顿仆[624]，相及于道。

癸酉[625]，遣平北将军[626]沈恪[627]、电威将军[628]裴子烈镇南徐州，开远将军徐道奴镇栅口[629]，前信州[630]刺史杨宝安镇白下[631]。戊寅[632]，以中领军樊毅都督荆、郢、巴、武[633]四州水陆诸军事。

己卯[634]，周天元还长安。

贞毅将军[635]汝南周法尚[636]，与长沙王叔坚不相能[637]，叔坚谮之于上，云其欲反。上执其兄定州[638]刺史法僧，发兵将击法尚。法尚奔周，周天元以为开府[24]仪同大将军、顺州[639]刺史。上遣将军樊猛[640]济江击之。法尚遣部曲督[641]韩朗[642]诈降于猛，曰："法尚部兵不愿降北，人皆窃议，欲叛还。若得军来，自当倒戈。"猛以为然，引兵急趋之。法尚阳[643]为畏惧，自保江曲[644]，战而伪走，伏兵邀之，猛仅以身免，没者几八千人。

十一月十五日壬寅，北周天元皇帝返回长安。

十一月十六日癸卯，陈朝任忠率领步骑七千赶赴秦郡。十九日丙午，仁威将军鲁广达率领军队进入淮河。这一天，樊毅率领水军二万从东关进入焦湖，武毅将军萧摩诃率领步骑赶赴历阳。二十一日戊申，韦孝宽攻占了寿阳，杞公宇文亮攻占了黄城，梁士彦攻占了广陵，二十四日辛亥，周军又夺取了霍州。二十六日癸丑，陈朝任命扬州刺史始兴王陈叔陵为大都督，统率水步各军。

十一月三十日丁巳，北周铸造永通万国钱，以一当千，与五行大布钱一起流通。

十二月初一日戊午，北周天元皇帝因灾异多次出现，撤去仪仗和护卫，到天兴宫斋戒。百官上表，劝天元皇帝恢复正常起居饮食。初七日甲子，天元皇帝返回正宫，在正武殿召集百官和宫人、外命妇，盛陈优伶乐舞，首次表演西域胡人的乞寒戏。

十二月初八日乙丑，南兖州、北兖州、晋州等三州，以及盱眙、山阳、阳平、马头、秦、历阳、沛、北谯、南梁等九郡的百姓自发地从江北撤回江南。北周又攻占了谯州、北徐州。从此，江北之地全部沦没于北周。

北周天元皇帝前往洛阳，亲自驾驭驿马，一天行三百里，四皇后和文武侍卫几百人也都乘驿马随从。还命令四皇后并驾齐驱，有时有了先后，就要遭到斥责，人马困顿跌倒，沿路到处都是。

十二月十六日癸酉，陈宣帝派平北将军沈恪、电威将军裴子烈镇守南徐州，开远将军徐道奴镇守栅口，前信州刺史杨宝安镇守白下。二十一日戊寅，陈宣帝任命中领军樊毅都督荆州、郢州、巴州、武州等四州的水陆诸军事。

十二月二十二日己卯，北周天元皇帝返回长安。

陈朝贞毅将军汝南人周法尚与长沙王陈叔坚不和睦，陈叔坚在陈宣帝面前说周法尚的坏话，说他想谋反。陈宣帝便逮捕周法尚的兄长定州刺史周法僧，派兵准备攻打周法尚。周法尚投奔北周，北周天元皇帝任用他为开府仪同大将军、顺州刺史。陈宣帝派将军樊猛渡江攻打周法尚。周法尚派部曲督韩朗向樊猛假投降，说："周法尚所部兵众都不愿投降北周，人人都在背后议论，想背叛周法尚回来。如果有军队去接应，他们就在阵前倒戈。"樊猛信以为真，领兵紧急前进。周法尚假装害怕，退守江曲，交战时假装败逃，埋伏军队截击樊猛军，樊猛只身逃脱，死亡的有将近八千人。

【段旨】

以上为第五段，写北周宣帝治国如同儿戏，行法反复无常，又异想天开称天元皇帝，禅位太子，更加放肆纵欲。即使如此，北周兵一出，尽陷陈朝江北之地，因陈宣帝政治腐败，既姑息权贵，又用人不明，也是一个衰世之君。

【注释】

⑭癸巳：正月初一日。⑮露门：据胡三省注，当作“路门”，为北周外朝。路，大的意思。⑯汉、魏衣冠：即汉服，此前周主与群臣皆服“胡服”（鲜卑族服装）。⑰改元大成：由宣政二年改为大成元年。⑱四辅：官名，《礼记·文王世子》孔颖达《疏》引《尚书大传》，认为天子必有四邻，前曰疑，后曰承，左曰辅，右曰弼。四邻即四辅。贾谊《新书》则以道、弼、辅、承为四辅。辅即辅佐天子。⑲赦宥：有罪而赦免。⑳京兆：郡名，治所长安县，在今陕西西安西北。㉑《虞书》：《尚书》的一部分，包括《尧典》《皋陶谟》等篇。㉒眚灾：因过失而造成灾害。眚，灾异。㉓肆赦：宽赦罪人。㉔《吕刑》：《尚书》中的一篇，是周穆王采纳其臣吕侯（一作甫侯）的言论作刑，布告四方，即《吕刑》篇。㉕五刑：古代的五种刑罚，以墨、劓、剕、宫、大辟为五刑。唐以笞、杖、徒、流、死为五刑。㉖罚：古代刑罚有别，刑指肉刑、死刑，罚指以金钱赎罪。㉗溥：普遍。㉘大尊：犹至尊。㉙奸宄：窃盗或作乱的坏人。㉚轻犯法：看轻犯法之事。㉛慑服：畏惧威势而屈服。㉜《刑经圣制》：刑法名。㉝醮：祭祀的一种形式。夜间于星辰之下，陈设酒脯等物，历祀天皇、太一，祀五星、列宿。作书，烧香陈读，云奏上天曹，名之为醮。㉞百戏：北齐后主时，有鱼龙烂漫，俳优侏儒，山车、巨象、拔井、种瓜、杀马、剥驴等奇怪异端一百多种，名为百戏。㉟位号：官位和名号。㊱沉湎：沉迷于饮酒。㊲舆榇：载棺以随，表示誓死。榇，空棺。㊳陈帝八失：陈述了周宣帝的八条过失。㊴辄嫁：及时出嫁。辄，及时。㊵斫雕为朴：去浮华，崇质朴。㊶逾年：超过一年。逾，超越、跳过。㊷俳优：古代以乐舞作谐戏的艺人。㊸角抵：古代的一种技艺表演，类似今日摔跤。㊹玄象：天象。日月星辰，在天成象。㊺谘诹：咨询；访问。㊻布：颁行。㊼血食：古时杀牲取血，用以祭祀，故称血食。周室宗庙不血食，意指周王朝灭亡。㊽元岩（？至公元五九三年）：字君山，河南洛阳（今河南洛阳）人。历仕周、隋，官至兵部尚书，封平昌郡公。传见《隋书》卷六十二、《北史》卷七十五。㊾臧洪同死：臧洪为袁绍所杀，陈容激于义愤，愿与臧洪同死，亦被杀。事见本书卷六十一《汉纪》五十三献帝兴平三年。㊿比干：商末大臣，因忠谏为纣王所杀。事见《史记》卷三十八《宋微子世家》。(451)圣度：皇帝的宽宏大度。(452)感悟：有所感而觉悟。(453)癸卯：正月十一日。(454)皇子阐：即宇文阐，宣帝长子，先名衍，后改为阐，即位后史称静帝。事见《周书》卷八、《北史》卷十。(455)甲辰：正月十二日。(456)丙午：正月十四日。〖按〗此段《周书·宣帝纪》作“甲辰，东巡狩。丙午，日有背。以柱国、常山公于翼为大司徒。辛亥，以柱国、许国公宇文善为大宗伯”；《北史·宣帝纪》作“甲辰，东巡。丙午，以柱国、常山公于翼为大司徒。辛亥，以柱国、许公宇文善为大宗伯”。则《通鉴》漏载“以柱国、常山公于翼为大司徒”，且以其日误载于“以柱国、许公宇文善为大宗伯”前。《通鉴》此处“丙午”误，当作“辛亥”。(457)宇文善（？至公元五八六年）：本朔方（今陕西清涧）

人，徙京兆。北周大司马宇文贵之子。历仕周、隋，官至上柱国、大宗伯，封许国公。传见《周书》卷十九、《隋书》卷四十、《北史》卷六十。㊻戊午：正月二十六日。㊾癸亥：二月初二日。⑽申：申述；表明。⑾社稷至计：事关国家存亡的大计，指向周武帝进言太子过失，非社稷之主一事。⑿控带：控制。⒀身计：自身安全之计。⒁荷：承受。⒂乌丸轨：即王轨。王轨曾被赐姓乌丸氏。⒃署诏：在诏书上签名。因元岩时为内史中大夫，参与机密，当在诏书上签名后方可发出诏书。⒄御正中大夫：官名，北周武成元年，置御正四人，掌王言，在皇帝左右。⒅颜之仪（公元五二三至五九一年）：字子升，祖籍琅邪临沂（今山东临沂北）。历仕后梁、周与隋，官至集州刺史，封新野郡公。传见《周书》卷四十、《北史》卷八十三。⒆顿颡：屈膝下拜，以额触地。颡，额。⒇党：偏私；袒护。⑪阉竖：太监；宦者。⑫废于家：指罢官并遣还于家。⑬宫正：官名，此指太子宫正，掌皇后及太子家事。⑭吾徒：我们。徒，同类之人。⑮武帝：即周武帝。⑯之：往。⑰委质：古者开始做事，必先书其名于策，委身于君，然后为臣，表示必为君主以尽死节。质，身体。⑱徇：为达某种目的而牺牲生命。⑲秦州：州名，治所上邽县，在今甘肃天水西南。⑳让：责备。㉑付嘱：托付。嘱，托。㉒顾托：指武帝临终前的托付。㉓俯首：低头。㉔将：引；领。㉕遣使：派遣使者。㉖鸩杀：以毒酒毒死。㉗忧死：忧惧而死。㉘妻之：为之妻。此指以千金公主做佗钵可汗的妻子。㉙辛巳：二月二十日。㉚改元大象：即由大成元年改为大象元年。㉛冕：皇冠。㉜旂：上画龙形，竿头系铃的旗。后作为旗帜的总称。㉝纳言：官名，由侍中改称。掌出纳王言。㉞诸卫等官：指左、右宫伯和小宫伯，左、右中侍，左、右侍，左、右前侍，左、右后侍，左、右骑侍，左、右宗侍，左、右庶侍，左、右勋侍，左、右武伯和小武伯，左、右武贲，左、右旅贲，左、右射声，左、右骁骑，左、右羽林，左、右游击。㉟准天台：官员设置以天台为准则。㊱弥：更加。㊲顾惮：顾虑和惧怕。㊳仪典：仪礼法典。㊴率情：随意；任意。㊵用樽、彝、珪、瓒以饮食：指周宣帝骄淫，把樽、彝、珪、瓒等祭祀用的礼器作为饮食器具。㊶致斋：即吃素而不吃荤。㊷绶：古代常用不同颜色的丝带，标识官吏的身份和等级。周制：皇帝组绶，以苍、青、朱、黄、白、玄、纁、红、紫、緅、碧、绿，十二色。㊸通天冠：皇帝之冠。凡郊祀、朝贺、宴会，皆戴此冠。冠之形制，历代大同小异。古制高九寸，正竖立，顶少倾斜，乃直下，以铁为卷梁，前有展筒，冠前如山形。㊹金附蝉：即金蝉，侍中、常侍所冠武弁。㊺浑木：全用木头。㊻粉黛：妇女化妆用品，以粉傅面，以黛描眉。㊼墨妆：妆饰用物及服装皆用黑色。㊽兴造：指从事土木建筑。㊾不节：没有节制。㊿仗卫：仪仗侍卫。⑪楚挞：拷打。⑫度：限度。⑬内职：宫廷中由妇女担任的职务。⑭御：女官；侍从的近臣。⑮重足：叠足而立，因恐惧而不敢稍作移动。⑯累息：屏住呼吸，不敢出气，比喻极为恐惧。⑰逮：至。⑱戊子：二月二十七日。⑲辛卯：二月三十日。⑳《石经》：古代刻石的儒家经典。东汉灵帝时，蔡邕立石经于洛阳太学讲堂前。三国魏齐王芳正始年间又立古、篆、隶三种文字书写的《三体石经》，东魏末高澄将洛阳石经迁到邺城，北周末又迁回洛阳。㉑ 东京六府：指设在洛阳的六个官署。六府官包括天官冢宰、地官司徒、春官宗伯、夏官司马、秋官司寇、冬官司空。㉒ 处分：处置；安排。㉓ 庚申：三月二十九日。㉔ 擐：穿；贯。㉕ 青门：长安城东三门，此为靠北第一门。门青色，故称青门。㉖ 法驾：皇帝的车驾，也称法车。㉗ 壬戌朔：周历四月初一日，陈历则四月初二日。㉘ 天元帝后：即朱满月（公元五四七至五八六年），宣帝皇后，宣帝死，出家为尼。传见《周书》卷九、《北史》卷十四。㉙ 寒微：贫寒低贱。㉚ 乙巳：周历四月壬戌朔，无“乙巳”。《周书》卷七《宣帝纪》作“己巳”，《北史》同。“乙”当为“己”之误。己巳，四月初八日。㉛ 壬午：周历四月二十一日，陈历则四月二十二日。㉜ 辛亥：五月二十一日。㉝ 襄国郡：郡名，治所襄国县，在今河北邢台。㉞ 武当、安富：均郡名。武当郡治所武当县，在今湖北丹江口西北。安富郡，胡三省注认为“富”当作“福”，治所安福县，在今湖北十堰市郧阳区东南。㉟ 上党郡：郡名，治所壶关县，在今山西长治北。㊱ 新野郡：郡名，治所新野县，在今河南新野。㊲ 汝南公庆：即宇文神庆，北周太祖之族子，历仕周、隋，封汝南郡公。传见《周书》卷四十、《北史》卷五十七。㊳ 深根固本：使基础牢固。㊴ 羽翮：羽翼。翮，羽茎。㊵ 修长城：此指修复北齐时所筑长城。齐筑长城事见本书卷一百六十六《梁纪》二十二敬帝太平元年。㊶ 庚寅：七月初一日。㊷ 辛卯：七月初二日。㊸ 大货：大的货币。货，钱币。㊹ 六铢钱：货币名，以每枚钱重六铢而得名。铢，古衡制单位。一两（古代一斤为十六两）的二十四分之一为一铢。㊺ 丙申：七月初七日。㊻ 正阳宫皇后：周静帝皇后。传见《周书》卷九、《北史》卷十四。㊼ 己酉：七月二十日。㊽ 壬子：七月二十三日。㊾ 元氏：名乐尚，河南洛阳（今河南洛阳）人，先为贵妃，后立为天右皇后。传见《周书》卷九、《北史》卷十四。㊿ 陈氏：名月仪，自云颍川（今山西霍山西北）人，先为德妃，后立为天左皇后。传见《周书》卷九、《北史》卷十四。551 山提：即陈山提，原为尔朱兆苍头，后封淅阳郡公，官至大将军。传附《周书》卷九《陈皇后传》、《北史》卷九十二《韩宝业传》。552 庚申：八月初一日。553 丁卯：八月初八日。554 阅武：检阅军队。555 楼舰：即楼船，两面置重板，列战格，故谓之楼舰。556 瓜步江：江名，即瓜步一段的长江，在今江苏南京市六合区东南。557 振旅：整顿部队。558 壬申：八月十三日。559 甲戌：八月十五日。560 戊寅：八月十九日。561 南康王方泰：即陈方泰，陈南康愍王昙朗之子，袭父爵。传见《陈书》卷十四、《南史》卷六十五。562 秩满：任官期满。563 驱录：驱赶、逮捕。564 人仗：人和兵杖。565 禁司：掌禁防奸诈为非作歹者。566 削爵土：削掉封爵与土地。567 壬午：八月二十三日。568 乙卯：九月二十七日。569 酆王贞：字干雅，周明帝之子，封爵号酆王。传见《周书》卷十三、《北史》卷五十八。酆，古地名，在今陕西户县东。570 郕：古诸侯国名，故址在今山东宁阳。571 薛舒：河东汾阴（今山西万荣西南）人。薛憕之子，仕北周，官至礼部下大夫、仪同大将军。传附《北史》卷三十六《薛憕传》。572 壬戌：十月初四日。573 配醮：在大醮祭祀时配享。574 天尊：道家对所奉神仙的尊称，佛教亦称佛为天尊。⑤⑦⑤南面坐：坐北面南，古代帝王传统坐法。⑤⑦⑥纵观：任意观看。⑤⑦⑦甲戌：十月十六日。⑤⑦⑧辛卯：十一月初四日。⑤⑦⑨黄城：郡名，治所黄冈县，在今湖北武汉市新洲区。⑤⑧⓪广陵：郡名，东魏侨置。治所宋安县，在今河南息县。⑤⑧①甲午：十一月初七日。⑤⑧②肥口：地名，即淝水入淮水之处，在今安徽寿县北。⑤⑧③乙未：十一月初八日。⑤⑧④温汤：温泉洗浴处。在今陕西临潼骊山西北。⑤⑧⑤戊戌：十一月十一日。⑤⑧⑥上流：此当指淮水上流。⑤⑧⑦中领军：武官名，掌禁卫。⑤⑧⑧左卫将军：武官名，与右卫将军同掌禁卫。⑤⑧⑨丰州：州名，治所侯官县，在今福建福州。⑤⑨⓪阳平郡：郡名，治所安宜县，在今江苏宝应西南。⑤⑨①壬寅：十一月十五日。⑤⑨②癸卯：十一月十六日。⑤⑨③丙午：十一月十九日。⑤⑨④仁威将军：将军号，陈五威将军之一，拟四品。⑤⑨⑤东关：城名，故址在今安徽无为北。⑤⑨⑥焦湖：湖名，又名漅湖，即今安徽巢湖。⑤⑨⑦武毅将军：将军号，梁置，杂号将军之一，陈六品。⑤⑨⑧历阳：郡名，治所历阳县，在今安徽和县。⑤⑨⑨戊申：十一月二十一日。⑥⓪⓪辛亥：十一月二十四日。⑥⓪①霍州：州名，治所霍山县，在今安徽霍山。⑥⓪②癸丑：十一月二十六日。⑥⓪③丁巳：十一月三十日。⑥⓪④永通万国钱：北周货币名，以一当千（或作十），与五行大布钱、五铢钱三品并用。⑥⓪⑤戊午：十二月初一日。⑥⓪⑥甲子：十二月初七日。⑥⓪⑦外命妇：五命以上官之妻。因夫或子而得封号的妇女，都称外命妇。⑥⓪⑧乞寒：古代杂戏名，又叫“乞寒胡”“泼寒胡”。本康国之俗，鼓舞乞寒，以水交泼为乐，其戏传入中国。⑥⓪⑨乙丑：十二月初八日。⑥①⓪北兖：州名，南朝齐侨置，治所淮阴县，在今江苏淮阴西南。⑥①①晋：州名，梁置豫州于同安郡，后改曰晋州，北齐改为江州，陈称晋州。治所怀宁县，在今安徽潜山。⑥①②盱眙：郡名，治所盱眙县，在今江苏盱眙东北。⑥①③山阳：郡名，治所山阳县，在今江苏淮安。⑥①④阳平：郡名，治所高平县，在今江苏盱眙西北。⑥①⑤马头：郡名，治所马头县，在今安徽怀远南淮河南岸马头城。⑥①⑥沛：郡名，治所萧县，在今安徽萧县西北。⑥①⑦北谯：郡名，梁侨置。治所全椒县，在今安徽全椒。⑥①⑧南梁：郡名，治所睢阳县，在今安徽寿县。⑥①⑨谯：州名，治所涡阳县，在今安徽蒙城。⑥②⓪北徐州：侨州名，治所钟离县，在今安徽凤阳东北。⑥②①驿马：驿站的马，供载人或传邮之用。⑥②②驲：古代驿传，以车称传，即驿车；以马称驲，即驿马。⑥②③方驾：并驾。⑥②④顿仆：跌倒。⑥②⑤癸酉：十二月十六日。⑥②⑥平北将军：将军号，东西南北四平将军之一，陈拟三品。⑥②⑦沈恪（公元五一〇至五八三年）：字子恭，吴兴武康（今浙江德清）人，历仕梁、陈，官至扩军将军。传见《陈书》卷十二、《南史》卷六十七。⑥②⑧电威将军：将军号，南朝梁置。陈沿置，拟七品。⑥②⑨栅口：地名，即栅江口。栅江入长江之口，故址在今安徽无为东南。⑥③⓪信州：州名，治所鱼复县，在今重庆奉节东白帝。⑥③①白下：县名，县治白下城，在今江苏南京北。⑥③②戊寅：十二月二十一日。⑥③③武：武州，州名，治所武陵县，在今湖南常德。⑥③④己卯：十二月二十二日。⑥③⑤贞毅将军：将军号，南朝梁置。陈沿置，拟五品。⑥③⑥周法尚（公元五五四至六一二年）：字德迈，汝南安城（今河南原阳）人，历仕陈、周与隋，官至云州刺史，封归义县公。传见《隋书》卷六十五、《北史》卷

七十六。637 不相能：不和睦。638 定州：州名，治所麻城县，在今湖北麻城东北。639 顺州：州名，治所顺义县，在今湖北随州北。640 樊猛：字智武，南阳湖阳（今河南唐河湖阳镇）人。仕陈，官至侍中、护军将军，封逍遥郡公。后降隋。传见《陈书》卷三十一、《南史》卷六十七。641 部曲督：部曲中的头目。部曲，古代军队的编制单位。又，豪门的私人军队亦称部曲。642 韩朗：《隋书》卷六十五《周法尚传》作“韩明”，《北史》作“韩朗”。其中必有一误，未知孰是。643 阳：假装。644 江曲：胡三省注云：“江水之曲。”不详所在。从周法尚任顺州（治今湖北随州）来看，江曲当在今湖北武汉附近。

【校记】

[16] 即：原作“辄”。据章钰校，十二行本、乙十一行本、孔天胤本皆作“即”，今据改。[17] 者：原作“官”。据章钰校，十二行本、乙十一行本皆作“者”，今据改。〖按〗《周书·颜之仪传附乐运传》《北史·王轨传附乐运传》皆作“者”。[18] 丙午：原无此二字。据章钰校，十二行本、乙十一行本、孔天胤本皆有此二字，今据补。[19] 接：原作“近”。据章钰校，十二行本、乙十一行本、孔天胤本皆作“接”，张敦仁《通鉴刊本识误》同，今据改。[20] 于：原无此字。据章钰校，十二行本、乙十一行本、孔天胤本皆有此字，今据补。[21] 及：原无此字。据章钰校，十二行本、乙十一行本、孔天胤本皆有此字，今据补。[22] 辛亥：原无此二字。据章钰校，十二行本、乙十一行本、孔天胤本皆有此二字，张敦仁《通鉴刊本识误》同，今据补。〖按〗《周书·宣帝纪》《北史·宣帝纪》皆有此二字。[23] 韦孝宽：原作“孝宽”。据章钰校，十二行本、乙十一行本、孔天胤本皆有“韦”字，今据补。[24] 开府：原无此二字。据章钰校，十二行本、乙十一行本、孔天胤本皆有此二字，张敦仁《通鉴刊本识误》同，今据补。

【研析】

本卷记公元五七七至五七九年三年史事，主要内容为周武帝灭齐之后的处置、周武帝子宣帝宇文赟继任后北周政乱。下面就其中问题加以梳理。

东魏北齐都城在邺，晋阳则为军事重镇，晋阳被攻克，北齐军事基本瓦解，再也无力组织有效的抵抗，以至于从邺城而来侦察周军动向的军人，“遥见群乌飞起，谓是西军旗帜，即驰还，比至紫陌桥，不敢回顾”。邺城被围，不到一日便被攻下，高纬在逃跑中被俘获，北齐灭亡。北周实现北方统一，获得三百多万户。据记载，原北周境内不过六十万户。北周以弱胜强，是宇文泰以来关陇统治集团不断努力的结果，而如何正确对待这一胜利，对周武帝的心态以及所推行的政策措施，都是一种考验。

北周灭齐过程中，“周师入齐境，禁伐树践稼，犯者皆斩”，见于前卷。周武帝入邺城，首先做的一件事是亲自拜访大儒、博通“五经”的齐国子博士熊安生，“不听拜，亲执其手，引与同坐，赏赐甚厚，给安车驷马以自随”。同时派人慰问齐中书侍郎、北齐境内文坛领袖李德林，表示“平齐之利，唯在于尔”；不久又任以为内史上士，委以选拔北齐旧境人才的重任。武帝公开处死齐将莫多娄敬显，责以“死罪三”：不孝、不忠、不信，又给北齐时因政治迫害致死的斛律光、崔季舒等人平反，予以褒奖、改葬。这些都旨在彰显自己“吊民伐罪”的形象，以及以德服人、文以治国的意图。战争不再如十六国北朝以来那样，以人口、土地、财物为争夺目的，而是为了行王道、施仁政，实现道合风同的天下一统，周武帝灭齐后的相关处置，预示数百年的分裂动荡过程行将结束。

灭齐之后，北周虽将原北齐并州四万户军民迁至关中，防止北齐残余势力借以生事，但并没有按照十六国北朝以来敌国作战的一贯做法，将战俘甚至掳获平民以为奴婢，或驱使共服贱役，反而下令放免北齐境内身份低贱的杂户，同时还将北周历次战争中掳掠的奴婢予以放免。灭齐后颁布的简明扼要的法律文本《刑书要制》，其中规定:“群盗赃一匹，及正、长隐五丁若地顷以上，皆死。”这当然是针对新统治地区北齐而颁布的，以强烈的手段，清除北齐境内原贵族豪门荫庇依附人口、广占土地而脱逃赋役的弊端，本意并非在新统治地区实施严刑峻法。高纬、穆提婆等原北齐皇帝及其族人，以“谋反”罪被诛杀，考虑到北齐残余势力在突厥支持下的骚扰行为，这也是不得不进行的处置。

周武帝“性节俭，常服布袍，寝布被”。难能可贵的是，取得消灭北齐这一伟大胜利之后，仍能保持一贯的作风，“胜而愈俭”，撤毁原齐朝修筑的东山、南园、三台等豪华建筑，“瓦木诸物，可用者悉以赐民。山园之田，各还其主”。后来又因长安城中的一些殿宇过于奢华，下令“悉可毁撤。雕斫之物，并赐贫民。缮造之宜，务从卑朴”。不仅率先垂范，还以法令的形式禁止整个社会追求奢侈:“庶人已上，唯听衣绸、绵绸、丝布、圆绫、纱、绢、绡、葛、布等九种，余悉禁之。朝祭之服，不拘此制。”当有人献九尾狐骨，以示圣君在位、天降祥瑞时，周武帝拒绝这种拍马屁的行为，下令加以焚毁，表示:“瑞应之来，必彰有德。若五品时叙，四海和平，乃能致此。今无其时，恐非实录。”卧薪尝胆以夺胜利不难，大胜之后仍能保持清醒的头脑，戒骄戒躁，夕惕自处，实难。

灭齐之后，北周还面临两场战争。其一是陈朝“上闻周人灭齐，欲争徐、兖”，试图全据淮河流域，这应该是当初两国“合纵图齐”时达成的约定。灭齐之后的北周政权，自然不可能再执行这一约定，在北周军队反击下，吴明彻率领的陈朝“北伐”大军全军覆没，主帅被俘，一两年间，“江北之地尽没于周”。另一场针对突厥的决战，因行军途中周武帝病重戛然中止，突厥问题不解决，便不大可能举军灭陈，华夏文明就难以实现真正的复兴。周武帝英年早逝，雄图大业留待后人，只是这位后人并非周武帝的儿子，而是取宇文氏政权而代之的隋文帝杨坚。

周武帝宇文邕卒年三十六岁，二十岁的太子宇文赟继位。北朝时，皇帝年少得子并不少见，十二三岁而有子也多有其人。从周武帝曾令百姓男子十五、女子十三必须嫁娶看，年少有子，并非草原少数民族的习俗，而是时代风气使然。

宇文赟为太子时，即以恶行表明他并不能胜任国家继承人的职责，亦有直臣向武帝进言，忠臣王轨甚至在宴会之时，“捋帝须”称：“可爱好老公，但恨后嗣弱耳。”虽然武帝深知太子“非社稷主”，有过失“辄加捶挞”，并曾对宇文赟说：“古来太子被废者几人？余儿岂不堪立邪？”但周武帝第二子汉王宇文赞“又不才”，“余子皆幼，故得不废”。这些史实见于《通鉴》前卷。《周书》史臣评论周武帝“雄图远略，足方驾于前王”，而宣帝宇文赟则“善无小而必弃，恶无大而弗为。穷南山之简，未足书其过。尽东观之笔，不能记其罪”。这是武帝的悲剧。专制政体下官员以才德而选，政治领袖却以嫡长子继承为原则，此种悲剧也就代代难免。

本卷所记宣帝当上皇帝后的恶行，主要是滥杀无辜、耽于享乐、妄改制度等几个方面。他即位当月，周武帝最为信重的弟弟齐王宇文宪便因为声望太高而被处死。当初曾向周武帝汇报太子劣行的王轨、宇文孝伯、宇文神举等人也相继被杀。他“游戏无常，出入不节，羽仪仗卫，晨出夜还”；“鱼龙百戏，常陈殿前，累日继夜，不知休息”；自称天皇，立五皇后，自“高”自“大”，甚至官名中有“高”“大”之字者，一律改名，姓高者改姓姜，高祖改称长祖。在史臣看来，其寿不长，真乃国家之幸。

不过，周宣帝在位一年多时间中，确曾做过一些事情。周军将陈朝军队赶至江南，是在他统治时期完成的；与突厥的外交谈判虽然艰难，仍在努力；以洛阳为“东都”，作为统治原北齐地区的中心，所建宫殿虽未承武帝节俭之志，但修建东都一事不仅是对先秦传统的继承，而且开隋唐两京制的先河；他即位的次年正月，“始与群臣服汉、魏衣冠”，至少在庙堂之上抛弃了此前朝廷习惯的源自草原的皮袍、尖顶帽，为隋初全面承袭汉魏传统的先声；他将佛像、天尊像与自己的画像挂于一处，“俱南面坐”，实际上认可了佛、道二教的合法性，也为隋文帝全面废除周武帝废佛禁令做了准备。如此种种，均不得视作为恶之举。

与其父周武帝相比较而言，生命短暂如斯的周宣帝确实不是一个好皇帝，但似乎也算不上大恶之人。乐运抬着棺材到朝堂上当众指责他犯有“八失”，他初虽大怒，终究听人劝说，隔日召见，“赐御食”，且称“朕昨夜思卿所奏，实为忠臣”，为善之心仍存。《周书》指责他的罪恶罄竹难书，看来隋代修史之时，需要为杨氏取代宇文氏的正当性曲加辩护，不免言过其实。

卷第一百七十四　陈纪八

上章困敦（庚子，公元五八〇年），一年。

【题解】

本卷记述公元五八〇年南北朝一年史事，当陈宣帝太建十二年，北周静帝大象元年。本卷集中载述北周一年间发生的政局大变动，周宣帝英年辞世，嗣君周静帝孤弱，大行皇帝还未下葬，外戚权臣杨坚就轻而易举地发动了宫廷政变，夺取了辅孤大权，随后又迅速地平定了尉迟迥等人的护周叛乱，奠定了禅代的基础。

【原文】

高宗宣皇帝下之上

太建十二年（庚子，公元五八〇年）

春，正月癸巳①，周天元祠太庙②。

戊戌③，以左卫将军任忠为南豫州刺史，督缘江军防事。

乙卯④，周税入市⑤者人一钱。

二月丁巳⑥，周天元幸露门学⑦，释奠⑧。

戊午⑨，突厥入贡于周，且迎千金公主。

乙丑⑩，周天元改制为天制⑪，敕⑫为天敕。壬午⑬，尊天元皇太后为天元上皇太后，天皇太后为天元圣皇太后。癸未⑭，诏杨后与三后⑮皆称太皇后，司马后⑯直称皇后。

行军总管杞公亮，天元之从祖兄⑰也。其子西阳公温妻尉迟氏，

【语译】

高宗宣皇帝下之上

太建十二年（庚子，公元五八〇年）

春，正月初七日癸巳，北周天元皇帝到太庙祭祀祖先。

正月十二日戊戌，陈宣帝任命左卫将军任忠为南豫州刺史，总督沿江的军事防务。

正月二十九日乙卯，北周向每个进入市场交易的人征收税钱一文。

二月初一日丁巳，北周天元皇帝巡幸露门学，祭奠先圣、先师。

二月初二日戊午，突厥向北周进贡，并迎娶千金公主。

二月初九日乙丑，北周天元皇帝把制书改称天制，敕书改称天敕。二十六日壬午，北周尊天元皇太后为天元上皇太后，天皇太后为天元圣皇太后。二十七日癸未，下诏杨后与三后都称太皇后，司马后直称皇后。

行军总管杞公宇文亮，是天元皇帝的同曾祖堂兄。宇文亮的儿子西阳公宇文温

蜀公迥之孙，有美色，以宗妇⑱入朝，天元饮之酒⑲，逼而淫之。亮闻之，惧。三月，军还⑳，至豫州，密谋袭韦孝宽，并其众，推诸父㉑为主，鼓行而西。亮国官㉒茹宽㉓知其谋，先告孝宽，孝宽潜设备。亮夜将数百骑袭孝宽营，不克而走。戊子㉔，孝宽追斩之，温亦坐诛。天元即召其妻入宫，拜长贵妃。辛卯㉕，立亮弟永昌公椿㉖为杞公。

周天元如同州，增候正㉗、前驱、式道㉘[1]为三百六十重，自应门㉙至于赤岸泽㉚，数十里间，幡旗相蔽，音乐俱作。又令虎贲㉛持钑㉜马上，称警跸㉝。乙未㉞，改同州宫为成天宫。庚子㉟，还长安。诏天台侍卫之官，皆著㊱五色及红、紫、绿衣，以杂色为缘，名曰“品色衣”，有大事，与公服㊲间服之。壬寅㊳，诏内外命妇㊴皆执笏，其拜宗庙及天台，皆俯伏如男子。

天元将立五皇后，以问小宗伯狄道辛彦之㊵。对曰：“皇后与天子敌体㊶，不宜有五。”太学博士㊷西城何妥㊸曰：“昔帝喾㊹四妃，虞舜二妃。先代之数，何常之有?”帝大悦，免彦之官。甲辰㊺，诏曰：“坤仪㊻比德，土数惟五㊼，四太皇后外，可增置天中太皇后一人。”于是以陈氏㊽为天中太皇后，尉迟妃㊾为天左太皇后。又造下帐㊿五，使五后[2]各居其一，实宗庙祭器于前，自读祝版(51)而祭之。又以五辂(52)载妇人，自帅左右步从。又好倒悬鸡及碎瓦于车上，观其号呼以为乐。

夏，四月癸亥(53)，尚书左仆射陆缮卒。

己巳(54)，周天元祠太庙。己卯(55)，大雩(56)。壬午(57)，幸仲山(58)祈雨。甲申(59)，还宫，令京城士女于衢巷(60)作乐迎候。

五月癸巳(61)，以尚书右仆射晋安王伯恭为仆射。

周杨后性柔婉(62)，不妒忌(63)，四皇后及嫔、御等，咸爱而仰之(64)。天元昏暴滋甚，喜怒乖度(65)，尝谴后，欲加之罪。后进止详闲(66)，辞色不挠(67)，天元大怒，遂赐后死，逼令引诀(68)。后母独孤氏诣阁陈谢(69)，叩头流血，然后得免。

后父前大[3]疑(70)坚，位望隆重(71)，天元忌之，尝因忿谓后曰：“必族灭尔(72)家!”因召坚，谓左右曰：“色动(73)，即杀之。”坚至，神色自

的妻子尉迟氏，是蜀公尉迟迥的孙女，容貌美丽，以同姓大夫之妻的身份入朝，天元皇帝给她酒喝，逼奸了她。宇文亮听到这事，很害怕。三月，他领兵从淮南返回，到达豫州，暗中谋划袭击韦孝宽，并吞他的军队，拥立叔父辈的人为君，击鼓西进。宇文亮的国官茹宽知道他的计谋，事先告诉了韦孝宽，韦孝宽暗中做好了准备。宇文亮夜里带领几百名骑兵袭击韦孝宽，战败逃走。初三日戊子，韦孝宽追杀了宇文亮，他的儿子宇文温也被株连而死。天元皇帝立即宣召宇文温的妻子进宫，册封为长贵妃。初六日辛卯，封宇文亮的弟弟永昌公宇文椿为杞公。

北周天元皇帝前往同州，增派候正、前驱、式道共为三百六十重，从皇宫应门直到赤岸泽，数十里的路上，幡旗相连，鼓乐齐鸣。又派虎贲郎持钑骑在马上，沿途戒严。三月初十日乙未，改同州宫为成天宫。十五日庚子，天元皇帝返回长安。天元皇帝下诏，命天台侍卫官全都穿五色和红色、紫色、绿色的衣服，用杂色为衣边装饰，叫作“品色衣”，遇有重大事情，可以和公服轮换穿。十七日壬寅，下诏命内外有封号的夫人都要执笏，在祭拜宗庙和天台时，要像男子一样弯腰跪拜。

天元皇帝打算册立五个皇后，因此询问小宗伯狄道人辛彦之。辛彦之回答说：“皇后与天子同样尊贵，不应当有五个。”太学博士西城人何妥说：“从前帝喾有四个妃子，虞舜有两个妃子。以往朝代妃子的数量，哪有常规？”天元皇帝十分高兴，罢免了辛彦之的官。三月十九日甲辰，天元皇帝下诏说：“妇人取法大地，天地元素水、火、木、金、土，土排在第五位。因此在四位太皇后之外，可再设置天中太皇后一人。”于是册封陈氏为天中太皇后，尉迟妃为天左太皇后。又设置下帐五处，让五位皇后各居一帐，在帐前摆下宗庙祭器，亲自诵读祝文祭拜。又造五辆大辂车载五位皇后，亲自率领左右徒步随从。天元皇帝还喜欢在车上倒挂活鸡，或向车上投掷瓦片，观看车上妇女吓得号叫而取乐。

夏，四月初八日癸亥，陈朝尚书左仆射陆缮去世。

四月十四日己巳，北周天元皇帝到太庙祭祀祖先。二十四日己卯，举行求雨仪式。二十七日壬午，亲临仲山求雨。二十九日甲申，天元皇帝回宫，下令京城百姓在长安街道上奏乐迎接。

五月初九日癸巳，陈朝任命尚书右仆射晋安王陈伯恭为尚书仆射。

北周杨后性情温柔和顺，不妒忌，四位皇后以及嫔妃、御女等都爱戴敬仰她。天元皇帝越来越昏庸暴虐，喜怒无常，曾经谴责杨皇后，想要加罪于她。杨皇后举止安详娴静，言辞表情没有屈服他，天元皇帝大怒，便赐杨皇后死，逼迫她自尽。杨皇后母亲独孤氏进宫向天元皇帝请罪，磕头流血，杨皇后才得免一死。

杨皇后的父亲前大疑杨坚位高望重，天元皇帝猜忌他，曾经因一时愤怒对杨皇后说：“一定要灭你全家！”于是召见杨坚，并对身边的人说：“如果杨坚脸色有变，立即杀了他。”杨坚到了宫中，神色镇定自若，天元皇帝才作罢。内史上大夫郑译和

若[74]，乃止。内史上大夫郑译，与坚少同学，奇坚相表[75]，倾心相结。坚既为帝所忌，情不自安，尝在永巷[76]，私[77]于译曰："久愿出藩[78]，公所悉也，愿少留意。"译曰："以公德望，天下归心，欲求多福，岂敢忘也？谨即言之。"

天元将遣译入寇[79]，译请元帅。天元曰："卿意如何？"对曰："若定江东[80]，自非懿戚[81]重臣，无以镇抚，可令随公[82]行，且为寿阳总管以督军事。"天元从之。己丑[83]，以坚为扬州[84]总管，使译发兵会寿阳。将行，会坚暴[85]有足疾，不果行。

甲午[86]夜，天元备法驾，幸天兴宫。乙未[87]，不豫而还。小御正博陵刘昉[88]，素以狡谄得幸于天元，与御正中大夫颜之仪并见亲信。天元召昉、之仪入卧内，欲属以后事，天元喑[89]，不复能言。昉见静帝幼冲[90]，以杨坚后父，有重名，遂与领内史郑译、御饰大夫[91]柳裘[92]、内史大夫杜陵韦谟[93]、御正下士朝那皇甫绩[94]谋引坚辅政，坚固辞，不敢当。昉曰："公若为，速为之；不为，昉自为也。"坚乃从之，称受诏居中[95]侍疾。裘，惔之孙也。

是日，帝殂，秘不发丧。昉、译矫诏[96]以坚总知中外兵马事。颜之仪知非帝旨，拒而不从。昉等草诏署讫[97]，逼之仪连署[98]，之仪厉声曰："主上升遐[99]，嗣子冲幼，阿衡[100]之任，宜在宗英[101]。方今赵王最长，以亲以德，合膺[102]重寄。公等备受朝恩，当思尽忠报国，奈何一旦欲以神器假人[103]？之仪有死而已，不能诬罔[104]先帝。"昉等知不可屈，乃代之仪署而行之。诸卫[105]既受敕，并受坚节度。

坚恐诸王在外生变，以千金公主将适[106]突厥为辞，征赵、陈、越、代、滕五王入朝。坚索符玺[107]，颜之仪正色[108]曰："此天子之物，自有主者，宰相何故索之？"坚大怒，命引出，将杀之，以其民望，出为西边[109]郡守。

丁未[110]，发丧。静帝入居天台，罢正阳宫。大赦，停洛阳宫作[111]。庚戌[112]，尊阿史那太后为太皇太后，李太后为太帝太后[113]，杨后为皇太后，朱后为帝太后，其陈后、元后、尉迟后并为尼。以汉王赞为上柱国、右大丞相，尊以虚名，实无所综理[114]。以杨坚为假[115]黄钺[116]、左大

杨坚年轻时是同窗学友，惊异于杨坚的仪表，倾心交结。杨坚已经被天元皇帝猜忌，内心很不安，曾经在宫中永巷私下对郑译说："我早想出京任职，你是知道的，希望你留心这件事。"郑译说："因你德高望重，全天下的人都心向你。我想依靠你得到福佑，怎敢忘怀你的托付？我将立即郑重地向皇上启奏。"

天元皇帝打算派郑译侵犯陈朝，郑译要求配一个元帅。天元皇帝说："你相中了谁呢？"郑译说："如果要平定江东，当然非至亲重臣就没有威望镇抚，可以让随公同行，并且任命他为寿阳总管以督征南诸军事。"天元皇帝听从了。五月初五日己丑，任命杨坚为扬州总管，派郑译发兵到寿阳会合。将要起程，恰逢杨坚脚上突然有病，没有成行。

五月初十日甲午夜，天元皇帝备好法驾，亲临天兴宫。十一日乙未，生病返回长安宫。小御正博陵人刘昉一向以狡黠献媚得到天元皇帝宠幸，与御正中大夫颜之仪一起被天元皇帝视为亲信。天元皇帝召刘昉、颜之仪进入卧室内，想托付后事。此时天元皇帝声音已哑，不再能说话。刘昉看到周静帝年幼，因杨坚是皇后的父亲，又有很高的声望，于是与领内史郑译、御饰大夫柳裘、内史大夫杜陵人韦谟、御正下士朝那人皇甫绩合谋请杨坚辅政，杨坚坚决推辞，不敢担当。刘昉说："你要干，就赶紧干；不干，我刘昉自己干。"杨坚这才听从了，称受诏留在宫中侍奉皇上疾病。柳裘是柳惔的孙子。

这一天，天元皇帝崩殂，秘不发丧。刘昉、郑译假传诏命委任杨坚总领宫中宫外兵马事务。颜之仪知道这不是天元皇帝的旨意，抗拒不从。刘昉等人起草好诏书并签署完名字，逼迫颜之仪联名签字，颜之仪厉声说："皇上升天，嗣君年幼，辅政的重任应该由宗室中的英才担任。如今赵王宇文招年龄最长，论亲论德，理应由他担当重任。你们诸位备受朝廷恩惠，应当考虑尽忠报国，怎能突然之间想把国家大权交给他人？颜之仪宁可一死，不能做欺骗先帝的事。"刘昉等人知道无法使颜之仪屈从，于是代替颜之仪签名发下诏书。禁卫军各部已经接到诏命，都听从杨坚调度。

杨坚担心诸王在地方发生叛乱，就以千金公主将要远嫁突厥为借口，征召赵王宇文招、陈王宇文纯、越王宇文盛、代王宇文达、滕王宇文逌等五王入朝。杨坚索要兵符玉玺，颜之仪严肃地说："这是天子之物，自有主管的人，宰相为什么索取它？"杨坚大怒，命人将他拉出去，想要杀了他。因为考虑到颜之仪在朝廷上下负有众望，便命他出京城到西部边地做郡守。

五月二十三日丁未，北周给天元皇帝发丧，周静帝住进天台，废除正阳宫。大赦天下，停止营建洛阳宫。二十六日庚戌，尊崇阿史那太后为太皇太后，李太后为太帝太后，杨后为皇太后，朱后为帝太后，陈后、元后、尉迟后都落发为尼。任命汉王宇文赞为上柱国、右大丞相，用虚名尊崇他，实际不管具体政务。任命杨坚为

丞相，秦王贽为上柱国。百官总己以听于左丞相⑪。

坚初受顾命⑱，使邗国公杨惠⑲谓御正下大夫李德林曰："朝廷赐令总文武事，经国⑳任重。今欲与公共事，必不得辞。"德林曰："愿以死奉公。"坚大喜。始，刘昉、郑译议以坚为大冢宰㉑，译自摄大司马，昉又求小冢宰。坚私问德林曰："欲何以见处㉒？"德林曰："宜作大丞相、假黄钺、都督中外诸军事，不尔，无以压㉓众心。"及发丧，即依此行之。以正阳宫为丞相府。

时众情未壹㉔，坚引司武上士㉕卢贲㉖置左右。将之东宫㉗，百官皆不知所从。坚潜令贲部伍仗卫㉘，因召公卿，谓曰："欲求富贵者宜相随。"往往偶语，欲有去就㉙，贲严兵而至，众莫敢动。出崇阳门㉚，至东宫，门者拒不纳，贲谕之，不去，瞋目㉛叱之，门者遂却，坚入。贲遂典㉜丞相府宿卫。贲，辩之弟子也。以郑译为丞相府长史㉝，刘昉为司马，李德林为府属㉞，二人由是怨德林。

内史下大夫勃海高颎㉟明敏有器局㊱，习兵事，多计略，坚欲引之入府，遣杨惠谕意。颎承旨，欣然曰："愿受驱驰㊲。纵令公事不成，颎亦不辞灭族。"乃以为相府司录㊳。

时汉王赞居禁中㊴，每与静帝同帐而坐。刘昉饰美妓进赞，赞甚悦之。昉因说㊵赞曰："大王，先帝㊶之弟，时望所归。孺子㊷幼冲，岂堪大事？今先帝初崩，群[4]情尚扰㊸。王且归第，待事宁后，入为天子，此万全计也。"赞年少，性识㊹庸下㊺，以为信然㊻，遂从之。

坚革宣帝苛酷之政，更为宽大，删略旧律，作《刑书要制》㊼，奏而行之。躬履㊽节俭，中外悦之。

坚夜召太史中大夫㊾庾季才㊿，问曰："吾以庸虚[151]，受兹顾命。天时人事，卿以为何如？"季才曰："天道[152]精微，难可意察。窃以人事卜之，符兆[153]已定。季才纵言不可，公岂复得为箕、颍之事[154]乎？"坚默然久之，曰："诚如君言。"独孤夫人[155]亦谓坚曰："大事已然，骑虎之势[156]，必不得下，勉之！"

坚以相州总管尉迟迥位望素重，恐有异图，使迥子魏安公惇[157]奉

假黄钺、左大丞相，秦王宇文贽为上柱国。百官各自尽职，听命于左丞相。

杨坚刚接受顾命辅政时，就派邗国公杨惠对御正下大夫李德林说："朝廷敕令我总理文武大事，治理国家任务繁重。如今想与你共同掌理国事，一定不要推辞。"李德林说："愿以死奉侍杨公。"杨坚大为高兴。当初，刘昉、郑译共谋推举杨坚为大冢宰，郑译自己兼理大司马，刘昉想得到小冢宰。杨坚私下问李德林说："怎么安排我的职位？"李德林说："应当做大丞相、假黄钺、都督中外诸军事，不这样，就没有威权镇服众心。"等到发丧，就依此行事，把正阳宫作为丞相府。

当时大家的心意没有统一，杨坚把司武上士卢贲安置在身边。杨坚准备去东宫，百官都不知道随从谁。杨坚暗中派卢贲安排了宿卫武士，然后召见公卿大臣，对他们说："想求富贵的人应该随从我。"朝臣们三三两两交头接耳，有的想要离开。这时卢贲带着全副武装的宿卫兵到来，众朝官没人敢行动。大家出了崇阳门，来到东宫，守门卫士拒绝不让进入，卢贲上前说明，卫士仍然不撤离，卢贲瞪大眼睛呵斥，守门的卫士才退去，杨坚等人进入东宫。卢贲便留在正阳宫掌管丞相府的宿卫。卢贲是卢辩弟弟的儿子。杨坚任命郑译为丞相府长史，刘昉为司马，李德林为府属。郑译、刘昉两人因此怨恨李德林。

内史下大夫勃海人高颎聪明敏捷，有才识，有度量，熟习军事，足智多谋，杨坚想把他引入丞相府为官属，派杨惠去表明意思。高颎接受邀请，高兴地说："愿意效命。纵使杨公大业不成，高颎就是遭灭族之祸，也不推辞。"于是被用为丞相府司录。

当时汉王宇文赞住在宫中，时常与周静帝同帐并坐。刘昉打扮美貌歌女献给宇文赞，宇文赞非常高兴。刘昉趁势游说宇文赞，说："大王是先帝的亲弟弟，众望所归，幼主年龄太小，哪能料理国家大事？现在先帝刚刚去世，大家心思还很纷乱。大王暂且回到府第，等待大事安定以后，再进宫来当天子，这才是万全之计。"宇文赞年纪轻，思想见识低下，认为事情确实如此，便听了他的话。

杨坚革除周宣帝苛刻残暴的政令，改行宽缓之政，简化旧的法律条文，制作《刑书要制》，奏请周静帝颁行。亲自带头践行节俭，朝内朝外的人都高兴。

杨坚夜里召见太史中大夫庾季才，询问说："我以平庸菲薄的资才，接受了辅佐幼主的重任，从天时人事看，你认为怎样？"庾季才说："天道精深细微，难以观察臆测，我个人从人事上来预测，符命征兆已经定下了。我庾季才即使说不可以，你难道会做许由那样逃到箕山、颍水之间的事吗？"杨坚沉默了好久，才说："确实像你所说。"独孤夫人也对杨坚说："大事已经这样，势如骑虎，肯定不能下来，你就努力去做吧！"

杨坚认为相州总管尉迟迥位尊望重，担心他有非分图谋，让尉迟迥的儿子魏安

诏书召之会葬。壬子[158]，以上柱国韦孝宽为相州总管，又以小司徒[159]叱列长义[160]为相州刺史，先令赴邺，孝宽续进。

陈王纯时镇齐州，坚使门正上士[161]崔彭[162]征之。彭以两骑往止传舍[163]，遣人召纯。纯至，彭请屏[164]左右，密有所道[165]，遂执而锁之，因大言[166]曰："陈王有罪，诏征入朝，左右不得辄动[167]！"其从者愕然[168]而去。彭，楷之孙也。

六月，五王皆至长安。

庚申[169]，周复行佛、道二教，旧沙门、道士精志[170]者，简[171]令入道。

【段旨】

以上为第一段，写北周宣帝宇文赟生活荒诞，寿命不永；又果于杀戮，朝野离心，他死后，权臣杨坚轻而易举发动了宫廷政变。

【注释】

①癸巳：正月初七日。②周天元祠太庙：史言周宣帝虽传位其子，自己仍主祭祀。③戊戌：正月十二日。④乙卯：正月二十九日。⑤市：市场。⑥丁巳：二月初一日。⑦露门学：古学校名，以在京师露门（外朝门）左右塾而得名。周武帝立露门学，置生七十二人。⑧释奠：古代仲春（二月）、仲秋（八月）上丁日设荐馔以祭祀先圣、先师。⑨戊午：二月初二日。⑩乙丑：二月初九日。⑪制：皇帝诏令之一，大赏罚、大除授、赦宥、虑囚、慰劳用制。⑫敕：皇帝诏令之一，废置州县、增减官吏、除免官爵、实行百官奏请皆用敕。⑬壬午：二月二十六日。⑭癸未：二月二十七日。⑮三后：指朱后、元后与陈后。⑯司马后：即静帝皇后。⑰从祖兄：同曾祖而不同祖父的兄弟。⑱宗妇：同姓大夫之妻。⑲饮之酒：给西阳公宇文温妻酒喝。⑳军还：此前杞公亮随韦孝宽攻略淮南，现撤军。㉑诸父：对同宗族伯叔辈的通称，此指赵王宇文招兄弟。㉒国官：诸国公各有国官，此谓杞公国之官吏。㉓茹宽：人名。茹，姓氏。北朝柔然族有普六茹氏，魏孝文帝时改姓为茹氏。㉔戊子：三月初三日。㉕辛卯：三月初六日。㉖永昌公椿：即宇文椿（？至公元五八一年），官至大司农。传见《周书》卷十、《北史》卷五十七。㉗候正：官名，负责警卫候望。㉘式道：官名，掌皇帝车驾出行时在前清道。㉙应

公尉迟惇持诏书召尉迟迥进京会葬。五月二十八日壬子，任命上柱国韦孝宽为相州总管，又任命小司徒叱列长义为相州刺史，先让他赴相州治所邺城，韦孝宽后面跟进。

陈王宇文纯当时镇守齐州，杨坚派门正上士崔彭征召宇文纯。崔彭只带了两个骑士前往齐州住在旅舍，派人宣召宇文纯。宇文纯到后，崔彭请求屏退左右，说有机密事要讲，于是抓捕了宇文纯，把他锁上，接着大声说："陈王有罪，诏书征召他入朝，随从的人不得轻举妄动！"宇文纯的随从人员十分惊讶，纷纷离去。崔彭是崔楷的孙子。

六月，北周五个藩王赵、陈、越、代、滕都到了长安。

六月初六日庚申，北周恢复了佛教、道教，原来的和尚、道士诚心修行的人，经挑选以后，让他们重新入教。

门：王宫五门之一。古传天子有五门，自内而外，为路门、应门、皋门、雉门、库门。㉚赤岸泽：地名，在长安北、同州南，即今陕西渭南市华州区境内。㉛虎贲：勇猛之士。㉜钑：兵器名，短小的矛。㉝警跸：古代帝王出入称警跸。左右侍卫为警，止人清道为跸。㉞乙未：三月初十日。㉟庚子：三月十五日。㊱著：穿着。㊲公服：北周之制，诸命秩（即品级）之服称公服，其余常服称私服。㊳壬寅：三月十七日。㊴内外命妇：指内命妇和外命妇。内命妇如皇帝的妃、嫔、世妇、女御等，外命妇则指五品以上官之妻。㊵辛彦之（？至公元五九一年）：陇西狄道（今甘肃临洮）人，历仕周、隋，官至礼部尚书，封任城郡公，著有《坟典》《六官》《礼要》《五经异同》等书。传见《隋书》卷七十五、《北史》卷八十二。㊶敌体：指地位相等，无上下尊卑之分。㊷太学博士：官名，在太学中教授经学。㊸何妥：字栖凤，西城（今陕西安康）人，历仕后梁、周、隋，官至龙州刺史，著《周易讲疏》十三卷等书。传见《隋书》卷七十五、《北史》卷八十二。㊹帝喾：与下句虞舜，均为传说中的上古帝王。㊺甲辰：三月十九日。㊻坤仪：大地。古以《易经》乾卦象征天、天子，坤卦象征地、后妃。㊼土数惟五：大地上的五种物质元素水、火、木、金、土，土排第五。㊽陈氏：陈山提之女。㊾尉迟妃：即宇文温妻。㊿下帐：山陵中便房所用。此所说下帐，指周天元所居为上帐，五皇后所居为下帐。(51)祝版：古代祭祀用以书写祝文之板。(52)五辂：古代帝王使用的五种车子，谓玄辂、夏篆、夏缦、墨车、輚车。(53)癸亥：四月初八日。(54)己巳：四月十四日。(55)己卯：四月二十四日。(56)大雩：求雨的祭名。(57)壬午：四月二十七日。(58)仲山：山名，即九嵕山之东仲山。在今陕西礼泉北。(59)甲申：四月二十九日。(60)衢巷：大街小巷。衢，

四通八达的道路。61 癸巳：五月初九日。62 柔婉：温柔而和顺。63 妒忌：同“忌妒”，见人有善而忌恨。64 仰之：敬仰她。65 乖度：失常。66 详闲：安详娴静。67 不挠：不屈。68 引诀：谓自裁、自杀。诀，也作“决”。别。69 陈谢：上言谢罪。70 前大疑：据《周书·宣帝纪》，其设四辅官分别为“大前疑”“大右弼”“大左辅”“大后丞”，此处当作“大前疑”，《通鉴》误。71 隆重：贵盛。72 尔：你。73 色动：脸色变化。74 自若：若无其事的样子。75 相表：相貌。76 永巷：宫中长巷。77 私：私下。因身侍奉周，不敢公开谈论，故曰私。78 出藩：谓出任外藩，到地方任职。79 入寇：即攻略江南陈朝。80 江东：自汉至隋、唐，习称自安徽芜湖以下的长江下游地区为江东。陈朝位于此，故江东指陈朝。81 懿戚：皇帝的亲族与外戚。82 随公：指杨坚，杨坚袭父爵随国公。83 己丑：五月初五日。己丑当在癸巳（五月九日）前，干支错乱。84 扬州：此为北周所侨置，治所寿阳县，在今安徽寿县。85 暴：突然。86 甲午：五月初十日。87 乙未：五月十一日。88 刘昉：博陵望都（今河北望都）人，历仕周、隋，官至上大将军，封黄国公。传见《隋书》卷三十八、《北史》卷七十四。89 喑：哑。90 幼冲：幼小。91 御饰大夫：官名，北周置御饰大夫，掌御饰。92 柳裘：字茂和，河东解（今山西运城）人，历仕周、隋，官至内史大夫。传见《隋书》卷三十八、《北史》卷七十四。93 韦谟：京兆（今陕西西安）人。仕北周，为内史大夫。隋开皇初，卒于蒲州刺史。传见《隋书》卷三十八、《北史》卷六十四。94 皇甫绩（？至公元五九二年）：字功明，安定朝那（今甘肃西凉）人，历仕周、隋，官至都官尚书。传见《隋书》卷三十八、《北史》卷七十四。95 中：禁中。96 矫诏：诈称皇帝之诏书。97 署讫：在诏书上签完名。98 连署：谓联名签字。99 升遐：升天。古代谓帝王之死为升遐。100 阿衡：商相伊尹辅太甲，称阿衡，引申为辅导帝王、主持国政。阿，依。衡，平。101 宗英：谓宗室中才能过人者。英，才能过人。102 合膺：合当；应该。膺，当。103 以神器假人：把皇位送给人。神器，帝位。假人，给人。假，授、给。104 诬罔：以不实之词欺骗人。诬，欺骗。罔，迷惑。105 诸卫：各侍卫官。周自左、右宫伯，至左、右羽林、游击，皆诸卫官。106 适：女子出嫁。107 符玺：符，谓兵符。玺，谓天子六玺。108 正色：表情端庄严肃。109 西边：《周书》卷四十《颜之仪传》作“西疆”，《北史》本传同。据此，“边”应作“疆”。西疆，郡名，治所合川县，在今甘肃迭部西。110 丁未：五月二十三日。111 作：修建；营造。112 庚戌：五月二十六日。113 太帝太后：皇帝祖母，犹言太皇太后。114 综理：总揽。115 假：给予。116 黄钺：以黄金为饰之钺，天子所用，后世遂作为帝王仪仗，有时也给予重臣，以示威重。钺，古兵器，其状如斧。117 百官总己以听于左丞相：百官各尽其职，听命于左（大）丞相。总己，各统己职。听，听命、接受指挥。118 顾命：帝王临终之命。顾命始于西周成王。119 杨惠：即杨雄（公元五四二至六一二年），初名惠，后改为雄，隋高祖族子，历仕周、隋，官至右卫大将军，参与朝政，封观王。传见《隋书》卷四十三、《北史》卷六十八。120 经国：治理国家。⑿大冢宰：周官名，六官之长，掌邦治，以建邦之六典，佐皇帝治邦国。⑿何以见处：怎样安排我的职位。⒀压：以权威或暴力使人屈服。⒁众情未壹：此指周之朝臣未尽归心于杨坚。壹，统一。⒂司武上士：官名，司马的别称，专管兵事。⒃卢贲（公元五四一至五九四年）：字子征，涿郡范阳（今河北涿州）人，历仕周、隋，官至太常卿。传见《隋书》卷三十八、《北史》卷三十。⒄东宫：即正阳宫，正阳宫本东宫所改名。⒅仗卫：执杖而宿卫之兵。⒆欲有去就：众官犹豫，或去或留。⒇崇阳门：周宫城之东门。⒀瞋目：怒目相视。⒀典：掌管。⒀丞相府长史：官名，掌相府政务。⒀府属：丞相府幕僚。⒀高颎（？至公元六〇七年）：名敏，字昭玄，渤海蓨（今河北景县）人，历仕周、隋，官至尚书左仆射，入隋掌朝政二十多年。传见《隋书》卷四十一、《北史》卷七十二。⒀器局：才识及度量。⒀驱驰：驱逐奔驰，引申为尽力效命之意。⒀司录：官名，相府属僚，总录一府之事。⒀禁中：皇帝宫中称禁中，言门户有禁，非侍卫及通籍之臣，不得入内。⒁因说：乘机劝说。⒁先帝：指周宣帝。⒁孺子：谓静帝。⒁扰：混乱。⒁性识：思想见识。⒁庸下：平庸低下。⒁信然：诚然；确实如此。⒁《刑书要制》：刑法名，原为周武帝所制，周宣帝即位后废，所制《刑经圣制》，比前制更严，杨坚辅政复用前制。⒁躬履：亲自践行。⒁太史中大夫：官名，属春官，掌天文历法。⒂庾季才（公元五一六至六〇三年）：隋朝天文学家，字叔奕，荆州新野（今河南新野）人，历仕后梁、周与隋，官至太史中大夫。著《灵台秘苑》一百二十卷、《垂象志》一百四十二卷、《地形志》八十七卷。传见《梁书》卷五十一、《隋书》卷七十八、《北史》卷八十九。⒂庸虚：谦辞。庸，言身无所能。虚，言胸中无所有。⒂天道：指天象。⒂符兆：征兆。符，谶言。兆，龟坼之文，显示人事先兆。⒂箕、颍之事：指逃官归隐之事。相传尧让天下与许由，许由逃到箕山，后耕田于颍水而不问世事。⒂独孤夫人（公元五五三至六〇二年）：河南洛阳（今河南洛阳）人，隋文帝皇后。传见《隋书》卷三十六、《北史》卷十四。⒂骑虎之势：骑虎难下，下必为虎所噬。⒂魏安公惇：即尉迟惇（？至公元五八〇年），代（今山西代县）人，尉迟迥之子，仕北周，官至军正下大夫，封魏安郡公。传附《北史》卷六十二《尉迟迥传》。⒂壬子：五月二十八日。⒂小司徒：官名，《周礼》地官之属，为大司徒的副职。⒃叱列长义：代郡西部人，叱列平之子，历仕周、隋，官至上柱国，封新宁王。传附《北史》卷五十三《叱列平传》。⒃门正上士：官名，掌门关启闭之节及出入门者。⒃崔彭（公元五四二至六〇四年）：字子彭，博陵安平（今河北安平）人，官至左领军大将军。传见《隋书》卷五十四、《北史》卷三十二。⒃传舍：古时供来往行人休止住宿的处所。⒃屏：屏退。⒃道：言；说话。⒃大言：高声说话。⒃辄动：乱动。辄，擅自。⒃愕然：惊讶的样子。⒃庚申：六月初六日。⒄精志：精诚专志。⒄简：选择；分别。

【校记】

[1] 式道：原作"式道候"。据章钰校，十二行本、乙十一行本、孔天胤本皆无"候"字，熊罗宿《胡刻资治通鉴校字记》同，今据删。〖按〗《北史·宣帝纪》无"候"

【原文】

周尉迟迥知丞相坚将不利于帝室，谋举兵讨之。韦孝宽至朝歌[172]，迥遣其大都督贺兰贵赍书[173]候韦孝宽。孝宽留贵与语以审之[174]，疑其有变，遂称疾徐行。又使人至相州求医药，密以伺之。孝宽兄子艺[175]，为魏郡[176]守，迥遣艺迎孝宽，孝宽问迥所为，艺党于迥，不以实对[177]。孝宽怒，将斩之，艺惧，悉以迥谋语孝宽。孝宽携艺西走，每至亭驿[178]，尽驱传马[179][5]而去，谓驿司[180]曰："蜀公[181]将至，宜速具[182]酒食。"迥寻遣仪同大将军梁子康将数百骑追孝宽，追者至驿，辄逢盛馔[183]，又无马，遂迟留不进。孝宽与艺由是得免。

坚又令候正破六韩[184]裒诣迥谕旨[185]，密与总管府长史晋昶等书，令为之备。迥闻之，杀昶及裒，集文武[186]士民，登城北楼，令之曰："杨坚藉后父之势，挟幼主以作威福，不臣之迹，暴于行路[187]。吾与国舅甥[188]，任兼将相。先帝处吾于此[189]，本欲寄以安危。今欲与卿等纠合[190]义勇，以匡国庇民，何如？"众咸从命。迥乃自称大总管，承制置官司[191]。时赵王招入朝，留少子在国[192]，迥奉以号令[193]。

甲子[194]，坚发关中兵，以韦孝宽为行军元帅，郧公梁士彦、乐安公元谐[195]、化政公宇文忻、濮阳公武川宇文述[196]、武乡公崔弘度[197]、清河公杨素、陇西公李询[198]等皆为行军总管，以讨迥。弘度，楷之孙。询，穆之兄子也。

初，宣帝使计部中大夫[199]杨尚希[200]抚慰山东，至相州，闻宣帝殂，与尉迟迥发丧。尚希出，谓左右曰："蜀公哭不哀而视不安，将有他

字。[2]后：原作“皇后”。据章钰校，十二行本、乙十一行本、孔天胤本皆无“皇”字，今据删。[3]前大：原作“大前”。据章钰校，十二行本、乙十一行本、孔天胤本二字皆互乙，今据改。《通鉴纪事本末》卷二五、《通鉴纲目》卷三五皆作“前大”。[4]群：原作“人”。据章钰校，十二行本、乙十一行本、孔天胤本皆作“群”，今据改。

【语译】

北周尉迟迥知道杨坚将危害帝室，谋划起兵讨伐杨坚。韦孝宽到达朝歌，尉迟迥派他的大都督贺兰贵带着自己的亲笔信探望韦孝宽。韦孝宽留下贺兰贵与之交谈，察看他的意图，疑心有变故，于是假装生病慢慢前行。又派人到相州寻医买药，秘密刺探。韦孝宽哥哥的儿子韦艺为魏郡郡守，尉迟迥派韦艺迎接韦孝宽。韦孝宽询问尉迟迥要干什么，韦艺阿附尉迟迥，不按实情回答。韦孝宽很生气，将要杀他，韦艺害怕了，把尉迟迥的谋划原原本本地告诉了韦孝宽。韦孝宽带着韦艺往西逃，每到一个驿亭，把驿站的马全都赶走，对驿站主管说：“蜀公尉迟迥将要到，赶快备办酒食。”尉迟迥过了一会儿派仪同大将军梁子康带领几百名骑兵追赶韦孝宽，追兵每到一个驿站，都遇到丰盛的酒宴，驿站又没有马，于是逗留不前，韦孝宽和韦艺因此免于祸难。

杨坚又命令候正破六韩裒到尉迟迥那儿说明自己的意向，暗中递给相州总管府长史晋昶等人信函，让他们做好准备。尉迟迥听到了消息，杀了晋昶和破六韩裒，召集文武士民，登上相州城的北楼，命令他们说：“杨坚凭借皇后父亲的势力，挟持幼主作威作福，不守臣道的形迹，暴露于大街小巷。我与太祖文皇帝宇文泰是舅甥关系，兼任将相；先帝把我安排在这里，原本就是把国家安危寄托在我身上。今天我要和大家一起集结仁义勇敢的人士，来保国护民，怎么样呢？”大家全都听从尉迟迥的号令。尉迟迥就自称大总管，宣称秉承皇帝旨意，设置百官。当时赵王宇文招入朝，留下小儿子在封国，尉迟迥尊奉他为主，以号令天下。

六月初十日甲子，杨坚派遣关中的兵马，任命韦孝宽为行军元帅，郧公梁士彦、乐安公元谐、化政公宇文忻、濮阳公武川人宇文述、武乡公崔弘度、清河公杨素、陇西公李询等都为行军总管，征讨尉迟迥。崔弘度是崔楷的孙子。李询是李穆哥哥的儿子。

当初，周宣帝派计部中大夫杨尚希抚慰山东，杨尚希到达相州，听到宣帝崩殂，与尉迟迥一起穿丧服吊唁宣帝。杨尚希出了灵堂对身边的人说：“蜀公尉迟迥哭声不

计。吾不去，惧及于难。”遂夜从捷径而遁。迟明[201]，迥觉，追之不及，遂归长安。坚遣尚希督宗兵[202]三千人镇潼关。

雍州牧[203]毕剌[204]王贤，与五王谋杀坚，事泄，坚杀贤，并其三子，掩五王之谋不问。以秦王贽为大冢宰，杞公椿为大司徒。

庚子[205]，以柱国梁睿为益州[206]总管。睿，御之子也。

周遣汝南公神庆、司卫上士[207]长孙晟[208]送千金公主于突厥。晟，幼之曾孙[209]也。

又遣建威侯贺若谊[210]赂佗钵可汗，且说之以求高绍义。佗钵伪与绍义猎于南境[211]，使谊执之。谊，敦之弟也。秋，七月甲申[212]，绍义至长安，徙之蜀[213]。久之，病死于蜀。

周青州总管尉迟勤，迥之弟子也。初得迥书，表送之，寻亦从迥。迥所统相、卫、黎、洺、贝、赵、冀、瀛、沧[214]，勤所统青、齐、胶、光、莒[215]等州皆从之，众数十万。荥州[216]刺史邵公胄[217]，申州[218]刺史李惠，东楚州[219]刺史费也利进[220]，潼州[221]刺史曹孝远，各据本州，徐州总管司录席毗罗[222]据兖州，前东平郡[223]守毕义绪据兰陵[224]，皆应迥。怀县永桥镇[225]将纥豆陵惠以城降迥。迥使其所署大将军石逊攻建州[226]，建州刺史宇文弁以州降之。又遣西道行台韩长业攻拔潞州[227]，执刺史赵威，署城人郭子胜为刺史。纥豆陵惠袭陷钜鹿[228]，遂围恒州[229]。上大将军宇文威攻汴州[230]，莒州刺史乌丸尼等帅青、齐之众围沂州[231]，大将军檀让攻拔曹、亳[232]二州，屯兵梁郡[233]。席毗罗众号八万，军于蕃城[234]，攻陷昌虑、下邑[235]。李惠自申州攻永州[236]，拔之。

迥遣使招大左辅、并州刺史李穆，穆锁其使，封上其书。穆子士荣，以穆所居天下精兵处[237]，阴劝穆从迥，穆深拒之。坚使内史大夫柳裘诣穆，为陈利害，又使穆子左侍上士[238]浑[239]往布腹心。穆使浑奉尉斗[240]于坚，曰：“愿执威柄以尉安天下[241]。”又以十三镮金带[242]遗坚。十三镮金带者，天子之服也。坚大悦，遣浑诣韦孝宽述穆意。穆兄子崇[243]，为怀州[244]刺史，初欲应迥，后知穆附坚，慨然太息[245]曰：“阖家富贵者数十人，值[246]国有难，竟不能扶倾继绝[247]，复何面目处天地间乎？”不得已亦附于

悲哀，神色也不安定，将有异谋。我不离开，害怕遭遇祸难。”于是夜里从小路逃走。黎明，尉迟迥发觉，追赶杨尚希没有追上，于是杨尚希回到了长安。杨坚派杨尚希率领家族子弟兵三千人镇守潼关。

北周雍州牧毕剌王宇文贤与赵、陈、越、代、滕五王图谋杀掉杨坚，事情败露，杨坚杀了宇文贤连同他的三个儿子，掩盖五王参与谋划的事不予追究。任命秦王宇文贽为大冢宰，杞公宇文椿为大司徒。

庚子日，任命柱国梁睿为益州总管。梁睿是梁御的儿子。

北周派汝南公宇文神庆、司卫上士长孙晟送千金公主到突厥。长孙晟是长孙幼的曾孙。

杨坚又派建威侯贺若谊送财货给佗钵可汗，并劝说他交出北齐宗室高绍义。佗钵可汗假装和高绍义到南部边境打猎，让贺若谊抓获了他。贺若谊是贺若敦的弟弟。秋，七月初一日甲申，高绍义被押到长安，迁移到蜀地。过了很久，高绍义病死在蜀地。

北周青州总管尉迟勤是尉迟迥弟弟的儿子。最初得到尉迟迥的书信时，就上表转呈朝廷，不久也追随了尉迟迥。尉迟迥所统管的相州、卫州、黎州、洺州、贝州、赵州、冀州、瀛州、沧州，尉迟勤所统管的青州、齐州、胶州、光州、莒州等都响应尉迟迥，兵众数十万。荥州刺史邵公胄、申州刺史李惠、东楚州刺史费也利进、潼州刺史曹孝远，各自割据本州，徐州总管司录席毗罗占据兖州，前东平郡守毕义绪占据兰陵，全都响应尉迟迥。怀县永桥镇将纥豆陵惠举城投降尉迟迥。尉迟迥派他所任命的大将军石逊攻打建州，建州刺史宇文弁举州投降。尉迟迥又派西道行台韩长业攻取了潞州，抓获了刺史赵威，任用潞州城人郭子胜为刺史。纥豆陵惠偷袭攻陷了钜鹿城，于是包围恒州。上大将军宇文威攻打汴州，莒州刺史乌丸尼等率领青州、齐州的军队包围沂州。大将军檀让攻取曹州、亳州，屯兵于梁郡。席毗罗的军队号称八万人，屯驻在蕃城，攻陷了昌虑、下邑。李惠从申州攻打永州，夺取了永州。

尉迟迥派人招抚大左辅、并州刺史李穆，李穆扣押使者，把尉迟迥写给他的信加封呈奏朝廷。李穆儿子李士荣，因父亲李穆镇守的并州是天下精兵聚集的地方，私下劝他顺从尉迟迥，李穆坚决拒绝。杨坚派内史大夫柳裘到李穆那里，向他陈述利害，又派李穆的儿子左侍上士李浑到并州转述诚心。李穆派李浑奉送熨斗给杨坚，说：“希望杨公执掌威柄，如同熨斗一样平复安定天下。”又送给杨坚十三镮金带。十三镮金带是天子的饰物。杨坚大为高兴，派李浑到韦孝宽那儿转述李穆的心意。李穆哥哥的儿子李崇，任怀州刺史，起初想响应尉迟迥，后来得知李穆依附杨坚，慨然叹息说：“李氏一家几十个人蒙受国恩富贵，遇到国家有难，竟然不能匡扶倾危，延续皇室，又有什么脸面立于天地之间呢？”迫不得已也依附了杨坚。尉迟迥的儿子

坚。迥子谊[248]，为朔州刺史，穆执送长安。又遣兵讨郭子胜，擒之。

迥招徐州总管源雄[249]，东郡[250]守于仲文[251]，皆不从。雄，贺之曾孙。仲文，谨之孙也。迥遣宇文胄[252]自石济[253]，宇文威自白马[254]济河，二道攻仲文，仲文弃郡走还长安，迥杀其妻子。迥遣檀让徇地[255]河南，丞相坚以仲文为河南道行军总管，使诣洛阳发兵讨让，命杨素讨宇文胄。

丁未[256]，周以丞相坚都督中外诸军事。

郧州[257]总管司马消难亦举兵应迥，己酉[258]，周以柱国王谊为行军元帅，以讨消难。

广州[259]刺史于颛[260]，仲文之兄也，与总管赵文表[261]不协，诈得心疾，诱文表，手杀之，因唱言文表与尉迟迥通谋。坚以迥未平，因劳勉之，即拜吴州[262]总管。

赵僭王[263]招谋杀坚，邀坚过其第，坚赍酒殽就之。招引入寝室，招子员、贯及妃弟鲁封等皆在左右，佩刀而立，又藏刃于帷席之间，伏壮士于室后。坚左右皆不得从，唯从祖弟开府仪同[6]大将军弘[264]、大将军元胄[265]坐于户侧。胄，顺之孙也。弘、胄皆有勇力，为坚腹心。酒酣，招以佩刀刺瓜连啖坚，欲因而刺之。元胄进曰："相府有事，不可久留。"招诃之曰："我与丞相言，汝何为者？"叱之使却。胄瞋目愤气，扣刀[266]入卫。招赐之酒，曰："吾岂有不善之意邪？卿何猜警[267]如是？"招伪吐[268]，将入后阁，胄恐其为变，扶令上坐，如此再三。招称[7]喉干，命胄就厨取饮，胄不动。会滕王逌后至，坚降阶迎之。胄耳语[269]曰："事势大异，可速去！"坚曰："彼无兵马，何能为？"胄曰："兵马皆彼物，彼若先发，大事去矣。胄不辞死，恐死无益。"坚复入坐。胄闻室后有被[270]甲声，遽请曰："相府事殷[271]，公何得如此？"因扶坚下床趋去。招将追之，胄以身蔽户[272]，招不得出。坚及门，胄自后至。招恨不时发，弹指[273]出血。壬子[274]，坚诬招与越野王盛[275]谋反，皆杀之，及其诸子。赏赐元胄，不可胜计。

周室诸王数欲伺隙[276]杀坚[8]，坚都督临泾李圆通[277]常保护之，由是得免。

癸丑[278]，周主封其弟衎为叶王[279]，术为郢王。

尉迟谊，任朔州刺史，李穆把他抓起来送到长安。又派兵征讨郭子胜，活捉了他。

尉迟迥招抚徐州总管源雄、东郡太守于仲文，都不听从。源雄是源贺的曾孙。于仲文是于谨的孙子。尉迟迥派遣宇文胄从石济、宇文威从白马渡河，两路攻打于仲文，于仲文丢弃东郡逃回长安，尉迟迥杀了他的妻儿。尉迟迥派遣檀让在黄河以南攻城略地，丞相杨坚任命于仲文为河南道行军总管，让他前往洛阳发兵讨伐檀让，命令杨素讨伐宇文胄。

七月二十四日丁未，北周任命丞相杨坚都督中外诸军事。

北周郧州总管司马消难也举兵响应尉迟迥。七月二十六日己酉，北周任命柱国王谊为行军元帅，让他征讨司马消难。

广州刺史于颉，是于仲文的哥哥，与总管赵文表不和，假称得了心病，诱骗赵文表，亲手杀了他，趁势公开宣言赵文表与尉迟迥串通合谋。杨坚认为尉迟迥还没有讨平，便慰劳鼓励他，并任命他为吴州总管。

北周赵僭王宇文招图谋杀死杨坚，邀请杨坚到他家里，杨坚自带酒菜到他家。宇文招把杨坚引入自己的寝室，宇文招的儿子宇文员、宇文贯和妃子的弟弟鲁封等都在旁边，佩刀而立，又在帷席中暗藏兵器，还在后院埋伏壮士。杨坚身边的人都不准跟随，只有杨坚的从祖堂弟开府仪同大将军杨弘、大将军元胄坐在门旁。元胄是元顺的孙子。杨弘、元胄都有勇力，是杨坚的心腹。酒喝到高兴的时候，宇文招用佩刀刺瓜接连送给杨坚吃，想借机刺杀他。元胄上前对杨坚说："相府有事，不可久留。"宇文招呵斥他说："我与丞相谈话，你要干什么？"喝令要他退下。元胄双目圆睁，怒气冲冲，拔刀到杨坚身旁护卫。宇文招赐给他酒，说："我难道会有歹意？你为何这样猜疑戒备？"宇文招假装呕吐，准备进后院，元胄担心他发生变故，扶他重新坐好，这样反复了好几次。宇文招称自己喉干舌燥，让元胄到厨房取水来喝，元胄不动。适逢滕王宇文逌到来，杨坚下台阶迎接他。元胄对杨坚附耳说："情况非同寻常，应当赶快离开！"杨坚说："他们没有兵马，能干什么？"元胄说："兵马就是他们家人，他们如果先下手，一切都完了。我元胄不是怕死，恐怕死得不值。"杨坚重新入座。元胄听到房后有士兵穿甲胄的声音，立即请示杨坚说："相府公务繁忙，国公怎能待在这里？"便扶杨坚下床快步离去。宇文招想追上杨坚，元胄用身体挡住门口，宇文招出不了门。等杨坚到了大门口，元胄从后面赶到。宇文招后悔没有及时下手，气得弹指流血。七月二十九日壬子，杨坚诬陷宇文招与越野王宇文盛谋反，把他们及其诸子全都杀了。赏赐元胄，数量无法计算。

北周皇室诸王多次想找机会杀死杨坚，都督临泾人李圆通常常保护他，杨坚因此得以幸免。

七月三十日癸丑，北周国主册封弟弟宇文衍为叶王，宇文术为郢王。

周豫、荆、襄三州蛮反，攻破郡县。

周韦孝宽军至永桥城[280]，诸将请先攻之，孝宽曰：“城小而固，若攻而不拔，损我兵威。今破其大军，此何能为？”于是引军壁于武陟[281]。尉迟迥遣其子魏安公惇[282]帅众十万入武德[283]，军于沁东[284]。会沁水涨，孝宽与迥隔水相持不进。

孝宽长史李询密启丞相坚云：“梁士彦、宇文忻、崔弘度并受尉迟迥饷[285]金，军中慅慅[286]，人情大异。”坚深以为忧，与内史上大夫郑译谋代此三人者，李德林曰：“公与诸将，皆国家贵臣，未相服从，今正以挟令[287]之威控御之耳。前所遣者，疑其乖异[288]，后所遣者，安知其能尽腹心邪[9]？又，取金之事，虚实难明，今一旦代之，或惧罪逃逸，若加縻絷[289]，则自郧公[290]以下，莫不惊疑。且临敌易将，此燕、赵之所以败[291]也。如愚所见，但遣公一腹心，明于智略，素为诸将所信服者，速至军所，使观其情伪。纵有异意，必不敢动，动亦能制之矣。”坚大悟，曰：“公不发此言，几败[292]大事。”乃命少内史[293]崔仲方[294]往监诸军，为之节度。仲方，猷之子也，辞以父在山东。又命刘昉、郑译，昉辞以未尝为将，译辞以母老。坚不悦。府司录高颎请行，坚喜，遣之。颎受命亟发，遣人辞母而已。自是坚措置[295]军事，皆与李德林谋之。时军书日以百数，德林口授数人，文意百端，不加治点[296]。

司马消难以郧、随、温、应、土、顺、沔、儇、岳[297]九州及鲁山[298]等八镇来降，遣其子永[10]为质以求援。八月己未[299]，诏以消难为大都督、总督九州八镇诸军事、司空，赐爵随公。庚申[300]，诏镇西将军樊毅进督沔、汉诸军[301]事，南豫州刺史任忠帅众趣历阳，超武将军[302]陈慧纪[303]为前军都督，趣南兖州。

周益州总管[304]王谦[305]亦不附丞相坚，起巴、蜀[306]之兵以攻始州[307]。梁睿至汉川[308]，不得进，坚即以睿为行军元帅以讨谦。

戊辰[309]，诏以司马消难为大都督水陆诸军事。庚午[310]，通直散骑常侍淳于陵克临江郡[311]。

梁世宗[312]使中书舍人柳庄[313]奉书入周。丞相坚执庄手曰：“孤昔以[11]开府，从役江陵，深蒙梁主殊眷[314]。今主幼时艰，猥蒙顾托。梁

北周的豫州、荆州、襄州等三州的蛮族反叛，攻破了一些郡县。

北周韦孝宽的军队到达永桥城，众将领请求首先攻打这座城。韦孝宽说：“城小却坚固，如果进攻却打不下来，有损我军的兵威。如果打败他的大军，这座小城能干什么？”于是带领军队驻扎在武陟。尉迟迥派他的儿子魏安公尉迟惇率领十万人进入武德，驻军在沁水东岸。正赶上沁水上涨，韦孝宽与尉迟迥隔水相持都不向前。

韦孝宽长史李询向丞相杨坚秘密报告说：“梁士彦、宇文忻、崔弘度都接受了尉迟迥赠送的黄金，军中骚动不安，人心大变。”杨坚很是忧虑，与内史上大夫郑译商量替代这三个人的人。李德林说：“丞相与各位大将，都是朝廷的贵臣，谁也不服谁，如今不过是利用挟天子的威权控制他们罢了。以前派去的人，怀疑他们有二心，此后派去的人，怎么知道他们都成为你的心腹呢？另外接受黄金的事，真假难辨，如今一旦更换他们，可能畏罪潜逃，如果拘禁他们，那么郧公韦孝宽以下，没有人不惊恐生疑。再说，临敌换将，这正是战国时燕国、赵国败亡的原因。我的个人看法，只需要派您的一个心腹，但要足智多谋，一向为众将领信服的人，迅速到军中，让他观察真假。即使他们怀有二心，也一定不敢轻举妄动，有异常举动也能被制服。”杨坚大悟，说：“你不说这话，差点坏了大事。”便派少内史崔仲方前往监督诸军，号令众将。崔仲方是崔猷的儿子，推辞说父亲在山东。又派刘昉、郑译，刘昉推辞说从没有带过兵，郑译推辞说母亲年老。杨坚很不高兴。丞相府司录高颎请求前往，杨坚很高兴，派他前往。高颎接受任命后立即出发，派人向母亲辞行。从此，杨坚处理军务，都与李德林商议。当时军令文书每天上百件，李德林一人口述几个人记录，文书内容多种多样，不用修改。

北周郧州总管司马消难献出郧、随、温、应、土、顺、沔、儇、岳九州，以及鲁山等八镇投降陈朝，派他的儿子司马永为人质以求援。八月初六日己未，陈宣帝下诏任命司马消难为大都督、总督九州八镇诸军事、司空，赐爵随公。初七日庚申，陈宣帝下诏镇西将军樊毅进督沔、汉诸军事，南豫州刺史任忠率领军队进逼历阳，超武将军陈慧纪为前军都督，赶赴南兖州。

北周益州总管王谦也不依附丞相杨坚，发动巴、蜀的军队攻打始州。梁睿到了汉川，不能前进，杨坚就任命梁睿为行军元帅讨伐王谦。

八月十五日戊辰，陈宣帝下诏任命司马消难为大都督，总领水陆诸军事。十七日庚午，通直散骑常侍淳于陵攻克了临江郡。

后梁世宗萧岿派中书舍人柳庄带着国书到北周。丞相杨坚握着柳庄的手说：“我先前任开府仪同三司时，曾随军到江陵，特别受梁主看重。现今国主年幼，时势艰

主奕叶㉛委诚朝廷，当相与共保岁寒㉜。”时诸将竞劝梁主举兵，与尉迟迥连谋，以为进可以尽节㉝周氏，退可以席卷山南㉞。梁主疑未决。会庄至，具道坚语，且曰：“昔袁绍㉟、刘表㊱、王凌㊲、诸葛诞㊳，皆一时雄杰，据要地，拥强兵，然功业莫就，祸不旋踵㊴者，良由魏、晋挟天子，保京都，仗大顺以为名故也。今尉迟迥虽曰旧将，昏耄㊵已甚。司马消难、王谦，常人之下者，非有匡合㊶之才。周朝将相，多为身计，竞效节㊷于杨氏。以臣料之，迥等终当覆灭，随公必移周祚㊸。未若保境息民㊹以观其变。”梁主深然之，众议遂止。

高颎至军，为桥于沁水。尉迟惇于上流纵火筏㉙，颎豫为土狗㉚以御之。惇布陈二十余里，麾兵小[12]却，欲待孝宽军半度㉛而击之，孝宽因其却㉜，鸣鼓齐进。军既渡，颎命焚桥，以绝士卒反顾㉝之心。惇兵大败，单骑走。孝宽乘胜进，追至邺。

庚午㉞，迥与惇及惇弟西都公祐，悉将其卒十三万陈于城南，迥别统万人，皆绿巾、锦袄，号曰[13]“黄龙兵”。迥弟勤㉟帅众五万，自青州赴迥，以三千骑先至。迥素习军旅，老犹被甲临陈。其麾下兵[14]皆关中人，为之力战，孝宽等军不利而却。邺中士民观战者数万人，行军总管宇文忻曰：“事急矣！吾当以诡道㊱破之。”乃先射观者，观者皆走，转相腾藉㊲，声如雷霆。忻乃传呼曰：“贼败矣！”众复振，因其扰而乘之。迥军大败，走保邺城。孝宽纵兵围之，李询及思安伯代人贺娄子干㊳先登。

崔弘度妹，先适迥子为妻，及邺城破，迥窘迫升楼，弘度直上龙尾㊴追之。迥弯弓，将射弘度，弘度脱兜鍪㊵，谓迥曰：“颇相识不㊶？今日各图国事，不得顾私。以亲戚之情，谨遏乱兵，不许侵辱。事势如此，早为身计，何所待也？”迥掷弓于地，骂左丞相㊷极口㊸而自杀。弘度顾其弟弘升㊹曰：“汝可取迥头。”弘升斩之。军士在小城中者，孝宽尽坑㊺之。勤、惇、祐东走青州，未至，开府仪同大将军郭衍㊻追获之。丞相坚以勤初有诚款㊼，特不之罪。李惠先自缚归罪，坚复其官爵。

难，承蒙顾命辅佐少主。梁主累代效忠朝廷，应当相互一起坚守松柏那样耐寒的节操。”当时众将领都劝后梁国主举兵，与尉迟迥合谋，认为这样进可以为周朝尽节效忠，退可以席卷秦岭南面的汉、沔之地。后梁国主疑虑未作决定。正好柳庄返回，一一转告了杨坚的话，并且说：“从前袁绍、刘表、王凌、诸葛诞，都是一代豪杰，占据了要地，拥有强兵，但是都没有造就功业，灾祸接踵而至，原因是曹魏、晋氏挟天子，占有京都，倚仗朝廷名正言顺发号施令。现今尉迟迥虽说是老将，但衰老昏乱已很严重，而司马消难、王谦都是平庸之辈，并没有匡正天下的才干。周朝的将相，大多只顾个人的利益，争相效忠杨氏。依臣预料，尉迟迥等终究会被消灭，随公杨坚肯定要夺取周朝政权。我们不如保境安民，以观看形势的变化。”后梁国主深表赞同，大家起兵的议论也就止息了。

高颎到了军中，在沁水上建起了浮桥。尉迟惇从上游放出带火木筏，高颎预先制作叫作“土狗”的土墩来阻挡火木筏。尉迟惇列阵二十余里，指挥军队稍微后撤，想等到韦孝宽的军队渡河一半时发起攻击，韦孝宽趁尉迟惇后退，鸣鼓齐进。周军渡过河后，高颎下令烧了浮桥，用以断绝士兵后退的心理。尉迟惇军大败，自乘单骑逃脱。韦孝宽乘胜前进，追到邺城。

八月十七日庚午，尉迟迥与尉迟惇以及尉迟惇弟弟西都公尉迟祐，率领全部士兵十三万列阵在邺城南面，尉迟迥另外率领一万人，全部是绿色头巾，锦绸袍子，号称为“黄龙兵”。尉迟迥的侄儿尉迟勤率领部众五万，从青州赶赴尉迟迥处，派三千名骑兵先到。尉迟迥一向熟悉军事，年老还披甲临阵。他部下的兵士都是关中人，为他拼死力战，韦孝宽的军队交战不利，后退。观战的邺城士民有几万人。行军总管宇文忻说：“事情紧急！我应该用诡诈的战术打败敌兵。”于是先向观战的人群射箭，观战的人全都逃走，转相践踏，声震如雷。宇文忻大声传呼说：“敌人败退了！”士兵又振作起来，趁纷乱之际攻打敌军。尉迟迥军队大败，退保邺城。韦孝宽挥兵包围邺城，李询和思安伯代郡人贺娄子幹抢先登上城头。

崔弘度的妹妹，早先嫁给尉迟迥的儿子为妻，等到邺城攻破，尉迟迥窘迫困急，登上城楼，崔弘度径直从龙尾道追赶他。尉迟迥拉弓，将要射崔弘度，崔弘度脱下头盔，对尉迟迥说：“你是否还认识我？今天我们各为国事着想，不能顾及私情。看在亲戚的情分，我阻止了乱兵，不许他们凌辱你。事情到了这一步，你应早为自己考虑，还等待什么？”尉迟迥把弓箭扔在地上，竭力痛骂左丞相杨坚而后自杀。崔弘度回头对弟弟崔弘升说：“你可以割下尉迟迥的头。”崔弘升砍下了尉迟迥的头颅。在小城中的尉迟迥的士兵，韦孝宽全部活埋了他们。尉迟勤、尉迟惇、尉迟祐东逃青州，还没有到达就被开府仪同大将军郭衍追上并抓获。丞相杨坚因当初尉迟勤送上尉迟迥的信而有归诚的心意，特地不加罪于他。李惠在尉迟迥失败之前就束手归降请罪，杨坚恢复了他的官爵。

迥末年衰耄[348]，及起兵，以小御正崔达拏[349]为长史。达拏，暹之子也，文士，无筹略，举措多失，凡六十八日而败。

于仲文军至蓼堤[350]，去梁郡七里。檀让拥众数万，仲文以羸师[351]挑战而伪北[352]，让不设备。仲文还击，大破之，生获五千余人，斩首七百级。进攻梁郡[353]，迥守将刘子宽弃城走。仲文进击曹州，获迥所署刺史李仲康。檀让以余众屯成武[354]，仲文袭击，破之，遂拔成武。迥将席毗罗，众十万，屯沛县[355]，将攻徐州。其妻子在金乡[356]，仲文遣人诈为毗罗使者，谓金乡城主徐善净曰："檀让明日午时至金乡，宣蜀公令，赏赐将士。"金乡人皆喜。仲文简精兵，伪建迥旗帜，倍道而进。善净望见，以为檀让，出迎谒。仲文执之，遂取金乡。诸将多劝屠其城，仲文曰："此城乃毗罗起兵之所，当宽其妻子，其兵自归。如即屠之，彼望绝矣。"众皆称善。于是毗罗恃众来薄官军，仲文设伏击之，毗罗军[15]大溃，争投洙水[357]死，水为之不流。获檀让，槛送[358]京师[359]，斩毗罗，传首[360]。

韦孝宽分兵讨关东叛者，悉平之。坚徙相州于安阳[361]，毁邺城及邑居[362]。分相州，置毛州[363]、魏州[364]。

梁主[365]闻迥败，谓柳庄曰："若从众人之言，社稷已不守矣！"

丞相坚之初得政也，待黄公刘昉、沛公郑译甚厚，赏赐不可胜计，委以心膂[366]，言无不从[16]，朝野倾属[367]，称为"黄、沛"。二人皆恃功骄恣，溺于财利，不亲职务。及辞监军，坚始疏之，恩礼渐薄。高颎自军所还，宠遇日隆。时王谦、司马消难未平，坚忧之，忘寝与食。而昉逸游纵酒，相府事多遗落。坚乃以高颎代昉为司马，不忍废译，阴敕[368]官属不得白事于译。译犹坐听事[369]，无所关预[370]，惶惧顿首，求解职；坚犹以恩礼慰勉之。

癸酉[371]，智武将军[372]鲁广达克周之郭默城[373]。丙子[374]，淳于陵克祐州城[375]。

周以汉王赞为太师，申公李穆为太傅，宋王实[376]为大前疑，秦王贽为大右弼，燕公于寔为大左辅。寔，仲文之父也。

乙卯[377]，周大赦[17]。

周王谊帅四总管至郧州，司马消难拥其众以鲁山、甑山[378]二镇来奔[18]。

尉迟迥晚年老迈昏聩，等到起兵，用小御正崔达拏为长史。崔达拏是崔暹的儿子，是个文士，没有筹谋，举措多有失误，总共六十八天就失败了。

于仲文的军队到达蓼堤，离梁郡七里。檀让拥有部众数万，于仲文用老弱兵挑战，假装失败，檀让没有提防。于仲文反击，大败檀让，活捉了五千多人，斩首七百级。于仲文进攻梁郡，尉迟迥守将刘子宽弃城逃走。于仲文进攻曹州，抓获尉迟迥任命的刺史李仲康。檀让率领剩余的部众驻守成武，于仲文出兵袭击，打败了檀让，攻取了成武。尉迟迥部将席毗罗有兵十万，屯驻在沛县，将要攻打徐州。他的妻儿在金乡，于仲文派人假称是席毗罗的使者，对金乡城主徐善净说："檀让明天午时到达金乡，宣布蜀公尉迟迥的命令，赏赐将士。"金乡人都很高兴。于仲文挑选精兵，伪装打着尉迟迥的旗帜，兼程行进。徐善净远远看见，认为是檀让，出城迎拜。于仲文抓获了他，于是夺取了金乡。众将劝于仲文屠灭金乡城，于仲文说："这座城是席毗罗起兵的地方，应当宽大他们的妻儿，席毗罗手下的兵士就会回来，如果立刻屠城，他们就绝望了。"众将都说好。于是席毗罗仗着人多势众逼近官军，于仲文设下埋伏袭击对方，席毗罗的军队溃败，士兵争着投入洙水，大多被淹死，洙水因此都不流动了。檀让被抓获，用囚车押送京师，杀了席毗罗，首级传送到长安。

韦孝宽分兵讨伐关东的叛乱州郡，全都平定了。杨坚把相州治所移到安阳，毁了邺城及民居。分割相州，增置毛州、魏州。

后梁国主得知尉迟迥失败，对柳庄说："如果听了众人的话，梁国已经失守了！"

丞相杨坚刚刚掌权的时候，对待黄公刘昉、沛公郑译很优厚，赏赐无法计算，委以心腹重任，对他们的话没有不听从的，朝野上下都倾心归属，称二人为"黄、沛"。这两人也居功骄傲，沉迷于金钱财利，不亲自处理相府事务，等到推辞做监军，杨坚开始疏远两人，恩惠礼遇逐渐淡薄。高颎从军中还京，恩宠待遇一天天隆重。当时王谦、司马消难还未平定，杨坚忧虑，废寝忘食。而刘昉游乐纵酒，留下很多丞相府的事没有处理。杨坚任命高颎代替刘昉任司马，但不忍心罢郑译的官，暗中吩咐属官不得向郑译禀报公事。郑译仍然坐在丞相府长史的位置上，但不能做什么事。郑译惶恐，磕头请罪，要求解除职务，杨坚仍然以恩惠礼遇安慰勉励他。

八月二十日癸酉，陈朝智武将军鲁广达攻克北周的郭默城。二十三日丙子，淳于陵攻克祐州城。

北周任命汉王宇文赞为太师，申公李穆为太傅，宋王宇文实为大前疑，秦王宇文贽为大右弼，燕公于寔为大左辅。于寔是于仲文的父亲。

乙卯日，北周大赦。

北周王谊率领四总管到达郧州，司马消难率领部众献出鲁山、甑山两镇投奔陈朝。

初，消难遣上开府仪同大将军段珣将兵围顺州，顺州刺史周法尚不能拒，弃城走，消难虏其母弟[379]而南。樊毅救消难，不及，周亳州总管元景山[380]击之，毅掠居民而去。景山与南徐州[381]刺史宇文弢追之，与毅战于漳口[382]，一日三战三捷。毅退保甑山镇，城邑为消难所据者，景山皆复取之。

郧州巴蛮[383]多叛，共推渠帅[384]兰雒州为主，以附消难。王谊遣诸将分讨之，旬月[385]皆平。陈纪[386]、萧摩诃等[19]攻广陵，周吴州总管于颛击破之。沙州氐帅杨永安聚众应王谦，大将军乐宁公达奚儒[387]讨之。杨素破宇文胄于石济[388]，斩之。

周以神武公窦毅[389]为大司马，齐公于智为大司空。九月，以小宗伯竟陵公杨惠为大宗伯。

丁亥[390]，周将王延贵帅众援历阳，任忠击破之，生擒延贵。

壬辰[391]，周废皇后司马氏为庶人。庚戌[392]，以随世子勇[393]为洛州总管、东京小冢宰，总统旧齐之地[394]。壬子[395]，以左丞相坚为大丞相，罢左、右丞相之官。

冬，十月甲寅[396]，日有食之。

周丞相坚杀陈惑王纯[397]及其子。

周梁睿将步骑二十万讨王谦，谦分命诸将据险拒守，睿奋击，屡破之，蜀人大骇。谦遣其将达奚惎[398]、高阿那肱、乙弗虔等帅众十万攻利州[399]，堰江水[400]以灌之。城中战士不过二千，总管昌黎豆卢勣[401]，昼夜拒守，凡四旬，时出奇兵击惎等，破之。会梁睿至，惎等遁去。睿自剑阁[402]入，进逼成都。谦令达奚惎、乙弗虔城守，亲帅精兵五万，背城结陈。睿击之，谦战败，将入城，惎、虔以城降。谦将麾下三十骑走新都[403]，新都令王宝执之。戊寅[404]，睿斩谦及高阿那肱，剑南[405]平。

十一月甲辰[406]，周达奚儒[407]破杨永安[408]，沙州[409]平。

丁未[410]，周郧襄公[411]韦孝宽卒。孝宽久在边境，屡抗强敌，所经略布置，人初莫之解，见其成事，方乃惊服。虽在军中，笃意[412]文史。敦睦[413]宗族，所得俸禄，不及[20]私室。人以此称之。

十二月庚辰[414]，河东康简王叔献卒。

癸亥[415]，周诏诸改姓者[416]，宜悉复旧。

当初，司马消难派上开府仪同大将军段珣领兵包围顺州，北周顺州刺史周法尚不能抵挡，弃城逃跑，司马消难俘获了周法尚的同母弟弟南下。陈将樊毅率军救援司马消难，还没赶到，北周亳州总管元景山截击他，樊毅劫掠居民退走。元景山和南徐州刺史宇文弢追击樊毅，与樊毅在漳口交战，一天之中三战三捷。樊毅退守甑山镇，元景山重新夺回被司马消难所占有的城邑。

郧州巴蛮大多反叛，共推大帅兰雒州为首领，依附司马消难。王谊派出众将分路讨伐，一月之内全部平定。陈纪、萧摩诃等人攻打广陵，北周吴州总管于颉打败了他们。沙州氐帅杨永安聚众响应王谦，北周大将军乐宁公达奚儒领兵征讨他。杨素在石济打败荥州刺史宇文胄，把他杀了。

北周任命神武公窦毅为大司马，齐公于智为大司空。九月，任命小宗伯竟陵公杨惠为大宗伯。

九月初五日丁亥，北周将军王延贵率军救援历阳，陈将任忠打败了王延贵，活捉了他。

九月初十日壬辰，北周废皇后司马氏为庶民。二十八日庚戌，北周任命随公嫡子杨勇为洛州总管、东京小冢宰，统辖原北齐地区。三十日壬子，北周任命左丞相杨坚为大丞相，废除左、右丞相两个官职。

冬，十月初二日甲寅，发生日食。

北周丞相杨坚杀死陈惑王宇文纯和他的儿子。

北周梁睿率领步骑二十万讨伐王谦，王谦分派众将据守险要，梁睿奋勇攻击，多次打败对方，蜀地军民惊恐不安。王谦派部将达奚惎、高阿那肱、乙弗虔等率领部众十万攻打利州，筑堤坝拦截嘉陵江水灌州城。守城战士不过两千人，总管昌黎人豆卢勣，日夜守城抵抗，总共四十天，不时出奇兵偷袭达奚惎等，打败了他们。恰逢梁睿大军到达，达奚惎等逃走。梁睿从剑阁进兵，进逼成都。王谦命令达奚惎、乙弗虔守城，自己亲自率领精兵五万背城摆开阵势。梁睿进攻，王谦战败，将要进城，达奚惎、乙弗虔献城投降，王谦率领部下三十骑逃向新都，新都县令王宝抓获了王谦。十月二十六日戊寅，梁睿杀了王谦、高阿那肱，剑南地区平定。

十一月二十二日甲辰，北周达奚长儒打败杨永安，沙州平定。

十一月二十五日丁未，北周郧襄公韦孝宽去世。韦孝宽长期戍守边境，多次抵抗强敌，他的策谋部署，起初没有人理解，看到成功以后，才惊叹佩服。虽然身在军中，却沉心于文史书籍。又和睦宗族，所得俸禄从不拿回自己家中，当时人因此称赞他。

十二月二十九日庚辰，陈朝河东康简王陈叔献去世。

十二日癸亥，北周下诏在西魏时所有改姓鲜于氏的人，应全部恢复本姓。

甲子[417]，周以大丞相坚为相国，总百揆[418]，去都督中外、大冢宰之号，进爵为王[419]，以安陆等二十郡为随国，赞拜[420]不名[421]，备九锡之礼[422]。坚受王爵、十郡而已。

辛未[423]，杀代奰王达[424]、滕闻王逌[425]及其子。

壬申[426]，以小冢宰元孝规为大司徒[427]。

是岁，周境内有州二百一十一，郡五百八。

【段旨】

以上为第二段，写杨坚明察善断，迅速扑灭尉迟迥的护周叛乱，并将皇室诸王诛杀殆尽，晋爵随王，加九锡，奠定了禅代的基础。

【注释】

⑰朝歌：地名，殷都城。故址在今河南淇县。⑰贺兰贵赍书：贺兰贵带着书信。贺兰，复姓。其先与北魏拓跋氏同时兴起，有纥伏者，为贺兰莫何弗，因以为氏。赍书，拿着书信。赍，带着。⑰审之：仔细地观察，认真地研究此事。⑰艺：即韦艺（公元五三八至五九五年），字世文，历仕周、隋，官至营州总管，封魏兴郡公。传附《隋书》卷四十七、《北史》卷六十四《韦世康传》。⑰魏郡：郡名，与相州同治邺城，在今河北临漳西。⑰实对：据实回答。⑰亭驿：即置驿站之所。亭，邮亭。⑰传马：即驿马。⑱驿司：官名，掌驿站之吏。⑱蜀公：尉迟迥封蜀公。⑱具：备办。⑱盛馔：丰盛的饮食。馔，饮食、食品。⑱破六韩：又作“破落韩”，三字姓。⑱谕旨：谕，告、晓。旨，意向，指扬坚把自己的意向告诉尉迟迥。⑱文武：谓总管府及州郡文武官属。⑱暴于行路：谓杨坚篡国之心已暴露，路人皆知。暴，显露。⑱与国舅甥：尉迟迥是宇文泰的外甥，故言与国为舅甥之亲。⑱处吾于此：把我安置在相州。⑲纠合：集结。纠，绳三股合一。⑲承制置官司：总管署置官司，而隔于权臣，未得禀报天子，故假称承制。⑲国：封国。赵王宇文招封于襄国，属相州总管府。⑲奉以号令：尉迟迥尊赵王宇文招少子为主，借以发号施令。⑲甲子：六月初十日。⑲元谐：河南洛阳（今河南洛阳）人，历仕周、隋，官至宁州刺史，封乐安郡公。传见《隋书》卷四十、《北史》卷七十三。⑲宇文述（？至公元六一六年）：字伯通，代郡武川（今内蒙古武川县西）人，历仕周、隋，官至左翊卫大将军，北周末，曾封濮阳郡公，晋爵褒国公，隋炀帝即位，改封许国公。传见《隋书》卷六十一、《北史》卷七十九。⑲崔弘度：字摩诃衍，博陵安平（今河北安平）人，历仕

十二月十三日甲子，北周任命大丞相杨坚为相国，总领百官，免去都督中外诸军事、大冢宰的官号，进爵位为王，以安陆等二十郡为随国，上朝时行朝礼司仪不直呼其名，并赐九锡之礼。杨坚只接受了王爵、十个郡的封邑而已。

十二月二十日辛未，杨坚杀死代奰王宇文达、滕闻王宇文逌，以及他们的儿子。二十一日壬申，任命小冢宰元孝规为大司徒。

这一年，北周境内有州二百一十一，郡五百零八。

周、隋，官至检校太府卿，北周末，封爵号武乡郡公。传见《隋书》卷七十四、《北史》卷三十二、《周书》卷三十五。⑲⑧李询：字孝询，陇西成纪（今甘肃秦安）人，李穆兄贤之子，历仕周、隋，官至隰州总管，北周末，封爵号陇西郡公。传见《隋书》卷三十七、《北史》卷五十九。⑲⑨计部中大夫：官名，北周置计部，主会计之簿书，同《周官》之司书。⑳⓪杨尚希（公元五三四至五九〇年）：弘农（今河南灵宝）人，历仕周、隋，官至蒲州刺史。传见《隋书》卷四十六、《北史》卷七十五。⑳①迟明：黎明。⑳②宗兵：同一宗族人组成的军队。因杨氏自东汉至北魏为弘农名门大族，弘农又为军事要冲，故杨氏有宗兵。⑳③雍州牧：官名，雍州的最高行政长官。北周制，雍州置牧，其余州置刺史。雍州治长安，在今陕西西安西北。⑳④刺：恶谥号。《谥法》云："愎狠遂过曰刺，暴慢无亲曰刺。"杨坚加周明帝子毕王宇文贤恶谥。⑳⑤庚子：六月乙卯朔，无庚子。《周书》卷八《静帝纪》作"庚辰"，《北史》同。据此，"子"应作"辰"。庚辰，六月二十六日。⑳⑥益州：州名，治所成都县，在今四川成都。⑳⑦司卫上士：官名，掌侍卫。⑳⑧长孙晟（公元五五二至六〇九年）：字季晟，历仕周、隋，官至上开府仪同三司。传见《隋书》卷五十一、《北史》卷二十二。⑳⑨"晟"二句：据《隋书》卷五十一《长孙晟传》及《新唐书》卷七十二上《宰相世系表》，晟为长孙稚之五世孙，非曾孙。长孙稚，字幼卿，若书稚之字，则"幼"下阙"卿"字。㉑⓪贺若谊（公元五二〇至五九六年）：字道机，河南洛阳（今河南洛阳）人，历仕周、隋。传见《隋书》卷三十九、《周书》卷二十八、《北史》卷六十八。㉑①南境：突厥南部边境与周土相接。㉑②甲申：七月初一日。㉑③蜀：地区名，指今四川地区。㉑④相、卫、黎、洺、贝、赵、冀、瀛、沧：皆州名，所辖地在今河北境内。㉑⑤青、齐、胶、光、莒：皆州名，所辖地在今山东境内。㉑⑥荥州：州名，治所成皋，在今河南荥阳西北汜水镇。㉑⑦邵公冑：即宇文冑（？至公元五八〇年），周宗室，袭爵邵公。传见《周书》卷十、《北史》卷五十七。㉑⑧申州：州名，治所平阳县，在今河南信阳。㉑⑨东楚州：州名，治所宿豫县，在今江苏宿迁东南。㉒⓪费也利进：费也，复姓，即费也头族人。㉒①潼州：州名，治所取虑城，在今安徽灵璧东北。㉒②席毗罗：席姓，其先

姓藉，避项羽讳，改姓席氏。㉒③东平郡：郡名，治所奉城，在今河南范县东南旧城。㉒④兰陵：郡名，治所承县，在今山东枣庄东南。㉒⑤怀县永桥镇：怀县，县名，县治在今河南武陟西南。永桥镇，地名，在今河南武陟西。㉒⑥建州：州名，治所车箱城，在今山西绛县东南。㉒⑦潞州：州名，治所上党县，在今山西长治北古驿。㉒⑧钜鹿：郡名，治所钜鹿县，在今河北平乡西南。㉒⑨恒州：州名，治所真定县，在今河北正定南。㉓⓪汴州：州名，治所浚义县，在今河南开封西北。㉓①沂州：州名，治所即丘县，在今山东临沂西。㉓②曹、亳：两州名。曹州，治所左城县，在今山东曹县西北。亳州，治所小黄县（隋改谯县），在今安徽亳州。㉓③梁郡：郡名，治所睢阳县，在今河南商丘南。㉓④蕃城：城名，蕃郡治所，在今山东滕州。㉓⑤昌虑、下邑：皆县名。昌虑县，县治在今山东滕州东南。下邑县，县治在今河南夏邑。㉓⑥永州：州名，治所城阳县，故址在今河南信阳北。㉓⑦天下精兵处：并州为河东重镇，用武之地，士健马多，故称天下精兵处。㉓⑧左侍上士：官名，诸卫官之一，侍卫皇帝。㉓⑨浑：即李浑（？至公元六一五年），字金才，李穆第十子，历仕周、隋，官至右骁卫将军，封郕国公。传见《隋书》卷三十七、《北史》卷五十九。㉔⓪尉斗：即熨斗。㉔①尉安天下：言如熨斗熨平衣服一样安定天下。㉔②十三镮金带：天子所服用，言李穆欲拥戴杨坚为天子。㉔③崇：即李崇（公元五三六至五八三年），字永隆，历仕周、隋，官至幽州总管，封广宗县公。传见《隋书》卷三十七、《北史》卷五十九。㉔④怀州：州名，治所野王县，在今河南沁阳。㉔⑤太息：出声长叹。㉔⑥值：遇到。㉔⑦继绝：复兴灭亡的国家。此指捍卫北周政权。㉔⑧谊：即尉迟谊（？至公元五八〇年）。传见《北史》卷六十二。㉔⑨源雄：字世略，西平乐都（今青海乐都）人，历仕周、隋，官至徐州总管。传见《隋书》卷三十九、《北史》卷二十八。㉕⓪东郡：郡名，治所滑台，在今河南滑县东。㉕①于仲文（公元五四五至六一二年）：字次武，河南洛阳（今河南洛阳）人，历仕周、隋，官至右翊卫大将军。撰《汉书刊繁》三十卷、《略览》三十卷。传见《隋书》卷六十、《周书》卷十五、《北史》卷二十三。㉕②宇文胄（？至公元五八〇年）：传见《周书》卷十、《北史》卷五十七。㉕③石济：津名，一名棘津、南津，故址在今河南滑县西南黄河上。㉕④白马：津名，故址在今河南滑县东北。㉕⑤徇地：攻城略地。㉕⑥丁未：七月二十四日。㉕⑦郧州：地名，据钱大昕《通鉴注辨正》，治所疑在安陆县，即今湖北安陆西北。㉕⑧己酉：七月二十六日。㉕⑨广州：州名。据《隋书》卷六十《于颉传》，时为东广州刺史，“广”上逸“东”字。北齐以南兖州改名，治所广陵，在今江苏扬州西北。㉖⓪于颉：字符武，历仕周、隋，官至泽州刺史。传见《隋书》卷六十、《周书》卷十五、《北史》卷二十三。㉖①赵文表（？至公元五八〇年）：其先天水西县（今甘肃西和）人，后徙居南郑。仕周，官至吴州总管。传见《周书》卷三十三、《北史》卷六十九。㉖②吴州：州名，治所广陵县，在今江苏扬州西北。㉖③赵僭王：即赵王宇文招，僭是杨坚因他谋害自己而后加的恶谥号。㉖④大将军弘：即杨弘（？至公元六〇七年），字辟恶，隋宗室，北周末迁上开府，隋初，拜大将军，后封河间王。传见《隋书》卷四十三、《北史》卷七十一。㉖5元胄：河南洛阳（今河南洛阳）人，历仕周、隋，官至右卫大将军。传见《隋书》卷四十、《北史》卷七十三。㉖6扣刀：拔刀微出鞘。㉖7猜警：言因猜疑而戒备。猜，疑。警，戒备。㉖8伪吐：假装要呕吐。吐，呕吐。㉖9耳语：附耳而语。㉗0被：通“披”。㉗1般：众多。㉗2蔽户：遮掩着门。㉗3弹指：弹击手指，表示愤怒、后悔。㉗4壬子：七月二十九日。㉗5越野王盛：即越王宇文盛。野是杨坚忌恨他，杀死后给他的恶谥号。㉗6伺隙：寻找时机。㉗7李圆通（？至公元六〇六年）：京兆泾阳（今陕西泾阳）人，历仕周、隋，官至兵部尚书，封万安县公。传见《隋书》卷六十四、《北史》卷七十五。㉗8癸丑：七月三十日。㉗9衍为叶王：静帝曾名衍，其弟不应与其同名。当从《周书》卷八《静帝纪》作“衎”。叶王，《周书》本纪作“郢王”，《北史》纪传、《册府元龟》卷二百六十五作“莱王”。㉘0永桥城：地名，故址在今河南武陟西。㉘1武陟：地名，故址在今河南武陟南。㉘2魏安公惇（？至公元五八〇年）：即尉迟惇。传见《北史》卷六十二。㉘3武德：郡名，治所安昌县，在今河南沁阳东南。㉘4沁东：沁水东岸。沁水，河名，发源于今山西沁源北，南流经过今河南沁阳流入黄河。㉘5饷：馈送。㉘6慅慅：忧愁不安。㉘7挟令：谓挟天子以令诸侯。㉘8乖异：不一致；背离。㉘9縻絷：束缚；羁縻。縻，牛鼻绳。絷，拴缚马足。㉙0郧公：指韦孝宽。韦孝宽封郧国公。㉙1此燕、赵之所以败：战国时，燕惠王听信谗言，用骑劫代替名将乐毅，结果兵败于齐将田单。赵惠文王听信闲言，用赵括代替老将廉颇，败于秦将白起。此言临敌易将之祸。㉙2几败：几乎败坏。㉙3少内史：官名，掌管宫中府藏。㉙4崔仲方：字不齐，博陵安平（今河北安平）人，历仕周、隋，官至礼部尚书。传见《隋书》卷六十、《周书》卷三十五、《北史》卷三十二。㉙5措置：处理。㉙6不加治点：不加涂改。治，修改。点，涂点。㉙7郧、随、温、应、土、顺、沔、儇、岳：皆州名。郧州，治所在今湖北安陆。随州，治所随县，在今湖北随州。温州，治所京山县，在今湖北京山。应州，治所应山县，在今湖北广水市。土州，治所土山县，在今湖北随州东北。顺州，治所顺义县，在今湖北随州北。沔州，治所沔阳县，在今湖北仙桃西南沔城。儇（当作環）州，治所吉阳县，在今湖北英山县北。岳州，治所孝昌县，在今湖北孝感北。㉙8鲁山：镇名，在今湖北武汉汉阳东北，临江，齐梁以来为重镇。㉙9己未：八月初六日。㉚0庚申：八月初七日。㉚1沔、汉诸军：即沔水、汉水流域的军队。㉚2超武将军：将军号，南朝梁置，陈沿置，拟八品。㉚3陈慧纪（？至公元五八九年）：字符方，陈宗室。仕陈，官至征西将军、开府仪同三司。后入隋。传见《陈书》卷十五、《南史》卷六十五。㉚4益州总管：益州总管府治成都，在今四川成都。㉚5王谦（？至公元五八〇年）：字勑万，太原（今山西太原西南）人。仕北周，官至上柱国、益州总管。传见《周书》卷二十一、《北史》卷六十。㉚6巴、蜀：此谓巴郡、蜀郡一带。㉚7始州：州名，西魏以安州改名。治所普安县，在今四川剑阁。㉚8汉川：即汉中郡。隋避讳，改称汉川。治所南郑县，在今陕西汉中市。㉚9戊辰：八月十五日。㉛0庚午：八月十七日。㉛1临江郡：郡名，治所临江县，在今安徽和县西南。㉛2梁世宗（公元五四二至五八五年）：即萧岿，后梁第二代皇帝，庙号世宗。传见《周书》卷四十八、《隋书》卷七十九、《北史》卷九十三。⑬柳庄：祖籍河东解县（今山西解县），陈高宗柳皇后从祖弟，仕陈，曾官中书舍人，陈亡入隋。传附《陈书》卷七《高宗柳皇后传》、《南史》卷三十八《柳元景传》。⑭殊眷：特别器重。⑮奕叶：累世。奕，累。⑯岁寒：原意为岁寒众木皆落叶而松柏却不凋落。语出《论语·子罕》："岁寒然后知松柏之后凋也。"后人多用以比喻在逆境艰困中能保持节操。⑰尽节：尽心竭力，保全节操。⑱山南：终南山、华山之南，指今汉水流域。⑲袁绍：汉末人，为曹操击败，病卒。事见本书卷六十三、六十四《汉纪》六十五、六十六献帝建安四年至七年。⑳刘表：汉末人，曹操进击刘表，表病死。事见本书卷六十五《汉纪》五十七献帝建安十二、十三年。㉑王凌：曹魏太尉，反对司马懿废立，失败后饮药而死。事见本书卷七十五《魏纪》七邵陵厉公嘉平二、三年。㉒诸葛诞：曹魏征东大将军，因反对司马昭废立，被杀。事见本书卷七十七《魏纪》九高贵乡公甘露二、三年。㉓旋踵：转足之间。形容迅速。㉔昏耄：老而昏乱。㉕匡合：春秋时，管仲相齐桓公，九合诸侯，一匡天下。此省云"匡合"。㉖效节：犹效忠。㉗祚：皇位。㉘保境息民：即保卫边境，让民众休养生息。㉙火筏：缚木作筏，筏上堆柴放火。㉚土狗：堆土于水中，前尖后宽，前高后低，其状如坐狗，分居上流以阻止火筏。㉛军半度：军队一半渡过河。㉜因其却：乘其退却之机。却，退后。㉝反顾：后顾。㉞庚午：八月十七日。此庚午与前重见。〖按〗前"庚午"事取自《陈书》卷五《宣帝纪》，此"庚午"出于《周书》卷八《静帝纪》，陈历与周历八月同朔，故同为十七日。㉟迥弟勤：即尉迟勤，官至青州总管。传附《周书》卷二十、《北史》卷六十二《尉迟纲传》。据《周书》尉迟勤传，尉迟勤乃尉迟迥之从子，《北史》同。㊱诡道：诡诈之道。言不用正常的兵法。㊲腾藉：奔跑而相互践踏。藉，踏；蹂躏。㊳贺娄子幹（公元五三五至五九四年）：字万寿，代（今山西代县）人，历仕周、隋，官至工部尚书，封巨鹿郡公。传见《隋书》卷五十三、《北史》卷七十三。㊴龙尾：上城要筑一斜坡道，其道下接地，若龙垂尾，故称龙尾。㊵兜鍪：武士的头盔，战时以御兵刃。形似鍪。鍪，锅边下翻之锅。㊶不：通"否"。㊷左丞相：指杨坚。杨坚时为左丞相。㊸极口：尽力；竭力。㊹弘升：即崔弘升。字上客，历仕周、隋，官至郑州刺史。传附《隋书》卷七十四、《北史》卷三十二《崔弘度传》。㊺坑：活埋。㊻郭衍（？至公元六一一年）：字彦文，太原介休（今山西介休）人，历仕周、隋，官至左武卫大将军。传见《隋书》卷六十一、《北史》卷七十四。㊼诚款：忠诚。指起初将尉迟迥的书信表送一事。㊽衰耄：衰老昏忘。人五十岁始衰，精力消耗，八九十岁称耄。㊾崔达拏（？至公元五八〇年）：博陵安平（今河北安平）人，仕北齐，官至右仆射。传附《北齐书》卷三十、《北史》卷三十二《崔暹传》。㊿蓼堤：堤名，汉梁孝王所筑。故址在今河南南部，西北起自杞县境，东南抵今商丘境。(351)羸师：疲弱的军队。羸，瘦弱、疲病。(352)伪北：假装失败。北，败北。(353)梁郡：郡名，治所睢阳，在今河南商丘南。(354)成武：城名，即成武县城，永昌郡治所，县治在今山东成武。㉟沛县：县名，县治在今江苏沛县。㊱金乡：县名，县治在今山东嘉祥南。㊲洙水：河名，本源出今山东新泰东北，自泗水县北与泗水合流西下，至曲阜北又与泗水分流，洙水在北，泗水在南。㊳槛送：以槛车押送。㊴京师：谓长安。㊵传首：将首级传送长安。㊶安阳：城名，相州治所，故址在今河南安阳。㊷邑居：住房。㊸毛州：州名，治所馆陶县，在今河北馆陶。㊹魏州：州名，治所贵乡县，在今河北大名。㊺梁主：即后梁世宗。㊻心膂：比喻亲信应做骨干的人。膂，脊骨。㊼朝野倾属：内外倾心归属。㊽阴敕：暗中告诫。㊾听事：丞相府长史听事。听，通“厅”。㊿关预：联系参与。关，要会之处，又有联络之意。预，参与、干预。(371)癸酉：八月二十日。(372)智武将军：将军号，南朝梁置，陈沿置，为五武将军之一，拟四品。(373)郭默城：城名，故址在今安徽寿县西。(374)丙子：八月二十三日。(375)祐州城：城名，钱大昕《通鉴注辩正》云当在临江郡（今安徽和县）附近。(376)宋王实：字干辩，周明帝第三子，封宋王。传见《周书》卷十三、《北史》卷五十八。(377)乙卯：八月甲寅朔，无乙卯。《周书》卷八《静帝纪》作“己卯”，《北史》同。据此，“乙”应作“己”字。己卯，八月二十六日。(378)甑山：镇名，治所甑山县，故址在今湖北汉川县东南甑山镇。(379)母弟：同母弟。(380)元景山：字珤岳，河南洛阳（今河南洛阳）人，历仕周、隋，官至上柱国。传见《隋书》卷三十九、《北史》卷十八。(381)南徐州：据《隋书》卷五十六《宇文㢸传》，㢸时为南司州刺史，与元景山共追樊毅。《隋书·地理志》载：安陆郡吉阳县，梁置义阳郡，西魏改南司州。其地邻近溳、顺诸州。“南徐”当作“南司”。(382)漳口：地名，故址在今湖北应城市境。(383)巴蛮：晋、宋以来称为山蛮，南朝诸史称为荆、雍州蛮。因其先出于巴种，故谓之巴蛮。(384)渠帅：大帅。渠，大。(385)旬月：满一月。(386)陈纪：《陈书》卷五《宣帝纪》作“陈慧纪”。陈慧纪，陈武帝之从孙。传见《陈书》卷十五、《南史》卷六十五。(387)乐宁公达奚儒：《隋书·达奚长儒传》“宁”作“安”，《北史》传同。“安”字是。又“儒”上逸“长”字。达奚长儒，字富仁，历仕周、隋，官至兰州总管。传见《隋书》卷五十三、《北史》卷七十三。(388)石济：地名，地近黄河，有渡口。故址在今河南卫辉东。(389)窦毅：即前纥豆陵毅。窦氏曾为纥豆陵氏，孝文帝时复为窦氏。(390)丁亥：九月初五日。(391)壬辰：九月初十日。(392)庚戌：九月二十八日。(393)随世子勇：即杨勇（公元五六七至六〇四年），隋文帝长子。先立为太子，后废，并被幽禁，隋炀帝时赐死，追封为房陵王。传见《隋书》卷四十五、《北史》卷七十一。(394)旧齐之地：原北齐境内。自函谷关以东，黄河、汾河以北，皆旧齐之地。(395)壬子：九月三十日。(396)甲寅：十月初二日。(397)陈惑王纯：即北周陈王宇文纯，字堙智突，北周文帝之子。惑是丞相杨坚所加的恶谥号。(398)达奚惎（？至公元五八〇年）：北周太傅达奚武之子。传见《周书》卷十九、《北史》卷六十四。(399)利州：州名，治所兴安县，在今四川广元。(400)堰江水：谓在江中筑堰，以提高水位。江，即嘉陵江，从利州城西流过。(401)豆卢勣（公元五三六至五九〇年）：字定东，昌黎徒河（今辽宁锦州）人，本姓慕容，后归北魏，北人谓归义为豆卢，遂以豆卢为氏，历仕周、隋，官至夏州总管，袭爵楚国公。传见《隋书》卷三十九、《北史》卷六十八。402 剑阁：即剑门关，在今四川剑阁东北，其地势险要，为古代戍守要地。403 新都：县名，县治在今四川新都西。404 戊寅：十月二十六日。405 剑南：泛指在剑阁以南的地区。406 甲辰：十一月二十二日。407 达奚儒：应作“达奚长儒”，“儒”上脱一“长”字，《隋书》《北史》本传可征。见前注［387］。408 杨永安：氐族首领。事见《周书》卷四十九《异域传上》、《北史》卷九十六《氐传》。409 沙州：州名，据胡三省注，沙氐为杨永安所居之地，就置沙州以授渠首。因此，沙州与利、龙等州，当在今四川北部。410 丁未：十一月二十五日。411 郧襄公：郧公为爵号。襄为谥号。《谥法》：“辟地有德曰襄，又甲胄有劳也曰襄。”412 笃意：专心致意。413 敦睦：和睦。414 庚辰：十二月二十九日。〖按〗《陈书》《南史》俱同，但与下干支失次，疑为“丙辰”或“庚申”之误。415 癸亥：十二月十二日。416 改姓者：宇文泰以诸将补九十九姓。事见本书卷一百六十五《梁纪》二十一元帝永圣三年。417 甲子：十二月十三日。418 总百揆：总管庶政、百官。419 进爵为王：即杨坚由随国公晋爵为随国王。420 赞拜：臣子朝见君王，司仪宣读行礼的仪式。421 不名：指司仪不呼朝见之臣的名字，以示礼尊。422 九锡之礼：古代帝王尊礼大臣所给的九种器物。如大辂、戎辂，玄牡二驷，衮冕之服，轩悬之乐，六佾之舞，虎贲三百人，铁钺各一，彤弓、彤矢等物。423 辛未：十二月二十日。424 代奰王达：即代王宇文达。字度斤突，北周文帝之子。奰是给代王的恶谥。《谥法》：“不醉而怒曰奰。”425 滕闻王逌：即滕王宇文逌。字尔固突，北周文帝之子。闻是给滕王的恶谥。《谥法》：“色取行违曰闻。”426 壬申：十二月二十一日。427 元孝规为大司徒：〖按〗《周书》卷八《静帝纪》、《北史》卷十《静帝纪》中，“元孝规”皆作“元孝矩”“大司徒”皆作“大司寇”。

【校记】

［5］传马：“传”上原有“其”字。据章钰校，十二行本、乙十一行本、孔天胤本皆无“其”字，今据删。〖按〗《隋书·韦世康传附韦艺传》、《通鉴纪事本末》卷二五皆无“其”字。［6］仪同：原无此二字。据章钰校，十二行本、乙十一行本、孔天胤本皆有此二字，今据补。［7］称：原作“伪称”。据章钰校，十二行本、乙十一行本皆无“伪”字，今据删。〖按〗《隋书·元胄传》、《北史·元胄传》、《通鉴纪事本末》卷二五皆无“伪”字。［8］坚：“坚”字原重。据章钰校，十二行本、乙十一行本“坚”字皆不重，今据删。〖按〗《通鉴纪事本末》卷二五“坚”字不重。［9］安知其能尽腹心邪：原作“又安知能尽其腹心邪”。据章钰校，十二行本、乙十一行本、孔天胤本皆无“又”字，“能尽其”皆作“其能尽”，张敦仁《通鉴刊本识误》同，今据改。［10］永：原无此字。据章钰校，十二行本、乙十一行本、孔天胤本皆有此字，张敦仁《通鉴刊本识误》同，今据补。〖按〗《通鉴纪事本末》卷二五有此字。［11］以：原无此字。据章钰校，十二行本、乙十一行本、孔天胤本皆有此字，张敦仁《通鉴刊本识误》同，今据补。［12］小：原作“少”。据章钰

校，十二行本、乙十一行本皆作“小”，今据改。〖按〗《通鉴纪事本末》卷二五、《通鉴纲目》卷三五皆作“小”。[13] 曰：原无此字。据章钰校，十二行本、乙十一行本、孔天胤本皆有此字，今据补。[14] 兵：原无此字。据章钰校，十二行本、乙十一行本、孔天胤本皆有此字，张敦仁《通鉴刊本识误》同，今据补。[15] 军：原作“众”。据章钰校，十二行本、乙十一行本、孔天胤本皆作“军”，今据改。〖按〗《隋书·于仲文传》《通鉴纪事本末》卷二五皆作“军”。[16] 言无不从：原无此四字。据章钰校，十二行本、乙十一行本、孔天胤本皆有此四字，张敦仁《通鉴刊本识误》同，今据补。〖按〗《隋书·郑译传》《通鉴纪事本末》卷二五皆有此四字。[17] 乙卯，周大赦：原无此五字。据章钰校，十二行本、乙十一行本、孔天胤本皆有此五字，张敦仁《通鉴刊本识误》同，今据补。[18] 奔：原作“降”。据章钰校，十二行本、乙十一行本皆作“奔”，张敦仁《通鉴刊本识误》同，今据改。〖按〗《通鉴纪事本末》卷二五作“奔”。[19] 等：原无此字。据章钰校，十二行本、乙十一行本、孔天胤本皆有此字，今据补。〖按〗《隋书·高祖纪上》有此字。[20] 及：原作“入”。据章钰校，十二行本、乙十一行本皆作“及”，今据改。〖按〗《通鉴纲目》卷三五作“及”。

【研析】

本卷记公元五八〇年事，集中反映的是杨坚因缘际会，执掌北周大政，削平异己，为隋政权的创立奠定基础。按李德林的话说，杨坚“与诸将，皆国家贵臣，未相服从”，也就是说他在北周当时的政治中，并不具备独特的地位。周宣帝突然死亡，其子静帝宇文阐年仅八岁，谁得以辅政，便有可能执掌最高权力。杨坚得以执政，有其偶然性，而他能够稳定局势，取周建隋，则有一定的必然性。

一般来说，辅政大臣首选为宗室，虽不能保证辅政者忠于弱子，但至少可以保证皇室姓氏不变。宣帝死时，其弟北汉王宇文赞侍病居于禁中，其叔父赵王宇文招、越王宇文盛、代王宇文达等仍健在，他们当然都是辅政大臣的合适人选。杨坚女虽是宣帝众皇后之一，但宇文阐生母却为名不见经传的朱氏，因此杨坚以后父辅政，并非名正言顺，杨坚初闻自己辅政的建议，“固辞，不敢当”，也确实不是故作姿态。《隋书·高祖纪上》说杨坚生有异相，出生时“紫气充庭”，幼年时“忽见头上角出，遍体鳞起”，这些传说即便果有其事，在其执政以前，亦当讳莫如深，绝不敢为外人道；至于说他“为人龙颜，额上有五柱入顶，目光外射，有文在手曰‘王’”，亦不过是对似是而非的体纹作一种有利的解释，同样当不得真，否则早在执政之前就会被宇文氏以各种借口处死了。不过他性格“沉深严重”，也就是说为人不苟言笑，喜怒不形于色，大致可信。宣帝因其“位望隆重”而“忌之”，“因召坚，谓左右曰：‘色动，即杀之。’坚至，神色自若，乃止”，即很好地体现了他“沉深严重”的性格，不过，宣帝既深“忌之”，势不可能安排他为辅政大臣。

宣帝病得突然，来不及交代后事，给辅政大臣的选择留下了太多的变化空间，其身边掌握诏书撰写与审定的人员，即御正中大夫颜之仪、小御正刘昉、领内史郑译、内史大夫韦谟、御正下士皇甫绩等，便有机会假托帝命，趁机选择于己有利的人来辅政。颜之仪主张引宗室诸王辅政，而刘昉、郑译等人主张引杨坚入宫辅政。《隋书》卷三十八《刘昉传》说，当刘昉、郑译引杨坚入宫时，御正中大夫颜之仪与宦官密谋，引大将军宇文仲入宫辅政。“仲已至御坐，译知之，遽率开府杨惠及刘昉、皇甫绩、柳裘俱入。仲与之仪见译等，愕然，逡巡欲出，高祖因执之。”可能因大将军宇文仲其人不见记载，温公遂不将此事录于《通鉴》，但其时宫廷气氛紧张，则是确定无疑的。

宣帝在位期间，因其叔父宇文宪声望太高而加以杀害，又将叔父宇文招等逐至封地。其弟汉王宇文赞原本因“不才”不被周武帝看好。宣帝死后，宇文赞作为宗室近亲以右丞相身份居禁中辅政，“每与静帝同帐而坐”，本可有效牵制杨坚权势过度膨胀，却因“年少，性识庸下”，听信刘昉一席美言，主动搬出皇宫，致使杨坚得以一手遮天。赵王宇文招奉命返回京城，虽举行了类似“鸿门宴”的宴会，欲诛除杨坚，结果反而给杨坚诛杀宇文氏诸王提供了借口。

支持杨坚的刘昉“素知高祖”，说明与杨坚交情不浅；郑译与杨坚“有同学之旧，译又素知高祖相表有奇，倾心相结”。与行事正直的颜之仪不同，刘昉、郑译当宣帝胡作非为之朝，以邪佞获得宠信，朝廷正直之臣对其不太可能有好感，周宣帝暴死，也意味着他们政治前途堪忧，他们支持与自己交好的杨坚辅政，无疑是出于保护自身利益的考虑。当杨坚“固辞”时，刘昉竟称：“公若为，速为之；不为，昉自为也。”杨坚辅政之初，刘昉、郑译按北周制度，安排杨坚为小冢宰，他们二人掌握诏诰，郑译自摄大司马，刘昉又打算自己担任小冢宰，这实际上是要遏制杨坚的权力，以至于杨坚问李德林“欲何以见处”。李德林根据所熟悉的北齐制度，建议杨坚自任大丞相、假黄钺、都督中外诸军事，行政、军事握于一人之手，“以郑译为丞相府长史，刘昉为司马，李德林为府属”，这才真正得以行使大权、震慑众心。《隋书》卷三十八记杨坚当上皇帝以后，曾评论自己辅政实属偶然：“微刘昉、郑译及贲、柳裘、皇甫绩等，则我不至此。然此等皆反复子也。当周宣帝时，以无赖得幸，及帝大渐，颜之仪等请以宗王辅政，此辈行诈，顾命于我。”对于曾阻止自己辅政的颜之仪，杨坚并没有严厉处置。他当上皇帝后，朝会时，“命引（之仪）至御坐，谓之曰：‘见危授命，临大节而不可夺，古人所难，何以加卿’”，予以褒奖。

杨坚在刘昉、郑译等活动下成功辅政，“周朝将相，多为身计，竞效节于杨氏”。专制政体为杨坚提供了威慑众人的必要条件。可是，他并没为北周政权做过什么可圈可点的贡献，却能在不到一年的时间内取周建隋，与历史上的权臣苦心经营而行禅让大相径庭。而且我们知道，东、西魏实际的创立者高欢、宇文泰均未曾行禅位之举。这表明，与宇文氏相比，杨氏更能代表关陇集团的整体利益，能够获得普遍的支持。

《隋书·高祖纪上》记杨坚为弘农华阴人，乃东汉太尉杨震之后。杨坚祖上在北魏时“代为武川镇司马，子孙因家焉”，其父杨忠“从周太祖起义关西，赐姓普六茹氏”。杨忠在宇文泰初创府兵制时，为十二大将军之一，隶属于柱国大将军独孤信，后升至柱国大将军、封随国公。“弘农华阴人”与武川镇的家世背景，是杨坚在北周末年具备领袖群伦的一个原因。杨震在东汉中期，因决不与专权宦官合作，被迫自杀，被追赠为烈士，成为东汉士大夫的榜样，杨氏也号称“四世三公”，为东汉时数一数二的名门。但魏晋时，弘农杨氏的影响力已不复存在，十六国北朝，自称弘农人有名的杨氏人物，基本上都是伪托名门，杨坚家族所称弘农杨氏，亦当如是。在少数民族急剧汉化的时代背景下，北朝后期伪托汉魏名门，业已成为一种时代潮流，当时的人们并不太计较是否可以从血缘上一一追述。后来的李唐皇氏，亦出于武川，族源却称陇西李氏，陈寅恪先生曾著文考证其所称陇西李氏，绝对是冒牌。

宇文泰利用“武川军团”构建起西魏北周政治核心，恢复草原部落名号，赐将领以鲜卑姓氏，所统部下亦改从其姓氏，人为构建出一个个认同草原传统的血缘性组织，起初确有利于统治者内部的团结。但西魏北周时代，华夏化过程并未中止，要实现稳定统治，还必须立足于关陇地区，而不是强调武川这一乡里认同，尤其是在消灭北齐统一北方之后，再强调武川乡里认同，更是不合时宜。杨氏虽获得了“普六茹氏”这一北方少数民族的姓氏，但其本姓杨，为其攀附东汉名门提供了便利。作为武川功臣之子，他得娶最初十二大将军之一的独孤信之女为妻，其执政自然会得到独孤一系力量的支持，如出于独孤氏家臣的高颎，主动请命出任监军，讨伐尉迟迥。虽然汉魏名门很有可能是伪托，但杨坚也因此能够得到认同华夏者的支持。源出汉代京兆韦氏的韦孝宽率兵为他平定尉迟迥，而与刘昉等引杨坚入宫辅政的皇甫绩，正是韦孝宽的外孙，皇甫本亦是关陇名门；以陇西李氏为门望的并州刺史李穆，亦为最初六大柱国之一李弼的后人，“所居天下精兵处”，举足轻重，却主动向杨坚送熨斗与十三环金带，示意自己支持杨坚取宇文氏而君临天下；原北齐文坛领袖李德林在杨坚向他表示“愿与共事”时，倾身结附，“愿以死奉公”。这些人支持杨坚，当不只是“为身计”，还有着文化心理上对杨氏的认同。除了《通鉴》记录的这些史事外，《隋书》所见北方名门之后积极支援杨坚的事例尤多，如博陵人崔仲方，“高祖为丞相，与仲方相见，握手极欢，仲方亦归心焉。其夜上便宜十八事，高祖并嘉纳之。又见众望有归，阴劝高祖应天受命，高祖从之”。

可以说，本年底在杨坚主持下，“诏诸改姓者，宜悉复旧”，是一个标志性的事件，意味着西魏北周华夏化过程的一个高潮，意味着杨坚即将创立的政权将全面抛弃草原文化的影响，认同于汉魏传统。改朝换代为政策的急剧转型提供了契机，如同我们在下卷所看到的。

卷第一百七十五　陈纪九

起重光赤奋若（辛丑，公元五八一年），尽昭阳单阏（癸卯，公元五八三年），凡三年。

【题解】

本卷记述公元五八一至五八三年南北朝三年史事，当陈宣帝太建十三、十四年，后主至德元年，北朝周隋交替，北周静帝大定元年，隋文帝开皇元年、二年、三年。隋朝初建，隋文帝任贤纳谏，约法省刑，颁布刑律，对内励精图治，对外坚决抗击突厥，北朝出现了新气象，隋朝欣欣向荣。南朝陈宣帝辞世，陈叔陵狂愚，发动了未遂政变，暴露了陈朝的腐朽。于是隋文帝有灭陈之志，北方名将贺若弼出镇广陵，韩擒虎出镇庐江，南北统一，曙光初现。

【原文】

高宗宣皇帝下之下

太建十三年（辛丑，公元五八一年）

春，正月壬午①，以晋安王伯恭为尚书左仆射，吏部尚书袁宪为右仆射。宪，枢之弟也。

周改元大定②。

二月甲寅③，隋王始受相国、百揆、九锡之命[1]，建台置官④。丙辰⑤，诏进王妃独孤氏⑥为王后，世子勇为太子。

开府仪同大将军庾季才，劝隋王宜以今月甲子应天受命⑦。太傅李穆、开府仪同大将军卢贲亦劝之。于是周主下诏，逊⑧居别宫。甲子⑨，命兼太傅杞公椿奉册，大宗伯赵煚奉皇帝玺绂⑩，禅位于隋。隋主冠远游冠⑪，受册、玺，改服纱帽⑫、黄袍，入御临光殿，服衮冕，如元会之仪⑬。大赦，改元开皇。命有司奉册祀于南郊。遣少冢宰元孝

【语译】

高宗宣皇帝下之下

太建十三年（辛丑，公元五八一年）

春，正月初一日壬午，陈宣帝任命晋安王陈伯恭为尚书左仆射，吏部尚书袁宪为右仆射。袁宪是袁枢的弟弟。

北周改年号为大定。

二月初四日甲寅，隋王杨坚开始接受相国、百揆、九锡等任命和赏赐，并开始建立官署、设置百官。初六日丙辰，北周静帝下诏册封隋王妃独孤氏为王后，隋王嫡长子杨勇为王太子。

开府仪同大将军庾季才，劝隋王杨坚应在本月甲子日顺应天意，接受天命。太傅李穆、开府仪同大将军卢贲也劝杨坚。于是北周国主下诏，退居别宫。二月十四日甲子，北周静帝命令兼太傅杞公宇文椿捧持册书，大宗伯赵煚捧持皇帝玉玺，禅位给隋主杨坚。隋主杨坚戴上远游冠，接受了册书、玉玺，改着纱帽、黄袍，进入临光殿，穿戴冠冕衮服，按照元旦皇帝朝会百官的礼仪举行仪式。大赦天下，改年号为开皇，命令主管部门奉持册书在南郊祭天，又派小冢宰元孝矩接替太子杨勇镇

矩⑭代太子勇镇洛阳。孝矩名矩，以字行，天赐之孙⑮也。女为太子妃。

少内史崔仲方劝隋主除周六官⑯，依汉、魏之旧，从之。置三师、三公及尚书、门下、内史、秘书、内侍五省⑰，御史⑱、都水⑲二台，太常等十一寺⑳，左右卫等十二府㉑，以分司统职。又置上柱国至都督十一等勋官㉒，以酬勤劳。特进至朝散大夫七等散官㉓，以加文武官之有德声者。改侍中为纳言㉔。以相国司马高颎为尚书左仆射，兼纳言，相国司录京兆虞庆则㉕为内史监㉖兼吏部尚书，相国内郎㉗李德林为内史令㉘。

乙丑㉙，追尊皇考㉚为武元皇帝，庙号太祖，皇妣㉛吕氏为元明皇后。丙寅㉜，修庙社㉝。立王后独孤氏[2]为皇后，王太子勇为皇太子。丁卯㉞，以大将军[3]赵煚为尚书右仆射。己巳㉟，封周静帝为介公。周氏诸王皆降爵为公。

初，刘、郑㊱矫诏以隋主辅政，杨后㊲虽不预谋，然以嗣子幼冲㊳，恐权在他族，闻之，甚喜。后知其父有异图㊴，意颇不平，形于言色㊵，及禅位，愤惋㊶逾甚。隋主内甚愧之，改封乐平公主。久之，欲夺其志㊷，公主誓不许，乃止。

隋主与周载下大夫㊸北平荣建绪㊹有旧，隋主将受禅，建绪为息州㊺刺史，将之官㊻，隋主谓曰："且踌躇㊼，当共取富贵。"建绪正色曰："明公此旨，非仆所闻。"及即位，来朝，帝谓之曰："卿亦悔不？"建绪稽首曰："臣位非徐广㊽，情类杨彪㊾。"帝笑[4]曰："朕虽不晓书语，亦知卿此言不逊。"

上柱国窦毅之女，闻隋受禅，自投堂下，抚膺㊿太息(51)曰："恨我不为男子，救舅氏之患！"毅及襄阳公主(52)掩其口曰："汝勿妄言，灭吾族！"毅由是奇之。及长，以适唐公李渊(53)。渊，昞之子也。

虞庆则劝隋主尽灭宇文氏，高颎、杨惠亦依违(54)从之，李德林固争，以为不可，隋主作色(55)曰："君书生，不足与议此！"于是周太祖孙谯公乾恽、冀公绚，闵帝子纪公湜，明帝子酆公贞、宋公实，高祖子汉公赞、秦公贽、曹公允、道公充、蔡公兑、荆公元，宣帝子莱公衍(56)、郢公术皆死。德林由此品位不进。

守洛阳。元孝矩，名矩，以字号行世，是元天赐的曾孙。元孝矩之女是太子杨勇的妃子。

少内史崔仲方劝隋主杨坚废除北周六官制度，遵循汉魏旧制，杨坚听从了，设置了三师、三公，以及尚书、门下、内史、秘书、内侍五省，御史、都水两台，太常等十一个寺，左右卫十二府，用以分别统领各司官职。又设置上柱国到都督十一级勋官，用以酬报建功的人。从特进到朝散大夫有七等散官，用来给有德政声望的文武官员加官，改侍中为纳言。任用相国司马高颎为尚书左仆射兼职纳言，相国司录京兆人虞庆则为内史监，兼吏部尚书，相国内郎李德林为内史令。

二月十五日乙丑，追尊皇考杨忠为武元皇帝，庙号太祖，皇妣吕氏为元明皇后。十六日丙寅，修缮庙社。册立王后独孤氏为皇后，立王太子杨勇为皇太子。十七日丁卯，任命大将军赵煚为尚书右仆射。十九日己巳，封北周静帝宇文衍为介公，原北周宗室各位王爵都降为公。

当初，刘昉、郑译假称北周天元皇帝诏书，用杨坚辅政，天元杨皇后虽然没有参与谋划，但由于静帝年幼，担心政权落入外人手中，听说召请自己的父亲辅政，非常高兴。后来得知父亲别有野心，内心十分气愤，表露在言辞脸色上，等到北周静帝禅位给杨坚，她更加悲愤怨恨。隋主杨坚内心也非常惭愧，改封她为乐平公主。过了很长时间，想逼乐平公主改嫁，乐平公主誓死不从，这才罢手。

隋主杨坚与原北周载下大夫北平人荣建绪有旧谊，杨坚准备接受禅让，荣建绪为息州刺史，打算赴任，杨坚对他说："请暂且留步，应与我一起获得富贵。"荣建绪严肃地说："明公想要说的话，不是我想要听的。"等到杨坚登上帝位，荣建绪来朝，隋主对他说："你后悔吗?"荣建绪磕头说："我的地位虽然比不上晋宋禅让时东晋臣子徐广，心情则与汉魏禅让时汉臣杨彪差不多。"隋主杨坚笑着说："朕虽然不懂你引用的典据，也知道你这话很不恭敬。"

原北周上柱国窦毅的女儿听到隋接受了北周禅让，气愤得倒在了堂下，拍打着胸脯叹息说："恨我不是一个男子，没法去拯救舅家的灾难!"窦毅和襄阳公主捂住她的嘴说："你不要乱说，当心灭门之祸!"窦毅由此看出女儿不平凡，等到长大以后，将她嫁给了唐公李渊。李渊是李昞的儿子。

隋内史监虞庆则劝隋主杨坚杀尽宇文氏，高颎、杨惠也违心地赞成，内史令李德林坚决反对，认为不可以。隋主杨坚变了脸色说："你是一介书生，不够资格参与讨论这件事!"于是周太祖宇文泰的孙子谯国公宇文乾恽、冀国公宇文绚，北周闵帝宇文觉的儿子纪国公宇文湜，北周明帝宇文毓的儿子酆国公宇文贞、宋国公宇文实，北周高祖宇文邕的儿子汉国公宇文赞、秦国公宇文贽、曹国公宇文允、道国公宇文充、蔡国公宇文兑、荆国公宇文元，北周宣帝宇文赟的儿子莱国公宇文衍、郢国公宇文术全都处死。李德林因为这事官品职位没有升迁。

乙亥[57]，上耕藉田。

隋主封其弟邵公慧[58]为滕王，安公爽为卫王，子雁门公广[59]为晋王，俊[60]为秦王，秀[61]为越王，谅[62]为汉王。

隋主赐李穆诏曰："公既旧德，且又父党[63]。敬惠来旨，义无有违。即以今月十三日恭膺[64]天命。"俄而穆入朝，帝以穆为太师，赞拜不名。子孙虽在襁褓，悉拜仪同，一门执象笏[65]者百余人，贵盛无比。又以上柱国窦炽为太傅，幽州总管于翼为太尉。李穆上表乞骸骨[66]，诏曰："吕尚[67]以期颐[68]佐周，张苍[69]以华皓[70]相汉，高才命世[71]，不拘恒[5]礼。"仍以穆年耆[72]，敕蠲朝集，有大事，就第询访。

美阳公苏威[73]，绰之子也，少有令名，周晋公护强以女妻之。威见护专权，恐祸及己，屏居山寺，以讽读[74]为娱。周高祖闻其贤，除车骑大将军、仪同三司，又除稍伯下大夫[75]，皆辞疾不拜。宣帝就除开府仪同大将军。隋主为丞相，高颎荐之，隋主召见，与语，大悦。居月余，闻将受禅，遁归田里。颎请追之，隋主曰："此不欲预吾事耳，置之。"及受禅，征拜太子少保，追封其父为邳公，以威袭爵。

丁丑[76]，隋以晋王广为并州总管。三月戊子[77]，以上开府仪同三司贺若弼[78]为吴州[79]总管，镇广陵。和州[80]刺史河南韩擒虎[81]为庐州[82]总管，镇庐江。隋主有并吞江南之志，问将帅于高颎，颎荐弼与擒虎，故置于南边，使潜为经略。

戊戌[83]，以太子少保苏威兼纳言、度支尚书[84]。

初，苏绰在西魏，以国用不足，为[6]征税法颇重，既而叹曰："今所为者，正[7]如张弓[85]，非平世法也。后之君子，谁能弛之？"威闻其言，每以为己任。至是，奏减赋役，务从轻简，隋主悉从之。渐见亲重，与高颎参掌朝政。帝尝怒一人，将杀之，威入阁进谏，帝不纳，将自出斩之。威当帝前不去，帝避之而出，威又遮止[86]。帝拂衣而入，良久，乃召威谢曰："公能若是，吾无忧矣。"赐马二匹，钱十余万。寻复兼大理卿[87]、京兆尹[88]、御史大夫[89]，本官悉如故。

治书侍御史[90]安定梁毗，以威兼领五职[91]，安繁恋剧[92]，无举贤自

二月二十五日乙亥，陈朝宣帝举行亲耕籍田典礼。

隋主杨坚册封弟弟邵公杨慧为滕王，安公杨爽为卫王，册封皇子雁门公杨广为晋王、杨俊为秦王、杨秀为越王、杨谅为汉王。

隋主杨坚赐给并州总管李穆的诏书说："你德高望重，又是家父的同辈好友。承蒙你来信劝我顺应天命，于义于理不敢违背，就在本月十三日恭敬地接受天命。"不久，李穆入朝，隋文帝任用他为太师，特许在朝廷唱名跪拜时司仪不直呼他的名字。子孙虽然在襁褓之中，一律授予仪同三司的官。李穆一族执笏封官的有一百多人，其尊贵隆盛，没有人可比。又任用上柱国窦炽为太傅，幽州总管于翼为太尉。李穆上表请求退休，隋文帝下诏说："姜太公吕尚以百岁高龄辅佐周朝，张苍白发老翁做了汉朝的丞相，高才伟人出现在世上，不应拘泥于常礼。"因李穆年事已高，杨坚敕令他免了朝会，有军国大事时，便派人到他府第征询意见。

美阳公苏威，是苏绰的儿子，年少时就有美好的名声，北周晋国公宇文护硬把女儿嫁给他。苏威看到宇文护专权，害怕自己受牵连遭祸，便隐居到山林寺院中，以诵读诗书为乐。北周高祖宇文邕听说他贤能，任用他为车骑大将军、仪同三司，又册封他为稍伯下大夫，苏威称病没有接受。北周宣帝宇文赟时他才接受开府仪同大将军。隋主杨坚当了丞相，高颎推荐苏威，杨坚召见，与苏威谈话，大为高兴。过了一个多月，他听说杨坚要禅代周朝，就逃回故里。高颎请求追回苏威，隋主杨坚说："这一举动就是不想参与我们的事，放弃他吧。"等到受禅以后，隋主征拜苏威为太子少保，追封他的父亲为邳公，由苏威承袭爵位。

二月二十七日丁丑，隋文帝任命晋王杨广为并州总管。三月初八日戊子，任命上开府仪同三司贺若弼为吴州总管，镇守广陵。任命和州刺史河南人韩擒虎为庐州总管，镇守庐江。隋文帝有吞并江南的志向，问高颎谁可担任将帅，高颎推荐贺若弼和韩擒虎，因此安排他们两人在南部边境，让他们暗中准备讨伐陈朝的工作。

三月十八日戊戌，隋文帝任命太子少保苏威兼任纳言、度支尚书。

当初，苏绰在西魏时，因为国家财政吃紧，制定了很重的征税法，旋即他感慨地说："如今采取的法度，就像拉满的弓，不是太平时代的法度。后世的君子，谁能够放宽它呢？"苏威听到了这番话，时时把这件事作为自己的责任。到了这时，苏威上奏请求减轻赋税徭役，务求从轻从简，隋文帝全部赞同。苏威日益受到信任和重用，与高颎一起参掌朝政。隋文帝曾经对一个人很恼怒，将要杀掉他，苏威进入殿阁谏阻，隋文帝不接受，准备亲自出去监斩那个人。苏威挡在隋文帝的前边不离开，隋文帝避开他走过去，苏威又去拦住。隋文帝拂衣回到宫中，过了好一阵，才召见苏威致歉说："你能够这样，我没有什么忧虑了。"赏赐苏威马两匹，钱十余万。不久又任命苏威兼大理卿、京兆尹、御史大夫，原任官职不变。

治书侍御史安定人梁毗，认为苏威兼任五个职位，安心于繁重的事务，贪恋高

代之心，抗表劾威，帝曰："苏威朝夕孜孜[93]，志存远大，何遽迫之？"因谓朝臣曰："苏威不值[94]我，无以措[95]其言；我不得苏威，何以行其道？杨素才辩无双，至于斟酌古今，助我宣化[96]，非威之匹[97]也。威若逢乱世，南山四皓[98]，岂易屈哉？"威尝言于帝曰："臣先人每戒臣云：'唯读《孝经》[99]一卷，足以立身治国，何用多为？'"帝深然之。

高颎深避权势，上表逊位[100]，让于苏威，帝欲成其美[101]，听解仆射。数日，帝曰："苏威高蹈[102]前朝，颎能推举。吾闻进贤受上赏，宁可使之去官？"命颎复位。颎、威同心协赞[103]，政刑大小，帝无不与之谋议，然后行之。故革命[104]数年，天下称平。

太子左庶子[105]卢贲，以颎、威执政，心甚不平，时柱国刘昉亦被疏忌[106]。贲因讽昉及上柱国[107]元谐、李询、华州[108]刺史张宾[109]等谋黜颎、威，五人相与辅政。又以晋王广有宠于帝，私谓太子曰："贲欲数谒殿下，恐为上所谴，愿察区区之心[110]。"谋泄，帝穷治其事，昉等委罪于宾、贲。公卿奏二人当死，帝以故旧，不忍诛，并除名[111]为民。

庚子[112]，隋诏前代品爵[113]，悉[8]依旧不降。

丁未[114]，梁主遣其弟太宰[115]岩入贺于隋。

夏，四月辛巳[116]，隋大赦。戊戌[117]，悉放太常[118]散乐[119]为民，仍禁杂戏。

散骑常侍[120]韦鼎[121]、兼通直散骑常侍[122]王瑳[123]聘于周。辛丑[124]，至长安，隋已受禅，隋主致之介国[125]。

隋主召汾州刺史韦冲[126]为兼散骑常侍。时发稽胡筑长城，汾州胡千余人，在涂亡叛。帝召冲问计，对曰："夷狄[127]之性，易为反覆，皆由牧宰[128]不称[129]之所致。臣请以理绥静[130]，可不劳兵而定。"帝然之，命冲绥怀叛者，月余皆至，并赴长城之役。冲，夐之子也。

五月戊午[131]，隋封邘公[9]雄[132]为广平王，永康公弘为河间王。雄，高祖之族子也。

隋主潜害[133]周静帝而为之举哀，葬于恭陵，以其族人洛[134]为嗣。

官显爵，没有举荐贤才替代自己的心思，于是上表弹劾苏威。隋文帝说："苏威从早到晚孜孜不倦，志向远大，你为什么突然要逼他辞去兼职呢？"因而对当朝众臣们说："苏威如果没有遇上我，就无法说出他想说的话；我如果没有得到苏威，怎么推行安邦定国的制度？杨素口才识见，天下无双，至于斟酌古今，辅助我倡导教化，却比不上苏威。苏威如果遇上乱世，如同南山四皓，难道能轻易地让他屈身出仕吗？"苏威曾经对隋文帝说："臣的父亲经常告诫臣：'只要阅读一部《孝经》，就足以立身治国，何必读很多书？'"隋文帝深深赞同。

高颎极力避开权势，上表请求辞职，让位给苏威，隋文帝想成全他让贤的美名，允准他辞去仆射的职务。过了几天，隋文帝说："苏威在前朝隐居不仕，高颎推荐了他。我听说举荐贤才的人应当接受最高的奖赏，怎么能让他离职呢？"命令高颎官复原职。高颎、苏威同心协力辅佐，政令和案件无论大小，隋文帝没有不先找他俩商议，然后才颁布施行的。所以，隋文帝实施变革顺从天命只几年，天下便告治平。

太子左庶子卢贲，因高颎、苏威执掌朝政，心中深感不平。当时柱国刘昉也被疏远和猜忌，卢贲于是暗示刘昉和上柱国元谐、李询、华州刺史张宾等五人密谋废黜高颎、苏威，由他们五人共同辅政。又由于晋王杨广受到隋文帝的宠爱，卢贲就暗地里对太子杨勇说："我想经常来拜谒殿下，但担心被皇上责备，希望殿下明白我的一片诚心。"他们的密谋泄露，隋文帝彻底追查此案，刘昉等人把罪责推给张宾和卢贲。公卿大臣上奏论张宾、卢贲两人罪当处死，隋文帝考虑到他们是故旧，不忍心诛杀，把他们都削职为民。

三月二十日庚子，隋文帝下诏，公卿百官在前朝的官品爵位，依旧全都不降低。

二十七日丁未，后梁国主萧岿派遣他的弟弟太宰萧岩到隋朝祝贺隋文帝登基。

夏，四月初二日辛巳，隋朝大赦。十九日戊戌，在太常寺演奏散乐的乐籍人全部被释放为平民，并禁演杂戏。

陈朝散骑常侍韦鼎、兼通直散骑常侍王瑳出使北周。四月二十二日辛丑，到达长安，隋文帝已接受禅位，隋文帝就把他们送到周静帝受封的介国。

隋文帝征召汾州刺史韦冲为兼散骑常侍。当时征发稽胡族人修筑长城，汾州胡人一千多人在半途逃亡。隋文帝召见韦冲询问办法，韦冲回答说："夷狄人的天性，容易反复无常，这都是州县长官不称职造成的。臣请求前去以理招抚平服，可以不用兵镇压就安定下来。"隋文帝认同，就命令韦冲安抚叛逃的胡人，一个多月，逃散的胡人都回来了，并且都去修筑长城。韦冲是韦夐的儿子。

五月初十日戊午，隋朝册封邗公杨雄为广平王，永康公杨弘为河间王。杨雄是隋高祖杨坚的族子。

隋主杨坚暗中杀害了周静帝，而后为他举行葬礼，下葬在恭陵，把他的族人宇文洛作为后嗣。

【段旨】

以上为第一段，写隋文帝受禅，通过一系列人事安排，建立和巩固了隋朝。

【注释】

①壬午：正月初一日。②改元大定：周改大象二年为大定元年。③甲寅：二月初四日。④建台置官：谓建立官署，设置百官。台，官署。⑤丙辰：二月初六日。⑥独孤氏（公元五五三至六〇二年）：河南洛阳（今河南洛阳）人，独孤信之女。为隋文帝皇后。事见《隋书》卷三十六《后妃传》、《北史》卷十四《后妃传下》。⑦应天受命：谓适应天意，接受天命。指登天子位。⑧逊：退位。⑨甲子：二月十四日。⑩皇帝玺绂：周制，皇帝八玺，有神玺、传国玺。神玺，明受之于天。传国玺，明受之于运。另有六玺：一、皇帝行玺，封命诸侯及三公时用；二、皇帝之玺，与诸侯及三公书时用；三、皇帝信玺，调兵遣将时用；四、天子行玺，封命蕃国之君时用；五、天子之玺，与蕃国之君书时用；六、天子信玺，征蕃国之兵时用。⑪远游冠：冠名，制似通天冠，皇太子及诸王所戴。⑫纱帽：一名高顶帽。冠名，古代君主或官员所戴的一种帽子，以纱制成，故名。⑬元会之仪：元旦大朝会的仪式。元旦大朝会时，文物充庭，百官依次而坐，再拜。上公一人，诣西阶，解剑升阶贺，降阶，带剑复位而拜。群官在位者又再拜，搢笏三称万岁。⑭元孝矩：河南洛阳人，历仕周、隋，官至泾州刺史。传见《隋书》卷五十。⑮天赐之孙：《魏书》卷十九上《汝阴王天赐传》载第五子修义。又《隋书》卷五十《元孝矩传》载孝矩祖为修义，则孝矩乃是天赐之曾孙。此处“孙”上脱一“曾”字。⑯周六官：周定六官事详见本书卷一百六十六《梁纪》二十二敬帝绍泰元年。⑰五省：朝廷总枢要的五个部门，即尚书、门下、内史、秘书、内侍五省。尚书省置令、左、右仆射各一人，总吏部、礼部、兵部、都官、度支、工部六曹事。门下省置纳言、给事黄门侍郎、散骑常侍、侍郎、通直、员外、谏议大夫等官。内史省即中书省，避武元皇帝杨忠讳，改称内史。置监、令、侍郎、舍人等官。秘书省置监、丞、郎等官，领著作、太史二曹。内侍省皆宦官，置监、少监、内侍等官。⑱御史：御史台，置大夫、治书侍御史、侍御史、殿内侍御史、监察御史等官。⑲都水：都水台，置使者及丞、参军、河堤谒者等官。⑳太常等十一寺：包括太常、光禄、卫尉、宗正、太仆、大理、鸿胪、司农、太府九寺，与御史、都水二台合为十一寺。㉑左右卫等十二府：包括左右卫、左右武卫、左右武候、左右领左右、左右监门、左右领军，各置大将军、将军、长史、司马、录事等官。㉒十一等勋官：隋沿北周之制，置上柱国、柱国、上大将军、大将军、上开府仪同三司、开府仪同三司、上仪同三司、仪同三司、大都督、帅都督、都督，总十一等勋官，授给有功者，但无职事。㉓七等散官：包括特进、左右光禄大夫、金紫光禄大夫、银青光禄大夫、朝议大夫、朝散大夫凡七等。散官，无职务者为散

官，但表明本官的品秩。㉔纳言：即侍中，因避杨坚父讳而改。㉕虞庆则（？至公元五九七年）：本姓鱼，京兆栎阳（今陕西西安市临潼区东北）人，历仕周、隋，官至尚书右仆射。传见《隋书》卷四十、《北史》卷七十三。㉖内史监：官名，内史省长官。总掌机要，辅弼天子，实为宰相。㉗内郎：官名，即从事中郎，避杨坚父讳改为内郎。掌相国府诸曹。㉘内史令：官名，职掌与内史监略同。㉙乙丑：二月十五日。㉚皇考：对亡父的尊称。此处指杨忠。㉛皇妣：对亡母的尊称。㉜丙寅：二月十六日。㉝庙社：宗庙。㉞丁卯：二月十七日。㉟己巳：二月十九日。㊱刘、郑：指刘昉、郑译。㊲杨后：即周宣帝皇后，名丽华，杨坚长女。传见《周书》卷九《皇后传》。㊳幼冲：年纪小。㊴异图：不良意图，指杨坚有篡位意图。㊵形于言色：不满情绪表现在说话与脸色上。㊶愤惋：悲愤怨恨。㊷夺其志：迫使其改变本志。意为改嫁。㊸载下大夫："载"下逸"师"字。载师下大夫，官名，《周礼》地官之属，掌管土地之法。㊹荣建绪：北平无终（今天津市蓟州区）人。仕周为载师下大夫、仪同三司。传附《隋书》卷五十六、《北史》卷七十七《荣毗传》。㊺息州：州名，北周改东豫州置，治所广陵城，在今河南息县。㊻之官：赴任。㊼踌躇：驻足；止步。㊽徐广：字野民，东莞姑幕（今山东诸城）人。东晋秘书监，晋恭帝禅位于宋王刘裕，他悲感流涕。传见《宋书》卷五十五、《南史》卷三十三。㊾杨彪：字文先，东汉人，官至三公。曹丕篡汉，欲以他为太尉，他却不以为荣，乃止。传见《后汉书》卷五十四。㊿抚膺：拍胸。抚，同"拊"，拍。膺，胸。51太息：愤然长叹。52襄阳公主：宇文泰之女，下嫁窦毅。53唐公李渊（公元五六六至六三五年）：周唐国公李昞之子，袭爵，仕隋为太原留守，后起兵建唐，是为唐高祖。事见《新唐书》《旧唐书》卷一《高祖纪》。54依违：心里以为不可，却不敢明言。55作色：脸上变色。56莱公衍：《殿本考证》认为周静帝曾名衍，兄弟不应同名，当从本纪作"衎"。57乙亥：二月二十五日。58邵公慧：即隋宗室滕穆王杨瓒。瓒字恒生，一名慧。隋文帝为周相，瓒进位上柱国、邵国公。隋文帝受禅，立之为滕王。传附《周书》卷十九《杨忠传》。59雁门公广：即杨广（公元五六九至六一八年），杨坚次子，先封晋王，后夺宗立为太子，即位，是为隋炀帝。事见《隋书》卷三卷四《炀帝纪》、《北史》卷十二《炀帝纪》。60俊：即杨俊（公元五七一至六〇〇年），隋文帝第三子，封为秦王。传见《隋书》卷四十五、《北史》卷七十一。61秀：即杨秀（？至公元六一八年），隋文帝第四子，封为越王。传见《隋书》卷四十五、《北史》卷七十一。62谅：即杨谅（？至公元六〇四年），一名杰，隋文帝第五子，封汉王。传见《隋书》卷四十五、《北史》卷七十一。63父党：谓李穆与杨坚父杨忠共事周王室，皆为有功之臣。64膺：受；当。65象笏：以象牙所制的笏。自西魏以来，五品以上官用象笏。66乞骸骨：谓人臣致身以事君主，身非己有，求闲者自言乞骸骨。67吕尚：姜姓，吕氏，名尚。辅佐周武王灭商，封于齐。传见《史记》卷三十二。68期颐：百岁。69张苍：西汉丞相，辅佐汉文帝。以病免相，百余岁乃卒。事见《史记》卷九十六、《汉书》

卷四十二。⑦⓪华皓：白首。⑦①命世：著名于当世。后称治世之才为命世。⑦②年耆：年老。六十岁称耆。⑦③苏威（公元五三四至六二一年）：字无畏，京兆武功（今陕西武功西北）人，历仕周、隋与唐，官至尚书右仆射。参与制定律、令、格、式。传见《周书》卷二十三、《隋书》卷四十一、《北史》卷六十三。⑦④讽读：诵读。⑦⑤稍伯下大夫：周官名。⑦⑥丁丑：二月二十七日。⑦⑦戊子：三月八日。⑦⑧贺若弼（公元五四四至六〇七年）：字辅伯，河南洛阳（今河南洛阳）人，历仕周、隋，官至右武候大将军，封宋国公。传见《隋书》卷五十二、《北史》卷六十八、《周书》卷二十八。⑦⑨吴州：州名，治所吴县，在今江苏苏州。⑧⓪和州：州名，治所历阳县，在今安徽和县。⑧①韩擒虎（公元五三八至五九二年）：字子通，河南东垣（今河南新安东）人，历仕周、隋，官至庐州总管。传见《隋书》卷五十二、《北史》卷六十八。⑧②庐州：州名，治所庐江，在今安徽庐江。⑧③戊戌：三月十八日。⑧④度支尚书：官名，掌管度支、户部、金部、仓部。⑧⑤张弓：把弓弦拉得很紧。⑧⑥遮止：拦截阻止。⑧⑦大理卿：官名，大理寺长官，掌刑狱。⑧⑧京兆尹：官名，京兆府长官，掌制京师。⑧⑨御史大夫：官名，御史台长官，掌监察、执法。⑨⓪治书侍御史：官名，掌御史台簿领。⑨①五职：指苏威兼领纳言、度支尚书、大理卿、京兆尹、御史大夫。⑨②安繁恋剧：贪心于繁剧的职务。剧，繁重。⑨③孜孜：勤奋不怠。⑨④值：相遇。⑨⑤措：施行。⑨⑥宣化：传布德化。⑨⑦匹：对手；匹偶。⑨⑧南山四皓：四皓指东园公、绮里季、夏黄公、角里先生，遭秦末之乱，隐居商山，须眉皓齿，故称四皓。商山在长安南，故称南山。因在北周时，苏威曾隐避多年，故隋文帝这样说。⑨⑨《孝经》：书名，宣扬封建孝道和孝治思想的书。有今文和古文两种。今文本郑玄注，分十八章；古文本孔安国注，分二十二章。⑩⓪逊位：退位。⑩①成其美：成全其让贤之美。⑩②高蹈：谓其隐避不仕。蹈，践、履。⑩③协赞：协同赞助。⑩④革命：实施变革以应天命。古代认为帝王受命于天，因称朝代更替为革命。⑩⑤太子左庶子：官名，东宫官，与右庶子分统门下、典书二坊事。⑩⑥疏忌：疏远而猜疑。⑩⑦上柱国：勋官名，十一等勋官中的最高等。⑩⑧华州：州名，治所郑县，在今陕西渭南市华州区。⑩⑨张宾：道士。传见《隋书》卷七十八《艺术传》、《北史》卷八十九《艺术传上》。⑪⓪区区之心：赤诚之心。⑪①除名：谓除去官籍。⑪②庚子：三月二十日。⑪③品爵：官品爵位。⑪④丁未：三月二十七日。⑪⑤太宰：官名，六卿之首，也称冢宰。辅佐天子以治理国家。⑪⑥辛巳：四月二日。⑪⑦戊戌：四月十九日。⑪⑧太常：官署名，掌礼乐郊庙社稷事宜。⑪⑨散乐：指民间歌舞，因不在官乐之内，故称散。⑫⓪散骑常侍：官名，掌禁令，纠违失。⑫①韦鼎（公元五一四至五九二年）：字超盛，京兆杜陵（今陕西长安东北）人。仕陈为秘书监，陈亡归隋，官至光州刺史。传见《隋书》卷七十八、《北史》卷五十八。⑫通直散骑常侍：官名，因员外散骑常侍与散骑常侍通员直，故有此名。掌禁令，纠违失。⑬王瑳：传见《南史》卷七十七《恩幸传》。⑭辛丑：四月二十二日。⑮介国：周静帝之封国。古国名，故地在今山东胶州西南。⑯韦冲（公元五五〇至六〇五年）：字世冲，京兆杜陵（在今陕西西安东北）人。历仕周、隋，官至民部尚书。传附《隋书》卷四十七《韦世康传》、《北史》卷六十四《韦孝宽传》。⑰夷狄：泛指少数民族。古代习称北方地区少数民族为狄，东方地区的为夷。⑱牧宰：牧守县宰，泛指州、县地方官。⑲不称：不相称；不胜任。⑳绥静：安定平服。也作"绥靖"。㉑戊午：五月初十日。㉒邗公雄：即邗公惠，后改名雄。隋文帝时封安德王，隋炀帝又进封观王。㉓潜害：暗中杀害。㉔洛：即宇文洛，字永洛，虞国公宇文仲之孙，宇文兴之子。袭爵虞国公。周静帝死，嗣为介国公。传附《周书》卷十《虞国公仲传》、《北史》卷五十七《周宗室传》。

【校记】

［1］之命：原无此二字。据章钰校，十二行本、乙十一行本、孔天胤本皆有此二字，张敦仁《通鉴刊本识误》同，今据补。〖按〗《通鉴纪事本末》卷二五有此二字。［2］氏：原无此字。胡三省注云："'独孤'之下逸'氏'字。"据章钰校，十二行本、乙十一行本、孔天胤本皆有此字。今据补。［3］大将军：原作"太尉"。据章钰校，十二行本、乙十一行本、孔天胤本皆作"大将军"，张敦仁《通鉴刊本识误》同，今据改。〖按〗《隋书·高祖纪上》《北史·高祖文帝纪》皆作"大将军"。［4］笑：原作"怒"。据章钰校，十二行本、乙十一行本、孔天胤本皆作"笑"，今据改。〖按〗《隋书·荣毗传附荣建绪传》《北史·荣毗传附荣建绪传》皆作"笑"。［5］恒：原作"常"。据章钰校，十二行本、乙十一行本、孔天胤本皆作"恒"，今据改。［6］为：原作"制"。据章钰校，十二行本、乙十一行本皆作"为"，今据改。〖按〗《隋书·苏威传》《北史·苏绰传附苏威传》皆作"为"。［7］正：原作"譬"。据章钰校，十二行本、乙十一行本、孔天胤本皆作"正"，今据改。［8］悉：原作"皆"。据章钰校，十二行本、乙十一行本、孔天胤本皆作"悉"，今据改。［9］邗公：原作"邘公"。据章钰校，十二行本、乙十一行本、孔天胤本皆作"邗公"，今据改。〖按〗《隋书·高祖纪上》《北史·高祖文帝纪》皆作"邗公"。

【原文】

六月癸未[135]，隋诏郊庙[136]冕服[137]必依《礼经》[138]。其朝会之服、旗帜、牺牲[139]皆尚赤，戎服以黄，在外[10]常服通用杂色。秋，七月乙卯[140]，隋主始服黄，百僚毕贺。于是百官常服，同于庶人，皆著黄袍，隋主朝服亦如之，唯以十三环带为异。

八月壬午[141]，隋废东京官[142]。

吐谷浑寇凉州[143]，隋主遣行军元帅乐安公元谐等步骑数万击之。谐击破吐谷浑于丰利山[144]，又败其太子可博汗于青海[145]，俘斩万计。吐谷浑震骇，其王侯三十人各帅所部来降。吐谷浑可汗夸吕[146]帅亲兵远遁。隋主以其高宁王移兹裒为河南王，使统降众。以元谐为宁州[147]刺史，留行军总管贺娄子幹镇凉州。

九月庚午[148]，将军周罗睺攻隋故墅[149]，拔之。萧摩诃攻江北。

隋奉车都尉[150]于宣敏[151]奉使巴、蜀还，奏称："蜀土沃饶，人物殷阜[152]，周德之衰，遂成戎首[153]。宜树建藩屏[154]，封殖[155]子孙。"隋主善之。辛未[156]，以越王秀为益州总管，改封蜀王。宣敏，谨之孙也。

壬申[157][11]，隋以上柱国长孙览、元景山并为行军元帅，发兵入寇，命尚书左仆射高颎节度诸军。

初，周、齐所铸钱凡四等，及民间私钱，名品甚众[158]，轻重不等。隋主患之，更铸五铢钱，背、面、肉、好[159]皆有周郭[160]，每一千重四斤二两。悉禁古钱及私钱。置样于关[161]，不如样者，没官销毁之。自是钱币始壹[162]，民间便之。

隋郑译以上柱国归第，赏赐丰厚。译自以被疏，阴[12]呼道士醮章[163]祈福，为婢所告，以为巫蛊[164]。译又与母别居，为宪司[165]所劾，由是除名。隋主下诏曰："译若留之于世，在人为不道之臣；戮之于朝，入地为不孝之鬼。有累幽显[166]，无所置之。宜赐以《孝经》，令其熟读。"仍遣与母共居。

初，周法比于齐律，烦而不要，隋主命高颎、郑译及上柱国杨素、率更令[167]裴政[168]等更加修定。政练习[169]典故[170]，达于从政[171]，乃采魏、晋

【语译】

六月初五日癸未，隋主下诏：郊祀上天和祭祀祖先，冠冕服饰都必须按照《礼经》。朝会时所穿的服装、典礼时所用的旗帜、祭祀的牺牲，一律以红色为尊，军服用黄色，在外平居的常服用杂色。秋，七月初八日乙卯，隋主杨坚第一次穿上黄色衣服，百官齐贺。于是百官的常服，与平民百姓相同，都穿黄袍，隋主的朝服也同大家一样，只有隋主的衣服系有十三环金带这一差异。

八月初五日壬午，隋朝废除了东京官。

吐谷浑侵犯凉州，隋主杨坚派遣行军元帅乐安公元谐等统领数万步骑出击。元谐在丰利山打败吐谷浑，又在青海打败了吐谷浑太子可博汗，杀死和俘虏一万多人。吐谷浑惊骇震恐，他们的三十个王侯各自带领自己的部众来投降。吐谷浑可汗夸吕率领亲兵远逃。隋主册封吐谷浑的高宁王移兹裒为河南王，由他统领归降的吐谷浑部众。任命元谐为宁州刺史，留行军总管贺娄子幹镇守凉州。

九月二十四日庚午，陈朝将军周罗睺攻打隋朝的故墅城，占领了这座城。陈将萧摩诃攻打江北地区。

隋朝奉车都尉于宣敏出使巴蜀返回，上奏说："蜀地肥沃富饶，人才辈出，物产丰富，周朝德运衰弱之时，王谦得以起兵成为战争的主谋。陛下应当在那里建立藩国，封立王室子孙。"隋主非常赞成。九月二十五日辛未，任命越王杨秀为益州总管，改封蜀王。于宣敏是于谨的孙子。

九月二十六日壬申，隋朝任命上柱国长孙览、元景山并为行军元帅，发兵入侵陈朝，任命尚书左仆射高颎掌控各路军队。

起初，北周、北齐所铸造的钱币共有四等，以及民间私铸的钱币，名称品种很多，轻重也不一样，隋主杨坚为此忧虑，便重铸五铢钱。所铸钱的背面、正面、钱身、钱孔都有轮廓，每一千枚五铢钱总重四斤二两。前代古币和民间私铸的钱一律禁用。在全国各个关口，放置五铢钱样品，不合样品的钱，一律没收销毁。从这以后，钱币开始统一,百姓感到十分方便。

隋朝郑译以上柱国职位退休回家，赏赐丰厚。郑译认为自己被疏远，偷偷叫来道士做法事求福，被奴婢告发，说他用巫蛊法术咒人。郑译又与母亲分居，被主管御史弹劾，因此被削职为民。隋主颁下诏书说："郑译如果留在人世间，做人是一个不守臣道的臣子；如果把他在朝堂上处死，到了地下是一个不孝的鬼。死活牵累阴阳两界，没地方安置他。应当赐给他《孝经》，使他熟读。"并命令他与母亲同住在一起。

起初，北周的刑律和北齐相比，烦琐而不简要，隋主杨坚命令高颎、郑译以及上柱国杨素、率更令裴政等人重新修订。裴政熟悉典章故事，懂得如何为政，于

旧律，下至齐、梁，沿革[172]重轻，取其折衷[173]。时同修者十余人，凡有疑滞[174]，皆取决于政。于是去前世枭[175]、轘[176]及鞭[177]法，自非谋叛以上，无收族[178]之罪。始制死刑二，绞[179]、斩；流刑[180]三，自二千里至三千里；徒刑[181]五，自一年至三年；杖刑[182]五，自六十至百；笞刑[183]五，自十至五十。又制议、请、减、赎、官[184]当之科[185]以优士大夫。除前世讯囚酷法[186]，考掠[187]不得过二百，枷[188]杖大小，咸有程序。民有枉屈[189]，县不为理者，听以次经郡及州、省[13]，若仍不为理，听诣阙[190]伸诉。

冬，十月戊子[191]，始行新律。诏曰："夫绞以致毙，斩则殊形[192]，除恶之体，于斯已极。枭首、轘身，义无所取，不益惩肃之理，徒表安忍[193]之怀。鞭之为用，残剥肤体，彻骨[194]侵肌，酷均脔切[195]。虽云远[14]古之式[196]，事乖[197]仁者之刑。枭、轘及鞭，并令去之。贵砺带[198][15]之书，不当徒罚，广轩冕[199]之荫[200]，旁及诸亲。流役六年，改为五载，刑徒五岁，变从三祀[201]。其余以轻代重，化死为生，条目甚多，备于简策[202]。杂格、严科[203]，并宜除削。"自是法制遂定，后世多遵用之。

隋主尝怒一郎[204]，于殿前笞之。谏议大夫[205]刘行本[206]进曰："此人素清[207]，其过又小，愿少宽之。"帝不顾。行本于是正当帝前曰："陛下不以臣不肖[208]，置臣左右，臣言若是，陛下安得不听？若非，当致之于理，岂得轻臣而不顾也[16]？"因置笏于地而退。帝敛容[209]谢之[210]，遂原所笞者。行本，璠之兄子也。

独孤皇后家世贵盛[211]而能谦恭，雅好[212]读书，言事多与隋主意合，帝甚宠惮[213]之，宫中称为"二圣"。帝每临朝，后辄与帝方辇[214]而进，至阁[215]乃止。使宦官伺帝，政有所失，随则[17]匡谏[216]。候帝退朝，同反燕寝[217]。有司奏称："《周礼》[218]百官之妻，命于王后，请依古制。"后曰："妇人与政[219]，或从此为渐[220]，不可开其源也。"大都督崔长仁，后之中外兄弟[221]也，犯法当斩，帝以后故，欲免其罪。后曰："国家之事，焉可顾私？"长仁竟坐死[222]。后性俭约，帝尝合止利[223]药，须胡粉[224]一两。宫内不用，求之，竟不得。又欲赐柱国刘嵩妻织成衣领，

是采取魏、晋旧律，下至齐、梁法典，考察前后沿袭变革、宽严轻重，折中取舍。当时，共同修订刑律的有十余人，凡有疑难，皆由裴政裁定。于是废除了前代斩首示众、车裂以及鞭刑等刑律。只要不是谋反以上的重罪，就没有收捕灭族之罪。开始制定死刑两等，一是绞，二是斩；流放刑律三等，流放两千里至三千里；徒刑五等，服刑一年到三年；杖刑五等，杖六十至一百；笞刑五等，用竹板打十至五十板。又制定了对行政官员的八议、申请减罪、官品减罪、纳钱赎罪、官职抵罪等条款，用来优待士大夫。又废除前代审讯囚徒时使用的酷刑，规定拷打不得超过两百下，对刑具枷杖的大小都做出了规定。百姓有冤屈，县府不受理审查的，听任百姓依次向郡、州、台省提起上诉，如果郡、州仍不受理审查的，准许到朝廷申诉。

冬，十月十二日戊子，隋朝开始颁行新律。隋主杨坚下诏说："绞刑能致人毙命，斩刑则使人身首分离，毁灭恶人的身体，这两项已达到极点。斩首示众、车裂人身，于义无取，对惩恶肃纪没有好处，只是表现了残忍的心怀。用鞭子抽打的刑法，摧残体肤，深入骨髓，侵害肌肉，酷虐程度如同用刀切割，虽然说是古代的法令，实在违背仁者的刑法。斩首示众、车裂以及鞭刑，全都废除。尊重功臣勋爵，不应对他们使用酷刑，扩大高官显贵的荫庇，旁及他们的宗亲。前代流刑六年，改为五年；前代五年徒刑，减为三年。其他惩罚条款，都以轻代重，改变死刑为有期徒刑，条款很多，备载典策。烦琐的法令、严酷的科条，都应削除。"从此刑律制度就确定下来了，后世多遵用隋律。

隋主杨坚曾经怨恨一位郎官，在殿前用竹板打他。谏议大夫刘行本上前说："这位郎官一向清廉，犯的过失又小，希望陛下对他稍加宽宥。"隋文帝不理睬。刘行本于是站到隋文帝面前说："陛下不认为臣没有才能，才把我安置在左右，臣说的话如果是对的，陛下怎能不听？如果说错了，应当交给司法审理，怎么能轻视臣而不理会呢？"于是便将笏板丢在地上退了下去。隋文帝严肃地向刘行本道歉，宽赦了那位郎官。刘行本是刘璠哥哥的儿子。

独孤皇后家族世代显贵而又能谦恭待人，平常喜欢读书，议论政事多与隋文帝的心意相合，隋文帝既宠爱又敬畏她，宫中并称帝后为"二圣"。隋文帝每次上朝，独孤皇后都与隋文帝并辇前往，到阁门才停止。独孤皇后还派宦官伺察文帝，朝政有所缺失，随时谏正。等隋文帝退朝，独孤皇后与他一起回寝宫。朝中有司奏称："按照《周礼》，百官妻子的封号，由皇后确定，请求依照古制。"独孤皇后说："妇人参政，或许就会从这里开始蔓延，我不能带这个头。"大都督崔长仁是独孤皇后的表兄，犯法应当斩首，隋文帝因皇后的原因，想要赦免他的罪行。独孤皇后说："朝廷的事情，怎能顾念私情？"崔长仁最终判为死罪。独孤皇后生性俭约，隋文帝曾经要配制止泻药，须用胡粉一两。皇后宫中不用胡粉，寻找一番，竟然没有找到。隋文帝又想赏赐柱国刘嵩

宫内亦无之。然帝惩[225]周氏之失，不以权任假借[226]外戚，后兄弟不过将军、刺史。

帝外家[227]吕氏，济南[228]人，素微贱[229]，齐亡以来，帝求访，不知所在。及即位，始求得舅子吕永吉[230]，追赠外祖双周为太尉，封齐郡公，以永吉袭爵。永吉从父道贵[231]，性尤顽骏[232]，言词鄙陋，帝厚加供给，而不许接对朝士。拜上仪同三司，出为济南太守，后郡废，终于家。

壬辰[233]，隋主如岐州[234]。

岐州刺史安定梁彦光[235]，有惠政，隋主下诏褒美，赐粟[18]帛及御伞[236]，以厉[237]天下之吏，久之，徙相州刺史。岐俗质厚[238]，彦光以静镇之，奏课[239]连为天下最。及居相，部如岐州法。邺自齐亡，衣冠士人[240]多迁入关，唯工商乐户[241]移实州郭[242]，风俗险诐[243]，好兴谣讼，目彦光为"著帽饧"[244]。帝闻之，免彦光官。岁余，拜赵州[245]刺史。彦光自请复为相州，帝许之。豪猾[246]闻彦光再来，皆嗤[247]之。彦光至，发擿奸伏[248]，有若神明，豪猾潜窜，阖境大治。于是招致名儒，每乡立学，亲临策试[249]，褒勤黜怠[250]。及举秀才[251]，祖道[252]于郊，以财物资之。于是风化[253]大变，吏民感悦，无复讼者。

时又有相州刺史陈留樊叔略[254]，有异政，帝以玺书褒美，班示天下，征拜司农[255]。

新丰[256]令房恭懿[257]，政为三辅[258]之最，帝赐以粟帛。雍州诸县令朝谒，帝见恭懿，必呼至榻前，访[19]以治民之术。累迁德州[259]司马。帝谓诸州朝集使[260]曰："房恭懿志存体国[261]，爱养我民，此乃上天宗庙之所祐。朕若置而不赏，上天宗庙必当责我。卿等宜师范之。"因擢为海州刺史。由是州县吏多称职，百姓富庶。

十一月丁卯[262]，隋遣兼散骑侍郎[263]郑撝来聘。

十二月庚子[264]，隋主还长安，复郑译官爵。

广州[265]刺史马靖，得岭表[266]人心，兵甲精练，数有战功。朝廷疑之，遣吏部侍郎[267]萧引[268]观靖举措，讽令送质[269]，外托收督赕物[270]，引至番禺[271]。靖即遣子弟入质。

的妻子织成的衣领，宫中也没有。然而隋文帝吸取北周丧失天下的教训，不把大权要职授给外戚，独孤皇后的兄弟最高职位不超过将军、刺史。

隋文帝的外祖家族吕氏，济南人，向来贫寒微贱，北齐灭亡后，隋文帝多方寻找，不知道下落。等到即了皇帝位，才找到舅舅吕永吉，追赠外祖父吕双周为太尉，封齐郡公，让吕永吉继承爵位。吕永吉的叔父吕道贵，生性冥顽痴呆，说话鄙陋粗俗，隋文帝给他丰厚的供给，但不许他与朝士大夫接触。封吕道贵为上仪同三司，外出为济南太守，后来济南郡撤销，吕道贵终老于家。

十月十六日壬辰，隋主杨坚到岐州。

岐州刺史安定人梁彦光有德政，隋主下诏嘉奖他，赏赐粟帛和御伞，用以激励全国的官员。过了很长时间，迁调梁彦光为相州刺史。岐州民俗淳厚，梁彦光以清静为治，奏课连年为全国第一。等到迁调为相州刺史，治理方法同在岐州一样。相州治所邺城自从北齐灭亡以后，士大夫大多迁入关中，只有手工业者、商户、乐户迁入充实邺城，民俗奸险邪僻，喜欢生事诉讼，把梁彦光看成“着帽饧”。隋文帝听说后，罢了梁彦光的官。一年多以后，任为赵州刺史。梁彦光请求再当相州刺史，隋文帝准许了。相州的豪强猾吏听说梁彦光又来了，都嘲笑他。梁彦光到相州，揭发暗藏的奸邪，有如神明，豪强猾吏潜逃，全境大治。梁彦光于是延请名儒，在每个乡设立学校，亲自到学校主持考试，嘉奖勤奋的学生，斥退怠惰的学生。等到推举优秀的人才进京考试，梁彦光都会到城郊饯行，用财物资助他们。于是相州的社会风气大变，官吏百姓都感激心服，再没有打官司的人。

当时，又有一个相州刺史陈留人樊叔略，政绩突出，隋文帝用玺书给予表扬，颁示全国，征召入京任命为司农。

新丰县令房恭懿的政绩在三辅地区名列第一，隋文帝赏赐给他粟米绢帛。雍州所属各县令朝谒皇上时，隋文帝看到房恭懿，一定召他到坐榻前，向他询问治民的方略。房恭懿一直升迁到德州司马。隋文帝对各州派遣到京师的朝集使说：“房恭懿一心为国，爱护我的百姓，这是上天和祖先赐下的福佑。朕如果撇下他不赏赐，上天和祖先一定责怪我。你们应该以他为榜样。”于是升迁房恭懿为海州刺史。因此，州县的长官大多称职，百姓富足。

十一月二十二日丁卯，隋朝派遣兼散骑侍郎郑捴出使陈朝。

十二月二十五日庚子，隋主杨坚返回长安，恢复郑译的官职和爵位。

陈朝的广州刺史马靖颇得岭南地区人心，兵甲器械精良，多次立有战功。朝廷猜忌他，派吏部侍郎萧引察看他的动静，暗示马靖向朝廷送交人质。萧引对外假托到岭南督收蛮夷部族向朝廷送交的贡物，他到达番禺，马靖立即送子弟到朝廷为人质。

是岁，隋主诏境内之民任听出家，仍令计口出钱，营造经像。于是时俗从〔20〕风而靡[272]，民间佛书，多于“六经”[273]数十百倍。

突厥佗钵可汗病且卒[274]，谓其子庵逻[275]曰：“吾兄不立其子，委位于我。我死，汝〔21〕当避大逻便[276]。”及卒，国人将立大逻便。以其母贱，众不服。庵逻实贵[277]，突厥素重之。摄图[278]最后至，谓国人曰：“若立庵逻者，我当帅兄弟事之。若立大逻便，我必守境，利刃长矛以相待。”摄图长，且雄勇，国人莫敢拒，竟立庵逻为嗣。大逻便不得立，心不服庵逻，每遣人詈辱[279]之。庵逻不能制，因以国让摄图。国中相与议曰：“四可汗[280]子，摄图最贤。”共迎立之，号沙钵略可汗，居都斤山[281]。庵逻降居独洛水[282]，称第二可汗。大逻便乃谓沙钵略曰：“我与尔俱可汗子，各承父后。尔今极尊[283]，我独无位，何也？”沙钵略患之，以为阿波可汗，还领所部。又沙钵略从父玷厥[284]，居西面，号达头可汗。诸可汗各统部众，分居四面。沙钵略勇而得众，北方皆畏附之。

隋主既立，待突厥礼薄，突厥大怨。千金公主伤其宗祀覆没[285]〔22〕，日夜言于沙钵略，请为周室复雠。沙钵略谓其臣曰：“我，周之亲也。今隋公〔23〕自立而不能制，复何面目见可贺敦[286]乎？”乃与故齐营州刺史高宝宁合兵为寇。隋主患之，敕缘边[287]修保障[288]，峻长城[289]，命上柱国武威阴寿[290]镇幽州，京兆尹虞庆则镇并州，屯兵数万以备之。

初，奉车都尉[291]长孙晟送千金公主入突厥，突厥可汗爱其善射，留之竟岁[292]，命诸子弟贵人与之亲友，冀[293]得其射法。沙钵略弟处罗侯[294]，号突利设，尤得众心，为沙钵略所忌，密托心腹阴与晟盟。晟与之游猎，因察山川形势，部众强弱，靡[295]不知之。

及突厥入寇，晟上书曰：“今诸夏[296]虽安，戎虏[297]尚梗[298]，兴师致讨，未是其时[299]，弃于度外，又相侵扰，故宜密运筹策[300]，渐〔24〕以攘之[301]。玷厥之于摄图，兵强而位下，外名相属，内隙已彰[302]，鼓动其情，必将自战[303]。又，处罗侯者，摄图之弟，奸多势弱[304]，曲取众心，国人爱之，因为摄图所忌，其心殊[305]不自安，迹示弥缝[306]，实怀疑惧。

这一年，隋主杨坚下诏全国，听任老百姓出家为僧尼，并按人口摊派出钱营造佛经、佛像。这样一来，民风时俗随风转向，民间的佛经书籍，多于“六经”数十倍到百倍。

突厥佗钵可汗病危快要死时，对儿子庵逻说：“我的哥哥木杆可汗不立儿子大逻便，而传位给我。我死后，你们兄弟应当避让大逻便。”等到佗钵可汗死后，国人将拥立大逻便为可汗，但因大逻便的母亲出身微贱，众贵臣不服。庵逻的母亲出身尊贵，突厥贵臣也一向尊重他。摄图最后一个到会，对国人说：“如果拥立庵逻的话，我带领兄弟们服从他；如果拥立了大逻便，我一定保守我的地盘，用利刀和长矛对付他。”摄图年长，而且雄健勇武，国人没有人敢违抗他，终于拥立了庵逻为继承人。大逻便没有被拥立，心中不服庵逻，常常派人去辱骂他。庵逻控制不了大逻便，因此把国家让给了摄图。国人互相议论说：“四位可汗的儿子，摄图最贤明。”于是大家共同拥立摄图，称为沙钵略可汗，居住在都斤山。庵逻退居到独洛水，称为第二可汗。大逻便对沙钵略可汗说：“我和你都是可汗的儿子，各自继承父业，你如今位极尊贵，我却没有地位，为什么呢?”沙钵略为此忧虑，就封大逻便为阿波可汗，让他回去统领自己的部众；叔父玷厥居住在西面，称达头可汗。各位可汗各自统领自己的部属，分居四面。沙钵略勇武而深得众心，因此北方各少数部落民族都因畏惧而依附他。

隋主杨坚即皇帝位以后，对突厥恩礼薄少，突厥人大为怨恨。北周千金公主哀痛自己宗族覆灭，日夜向沙钵略可汗进言，请求他替北周报仇。沙钵略对臣下说：“我是北周的亲戚，如今隋主杨坚自立为帝，我若不能制止，还有什么脸面见可贺敦呢?”于是与原北齐营州刺史高宝宁合兵侵犯隋朝边境。隋主非常忧虑，下令沿边修建城堡亭障，加高长城，并派上柱国武威人阴寿镇守幽州，京兆尹虞庆则镇守并州，屯兵数万防御突厥。

当初，北周奉车都尉长孙晟奉命送千金公主到突厥，突厥可汗喜爱长孙晟善于射箭，留了整整一年，命令众子弟和部落贵人与长孙晟亲近友善，希望学到他的箭法。沙钵略可汗的弟弟处罗侯，称为突利设，非常得民心，被沙钵略可汗猜忌，处罗侯秘密委托心腹与长孙晟结盟。长孙晟和处罗侯游猎，趁此考察山川形势，各部众的强弱，没有不知道的。

等到突厥入侵隋朝边境，长孙晟上书说：“如今华夏虽然安定，北方突厥还在为害，发兵征讨还不是时候，如果置之不理，他们又时常侵扰，因此应当暗中周密策划，渐渐攘除外祸。突厥达头可汗玷厥与沙钵略可汗摄图相比，兵马强盛但地位低下，名义上臣属摄图，其实内部嫌隙已经明显，煽动他们的仇恨情绪，他们一定会自相残杀。另外，处罗侯是摄图的弟弟，奸诈颇多，势力弱小，用尽心机争取人心，国人爱戴他，因而遭到摄图的猜忌，他心里极不安定。处罗侯行迹上表示与摄图弥

又，阿波[307]首鼠[308]，介[309]在其间，颇畏摄图，受其牵率[310]，唯强是与，未有定心。今宜远交而近攻，离强而合弱。通使[311]玷厥，说合阿波，则摄图回兵，自防右地[312]。又引处罗，遣连[313]奚[314]、霫[315]，则摄图分众，还备左方[316]。首尾猜嫌，腹心离阻[317]，十数年后，乘衅[318]讨之，必可一举而空其国[319]矣。”帝省表[320]，大悦，因召与语。晟复口陈[321]形势，手画山川，写其虚实，皆如指掌[322]，帝深嗟异[323]，皆纳用之。遣太仆[324]元晖[325]出伊吾[326]道，诣达头，赐以狼头纛[327]。达头使来，引居沙钵略使上。以晟为车骑将军[328]，出黄龙[329]道，赍币赐奚、霫、契丹，遣为乡导[330]，得至处罗侯所，深布心腹，诱之内附。反间既行，果相猜贰[331]。

始兴王叔陵，太子之次弟也，与太子异母，母曰彭贵人。叔陵为江州刺史，性苛刻狡险。新安王伯固，以善谐谑[332]，有宠于上及太子，叔陵疾之，阴求其过失，欲中之以法[333]。叔陵入为扬州刺史，事务多关涉[334]省阁[335]，执事[336]承意顺旨[337]，即讽上进用之，微致违忤[338]，必抵[339]以大罪，重者至殊死[340]。伯固惮之，乃谄求其意。叔陵好发古冢[341]，伯固好射雉[342]，常相从郊野，大相款狎[343]，因密图不轨。伯固为侍中，每得密语[344]，必告叔陵。

【段旨】

以上为第二段，重点写隋文帝杨坚初即位在开皇元年约法省刑、纳谏治国、赢得民心的情形。

【注释】

[135]癸未：六月初五日。[136]郊庙：指郊祀与庙制。[137]冕服：古代统治者的礼服。举行吉礼时都用冕服。[138]《礼经》：书名，所指不同，一指《仪礼》，周公所制礼经，《汉书·艺文志》称之《礼古经》；二指《周礼》，《汉书·艺文志》称之《周官经》。[139]牺牲：古代供祭祀用的纯色全体牲畜。[140]乙卯：七月初八日。[141]壬午：八月初五日。[142]东京官：指北周灭北齐后，由相州迁于东京（洛阳）的六府官。[143]凉州：州名，治所姑臧县，在今甘肃武威。[144]丰利山：山名，故址在今青海湖东。[145]青海：湖名，即今青海湖，在青

合矛盾，其实内心怀有疑虑和恐惧。还有，阿波可汗大逻便摇摆不定，夹在玷厥和摄图之间，很害怕摄图，受摄图控制，总是倒向势力强大的一边，并没有坚定的诚心。如今我们应远交近攻，离间强大的，联合弱小的。派出使者联络玷厥，劝说玷厥与阿波可汗大逻便联合，这样摄图就会撤回南下侵犯隋朝的军队，在本土防备西部地区。另外，再拉拢处罗侯，派出使者联络库莫奚族和霫族，那么摄图就要分兵，防备东部。这样，突厥首尾猜嫌，内部分裂，十多年后，再乘机征讨，一定可以一举灭掉突厥。”隋文帝看了奏章，大为高兴，便召见长孙晟谈话。长孙晟一边口头陈述形势，一边手画山川，指示突厥虚实所在，了如指掌。隋文帝深深赞叹，采用长孙晟的全部建议。于是派出太仆元晖西出伊吾道，前往达头可汗玷厥住所，赐给他绣有狼头的大旗。达头可汗的使者来隋朝，隋朝将他安置在沙钵略使者的上头。隋朝任命长孙晟为车骑将军，经黄龙道出塞，携带钱财礼品赏赐库莫奚、霫、契丹等族，还让他们做向导，才得以到达处罗侯的住地。长孙晟与处罗侯推心置腹交谈，劝诱他内附隋朝。长孙晟的反间计执行后，突厥各部众之间果然互相猜疑分离。

陈朝始兴王陈叔陵是太子陈叔宝的二弟，与太子异母。陈叔陵的生母是彭贵人。陈叔陵任江州刺史，为人苛刻，狡诈阴险。新安王陈伯固，因擅长诙谐戏谑，得到陈宣帝和皇太子的宠信，陈叔陵嫉恨陈伯固，暗中搜集他的过失，想要对他依法治罪。后来陈叔陵入朝为扬州刺史，州府事务很多牵涉到中书、尚书两省，办事官员顺从陈叔陵的旨意，陈叔陵就讽谏皇上晋升重用，如果稍有违背触犯他，他一定让这人陷于大罪，严重的甚至身首异处。陈伯固害怕他，就对他阿谀奉承，投其所好。陈叔陵喜欢发掘古墓，陈伯固喜欢射野鸡，两人经常一起到郊外游玩，十分亲密，进而密谋叛乱。陈伯固任侍中时，每当得到省中机密，一定告诉陈叔陵。

海西宁西。⑭⑥夸吕（？至公元五九一年）：吐谷浑可汗，在位近百年。事见《梁书》《魏书》《周书》《隋书》《南史》《北史》中的《吐谷浑传》。⑭⑦宁州：州名，治所安定县，在今甘肃宁县。⑭⑧庚午：九月二十四日。⑭⑨故墅：《隋书》卷一《高祖纪上》作“胡墅”，《北史》同，当据改。胡墅，地名，在今江苏南京长江北岸，与江南石头城相对。⑮⓪奉车都尉：官名，掌御乘舆马。⑮①于宣敏：字仲达，河南洛阳（今河南洛阳）人，于义之子。历仕周、隋，官至奉车都尉。传附《隋书》卷三十九《于义传》、《北史》卷二十三《于栗磾传》。⑮②殷阜：富实。⑮③戎首：战争的主谋。此指王谦起兵。⑮④藩屏：藩篱屏蔽。此处比喻藩国。⑮⑤封殖：封立，培植。⑮⑥辛未：九月二十五日。⑮⑦壬申：九月二十六日。⑮⑧名品甚众：指钱的名称和种类甚多。隋初，既有齐、周官制钱，又有民间私钱，混杂使用。⑮⑨背、面、肉、好：背，钱的背面。面，钱的正面，标明重量，如五铢。

肉，钱体称肉。好，钱孔称好。⑯周郭：古钱的轮廓。⑯关：指各关卡。⑯始壹：才统一。⑯醮章：相传道士有消灾度厄之法，依照阴阳五行术数，推人寿命，书写如章表仪式，并具备钱币，烧香诵读，说是上奏天帝，请求除厄，谓为上章。夜中于星辰之下，摆设酒果、钱币等物，祭祀天皇、五星，书写上章，恭敬上奏，名为醮。⑯巫蛊：古代迷信，谓巫师使用邪术加祸于人为巫蛊。蛊，毒虫。⑯宪司：指御史台官。⑯幽显：指阴间与阳世。⑯率更令：官名，即太子率更令，掌伎乐漏刻。⑯裴政：字德表，河东闻喜（今山西闻喜）人，历仕周、隋，官至襄州总管。传见《隋书》卷六十六、《北史》卷七十七。⑯练习：熟悉。⑰典故：常例、典制及掌故。⑰从政：为政。⑰沿革：累世循用而不变为沿，其中有变更者为革。⑰折衷：即折中。调和二者，取其中正，无所偏颇。⑰疑滞：疑难而不通晓。⑰枭：古代死刑之一，杀人而悬其头于木杆上示众。⑰轘：车裂人的酷刑。⑰鞭：古代的一种刑罚。鞭用皮革制成（一说竹制），其长短大小都有定制。⑰收族：拘捕同族人。古代连坐法，一人犯罪，株连家族。⑰绞：古代死刑之一，勒颈断气而死。⑱流刑：将犯人流放荒僻之地服劳役的一种刑罚。根据罪行轻重而流放远近不同。⑱徒刑：有期苦刑。⑱杖刑：用木棍击打犯人臀或腿部的一种刑罚。⑱笞刑：用竹板或荆条打犯人背或臀部的一种刑罚。⑱议、请、减、赎、官：议，《周礼》有八议之法，凡帝王亲故、贤能、功臣等八议之人犯死罪，皆先奏请，议定其罪。请，凡在八议之科的则可请而减罪。减，七品以上官犯罪皆例减一等。赎，九品以上官犯罪则可交纳一定数量的铜以减罪，如笞刑，交铜一斤，可免打十板；徒刑一年交铜二十斤可免刑。官，官职抵罪。⑱科：法律条款。⑱讯囚酷法：指在审讯犯人时所使用的刑罚。⑱考掠：拷打。泛指刑讯。考，通“拷”。掠，笞打。⑱枷：古代套在犯人颈上的木制刑具。⑱枉屈：冤屈。⑲诣阙：赴皇帝的殿廷。阙，宫阙，皇帝所居之处。⑲戊子：十月十二日。⑲殊形：身体变异，指身首分离。⑲安忍：安心于残忍之事。⑲彻骨：深透入骨。⑲脔切：将鱼肉切成块状。⑲式：法式；法令。⑲乖：违背。⑲砺带：汉高祖分封功臣时发誓说，“使黄河如带，泰山若砺，国以永存，爰及苗裔”。意思说即使黄河狭窄如衣带，泰山小如砺石，国犹永存。后因以“砺带”比喻功臣爵禄。⑲轩冕：卿大夫的轩车和冕服。此指官位爵禄。⑳荫：古代子孙因先世有功勋而推恩得赐官爵称荫。⑳三祀：三年。祀，年。⑳简策：古代以竹片为简，数简串连为策。此指成文的法令。⑳杂格、严科：格，法令的一种，官吏处事的规则。科，法令、条律。⑳郎：郎官。⑳谏议大夫：官名，掌论议、规谏。⑳刘行本：沛（今江苏沛县）人，历仕周、隋，官至黄门侍郎。传见《隋书》卷六十二、《北史》卷七十。⑳素清：一向清廉。⑳不肖：不才。⑳敛容：脸色变得严肃。㉑谢之：向刘行本道歉。㉑贵盛：尊贵。独孤皇后父独孤信仕西魏及周，列于元功。姐姐为周明帝皇后，女儿又为周宣帝后。㉑雅好：平素爱好。雅，平常。㉑宠惮：宠爱而敬畏。㉑方辇：两辇并排。辇，车，一般尊称天子的车为辇。㉑阁：宫殿小门。㉑匡谏：劝谏而纠正过失。㉑同反燕寝：一同回到寝宫。反，通“返”。燕寝，周制王有六寝，一是正寝，其余五寝在后，通称宴寝。燕，通“宴”。㉘《周礼》：原名《周官》，也称《周官经》。西汉末列为经而属于礼，故有《周礼》之名。㉙与政：参与朝政。㉚渐：渐进；逐渐。㉛中外兄弟：中表亲兄弟。中指舅父子女，为内兄弟；外指姑母子女，为外兄弟。㉜坐死：判为死罪。坐，判罪。㉝止利：止泻。泄泻不止称利。利，通“痢”。㉞胡粉：铅粉，一名铅华。是一种化妆品。㉟惩：惩戒，以周氏的失败作为教训。㊱假借：给予。假、借，同义词连用。㊲外家：外祖父家。㊳济南：郡名，治所历城县，在今山东济南。㊴微贱：卑贱。㊵吕永吉：隋文帝舅父之子。传见《隋书》卷七十九《外戚传》、《北史》卷八十《外戚传》。㊶道贵：即吕道贵，吕永吉从父。传见《隋书》卷七十九《外戚传》、《北史》卷八十《外戚传》。㊷顽騃：愚昧；呆傻。㊸壬辰：十月十六日。㊹岐州：州名，治所雍县，在今陕西宝鸡市凤翔区东南义坞堡。㊺梁彦光（公元五三四至五九三年）：字修芝，安定乌氏（今甘肃泾川东）人，历仕周、隋，官至相州刺史。传见《隋书》卷七十三、《北史》卷八十六。㊻伞：用以遮光避雨的用具，古代习称盖，形状类似今日的雨伞。㊼厉：激励；鼓励。㊽质厚：质朴忠厚。㊾奏课：每年上奏朝廷的本州户口及所缴赋税等。㊿衣冠士人：指士大夫。241乐户：古时犯罪的妇女或犯人的妻女没入官府，充当官伎，名隶乐籍，户称乐户。242郛：同“廓”。外城称郛。243险诐：奸险邪僻。244“著帽饧”：谓彦光软弱如团饧，不过戴个帽子而已。饧，糖饴，软而甜。245赵州：州名，治所大陆县，在今河北隆尧东。246豪猾：豪强不守法度的人。247嗤：讥笑。248发擿奸伏：揭发暗藏的奸人。发擿，揭露、揭发检举。奸伏，潜伏的奸邪隐恶之人。249策试：古代举士选官，出题答问，叫作对策。这种考试方法叫策试。250褒勤黜怠：褒扬勤勉，斥退怠惰之人。251秀才：才能优秀的人。隋朝每年由各州推举，到朝廷参加考试。252祖道：古人在出行前祭祀路神称祖道，后饯行也称祖道。253风化：风俗教化。254樊叔略（公元五三六至五九四年）：陈留（今河南开封）人，历仕周、隋，官至司农卿。传见《隋书》卷七十三、《北史》卷八十六。255司农：樊叔略本传作“司农卿”，官名，掌管钱、粮。256新丰：县名，县治在今陕西西安市临潼区新丰镇东南。257房恭懿：字慎言，河南洛阳（今河南洛阳）人，历仕周、隋，官至海州刺史。传见《隋书》卷七十三、《北史》卷七十五。258三辅：即西汉时于京畿之地所设京兆尹、左冯翊、右扶风的合称，相当于今陕西关中地区。259德州：州名，治所平原县，在今山东平原西南。260朝集使：每年元会，各州派使者赴京朝集，称为朝集使。261体国：出自《周礼·天官·序官》“体国经野”，意即治理国家。体国，划分都城为若干区域，由“国人”居住。经野，丈量田野为方块耕地，使“野人”居住。体，划分。国，都城。经，丈量。野，田野。262丁卯：十一月二十二日。263散骑侍郎：官名，侍从皇帝，掌讽议、献纳。264庚子：十二月二十五日。265广州：州名，治所番禺县，在今广东广州。266岭表：即岭南。指五岭以南之地，相当于今广东、广西等地。267吏部侍郎：官名，尚书省吏部副长官，协助尚书，主管选举官吏。268萧引：字叔休，兰陵（今山东兰陵县兰陵镇）

人，历仕梁、陈，官至吏部侍郎。传见《陈书》卷二十一、《南史》卷十八。㉖⑨送质：送子弟为人质。㉗⓪赕物：蛮夷输送中央的货物。㉗①番禺：城名，广州治所，故址在今广东广州。㉗②靡：倒下。㉗③“六经”：儒家的六部经典著作，包括《诗经》《尚书》《周礼》《乐经》《周易》《春秋》。㉗④且卒：将要死。㉗⑤庵逻：突厥佗钵可汗之子，称第二可汗。事见《隋书》卷八十四《突厥传》、《北史》卷九十九《突厥传》。㉗⑥大逻便：突厥木杆可汗之子，后为阿波可汗。事见《隋书》卷八十四《突厥传》、《北史》卷九十九《突厥传》。㉗⑦实贵:《隋书》卷八十四《突厥传》作“母贵”，当是。㉗⑧摄图：突厥逸可汗之子，后为沙钵略可汗。事见《隋书》卷八十四《突厥传》、《北史》卷九十九《突厥传》。㉗⑨詈辱：辱骂。㉘⓪四可汗：谓逸可汗及木杆可汗、褥但可汗、佗钵可汗。㉘①都斤山：地名，或名于都斤山、郁督军山、乞督军山、尉都楗山、乌德鞬山、乌德健山、乌都鞬山、乌罗德健山，即今蒙古国境内的杭爱山。㉘②独洛水：又作独洛河，即今蒙古国境内土拉河。㉘③极尊：至尊，指突厥可汗之位。㉘④玷厥：木杆可汗兄弟，号达头可汗。事见《隋书》卷八十四《突厥传》、《北史》卷九十九《突厥传》。㉘⑤宗祀覆没：国破家亡。㉘⑥可贺敦：突厥的君长称可汗，其妻称可贺敦。㉘⑦缘边：沿着边疆。㉘⑧保障：保护障蔽。㉘⑨峻长城：把长城加高。㉙⓪阴寿：字罗云，武威（今甘肃民勤）人，历仕周、隋，官至幽州总管，封赵国公。传见《隋书》卷三十九、《北史》卷七十三。㉙①奉车都尉：官名，掌御乘车马。㉙②竟岁：终年。竟，终、尽。㉙③冀：希望。㉙④处罗侯：摄图之弟，后立为叶护可汗。事见《隋书》卷八十四《突厥传》、《北史》卷九十九《突厥传》。㉙⑤靡：无。㉙⑥诸夏：指华夏各族。㉙⑦戎虏：泛指西北方的少数民族，此指突厥。㉙⑧梗：为害。㉙⑨未是其时：不是时机。㉚⓪运筹策：运用谋划、策略。㉚①攘之：驱逐突厥入侵者。攘，排斥。㉚②内隙已彰：内部嫌隙已经明显。隙，间隙。彰，显明。㉚③自战：谓突厥内部相互残杀。㉚④奸多势弱：其心多奸巧，而势力较弱。㉚⑤殊：极；特别。㉚⑥迹示弥缝：在行迹上显示弥补缝合。㉚⑦阿波：指阿波可汗大逻便。㉚⑧首鼠：迟疑不决。㉚⑨介：处于二者之间。㉛⓪牵率：牵引，也作“牵帅”。㉛①通使：派遣使者，沟通联系。㉛②右地：指突厥西部地区。㉛③遣连：派人去联络。㉛④奚：少数民族名，本名库莫奚，东部胡的一支，生活在松、漠（今河北、辽宁、内蒙古交界之处）之间。㉛⑤霫：少数民族名，匈奴族中的一支，居潢水北。㉛⑥左方：指突厥东部地区。㉛⑦腹心离阻：内部分裂。㉛⑧衅：缝隙；裂痕。㉛⑨空其国：灭其国。空，罄尽。㉜⓪省表：看了表章。㉜①口陈：口头陈述。㉜②指掌：指之于掌；了如指掌。㉜③嗟异：慨叹称奇。㉜④太仆：官名，掌皇帝舆马和马政。㉜⑤元晖：字叔平，河南洛阳（今河南洛阳）人，历仕周、隋，官至兵部尚书。传见《隋书》卷四十六、《北史》卷十五。㉜⑥伊吾：地名，在今新疆哈密。㉜⑦狼头纛：绣有狼头的大旗。相传突厥为狼种（疑其图腾为狼），子孙做君长，牙门挂狼头纛，示不忘本。纛，军队中的大旗。㉜⑧车骑将军：将军号，隋初置为骠骑府副长官或车骑府长官，正五品。㉜⑨黄龙：地名，即合龙，故址在今辽宁朝阳。㉝⓪乡导：引路人。乡，通“向”。㉝①猜贰：猜疑分离。㉝②谐谑：

诙谐逗趣，犹如现在说的开玩笑。㉝中之以法：以法制裁。中，着、击中。㉞关涉：联系。㉟省阁：谓中书、尚书二省。㊱执事：各部门的专职人员；百官。㊲承意顺旨：迎合顺从别人的意旨。㊳违忤：违背；违反。㊴抵：抵偿；当。㊵殊死：身首异处。㊶发古冢：发掘古坟墓。㊷雉：野鸡。㊸款狎：亲近；亲密。㊹密语：谓省中机密。

【校记】

［10］在外：原无此二字。据章钰校，十二行本、乙十一行本、孔天胤本皆有此二字，张敦仁《通鉴刊本识误》同，今据补。〖按〗《隋书·礼仪志七》有此二字。［11］壬申：原无此二字。据章钰校，十二行本、乙十一行本、孔天胤本皆有此二字，张敦仁《通鉴刊本识误》同，今据补。〖按〗《隋书·高祖纪上》《北史·高祖文帝纪》皆有此二字。［12］阴：原无此字。据章钰校，十二行本、乙十一行本、孔天胤本皆有此字，今据补。〖按〗《隋书·郑译传》《北史·郑义传附郑译传》皆有此字。［13］省：原无此字。据章钰校，十二行本、乙十一行本、孔天胤本皆有此字，今据补。〖按〗《隋书·刑法志》有此字。［14］远：原作“往”。据章钰校，十二行本、乙十一行本、孔天胤本皆作“远”，今据改。〖按〗《隋书·刑法志》作“远”。［15］砺带：原作“带砺”。据章钰校，十二行本、乙十一行本、孔天胤本二字皆互乙，今据改。〖按〗《隋书·刑法志》作“砺带”。［16］岂得轻臣而不顾也：原无此八字。据章钰校，十二行本、乙十一行本、孔天胤本皆有此八字，张敦仁《通鉴刊本识误》同。〖按〗《隋书·刘行本传》有此八字，今据补。［17］则：原作“即”。据章钰校，十二行本、乙十一行本皆作“则”，张敦仁《通鉴刊本识误》同，今据改。〖按〗《隋书·后妃·文献独孤皇后传》《北史·后妃下·隋文献独孤皇后传》皆作“则”。［18］粟：原作“束”。据章钰校，十二行本、乙十一行本、孔天胤本皆作“粟”，张敦仁《通鉴刊本识误》同，今据改。〖按〗《隋书·循吏·梁彦光传》《北史·循吏·梁彦光传》皆作“粟”。［19］访：原作“咨”。据章钰校，十二行本、乙十一行本、孔天胤本皆作“访”，今据改。〖按〗《隋书·循吏·房恭懿传》作“访”。［20］从：原作“随”。据章钰校，十二行本、乙十一行本、孔天胤本皆作“从”，今据改。［21］汝：原作“汝曹”。据章钰校，十二行本、乙十一行本、孔天胤本皆无“曹”字，今据删。〖按〗《隋书·北狄·突厥传》《北史·突厥传》皆无“曹”字。［22］没：原作“灭”。据章钰校，十二行本、乙十一行本、孔天胤本皆作“没”，今据改。〖按〗《通鉴纪事本末》卷二六、《通鉴纲目》卷三五皆作“没”。［23］公：原作“主”。据章钰校，十二行本、乙十一行本皆作“公”，张敦仁《通鉴刊本识误》同，今据改。〖按〗《通鉴纪事本末》卷二六、《通鉴纲目》卷三五皆作“公”。［24］渐：原作“有”。据章钰校，十二行本、乙十一行本、孔天胤本皆作“渐”，张敦仁《通鉴刊本识误》同，今据改。〖按〗《通鉴纪事本末》卷二六、《通鉴纲目》卷三五皆作“渐”。

【原文】

十四年（壬寅，公元五八二年）

春，正月己酉[345]，上不豫，太子与始兴王叔陵、长沙王叔坚并入侍疾[346]。叔陵阴有异志[347]，命典药吏[348]曰："切药刀甚钝，可砺[349]之。"甲寅[350]，上殂。仓猝[351]之际，叔陵命左右于外取剑。左右弗悟，取朝服木剑[352]以进，叔陵怒。叔坚在侧，闻之，疑有变，伺其所为。乙卯[353]，小敛[354]。太子哀哭俯伏[355]。叔陵抽剉药刀[356]斫太子，中项[357]，太子闷绝[358]于地。母柳皇后[359]走来救之，又斫后数下。乳媪[360]吴氏自后掣其肘，太子乃得起。叔陵持太子衣，太子自奋[361]得免。叔坚手扼[362]叔陵，夺去其刀，仍牵就柱，以其褶袖[363]缚之。时吴媪已扶太子避贼，叔坚求太子所在，欲受生杀之命[364]。叔陵多力，奋袖[365]得脱，突走[366]出云龙门，驰车还东府[367]，召左右断青溪[368]道，赦东城[369]囚以充战士，散金帛赏赐。又遣人往新林[370]追其[25]所部兵，仍自被甲，著白布帽，登城西门招募百姓。又召诸王将帅，莫有至者，唯新安王伯固单马赴之，助叔陵指挥。叔陵兵可千人，欲据城自守。

时众军并缘江防守，台内[371]空虚。叔坚白柳后，使太子舍人[372]河内司马申[373]，以太子命召右卫将军萧摩诃入见受敕，帅马步数百趣东府，屯城西门。叔陵惶恐，遣记室[374]韦谅[375]送其鼓吹[376]与摩诃，谓之[26]曰："事捷，必以公为台鼎[377][27]。"摩诃绐报[378]之曰："须王心膂节将自来，方敢从命。"叔陵遣其所亲戴温、谭骐驎诣摩诃，摩诃执以送台[379]，斩其首，徇东城。

叔陵自知不济[380]，入内，沉其妃张氏及宠妾七人于井，帅步骑数百自小航[381]渡，欲趣新林，乘舟奔隋。行至白杨路，为台军所邀[382]。伯固见兵至，旋[383]避入巷，叔陵驰骑拔刃追之，伯固复还，叔陵部下多弃甲溃去。摩诃马容[384]陈智深[385]迎刺叔陵僵仆，陈仲华就斩其首，伯固为乱兵所杀，自寅至巳[386]乃定。叔陵诸子并赐死，伯固诸子宥为庶人。韦谅及前衡阳[387]内史彭暠[388]、谘议参军[389]兼记室郑信[390]、典签[391]俞公

【语译】

十四年（壬寅，公元五八二年）

春，正月初五日己酉，陈宣帝生病，太子陈叔宝与始兴王陈叔陵、长沙王陈叔坚一起入宫侍奉皇上疾病。陈叔陵暗中有非分图谋，命令典药吏说："切药的刀太钝了，可以磨得锋利一些。"初十日甲寅，陈宣帝病逝。在匆忙之中，陈叔陵命令身边的人到室外取剑，身边的人没明白陈叔陵的意思，取来朝服上装饰用的木剑送给他，陈叔陵很生气。陈叔坚在旁边，听到了陈叔陵说的话，怀疑有变故，便暗中监视陈叔陵的行动。十一日乙卯，陈宣帝遗体入殓，太子陈叔宝趴在地上哀哭。陈叔陵抽出锉药的刀子砍太子，砍中了脖子，太子昏倒在地。太子的母亲柳皇后跑上来救护太子，陈叔陵向柳皇后连砍了几刀。太子乳母吴氏从陈叔宝的后面拉他的胳膊肘，太子才得以爬起来。陈叔陵扯住太子的衣服，太子奋力挣脱幸免于难。陈叔坚用手扼住陈叔陵的脖子，夺下他手中的锉刀，并拖着陈叔陵靠向房屋柱子，用陈叔陵衣服的长袖把他捆在屋柱上。这时乳母吴氏已把太子扶出殿外躲避贼人。陈叔坚寻找太子在哪里，想请示太子是杀掉还是释放陈叔陵。陈叔陵力气大，从捆绑的袖子中奋力挣脱出来，冲出云龙门，驱车回到扬州治所东府城，召集身边的人阻断青溪通道，释放东府的囚徒充当战士，散发金帛钱财赏赐他们。又派人到新林调来属下兵马，亲自披上铠甲，戴上白布帽，登上东府城西门召募民兵。又召集宗室各王将领，但没有一个来的，只有新安王陈伯固单枪匹马赶到，协助陈叔陵指挥。陈叔陵的兵士大约一千人，想占据东府城自守。

当时陈朝各军都在沿江防守，禁城空虚。陈叔坚报告了柳皇后，派太子舍人河内人司马申，以太子的名义宣召右卫将军萧摩诃入宫见太子接受敕令，带领几百名马步兵赶到东府城，驻屯在东府城西门。陈叔陵惶恐，派记室参军韦谅把自己的鼓吹仪仗送给萧摩诃，对萧摩诃说："大事办成，一定任命将军做台阁宰辅。"萧摩诃假意回报说："必须等王爷的心腹持节前来，才敢听从命令。"陈叔陵派他的亲信戴温、谭骐驎到萧摩诃军营，萧摩诃将他们抓起来送到台城，朝廷将二人斩首，在东府城示众。

陈叔陵自知不能成功，回到府衙，把妃子张氏以及宠爱的七个小妾沉入井中，率领步兵、骑兵数百人从小航渡过秦淮河，想前往新林，乘船奔赴隋朝。走到白杨路，被台军截住。陈伯固看到大军到来，转身逃入小巷，陈叔陵驰马抽刀追赶陈伯固，陈伯固又返回来。陈叔陵的部下大多丢掉武器逃散。萧摩诃的前驱兵陈智深迎面将陈叔陵刺倒，陈仲华上前割下陈叔陵的首级。陈伯固被乱兵杀死。从寅时到巳时，这场叛乱才平定。陈叔陵的几个儿子全部被赐死，陈伯固的几个儿子免死废为庶民。韦谅，以及衡阳原内史彭暠、谘议参军兼记室郑信、典签俞公喜等全都斩首。

喜并伏诛。嵩，叔陵舅也。信、谅有宠于叔陵，常参谋议。谅，粲之子也。

丁巳[392]，太子即皇帝位，大赦。

【段旨】

以上为第三段，写陈宣帝病逝，陈朝发生未遂政变，陈后主即位。

【注释】

㉟己酉：正月初五。[346]侍疾：侍奉病人。[347]异志：有叛变的意图。[348]典药吏：官名，掌管医药。[349]砺：磨刀。[350]甲寅：正月十日。[351]仓猝：匆促。[352]朝服木剑：朝服上的木剑，作为仪饰之用，故用木制。[353]乙卯：正月十一日。[354]小敛：给死者穿衣为小敛。[355]俯伏：面朝下，身体前倾。[356]剉药刀：即切药刀。[357]中项：砍中脖子。[358]闷绝：晕倒。[359]柳皇后：名敬言，河东解（今山西临猗）人，陈宣帝皇后。传见《陈书》卷七、《南史》卷十二。[360]乳媪：乳母。[361]自奋：自己猛然用力。[362]扼：掐住；捉住。[363]褶袖：宽袖。褶，上衣，多用布做成。[364]生杀之命：指生杀的意旨。[365]奋袖：挥动袖子，尽力挣扎。[366]突走：谓冲撞奔走。[367]东府：指扬州刺史的治所，在今江苏南京东。[368]青溪：渠名，三国时吴国在建业城（今江苏南京）东凿东渠，称为青溪。六朝时为首都漕运要道。[369]东城：即东府城。[370]新林：地名，即今江苏南京西南善桥镇。[371]台内：禁城内。南朝谓朝廷禁省为台，故禁城称台城。[372]太子舍人：官名，掌东宫文书表启。[373]司马申（？至公元五八六年）：字季和，祖籍河内郡温县（今河南温县），历仕梁、陈，官至右卫将军。传见《陈书》卷二十九、《南史》卷七十七。[374]记室：官名，掌章表、书记、文

【原文】

辛酉[393]，隋置河北道行台于并州[394]，以晋王广为尚书令。置西南道行台于益州[395]，以蜀王秀为尚书令。隋主惩周氏孤弱而亡，故使二子分莅[396]方面[397]。以二王年少，盛选贞良[398]有才望者为之僚佐[399]，以灵

彭暠是陈叔陵的舅舅。郑信、韦谅受到陈叔陵的宠信，经常参与密谋。韦谅是韦粲的儿子。

正月十三日丁巳，陈朝皇太子陈叔宝即皇帝位，大赦天下。

檄。㊲⑤韦谅：祖籍京兆杜陵（今陕西西安）。事附《陈书》卷三十六《始兴王叔陵传》、《南史》卷五十八《韦叡传》。㊲⑥鼓吹：乐名，本为军中之乐，将军以上官配以鼓吹。㊲⑦台鼎：辅相；重臣。㊲⑧绐报：用欺骗的语言回答。㊲⑨送台：送往台城。㊳⓪不济：不能成功。㊳①小航：秦淮河上浮桥名，渡口正对建业城朱雀门的称大航，正对东府门的称小航。㊳②为台军所邀：遭到官军的截击。邀，拦截。㊳③旋：转身；很快。㊳④马容：行军时的前驱者。㊳⑤陈智深：传附《陈书》卷三十一、《南史》卷六十七《萧摩诃传》。㊳⑥自寅至巳：从早上三时至十一时。寅，指清晨三至五时。巳，指九至十一时。㊳⑦衡阳：郡名，治所衡山县，在今湖南衡阳。㊳⑧彭暠（？至公元五八二年）：叔陵之舅。传附《陈书》卷三十六《始兴王叔陵传》。㊳⑨谘议参军：官名，王府中官，咨询谋议军事。㊴⓪郑信（？至公元五八二年）：事附《陈书》卷三十六《始兴王叔陵传》。㊴①典签：官名，南朝诸王任刺史的，朝廷设长史、典签作为佐属官，往往与长史掌握大权。㊴②丁巳：正月十三日。

【校记】

［25］其：原无此字。据章钰校，十二行本、乙十一行本、孔天胤本皆有此字，今据补。［26］之：原无此字。据章钰校，十二行本、乙十一行本、孔天胤本皆有此字，今据补。［27］鼎：原作“辅”。据章钰校，十二行本、乙十一行本、孔天胤本皆作“鼎”，今据改。〖按〗《陈书·始兴王叔陵传》作“鼎”。

【语译】

正月十七日辛酉，隋朝在并州建置河北道行台，任命晋王杨广为尚书令。在益州建置西南道行台，任命蜀王杨秀为尚书令。隋主杨坚吸取北周孤弱亡国的教训，所以让两个儿子各自镇守一方。由于两王年少，便广泛选择忠贞贤良而又有才能名

州[400]刺史王韶[401]为并省[402]右仆射，鸿胪卿[403]赵郡李雄[404]为兵部尚书，左武卫将军朔方李彻[405]总晋王府军事，兵部尚书元岩[406]为益州总管府长史。王韶、李雄、元岩俱有骨鲠[407]名，李彻前朝旧将，故用之。

初，李雄家世以学业自通，雄独习骑射。其兄子旦让之曰："非士大夫之素业也。"雄曰："自古圣贤，文武不备而能成其功业者鲜矣。雄虽不敏，颇观前志，但不守章句[408]耳。既文且武，兄何病[409]焉?"及将如并省，帝谓雄曰："吾儿更事[410]未多，以卿兼文武才，吾无北顾之忧[411]矣。"

二王欲为奢侈非法，韶、岩辄不奉教[412]，或自锁[413]，或排阁[414]切谏[415]。二王甚惮之，每事谘而后行，不敢违法度。帝闻而赏之。

又以秦王俊为河南道行台尚书令、洛州[416]刺史，领[417]关东兵。

癸亥[418]，以长沙王叔坚为骠骑将军[419]、开府仪同三司、扬州刺史。萧摩诃为车骑将军[420]、南徐州刺史，封绥远公，始兴王叔陵[28]家金帛累巨万，悉以赐之。以司马申为中书通事舍人[421]。

乙丑[422]，尊皇后为皇太后。时帝病创[423]，卧承香殿，不能听政[424]。太后居柏梁殿，百司众务，皆决于太后，帝创愈，乃归政焉。

丁卯[425]，封皇弟叔重为始兴王，奉昭烈王[426]祀。

隋元景山出汉口[427]，遣上开府仪同三司邓孝儒将卒四千攻甑山[428]。镇将军陆纶以舟师救之，为孝儒所败，涢口[429]、甑山、沌阳[430]守将皆弃城走。戊辰[431]，遣使请和于隋，归其胡墅。

己巳[432]，立妃沈氏[433]为皇后。辛未[434]，立皇弟叔俨为寻阳王，叔慎为岳阳王，叔达为义阳王[435]，叔熊[436]为巴山王，叔虞[437]为武昌王。

隋高颎奏，礼不伐丧[438]，二月己丑[439]，隋主诏颎等班师。

三月己巳[440]，以尚书左仆射晋安王伯恭为湘州刺史，永阳王伯智[441]为尚书仆射。

夏，四月庚寅[442]，隋大将军韩僧寿[443]破突厥于鸡头山[444]，上柱国李充[445]破突厥于河北山[446]。

丙申[447]，立皇子永康公胤[448]为太子。胤，孙姬之子也[29]，沈后养以为子。

望的人为两王的部属，任命灵州刺史王韶为并州行台尚书省的右仆射，鸿胪卿赵郡人李雄为兵部尚书，左武卫将军朔方人李彻总管晋王府军事，兵部尚书元岩为益州总管府长史。王韶、李雄、元岩都有耿直的名声；李彻是北周旧将，所以选用了他们。

当初，李雄家族世代以精通经学而显达，李雄唯独练习骑射。他的哥哥李子旦责备他说："习武不是士大夫的常业。"李雄说："从古以来的圣贤，不能兼备文武而能成就大功业的很少。我李雄虽然不聪明，却也读了不少古书，只是不墨守章句训诂罢了。能文能武，兄长有什么担心的呢？"等到李雄即将到并州上任，隋文帝对李雄说："我的儿子杨广经事不多，因为你文武兼备，我就没有后顾之忧了。"

杨广、杨秀两王想干奢侈违规的事，王韶、元岩总是拒绝执行两王的命令，有时把自己铐起来请罪，有时推开阎门直谏。两王十分敬畏他们，每件大事都先与他们商议，然后才办，不敢违犯规章。隋文帝听到后，下令嘉奖王韶、元岩。

隋文帝又任命秦王杨俊为河南道行台尚书令、洛州刺史，统领关东军队。

正月十九日癸亥，陈后主任命长沙王陈叔坚为骠骑将军、开府仪同三司、扬州刺史，萧摩诃为车骑将军、南徐州刺史，封为绥远公，始兴王陈叔陵家的亿万金帛全部用来赏赐给萧摩诃。任命司马申为中书通事舍人。

正月二十一日乙丑，陈后主尊崇柳皇后为皇太后。当时，陈后主伤势很严重，躺在承香殿，不能处理朝政。柳太后居住在柏梁殿，各部门禀奏的众多事务，都由太后裁决，陈后主伤势好转，柳太后才把政务归还给他。

正月二十三日丁卯，陈后主册封皇弟陈叔重为始兴王，奉祠昭烈王祭祀。

隋朝元景山从汉口出兵，派上开府仪同三司邓孝儒率领四千名士兵攻打陈朝甑山。陈朝驻镇将军陆纶率领水军救援，被邓孝儒打败，涢口、甑山、沌阳守将都弃城逃走。正月二十四日戊辰，陈朝遣使请求隋朝讲和，归还隋朝的胡墅城。

正月二十五日己巳，陈后主册立皇妃沈氏为皇后。二十七日辛未，册封皇弟陈叔俨为寻阳王，陈叔慎为岳阳王，陈叔达为义阳王，陈叔熊为巴山王，陈叔虞为武昌王。

隋朝高颎上奏，按礼节，不应讨伐有丧事的国家，二月十五日己丑，隋主下诏高颎等人班师回国。

三月二十五日己巳，陈后主任命尚书左仆射晋安王陈伯恭为湘州刺史，永阳王陈伯智为尚书仆射。

夏，四月十七日庚寅，隋朝大将军韩僧寿在鸡头山打败突厥，上柱国李充在河北山打败突厥。

四月二十三日丙申，陈后主册立皇子永康公陈胤为皇太子。陈胤是孙姬生的儿子，沈皇后养为己子。

五月己未[449]，高宝宁引突厥寇隋平州[450]，突厥悉发五可汗[451]控弦[452]之士四十万入长城。

壬戌[453]，隋任穆公于翼卒。

甲子[454]，隋更命传国玺曰“受命玺[455]”。

六月甲申[456]，隋遣使来吊。

乙酉[457]，隋上柱国李光[458]败突厥于马邑。突厥又寇兰州[459]，凉州总管贺娄子幹败之于可洛峐[460]。

隋主嫌长安城制度狭小，又宫内多妖异。纳言苏威劝帝迁都，帝以初受命，难之，夜与威及高颎共议。明旦，通直散骑庾季才奏曰：“臣仰观玄[30]象[461]，俯察图记[462]，必有迁都之事。且汉营此城，将八百岁，水皆咸卤[463]，不甚宜人。愿陛下协[464]天人之心，为迁徙之计。”帝愕然，谓颎、威曰：“是何神也！”太师李穆亦上表请迁都。帝省表曰：“天道[465]聪明[466]，已有征应[467]，太师人望[468]，复抗[469]此请，无不可矣。”丙申[470]，诏高颎等创造新都于龙首山[471]。以太子左庶子宇文恺有巧思，领营新都副监[472]。恺，忻之弟也。

秋，七月辛未[473]，大赦。

九月丙午[474]，设无导[475]大会于太极殿[476]，舍身及乘舆[477]御服。大赦。

丙午[478]，以长沙王叔坚为司空，将军、刺史如故。

冬，十月癸酉[479]，隋太子勇屯兵咸阳[480]以备突厥。

十二月丙子[481]，隋命新都曰大兴城。

乙酉[482]，隋遣沁源公虞庆则屯弘化[483]以备突厥。

行军总管达奚长儒将兵二千，与突厥沙钵略可汗遇于周槃[484]，沙钵略有众十余万，军中大惧。长儒神色慷慨[485]，且战且行，为虏所冲突[486][31]，散而复聚，四面抗拒。转斗三日，昼夜凡十四战，五兵咸尽[487]，士卒以拳殴之，手皆骨见[488]，杀伤万计。虏气[489]稍夺[490]，于是解去[491]。长儒身被五疮[492]，通中[493]者二。其战士死伤[32]者什八九。诏以长儒为上柱国，余勋回授一子。

时柱国冯昱[494]屯乙弗泊[495]，兰州总管叱列长叉守临洮[496]，上柱国李

五月十六日己未，原北齐营州刺史高宝宁引导突厥侵犯隋朝平州，突厥发动了五可汗的全部军队四十万人进入长城。

五月十九日壬戌，隋朝任穆公于翼去世。

二十一日甲子，隋朝改传国玺名为“受命玺”。

六月十二日甲申，隋朝派遣使者到陈朝吊唁。

六月十三日乙酉，隋朝上柱国李光在马邑打败突厥。突厥又侵犯兰州，隋朝凉州总管贺娄子幹在可洛峐打败了突厥。

隋主杨坚嫌长安宫城规模狭小，宫中又多有妖异。纳言苏威劝隋文帝迁都，隋文帝因为刚即位，认为迁都困难，夜里隋文帝与苏威、高颎一起商议。第二天早上，通直散骑常侍庾季才上奏说：“臣仰观天象，俯察图记，一定有迁都的事。况且汉朝营建此城，至今快八百年了，水质变咸，不宜人们饮用。希望陛下上应天意，下顺人心，做迁都的打算。”隋文帝很惊讶，对高颎、苏威说：“这是何等神奇！”太师李穆也上表请求迁都。隋文帝看罢表文说：“天道神明，已经有了征兆应验，太师是有名望的人，也上奏了迁都的表文，没什么不可以了。”六月二十四日丙申，隋主下诏高颎等人在龙首山下营建新宫城。因为太子左庶子宇文恺心思巧妙，让他担任营造新宫城的副监。宇文恺是宇文忻的弟弟。

秋，七月二十九日辛未，陈朝大赦天下。

九月初五日丙午，陈朝在太极殿举行佛教无遮大法会，陈后主舍身，布施车驾衣服，大赦天下。

丙午日，陈后主任命长沙王陈叔坚为司空，原职骠骑将军、扬州刺史不变。

冬，十月初三日癸酉，隋朝皇太子杨勇屯兵咸阳防御突厥。

十二月初七日丙子，隋朝命名新都为大兴城。

十六日乙酉，隋朝派遣沁源县公虞庆则驻军弘化防御突厥。

隋朝行军总管达奚长儒领兵二千，与突厥沙钵略可汗在周槃遭遇，沙钵略有部众十余万，隋兵大惧。达奚长儒神色镇定，慷慨激昂，边战边退，遭到突厥军队的冲击突破，几度冲散又重新聚合，四面抵抗，转战三天三夜，交锋十四次，兵器都已耗尽，士兵赤手空拳搏击敌人，手上骨头都露出来了，杀伤敌人一万多。突厥士气渐渐丧失，于是解围而去。达奚长儒身上五处受伤，穿透身体的重伤两处。部下士兵十分之八九或死或伤。隋文帝下诏晋升达奚长儒为上柱国，把他的余勋转授给他的一个儿子。

当时隋朝柱国冯昱驻兵乙弗泊，兰州总管叱列长叉镇守临洮，上柱国李崇屯驻崇屯幽州，皆为突厥所败。于是突厥纵兵自木硖[497]、石门[498]两道入寇，武威[499]、天水[500]、安定[33]、金城、上郡[501]、弘化、延安[502]，六畜咸尽。

沙钵略更欲南入，达头不从，引兵而去。长孙晟又说沙钵略之子染干[503]诈告沙钵略曰："铁勒[504]等反，欲袭其牙[505]。"沙钵略惧，回兵出塞。

隋主既立，待遇梁主，恩礼弥厚。是岁，纳梁主女为晋王妃，又欲以其子玚尚兰陵公主[506]。由是罢江陵总管[507]，梁主始得专制其国。

【段旨】

以上为第四段，写隋朝、陈朝、突厥、后梁等四国的战和关系，隋朝与突厥的争战是主线。隋朝初建，为了全力抵御突厥，暂停南伐，高颎借口义不伐丧，撤军北还。

【注释】

[393]辛酉：正月十七日。[394]并州：州名，治所晋阳县，在今山西太原西南。[395]益州：州名，治所成都县，在今四川成都。[396]分莅：分别到各地。莅，临。[397]方面：一个方面，东西南北中之一方。[398]贞良：忠贞贤良的人。[399]僚佐：诸王府幕僚，佐诸王治理政事。[400]灵州：州名，治所富平县，在今宁夏灵武西南。[401]王韶：字子相，自云太原晋阳（今山西太原西南）人，世居京兆，历仕周、隋，官至行台右仆射。传见《隋书》卷六十二、《北史》卷七十五。[402]并省：河北道行台并州尚书省的简称。[403]鸿胪卿：官名，掌外蕃朝见、吉凶吊祭。[404]李雄：字毗卢，赵郡高邑（今河北高邑）人，历仕周、隋，官至鸿胪卿。传见《隋书》卷四十六。[405]李彻：字广达，朔方岩绿（今陕西靖边）人，历仕周、隋，官至扬州总管司马。传见《隋书》卷五十四、《北史》卷六十六。[406]元岩（？至公元五九三年）：字君山，河南洛阳（今河南洛阳）人，历仕周、隋，官至兵部尚书。传见《隋书》卷六十二、《北史》卷七十五。[407]骨鲠：比喻正直，也作"骨梗"。[408]章句：分析古书的章节句读。[409]病：忧虑；为难。[410]更事：经历世事。[411]北顾之忧：意谓忧虑并州失守。并州位在隋都长安以北。[412]不奉教：不遵从二王的教令。[413]自锁：自我捆绑，以规谏二王。[414]排闼：推开门。排，推开。[415]切谏：直言极谏。切，极力。[416]洛州：州名，治所洛阳，在今河南洛阳。[417]领：统管。兼任较低的职务称领。[418]癸亥：正月十九

幽州，都被突厥打败。于是突厥大肆进兵，从木硖、石门分两路入侵，武威、天水、安定、金城、上郡、弘化、延安等郡的牲畜都被抢掠一空。

沙钵略可汗又想南侵，达头可汗不听从，引本部兵马离去。长孙晟劝说沙钵略可汗的儿子染干向沙钵略打假报告说："铁勒等部族造反，要袭击你的牙帐。"沙钵略可汗害怕了，于是回兵出塞。

隋文帝即位后，对待后梁国主萧岿恩礼更厚。这一年，为晋王杨广迎娶后梁国主的女儿为妃，还想让后梁国主的儿子萧玚娶自己的女儿兰陵公主。因此隋文帝撤销了江陵总管，后梁国主才得以全权统治梁国。

日。⑲骠骑将军：将军名号，骠骑府长官，正四品上。⑳车骑将军：将军名号，骠骑府副长官或车骑府长官，正五品上。㉑中书通事舍人：官名，掌诏命及呈奏案章。㉒乙丑：正月二十一日。㉓病创：指被始兴王叔陵砍伤。创，创伤。㉔听政：处理政事。㉕丁卯：正月二十三日。㉖昭烈王：即陈武帝兄道谭，仕梁，死于侯景之乱，谥昭烈，后陈武帝又改封为始兴郡王。事见《陈书》卷二十八、《南史》卷六十五。㉗汉口：地名，即汉水入长江之口。在今湖北武汉汉口。㉘甑山：地名，在今湖北汉川东南汉江南岸。㉙涢口：地名，即沮水入汉水之口。㉚沌阳：地名，在今湖北武汉汉阳东临漳山下。㉛戊辰：正月二十四日。㉜己巳：正月二十五日。㉝沈氏：陈后主皇后，沈君理之女，名婺华。传见《陈书》卷七、《南史》卷十二。㉞辛未：正月二十七日。㉟"立皇弟叔俨为寻阳王"三句：分别为陈宣帝第十五、十六、十七子。传俱见《陈书》卷二十八、《南史》卷六十五。㊱叔熊：陈宣帝第十八子。《陈书》本传"熊"作"雄"，《南史》同。当改作"雄"。㊲叔虞：宣帝第十九子。传见《陈书》卷二十八、《南史》卷六十五。㊳礼不伐丧：《周礼》规定，不讨伐正办理丧事的国家。此时陈正为宣帝办理丧事。㊴己丑：二月十五日。㊵己巳：三月二十五日。㊶永阳王伯智：陈文帝第十二子。传见《陈书》卷二十八、《南史》卷六十五。㊷庚寅：四月十七日。㊸韩僧寿（公元五四八至六一二年）：字玄庆，河南东垣（今河南新安）人，后家新安，韩擒虎弟，历仕周、隋，官至蔚州刺史。传附《隋书》卷五十二、《北史》卷六十八《韩擒虎传》。㊹鸡头山：一名笄头山、崆峒山、薄洛山。在今宁夏隆德东。㊺李充：陇西成纪（今甘肃静宁）人。传附《隋书》卷五十三《刘方传》。㊻河北山：山名，即今内蒙古狼山与阴山的合称。㊼丙申：四月二十三日。㊽永康公胤：字承业，陈后主长子。先立为太子，后废为吴兴王。传见《陈书》卷二十八、《南史》卷六十五。㊾己未：五月十六日。㊿平州：州名，治所肥如县，

在今河北卢龙北。451 五可汗：沙钵略可汗、第二可汗、达头可汗、阿波可汗、贪汗可汗，共五可汗。452 控弦：拉弓，引申称士兵。453 壬戌：五月十九日。454 甲子：五月二十一日。455 受命玺：皇帝的印章。因玺上有“受命于天”四字，隋乃改为受命玺。456 甲申：六月十二日。457 乙酉：六月十三日。458 李光：《隋书》卷一《高祖纪上》“光”作“充”，《北史》同。据此，应改作“充”。459 兰州：州名，治所子城县，在今甘肃兰州。460 可洛峐：地名，确址不详，疑在今甘肃境内。461 玄象：天象。462 图记：指地理志。463 咸卤：味咸涩。464 协：和合；服从。465 天道：自然的规律。古人认为天道是支配人类命运的天神意志。466 聪明：明智；聪察。467 征应：征验和应和。468 人望：众人所仰望。469 抗：此为“抗表”简称。上奏请求皇上重新考虑先前下达的旨意称抗表。470 丙申：六月二十四日。471 龙首山：山名，在今陕西西安北部。《三秦记》载：龙首山长六十里，首入渭水，尾达樊川，头高二十丈，尾部渐低下，可六七丈，色赤。旧时传说有黑龙从南山出来到渭水饮水，其行道便成山，因名龙首山。472 副监：监领营造新都的副职。473 辛未：七月二十九日。474 丙午：九月初五日。475 㝵：佛书用字，同“碍”，今译为“遮”。476 太极殿：宫城正殿名。477 乘舆：皇帝乘坐的车子。478 丙午：与前“丙午”重复。〖按〗《陈书》卷六《后主纪》“午”作“寅”，《南史》同。据此，“午”当改作“寅”。丙寅，九月二十五日。479 癸酉：十月初三日。480 咸阳：地名，故址在今陕西咸阳东北汉长陵。481 丙子：十二月初七日。482 乙酉：十二月十六日。483 弘化：郡名，治所合水县，在今甘肃庆阳北。484 周槃：地名，故址在今甘肃庆阳境。485 慷慨：意气风发，情绪激昂。486 冲突：冲击突破。487 五兵咸尽：五种兵器全都用光。五兵，习惯指矛、戟、弓、剑、戈五种兵器。488 骨见：皮肉绽开，露出骨头。489 虏气：突厥军的气势。490 稍夺：渐渐丧失。491 解去：解围而去。492 疮：创伤。493 通中：贯通、穿透身体。494 冯昱：不知何地人。传附

【原文】

长城公[508]上

至德元年（癸卯，公元五八三年）

春，正月庚子[509]，隋将入新都，大赦。

壬寅[510]，大赦，改元[511]。

初，上病创，不能视事，政无大小，皆决于长沙王叔坚，权倾朝廷。叔坚颇骄纵，上由是忌之。都官尚书[512]山阴孔范[513]，中书舍人施文庆[514]，

《隋书》卷五十三、《北史》卷七十三《刘方传》。㊾⑤ 乙弗泊：湖泊名，故址在今青海乐都西。㊾⑥ 临洮：县名，县治在今甘肃岷县。㊾⑦ 木硖：关名，故址在今宁夏固原西南。㊾⑧ 石门：关名，亦在固原西南。㊾⑨ 武威：郡名，治所姑臧县，在今甘肃武威。㊿⓪ 天水：郡名，治所上邽县，在今甘肃天水。㊿① 上郡：郡名，治所洛文县，在今陕西富县。㊿② 延安：郡名，治所肤施县，在今陕西延安城东延河东岸。㊿③ 染干：沙钵略之子，后为突利可汗。事见《隋书》卷八十四、《北史》卷九十九《突厥传》。㊿④ 铁勒：少数民族名，本匈奴族苗裔，生活在今西起中俄交界处，东至俄蒙之间的广大地区。㊿⑤ 牙：指突厥沙钵略可汗牙帐。㊿⑥ 兰陵公主：隋文帝第五女，字阿五。传见《隋书》卷八十、《北史》卷九十一《列女传》。㊿⑦ 罢江陵总管：西魏迁后梁主萧詧于江陵，设置助防，称“防主”，后遂置总管，今又罢免。

【校记】

［28］叔陵：原无此二字。据章钰校，十二行本、乙十一行本、孔天胤本皆有此二字，张敦仁《通鉴刊本识误》同，今据补。［29］也：原无此字。据章钰校，十二行本、乙十一行本、孔天胤本皆有此字，今据补。［30］玄：原作“干”。据章钰校，十二行本、乙十一行本、孔天胤本皆作“玄”，今据改。〖按〗《隋书·艺术·庾季才传》《北史·艺术·庾季才传》皆作“玄”。［31］突：原无此字。据章钰校，十二行本、乙十一行本、孔天胤本皆有此字，张敦仁《通鉴刊本识误》同，今据补。［32］伤：原无此字。据章钰校，十二行本、乙十一行本、孔天胤本皆有此字，今据补。［33］安定：原无此二字。据章钰校，十二行本、乙十一行本、孔天胤本皆有此二字，张敦仁《通鉴刊本识误》同，今据补。〖按〗《隋书·北狄·突厥传》《北史·突厥传》皆有此二字。

【语译】

长城公上

至德元年（癸卯，公元五八三年）

春，正月初一日庚子，隋朝即将迁入新都大兴城，大赦天下。

初三日壬寅，陈朝大赦，改易年号。

当初，陈后主受伤，不能理政，政事无论大小，都由长沙王陈叔坚决断，权倾朝廷。陈叔坚颇为骄纵，陈后主因此猜忌他。都官尚书山阴人孔范、中书舍人施文皆恶叔坚而有宠于上，日夕求其短，构[515]之于上。上乃即叔坚骠骑将军本号，用三司之仪，出为江州[516]刺史。以祠部尚书[517]江总[518]为吏部尚书。

癸卯[519]，立皇子深[520]为始安王。

二月己巳朔[521]，日有食之。

癸酉[522]，遣兼散骑常侍贺彻等聘于隋。

突厥寇隋北边。

癸巳[523]，葬孝宣皇帝于显宁陵，庙号高宗。

右卫将军兼中书通事舍人司马申既掌机密，颇作威福，多所谮毁[524]。能候人主颜色[525]，有忤己者，必以微言谮之[526]，附己者，因机[527]进之。是以朝廷内外，皆从风[528]而靡。

上欲用侍中、吏部尚书毛喜为仆射，申恶喜强直[529]，言于上曰："喜，臣之妻兄，高宗时称陛下有酒德[530]，请逐去宫臣[531]，陛下宁忘之邪？"上乃止。

上创愈，置酒于后殿以自庆[532]，引吏部尚书江总以下展乐[533]赋诗。既醉而命毛喜。于时山陵初毕[534]，喜见之，不怿，欲谏，则上已醉。喜升阶，阳为心疾[535]，仆[536]于阶下，移出省中。上醒，谓江总曰："我悔召毛喜，彼实无疾，但欲阻我欢宴，非我所为[537]耳。"乃与司马申谋曰："此人负气[538]，吾欲乞[539]鄱阳兄弟[540]，听其报仇[541]，可乎？"对曰："彼终不为官[542]用，愿如圣旨。"中书通事舍人北地傅縡[543]争之曰："不然。若许报仇，欲置先皇何地？"上曰："当乞一小郡，勿令见人事耳。"乃以喜为永嘉[544]内史。

三月丙辰[545]，隋迁于新都。

初令民二十一成丁[546]，减役者每岁十二番[547]为二十日役，减调绢一匹为二丈。周末榷[548]酒坊、盐池、盐井，至是皆罢之。

秘书监牛弘上表，以"典籍屡经丧乱[549]，率多散逸[550]。周氏聚书，仅盈万卷。平齐所得，除其重杂[551]，裁[552]益五千。兴集之期，属膺圣世[553]。为国之本，莫此为先。岂可使之流落私家，不归王府[554]？必须勒之以天威[555]，引之以微利，则异典[556]必臻[557]，观阁[558]斯积[559]。"隋主从

庆，都讨厌陈叔坚而受到陈后主宠幸，两人日夜寻找陈叔坚的短处，向陈后主进言，设计陷害。陈后主就让陈叔坚以骠骑将军的称号，用仪同三司的仪仗，外放为江州刺史，任命祠部尚书江总为吏部尚书。

正月初四日癸卯，陈后主册立皇子陈深为始安王。

二月初一日己巳，发生日食。

初五日癸酉，陈朝派兼散骑常侍贺彻等出使隋朝。

突厥侵犯隋朝北方边境。

二十五日癸巳，陈朝安葬陈宣帝于显宁陵，庙号高宗。

陈朝右卫将军兼中书通事舍人司马申掌管机密后，作威作福，诬陷了很多人。司马申善于看陈后主的脸色行事，凡是冒犯了自己的人，一定在陈后主面前打小报告诬陷，依附自己的人，则趁机向陈后主推荐晋升。因此，朝廷内外，很多人巴结他成为一时风气。

陈后主想用侍中、吏部尚书毛喜为尚书仆射，司马申厌恶毛喜刚强正直，于是对陈后主说："毛喜是臣的内兄，他在高宗时曾说过陛下以酗酒为德，请求高宗皇帝逐走东宫的侍臣，陛下难道忘了吗？"陈后主于是打消了念头。

陈后主伤势痊愈，在后殿摆下酒宴庆贺，请来吏部尚书江总以下的公卿大臣奏乐赋诗。陈后主醉酒以后，命令毛喜赋诗。当时，陈宣帝刚刚下葬，毛喜看到陈后主如此作乐，很不高兴，想要进谏，而陈后主已经喝醉。毛喜登上台阶，假装心病发作，倒在台下，被人抬出宫中。陈后主酒醒，对江总说："我后悔召来毛喜，他根本没有病，只是想阻止我办宴会，不赞成我的做法。"于是与司马申商议，说："这个人太高傲，我想将他交给鄱阳王兄弟，听任鄱阳王兄弟找毛喜报仇，可以吗？"司马申回答说："他终究不为陛下所用，愿按皇上的意思办。"中书通事舍人北地人傅縡争辩说："不能这样，如果让鄱阳王兄弟报仇，把先皇宣帝置于何地？"陈后主说："那就给予毛喜一个小郡，不要让他看到朝廷的事。"于是任命毛喜为永嘉内史。

三月十八日丙辰，隋朝迁都到大兴城。

隋朝起初规定平民男丁二十一岁为成年人，由北周成年男子每月服徭役三天，一年十二轮总计服役三十六天，减为二十天；不服役交纳绢一匹四丈，减为两丈。北周末由官府专营的酒坊、盐池、盐井，这时也都撤销。

隋朝秘书监牛弘上表，认为"国家收藏的典籍，由于屡经战乱，大多散失。北周积聚的藏书，仅足万卷。平定北齐得到的典籍，除去重复杂芜，只增加了五千卷。大规模收藏典籍，只有在圣明的太平盛世才能做到。治国的根本，没有比这更重要的了，怎能让典籍流落私人手中，而不集中于国家呢？必须运用皇上的天威来强制私人献书，用微小的报酬来诱导私人献书，那么，奇书珍籍一定会到来，国家书库

之。丁巳[560]，诏购求遗书于天下，每献书一卷，赉[561]缣[562]一匹。

夏，四月庚午[563]，吐谷浑寇隋临洮。洮州[564]刺史皮子信出战，败死[565]，汶州[566]总管梁远击走之。又寇廓州[567]，州兵击走之。

壬申[568]，隋以尚书右仆射赵煚兼内史令。

突厥数[569]为隋寇。隋主下诏曰："往者周、齐抗衡，分割诸夏[570]，突厥之虏，俱通二国。周人东虑[571]，恐齐好之深；齐氏西虞[572]，惧周交之厚。谓虏意轻重，国遂安危[573]，盖并有大敌之忧，思减一边之防也。朕以为厚敛兆庶[574]，多惠豺狼[575]，未尝感恩，资而为贼[576]。节之以礼，不为虚费，省徭薄赋[577]，国用有余。因[578]入贼之物，加赐将士。息道路之民[579]，务为耕织。清边制胜，成策[580]在心。凶丑[581]愚暗[582]，未知深旨，将大定之日，比战国之时，乘昔世之骄，结今时之恨。近者，尽其巢窟[583]，俱犯北边，盖上天所忿，驱就齐斧[584]。诸将今行，义兼含育[585]，有降者纳[586]，有违者死[587]，使其不敢南望，永服威刑。何用侍子[588]之朝？宁劳渭桥之拜[589]？"

于是命卫王爽等为行军元帅，分八道出塞击之。爽督总管李充等四将出朔州道[590]，己卯[591]，与沙钵略可汗遇于白道[592]。李充言于爽曰："突厥狃[593]于骤胜，必轻我而无备，以精兵袭之，可破也。"诸将多以为疑，唯长史李彻赞成之，遂与充帅精骑五千掩击[594]突厥，大破之。沙钵略弃所服金甲，潜草中而遁。其军中无食，粉骨为粮，加以疾疫，死者甚众。

幽州总管阴寿帅步骑数[34]万出卢龙塞[595]，击高宝宁。宝宁求救于突厥，突厥方御隋师，不能救。庚辰[596]，宝宁弃城奔碛北[597]，和龙诸县悉平。寿设重赏以购宝宁，又遣人离其腹心。宝宁奔契丹，为其麾下所杀。

己丑[598]，郢州[599]城主[600]张子讥遣使请降于隋，隋主以和好，不纳[601]。

辛卯[602]，隋主遣兼散骑常侍薛舒[603]、兼通直[35]散骑常侍王劭[604]来聘。劭，松年之子也。

癸巳[605]，隋主大雩。

就会积满图书。”隋主听从了牛弘的建议。三月十九日丁巳，隋朝下诏向全国征集失散的典籍，每献书一卷，赏绢一匹。

夏，四月初三日庚午，吐谷浑侵犯隋朝临洮郡。洮州刺史皮子信出战，兵败战死，汶州总管梁远出击赶走了吐谷浑。吐谷浑又侵犯廓州，州兵打跑了敌人。

四月初五日壬申，隋朝任命尚书右仆射赵煚兼内史令。

突厥多次侵犯隋朝。隋主杨坚下诏说："先前北周、北齐对抗，分裂华夏，突厥与两国都通使交好。周人忧虑东边，害怕北齐与突厥深为友善；北齐忧虑西边，害怕北周与突厥交谊深厚。两国都认为突厥的动向关系本国的安危，这是因为大敌当前，双方都想减轻一方边境的防备。朕认为加重百姓的赋税，厚赐豺狼，突厥未曾感恩，反而助长了突厥为贼寇。朕认为用礼来节制突厥，不再浪费财物，轻徭薄赋，国家的用度也有盈余。用送给贼人突厥的财物来赏赐给将士。让路途中运送物资的民夫停止奔走，让他们专心耕织。清除边患，克敌制胜，朕心中已有成功的算计。突厥凶顽愚蠢，不懂这些深刻的道理，把当前天下太平的好日子，视如战国之世，凭借前代的骄横，结下今日的仇恨。近来，突厥倾巢出动，都来侵犯北方边境，这是上天所愤，驱使他们来遭受我们的征讨。各位将帅，今日出征，兼有讨伐与安抚的目的，凡是来投降的要接纳，负隅顽抗的就处死，让突厥不敢向南张望，永远服从我大隋朝的威刑，何必等待沙钵略送质子入朝？难道要他像匈奴单于一样在渭桥之下跪拜？"

就此，杨坚命令卫王杨爽等人为行军元帅，分兵八路出塞反击突厥。杨爽命令行军总管李充等四位将领由朔州道出塞。四月十二日己卯，隋朝大军在白道与沙钵略军队相遇。李充对杨爽说："近来突厥多次获胜，一定轻视我军而没有防备，我们用精兵袭击他们，可以打败他们。"众将官大多数有疑虑，只有元帅府长史李彻赞成，于是李彻和李充率领精骑五千人突击突厥，大获全胜。沙钵略丢弃了身穿的金甲，潜伏在深草中才得以逃脱。突厥军队没有粮食，粉碎尸骨为粮，加上疾病，死亡的人非常多。

幽州总管阴寿率领数万步骑从卢龙塞出击，进攻高宝宁。高宝宁向突厥求救，突厥正在抵御隋军，不能救援。四月十三日庚辰，高宝宁丢弃和龙城，逃奔大漠以北，和龙所属各县全部被平定。阴寿悬重赏购高宝宁的人头，又派人离间他的心腹。高宝宁逃奔契丹，被他的部下杀死。

四月二十二日己丑，陈朝郢州城主张子讥派使者向隋朝请求投降，隋主因为隋陈两国和好，不肯接纳。

四月二十四日辛卯，隋主派遣兼散骑常侍薛舒、兼通直散骑常侍王劭出使陈朝。王劭是王松年的儿子。

四月二十六日癸巳，隋主举行祈雨典礼。

甲子[606]，突厥遣使入见于隋。

隋改度支尚书为民部[607]，都官尚书为刑部[608]。命左仆射判[609]吏、礼、兵三部事，右仆射判民、刑、工[610]三部事。废光禄[611]、卫尉[612]、鸿胪寺[613]及都水台[614]。

五月癸卯[615]，隋行军总管李晃破突厥于摩那度口[616]。

乙巳[617]，梁太子琮[618]入朝于隋，贺迁都。

辛酉[619]，隋主祀方泽[620]。

隋秦州总管窦荣定[621]帅九总管步骑三万出凉州，与突厥阿波可汗相拒于高越原[622]，阿波屡败。荣定，炽之兄子也。

前上大将军京兆史万岁[623]，坐事配敦煌[624]为戍卒，诣荣定军门请自效，荣定素闻其名，见而大悦。壬戌[625]，将战，荣定遣人谓突厥曰："士卒何罪而杀之？但当各遣一壮士决胜负耳。"突厥许诺，因遣一骑挑战。荣定遣万岁出应之，万岁驰斩其首而还。突厥大惊，不敢复战，遂请盟，引军而去。

长孙晟时在荣定军中为偏将[626]，使谓阿波曰："摄图每来，战皆大胜。阿波才入，遽即奔败，此乃突厥之耻也。且摄图之与阿波，兵势本敌[627]。今摄图日胜[628]，为众所崇[629]，阿波不利，为国生辱[630]。摄图必当以罪归阿波，成其宿计[631]，灭北牙[632]矣。愿自量度[633]，能御之乎？"阿波使至，晟又谓之曰："今达头与隋连和，而摄图不能制，可汗何不依附天子，连结达头？相合为强，此万全计也。岂若丧兵负罪，归就摄图，受其戮辱[634]邪？"阿波然之，遣使随晟入朝。

沙钵略素忌阿波骁悍[635]，自白道败归，又闻阿波贰于隋[636]，因先归，袭击北牙，大破之，杀阿波之母。阿波还，无所归[637]，西奔达头。达头大怒，遣阿波帅兵而东，其部落归之者将十万骑，遂与沙钵略相攻，屡破之，复得故地，兵势益强。贪汗可汗[638]素睦于阿波，沙钵略夺其众而废之，贪汗亡奔达头。沙钵略从弟地勤察，别统部落，与沙钵略[36]有隙，复以众叛归阿波。连兵不已，各遣使诣长安请和求援。隋主皆不许。

六月庚辰[639]，隋行军总管梁远破吐谷浑于尔汗山[640]。

甲子日，突厥派出使者朝见隋主。

隋朝改度支尚书为民部，都官尚书为刑部，又命令尚书左仆射兼管吏、礼、兵三部事务，尚书右仆射兼掌民、刑、工三部事务。裁撤光禄寺、卫尉寺、鸿胪寺以及都水台。

五月初六日癸卯，隋朝行军总管李晃在摩那渡口击破突厥军队。

初八日乙巳，后梁国太子萧琮入隋朝见隋文帝，祝贺隋朝迁都。

二十四日辛酉，隋主祭祀方泽。

隋朝秦州总管窦荣定率领九位总管、步骑三万从凉州西出，在高越原与突厥阿波可汗对抗，阿波可汗多次战败。窦荣定是太傅窦炽哥哥的儿子。

前上大将军京兆人史万岁因犯罪被发配到敦煌为戍卒，他来到窦荣定军营门口请求立功赎罪，窦荣定平常就听过史万岁的大名，见面后很高兴。五月二十五日壬戌，两军将要交战，窦荣定派人对突厥说："士兵们有什么罪过而要让他们战死？只应当两军各派一个壮士来决胜负罢了。"突厥答应了，便派出一员骑将挑战，窦荣定派史万岁出阵应战，史万岁驰马斩敌首级而还。突厥大惊，不敢再战，于是请求议和，率军离去。

长孙晟当时在窦荣定军中当偏将，他派人对阿波可汗说："沙钵略可汗摄图每次入塞，打仗都获大胜。你阿波可汗刚一入塞，立即败逃，这是突厥的耻辱。况且摄图与你，兵力势均力敌。如今摄图天天打胜仗，为众人推崇，你一败再败，为国家蒙羞。摄图一定会把罪名加在你头上，成就他向来的心愿，灭掉北边的牙帐。希望你自己考量一下，能够抵挡摄图吗？"阿波可汗的使者来到隋营，长孙晟又对他说："如今达头可汗玷厥与隋朝联合，而摄图不能控制他，阿波可汗何不依附大隋天子，联结达头可汗？合起来势力强大，这才是万全的计划。难道不比丧师负罪，回去依附摄图，遭到他的羞辱杀戮强吗？"阿波可汗认为长孙晟说得对，派使者随从长孙晟入隋朝见天子。

沙钵略可汗一向猜忌阿波可汗骁勇强悍，沙钵略从白道战败回来，又听说阿波可汗背叛自己倒向隋朝，于是抢先回国，袭击北边阿波可汗的牙帐，大败阿波可汗军队，杀了他的母亲。阿波可汗回去后，没了立足之处，只得西奔达头可汗。达头可汗大怒，便派阿波可汗率军向东进发，阿波可汗失散的部落前来归附的将近十万骑。于是阿波可汗就与沙钵略可汗交战，屡次大捷，收复了失地，兵势更加强盛。贪汗可汗一向与阿波可汗友好和睦，沙钵略可汗兼并了贪汗可汗的部众并废黜了他，贪汗可汗逃奔达头可汗。沙钵略可汗的从弟地勤察另外统有部落，地勤察与沙钵略可汗有嫌隙，也率领部落叛归阿波可汗。双方交战不已，阿波可汗、沙钵略可汗各自派使者到长安向隋朝请和求援，隋主均未答应。

六月十四日庚辰，隋朝行军总管梁远在尔汗山打败了吐谷浑。

突厥寇幽州，隋幽州总管广宗壮公李崇率步骑三千拒之，转战十余日，师人[641]多死，遂保砂城[642]。突厥围之。城荒颓[643]，不可守御，晓夕[644]力战，又无所食，每夜出掠虏营，得六畜以继军粮。突厥畏之，厚为其备，每夜中结陈[645]以待之。崇军苦饥，出辄遇敌，死亡略尽，及明，奔还城者尚百许人[646]，然多伤重[37]，不堪更战[647]。突厥意欲降之，遣使谓崇曰："若来降者，封为特勒[648]。"崇知不免，令其士卒曰："崇丧师徒[649]，罪当万死。今日效命[650]，以谢国家。汝俟[651]吾死，且可降贼，便散走，努力还乡。若见至尊[652]，道崇此意。"乃挺刃[653]突陈，复杀二人，突厥乱射，杀之。秋，七月辛丑[654][38]，以豫州刺史代人周摇[655]为幽州总管。命李崇子敏[656]袭爵。

敏娶乐平公主之女娥英，诏假一品羽仪[657]，礼如尚帝女。既而将侍宴，公主谓敏曰："我以四海与至尊，唯一婿，当为汝[39]求柱国，若余官，汝慎勿谢[658]。"及进见，帝授以仪同及开府，皆不谢。帝曰："公主有大功于我，我何得于其婿而惜官乎？今授汝柱国。"敏乃拜而蹈舞[659]。

八月丁卯朔[660]，日有食之。

长沙王叔坚未之江州，复留为司空，实夺之权。

壬午[661]，隋遣尚书左仆射高颎出宁州[662]道，内史监虞庆则出原州[663]道，以击突厥。

九月癸丑[664]，隋大赦。

冬，十月甲戌[665]，隋废河南道行台省，以秦王俊为秦州[666]总管，陇右[667]诸州尽隶焉。

丁酉[668]，立皇弟叔平为湘东王，叔敖为临贺王，叔宣为阳山王，叔穆为西阳王[669]。

戊戌[670]，侍中建昌侯徐陵卒。

癸丑[671]，立皇弟叔俭为安南王，叔澄为南郡王，叔兴为沅陵王，叔韶为岳山王，叔纯为新兴王[672]。

十一月[673]，遣散骑常侍周坟、通直散骑常侍袁彦聘于隋。帝闻隋主状貌异人，使彦画像而归。帝见，大骇曰："吾不欲见此人。"亟[674]命屏之[675]。

突厥侵犯幽州，隋朝幽州总管广宗壮公李崇率领三千名步骑抵抗，转战十多天，士兵伤亡惨重，于是退守砂城。突厥军包围砂城。砂城荒废坍塌，无法守御，士兵早晚苦战，又没有吃的，每夜去抢掠突厥军营，夺取牛羊等六畜充作军粮。突厥军队害怕，就严加戒备，每夜集结战阵等待隋军。李崇军队苦于饥饿，一出兵就遭遇敌人，死亡殆尽，天明时，逃回城来的虽有一百多人，但大多身负重伤，不能再作战。突厥想使隋军投降，就派遣使者对李崇说："如果来投降，就封你为特勒。"李崇知道难逃一死，就对部下士卒说："我李崇损兵折将，罪该万死。今天牺牲性命，用以报效朝廷。你们等我死后，可暂时投降敌军，然后分散逃走，努力回乡。如能见到皇上，要奏报我李崇已为国捐躯。"于是拔刀冲入敌阵，连杀二人，突厥军队乱箭齐发，射死了他。秋，七月初五日辛丑，隋朝任命豫州刺史代郡人周摇为幽州总管。又任命李崇的儿子李敏继承父爵为广宗公。

李敏娶乐平公主的女儿娥英为妻，隋文帝下诏赐给一品羽仪，礼仪依照娶皇帝之女。礼毕，李敏将入宫侍宴隋文帝，乐平公主对李敏说："我把天下都让给了皇上，现在仅有你一个女婿，将为你求柱国高官，如果皇上授予你别的官，你千万不要拜谢。"等到李敏进宫见了隋文帝，隋文帝授给李敏仪同三司，接着又授给开府仪同三司，李敏都不拜谢。隋文帝说："乐平公主对我有大功，我怎么能对她的女婿吝惜高官呢？现在就授给你柱国。"李敏这才跪拜行礼。

八月初一日丁卯，发生日食。

陈朝长沙王陈叔坚还没有到江州，陈后主又留下他在京师担任司空，实际上是剥夺他的实权。

八月十六日壬午，隋朝派尚书左仆射高颎从宁州道出发，内史监虞庆则从原州道出发，攻打突厥。

九月十八日癸丑，隋朝大赦天下。

冬，十月初九日甲戌，隋朝废除河南道行台省，任命秦王杨俊为秦州总管，陇右各州都隶属秦王管辖。

丁酉日，陈后主封皇弟陈叔平为湘东王，陈叔敖为临贺王，陈叔宣为阳山王，陈叔穆为西阳王。

十一月初四日戊戌，陈朝侍中建昌侯徐陵去世。

十一月十九日癸丑，陈后主封皇弟陈叔俭为安南王，陈叔澄为南郡王，陈叔兴为沅陵王，陈叔韶为岳山王，陈叔纯为新兴王。

十一月，陈朝派遣散骑常侍周坟、通直散骑常侍袁彦出使隋朝。陈后主听说隋主相貌不同于常人，就让袁彦画下隋主的像带回来。陈后主见了画像，大为惊骇，说："我不想看到这个人。"急忙命人把画像拿走。

隋既班律令，苏威屡欲更易事条[676]，内史令李德林曰："修律令时，公何不言？今始颁行，且宜专守，自非大为民害，不可数更。"

河南道行台兵部尚书杨尚希[677]曰："窃见当今郡县，倍多[678]于古。或地无百里，数县并置，或户不满千，二郡分领。具僚[679]已众，资费日多，吏卒增倍，租调岁减。民少官多，十羊九牧[680]。今存要去闲[681]，并小为大，国家则不亏粟帛，选举则易得贤良。"苏威亦请废郡。帝从之。甲午[682]，悉罢诸郡为州。

十二月，乙卯[683]，隋遣兼散骑常侍曹令则、通直散骑常侍魏澹[684]来聘[685]。澹，收之族也。

丙辰[686]，司空长沙王叔坚免。叔坚既失恩，心不自安，乃为厌媚[687]，醮日月[688]以求福。或上书告其事，帝召叔坚，囚于西省，将杀之，令近侍宣敕数之。叔坚对曰："臣之本心，非有他故，但欲求亲媚耳。臣既犯天宪[689]，罪当万死。臣死之日，必见叔陵，愿宣明诏，责之于九泉[690]之下。"帝乃赦之，免官而已。

隋以上柱国窦荣定为右武卫大将军。荣定妻，隋主姊安成公主也。隋主欲以荣定为三公，辞曰："卫、霍、梁、邓[691]，若少自贬损[692]，不至覆宗[693]。"帝乃止。

帝以李穆功大，诏曰："法备小人，不防君子。太师申公，自今虽有罪，但非谋逆[694]，纵有百死，终不推问[695]。"

礼部尚书牛弘请立明堂，帝以时事草创[696]，不许。

帝览刑部奏，断狱[697]数犹至万，以为律尚严密，故人多陷罪[698]。又敕苏威、牛弘等更定[699]新律，除死罪八十一条，流罪一百五十四条，徒杖等千余条，唯定留五百条，凡十二卷[700]。自是刑网简要，疏而不失[701]。仍置律博士弟子员[702]。

隋主以长安仓廪尚虚，是岁，诏西自蒲、陕[703]，东至卫、汴[704]，水次[705]十三州[706]，募丁运米。又于卫州置黎阳仓[707]，陕州置常平仓[708]，华州置广通仓[709]，转相灌输[710]。漕[711]关东及汾、晋之粟以给长安。

时刺史多任武将，类[712]不称职。治书侍御史柳彧[713]上表曰："昔汉光武[714]与二十八将[715]，披荆棘，定天下，及功成之后，无所任职。伏

隋朝颁布新律令以后，纳言苏威多次想修改其中某些条款，内史令李德林说："修订律令时，您为什么不说？现在刚刚颁行新律令，就应该严格遵守，除非是对平民有严重伤害，否则不能马上更改。"

隋朝河南道行台兵部尚书杨尚希说："臣看到如今的郡县，比古代多了一倍。有的地方不到百里，却同时设置数县，有的地方居民不足千户，两郡分管。配置的官吏太多，资财费用的开支日益增加，差役吏卒成倍增加，租调收入逐年减少。人民少，官吏多，十只羊却有九个牧人。目前应该保留重要的官职而裁减冗员，合并小的郡县为大的郡县。这样，朝廷就不会亏损粟帛，选拔官吏也容易得到贤才。"苏威也请求废郡。隋文帝听从了他们的建议。甲午日，隋朝全部废除诸郡并为州。

十二月乙卯日，隋朝派遣兼散骑常侍曹令则、通直散骑常侍魏澹出使陈朝。魏澹是魏收的族人。

闰十二月二十二日丙辰，陈朝司空、长沙王陈叔坚被免职。陈叔坚丧失恩宠后，心中不安定，便搞厌魅邪术，祭祀日月以祈求福祐。有人上书告发他所做的事情，陈后主就召来陈叔坚，把他囚禁在中书省，打算处死他，命令侍卫近臣宣读敕书，列举他的罪过。陈叔坚回答说："我的初衷，非有他意，只是想亲近陛下而已。我既然犯了国法，罪该万死。我死的那一天，一定见到陈叔陵，我希望向他宣读圣明的诏书，在阴间谴责他。"陈后主于是赦免了他，只免其官职而已。

隋朝任命上柱国窦荣定为右武卫大将军。窦荣定的妻子是隋文帝的姐姐安成公主。隋文帝想封窦荣定为三公，他推辞说："汉代卫氏、霍氏、梁氏、邓氏四姓外戚，如果能稍微抑制自己，也不至于覆宗灭族。"隋文帝于是作罢。

隋文帝认为太师李穆功劳大，下诏书说："法律防备小人，不防备君子。太师申公李穆，从今往后即使有罪，只要不是谋反，纵然有百死之罪，始终不推究审问。"

礼部尚书牛弘请求建立明堂，隋文帝认为许多事都在草创之中，没有允许。

隋文帝阅览刑部奏章，发现断狱结案多达上万件，认为律令还是太严密，所以人们多触犯律令而获罪。于是又敕令苏威、牛弘等人修改律令，删除死罪八十一条，流刑一百五十四条，徒刑、杖刑等一千余条，只保留五百条，共计十二卷。隋朝刑法简要，疏而不漏。仍设置律博士弟子员。

隋文帝因京师长安仓库还空虚，这年，下诏令西起蒲州、陕州，东至卫州、汴州，沿河流域十三州招募丁壮运米。又在卫州设置黎阳仓，在陕州设置常平仓，在华州设置广通仓，由水陆依次转运充实各仓。漕运潼关以东地区和汾州、晋州的粟米供给长安。

当时州刺史多任用武将，大多不称职。治书侍御史柳彧上表说："从前汉光武帝与二十八将披荆斩棘，平定天下，等到功成之后，二十八将都未任职。臣拜读陛下

见诏书，以上柱国和千子为杞州[716]刺史。千子前任赵州，百姓歌之曰：'老禾不早杀[717]，余种秽良田。'千子，弓马武用，是其所长，治民莅职[718][40]，非其所解。如谓优老尚年[719]，自可厚赐金帛，若令刺举[720]，所损殊大。"帝善之。千子竟免。

彧见上勤于听受，百僚奏请，多有烦碎，上疏谏曰："臣闻自[41]古圣帝，莫过唐、虞[721]，不为丛脞[722]，是谓钦明[723]。舜任五臣[724]，尧咨四岳[725]，垂拱[726]无为，天下以治。所谓劳于求贤，逸于任使。比见陛下留心治道，无惮疲劳，亦由群官惧罪，不能自决，取判天旨[727]，闻奏过多。乃至营造细小之事，出给轻微之物，一日之内，酬答百司[728]。至乃日旰[729]忘食，夜分[730]未寝，动以文簿忧劳圣躬[731]。伏愿察臣至言[732]，少减烦务，若经国[733]大事，非臣下裁断者，伏愿详决。自余细务，责成所司[734]。则圣体尽无疆之寿，臣下蒙覆育[735]之赐。"上览而嘉之，因曰："柳彧直士[736]，国之宝也。"

彧以近世风俗，每正月十五日[42]，然灯游戏[737]，奏请禁之，曰："窃见京邑[738]，爰[739]及外州，每以正月望夜[740]，充街塞陌[741]，聚戏朋游[742]，鸣鼓聒天[743]，燎炬[744]照地，竭赀[745]破产，竞此一时。尽室并孥[746]，无问贵贱，男女混杂，缁素[747]不分。秽行[748]因此而成，盗贼由斯而起。因循弊风，曾无先觉[749]。无益于化，实损于民，请颁天下，并即禁断。"诏从之。

【段旨】

以上为第五段，写南朝陈后主昏庸，任用亲信小人，贤才遭忌，恰与北朝隋文帝亲贤远佞，形成鲜明对比。隋文帝纳谏，识才，对外打击突厥，对内约法省刑，励精图治，号称圣明。

诏书，任命上柱国和千子为杞州刺史。和千子以前任赵州刺史，老百姓歌唱他说：‘老禾不早割除，落种荒芜良田。’和千子，骑马射箭、带兵打仗，是他的长处，至于治理民众，不是他所明白的。陛下如果说要优礼年老功臣可多赐给他金帛，如果让他担任州刺史，那么损失很大。”隋文帝认为他说得好。和千子终于被免除刺史职务。

柳彧看到皇上辛勤地接受群臣的奏请，而百官奏请的事情，大多琐碎，便上疏劝谏说：“我听说自古圣明帝王，没有谁比得上唐尧、虞舜。唐尧、虞舜从不过问琐碎小事，所以被称为圣明。虞舜任用五位臣子，唐尧向掌管四方的诸侯咨询，拱手垂裳，无所作为，天下大治。这就是所谓劳于求贤，而逸于任使。近来见陛下留心治国安民之道，不怕辛劳，这也是由于群臣担心获罪，遇事不敢自断，都要取决于陛下圣断，因此奏请过多。甚至像建筑这样的小事，调拨供给细小物品，在一日之内，陛下要亲自答复许多部门的奏请，以致常常天晚忘食，夜半未寝，动不动就因文书簿籍劳神陛下。希望陛下体察微臣的一片至诚之言，稍减烦琐事务。如果是经国安邦的大事，不是百官大臣能裁断的，请陛下详察明断。此外一切细碎事务，责成主管部门长官处理。那么圣体可享无量之寿，臣也可蒙受陛下覆庇养育之恩。”皇上看了柳彧的奏疏后大加称赞，因而说：“柳彧是正直之士，是国家之宝。”

柳彧因近世民间风俗，在每年正月十五日，人们都要点燃灯笼，游戏玩耍，于是上奏请求禁止，说：“臣见京师以及外州，每年在正月十五日夜里，满街满巷，聚集嬉戏，成群游荡，锣鼓喧天，火炬照地，倾家荡产，一时争强比胜。全家老幼，不论贵贱，男女混杂，僧俗不分。淫秽之事由此而成，盗贼因此而起。沿袭这一弊风陋习，竟然没有人事先看到它的危害性。这无益于教化，对黎民百姓实在有很大损害。请求陛下颁诏书普告天下，马上禁止这种不良风俗。”隋文帝听从了这一建议。

【注释】

⑤⁰⁸长城公：陈朝末代皇帝陈叔宝，宣帝嫡长子，字符秀，小字黄奴，史称后主，长城公是隋文帝在他死后追封的爵号。见《陈书》卷六《后主本纪》、《南史》卷十《陈本纪下》。⑤⁰⁹庚子：正月初一日。⑤¹⁰壬寅：正月初三。⑤¹¹改元：由太建十五年改为至德元年。⑤¹²都官尚书：官名，尚书省列曹尚书之一，后改为刑部尚书，掌刑法。⑤¹³孔范：字法言，会稽山阴（今浙江绍兴）人，仕陈，官至都官尚书。传见《南史》卷七十七。⑤¹⁴施文庆（？至公元五八九年）：吴兴乌程（今浙江吴兴）人，陈朝权奸。传附《陈书》卷三十一《任忠传》、《南史》卷七十七《恩幸传》。⑤¹⁵构：设计陷害。⑤¹⁶江州：州名，治所湓

口城，在今江西九江。⑰祠部尚书：官名，尚书省祠部曹长官，掌宗庙祭祀之礼。⑱江总（公元五一九至五九四年）：字总持，济阳考城（今河南民权东北）人，历仕梁、陈，官至尚书令。传见《陈书》卷二十七、《南史》卷三十六。⑲癸卯：正月初四日。⑳皇子深：陈后主第四子。传见《陈书》卷二十八、《南史》卷六十五。㉑己巳朔：二月初一日。㉒癸酉：二月初五日。㉓癸巳：二月二十五日。㉔谮毁：诬陷诋毁。㉕候人主颜色：看君主脸色行事。㉖以微言谮之：指司马申向皇帝打小报告，陷害违忤自己的大臣。微言，打小报告。㉗因机：乘机。㉘从风：即跟风，比喻跟随得迅速。㉙强直：固执而正直。㉚酒德：以酗酒为德。周公曾告诫成王说："无若殷王受之迷乱，酗于酒德哉！"㉛宫臣：指太子东宫臣僚。㉜自庆：为自己创伤愈合而庆祝。㉝展乐：陈设乐舞。㉞山陵初毕：谓料理宣帝丧事刚刚完毕。㉟阳为心疾：假装心脏病发作。阳，通"佯"，假装。㊱仆：跌倒。㊲非我所为：言毛喜反对后主所为。㊳负气：谓恃其意气，不肯屈服于人。㊴乞：给予。㊵鄱阳兄弟：鄱阳王陈伯山，陈文帝第三子。鄱阳兄弟指陈文帝诸子。㊶听其报仇：因宣帝篡位时，杀刘师知、到仲举父子、始兴王伯茂皆由毛喜谋划，故让鄱阳兄弟杀毛喜以报仇。㊷官：陈朝臣子多称其君为官。㊸傅縡：字宜事，北地灵州（治所在今宁夏灵武）人，仕陈，官至秘书监。传见《陈书》卷三十、《南史》卷六十九。㊹永嘉：郡名，治所永宁县，在今浙江温州。㊺丙辰：三月十八日。㊻二十一成丁：即二十一岁成为丁壮劳力。古代规定成丁后即向国家纳税服役。㊼十二番：每年十二番，则服役三十六日。番，古代农民要轮番向国家服役。每月三日，称为一番。㊽榷：专利；专卖。周末，官府置酒坊收利，盐池、盐井皆禁百姓采用。㊾丧乱：死丧祸乱，多指战乱。㊿散逸：闲散；散失。(551)重杂：重复杂芜。(552)裁：同"才"。(553)属膺圣世：降临在太平盛世。属，托付。膺，受、当。(554)王府：官府；国家。(555)天威：天帝的威严，后也指帝王的威严。(556)异典：珍贵的典籍。(557)臻：至；来到。(558)观阁：藏书之所。汉代有东观、石渠阁等藏书之所。(559)斯积：堆满。斯，皆、尽。(560)丁巳：三月十九日。(561)赉：赐予。(562)缣：双丝织的微带黄色的细绢。(563)庚午：四月初三日。(564)洮州：州名，治所美相县，故址在今甘肃临潭西南。(565)败死：谓兵败而死。(566)汶州：州名，治所广阳县，在今四川茂县西北。(567)廓州：州名，治所浇河城，在今青海贵德。(568)壬申：四月初五日。(569)数：屡次；多次。(570)诸夏：古代汉族自称为夏，如诸夏、华夏等。(571)东虑：齐国在东，故周担心齐入侵为东虑。(572)西虞：周国在西，故齐对周的戒备为西虞。虞，忧虑、戒备。(573)"虏意轻重"二句：意谓突厥的意向，决定了周与齐国的安危。虏，指突厥。(574)厚敛兆庶：向老百姓增加赋税。兆庶，即兆民、万民。(575)豺狼：此指突厥族。(576)贼：盗贼，此指突厥攻掠边民。(577)省徭薄赋：减省徭役，少征赋税。(578)因：用。(579)息道路之民：使奔走于道路上的民夫停息。(580)成策：已定的策略。(581)凶丑：此指突厥。(582)愚暗：愚昧。(583)尽其巢窟：谓倾国而来。(584)齐斧：用于征伐之斧。凡出师必斋戒入祖庙受斧，故曰齐斧。齐，通"斋"，一说，利斧。(585)含育：上天含生之德，此指安抚。㊿有降者纳：有来降的突厥人应当接纳。有违者死：敢于抗拒官军的突厥，坚决消灭。侍子：古代诸侯或属国的王遣子入侍皇帝，称侍子。渭桥之拜：汉宣帝时，匈奴呼韩邪单于率众降汉，宣帝登渭桥，单于及诸少数族君长、王侯迎拜于渭桥下，呼喊万岁。事见《汉书》卷八《宣帝纪》。渭桥，渭水之上的桥，故址在陕西咸阳东北。朔州道：地名，自马邑出塞。马邑在今山西朔州。己卯：四月十二日。白道：地名，在今内蒙古呼和浩特西北，是河套东北地区通往阴山以北的交通要道。狃：习惯。掩击：乘人不备，突然袭击。卢龙塞：关塞名，故址在今河北喜峰口附近。古有塞道，是华北平原通往东北的交通要道。庚辰：四月十三日。碛北：地区名，大漠以北，指今蒙古国东部一带。己丑：四月二十二日。郢州：州名，治所江夏县，在今湖北武昌。城主：一城之主。不纳：没有接受郢州城主的投降。纳，受。辛卯：四月二十四日。薛舒：河东汾阴（今山西万荣）人。传见《北史》卷三十六。王劭：字君懋，太原晋阳（今山西太原西南）人，历仕北齐、周与隋，隋炀帝时官至秘书少监，前后任史官二十多年，著有《齐志》《齐书》《隋书》等。传见《隋书》卷六十九、《北史》卷三十五。癸巳：四月二十六日。甲子：隋历四月己巳朔，无甲子。《隋书》卷一《高祖纪上》"甲子"作"甲午"，《北史》作"甲申"。〖按〗"子""午"形近，作"甲午"是。甲午，四月二十七日。民部：此当作民部尚书，官名，职掌同度支尚书。刑部：此亦当作刑部尚书，官名，掌刑法。判：古代官制，以高官兼任低职称判。工：即工部，官署名，尚书省六部之一，掌百工之事。光禄：光禄寺，官署名，掌宫殿门户。卫尉：卫尉寺，掌门卫屯兵。鸿胪寺：掌宾客礼仪。都水台：官署名，掌山泽、水利。癸卯：五月初六日。摩那度口：地名，今地不详。《隋书》卷一《高祖纪上》"度"作"渡"。乙巳：五月初八日。梁太子琮：即萧琮，萧岿之子，字仁远。梁国废后，封梁公，官至内史令。传附《周书》卷四十八、《隋书》卷七十九《萧岿传》、《北史》卷九十三《萧岿传》。辛酉：五月二十四日。祀方泽：古代夏至日祭地之处。掘地为方池，贮水而祭，故称方泽。窦荣定（公元五三〇至五八六年）：扶风平陵（今陕西咸阳西北）人，历仕周、隋，官至左武卫大将军。传见《周书》卷三十、《隋书》卷三十九、《北史》卷六十一。高越原：地名，故址在今内蒙古阿拉善右旗和甘肃民勤西北一带。史万岁（？至公元六〇〇年）：京兆杜陵（今陕西西安东南）人，历仕周、隋，官至河州刺史。传见《隋书》卷五十三、《北史》卷七十三。敦煌：郡名，治所敦煌县，故址在今甘肃敦煌西。壬戌：五月二十五日。偏将：非主力军之将，即偏裨。本敌：本来势均力敌。日胜：一天天取胜。崇：尊敬；崇拜。生辱：造成了耻辱。宿计：一向就有的计谋。北牙：指阿波可汗。阿波可汗建牙帐在摄图之北。量度：审察；考量。戮辱：刑辱。骁悍：勇捷而凶悍。贰于隋：指阿波可汗背叛沙钵略可汗，依附隋朝。无所归：回去后无落脚的地方。贪汗可汗：隋时突厥可汗之一。事见《隋书》卷八十四、《北史》卷九十九《突厥传》。庚辰：六月十四日。㊶尔汗山：地名，今地不详。㊶师人：兵士。㊷砂城：地名，故址在今河北怀来。㊸荒颓：荒废坍塌。㊹晓夕：早晚。㊺结陈：排成阵列。陈，通“阵”。㊻百许人：一百多人。㊼不堪更战：不能再战。㊽特勒：突厥族对可汗子弟的称呼。〖按〗特勒，据钱大昕《十驾斋养新录》六《特勤当从石刻》，在蒙古发现唐人契苾明碑、阙特勤碑，碑文及碑额皆作“特勤”。据此，“特勒”应作“特勤”。㊾师徒：兵士。㊿效命：舍命报效。651俟：等待。652至尊：极其尊贵，指天子。653挺刃：拔刀。654辛丑：七月初五日。655周摇：字世安，其先与北魏拓跋氏同源，初以普乃氏为姓，后改为周氏，居洛阳，历仕周、隋，官至幽州总管。传见《隋书》卷五十五、《北史》卷七十三。656子敏：即李崇之子李敏（公元五七九至六一五年），字树生。仕隋，官至将作监。传见《隋书》卷三十七、《北史》卷五十九。657假一品羽仪：仪仗队规制同一品官。658谢：拜谢。659蹈舞：臣下朝贺时对皇帝表示敬意的一种仪节。660丁卯朔：八月初一日。661壬午：八月十六日。662宁州：州名，治所安定县，在今甘肃宁县。663原州：州名，治所高平县，在今宁夏固原。664癸丑：九月十八日。665甲戌：十月九日。666秦州：州名，治所上邽县，在今甘肃天水。667陇右：旧指陇山以西至黄河以东之地。668丁酉：十月丙寅朔，无丁酉。〖按〗《南史》卷十《陈后主纪》作“十一月，丁酉”，是。丁酉，十一月三日。669“立皇弟叔平为湘东王”四句：叔平，陈宣帝第二十子；叔敖，宣帝第二十一子；叔宣，宣帝第二十二子；叔穆，宣帝第二十三子。传俱见《陈书》卷二十八、《南史》卷六十五。670戊戌：十一月四日。671癸丑：十一月十九日。672“立皇弟叔俭为安南王”五句：叔俭，陈宣帝第二十四子；叔澄，宣帝第二十五子；叔兴，宣帝第二十六子；叔韶，宣帝第二十七子；叔纯，宣帝第二十八子。传俱见《陈书》卷二十八、《南史》卷六十五。673十一月：“十一月”三字当上移至“丁酉”之前。674亟：时间副词，急、速。675屏之：除去隋主画像。676更易事条：更改其中某些条款。677杨尚希（公元五三四至五九〇年）：弘农（今河南灵宝）人，历仕周、隋，官至蒲州刺史。传见《隋书》卷四十六、《北史》卷七十五。678倍多：数量多。倍，多。679具僚：配备应有的僚佐，此指官僚。680十羊九牧：羊比喻民，牧比喻官，意思是民少官多，赋敛剥削较重。681存要去闲：谓精减官员。闲，官多民少，致使无事可做。682甲午：《隋书》本纪同，《北史》同。然十一月丙申朔，无甲午，疑“甲午”前脱“十二月”三字。甲午，隋历十二月三十日。683乙卯：十二月乙丑朔，无乙卯。〖按〗《隋书》卷一《高祖纪上》作“闰十二月，乙卯”，盖“十”前脱一“闰”字，当补。乙卯，闰十二月二十一日。684魏澹：字彦深，钜鹿下曲阳（今河北晋州西）人，历仕北齐、周与隋，官至行台礼部侍郎，曾撰《后魏书》九十二卷，以纠正魏收所著《魏书》中的谬误。传见《隋书》卷五十八、《北齐书》卷二十三、《北史》卷五十六。685来聘：来到陈朝访问，即出使。686丙辰：闰十二月二十二日。687厌媚：用迷信的方法，祈祷鬼神或诅咒。媚，通“魅”。688醮日月：设坛祭祀日月。689天宪：朝廷的法令。⑲⓪九泉：地下深处，指人死后埋葬的地方。⑲①卫、霍、梁、邓：卫、霍两姓为西汉外戚，卫氏被诛于武帝末年，霍氏被诛于宣帝时；梁、邓两姓为东汉外戚，因专权，桓帝诛灭梁氏，安帝废弃邓氏。⑲②贬损：抑制；压低。⑲③覆宗：覆灭宗族。⑲④谋逆：阴谋反叛朝廷。⑲⑤推问：指犯罪后推究审问。⑲⑥草创：凡事初设均称草创。⑲⑦断狱：审理和判断案件。⑲⑧陷罪：本不至于犯罪而判定有罪。⑲⑨更定：修改审定。⑳⓪凡十二卷：一名例，二卫禁，三职制，四户婚，五厩库，六擅兴，七贼盗，八斗讼，九诈伪，十杂律，十一捕亡，十二断狱，计为十二卷。⑳①疏而不失：刑法宽大，犯法的仍得以治罪。⑳②律博士弟子员：律博士，法律博士。弟子员，学生，从律博士学习法律。⑳③蒲、陕：皆州名。蒲州，治所蒲阪县，在今山西永济西南。陕州，治所陕县，在今河南三门峡西。⑳④卫、汴：皆州名。卫州，治所汲县，在今河南卫辉。汴州，治所浚仪，在今河南开封。⑳⑤水次：水边。⑳⑥十三州：指华、陕、谷、洛、管、汴、汾、晋、蒲、绛、怀、卫、相，凡十三州。⑳⑦黎阳仓：仓名，故址在今河南浚县西南。⑳⑧常平仓：仓名，故址在今河南灵宝北。⑳⑨广通仓：仓名，又名永丰仓。故址在今陕西华阴东北，渭河入黄河口处。710灌输：灌注输送。711漕：水运称漕。712类：大抵；一般。713柳彧：字幼文，河东解（今山西运城市）人，历仕周、隋，官至仪同三司，加员外散骑常侍。传见《隋书》卷六十二、《北史》卷七十七。714汉光武：即光武帝刘秀，东汉开国皇帝，公元二五至五七年在位。715二十八将：中兴二十八将，俱东汉开国功臣。详见《后汉书》卷一《光武帝纪》。716杞州：州名，治所雍丘县，在今河南杞县。717杀：收割。718治民莅职：治理百姓。莅，临视。719优老尚年：优待尊重老年人。720刺举：汉置刺史，掌刺举郡县吏。刺举原有侦察检举之意。721唐、虞：即唐尧、虞舜，传说中的上古圣王。722丛脞：烦琐；细碎。723钦明：钦，敬。《书·尧典》："钦明文思安安。"724舜任五臣：舜任用五臣而天下大治。见《论语·泰伯》。五臣指禹、稷、契、皋陶、伯益。725四岳：相传为唐尧臣子羲和的四个儿子，分掌四岳之诸侯。见《尚书·尧典》孔传。726垂拱：垂衣拱手。形容无为而治。727取判天旨：取决于皇帝旨意。判，决。728酬答百司：应答各有关部门。729日旰：日已晚。730夜分：半夜。731圣躬：圣体，指皇帝的身体。732至言：至理之言。733经国：治国。734所司：事情所属的部门。735覆育：庇护化育。736直士：正直之士。737然灯游戏：然，通"燃"，点燃。游戏，指正月十五闹元宵之游戏。738京邑：京城。739爰：语首助语，无实意。740望夜：每月十五日夜。农历每月十五日以日月相望，称为望。741充街塞陌：塞满了大街小巷。陌，街道。742朋游：朋友旧交。743聒天：声音震天。聒，声音嘈杂。744燎炬：火把；火炬。745赀：同"资"。746拏：此指奴婢。747缁素：僧徒、百姓。缁，僧徒所穿的衣服。素，指俗众。748秽行：鄙贱、不正经的行为。749先觉：预先认识省察。

【校记】

［34］数：原作"十"。据章钰校，十二行本、乙十一行本、孔天胤本皆作"数"，今据改。〖按〗《隋书·阴寿传》作"数"。［35］通直：原无此二字。据章钰校，十二行本、乙十一行本、孔天胤本皆有此二字，今据补。〖按〗《隋书·高祖纪上》有此二字。［36］略：原无此字。据章钰校，十二行本、乙十一行本、孔天胤本皆有此字，张敦仁《通鉴刊本识误》同，今据补。［37］伤重：原作"重伤"。据章钰校，乙十一行本二字互乙，今据改。〖按〗《隋书·李崇传》作"伤重"。［38］辛丑：原无此二字。据章钰校，十二行本、乙十一行本、孔天胤本皆有此二字，张敦仁《通鉴刊本识误》同，今据补。〖按〗《隋书·高祖纪上》有此二字。［39］汝：原作"尔"。据章钰校，十二行本、乙十一行本、孔天胤本皆作"汝"，今据改。〖按〗《隋书·李崇传附李敏传》作"汝"。［40］职：原作"众"。据章钰校，十二行本、乙十一行本、孔天胤本皆作"职"，张敦仁《通鉴刊本识误》同，今据改。〖按〗《隋书·柳彧传》《北史·柳彧传》皆作"众"。［41］自：原作"上"。据章钰校，十二行本、乙十一行本、孔天胤本皆作"自"，今据改。〖按〗《隋书·柳彧传》作"自"。［42］日：原作"夜"。据章钰校，十二行本、乙十一行本、孔天胤本皆作"日"，今据改。〖按〗《隋书·柳彧传》《北史·柳彧传》作"日"。

【研析】

本卷记公元五八一至五八三年事，集中反映的是隋初制度建设及对突厥的全面反击。

隋朝的历史地位，有如秦朝，虽然短暂，制度建设却颇有成就，如同秦朝制度为其后的汉朝所继承，隋朝的制度亦被唐代承袭。隋朝制度建设的核心原则，是废除、改革西魏、北周实行的制度，"依汉、魏之旧"，如陈寅恪先生在《隋唐制度渊源略论稿》一书中所分析的，实际上就是全面采用原东魏、北齐所使用的北魏孝文帝汉化改革后的一系列制度，并进一步吸收南朝制度的长处。

在隋朝建立前夕，杨坚采用崔仲方的建议，"除周六官，依汉、魏之旧，从之。置三师、三公及尚书、门下、内史、秘书、内侍五省，御史、都水二台，太常等十一寺，左右卫等十二府，以分司统职"。北周按《周礼》设置天官大冢宰、地官大司徒等六个中央机构，分掌众事，一来试图在文化原本落后的关陇地区独树一帜，以华夏正宗自居，一来合乎西魏时"诸公等夷"的政治背景，这种制度并不完全符合皇帝专制的需要。新的制度即西晋以来不断发展成熟的"三省六部制"。

上述"五省"中最重要的是尚书、门下、中书（隋代因讳杨坚父名"忠"音而改名"内史"）三省。尚书省为最高行政主管机构，下分吏、民、礼、兵、刑、工等六部（唐改民部为户部），部下分数曹（唐改称"司"，每部定为四司），掌管政令下达；门下省、中书省置于皇宫中，中书省主撰诏诰，为皇帝“喉舌”，门下省负责诏诰的审核与批复。三省长官均是宰相，参与最高决策，共同向皇帝负责。这种设计，既有利于集思广益，理性行政，又使三省中任何机构的长官难以独行权力，有利于皇帝集权。秘书省主管图书档案的编写存档，内侍省则统领宦官，负责皇宫内的日常生活，在政治中的重要性，远不能与三省相比，后来内侍省又改名长秋监，去“省”名，以示这纯是一个工作执行部门。御史台独立于宰相机构之外，掌管纪律监察，有利于保持官员队伍的纯洁与工作效率。都水台则是负责水利工程的专门机构，在农业时代，这一机构虽然重要，但在政治上并没有什么影响力。至于“太常等十一寺”，由汉代“九卿”发展而来，现在已是听命于尚书省、各司其职的政务部门，重要性已远不如汉代。至于置于“五省”之首的“三师”“三公”，只是用来安排给一些德高望重的政治老人，虽地位尊崇，政治上的发言权极其有限。

除了中央行政机构的定型外，对地方行政制度也进行了大规模的整顿。“海内为郡县，法令由一统”，为秦汉时期地方行政制度的基本特征。魏晋南北朝时期，汉代监察地方的“州”成为一级行政机构，州、郡、县三级制度为基本状态，分裂时代的各政权为了笼络边地势力、为了表明自己对敌方境土也有统治的责任，纷纷广设地方行政机构，有时一个同名的州、郡，多达数个，于是加上东、西、南、北加以区别，地方行政机构越来越多，区域越来越小，所谓“或地无百里，数县并置，或户不满千,二郡分领。具僚已众，资费日多，吏卒增倍，租调岁减。民少官多，十羊九牧”。针对这种情况，隋初进行了重大改革，一是以“存要去闲，并小为大”的原则，合并相关行政区；一是将郡一级行政区，彻底废除，在地方实行两级行政。既有利于中央政令上传下达，亦减轻了财政负担。

法律制度的改变遵循了同样的原则，隋文帝下令废除西魏、北周实行的“杂格、严科”，以及枭、轘、族诛等严刑，初命高颎、郑译、杨素、裴政等人“采魏、晋旧律，下至齐、梁，沿革重轻，取其折衷”，以死刑、流放刑、徒刑、杖刑、笞刑处理不同程度的罪行。以轻刑为目标:“除前世讯囚酷法，考掠不得过二百，枷杖大小，咸有程序。民有枉屈，县不为理者，听以次经郡及州、省，若仍不为理，听诣阙伸诉。”虽说此次修订法律成就很大，“法制遂定，后世多遵用之”。但隋文帝见刑部汇报上来的案件仍有上万，认为是“律尚严密，故人多陷罪”，又命苏威、牛弘对新律加以清理，“除死罪八十一条，流罪一百五十四条，徒杖等千余条，唯定留五百条，凡十二卷”。保留的刑事处置条款，不到原来的三分之一，“自是刑网简要，疏而不失”。

隋朝继续实施北魏孝文帝以来的均田制，关于其变化我们将在下卷相关内容中予以讨论，而隋初经济政策上最值得注意的变化，是“更铸五铢钱”。十六国北朝时期，以丝绢作为主要货币，这种货币形态，利于奢侈品交易与大规模的财政收支拨付，并不利于民间小型商业的发展。钱币流通极为有限，“周、齐所铸钱凡四等，及民间私钱，名品甚众，轻重不等”，至于东晋南朝，民间商业繁荣，货币形式更是五花八门，甚至铸铁钱以充用。汉武帝时铸造的五铢钱，一直是民间最为信赖的货币，但因新铸品种多偷工减料，五铢钱被剪凿利用，丧失了其流通功能。隋文帝下令新铸五铢钱，“每一千重四斤二两。悉禁古钱及私钱。置样于关，不如样者，没官销毁之。自是钱币始壹，民间便之”。恢复了五铢钱的法定货币地位，又减轻百姓负担，将百姓承担劳役的初始年龄延至二十一岁，将每年一个月无偿服劳役时间从一个月减为二十日，减调绢一匹为二丈。这些都减轻了百姓负担，有利于社会经济的发展。

以上我们根据本卷相关内容，做了一定的梳理。隋朝建立，制度上“依汉、魏之旧”，这是一个极有历史意义的现象。我们知道隋朝建立，除了皇室由宇文氏变为杨氏外，“诏前代品爵，悉依旧不降”，统治集团并没有实质的变化，却能抛弃本集团得以成功的制度，转而采用被自己消灭的政权的制度，并以此接上汉魏历史传统，这种政治魄力，是关陇集团得以构建隋唐统一历史的重要原因。隋文帝“革命数年，天下称平”，宰相称职、官吏清廉，本卷中多有反映，而根本上却有赖于这一系列制度建设。文帝本人“不晓书语”，也就是说并没有多少传统学术上的修养，却能顺从历史趋势，在制度上进行大规模的调整，亦难能可贵。

对于隋政权来说，要远承汉魏，实现华夏文明的复兴，还必须解决草原突厥人的威胁这一历史遗留问题。“周、齐抗衡，分割诸夏，突厥之虏，俱通二国。周人东虑，恐齐好之深，齐氏西虞，惧周交之厚。谓虏意轻重，国遂安危，盖并有大敌之忧，思减一边之防”，遂“厚敛兆庶，多惠豺狼”。隋朝建立，迅速实现制度更张与政治稳定，国家财力大幅上升，不再可能“量中华之物力”，结突厥之欢心。突厥人昧于形势，“将大定之日，比战国之时”，支持北齐残余势力，又号称为周室报仇，沿边侵扰。公元五八二年末的入侵，致使“武威、天水、安定、金城、上郡、弘化、延安，六畜咸尽”。

隋朝国力上升，不可能再委曲求全，突厥内部政治形势的变化，也为隋朝提供了全面反击的机会。由于草原部族“兄终弟及”的传统，隋初，出现了四可汗并立的局面，沙钵略可汗摄图名义上是大可汗，但对各有部众的阿波可汗大逻便、达头可汗玷厥及号称第二可汗的庵逻，并没有绝对的指挥权，摄图之弟处罗侯亦试图发展自己的势力。被突厥人统治的其他草原部族奚、契丹等，也试图摆脱突厥人的控制。北周长期负责与突厥外交联系的长孙晟，对突厥内部情况有透彻的了解，而且长期在草原活动，“手画山川，写其虚实，皆如指掌”，向隋文帝提出“远交而近攻，离强而合弱”以解决突厥的策略。这一策略的运用，使突厥内部矛盾加深，然后隋军在公元五八三年四月，选择一年中草原人开始分散放牧的有利时机，分八路向突厥发起进攻，取得击败沙钵略可汗所部的重大胜利。此后，直至隋末，突厥虽一直是隋朝防范的主要对象，但已不能对隋朝构成致命的威胁。

卷第一百七十六　陈纪十

起阏逢执徐（甲辰，公元五八四年），尽著雍涒滩（戊申，公元五八八年），凡五年。

【题解】

本卷载述公元五八四至五八八年南北朝五年史事，即陈后主至德二年至祯明二年，隋文帝开皇四年至八年。五年之间，南北朝形势发生巨大变化。北朝隋文帝代周，建立新朝，带来新气象。隋文帝治国，对内约法省禁，颁布新历新律，休养生息，筑长城于农闲，二旬即止，国力大增。对外恩威并施，征服了突厥，招徕吐谷浑内附。隋朝欣欣向荣，全力备战南伐而外示友好。南朝陈后主君臣奢靡，君子退，小人进，国势日非而狂傲骄矜，纳后梁之降，犯大国之忌，既不设防，又触犯天威，陈朝灭亡，必然之势。北强南弱，统一大势不可逆转，于是隋朝大举南伐。

【原文】

长城公下

至德二年（甲辰，公元五八四年）

春，正月甲子①，日有食之。

己巳②，隋主享太庙。辛未③，祀南郊。

壬申④，梁主入朝于隋，服通天冠、绛纱袍，北面⑤受郊劳⑥。及入见于大兴殿⑦，隋主服通天冠、绛纱袍，梁主服远游冠、朝服，君臣并拜。赐缣万匹，珍玩称是⑧。

隋前华州刺史张宾、仪同三司刘晖等造《甲子元历》⑨成，奏之。壬辰⑩，诏颁新历。

癸巳⑪，大赦。

二月乙巳⑫，隋主饯⑬梁主于灞上⑭。

【语译】

长城公下

至德二年（甲辰，公元五八四年）

春，正月初一日甲子，发生日食。

初六日己巳，隋主祭祀太庙。初八日辛未，到南郊祭天。

正月初九日壬申，后梁国主萧岿到长安朝见隋主，戴通天冠，穿深红色纱袍，在长安郊外面朝北接受隋朝使者的迎接慰劳。等到进入大兴殿朝见隋主，隋主杨坚戴通天冠，穿深红色纱袍，后梁国主戴远游冠，穿朝服，君臣互相跪拜。隋主赏赐后梁国主绢一万匹，以及与万匹绢价值相称的珍玩器物。

隋朝前华州刺史张宾、仪同三司刘晖等修造《甲子元历》完成，上奏隋主。正月二十九日壬辰，隋主下诏颁行新历。

癸巳日，陈朝大赦。

二月十三日乙巳，隋主在灞上设宴为后梁国主饯行。

突厥苏尼部男女万余口降隋。

庚戌⑮，隋主如陇州⑯。

突厥达头可汗请降于隋。

夏，四月庚子⑰，隋以吏部尚书虞庆则为右仆射。

隋上大将军贺娄子幹发五州兵⑱击吐谷浑，杀男女万余口，二旬而还。

帝以陇西⑲频被寇掠，而俗不设村坞⑳，命子幹勒民㉑为堡，仍营田㉒积谷。子幹上书曰："陇西、河右㉓[1]，土旷民稀，边境未宁，不可广佃㉔。比见屯田之所，获少费多，虚役人功㉕，卒逢践暴，屯田疏远者请皆废省。但陇右之民[2]以畜牧为事，若更屯聚㉖，弥不自安。但使镇戍㉗连接，烽堠㉘相望，民虽散居，必谓无虑。"帝从之。以子幹晓习㉙边事，丁巳㉚，以为榆关㉛总管。

五月，以吏部尚书江总为仆射㉜。

隋主以渭水㉝多沙，深浅不常，漕者㉞苦之，六月壬子㉟，诏太子左庶子宇文恺帅水工凿渠，引渭水，自大兴城㊱东至潼关三百余里，名曰广通渠。漕运通利，关内赖之。

秋，七月丙寅㊲，遣兼散骑常侍谢泉等聘于隋。

八月壬寅㊳，隋邓恭公窦炽卒。

乙卯㊴，将军夏侯苗请降于隋，隋主以通和㊵，不纳。

九月甲戌㊶，隋主以关中饥，行如洛阳。

隋主不喜辞[3]华㊷，诏天下公私文翰㊸并宜实录。泗州刺史司马幼之㊹文表华艳㊺，付所司㊻治罪。治书侍御史赵郡李谔㊼亦以当时属文㊽，体尚㊾轻薄㊿，上书曰："魏之三祖(51)，崇尚文词，忽君人(52)之大道(53)，好雕虫之小艺(54)。下之从上，遂成风俗。江左(55)、齐、梁，其弊弥甚：竞一韵之奇，争一字之巧。连篇累牍(56)，不出月露之形，积案(57)盈箱，唯是风云之状。世俗以此相高，朝廷据兹(58)擢士。禄利(59)之路既开，爱尚(60)之情愈笃(61)。于是闾里童昏(62)，贵游(63)总丱(64)，未窥六甲(65)，先制五言，至如羲皇(66)、舜、禹之典(67)，伊、傅(68)、周、孔(69)之说，不复

突厥苏尼部男女万余口投降隋朝。

十八日庚戌，隋主前往陇州。

突厥达头可汗请求降附隋朝。

夏，四月初九日庚子，隋朝任命吏部尚书虞庆则为尚书右仆射。

隋朝上大将军贺娄子幹调发河西五州的军队出击吐谷浑，杀死男女一万多人，历时二十天返回。

隋文帝因为陇西一带经常遭受戎狄侵掠，而当地民俗不建立村庄坞壁，于是命令贺娄子幹强制百姓建造城堡，并屯田积粮。贺娄子幹上书说："陇西、河右地区地广人稀，边境尚未安宁，还不能大量耕作。我近来发现一些屯田地区，收获少而费力多，白白浪费了人力，最终还遭到敌人的践踏破坏，偏远的屯田据点请全部撤除。但凡陇右地区的老百姓一向从事畜牧业，如果强迫他们集中定居，会更加惊恐不安。只要多建立镇守哨所和烽火台，使其彼此连接，烽火台互相呼应，老百姓即使分散居住，也可无忧。"隋文帝采纳了他的建议。由于贺娄子幹熟悉边疆情况，四月二十六日丁巳，隋文帝任命他为榆关总管。

五月，陈朝任命吏部尚书江总为尚书仆射。

隋文帝因为渭河多沙，河水深浅不定，漕运粮食的人颇为苦恼，六月二十二日壬子，诏令太子左庶子宇文恺率领水利工程人员开凿渠道，导引渭水，从新都大兴城向东直到潼关，长三百多里，名叫广通渠。漕运通畅，关内物资运输都依赖这条水渠。

秋，七月初六日丙寅，陈朝派遣兼散骑常侍谢泉等人出使隋朝。

八月十三日壬寅，隋朝邓恭公窦炽逝世。

八月二十六日乙卯，陈朝将军夏侯苗请求投降隋朝，隋主因陈、隋两国通使和好，没有接受。

九月十五日甲戌，隋主因为关内发生饥荒，视察到洛阳。

隋主不喜欢辞章华丽，诏令天下公私文书都应实话实说。泗州刺史司马幼之上奏的表章浮华艳丽，隋主把他交给主管部门治罪。治书侍御史赵郡人李谔也认为当时流行的文章崇尚轻薄浮艳，于是上书说："曹魏太祖曹操、高祖曹丕、烈祖曹叡，崇尚文辞，忽略国君治理万民的大道，喜欢雕虫小技，上行下效，于是形成一种社会风气。东晋、齐、梁时代，此风气积弊更深：竞逐一韵之新奇，争比一字之巧妙。连篇累牍，不外乎月华初露之形，积案满箱，只是风起云涌之状。世俗以此竞争高下，朝廷据此选拔官吏。获取功名利禄的道路既然开通，人们崇尚华丽轻浮的情绪更加纯一。因此，乡间孩童，王公贵族子弟，还未习见六十甲子，便先作五言诗；至于伏羲、虞舜、夏禹的典籍，伊尹、傅说、周公、孔子的学说，不再关心，哪里听到过！把傲慢怪诞当作清静玄雅，把抒发情感当作丰功伟绩，把儒者的道德品行

关心，何尝入耳。以傲诞[70]为清虚，以缘情[71]为勋绩，指儒素[72]为古拙，用词赋为君子。故文笔日繁，其政日乱，良由弃大圣之轨模[73]，构无用以为用也。今朝廷虽有是诏[74]，如闻外州远县，仍踵[75]弊风：躬仁孝之行[76]者，摈落[77]私门，不加收齿[78]。工轻薄之艺者，选充吏职，举送天朝[79]。盖由县令、刺史[4]未遵风教[80]。请普加采察[81]，送台[82]推劾[83]。”又上言：“士大夫矜伐[84]干进[85]，无复廉耻，乞明加罪黜[86]，以惩风轨[87]。”诏以谔前后所奏颁示四方。

突厥沙钵略可汗数为隋所败，乃请和亲[88]。千金公主自请改姓杨氏[89]，为隋主女。隋主遣开府仪同三司徐平和使于沙钵略，更封千金公主为大义公主[90]。晋王广请因衅乘之[91]，隋主不许。

沙钵略遣使致书曰：“从天生大突厥天下贤圣天子伊利俱[5]卢设莫何沙钵略可汗[92]致书大隋皇帝：皇帝，妇父，乃是翁比[93]。此[94]为女大，乃是儿例[95]。两境虽殊，情义如一。自今子子孙孙，乃至万世，亲好不绝。上天为证，终不违负。此国[96]羊马，皆皇帝之畜。彼[97]之缯彩，皆此国之物。”

帝复书曰：“大隋天子贻[98]书大突厥沙钵略可汗：得书，知大有善意。既为沙钵略妇翁[99]，今日视沙钵略与儿子不异。时遣大臣往彼省[100]女，复省沙钵略也。”于是遣尚书右仆射虞庆则使[101]于沙钵略，车骑将军长孙晟副之[102]。

沙钵略陈兵列其珍宝，坐见庆则，称病不能起，且曰：“我诸父以来，不向人拜。”庆则责而谕之。千金公主私谓庆则曰：“可汗豺狼性，过与争[103]，将啮[104]人。”长孙晟谓沙钵略曰：“突厥与隋俱大国天子，可汗不起，安敢违意？但可贺敦[105]为帝女，则可汗是大隋女婿，奈何不敬妇翁？”沙钵略笑谓其达官[106]曰：“须拜妇翁。”乃起拜顿颡[107]，跪受玺书，以戴于首。既而大惭[108]，与群下相聚恸哭[109]。庆则又遣称臣，沙钵略谓左右曰：“何谓臣？”左右曰：“隋言臣，犹此云奴耳。”沙钵略曰：“得为大隋天子奴，虞仆射之力也。”赠庆则马千匹，并以从妹[110]妻之[111]。

看作古板迂拙，把擅长辞赋之士当成君子。所以文翰日益繁盛，政治却日益紊乱。这都是因为人们长久以来抛弃了上古圣贤制定的法则，撰写无用之文当作有用。如今朝廷尽管有了禁绝浮华文风的诏令，而我听说一些边远州县，依然沿袭旧日衰敝的风气：躬行仁义孝悌的人，被权势之家排斥，不加录用。擅长写作轻薄浮华文辞的人，被选任为官，荐举到朝廷。其原因是县令、刺史没有遵行风俗教化。请求陛下派人普遍察访，违诏者送交御史台追究问罪。"又上书说："士大夫居功自夸，以谋求晋升做官，不再有羞愧廉耻之心，请求陛下公开加以治罪贬黜，以正社会风范。"隋主诏令将李谔前后奏言颁示天下四方。

突厥沙钵略可汗多次被隋朝击败，便请求和亲。千金公主宇文氏也自动请求改姓杨，做隋主的女儿。隋主派遣开府仪同三司徐平和出使突厥沙钵略可汗，改封千金公主为大义公主。晋王杨广请求乘突厥内外交困的机会派兵讨伐，隋主没有答应。

沙钵略可汗遣使向隋主递交国书说："从天生大突厥天下贤圣天子伊利俱卢设莫何沙钵略可汗致书大隋皇帝：皇帝陛下，您是我夫人的父亲，也就是我的岳父。我是您的女婿，也就如同您的儿子。我们两国虽然不同，但人的情义却是一样的。从今以后，子子孙孙以至千秋万世，亲善友好永不断绝。上天作见证，始终不会背离。我国的羊马，都是皇帝陛下的牲畜。贵国的缯彩，也都是我国的财物。"

隋文帝回信说："大隋天子致书大突厥沙钵略可汗：收到来书，知你有和好的善意。朕既然是沙钵略可汗的岳父，如今当然看待沙钵略可汗与儿子一样。朕按时派遣大臣到突厥看望女儿，也看望沙钵略可汗。"于是派遣尚书右仆射虞庆则出使突厥沙钵略可汗，车骑将军长孙晟作为副使。

突厥沙钵略可汗摆下军阵，陈列珍宝，坐着接见虞庆则，假装身体有病而不能起立，并且说："自我父辈以来，从不向人下拜。"虞庆则责备他，晓以道理。公主私下对虞庆则说："沙钵略可汗豺狼本性，过分与他争执，他会吞噬人。"长孙晟对沙钵略可汗说："突厥可汗和隋朝皇帝都是大国天子，可汗不肯起身，我们岂敢违背您的意思？不过可贺敦是大隋皇帝的女儿，可汗就是大隋皇帝的女婿，女婿怎么能不尊敬岳父？"沙钵略可汗笑着对手下显要的官员说："是应该跪拜岳父。"于是起身下拜磕头，跪着接受了隋文帝的玺书，顶在头上。很快又感到大为羞惭，与部下相聚痛哭。虞庆则又要求突厥对隋称臣，沙钵略可汗问身边的人说："什么叫臣？"身边的人说："隋朝所说的臣，就如同我们所说的奴。"沙钵略可汗说："能够做大隋天子的奴，是虞仆射的功劳。"于是赠给虞庆则马一千匹，并将堂妹许配给他为妻。

【段旨】

以上为第一段，写隋文帝提倡质朴文风，惩治浮华，和好突厥，安定边境。

【注释】

①甲子：正月初一日。②己巳：正月初六日。③辛未：正月初八日。④壬申：正月初九日。⑤北面：古代君主见臣，尊长见卑幼，面南而坐，而臣子则面朝北，故以北面指向人称臣。⑥受郊劳：在长安郊外接受隋朝使者的迎接慰劳。⑦大兴殿：宫殿名，是隋新都正殿。⑧称是：此谓珍玩价值与万匹缣相称。⑨《甲子元历》：张宾等人依南朝刘宋何承天所撰历法稍加增删而成，以上元甲子己巳以来，至开皇四年岁在甲辰积算起。详见《隋书·律历志中》。⑩壬辰：正月二十九日。⑪癸巳:《陈书·后主纪》云:“癸巳，大赦天下。”癸巳前脱“二月”两字,《资治通鉴》沿其误。癸巳当是二月初一。⑫乙巳：二月十三日。⑬饯：以酒食送行。⑭灞上：地名，故址在今陕西西安东。⑮庚戌：二月十八日。⑯陇州：州名，治所汧源县，在今陕西陇县。⑰庚子：四月初九日。⑱发五州兵：调动河西五州兵。五州，指凉州、甘州、瓜州、鄯州、廓州。⑲陇西：郡名，治所襄武县，在今甘肃陇西东南。⑳村坞：建有壁垒土堡之类的村庄。坞，土堡、小城。㉑勒民：强制民众。㉒营田：屯田。㉓河右：北朝时泛指今山西吕梁山以西黄河西岸的地区。㉔广佃：大量地耕作。㉕虚役人功：白白浪费人力。㉖屯聚：把散居游牧的人聚集起来。㉗镇戍：镇守之所。㉘烽堠：即烽火台。堠，古代瞭望敌情的土堡。㉙晓习：通晓、熟悉。㉚丁巳：四月二十六日。㉛榆关：关名，一作渝关，又名临榆关。故址在今内蒙古准格尔旗黄河东岸托克托、和林格尔一带。㉜仆射：官名，即尚书仆射，尚书省长官，辅佐皇帝治理朝政，实际上的宰相。一般设左、右仆射，不说左、右，即设仆射一人，总揽尚书省事。㉝渭水：即今渭河，黄河主要支流之一，发源于甘肃渭源西北，流经陕西境，至潼关，入黄河。㉞漕者：即漕运者，指在河上运输的人。㉟壬子：六月二十二日。㊱大兴城：即隋新都城。故址在今陕西西安。㊲丙寅：七月初六日。㊳壬寅：八月十三日。㊴乙卯：八月二十六日。㊵通和：互通友好。㊶甲戌：九月十五日。㊷辞华：文辞华丽。㊸公私文翰：指公文和私人信札。㊹司马幼之：原籍河内郡温县（今河南温县），后徙居云中（今山西大同），北齐司马子如之侄，仕隋，卒于眉州刺史。传附《北齐书·司马子如传》《北史·司马子如传》。㊺华艳：辞采艳丽。㊻所司：主管部门或主管官吏。㊼李谔：字士恢，赵郡（治所在今河北赵县）人。历仕北齐、周与隋，卒官通州刺史。传见《隋书》卷六十六、《北史》卷七十七。㊽属文：写作。谓连缀字句而成文章。㊾尚：推崇；崇尚。㊿轻薄：轻浮；不切实际。51魏之三祖：指曹魏太祖武皇帝曹操、高祖文皇帝曹丕和烈祖明皇帝曹叡三人。52君人：指皇帝或国君。53大道：大道理，也指常理正道。54雕虫之小艺：指作辞赋爱雕章琢句，也比喻小技、末道。雕，刻符。虫，虫书。西汉儿童学习秦书八体，

虫书、刻符为其中两体，纤巧难工。㊺江左：长江下游以东地区。古人叙地理以东为左，故江东称江左。此指东晋王朝。㊻连篇累牍：形容文辞冗长。牍，古代写字的木简。㊼积案：堆满几案。㊽兹：此，代词。㊾禄利：指官职之利。㊿爱尚：爱好崇尚。(61)笃：真诚；纯一。(62)童昏：指幼童。言儿童年幼无知。(63)贵游：指王公子弟。游，无官职。(64)总丱：也称“总角”，指儿童。古代儿童把头发束成两角的样子。(65)六甲：古代八岁入小学，学六甲五方书计之事。六甲是用天干地支相配计算时日，其中有甲子、甲戌、甲申、甲午、甲辰、甲寅，称六甲。(66)羲皇：即伏羲氏。传说中太古时的圣人。(67)典：记载法则、典章制度的重要典籍。(68)伊、傅：伊尹、傅说。两人均为商朝贤臣。伊尹，商朝开国大臣，又佐太丁、外丙、中壬、太甲四任国君。傅说，商王武丁任以为相，使殷中兴。(69)周、孔：周公旦、孔子两位先贤。(70)傲诞：骄傲虚妄。(71)缘情：抒发感情。《文选》卷十七陆士衡《文赋》：“诗缘情而绮靡，赋体物而浏亮。”(72)儒素：儒者的品德操行。(73)轨模：犹法式、楷模。(74)是诏：此诏，指禁浮华之诏。(75)踵：追逐；跟随。(76)躬仁孝之行：身体力行仁孝。(77)摈落：排斥。(78)收齿：录用。(79)天朝：朝廷。(80)风教：风俗教化。(81)采察：理会、察看。(82)台：指御史台。(83)推劾：追究其罪状。(84)矜伐：居功自夸。矜，崇尚。(85)干进：谋求晋升为官。(86)罪黜：定罪罢免。黜，贬、废免。(87)风轨：风纪轨范。(88)和亲：和睦相亲，一般多为与敌议和，结为姻亲。(89)改姓杨氏：千金公主本周宗室女，姓宇文，曾请沙钵略为其复仇，因突厥内外交困，故请改姓杨氏以和亲。(90)大义公主：千金公主释前仇以言和，大义灭亲，故改封大义公主。(91)因衅乘之：乘突厥内部分裂、屡战失利之机，出兵攻打突厥。(92)伊利俱卢设莫何沙钵略可汗：这是沙钵略可汗的另一称号。(93)翁比：与父亲相同。(94)此：这，沙钵略自称。(95)儿例：例同儿子、儿辈。(96)此国：指突厥国。(97)彼：隋朝。(98)贻：赠送。(99)妇翁：妻父。(100)省：探望。(101)使：出使。(102)副之：作为虞庆则的副手。(103)过与争：过分地与沙钵略争执。(104)啮：咬；啃。(105)可贺敦：突厥可汗之妻称可贺敦。(106)达官：显要之官。突厥子弟特勒、大臣叶护、屈律啜、阿波、俟利发、吐屯、俟斤、阎洪达、颉利发、达干皆是达官。(107)顿颡：屈膝下拜，以额触地。颡，额。(108)大惭：十分羞愧。(109)恸哭：痛哭。(110)从妹：同一祖父的妹妹。(111)妻之：嫁与他为妻。

【校记】

［1］陇西、河右：原作“陇右河西”。据章钰校，十二行本、乙十一行本、孔天胤本皆作“陇西河右”，今据改。〖按〗《隋书·贺娄子幹传》作“陇西河右”。［2］民：原作“人”。据章钰校，十二行本、乙十一行本、孔天胤本皆作“民”，今据改。［3］辞：原作“词”。据章钰校，十二行本、乙十一行本、孔天胤本皆作“辞”，今据改。［4］县令、刺史：原作“刺史县令”。据章钰校，十二行本、乙十一行本、孔天胤本二词皆互乙，今据改。〖按〗《隋书·李谔传》《北史·李谔传》皆作“县令刺史”。［5］俱：原作“居”。据章钰校，十二行本、乙十一行本、孔天胤本皆作“俱”，今据改。〖按〗《北史·突厥传》作“俱”。

【原文】

冬，十一月壬戌[112]，隋主遣兼散骑常侍薛道衡等来聘，戒道衡“当识朕意，勿以言辞相折[113]”。

是岁，上于光昭殿前起临春、结绮、望仙三阁，各高数十丈，连延[114]数十间，其窗、牖、壁带、县楣、栏、槛[115]皆以沉、檀[116]为之，饰以金玉[117]，间以珠翠[118]，外施珠帘，内有宝床、宝帐，其服玩瑰丽[119]，近古所未有。每微风暂至[120]，香闻数里。其下积石为山[121]，引水为池，杂植奇花异卉。

上自居临春阁，张贵妃[122]居结绮阁，龚、孔二贵嫔[123]居望仙阁，并复道[124]交相往来。又有王、李二美人[125]，张、薛二淑媛，袁昭仪、何婕妤、江修容[126]，并有宠，迭游[127]其上。以宫人有文学者袁大舍等为女学士。仆射江总虽为宰辅，不亲政务，日与都官尚书孔范、散骑常侍王瑳[128]等文士十余人，侍上游宴后庭，无复尊卑之序[129]，谓之“狎客[130]”。上每饮酒，使诸妃、嫔及女学士与狎客共赋诗，互相赠答，采其尤艳丽者，被以新声[131]，选宫女千余人习而歌之，分部迭进[132]。其曲有《玉树后庭花》[133]《临春乐》[134]等，大略皆美诸妃嫔之容色。君臣酣歌[135]，自夕达旦[136]，以此为常。

张贵妃名丽华，本兵家女，为龚贵嫔侍儿，上见而悦之，得幸，生太子深。贵妃发长七尺，其光可鉴[137]。性敏慧[138]，有神彩，进止闲[6]华[139]，每瞻视眄睐[140]，光采溢目[141]，照映左右。善候人主颜色，引荐诸宫女，后宫咸德之[142]，竞言其善。又有厌魅之术，常置淫祀[143]于宫中，聚女巫[144]鼓舞。上怠于政事，百司启奏，并因宦者蔡脱儿、李善度进请。上倚隐囊[145]，置张贵妃于膝上，共决之[146]。李、蔡所不能记者，贵妃并为条疏[147]，无所遗脱。因参访外事[148]，人间有一言一事，贵妃必先知白之，由是益加宠异[149]，冠绝[150]后庭。宦官近习[151]，内外连结，援引宗戚[152]，纵横不法，卖官鬻狱，货赂公行[153]，赏罚之命，不出于外[154]。大臣有不从者，因而谮之。于是孔、张之权熏灼[155]四方，大臣执政皆从风谄附。

【语译】

冬，十一月初四日壬戌，隋主派遣兼散骑常侍薛道衡等人出使陈朝，告诫薛道衡“应当明白朕的意思，不要以言辞伤害对方”。

这一年，陈后主在光昭殿前建造临春、结绮、望仙三座楼阁，各高数十丈，连绵几十间，它的窗、门、壁带、悬楣、栏杆等都用沉香木和檀香木制成，装饰黄金、玉石，镶嵌珍珠、翡翠，室外门窗悬挂珠帘，室内陈设宝床、宝帐，一切服饰玩赏之物瑰丽堂皇，近古以来不曾有过。每当微风吹拂，香飘数里。楼阁下面地上积石为假山，引水为池，间杂栽种奇花异草。

陈后主自己居住在临春阁，张贵妃居住在结绮阁，龚氏、孔氏两位贵妃居住在望仙阁，都用复道交通往来。还有王氏、李氏两个美人，张氏、薛氏两个淑媛，袁昭仪、何婕妤、江修容，都受到陈后主的宠爱，轮番到三座楼阁上游玩。陈后主又任命有文才的宫女袁大舍等人为女学士。尚书仆射江总尽管位为宰辅，却不亲理政务，每天与都官尚书孔范、散骑常侍王瑳等文士十余人，陪侍皇上在后庭游乐宴饮，不再有尊卑次序，称之为“狎客”。陈后主每次饮酒，便让众妃、嫔以及女学士们跟狎客一起赋诗，互相赠答，挑选其中特别华丽的，谱上新曲，挑选宫女千余人练习歌唱，分为若干部，依次给陈后主演唱。其中乐曲名有《玉树后庭花》《临春乐》等，大多是赞美各位妃、嫔的美丽容貌。君臣酣饮歌唱，通宵达旦，习以为常。

张贵妃名叫丽华，原本是一个武将的女儿，曾为龚贵嫔的侍女，陈后主一见就喜欢上她，她得到宠幸，生下了皇太子陈深。张贵妃的头发长七尺，光泽照人。她生性聪慧伶俐，有神采，举止安闲华丽，双眸顾盼，光彩满目，映照左右。张贵妃善于从陈后主的神色中体察他的心意，向后主引荐了很多宫女，后宫妃嫔宫女都感激她，竞相在后主面前说她的好话。张丽华还擅长祈祷鬼神的厌魅方术，经常在后宫中设不合礼制的祭祀，聚集女巫击鼓跳舞。陈后主怠于理政，朝中百官的启奏，都经过宦官蔡脱儿、李善度转呈请示。陈后主侧身躺在靠垫上，让张贵妃坐在他的膝盖上，一起裁决批答。李善度、蔡脱儿两人没有记全陈后主的批示，张贵妃都分条析理，没有遗漏。张贵妃借机参与探访宫外之事，世间的一言一行，她一定首先知道并转告陈后主，因此她更受宠爱，超过后宫所有人。后宫宦官与陈后主近侍内外勾结，拉拢家属亲戚，横行霸道，卖官鬻狱，公然行贿，升迁赏罚的命令，不发自外朝中书，而出于宫掖。外朝大臣有不顺从的，就找机会谗毁。因此孔贵嫔、张贵妃的权势逼人，执政大臣也都见风转舵，谄媚附从。

孔范与孔贵嫔结为兄妹。上恶闻过失，每有恶事，孔范必曲为文饰⑮，称扬⑰赞美，由是宠遇优渥⑱，言听计从。群臣有谏者，辄以罪斥之⑲。中书舍人施文庆⑯，颇涉书史⑯，尝事上于东宫，聪敏强记，明闲⑯吏职，心算口占⑯，应时条理，由是大被亲幸。又荐所善吴兴沈客卿⑯、阳惠朗、徐哲、暨慧景等，云有吏能，上皆擢用之，以客卿为中书舍人。客卿有口辩⑯，颇知朝廷典故⑯，兼掌金帛局⑯。旧制：军人、士人并无关市之税⑯。上盛修宫室，穷极耳目⑯，府库空虚，有所兴造，恒苦不给⑰。客卿奏请不问士庶，并责⑰关市之征，而又增重其旧。于是以阳惠朗为太市令⑰，暨慧景为尚书金、仓都令史⑰。二人家本小吏，考校⑰簿领⑰，豪厘[7]不差，然皆不达大体，督责⑰苛碎⑰，聚敛⑰无厌，士民嗟怨⑰。客卿总督之，每岁所入，过于常格⑱数十倍。上大悦，益以施文庆为知人，尤加[8]亲重⑱，小大众事，无不委任。转相汲引⑱，珥貂蝉者⑱五十人。

孔范自谓文武才能，举朝莫及，从容白上曰："外间诸将，起自行伍⑱，匹夫⑱敌耳。深见远虑⑱，岂其所知？"上以问施文庆，文庆畏范，亦以为然，司马申复赞之⑱。自是将帅微有过失，即夺其兵，分配⑱文吏，夺任忠部曲以配范及蔡徵⑱。由是文武解体⑲，以至覆灭。

【段旨】

以上为第二段，写陈后主亲信群小、主荒政谬，与隋文帝的励精治国形成鲜明对比。

【注释】

⑫壬戌：十一月初四日。⑬相折：顶撞、伤害对方。⑭连延：连续的样子。⑮窗、牖、壁带、县楣、栏、槛：窗，窗户。牖，也是窗户。壁带，墙壁中露出像带一样的横木。县楣，横木，用于连接两柱，又称挂楣。栏，安装在房檐下台阶两侧的称栏。槛，安装在窗户之间的称槛。栏、槛皆供人手扶用。⑯沉、檀：皆香木。⑰饰以金玉：用金或玉装饰。⑱间以珠翠：用珠翠间隔。⑲瑰丽：珍奇、华丽。⑳暂至：一时而来，此为

都官尚书孔范与孔贵嫔结拜为兄妹。陈后主厌恶听到别人批评他的过失，每当有了过失，孔范必定婉曲地替陈后主文过饰非，颂扬赞美他。因此陈后主对孔范礼遇优厚，言听计从。百官有敢于直言进谏的人，就对其乱加罪名，驱逐出朝。中书舍人施文庆涉猎典籍颇多，陈后主做太子时曾在东宫供职，他聪明敏慧，记忆力强，通晓熟悉为吏的职事，心谋口讲，能及时处理得井井有条，因此大受陈后主的宠幸。施文庆又向陈后主推荐了他所亲信的吴兴人沈客卿、阳惠朗、徐哲、暨慧景等人，说他们有办事才能，陈后主全都提拔重用，还任用沈客卿为中书舍人。沈客卿能言善辩，十分熟知朝廷典章制度，兼掌中书省金帛局。旧制规定：军人、士人都不缴关市之税。陈后主大修宫室，极尽声色之乐，府库空虚，再要有所兴造，总苦于财用不足。沈客卿上奏请求无论士人或百姓，都要缴纳关市税，并且还在原有的数量上加重征收。陈后主于是任命阳惠朗为太市令，暨慧景为尚书金部、仓部都令史。阳、暨二人本是小吏出身，查核文簿，一丝不苟，但是不识为政大体，督责苛刻烦碎，搜刮聚敛，不知满足，士大夫和百姓非常怨恨。沈客卿总领此事，每年征税收入，超过正常数额几十倍。陈后主大为高兴，更加认为起用施文庆有知人之明，尤其亲近重用，大小政务都交给他处理。施文庆一伙人相互提拔亲信，成为贵臣近侍的有五十人。

孔范自以为有文武全才，满朝没有人能比得上他，曾闲谈时对后主说：“朝外那些将帅，都是行伍出身，只有匹夫之勇。深谋远虑，他们岂能知道？”陈后主以此询问施文庆，施文庆惧怕孔范，也就认为孔范说得对，中书通事舍人司马申也在一边帮腔。自此以后，将帅稍有过失，就被剥夺兵权，交给文职官吏，夺取任忠的部众分配给孔范和蔡徵。由此陈朝文臣武将人心离散，以至于覆灭。

微风一吹之意。㉑积石为山：堆积石头，做成假山。㉒张贵妃（？至公元五八九年）：名丽华，本兵家女，后主为太子，选入宫，后为陈后主贵妃。传见《陈书》卷七、《南史》卷十二。㉓贵嫔：皇帝后宫女官名，与贵妃、贵姬称为三夫人。㉔复道：楼阁间上下有重通道，而架空者称复道，俗称天桥。㉕美人：皇帝后宫女官名，位于妃嫔之下。㉖“张、薛二淑媛”二句：淑媛、昭仪、婕妤、修容，皆女官名，各为九嫔之一，位在后妃之下。㉗迭游：轮流、更替地游玩。㉘王瑳：人名，祖籍琅邪（今山东青岛市黄岛区）。仕陈，官至散骑常侍。传见《南史》卷七十七。㉙尊卑之序：贵贱之别。序，秩序。㉚狎客：指与主人亲昵接近常共嬉游饮宴之人。㉛被以新声：为诗歌谱上新曲。㉜分部迭进：分为若干部，依次演唱。㉝《玉树后庭花》：乐府吴声歌曲。陈后主与幸臣制其

歌词，歌词艳丽，男女唱和，其音悲哀。⑬④《临春乐》：言临春阁之乐，以阁命名。⑬⑤酣歌：尽兴高歌。⑬⑥自夕达旦：从天黑到天亮。⑬⑦其光可鉴：其光亮可以照见人。⑬⑧敏慧：聪慧伶俐。⑬⑨闲华：谓进止安闲华丽。⑭⓪眄睐：顾盼。斜看称眄，旁视称睐。⑭①溢目：满目。⑭②德之：感激她。⑭③淫祀：不合礼制的祭祀。⑭④女巫：用歌舞接神的女子。⑭⑤隐囊：犹如靠枕。把细而柔软的东西装在口袋里，放在座旁，坐倦了则侧身曲腿依靠它。⑭⑥共决之：指后主与张贵妃共同批答百官的奏请。⑭⑦条疏：分条梳理。⑭⑧外事：指宫廷以外的事。⑭⑨宠异：宠爱优待，不同于众人。⑮⓪冠绝：远远超过。⑮①近习：指皇帝身边亲幸的人。⑮②宗戚：同宗的亲属。⑮③货赂公行：公开以财货贿赂人。⑮④不出于外：言赏罚之命不由中书，而出于宫掖。⑮⑤熏灼：比喻气焰逼人。⑮⑥曲为文饰：委婉地文过饰非，掩盖错误。⑮⑦称扬：宣扬。称，声言、说。⑮⑧优渥：本指雨水充足，后来泛指丰厚优裕为优渥。⑮⑨以罪斥之：加以罪名，贬斥而去。⑯⓪施文庆（？至公元五八九年）：吴兴乌程（今浙江吴兴）人，仕陈，官至中书舍人。传附《陈书·任忠传》《南史·恩幸传》。⑯①书史：典籍。⑯②明闲：通晓熟悉。⑯③口占：不用起草而随口成文。⑯④沈客卿（？至公元五八九年）：吴兴武康（今浙江德清）人，仕陈，官至中书舍人。传附《陈书·任忠传》《南史·恩幸传》。⑯⑤口辩：能言善辩。⑯⑥典故：常例、典制和掌故。⑯⑦金帛局：官署名，陈制中书舍人分掌中书二十一局事。金帛局盖掌钱物。⑯⑧关市之税：进入关、市所交之税。⑯⑨穷极耳目：极尽所见所闻。⑰⓪恒苦不给：常常苦于供给不足。不给，不

【原文】

三年（乙巳，公元五八五年）

春，正月戊午朔[191]，日有食之。

隋主命礼部尚书牛弘修五礼[192]，勒[193]成百卷。戊辰[194]，诏行新礼。

三月戊午[195]，隋以尚书左仆射高颎为左领军大将军[196]。

丰州[197]刺史章大宝[198]，昭达之子也，在州贪纵，朝廷以太仆卿李晕代之。晕将至，辛酉[199]，大宝袭杀晕，举兵反。

隋大司徒郢公王谊与隋主有旧，其子尚帝女兰陵公主。帝待之恩礼稍薄，谊颇怨望。或告谊自言名应图谶[200]，相表[201]当王，公卿奏谊大逆不道。壬寅[202]，赐谊死。

戊申[203]，隋主还长安。

足。⑰责：求；索取。⑰太市令：官名，隶属太府卿，掌征收关市税。⑰金、仓都令史：官名，金部、仓部都令史掌库藏金宝货物、度量衡和仓廪之事。⑰考校：核查。⑰簿领：登记的文簿。⑰督责：督察责罚。⑰苛碎：严峻烦琐。⑰聚敛：搜刮财货。⑰嗟怨：慨叹怨恨。⑱常格：平时法令所规定的。格，律令的一种，官吏处事的规则。⑱尤加亲重：特别亲近重视。⑱转相汲引：互相提拔。汲引，用绳桶提取水。⑱珥貂蝉者：泛指贵近之臣。珥，耳饰。貂，貂尾，汉中常侍、侍中之冠插貂尾。蝉，头上的一种装饰品。⑱行伍：古代军队编制，五人为伍，二十五人为行，故以"行伍"作为军队代称。⑱匹夫：独夫，带有轻蔑的意思。⑱深见远虑：见识深远，考虑周密。⑱赞之：帮助施文庆。赞，助。⑱配：配给。⑱蔡徵：字希祥，济阳考城（今河南民权）人。历仕梁、陈，官至吏部尚书。传见《陈书》卷二十九、《南史》卷六十八。⑲解体：肢体解散，比喻人心离叛。

【校记】

[6]闲：原作"详"。据章钰校，十二行本、乙十一行本皆作"闲"，今据改。〖按〗《陈书·后主沈皇后传附张贵妃传》《南史·后妃下·后主沈皇后传附张贵妃传》皆作"闲"。[7]豪厘：原作"纤毫"。据章钰校，十二行本、乙十一行本、孔天胤本皆作"豪厘"，今据改。〖按〗《通鉴纪事本末》卷二五作"豪厘"。[8]加：原作"见"。据章钰校，十二行本、乙十一行本、孔天胤本皆作"加"，张敦仁《通鉴刊本识误》同，今据改。

【语译】

三年（乙巳，公元五八五年）

春，正月初一日戊午，发生日食。

隋主命礼部尚书牛弘纂修五礼，编成一百卷。正月十一日戊辰，隋文帝下诏颁行新礼。

三月初二日戊午，隋朝任命尚书左仆射高颎为左领军大将军。

陈朝丰州刺史章大宝，是章昭达的儿子，在丰州贪赃放纵，朝廷派太仆卿李晕去替换他。李晕即将到达，三月初五日辛酉，章大宝袭杀李晕，起兵造反。

隋朝大司徒郢公王谊与隋文帝是故交，他的儿子娶文帝的女儿兰陵公主为妻。隋文帝对他的恩宠礼遇渐渐淡薄，王谊非常怨恨。有人告发王谊说他自言名应图谶，相貌仪表应该称王，公卿大臣上奏王谊犯了大逆不道之罪。壬寅日，隋文帝赐死了王谊。

戊申日，隋主从洛阳回到长安。

章大宝遣其将杨通攻建安[204]，不克。台军[205]将至，大宝众溃，逃入山，为追兵所擒，夷三族[206]。

隋度支尚书长孙平[207]奏"令民间每秋家出粟麦一石以下，贫富为差，储之当社[208]，委社司[209]检校[210]，以备凶年[211]，名曰'义仓'"，隋主从之。五月甲申[212]，初诏郡、县置义仓。平，俭之子也[9]。时民间多妄称老、小[213]以免赋役，山东承北齐之弊政，户口租调[214]，奸伪尤多。隋主命州县大索貌阅[215]，户口不实者，里正、党长[216]远配[217]。大功[218]以下，皆令析籍[219]，以防容隐[220]。于是计帐[221]得新附一百六十四万余口。高颎又言民间课输无定簿，难以推校[10]。请为输籍法[222]，遍下诸州，帝从之，自是奸无所容矣。

诸州调物，每岁河南自潼关，河北自蒲坂[223]，输长安者相属于路，昼夜不绝者数月。

梁主殂，谥曰孝明皇帝，庙号世宗。世宗孝慈俭约，境内安之。太子琮[224]嗣位。

初，突厥阿波可汗既与沙钵略有隙，分而为二[11]，阿波浸[225]强。东距都斤，西越金山[226]，龟兹[227]、铁勒[228]、伊吾[229]及西域[230]诸胡悉附之，号西突厥[231]。隋主亦遣上大将军元契使于阿波以抚之。

秋，七月庚申[232]，遣散骑常侍王话等聘于隋。

突厥沙钵略既为达头所困，又畏契丹，遣使告急于隋，请将部落度漠南，寄居白道川[233]。隋主许之，命晋王广以兵援之，给以衣食，赐之车服[234]鼓吹[235]。沙钵略因西击阿波，破之。而阿拔国[236]乘虚掠其妻子，官军为击阿拔，败之，所获悉与沙钵略。沙钵略大喜，乃立约，以碛[237]为界，因上表曰："天无二日，土无二王，大隋皇帝真皇帝也，岂敢阻兵[238]恃险，偷窃名号？今感慕淳风[239]，归心有道[240]，屈膝稽颡，永为藩附。"遣其子库合真入朝。

八月丙戌[241]，库合真至长安。隋主下诏曰："沙钵略[12]往[242]虽与和，犹是二国，今作君臣，便成一体。"因命肃告[243]郊庙[244]，普颁远近。凡赐沙钵略诏，不称其名。宴库合真于内殿，引见皇后，赏劳甚厚。沙钵略大悦，自是岁时[245]贡献不绝。

陈朝叛将章大宝派遣部将杨通攻打建安，没有攻克。官军将要到达丰州，章大宝部众溃散，章大宝逃入山中，被追兵擒获，灭除三族。

隋朝度支尚书长孙平上奏“请下令民间，每年秋收后每家交纳粟麦一石以下，按贫富状况等差交纳，将交纳的粮食都储存在自己所居的社内，委派社中员吏查验，以备灾年赈济之用，称为‘义仓’”，隋主听从了他的建议。五月二十九日甲申，开始下诏令各郡、县都设置义仓。长孙平是长孙俭的儿子。当时很多百姓向官府谎报年龄，以此来逃避赋税徭役，山东地区承袭北齐的弊政，在户口登记和租调征收方面弄虚作假的特别多。隋主下令各州县一人一人核对，户口有假的，里正、党长发配远方。堂兄弟以下仍旧同居的大家庭，都命令他们分家，各立门户，以防止隐瞒人丁户口。这次人口普查，全国统计的户籍簿新增加了一百六十四万多人口。高颎又说民间的赋税征收没有固定的簿籍，难以审核。奏请制定输籍法，颁行各州，隋文帝听从了他的建议，此后弄虚作假逃避赋税的人无法藏身了。

隋朝各州上调给中央的各种物资，每年黄河以南的经由潼关，黄河以北的经由蒲坂，分道输往长安，昼夜不停，长达数月。

后梁国主萧岿逝世，谥号孝明皇帝，庙号世宗。梁世宗孝悌仁慈，勤俭节约，境内安定太平。太子萧琮继位。

当初，突厥阿波可汗与沙钵略可汗有了嫌隙，部落一分为二，阿波可汗逐渐强盛。他的势力东抵都斤山，西越金山，西域龟兹、铁勒、伊吾诸部，以及诸胡各小国都依附了他，称为西突厥。隋主也派遣上大将军元契出使西突厥，以安抚阿波可汗。

秋，七月初六日庚申，陈朝派遣散骑常侍王话等人出使隋朝。

突厥沙钵略可汗遭到达头可汗侵逼后，又害怕契丹，便派使者到隋朝告急，请求允许他率领所属部落迁徙到大漠以南，寄居在白道川。隋主答应了他的请求，命晋王杨广率军支援，并供给他衣服食物，赐给他车驾服饰及鼓吹。沙钵略可汗乘机西击阿波可汗，打败了他。但阿拔国却乘虚而入劫掠沙钵略的妻儿家小；隋朝军队替沙钵略打败了阿拔军队，并把所缴获的物品全部给予了沙钵略可汗。沙钵略可汗大喜，于是与隋朝缔约，以沙碛为两国边界，并上表说：“天无二日，地无二王，大隋皇帝是真正的皇帝，我怎敢拥兵恃险，窃取帝王名号？如今感慕南国淳朴风俗，归心有道之君，屈膝叩拜，永为大隋藩属。”沙钵略派遣他的儿子库合真入隋朝见皇帝。

八月初二日丙戌，库合真到达长安。隋主下诏说：“突厥沙钵略可汗以前虽然与隋朝和亲友好，但还是两个国家，现在成为君臣关系，便成一体。”于是下令到南郊天坛和太庙去敬告天地和祖先，广颁诏书布告远近臣民。凡是赐给沙钵略可汗的诏书，不直接称呼他的名。隋主还在内殿宴请库合真，并带他拜见独孤皇后，赏赐慰劳极为丰厚。沙钵略可汗很高兴，自此，一年四季都向隋朝进贡物品。

九月，将军湛文彻侵隋和州[246]，隋仪同三司费宝首击擒之。

丙子[247]，隋使李若[248]等来聘。

冬，十月壬辰[249]，隋以上柱国杨素为信州[250]总管。

初，北地傅縡以庶子[251]事上于东宫，及即位，迁秘书监、右卫将军兼中书通事舍人，负才[252]使气，人多怨之。施文庆、沈客卿共谮縡受高丽[253]使金，上收縡下狱。

縡于狱中上书曰："夫君人[254]者，恭事上帝，子爱下民[255]，省嗜欲，远谄佞[256]，未明求衣[257]，日旰忘食，是以泽被区宇[258]，庆[259]流子孙。陛下顷来[260]酒色过度，不虔[261]郊庙大神，专媚淫昏之鬼[262]。小人在侧，宦竖弄权，恶忠直若仇雠[263]，视生民如草芥。后宫曳绮绣，厩[264]马余菽[265]粟，百姓流离，僵[266]尸蔽野。货贿公行，帑藏[267]损耗，神怒民怨，众叛亲离。臣恐东南王气[268]自斯[269]而尽。"书奏，上大怒。顷之，意稍解[270]，遣使谓縡曰："我欲赦卿，卿能改过不[271]？"对曰："臣心如面[272]，臣面可改，则臣心可改。"上益怒，令宦者李善庆穷治[273]其事，遂赐死狱中。上每当郊祀，常称疾[274]不行，故縡言及之。

是岁，梁大将军戚昕以舟师[275]袭公安[276]，不克而还。

隋主征梁主叔父太尉吴王岑入朝，拜大将军，封怀义公，因留不遣。复置江陵总管以监之。

梁大将军许世武密以城召荆州刺史宜黄侯慧纪，谋泄，梁主杀之。慧纪，高祖之从孙[277]也。

隋主使司农少卿[278]崔仲方发丁[279]三万，于朔方[280]、灵武[281]筑长城，东距河，西至绥州[282]，绵历[283]七百里，以遏胡寇。

九月，陈朝将军湛文彻侵犯隋朝的和州，隋朝仪同三司费宝首率军反击，活捉了湛文彻。

九月二十三日丙子，隋朝派遣李若等人出使陈朝。

冬，十月初九日壬辰，隋朝任命上柱国杨素为信州总管。

当初，北地人傅縡曾在陈朝东宫任太子庶子侍奉陈后主，等到太子即位后，傅縡晋升为秘书监、右卫将军兼中书通事舍人，他自恃有才，盛气凌人，人们大多怨恨他。施文庆与沈客卿一同诬告傅縡收受了高丽国使者的黄金，陈后主将傅縡拘捕下狱。

傅縡在狱中上书说："君临百姓的人，应该恭敬地侍奉上帝，爱民如子，减少嗜欲，疏远谄媚奸佞的臣子，天未明就穿衣起床，时已晚忘了吃饭，因此能恩泽普施于天下，福庆流传给子孙。陛下近来纵酒好色，祭奉天地宗庙之神不虔诚，而专心媚事淫昏之鬼。身边小人当道，宦官专权，讨厌忠直之士如同仇敌，把生民视如草芥。后宫妃嫔服饰绮绣锦缎拖长及地，御用厩马喂食菽粟常有剩余，而天下百姓却流离失所，僵尸遍野。官吏公然收受贿赂，国库亏空，神怒人怨，众叛亲离。臣担心江南王气从此丧尽。"傅縡上书呈进，陈后主大怒。过了一会，稍微消了气，派人对傅縡说："我想赦免你，你能改正错误吗？"傅縡回答说："臣的心性如同臣的面貌，假如面貌能够改变，那么臣的心性才能改变。"陈后主更加发怒，命令宦官李善庆追根究底审理傅縡的罪案，最终将他赐死狱中。陈后主每当举行郊祀，经常称病不去，所以傅縡提及这件事。

这一年，后梁大将军戚昕率水军袭击陈朝公安城，没有攻下，军队撤回。

隋主征召梁主的叔父太尉吴王萧岑入朝，拜授大将军，封怀义公，借机将他扣留不送他回国。又重新设置江陵总管来监管后梁。

后梁大将军许世武打算献城投降陈朝，暗中派人去召引陈朝荆州刺史宜黄侯陈慧纪，事情败露，后梁国主杀了许世武。陈慧纪是陈高祖兄弟的孙子。

隋主派遣司农少卿崔仲方征调壮丁三万人，在朔方、灵武修筑长城，东起黄河，西抵绥州，绵延七百里，以抵御胡人入侵。

【段旨】

以上为第三段，写隋文帝普查户口，外和突厥，国势日盛；而陈朝后主沉湎酒色，排斥忠良，国势日衰。

【注释】

⑲① 戊午朔：正月初一日。⑲② 五礼：指吉礼、凶礼、军礼、宾礼、嘉礼。⑲③ 勒：治；整理。⑲④ 戊辰：正月十一日。⑲⑤ 戊午：三月初二日。⑲⑥ 左领军大将军：武官名，设有领军府，与右领军大将军并掌禁卫官。⑲⑦ 丰州：州名，治所侯官，在今福建福州。⑲⑧ 章大宝：吴兴武康（今浙江德清）人，章昭达之子，袭封邵陵郡公，仕陈，官至丰州刺史。传附《陈书·章昭达传》《南史·章昭达传》。⑲⑨ 辛酉：三月初五日。⑳⓪ 图谶：是一种预言，它借用神灵名义，向人们预告吉凶祸福、治乱兴衰。因为往往附有图，故称图谶。⑳① 相表：观察其外貌。⑳② 壬寅：三月丁巳朔，无壬寅。〖按〗《隋书·高祖纪》壬寅在四月，《北史》同。盖壬寅前脱"四月"二字。壬寅，四月十六日。⑳③ 戊申：四月二十二日。⑳④ 建安：郡名，治所建安县，在今福建建瓯南。⑳⑤ 台军：官军。⑳⑥ 夷三族：夷灭三族。三族，说法不一，一说指父族、母族与妻族；二说指父昆弟、己昆弟和子昆弟；三说指父、子、孙三族。⑳⑦ 长孙平：字处均，河南洛阳（今河南洛阳）人，历仕周、隋，官至工部尚书。传见《隋书》卷四十六、《北史·长孙道生传》。⑳⑧ 社：古代地方基层行政单位，一般以二十五家为社。⑳⑨ 社司：社的主持人。㉑⓪ 检校：查核。㉑① 凶年：指灾荒之年。㉑② 甲申：五月二十九日。㉑③ 老、小：隋承周制，男女三岁以下为黄，十岁以下为小，六十岁者为老。老、小俱免赋役。㉑④ 租调：指地租与户调。地租收粟，户调征绢（或布）。㉑⑤ 大索貌阅：普查人口。大索，普遍检查。貌阅，检视相貌以验正老小，看是否属实。㉑⑥ 里正、党长：俱地方基层组织负责人。隋制：每五家为保，保有长；五保为闾，四闾为族，皆有正。畿外置里正，同闾正。党长，同族正。㉑⑦ 远配：发配远方，以服劳役。㉑⑧ 大功：丧服五服之一，堂兄弟，其服大功，服期九月。㉑⑨ 析籍：分家另居。㉒⓪ 容隐：隐瞒包庇。㉒① 计帐：犹计簿，全国的户籍册。㉒② 输籍法：是由中央政府先划定国家编户的等级，各县再按中央的规定确定每一户纳税等级的高下，然后照此纳税。㉒③ 蒲坂：地名，河东郡治所，故址在今山西永济西南蒲州镇。㉒④ 太子琮：即萧琮，后梁明帝之子，嗣位二年国废。在位二年，是后梁第三任皇帝。传见《隋书》卷七十九、《北史》卷九十三。㉒⑤ 浸：逐渐。㉒⑥ 金山：山名，即今阿尔泰山，位于新疆西北部。㉒⑦ 龟兹：西域城国，位于天山南麓。㉒⑧ 铁勒：匈奴之后裔，建国于今新疆西北部。㉒⑨ 伊吾：地名，故址在今新疆哈密。㉓⓪ 西域：地区名，狭义指今玉门关和阳关以西、葱岭以东的新疆地区，广义则包括中亚乃至更远的地方。㉓① 号西突厥：据岑仲勉考证，西突厥是室点密之后，于时其子达头可汗方在位，阿波则是木杆可汗之子大逻便，属东突厥。详见《通鉴隋唐纪比事质疑》。㉓② 庚申：七月初六日。㉓③ 白道川：地名，故址在今内蒙古呼和浩特北。㉓④ 车服：车驾和章服。㉓⑤ 鼓吹：本为军中之乐，出自北方民族，具有一定地位的官将才得以

具备鼓吹。㉓⑥阿拔国：国名，不详，大概是突厥中的一部。㉓⑦碛：地名，故址在今内蒙古苏尼特右旗西。㉓⑧阻兵：拥兵。阻，恃、依仗。㉓⑨淳风：敦厚朴实的风俗。㉔⓪有道：有道之君。㉔①丙戌：八月初二日。㉔②往：过去。㉔③肃告：敬告。肃，恭敬。㉔④郊庙：天地和祖庙。㉔⑤岁时：岁，指年。时，指春夏秋冬四时。㉔⑥和州：州名，治所历阳县，在今安徽和县。㉔⑦丙子：九月二十三日。㉔⑧李若：顿丘（今河南浚县）人，历仕北齐、周、隋，官至仪同三司。传附《北史·李崇传》。㉔⑨壬辰：十月初九日。㉕⓪信州：州名，治所鱼复县，在今重庆奉节东白帝。㉕①庶子：官名，为东宫官，掌门下、典书二坊事。㉕②负才：仗恃才能。负，仗恃。㉕③高丽：国名，当时朝鲜半岛有高丽、百济、新罗三国鼎立，高丽居其北，与隋相邻。㉕④君人：指皇帝或国君。㉕⑤子爱下民：爱护平民像爱护自己的儿子一样。子爱，爱之如子。下民，指平民百姓。㉕⑥远谄佞：远离奸佞的人。远，远离、疏远。㉕⑦未明求衣：指天未亮则穿衣起床。形容勤奋。㉕⑧泽被区宇：恩泽普施天下。泽，恩泽、恩惠。被，及。区宇，疆土境域。此指全国、全天下。区，指疆域。宇，指上下四方。㉕⑨庆：幸福。㉖⓪顷来：近来。㉖①不虔：不尊敬。虔，恭敬。㉖②专媚淫昏之鬼：谓宠张贵妃，使女巫在宫中鼓舞、淫祀等。㉖③仇雠：仇敌。㉖④厩：马棚。㉖⑤菽：豆类。㉖⑥僵：死。㉖⑦帑藏：国库。帑，库，此指库藏的金帛。㉖⑧王气：旧指象征帝王运数的祥瑞之气。㉖⑨自斯：从此。㉗⓪稍解：稍微消散。㉗①不：通“否”。㉗②面：颜面；脸。㉗③穷治：彻底追查。穷，终极。㉗④称疾：本无疾病，却声称有疾病。称，声言、说。㉗⑤舟师：指水军。㉗⑥公安：县名，县治在今湖北公安西北。㉗⑦从孙：兄弟的孙子。从，同一宗族次于至亲者。㉗⑧司农少卿：官名，为司农寺副官，与司农卿共掌仓市薪米、园池果实。㉗⑨丁：壮丁。隋以男子十八岁（后改为二十一岁）为丁，六十岁为老。㉘⓪朔方：郡名，治所岩绿县，在今陕西靖边东北白城子。㉘①灵武：郡名，治所灵武县，在今宁夏灵武西南。㉘②绥州：州名，治所上县，在今陕西绥德。㉘③绵历：绵延。

【校记】

［9］平，俭之子也：原无此五字。据章钰校，十二行本、乙十一行本、孔天胤本皆有此五字，今据补。［10］又言民间课输无定簿，难以推校：原无此十三字。据章钰校，十二行本、乙十一行本、孔天胤本皆有此十三字，张敦仁《通鉴刊本识误》同，今据补。［11］分而为二：原无此四字。据章钰校，十二行本、乙十一行本、孔天胤本皆有此四字，张敦仁《通鉴刊本识误》同，今据补。〖按〗《通鉴纲目》卷三六有此四字。［12］略：原无此字。据章钰校，十二行本、乙十一行本、孔天胤本皆有此字，今据补。

【原文】

四年（丙午，公元五八六年）

春，正月[13]，梁改元广运㉘④。

甲子㉘⑤，党项羌㉘⑥请降于隋。

庚午㉘⑦，隋颁历于突厥。

二月，隋始令刺史上佐㉘⑧每岁暮㉘⑨更入朝，上考课㉙⓪。

丁亥㉙①，隋复令崔仲方发丁十五万，于朔方以东，缘边险要，筑数十城。

丙申㉙②，立皇弟叔谟为巴东王，叔显为临江王，叔坦为新会王，叔隆为新宁王㉙③。

庚子㉙④，隋大赦。

三月己未㉙⑤，洛阳男子高德上书，请隋主为太上皇，传位皇太子。帝曰："朕承天命，抚育苍生㉙⑥，日旰孜孜㉙⑦，犹恐不逮。岂效近代帝王，传位于子，自求逸乐者哉？"

夏，四月己亥㉙⑧，遣周磻等聘于隋。

五月丁巳㉙⑨，立皇子庄㉚⓪为会稽王。

秋，八月，隋遣散骑常侍裴豪等来聘。

戊申㉚①，隋申明公㉚②李穆卒，葬以殊礼。

闰月丁卯㉚③，隋太子勇镇洛阳。

隋上柱国郕公梁士彦讨尉迟迥，所当必破，代迥为相州刺史。隋主忌之，召还长安。上柱国杞公宇文忻与隋主少相厚㉚④，善用兵，有威名，隋主亦忌之，以谴㉚⑤去官。与[14]柱国舒公刘昉皆被疏远，闲居无事，颇怀怨望，数相往来，阴谋不轨。

忻欲使士彦于蒲州起兵，己为内应，士彦之甥裴通预其谋而告之。帝隐其事，以士彦为晋州㉚⑥刺史，欲观其意。士彦忻然㉚⑦谓昉等曰："天也！"又请仪同三司薛摩兒为长史㉚⑧，帝亦许之。后与公卿朝谒㉚⑨，帝令左右执士彦、忻、昉等[15]于行间㉛⓪。诘㉛①之，初犹不伏㉛②，捕薛摩兒适至，命之庭对㉛③，摩兒具论始末㉛④，士彦失色，顾谓摩兒曰："汝杀

【语译】

四年（丙午，公元五八六年）

春，正月，后梁改年号为广运。

十三日甲子，党项羌请求归降隋朝。

十九日庚午，隋朝向突厥颁授历法。

二月，隋朝初次下令每年岁末各州刺史高级佐吏轮流入朝，呈奏本州官吏当年的考绩簿书。

二月初六日丁亥，隋朝再次命令崔仲方征调壮丁十五万人，在朔方以东，沿边境险要地方，修筑几十座城堡。

二月十五日丙申，陈后主册封皇弟陈叔谟为巴东王，陈叔显为临江王，陈叔坦为新会王，陈叔隆为新宁王。

二月十九日庚子，隋朝大赦。

三月初八日己未，洛阳男子高德上书，请求隋文帝做太上皇，传皇位给皇太子。隋文帝说："朕奉承天命，抚育百姓，从早到晚孜孜不倦，仍然担心不能治理好天下。怎敢效法近代那些帝王，传位给太子，而自求安逸享乐呢？"

夏，四月十九日己亥，陈朝派遣周磻等人出使隋朝。

五月初七日丁巳，陈后主册封皇子陈庄为会稽王。

秋，八月，隋朝派遣散骑常侍裴豪等人出使陈朝。

三十日戊申，隋朝申明公李穆去世，隋文帝用特殊的礼遇将其安葬。

闰八月十九日丁卯，隋朝皇太子杨勇出镇洛阳。

隋朝上柱国郕公梁士彦讨伐尉迟迥，所遇敌人一定打败，取代尉迟迥为相州刺史。隋主猜忌他，将他召回长安。上柱国杞公宇文忻与隋主少年时友情深厚，善于用兵，有很高的威望，隋主也猜忌他，因此被贬谪离职。梁士彦、宇文忻与柱国舒公刘昉都被疏远，闲居无事，满腹怨恨，多次互相往来，暗中图谋造反。

宇文忻要梁士彦在蒲州起兵，自己在长安做内应，梁士彦的外甥裴通参与阴谋，却告发了他们。隋文帝将此事隐藏不露，任命梁士彦为晋州刺史，想观察他的动静。梁士彦非常高兴地对刘昉等人说："这是天意啊！"他又奏请朝廷任命仪同三司薛摩兒为晋州长史，隋文帝也答应他。不久梁士彦等人与公卿大臣一起上朝见皇上，隋文帝命左右侍卫在朝列中拘捕梁士彦、宇文忻、刘昉等人。责问他们为何造反，起初他们还不认罪，正好薛摩兒被捕获带到，隋文帝命他在殿堂上与梁士彦等人当面对质，薛摩兒详细供出了梁士彦等人谋反的经过，梁士彦变了脸色，回头对薛摩兒说：

我！”丙子[315]，士彦、忻、昉等皆伏诛，叔侄、兄弟免死除名。

九月辛巳[316]，隋主素服[317]临射[318]殿，命百官射三家资物以为诫。

冬，十月己酉[319]，隋以兵部尚书杨尚希为礼部尚书。隋主每旦临朝，日昃不倦，尚希谏曰：“周文王[320]以忧勤损寿，武王[321]以安乐延年。愿陛下举大纲[322]，责成宰辅。繁碎之务，非人主所宜亲也。”帝善之而不能从。

癸丑[323]，隋置山南道行台[324]于襄州[325]，以秦王俊为尚书令。俊妃崔氏生男，隋主喜，颁赐群官。

直秘书内省[326]博陵[327]李文博[328]，家素贫，人往贺之，文博曰：“赏罚之设，功过所存。今王妃生男，于群官何事，乃妄受赏也？”闻者愧之。

癸亥[329]，以尚书仆射江总为尚书令，吏部尚书谢伷为仆射。

十一月己卯[330]，大赦。

吐谷浑可汗夸吕[331]在位百年，屡因喜怒废杀太子。后太子惧，谋执夸吕而降，请兵于隋边吏[332]，秦州总管河间王弘[333]请以兵应之，隋主不许。

太子谋泄，为夸吕所杀，复立其少子嵬王诃为太子。叠州[334]刺史杜粲请因其衅而讨之，隋主又不许。

是岁，嵬王诃复惧诛，谋帅部落万五千户降隋，遣使诣阙[335]，请兵迎之。隋主曰：“浑贼[336]风俗，特异人伦[337]，父既不慈，子复不孝。朕以德训人，何有成其恶逆[338]乎？”乃谓使者曰：“父有过失，子当谏争[339]，岂可潜谋[340]非法，受不孝之名？溥天[341]之下皆朕臣妾[342]，各为善事，即称朕心。嵬王既欲归朕，唯教嵬王为臣子之法，不可远遣兵马，助为恶事。”嵬王诃乃止。

"是你杀了我!"闰八月二十八日丙子，梁士彦、宇文忻、刘昉三人都被处死，他们的叔侄、兄弟免除死罪，被削职为民。

九月初四日辛巳，隋主身穿丧服亲临射殿，命令百官射取梁士彦等三家财物，以为鉴戒。

冬，十月初二日己酉，隋朝任命兵部尚书杨尚希为礼部尚书。隋主每日清早就临朝听政，到太阳偏西还不疲倦，杨尚希进谏说:"周文王由于忧勤而折寿，周武王因为安乐而延年。希望陛下抓举大纲，责成宰相处理政务。烦碎细事，不是人主宜于亲自处理的。"隋文帝很赞同他的意见，却不能听从。

十月初六日癸丑，隋朝在襄州设置山南道行台，任命秦王杨俊为行台尚书令。杨俊妃崔氏生了男孩，隋主很高兴，下令赏赐百官。

直秘书内省博陵人李文博，家道素来贫寒，而今蒙隋文帝赐物，人们前往祝贺他，李文博说:"赏罚的设立，本是为了赏功罚罪。如今王妃生了男孩，与群臣百官有什么关系，却滥受赏赐?"听到这话的人都感到惭愧。

十月十六日癸亥，陈朝任命尚书仆射江总为尚书令，吏部尚书谢伷为尚书仆射。

十一月初三日己卯，陈朝大赦。

吐谷浑可汗夸吕在位百年，多次因为喜怒无常而废黜或诛杀太子。后来所立的太子害怕，密谋劫持夸吕可汗投降隋朝，向隋朝边防官吏请求派兵援助，秦州总管河间王杨弘奏请朝廷派兵去接应，隋主不同意。

吐谷浑太子密谋败露，被夸吕可汗杀掉，夸吕又立他的小儿子嵬王诃为太子。隋朝叠州刺史杜粲又向朝廷请求乘机讨伐吐谷浑，隋主又没有同意。

这一年，吐谷浑太子嵬王诃也担心被杀，密谋率领部落一万五千户投降隋朝，派遣使者到隋朝朝廷，请求隋朝派兵迎接。隋文帝说:"吐谷浑风俗，人伦关系与中原很不相同，做父亲的既不慈爱自己的儿子，做儿子的也不孝顺自己的父亲。朕以仁德教化百姓，哪有助成嵬王诃叛逆作恶的道理?"于是对嵬王诃的使者说:"父亲有了过失，儿子应当谏诤，岂能阴谋反叛，落个不孝之名?普天之下，都是朕的臣民，各自都做善事，即可使朕称心如意。嵬王诃既然想归附于朕，朕只教嵬王诃做忠臣孝子的方法，不能远派军队，帮助嵬王诃做恶事。"嵬王诃于是作罢。

【段旨】

以上为第四段，写隋文帝以仁德慈孝治理国家，和睦周边，不贪小利，布教四方。

【注释】

㉘④改元广运：后梁改天保二十五年为广运元年。㉘⑤甲子：正月十三日。㉘⑥党项羌：少数民族国，为三苗之后裔，生活在今甘肃境内。㉘⑦庚午：正月十九日。㉘⑧上佐：刺史所属的高级佐吏，如长史、司马等，上佐辅助刺史以治理州行政与军事。㉘⑨岁暮：年终。㉙⓪考课：考查官吏政绩。㉙①丁亥：二月初六日。㉙②丙申：二月十五日。㉙③"立皇弟叔谟为巴东王"四句：叔谟、叔显、叔坦、叔隆，分别为陈宣帝第二十九子、三十子、三十一子、三十二子。传均见《陈书》卷二十八、《南史》卷六十五。㉙④庚子：二月十九日。㉙⑤己未：三月初八日。㉙⑥苍生：指百姓。㉙⑦孜孜：勤勉不倦的样子。㉙⑧己亥：四月十九日。㉙⑨丁巳：五月初七日。㉚⓪皇子庄：字承肃，陈后主第八子。传见《陈书》卷二十八、《南史》卷六十五。㉚①戊申：隋历八月三十日，陈历则闰七月三十日。㉚②申明公：李穆生前封爵为申国公，死后谥号为明，因李穆生前能知机保身，故谥曰明。㉚③丁卯：闰八月十九日。㉚④少相厚：小时候友情深厚。㉚⑤谴：官吏谪降。㉚⑥晋州：州名，治所平阳县，在今山西临汾。㉚⑦忻然：欣喜得意的样子。忻，通"欣"。㉚⑧长史：官名，刺史僚佐，掌兵马。㉚⑨朝谒：朝见。谒，晋见。㉛⓪行间：指百官队列中。㉛①诘：责问；审讯。㉛②不伏：不伏罪。㉛③庭对：在殿庭当面对质。㉛④始末：始终。㉛⑤丙子：闰八月二十八日。㉛⑥辛巳：九月初四日。㉛⑦隋主素服：梁士彦、宇文忻、刘昉等三人虽以叛国罪被诛，但三人均为隋文帝旧臣，又有拥戴之功，故隋文帝穿素服致哀。㉛⑧射：猜赌。此句指隋文帝没收梁士彦等三家的财产，用猜赌形式分赐百官，并借以为鉴戒。㉛⑨己酉：十月初二日。㉜⓪周文王：姓姬名昌。殷时西方诸侯，曾极力准备灭殷。见《史记》卷四《周本纪》。㉜①武王：即周武王，文王之子，名发，起兵伐纣，建立周王朝。㉜②大纲：指

【原文】

祯明元年（丁未，公元五八七年）

春，正月戊寅[343]，大赦，改元[344]。

癸巳[345]，隋主享太庙。

乙未[346]，隋制诸州岁贡士[347]三人。

二月丁巳[348]，隋主朝日于东郊[349]。

遣兼散骑常侍王亨等聘于隋。

治国的重要纲领。㉓癸丑：十月初六日。㉔行台：在地方代表朝廷行使尚书省职权的机构。㉕襄州：州名，治所襄阳县，在今湖北襄阳。㉖直秘书内省：官名，掌典校秘书省内外阁之藏书。㉗博陵：县名，在今甘肃临潭。㉘李文博：仕隋，官至校书郎。传见《隋书》卷五十八、《北史》卷八十三。㉙癸亥：十月十六日。㉚己卯：十一月初三日。㉛夸吕：吐谷浑首领伏连筹之子，即位后始称可汗。〖按〗“夸吕”诸史记载不同，《隋书·吐谷浑传》作“吕夸”，《梁书·河南王传》又作“呵罗真”。盖夸吕（或吕夸）是其称号，呵罗真是其名。夸吕与吕夸疑有一误。㉜边吏：边疆的官将。㉝河间王弘（？至公元六〇七年）：即隋文帝从祖弟杨弘，字辟恶，官至蒲州刺史，封河间王。传见《隋书》卷四十三、《北史》卷七十一。㉞叠州：州名，治所叠川县，在今甘肃迭部境。㉟诣阙：赴皇帝的殿廷。阙，皇帝的住所。㊱浑贼：对吐谷浑的蔑称。㊲特异人伦：谓吐谷浑没有正常的人伦关系，与中原不同。㊳成其恶逆：成，助成、成全。恶逆，叛逆、反叛。㊴谏争：直言规谏，止人过失。争，通“诤”。㊵潜谋：暗中密谋。㊶溥天：普天。溥，普遍。㊷臣妾：本指奴隶，男为臣，女为妾。此指臣子。

【校记】

［13］春，正月：原无此三字。据章钰校，十二行本、乙十一行本、孔天胤本皆有此三字，张敦仁《通鉴刊本识误》同，今据补。［14］与：原作“以”。胡三省注云：“‘以’当作‘与’。”据章钰校，十二行本、乙十一行本、孔天胤本皆作“与”，张敦仁《通鉴刊本识误》同，今据改。［15］等：原无此字。据章钰校，十二行本、乙十一行本、孔天胤本皆有此字，今据补。下同。

【语译】

祯明元年（丁未，公元五八七年）

春，正月初三日戊寅，陈朝大赦，改易年号。

十八日癸巳，隋主到太庙祭祀祖先。

二十日乙未，隋朝规定各州每年向朝廷荐举三个士人。

二月十二日丁巳，隋主在东郊举行迎拜太阳的典礼。

陈朝派遣兼散骑常侍王亨等人出使隋朝。

隋发丁男十万余人修长城，二旬而罢。

夏，四月，于扬州[350]开山阳渎[351]以通运。

突厥沙钵略可汗遣其子入贡于隋，因请猎于恒、代[352]之间，隋主许之，仍遣人赐以酒食。沙钵略帅部落再拜受赐。

沙钵略寻卒，隋为之废朝[353]三日，遣太常吊祭。

初，沙钵略以其子雍虞闾懦弱，遗令立其弟叶护[354]处罗侯[355]。雍虞闾遣使迎处罗侯，将立之，处罗侯曰："我突厥自木杆可汗以来，多以弟代兄，以庶夺嫡[356]，失先祖之法，不相敬畏。汝当嗣位，我不惮拜汝。"雍虞闾曰："叔与我父，共根连体[357]。我，枝叶也，岂可使根本反从枝叶，叔父屈于卑幼乎？且亡父之命，何可废也？愿叔勿疑。"遣使相让者五六，处罗侯竟立，是为莫何可汗。以雍虞闾为叶护。遣使上表言状[358]。

隋使车骑将军长孙晟持节[359]拜之[360]，赐以鼓吹、幡旗[361]。莫何勇而有谋，以隋所赐旗鼓西击阿波。阿波之众以为得隋兵助之，多望风降附。遂生擒阿波，上书请其死生之命[362]。

隋主下其议[363]，乐安公元谐请就彼枭首。武阳公李充请生取入朝，显戮[364]以示百姓。隋主谓长孙晟："于卿何如？"晟对曰："若突厥背诞[365]，须齐之以刑[366]。今其昆弟自相夷灭[367]，阿波之恶非负国家[368]。因其困穷，取而为戮，恐非招远[369]之道。不如两存之。"左仆射高颎曰："骨肉相残，教之蠹[370]也，宜存养[371]以示宽大。"隋主从之。

甲戌[372]，隋遣兼散骑常侍杨同等来聘。

五月乙亥朔[373]，日有食之。

秋，七月己丑[374]，隋卫昭王爽[375]卒。

八月，隋[16]征梁主入朝。梁主帅其群臣二百余人发江陵，庚申[376]，至长安。

隋主以梁主在外，遣武乡公崔弘度将兵戍江陵。军至都州[377]，梁主叔父太傅安平王岩[378]、弟荆州刺史义兴王瓛[379]等恐弘度袭之，乙丑[380]，遣其[17]都官尚书沈君公[381]诣荆州刺史宜黄侯慧纪请降。九月庚寅[382]，慧纪引兵至江陵城下。辛卯[383]，岩等驱文、武、男、女十万口来奔。

隋朝征调男丁十万余人修筑长城，二十天就停工了。

夏，四月，隋朝在扬州开凿山阳渎，用来沟通江、淮运输。

突厥沙钵略可汗派遣他的儿子入隋朝贡，借机请求朝廷允许突厥在恒州、代州之间打猎，隋主答应了突厥的请求，并派人赐给酒食。沙钵略可汗率领突厥部落再拜接受赏赐。

沙钵略可汗不久就去世了，隋朝为他停止朝会三日，派遣太常寺卿前往吊祭。

当初，沙钵略可汗认为儿子雍虞闾懦弱，临终遗命立弟弟叶护处罗侯为可汗。雍虞闾派遣使者迎接处罗侯，将拥立他为可汗。处罗侯说："我突厥国自木杆可汗以来，多是以弟代兄继位，以庶夺嫡，失去了祖宗之法，不相敬惧。你应该继位，我不怕对你下拜。"雍虞闾说："叔父与我父亲是共根连体的同胞兄弟。我是枝叶，岂能使根本反而服从枝叶，叔父屈居于侄儿之下呢？况且先父的遗命，怎么能违背呢？希望叔父不要疑虑。"双方派遣使者相互推让了五六次，最后处罗侯即位，就是莫何可汗。莫何可汗任命雍虞闾为叶护，并派遣使者向隋朝呈上表章，说明即位情况。

隋朝派遣车骑将军长孙晟持节册拜莫何为突厥可汗，并赏赐给他鼓吹、幡旗。莫何可汗有勇有谋，他打着隋朝所赐旗鼓向西进攻西突厥阿波可汗。阿波可汗的部下以为获得隋军对他的援助，大多望风降附。莫何可汗于是活捉阿波可汗，上书请示隋主，是生是死，如何处置。

隋主把此事下到群臣中商议，乐安公元谐提议将阿波可汗就地斩首示众。武阳公李充建议将阿波可汗活捉回朝廷，公开斩杀，以昭示天下百姓。隋主询问长孙晟："你的意见怎样？"长孙晟回答说："若阿波可汗是违命放纵，就应当将他用刑法整治。如今他们兄弟之间自相残杀，阿波可汗的罪恶并不是辜负我朝。我们趁他困穷之时，将他押来处死，恐怕不是招徕荒远之民所应采取的办法。不如让阿波可汗和莫何可汗两人并存。"尚书左仆射高颎说："让骨肉自相残杀，败坏伦常教化，应该赦免阿波可汗，以示朝廷宽大。"隋主听从了他们的建议。

四月三十日甲戌，隋朝派遣兼散骑常侍杨同等出使陈朝。

五月初一日乙亥，发生日食。

秋，七月十六日己丑，隋朝卫昭王杨爽去世。

八月，隋征召后梁国主萧琮入朝。萧琮率领群臣二百余人从江陵启程，十八日庚申，到达长安。

隋主因为后梁国主萧琮独立在外，便派武乡公崔弘度率军戍守江陵。大军行至都州，后梁国主的叔父太傅安平王萧岩、萧琮弟荆州刺史义兴王萧瓛等人担心崔弘度袭击江陵，八月二十三日乙丑，萧岩、萧瓛派遣后梁都官尚书沈君公到陈朝荆州刺史宜黄侯陈慧纪那里请求投降。九月十八日庚寅，陈慧纪率军到达江陵城下。十九日辛卯，萧岩等人带领后梁国文武官吏、平民男女共十万人投降陈朝。

隋主闻之，废梁国[384]。遣尚书左仆射高颎安集遗民，梁中宗、世宗[385]各给守冢[386]十户。拜梁主琮柱国[18]，赐爵莒公。

甲午[387]，大赦。

冬，十月，隋主如同州。癸亥[388]，如蒲州。

十一月丙子[389]，以萧岩为开府仪同三司、东扬州[390]刺史，萧瓛为吴州刺史。

丁亥[391]，以豫章王叔英[392]兼司徒。

甲午[393]，隋主如冯翊[394]，亲祠故社[395]。戊戌[396]，还长安。

是行也，内史令李德林以疾不从，隋主自同州敕书追之[397]，与议伐陈之计。及还，帝马上举鞭南指曰："待平陈之日，以七宝[398]装严公，使自山[399]以东无及公者。"

初，隋主受禅以来，与陈邻好甚笃，每获陈谍，皆给衣马礼遣之，而高宗[400]犹不禁侵掠。故太建[401]之末，隋师入寇。会高宗殂，隋主即命班师[402]，遣使赴吊，书称姓名[403]顿首。帝答之益骄，书末云："想彼统内[404]如宜，此宇宙清泰[405]。"隋主不悦，以示朝臣，上柱国杨素以为主辱臣死[406]，再拜请罪。

隋主问取陈之策于高颎，对曰："江北地寒，田收差[407]晚，江南水田早熟。量[408]彼收获之际，微征士马[409]，声言掩袭[410]，彼必屯兵守御，足得废其农时[411]。彼既聚兵，我便解甲[412]，再三若此，彼以为常。后更集兵，彼必不信，犹豫之顷，我乃济师[413]，登陆而战，兵气益倍[414]。又，江南土薄，舍多茅竹，所有储积皆非地窖。密[19]遣行人因风纵火，待彼修立[415]，复更烧之，不出数年，自可财力俱尽。"隋主用其策，陈人始困。

于是杨素、贺若弼及光州[416]刺史高励[417]、虢州[418]刺史崔仲方等争献平江南之策。仲方上书曰："今唯须武昌[419]以下，蕲、和、滁、方、吴、海[420]等州，更帖[421]精兵，密营度计[422]。益、信、襄、荆、基、郢[423]等州，速造舟楫[424]，多张形势[425]，为水战之具。蜀[426]、汉二江是其上流，水路冲要[427]，必争之所。贼虽于[20]流头[428]、荆门[429]、延洲[430]、公安[431]、巴陵[432]、隐矶[433]、夏首[434]、蕲口[435]、湓城[436]置船，然终聚汉口[437]、峡口[438]，以水战大

隋主得知消息，下令废掉梁国。派遣尚书左仆射高颎前去安置留在江陵没有投降陈朝的百姓，并下令给梁中宗、梁世宗各十户人家守护陵墓。任命后梁国主萧琮为柱国，赐爵莒公。

九月二十二日甲午，陈朝大赦。

冬，十月，隋主前往同州。二十二日癸亥，隋主前往蒲州。

十一月初五日丙子，陈朝任命萧岩为开府仪同三司、东扬州刺史，萧瓛为吴州刺史。

十六日丁亥，陈朝任命豫章王陈叔英兼任司徒。

十一月二十三日甲午，隋主前往冯翊，亲自祭祀故乡社庙。二十七日戊戌，隋主回到长安。

隋主这次出巡，内史令李德林因病未能随从，隋主从同州下敕书催李德林前去，与他商议伐陈的计划。等到他们回京时，文帝在马上举鞭指着南方说："等平定陈朝的那一天，要用七种珍宝之物装扮你，使太行山以东的士大夫，没有人能比得上你。"

起初，隋主自受禅即位以来，与邻邦陈朝和睦友好，每次抓到陈朝的间谍，都赠送衣服、马匹，礼貌地将他们遣返。但陈高宗仍不禁止陈朝边将侵扰隋境。所以太建末年，隋朝军队进攻陈朝。适逢陈高宗逝世，隋主立即下令班师，派遣使者前往吊唁，在给陈后主的信中自称姓名云"杨坚顿首"。而陈后主的回信却更加自高自大，信末说："想必你统治的境内还算可以，我国的天下清静安泰。"隋主很不高兴，并把它传示朝臣，上柱国杨素认为君主受到羞辱，为臣的该死，一再跪拜请罪。

隋主向高颎询问取陈之计，高颎回答说："长江以北天气寒冷，田里庄稼收获略晚，而江南地区水田里庄稼成熟较早。估量在他们收获的时候，我们稍微征集兵马，扬言突袭江南，他们一定屯兵守卫，这样足以让他们荒废农时。在他们聚集兵马之后，我们就解甲休兵，这样一而再，再而三，他们就会习以为常。然后我们再集合兵马，他们一定不信，趁他们片刻犹豫之际，我们就渡江，登陆而战，我军士气倍增。再说江南土地瘠薄，房舍多用茅草竹片搭成，所有的储积都不是藏在地窖里。我们秘密派人借风放火，烧毁他们的粮仓，等他们重新建好，我们再去焚烧，不出数年，自可使他们力竭财尽。"隋主接受了高颎的计策，陈人开始陷入困境。

于是杨素、贺若弼以及光州刺史高劢、虢州刺史崔仲方等人都争献平陈计策。崔仲方上书说："如今只须自武昌以下，在蕲、和、滁、方、吴、海等州增加精兵，秘密进行渡江筹划。在益、信、襄、荆、基、郢等州迅速建造舟船，多方大造声势，做水战的准备。蜀、汉二江在长江的上游，是水陆要冲，为必争之地。敌人尽管在流头滩、荆门、延洲、公安、巴陵、隐矶、夏首、蕲口、溢城等地置备船只，但最后还是要在汉口、西陵峡口聚集，以水战与我们决战。如果敌人认为我们在上游部

决㊴。若贼必以上流有军，令精兵赴援者，下流诸将即须择便横渡；如拥众自卫，上江水[21]军㊵鼓行以前。彼虽恃九江㊶、五湖㊷之险，非德无以为固；徒有三吴㊸、百越㊹之兵，无[22]恩不能自立矣。”隋主以仲方为基州刺史。

及受萧岩等降，隋主益忿，谓高颎曰：“我为民父母，岂可限一衣带水㊺不拯之乎？”命大作战船。人请密之㊻，隋主曰：“吾将显行天诛，何密之有？”使投其柿㊼于江，曰：“若彼惧而能改，吾复何求？”

杨素在永安㊽，造大舰，名曰“五牙”，上起楼五层，高百余尺，左右前后置六拍竿㊾，并高五十尺，容战士八百人。次曰“黄龙”，置兵百人。自余平乘、舴艋㊿等[23]各有等差。

晋州刺史皇甫绩(451)[24]将之官，稽首言陈有三可灭。帝问其状，对[25]曰：“大吞小，一也。以有道伐无道，二也。纳叛臣萧岩，于我有词，三也。陛下若命将出师，臣愿展丝发(452)之效。”隋主劳而遣之。

时江南妖异特众，临平湖(453)草久塞，忽然自开。帝恶之(454)，乃自卖于佛寺为奴以厌之(455)。又于建康(456)造大皇寺，起七级浮图(457)，未毕，火从中起而焚之。

吴兴章华(458)，好学，善属文，朝臣以华素无伐阅(459)，竞排诋之，除太市令(460)。华郁郁不得志，上书极谏，略曰：“昔高祖(461)南平百越，北诛逆虏(462)，世祖(463)东定吴会(464)，西破王琳(465)，高宗克复淮南，辟地千里，三祖之功勤(466)亦至矣。陛下即位，于今五年，不思先帝之艰难，不知天命之可畏。溺于嬖宠，惑于酒色。祠七庙(467)而不出，拜三妃(468)而临轩(469)。老臣宿将(470)，弃之草莽(471)，谄佞谗邪，升之朝廷。今疆埸(472)日蹙(473)，隋军压境，陛下如不改弦易张(474)，臣见麋鹿复游于姑苏(475)矣！”帝大怒，即日斩之。

署有重兵，因而命令精锐部队赶赴上游增援，我们在下游的众将领即可选择有利时机横渡长江；如果敌人集中兵力坚守下游，我方上游水军即可顺流鼓行而前。他们虽然依仗九江、五湖的险要，但没有道德，守不住险要；徒有三吴、百越之兵，没有恩泽，不能自立。”于是隋主任命崔仲方为基州刺史。

等到陈朝接受后梁萧岩等人投降，隋主更加愤怒，对高颎说：“我作为天下百姓的父母，怎么能因为隔着一衣带宽的江流，就不去拯救江南的百姓呢?”下令大造战船。有人建议此事保密，隋主说：“我要公开执行上天的旨意进行诛伐，有什么可保密的呢?”让人把砍削下来的碎木片投进江里，并说：“假如陈朝害怕，改过自新，我还要求什么呢?”

杨素在永安建造大船，名叫“五牙”，上建五层楼，高一百余尺，左右前后设置六根桅杆，均高五十尺，能乘载士兵八百人。略小的战船名叫“黄龙”，能乘载士兵一百人。其余“平乘”“舴艋”等舰各有大小差别。

晋州刺史皇甫绩将要赴任，向隋文帝磕头说陈朝有三条可灭的理由，隋文帝询问具体情况，皇甫绩回答道：“大国吞并小国，这是第一条理由；以有道讨伐无道，这是第二条理由；陈朝接纳叛臣萧岩，我们师出有名，这是第三条理由。陛下如果派将领出军征讨，我愿意效微薄之力。”隋文帝慰劳他，让他前去赴任。

当时江南妖异特多，临平湖久被水草淤塞，水草突然自动散开。陈后主很厌恶这些事，便把自身卖给佛寺为奴，想以此来镇住妖异。陈后主还下令在建康修建大皇寺，内造七层宝塔，尚未完工，佛塔中起火全部被毁。

吴兴人章华，勤奋好学，善写文章，朝廷大臣因为他一向没有功劳资历，竞相排挤诋毁他，只任命他为太市令。章华郁郁不得志，上书切谏，大略说：“从前高祖南平百越，北诛叛逆侯景；世祖文皇帝东边平定吴兴、会稽，西边打败王琳；高宗收复了淮南，拓地千里。三祖的功劳可说是到了顶峰。陛下即位，到现在已有五年，从不考虑先帝创业的艰难，也不知天命的可畏。沉溺于嬖妾宠臣中，迷惑于酒色宴乐。祭祀太庙时借口不出宫，册封妃子时则亲临殿庭。老臣旧将，弃置于草莽之中；谄佞奸邪之人，晋升为朝官。如今国家疆域日渐缩小，隋朝军队压境，陛下若不能改革更新，臣恐怕很快就要看到吴国灭亡麋鹿游于姑苏的悲剧重演了!”陈后主大怒，当天就杀了他。

【段旨】

以上为第五段，写隋文帝吞并后梁，筹谋平陈；而陈后主仍然醉生梦死，不思更张，不听劝谏，灭亡指日可待。

【注释】

㊸戊寅：正月初三日。㊹改元：陈改至德五年为祯明元年。㊺癸巳：正月十八日。㊻乙未：正月二十日。㊼贡士：举荐人才。㊽丁巳：二月十二日。㊾朝日于东郊：隋开皇初年，于都城长安东春明门外设坛，每年在春分朝日祀天。㊿扬州：州名，治所广陵，在今江苏扬州西北。351山阳渎：古运河名，因北起山阳县境而有此名。它北起山阳县（今江苏淮安），南至广陵郡（今江苏扬州西北），沟通了长江与淮河两大水系，方便了水路运输。352恒、代：地名，北魏起初以平城（故址在今山西大同）为都，建为代都，设置司州及代都尹，后迁都洛阳，改司州为恒州，故称此地为恒、代。353废朝：停止朝见，以表示对沙钵略死之哀悼。354叶护：突厥官名，百官中的显要官职。355处罗侯：沙钵略之弟，继沙钵略为可汗，史称叶护可汗。事见《隋书》卷八十四、《北史》卷九十九。356夺嫡：以庶子夺取嫡子的地位。封建时代，凡以庶子嗣位而废嫡子，都称夺嫡。357共根连体：谓同父母所生。358言状：说明情况。状，情状。359持节：古代使臣出使，必持节以作凭证。节，符节。360拜之：拜处罗侯为可汗。361幡旗：旗帜。362请其死生之命：莫何可汗不敢专杀阿波而向隋廷请示。363下其议：隋文帝将莫何请命之事下到百官中讨论。364显戮：明正典刑，处决示众。365背诞：违命放纵，不受节制而妄为。366齐之以刑：谓用刑法整治。齐，整治。367夷灭：消灭。368非负国家：指阿波兄弟自相残杀，并未辜负隋朝。负，辜负。369招远：招引远方国家或民族。370蠹：败坏；损坏；蛀蚀。371存养：保全、抚养。372甲戌：隋历四月三十日，陈历则五月初一日。373乙亥朔：五月初一日。374己丑：七月十六日。375卫昭王爽：即杨爽（公元五六三至五八七年），隋文帝异母弟，小字明达，封卫王。传见《周书》卷十九、《隋书》卷四十四、《北史》卷七十一。376庚申：八月十八日。377都州：隋无都州。〖按〗《隋书·萧琮传》作“鄀州”，《北史》同。据此“都州”当是“鄀州”之讹。鄀州，州名，治所在今湖北荆门西北。378安平王岩：即萧岩，字义远，后梁宣帝萧詧第五子，官至太傅。后降陈。传附《周书·萧詧传》《北史·僭伪附庸传》。379义兴王瓛：字钦文，后梁明帝萧岿第三子，后降陈。传附《周书·萧詧传》《隋书·萧岿传》《北史·僭伪附庸传》。380乙丑：八月二十三日。381沈君公（？至公元五八九年）：吴兴（郡治在今浙江吴兴）人，陈后主沈皇后叔父。传附《陈书·后主沈皇后传》《周书·萧詧传》《南史·沈君理传》。382庚寅：九月十八日。383辛卯：九月十九日。384废梁国：后梁自中宗即位，历三帝，三十三年。385梁中宗、世宗：中宗指后梁开国皇帝宣帝萧詧庙号，世宗是后梁第二代皇帝明帝萧岿庙号。386守冢：守护坟墓的人。387甲午：九月二十二日。388癸亥：十月二十二日。389丙子：十一月五日。390东扬州：州名，治所山阴县，在今浙江绍兴。391丁亥：十一月十六日。392豫章王叔英：陈宣帝第三子，字子烈。传见《陈书》卷二十八、《南史》卷六十五。393甲午：十一月二十三日。394冯翊：郡名，治所高陆县，在今陕西西安市高陵区。395祠故社：隋文帝生于冯

翊，故去祭祀社庙。㊾戊戌：十一月二十七日。㊿追之：指追召李德林。七宝：用多种宝物装饰的器物，泛称七宝。山：此指太行山。高宗：陈宣帝庙号。太建：陈宣帝年号（公元五六九至五八二年）。班师：军队出征回来。此指中途撤军。书称姓名：信函中称自己姓名，不称隋帝，以示谦逊。统内：统辖之内。清泰：清静安泰。主辱臣死：君主受到侮辱，臣子该为之死。差：略微。量：衡量；估计。士马：兵马。掩袭：乘人不备，突然袭击。农时：指春耕、夏耘、秋收，农事之三时，此指秋收时。解甲：脱下战衣，引申为罢军休兵。济师：谓举兵渡江。兵气益倍：谓士气倍增。因隋兵登岸，后有大江，兵士无反顾之心，败则必死，故士气倍增。修立：修葺完好。光州：州名，梁置，治所光城县，在今河南光山。高劢：字敬德，河北蓨（今河北景县）人，历仕北齐、周、隋，官至洮州刺史。传见《北齐书》卷十三、《隋书》卷五十五、《北史》卷五十一。虢州：州名，隋置，治所卢氏县，在今河南卢氏。武昌：郡名，治所武昌县，在今湖北鄂城。蕲、和、滁、方、吴、海：皆州名，当今武汉以东沿长江北岸地区，跨湖北、安徽、江苏三省。帖：同"贴"，增加。密营度计：暗中经营筹划。益、信、襄、荆、基、郢：皆州名，长江上游沿江地区，跨四川、湖北两省。楫：船桨。短的称楫，长的称棹。形势：军事阵势。蜀：江名，胡三省注：蜀江出三峡，过南郡（今湖北江陵）。据此，蜀江当指长江流经四川东部及湖北西部的一段。冲要：在军事或交通等方面有重要作用的地方。流头：地名，即流头滩，在今湖北宜昌与秭归之间的长江中。荆门：山名，在今湖北宜都西北长江两岸。延洲：洲名，在今湖北宜都附近长江中。公安：县名，在今湖北公安东北。巴陵：郡名，治所巴陵县，在今湖南岳阳。隐矶：地名，故址在今湖南岳阳东北。夏首：地名，即夏口，以夏水入江而得名。故址在今湖北武汉。蕲口：地名，以蕲水入江而得名。故址在今湖北蕲春西南长江北岸蕲州镇。湓城：地名，江州治所，在今江西九江。皆沿长江要害之地。汉口：即夏口。以汉水入江而得名，在今湖北武汉。峡口：即西陵峡口。故址在今湖北宜昌西。大决：重大决定，此指决战。上江水军：谓蜀江、汉江顺流东下之水军。九江：长江水系的九条河，各说不一。五湖：说法不一。有以太湖及附近四湖为五湖。三吴：地区名，说法不一，一般指吴兴、吴郡、会稽为三吴。百越：古代越族生活在东南沿海一带，江浙闽粤之地，皆为越族所居，故称百越。一衣带水：像一条衣带那样宽度的河流，形容极其狭窄。此指长江。密之：谓暗中造战船，不张扬出去。柿：砍下的木片。永安：郡名，治所鱼复县，在今重庆奉节东白帝城故址。拍竿：战舰上用以拍击敌船的装置。平乘、舴艋：俱船名，小船。皇甫绩：字功明，安定朝那（今甘肃灵台西北朝那镇）人，历仕周、隋，官至信州总管。《隋书》《北史》俱有传。丝发：蚕丝和头发。比喻细微。临平湖：湖名，故址在今浙江杭州市临平区南。恶之：厌恶临平湖草塞自开一事。自卖于佛寺为奴以厌之：用卖身为奴以积善积德的方法来消除与压服将来可能出现的灾殃。㊺⑥建康：地名，即陈都城，在今江苏南京。㊺⑦七级浮图：七层佛塔。浮图，塔。㊺⑧章华（？至公元五八七年）：字仲宗，吴兴（今福建浦城）人，家世农夫，仕陈，官至太市令。传附《陈书·傅縡传》《南史·傅绰传》。㊺⑨伐阅：功劳和阅历。积累功劳称伐，经历称阅。㊻⓪太市令：官名，掌市场税收。㊻①高祖：指陈朝开国皇帝陈霸先。公元五五七至五五九年在位。㊻②逆虏：指侯景。㊻③世祖：指陈朝第二代皇帝陈蒨。公元五六〇至五六六年在位。㊻④东定吴会：指击杀杜龛、张彪事。㊻⑤王琳：原为梁将帅，梁亡，立永嘉王梁庄于荆州，被陈文帝击败，投降北齐。《南史》卷六十四有传。㊻⑥功勤：功劳、勤劳。㊻⑦七庙：古代天子七庙，三昭、三穆（左右排列顺序）与太祖之庙，共七庙。㊻⑧三妃：指龚、孔、张妃三人。㊻⑨临轩：殿前堂陛之间，近檐处两边有栅栏，如车之轩（车前横木），故皇帝至殿前称临轩。此指后主不去祀祖庙，却亲自册拜三妃。㊼⓪宿将：老将。㊼①草莽：草野。莽，泛指荒野。㊼②疆埸：国界。㊼③日蹙：天天缩减。㊼④改弦易张：调整乐器之弦，使声音和谐。比喻改变法度和做法。㊼⑤麋鹿复游于姑苏：春秋时伍子胥规谏吴王灭越，而吴王不听，说："臣见麋鹿游于姑苏矣。"吴国终于为越所灭。此警告陈后主国将灭亡。姑苏，地名，春秋时吴国都城，即今江苏苏州。

【原文】

二年（戊申，公元五八八年）

春，正月辛巳[476]，立皇子恮[477]为东阳王，恬[478]为钱塘王。

遣散骑常侍袁雅等聘于隋。又遣散骑常侍九江周罗睺[479]将兵屯峡口，侵隋峡州[480]。

三月甲戌[481]，隋遣兼散骑常侍程尚贤等来聘。

戊寅[482]，隋[26]下诏曰："陈叔宝据手掌之地[483]，恣溪壑[484]之险[27]，劫夺闾阎[485]，资产俱竭，驱逼内外，劳役弗已[486]。穷奢极侈，俾[487]昼作夜。斩直言之客，灭无罪之家。欺天造恶，祭鬼求恩。盛粉黛[488]而执干戈[489]，曳罗绮而呼警跸。自古昏乱，罕或能比。君子潜逃，小人得志。天灾地孽[490]，物怪人妖。衣冠[491]钳口[492]，道路以目[493]。重以背德违言，摇荡疆埸。昼伏夜游，鼠窃狗盗[494]。天之所覆[495]，无非朕臣[496]，每

【校记】

［16］隋：原作“隋主”。据章钰校，十二行本、乙十一行本、孔天胤本皆无“主”字，张敦仁《通鉴刊本识误》同，今据删。［17］其：原无此字。据章钰校，十二行本、乙十一行本、孔天胤本皆有此字，今据补。［18］柱国：原作“上柱国”。据章钰校，十二行本、乙十一行本、孔天胤本皆无“上”字，今据删。〖按〗《隋书·外戚·萧岿传附子琮传》《北史·僭伪附庸传·后梁萧氏传·萧詧传附袁敞传》皆无“上”字。［19］密：原“密”上有“若”字。据章钰校，十二行本、乙十一行本、孔天胤本皆无“若”字，今据删。〖按〗《隋书·高颎传》《北史·高颎传》皆无“若”字。［20］于：原无此字。据章钰校，十二行本、乙十一行本、孔天胤本皆有此字，今据补。［21］水：原作“诸”。据章钰校，十二行本、乙十一行本、孔天胤本皆作“水”，今据改。〖按〗《隋书·崔仲方传》《北史·崔挺传附崔仲方传》皆作“水”。［22］无：原作“非”。据章钰校，十二行本、乙十一行本、孔天胤本皆作“无”，张敦仁《通鉴刊本识误》同，今据改。［23］等：原无此字。据章钰校，十二行本、乙十一行本、孔天胤本皆有此字，张敦仁《通鉴刊本识误》同，今据补。［24］绩：原作“续”。据章钰校，十二行本、乙十一行本、孔天胤本皆作“绩”，今据改。〖按〗《隋书·皇甫绩传》《北史·皇甫绩传》皆作“绩”。［25］对：原无此字。据章钰校，十二行本、乙十一行本、孔天胤本皆有此字，张敦仁《通鉴刊本识误》同，今据补。

【语译】

二年（戊申，公元五八八年）

春，正月十一日辛巳，陈后主册封皇子陈恮为东阳王，陈恬为钱塘王。

陈朝派遣散骑常侍袁雅等人出使隋朝，又派遣散骑常侍九江人周罗睺率兵屯驻峡口，侵犯隋朝峡州。

三月初五日甲戌，隋朝派遣兼散骑常侍程尚贤等出使陈朝。

三月初九日戊寅，隋主下诏说：“陈叔宝据守手掌大一块土地，恣纵沟壑之险，劫夺百姓，使他们资产俱尽，驱使逼迫都城内外民众，劳役不休。穷奢极侈，夜以继日。诛杀直言之士，族灭无罪之家。欺瞒苍天，无恶不作，却去祭鬼求福。美女妃嫔成群，仪仗手执干戈为之前行，身曳罗绮，前呼后拥，清道戒严。自古以来昏庸腐败的帝王，少有人能和他相比。君子潜逃，小人得志。天灾地孽接连发生，物怪人妖层出迭现。士大夫闭口不言，路人敢怒而不敢言。加之背德违约，侵扰边疆。白天潜伏，夜晚偷袭，如同鼠窃狗盗一般。普天之下无一人不是朕的臣民，每当听关听览，有怀伤恻[497]。可出师授律，应机[498]诛殄[499]，在斯[28]一举，永清吴越[500]。”又送玺书[501]暴帝二十恶，仍散写诏书三十万纸[502]，遍谕江外[503]。

太子胤[504]，性聪敏，好文学，然颇有过失。詹事袁宪[505]切谏，不听。时沈后[506]无宠，而近侍左右数于东宫往来，太子亦数使人至后所，帝疑其怨望，甚恶之。张、孔二贵妃日夜构成后及太子之短，孔范之徒又于外助之。帝欲立张贵妃子始安王深[507]为嗣，尝从容言之。吏部尚书蔡徵顺旨称赞，袁宪厉色[508]折[509]之曰:“皇太子国家储副[510]，亿兆[511]宅心[512]，卿是何人？轻言废立！”帝卒从徵议。夏，五月庚子[513]，废太子胤为吴兴王，立扬州刺史始安王深为太子。徵，景历之子也。深亦聪惠，有志操[514]，容止[515]俨然[516]，虽左右近侍，未尝见其喜愠[517]。帝闻袁宪尝谏胤，即日[29]用宪为尚书仆射。

帝遇沈后素薄，张贵妃专后宫之政，后澹然[518]，未尝有所忌怨[519]。身居俭约，衣服无锦绣之饰，唯寻阅图[30]史及释典[520]为事，数上书谏争。帝欲废之而立张贵妃，会国亡，不果。

冬，十月己亥[521]，立皇子蕃为吴郡王。

己未[522]，隋置淮南行省[523]于寿春[524]，以晋王广为尚书令。

帝遣兼散骑常侍王琬、兼通直散骑常侍许善心[525]聘于隋，隋人留于客馆。琬等屡请还，不听。

甲子[526]，隋以出师，有事于太庙[527]，命晋王广、秦王俊、清河公杨素皆为行军元帅。广出六合[528]，俊出襄阳，素出永安，荆州刺史刘仁恩[529]出江陵，蕲州刺史王世积[530]出蕲春[531]，庐州总管韩擒虎出庐州[532][31]，吴州总管贺若弼出广陵，青州[533]总管弘农燕荣出东海[534]，凡总管九十，兵五十一万八千，皆受晋王节度。东接沧海，西距[32]巴、蜀[535]，旌旗舟楫[536]，横亘[537]数千里。以左仆射高颎为晋王元帅长史[538]，右仆射王韶为司马，军中事皆取决焉，区处[539]支度[540]，无所凝滞[541]。

十一月丁卯[542]，隋主亲饯将士，乙亥[543]，至定城[544]，陈师誓众。

丙子[545]，立皇弟叔荣为新昌王，叔匡为太原王[546]。

到或审阅有关江南百姓受苦受难的奏疏，朕心中都很难过。现今可以出动师旅，颁下军令，随应时机，诛灭暴君，永远扫平吴越，在此一举。”又派遣使者致送国书给陈朝，揭露陈后主二十条罪状，并命人抄写了诏书三十万份，遍谕江南。

陈朝皇太子陈胤聪明敏捷，喜爱文学，却有很多过失。太子詹事袁宪恳切进谏，陈胤不听。当时沈皇后失宠，身边的近侍随从时常往来东宫，皇太子也屡次派人到沈皇后住处，陈后主猜忌他们，怀恨在心，很讨厌他们。张贵妃、孔贵妃又日夜在陈后主面前捏造皇后和太子的罪状，都官尚书孔范等人也在宫外火上浇油。陈后主便想立张贵妃的儿子始安王陈深为太子，曾经从容不迫地讲过这事。吏部尚书蔡徵依照陈后主的旨意，大为称赞，袁宪非常严肃地当面斥责他说：“皇太子是朝廷的储君，万民内心所系，你是什么人？随便谈论废立大事！”陈后主终于听从了蔡徵的建议。夏，五月庚子日，陈后主废黜皇太子陈胤，改封他为吴兴王，而册立扬州刺史始安王陈深为皇太子。蔡徵是蔡景历的儿子。陈深非常聪明，有志气节操，表情举止庄重，即便是他的近侍随从，也从未见过他高兴和恼怒。陈后主听说袁宪曾经谏阻过陈胤，当日便任用他为尚书仆射。

陈后主对沈皇后向来冷淡，张贵妃专主后宫之政，沈皇后淡然处之，没有嫉妒和怨恨。她自身居处俭约，衣着朴素，不穿锦缎，只是翻阅图画、史书和佛经，还多次上书向陈后主进谏。陈后主想要废掉沈皇后而另立张贵妃，适逢国亡，没有实现。

冬，十月初三日己亥，陈后主册封皇子陈蕃为吴郡王。

二十三日己未，隋朝在寿春设立淮南行台，任命晋王杨广为行台尚书令。

陈后主派兼散骑常侍王琬、兼通直散骑常侍许善心出使隋朝，隋朝把他们扣留在客馆。王琬等人多次请求回国，隋主不允。

十月二十八日甲子，隋因出师讨伐陈朝，在太庙祭告祖先，任命晋王杨广、秦王杨俊、清河公杨素三人都为行军元帅。杨广从六合出兵，杨俊从襄阳出兵，杨素从永安出兵，荆州刺史刘仁恩从江陵出兵，蕲州刺史王世积从蕲春出兵，庐州总管韩擒虎从庐州出兵，吴州总管贺若弼从广陵出兵，青州总管弘农人燕荣从东海出兵，共有行军总管九十名，兵力五十一万八千人，都接受晋王杨广的调度指挥。东接沧海，西抵巴、蜀，旌旗舟楫，连绵数千里。任命尚书左仆射高颎为晋王元帅府长史，并州行台尚书右仆射王韶为元帅府司马，军中事务全由他们裁断处理，他们安排处理军务，分配调度军用物资，都没有耽搁迟误。

十一月初二日丁卯，隋主亲自为将士饯行，初十日乙亥，隋主到达定城，举行誓师大会。

十一月十一日丙子，陈后主册封皇弟陈叔荣为新昌王，陈叔匡为太原王。

隋主如河东[547]，十二月庚子[548]，还长安。

突厥莫何可汗西击邻国[549]，中流矢[550]而卒。国人立雍虞闾[551]，号颉伽施多那都蓝可汗。

隋军临江，高颎谓行台吏部郎中薛道衡曰："今兹大举，江东必可克乎?"道衡曰："克之。尝闻郭璞[552]有言：'江东分王[553]三百年，复与中国[554]合。'今此数将周[555]，一也。主上恭俭勤劳，叔宝荒淫骄侈，二也。国之安危，在所委任，彼以江总为相，唯事诗酒，拔[556]小人施文庆，委以政事，萧摩诃、任蛮奴[557]为大将，皆一夫之用耳，三也。我有道而大，彼无德而小，量其甲士，不过十万，西自巫峡[558]，东至沧海，分之则势悬而力弱，聚之则守此而失彼，四也。席卷[559]之势，事在不疑。"颎忻然曰："得君言成败之理，令人豁然[560]。本以才学相期，不意[561]筹略乃尔[562]。"

秦王俊督诸军屯汉口，为上流节度。诏以散骑常侍周罗睺都督巴峡缘江诸军事以拒之。

杨素引舟师下三峡[563]，军至流头滩。将军戚昕以青龙[564]百余艘，兵数千人[33]守狼尾滩[565]，地势险峭[566]，隋人患之[567]。素曰："胜负大计，在此一举。若昼日下船，彼见我虚实，滩流迅激，制不由人，则吾失其便，不如以夜掩之。"素亲帅黄龙数千艘，衔枚[568]而下，遣开府仪同三司王长袭引步卒自南岸击昕别栅，大将军刘仁恩帅甲骑自北岸趣白沙[569]。迟明[570]而至，击之，昕败走，悉俘其众，劳而遣之，秋毫不犯[571]。

素帅水军东下，舟舻被江[572]，旌甲[573]曜日。素坐平乘大船，容貌雄伟，陈人望之，皆惧，曰："清河公[574]即江神也!"江滨镇戍[575]闻隋军将至，相继奏闻，施文庆、沈客卿并抑而不言[576]。

初，上以萧岩、萧瓛，梁之宗室，拥众来奔，心忌之，故远散其众[577]，以岩为东扬州刺史，瓛为吴州刺史。使领军任忠出守吴兴郡[578]，以襟带[579]二州。使南平王嶷[580]镇江州，永嘉王彦[581]镇南徐州。寻召二王赴明年元会[582]，命缘江诸防船舰悉从二王还都，为威势以示梁人之来者。由是江中无一斗船，上流诸州兵皆阻杨素军，不得至。

湘州[583]刺史晋熙王叔文[584]，在职既久，大得人和，上以其据有上流，阴忌之。自度[585]素与群臣少恩，恐不为用[586]，无可任者，乃擢施文

隋主前往河东，十二月初五日庚子，返回长安。

突厥莫何可汗向西攻打邻国，中流箭去世。突厥人拥立雍虞闾，号为颉伽施多那都蓝可汗。

隋军抵达江边，高颎对行台吏部郎中薛道衡说：“现在这次大举伐陈，江东地区一定能攻克吗？”薛道衡说：“能攻克。我曾听晋朝郭璞说：‘江东分立称王三百年，又会与中原统一。’现在三百年的周期将满，这是一。皇上生活俭朴，勤于政事，而陈叔宝却荒淫奢侈，骄横放纵，这是二。国家的安危兴亡，在于用人，陈朝任用江总为宰相，只从事赋诗饮酒，提拔小人施文庆，把政事交付给他，萧摩诃、任蛮奴当大将，全是有勇无谋的一介匹夫，这是三。我隋朝政治清明，国土广大，陈朝政治黑暗，地域狭小，估计他们的军队，顶多十万人，西起巫峡，东至大海，分兵戍守则势单力弱，集中兵力就会守住了此处而失去了彼处，这是四。所以，拿下江东，此事确定无疑。”高颎高兴地说：“听了你的成败分析，令人豁然开朗。我原本只是寄希望于你的才学，没想到你运筹帷幄竟如此不凡。”

秦王杨俊督率各军屯驻汉口，节度上游诸军。陈后主诏令散骑常侍周罗睺都督巴陵沿江诸军事，以抵抗隋朝军队。

杨素率领水军由三峡顺流而下，进至流头滩。陈朝将军戚昕率领青龙战船一百余艘和数千名士兵扼守狼尾滩，这里地势险峻，隋朝将士十分忧虑。杨素说：“胜负关键，在此一举。如果白天顺江而下，敌军就会知道我军情况，加上滩流湍急，行船难于控制，对我军非常不利，不如改在夜里突然袭击敌人。”杨素亲自率领黄龙舰船数千艘，衔枚而下，派遣开府仪同三司王长袭率领步兵由南岸攻打戚昕别营，大将军刘仁恩率领骑兵由北岸赶赴白沙。部队在将近黎明时到达，两岸夹击陈军，戚昕败逃，隋军俘虏了他的全部部众，慰劳后加以遣返，秋毫无犯。

杨素率领水军顺流东下，舰船布满江面，旌旗甲胄与日辉映。杨素坐在一条平板大船上，容貌雄伟，陈军望见他，都很害怕，说：“清河公就是长江水神！”陈朝江滨镇戍听说隋军将到，相继上书奏报，施文庆、沈客卿将奏章全部扣压，不向陈后主奏言。

起初，陈后主因萧岩、萧瓛是后梁宗室，率领了众多江陵军民降附陈朝，便心生疑忌，所以把他们的部众分散到远处，任命萧岩为东扬州刺史，萧瓛为吴州刺史。派遣领军将军任忠去镇守吴兴郡，以此来挟制二州。又派遣南平王陈嶷镇守江州，永嘉王陈彦镇守南徐州。不久又召回陈嶷、陈彦二王赴京城参加明年正月元旦朝会，命令沿江各防地的船舰全部随二王返回京师，向后梁降附军民显示陈朝的威势。因此中下游江面上没有一艘战船，而上流各州的军队都受到杨素军队的阻截，不能赶来增援。

陈朝湘州刺史晋熙王陈叔文在湘州任职时间长，官民大为和谐，陈后主因为他据有长江上游，暗暗猜忌他。陈后主意识到自己一向对待群臣缺少恩德，担心他们不为自己所用，一时又没有可以替换陈叔文的人，就提升施文庆为都督、湘州刺史，

庆为都督、湘州刺史，配以精兵二千，欲令西上，仍征叔文还朝。文庆深喜其事，然惧出外之后，执事者[587]持己短长[588]，因进其党沈客卿以自代。

未发间，二人共掌机密。护军将军樊毅[589]言于仆射袁宪曰："京口[590]、采石[591]俱是要地，各须锐兵五千，并出金翅[592]二百，缘江上下，以为防备。"宪及骠骑将军萧摩诃皆以为然，乃与文武群臣共议，请如毅策。施文庆恐无兵从己，废其述职[593]，而客卿又利文庆之任[594]，己得专权，俱言于朝曰[34]："必有论议，不假面陈[595]，但作文启[596]，即为通奏。"宪等以为然，二人赍启入。白帝曰："此是常事，边城将帅足以当之。若出人船，必恐惊扰。"

及隋军临江，间谍骤至[597]，宪等殷勤奏请[598]，至于再三。文庆曰："元会将逼[599]，南郊之日[600]，太子多从。今若出兵，事便废阙[601]。"帝曰："今且出兵，若北边无事，因以水军从郊，何为不可？"又曰："如此则声闻邻境，便谓国弱。"后又以货动江总[602]，总内为之游说[603]，帝重违其意[604]，而迫群官之请，乃令付外[605]详议。总又抑宪等，由是议久不决。

帝从容谓侍臣曰："王气在此。齐兵三来[606]，周师再来[607]，无不摧败。彼何为者邪？"都官尚书孔范曰："长江天堑[608]，古以为限隔南北[609]，今日虏军岂能飞渡邪？边将欲作功劳，妄言事急。臣每患官卑，虏若渡江，臣定作太尉公[610]矣。"或妄言北军马死，范曰："此是我马，何为而死？"帝笑以为然，故不为深备，奏伎[611]、纵酒、赋诗不辍。

是岁，吐谷浑裨王[612]拓跋木弥请以千余家降隋。隋主曰："普天之下，皆是朕臣，朕之抚育，俱存仁孝。浑贼惛狂[613]，妻子怀怖[614]，并思归化[615]，自救危亡。然叛夫背父[616]，不可收纳。又其本意正自避死，今若违拒，又复不仁。若更有音信，但宜慰抚，任其自拔，不须出兵应接。其妹夫及甥[617]欲来，亦任其意，不劳劝诱也。"

河南王移兹裒卒，隋主令其弟树归袭统其众。

调给他精兵两千人，想让他西上就职，同时征召陈叔文回朝。施文庆非常高兴这一提升，但又害怕自己出朝外任之后，掌权的人抓住自己的短处，于是推荐他的党羽沈客卿接替自己中书舍人的职务。

当施文庆还未出发赴任时，他与沈客卿两人共掌朝政。护军将军樊毅对尚书仆射袁宪说："京口、采石都是江防要地，两地各需精兵五千人，并出动金翅舰船两百艘，沿江上下巡行，以便防备。"袁宪和骠骑将军萧摩诃都认为樊毅说得对，便与文武群臣一起商议，请求按照樊毅的计策部署军队。施文庆担心这样一来就没有兵员随从自己，便停止赴任，而沈客卿又认为施文庆出朝任职对自己有利，自己可以专擅朝政大权，于是他们二人在朝中说："若有什么议论，不必当面向皇上陈奏，只须写好表启，立即转奏。"袁宪等人信以为真，施文庆、沈客卿两人便拿着群臣的表启入宫。二人却告诉陈后主说："敌寇入侵，这是常事，边镇将帅足以抵挡。若从京师派人派船，必然会引起惊扰。"

待到隋军抵达长江北岸，间谍迅速潜入，袁宪等人情意恳切地奏请陈后主。施文庆对陈后主说："元旦朝会将临，南郊祭天之日，太子须带众多随从。现在如果调派军队出去，南郊祭天之事就得取消。"陈后主说："现在暂且出兵，如果北边战场无事，就用水军护从郊祀，又有什么不可？"施文庆又说："如果这样，消息传到邻国，隋朝便会认为我们弱小。"后来施文庆又贿赂尚书令江总，江总入宫为施文庆游说，陈后主很难不同意江总的意见，但又迫于众官的请求，于是下令交付外廷再仔细讨论。在讨论中江总又多方压制袁宪等人，所以讨论了很久都无法决定下来。

陈后主闲谈时对侍卫近臣说："帝王之气本在这个地方。齐军三次来犯，周军两次来犯，无不遭到挫败。现在隋军又能如何？"都官尚书孔范说："长江天堑，自古以来隔绝南北，今天敌军难道能飞渡过来吗？边镇将帅想立功劳，谎报边事紧急。我常常忧虑自己官职卑微，如果敌军能越过长江，我一定能成为太尉了。"有人谎报说隋军马匹死亡，孔范说："这是我的马，怎么还没渡江就死了呢？"陈后主大笑，认为孔范说得好，所以不严加防备，演奏乐舞、纵情饮酒、赋诗赠答，没有休止。

这一年，吐谷浑裨王拓跋木弥请求率所属部落一千余家降附隋朝。隋主说："普天之下，都是朕的臣民，朕抚育苍生黎民，都以仁孝为本。吐谷浑可汗夸吕昏乱猖狂，他的妻儿恐怖不安，都想归化本朝，以拯救自己免遭屠戮。但是背叛丈夫和父亲，不能接纳。不过他们的本意只是逃避死亡，现在如果拒绝，又显得不仁不义。若再传来要求降附的音讯，只应该加以慰勉安抚，听任他们自己率领所属部落前来归附，不须出兵接应。如果他的妹夫和外甥想来归附，也任随其意，不要进行劝诱。"

隋朝所封吐谷浑河南王移兹裒去世，隋主诏令他的弟弟树归继承王位，统领他的部众。

【段旨】

以上为第六段，写隋文帝大举伐陈，而陈朝君臣们仍浑然不寤，亡国之君，大抵如是。

【注释】

⑯辛巳：正月十一日。⑰皇子恮：陈后主第九子。传见《陈书》卷二十八、《北史》卷六十五。⑱恬：陈后主第十一子。传见《陈书》卷二十八、《南史》卷六十五。⑲周罗睺：字公布，九江寻阳（今湖北黄梅）人，历仕陈、隋，官至右武候大将军。传见《隋书》卷六十五、《北史》卷七十六。⑳峡州：州名，治所夷陵县，在今湖北宜昌东南。㉑甲戌：三月初五日。㉒戊寅：三月初九日。㉓手掌之地：言陈朝疆域如同手掌那么大。㉔壑：水沟；山谷。㉕阎闾：阎，里中门。闾，里门，此泛指民间。㉖弗已：不止。弗，不。㉗俾：使。㉘盛粉黛：谓后宫妃嫔盛多。粉黛，妇女化妆品，粉以傅面，黛以画眉，借喻美女。㉙干戈：兵器。干，盾牌。戈，长矛，此指代武器。㉚地孽：人间的灾祸。孽，灾害、妖祸。㉛衣冠：指士大夫。㉜钳口：闭口不说话。㉝道路以目：在道路上相逢，不敢交言，以目相视。形容国人慑于暴政，敢怒而不敢言。典出《国语·周语》。㉞鼠窃狗盗：比喻小窃小盗。㉟覆：遮盖；掩蔽。㊱朕臣：我的臣民。㊲伤恻：伤痛。㊳应机：适应时机。㊴诛殄：杀绝。殄，断绝、灭绝。㊵吴越：古代的吴国、越国，在今江浙一带，此指陈朝统治的江南之地。㊶玺书：古代用印章封记的文书。㊷纸：量词，一张称作一纸。㊸江外：江南。中原人称江南为江外。㊹太子胤：陈后主长子，后废为吴兴王。传见《陈书》卷二十八、《南史》卷六十五。㊺袁宪（公元五二九至五九八年）：字德章，祖籍陈郡阳夏（今河南太康），历仕梁、陈、隋三朝，官至尚书右仆射。传见《陈书》卷二十四、《南史》卷二十六。㊻沈后：吴兴（今浙江湖州）人，陈后主皇后。传见《陈书》卷七、《南史》卷十二。㊼始安王深：陈后主第四子，封始安王，后立为太子。传见《陈书》卷二十八、《南史》卷六十五。㊽厉色：严厉的面色。㊾折：指斥。㊿储副：君主之副，即皇太子，君位的继承者。(511)亿兆：言其极多。(512)宅心：内心所系。(513)五月庚子：五月己巳朔，无庚子。〖按〗《陈书·后主纪》庚子在六月，《南史》同。据此，"五月"当作"六月"。庚子，六月初三日。(514)志操：志向操守。(515)容止：形貌举动。(516)俨然：形容矜持庄重。俨，庄重。(517)喜愠：高兴与恼怒。愠，恼怒。(518)澹然：恬静，安定无事的样子。(519)忌怨：嫉妒、怨恨。(520)释典：佛经。(521)己亥：十月初三日。(522)己未：十月二十三日。(523)行省：即行台，是设在地方行使尚书省职权的机构。(524)寿春：县名，县治在今安徽寿县。(525)许善心（公元五五八至六一八年）：字务本，高阳北新城（今河北高阳）人，历仕陈、隋，官至礼部侍郎。曾撰《梁史》七十卷，已佚失。传见《隋书》卷五十八、《北史》卷八十三、《陈书》卷三

十四。㉖甲子：十月二十八日。㉗有事于太庙：谓出征前，前往太庙祭告祖宗。㉘六合：县名，隋以尉氏县改名，县治在今江苏六合。㉙刘仁恩：籍贯不详，仕隋，官至刑部尚书。传附《隋书·张煚传》《北史·张煚传》。㉚王世积：阐熙新国（今陕西靖边西）人，历仕周、隋，官至凉州总管。传见《隋书》卷四十、《北史》卷六十八、《周书》卷二十九。㉛蕲春：县名，蕲州治所，故址在今湖北蕲春东北。㉜庐州：州名，治所庐江县，在今安徽庐江。㉝青州：州名，治所益都县，在今山东青州。㉞东海：郡名，治所安流，在今江苏连云港东南。㉟巴、蜀：地区名，泛指今四川及重庆一带。㊱舟楫：船和桨。㊲亘：连接。㊳长史：官名，掌军事。㊴区处：分别处置、安排。㊵支度：计算、支出。㊶凝滞：拘泥；黏滞。形容办事不畅。㊷丁卯：十一月初二日。㊸乙亥：十一月初十日。㊹定城：地名，故址在今陕西华阴东。㊺丙子：十一月十一日。㊻“叔荣为新昌王”二句：叔荣，陈宣帝第三十三子，封新昌王。叔匡，陈宣帝第三十四子，封太原王。传见《陈书》卷二十八、《南史》卷六十五。㊼河东：郡名，治所蒲坂县，在今山西永济西南蒲州镇。㊽庚子：十二月初五日。㊾邻国：据岑仲勉《通鉴隋唐纪比事质疑》，此邻国系指波斯。㊿流矢：飞矢；乱箭。551雍虞闾：突厥人，继莫何之后立为可汗，号颉伽施多那都蓝可汗。事见《隋书·突厥传》。552郭璞：字景纯，河东闻喜人，晋术士。传见《晋书》卷七十二。553分王：分立称王。554中国：古代指中原地区。555周：满一周期。556拔：擢用；提拔。557任蛮奴：即任忠，小名蛮奴，汝阴（今安徽阜阳）人，历仕梁、陈，后降隋，终官开府仪同三司。传见《陈书》卷三十一、《南史》卷六十七。558巫峡：地名，在今重庆巫山东、湖北巴东西之间的长江两岸。559席卷：如席卷物，谓全部占领。560豁然：开朗的样子。561不意：不料；没有想到。562乃尔：犹言如此。563三峡：峡名，在重庆奉节至湖北宜昌之间的长江两岸。564青龙：船名，与黄龙相似，能载百余人的较大战舰。565狼尾滩：地名，故址在今湖北宜都境长江中。566险峭：险峻陡峭。峭，陡直。567患之：因地势险峻而忧虑。568衔枚：枚如筷子，横衔口中，以禁喧哗。古代夜间行军多用此法。569白沙：地名，陈将戚昕驻地，大致在狼尾滩附近。570迟明：将近黎明。迟，未。571秋毫不犯：不取民一点一滴。形容军纪严明。秋毫，鸟兽秋天新生的细毛。572舟舻被江：船只布满江面。舟舻，船。被江，覆盖江面。573旌甲：旌旗和盔甲。574清河公：杨素封为清河公。575镇戍：指镇戍之所。576抑而不言：扣压而不上奏。577远散其众：将其部众远远疏散。578吴兴郡：郡名，治所乌程县，在今浙江吴兴南下菰城。579襟带：此处用为管控之义。580南平王嶷：陈后主第二子陈嶷，封南平王。传见《陈书》卷二十八、《南史》卷六十五。581永嘉王彦：陈后主第三子，封永嘉王。传见《陈书》卷二十八、《南史》卷六十五。582元会：皇帝元旦朝见群臣叫元会，也叫正会。583湘州：州名，治所临湘县，在今湖南长沙。584晋熙王叔文：陈宣帝第十二子，封晋熙王，后降隋。传见《陈书》卷二十八、《南史》卷六十五。585自度：自己估计。586为用：为自己所用。587执事者：执行政事的人。犹言百官。588短长：是非；优劣。589樊毅

（？至公元五八九年）：字智烈，南阳湖阳（今河南唐河西南湖阳镇）人，历仕梁、陈，官至护军将军、荆州刺史。传见《陈书》卷三十、《南史》卷六十七。⑸⑼⑽京口：镇名，南徐州治所，在今江苏镇江。⑸⑼⑴采石：镇名，在今安徽当涂北采石。⑸⑼⑵金翅：船名。⑸⑼⑶述职：诸侯朝见天子称为述职。此以出守藩方为述职。⑸⑼⑷之任：赴任就职。之，往。任，职。⑸⑼⑸不假面陈：不须当面陈奏。⑸⑼⑹文启：成文的表启。⑸⑼⑺骤至：迅速到来。⑸⑼⑻殷勤奏请：情意恳切地将此事奏请陈后主。殷勤，情意恳切的样子。⑸⑼⑼逼：逼近；临近。⑹⑽⑽南郊之日：陈承梁制，以间岁正月上辛日祀天地于南、北二郊。按例，来年正月当行此礼。⑹⑽⑴废阙：因出兵御隋而无法祭祀天地，故此礼废而有所缺失。⑹⑽⑵货动江总：即行使贿赂，使江总出面相助。⑹⑽⑶游说：四处活动，劝说别人服从自己的观点或做法。⑹⑽⑷重违其意：很难不同意江总的意见。重，难。⑹⑽⑸付外：交付外廷百官。⑹⑽⑹齐兵三来：北齐曾三次出兵南下，一次是梁敬帝绍泰元年（公元五五五年），徐嗣徽、任约率齐兵袭建康，占据石头。太平元年（公元五五六年），齐军再次攻破采石，逼近建康。天嘉元年（公元五六〇年），齐将刘伯球等助王琳下芜湖。皆失败。⑹⑽⑺周师再来：天嘉元年，周将独孤整等攻入湘州，临海王光大元年（公元五六七年），宇文直等助华皎作战，皆败。⑹⑽⑻天堑：天然的堑坑。堑，壕沟。⑹⑽⑼古以为限隔南北：典出三国。魏文帝伐吴，见江涛汹涌，叹气说："固天所以限南北也。"⑹⑴⑽太尉公：官名，即太尉。晋宋以来，习称三公为太尉公、司徒公、司空公。⑹⑴⑴奏伎：演奏女乐。伎，女乐。⑹⑴⑵裨王：吐谷浑的小王之称。如同裨将。⑹⑴⑶惛狂：昏乱而猖狂。惛，神志不清。⑹⑴⑷怀怖：心里怀有恐惧之情。⑹⑴⑸归化：归顺、服从。⑹⑴⑹叛夫背父：背叛了丈夫和父亲。⑹⑴⑺妹夫及甥：史书不书主名。按文意当指拓跋木弥之妹夫与外甥。

【校记】

［26］隋：原作"隋主"。据章钰校，十二行本、乙十一行本、孔天胤本皆无"主"字，今据删。〖按〗《通鉴纪事本末》卷二五无"主"字。［27］险：原作"欲"。据章钰校，十二行本作"险"，今据改。〖按〗《隋书·高祖纪下》《通鉴纪事本末》卷二五皆作"险"。［28］斯：原作"期"。据章钰校，十二行本、乙十一行本、孔天胤本皆作"斯"，张敦仁《通鉴刊本识误》、张瑛《通鉴校勘记》同，今据改。［29］日：原无此字。据章钰校，十二行本、乙十一行本、孔天胤本皆有此字，今据补。〖按〗《陈书·袁宪传》《南史·袁湛传附袁宪传》皆有此字。［30］图：原作"经"。据章钰校，十二行本、乙十一行本、孔天胤本皆作"图"，今据改。〖按〗《陈书·后主沈皇后传》《南史·后妃下·后主沈皇后传》皆作"图"。［31］州：原作"江"。据章钰校，十二行本、乙十一行本、孔天胤本皆作"州"，张敦仁《通鉴刊本识误》同，今据改。〖按〗《通鉴纪事本末》卷二五、《通鉴纲目》卷三六上皆作"州"。［32］距：原作"拒"。据章钰校，十二行本、乙十一行本皆作"距"，张敦仁《通鉴刊本识误》同，今据改。〖按〗《通鉴纪事本末》卷

二五作“距”。[33]兵数千人：原无此四字。据章钰校，十二行本、乙十一行本、孔天胤本皆有此四字，张敦仁《通鉴刊本识误》同，今据补。〖按〗《隋书·杨素传》有此四字。[34]曰：原无此字。据章钰校，十二行本、乙十一行本、孔天胤本皆有此字，张敦仁《通鉴刊本识误》同，今据补。

【研析】

本卷所记公元五八四至五八八年五年事，反映的主要内容为隋朝统治者励精图治，政治稳定，经济发展，陈朝偏安江南，政乱朝危，经济凋敝，却妄自尊大，全国统一局面日益成熟。

隋朝按“离强合弱，远交近攻”策略，连续打击突厥沙钵略可汗所部，迫使其请求“和亲”，实际上臣服于隋。在沙钵略受到达头可汗等部进攻时，隋朝予以军事与经济支持，并允许其率部进驻漠南，靠近隋境，“立约，以碛为界”，以便加以保护，使其“永为藩附”。隋朝统治者之所以不对沙钵略采取彻底消灭的办法，是因为草原族群生生不息，不可能通过消灭一个部落的办法彻底解决游牧者与农耕者之间的冲突，扶持一个愿意亲近中原的势力，作为中原与草原之间的缓冲地带，借以影响草原其他部族的动向，这在汉代便有接纳南匈奴的成功历史经验。不过，作为头脑清醒的统治者，隋文帝并没为沙钵略可汗的降附而放松必要防范，“于朔方、灵武筑长城，东距河，西至绥州，绵历七百里”，又“于朔方以东，缘边险要，筑数十城”，防止突厥人的骚扰，以关中地区作为防御的重点。

关中地区为都城所在，不仅需要战略防御，经济上也必须有强大的保障。设置黎阳仓、常平仓、广通仓，“转相灌输。漕关东及汾、晋之粟以给长安”。而以绢布为主要内容的“诸州调物”，“每岁河南自潼关，河北自蒲坂，输长安者相属于路，昼夜不绝者数月”。虽然黄河中下游地区的粮食、财物可以水运，运输量大，且节省费用，但至三门峡附近，必须陆运入潼关，再利用渭河运至长安太仓。鉴于“渭水多沙，深浅不常，漕者苦之”，又命新开广通渠，“引渭水，自大兴城东至潼关三百余里”，取得“漕运通利”的效果。由于北方统一，长安依托的财源更为广阔，运输、仓储系统的改善，更使帝国新修的大兴城成为全国经济中心。长安已不再是西魏北周时期那样颇为寒酸的城市，这也是隋朝最终解决突厥问题的物质基础。

作为农业社会，一切财富都由农民生产出来，而切实掌控农户与人口，保证国家赋役来源，是古代政权维持自身强大的必要措施，隋朝亦不例外。“时民间多妄称老、小以免赋役，山东承北齐之弊政，户口租调，奸伪尤多”，于是推行了历史上被称为“大索貌阅”“输籍定样”的政策。“大索貌阅”，即严格清查户口，当面核实各家各户人口，观察其年龄、身体状况，以与户籍登记内容相吻合；“输籍定样”，即一定地区范围内，人口按时间全部集中于一处，严格按新制定的户籍样式，重新登记。

《隋书》卷二十四《食货志》称:“每年正月五日,县令巡人,各随便近,五党三党,共为一团,依样定户上下。”一般来说,民户要主动递交家内人口性别、年龄、相互关系以及田地等内容的文件,被称为“手实”,层层上报,县汇总于州,州呈报于尚书省民部。由于纸张的使用,行政效率大大提高,隋朝时代的中央政府,已不再像汉代那样,只要求地方政府每年汇报人口总数,而是可以直接掌握具体民户的相关档案,国家的控制力更为强大,“奸无所容”。公元五八五年这一次户口清查行动,“计账得新附一百六十四万余口”,而当时陈朝控制的全部户籍人口,只有二百万,两相比较,强弱之势,甚为清楚。

这里我们不得不对隋朝的土地制度作一点分析。隋朝沿用创始于北魏的“均田制”,唐代前期亦加采用。均田制的“均田”,体现的并不是平均分配土地,而是政策关于民户“应受田”(即应有耕地)相同的规定上。如北齐规定一夫一妇耕地一百二十亩、北周规定一户一百四十亩,隋按北齐制度实施,但这只是为空荒土地的分配定了一个规矩,民户能不能拥有这么多耕地,政府并不关心,也不可能解决。反映到户籍实态上,一个民户“应受田”可能是一百亩,而“实受田”(即实际上拥有的耕地)可能只有一二十亩。当然,人少地多的地方,民户的耕地自然就多些,反之亦然,任何时代的农业社会都是如此。“均田制”在假定民户拥有耕地差不多的前提下,规定每户应承担的田租与户调。因为民户的耕地实在是不均,所以“均田制”下,民户按财产状况分为“上上”至“下下”九等,即前引《食货志》所说“定户上下”。大体来说,一个县范围内,民户按户等分摊租调,富强多丁者税重,贫弱者税少乃至无税。而力役无论贫弱,概不能免责。严酷的力役不仅可能使民户生产难以正常进行,甚至有可能危及生命,对民户的影响最为严重,逃避徭役便成了民户摆脱国家户籍控制最大的驱动力,明乎此,我们才会理解后来隋炀帝滥用民力,何以造成民众的暴动与国家的崩溃。

如前一卷所说,隋文帝轻刑缓役,有助于民户正常生产。这一时期大型工程建设,也注意在短时间结束,如公元五八七年三月,“发丁男十万余人修长城,二旬而罢”,尽量避免对农业生产造成伤害。为了增加农户对于灾害的应对能力,公元五八五年五月,下令设置“义仓”,要求丰收年成,民户“家出粟麦一石以下,贫富为差,储之当社,委社司检校,以备凶年”,“社司检校”即由民间自己组织管理,而郡、县督促、监管。虽然“义仓”后来实际上成为官府控制的仓储,但其初衷毕竟为了维持社会的稳定。

公元五八六年,发生了梁士彦、宇文忻、刘昉等人因政治上失势试图举兵造反的阴谋,文帝妥善处置,除主谋被杀外,其“叔侄、兄弟免死除名”,未造成大的影响。

隋朝国力蒸蒸日上,突厥不再构成威胁,灭陈便提上了议事日程。本卷记录了大量陈后主昵近群小、耽于酒色、滥杀直臣以至于文武解体、众叛亲离的史实,目的是总结陈朝亡国的教训，陈朝二百万总人口的国家力量，无论如何也难以应对五十一万的灭陈隋军。灭陈之后，有人鼓动隋文帝封禅泰山，文帝答称："岂可命一将军除一小国，遐迩注意，便谓太平？"十六国以来南北分裂，有时南方政权甚至倡言北伐，主动进攻，所凭借的并不是英明的君主，而是北方的动荡与民族矛盾，当北方实现稳定的统一，隋朝以全面承袭汉魏传统自居之后，南方赖以与北方抗衡的条件便不复存在，一切都靠实力说话。而统一，在中国历史上，是可以让任何一个有作为的统治者都会魂牵梦萦的理想，隋文帝自不例外。

虽然按国力，灭掉"据手掌之地"的陈朝是情理中事，但隋朝方面仍做了多方面的工作。除了大张旗鼓的军事准备之外，值得关注的便是经济战与心理战。在江南收获季节，调动一支军队，作出进攻态势，迫使陈朝方面屯兵防守而废农时；南方地下潮湿，粮储不能像北方那样藏于地窖，而房舍多是竹子、茅草搭建，暗中派间谍"因风纵火，待彼修立，复更烧之"，如此这般连续几年，搞得陈朝"财力俱尽"。公开发布灭陈诏书，列数陈后主二十条罪状，复制三十万份，"遍谕江外"，对南方民众造成巨大心理压力。这与西晋灭吴之战比较，绝对是隋朝的创举，经济战瓦解了陈朝民众抵抗的意志，而心理战则将隋军打扮成救民于水火的解放者。长江天险、金陵王气，均已抵挡不住民族统一的历史潮流。

卷第一百七十七　隋[①]纪一

起屠维作噩（己酉，公元五八九年），尽重光大渊献（辛亥，公元五九一年），凡三年。

【题解】

本卷载述公元五八九至五九一年隋统一全国初始三年史事，当隋文帝开皇九年至十一年。本卷着重记述开皇九年隋灭陈的过程。开皇十年、十一年无大事。隋灭陈，以大吞小，隋文帝为英武之主，陈后主是昏庸信谗的亡国之主，以英武对昏庸，故隋灭陈如摧枯拉朽，陈旬月即亡。

【原文】

高祖文皇帝[②]上之上

开皇九年[③]（己酉，公元五八九年）

春，正月乙丑朔[④]，陈主朝会群臣，大雾四塞，入人鼻，皆辛酸，陈主昏睡，至晡时[⑤]乃寤。

是日，贺若弼自广陵引兵济江。先是弼以老马多买陈船而匿之，买弊船五六十艘，置于渎[⑥]内。陈人觇之，以为内国[⑦]无船。弼又请缘江防人每交代[⑧]之际，必集广陵，于是大列旗帜，营幕被野。陈人以为隋兵大至，急发兵为备，既知防人交代，其众复散。后以为常，不复设备。又使兵缘江时猎[⑨]，人马喧噪[⑩]。故弼之济江，陈人不觉。韩擒虎将五百人自横江[⑪]宵济采石[⑫]，守者皆醉，遂克之。晋王广帅大军屯六合镇[⑬]桃叶山[⑭]。

丙寅[⑮]，采石戍主徐子建驰启告变。丁卯[⑯]，召公卿入议军旅[⑰]。戊

【语译】

高祖文皇帝上之上

开皇九年（己酉，公元五八九年）

春，正月初一日乙丑，陈后主朝会群臣，四方大雾漫天，呼吸入鼻，全是辛酸气味，陈后主昏睡，直到晡时才醒。

这一天，隋朝大将贺若弼从广陵率军渡过长江。此前，贺若弼用老马买了很多陈朝的船藏匿起来，又买了五六十艘破船，摆放在入江的水道之中。陈朝人侦察到了，以为北方中原没有渡江的船。贺若弼又请求缘江戍守的人换防时，一定要集中在广陵，大肆张扬旗帜，营帐遍野。陈朝人以为隋兵大规模来到，急忙调兵防守，知道是隋军换防以后，集结的兵力又解散了。此后陈人以为这是隋军的常态，便不再防备。贺若弼又派兵沿江时常打猎，人马喧闹。所以贺若弼渡江，陈朝军人并没有发觉。韩擒虎带领五百人从横江浦夜渡采石，陈朝守军都喝醉了，于是防守据点被攻占。晋王杨广率领大军屯驻在六合镇桃叶山。

正月初二日丙寅，陈朝戍守采石的主将徐子建飞骑赴都城上表告急。初三日丁

辰⑱，陈主下诏曰："犬羊⑲陵纵，侵窃郊畿⑳，蜂虿㉑有毒，宜时扫定。朕当亲御六师㉒，廓清㉓八表㉔，内外并可戒严。"以骠骑将军萧摩诃、护军将军樊毅、中领军鲁广达并为都督，司空司马消难、湘州刺史施文庆并为大监军㉕，遣南豫州刺史樊猛㉖帅舟师出白下㉗，散骑常侍皋文奏将兵镇南豫州。重立赏格㉘，僧、尼、道士，尽令执役㉙。

庚午㉚，贺若弼攻拔京口，执南徐州刺史黄恪。弼军令严肃，秋毫不犯，有军士于民间酤酒㉛者，弼立斩之。所俘获六千余人，弼皆释之，给粮劳遣㉜，付以敕书，令分道宣谕㉝。于是所至风靡。

樊猛在建康㉞，其子巡摄行㉟南豫州事。辛未㊱，韩擒虎进攻姑孰㊲，半日拔之，执巡及其家口。皋文奏败还。江南父老素闻擒虎威信，来谒军门者昼夜不绝。

鲁广达之子世真㊳在新蔡㊴，与其弟世雄及所部降于擒虎，遣使致书招广达。广达时屯建康，自劾㊵，诣廷尉㊶请罪。陈主慰劳之，加赐黄金，遣还营。樊猛与左卫将军蒋元逊将青龙八十艘于白下游弈㊷，以御六合兵㊸，陈主以猛妻子在隋军，惧有异志，欲使镇东大将军任忠代之，令萧摩诃徐谕㊹猛，猛不悦，陈主重伤其意㊺而止。

于是贺若弼自北道㊻，韩擒虎自南道㊼并进，缘江诸戍，望风尽走。弼分兵断曲阿之冲㊽而入。陈主命司徒豫章王叔英屯朝堂，萧摩诃屯乐游苑，樊毅屯耆阇寺，鲁广达屯白土冈㊾，忠武将军孔范屯宝田寺。己卯㊿，任忠自吴兴[51]入赴，仍屯朱雀门[52]。

辛未[53]，贺若弼进据钟山[54]，顿白土冈之东。晋王广遣总管杜彦[55]与韩擒虎合军，步骑二万屯于新林。蕲州总管王世积以舟师出九江，破陈将纪瑱于蕲口，陈人大骇，降者相继。晋王广上状[56]，帝大悦，宴赐群臣。

时建康甲士尚十余万人，陈主素怯懦，不达[57]军事[1]，唯昼[2]夜啼泣，台内处分[58]，一以委施文庆。文庆既知诸将疾己，恐其有功，乃奏曰："此等[3]怏怏，素不伏官，迫此事机，那可专信？"由是诸将凡有启请，率皆不行。

贺若弼之攻京口也，萧摩诃请将兵逆战[59]，陈主不许。及弼至钟山，摩诃又曰："弼悬军深入，垒堑[60]未坚，出兵掩袭，可以必克。"

卯，陈后主召集公卿大臣进宫商议军事。初四日戊辰，陈后主下诏书说："犬羊敌军肆意凌逼，侵犯我朝都城郊区，犹如有毒的蜂虿，应及时消灭。朕要亲率六军，肃清八方，京城内外都要戒严。"于是任命骠骑将军萧摩诃、护军将军樊毅、中领军鲁广达都担任都督，任命司空司马消难、湘州刺史施文庆都担任大监军，并派遣南豫州刺史樊猛统率水军从白下出发，散骑常侍皋文奏率兵镇守南豫州。制定重赏规格，令僧侣、尼姑、道士全都服役。

正月初六日庚午，贺若弼攻占京口，俘虏陈朝南徐州刺史黄恪。贺若弼军纪严明，秋毫不犯，有士兵到百姓家买酒喝，贺若弼立即斩了他。被俘的陈朝军队六千余人，贺若弼全部释放了，还发放粮食，加以安慰，将他们遣返回家，并把隋文帝的敕书交给他们分别带往各地散发。所以，隋军所到之处望风披靡。

樊猛在建康，由他儿子樊巡代理南豫州政事。正月初七日辛未，韩擒虎进攻姑孰，半天时间就攻克了，活捉了樊巡及其家属。皋文奏败退而回。江南父老一直听说过韩擒虎的威名和诚信，前来军营拜谒的人日夜不断。

鲁广达的儿子鲁世真在新蔡，与其弟鲁世雄和他的部众投降了韩擒虎，派使者送信招降父亲鲁广达。鲁广达当时驻守建康，上表弹劾自己，前往廷尉府请求治罪。陈后主安慰他，赏赐很多黄金，派他返回军营。樊猛和左卫将军蒋元逊率领八十艘青龙战船在白下巡逻，防御六合方面的隋军；陈后主因为樊猛的妻子儿女全在隋军手中，害怕他有二心，想派镇东大将军任忠代替他，让萧摩诃慢慢劝谕樊猛，樊猛很不高兴，陈后主感到难以违背樊猛的心意，只好作罢。

这时贺若弼从建康北面的京口进军，韩擒虎从建康南面的姑孰同时进军，陈朝沿江各戍所望风而逃。贺若弼派兵切断曲阿交通要道，进逼建康。陈后主命司徒豫章王陈叔英驻守朝堂，萧摩诃驻守乐游苑，樊毅驻守耆阇寺，鲁广达驻守白土冈，忠武将军孔范驻守宝田寺。正月十五日己卯，任忠从吴兴赴援京师，仍然屯驻朱雀门。

辛未日，贺若弼率军占领钟山，驻军白土冈东面。晋王杨广派总管杜彦与韩擒虎会师，共有步兵、骑兵两万人屯驻新林。隋蕲州总管王世积率水军从九江出发，在蕲口打败陈将纪瑱，陈朝将士大为惊骇，接连向隋军投降。晋王杨广上表奏报战况，文帝大为高兴，赐宴群臣。

当时在建康的陈朝军队还有十余万人，陈后主向来懦弱，不懂军事，只是昼夜啼泣，朝廷内所有事务的处理，全部交给了施文庆。施文庆已经知道众将领痛恨自己，怕他们建立战功，便上奏说："这些人心怀不满，一向不诚心服从陛下，临近此危急关头，怎能完全相信他们？"因此众将领的所有启奏请求，都得不到批准。

贺若弼攻打京口时，萧摩诃请求领兵迎战，陈后主不同意。等到贺若弼到达钟山，萧摩诃又说："贺若弼孤军深入，营垒战壕还没有修筑坚固，我们出兵突袭，一

又不许。陈主召摩诃、任忠等[4]于内殿议军事，忠曰："兵法：客㉑贵速战，主㉒贵持重。今国家足食足兵[5]，宜固守台城，缘淮立栅，北军㉓虽来，勿与交战。分兵断江路，无令彼信得通。给臣精兵一万，金翅㉔三百艘，下江径掩六合，彼大军必谓其渡江将士已被俘获，自然挫气㉕。淮南土人㉖与臣旧相知悉，今闻臣往，必皆景从㉗。臣复扬声㉘欲往徐州，断彼归路，则诸军不击自去。待春水既涨，上江㉙周罗睺等众军必沿流赴援。此良策也。"陈主不能从。明日，欻然㉚曰："兵久不决，令人腹烦㉛，可呼萧郎㉜一出击之。"任忠叩头苦请勿战。孔范又奏："请作一决，当为官勒石燕然㉝。"陈主从之，谓摩诃曰："公可为我一决！"摩诃曰："从来行陈㉞，为国为身，今日之事，兼为妻子。"陈主多出金帛赋㉟诸军以充赏。甲申㊱，使鲁广达陈于白土冈，居诸军之南，任忠次之，樊毅、孔范又次之，萧摩诃军最在北。诸军南北亘㊲二十里，首尾进退不相知。

贺若弼将轻骑登山，望见众军，因驰下，与所部七总管杨牙、员明㊳等甲士凡八千，勒陈㊴以待之。陈主通㊵于萧摩诃之妻，故摩诃初无战意。唯鲁广达以其徒力战，与弼相当。隋师退走者数四，弼麾下死者二百七十三人，弼纵烟㊶以自隐，窘而复振。陈兵得人头，皆走献陈主求赏。弼知其骄惰，更引兵趣孔范，范兵暂交即走，陈诸军顾之㊷，骑卒乱溃，不可复止，死者五千人。员明擒萧摩诃送于弼，弼命牵斩之，摩诃颜色自若，乃[6]释而礼之。

任忠驰入台，见陈主，言败状，曰："官㊸好住，臣无所用力矣！"陈主与之金两縢㊹，使募人出战，忠曰："陛下唯当具舟楫，就上流众军㊺，臣以死奉卫㊻。"陈主信之，敕忠出部分，令宫人装束以待之，怪其久不至。时韩擒虎自新林进军，忠已帅数骑迎降于石子冈㊼。领军蔡徵守朱雀航㊽，闻擒虎将至，众惧而溃。忠引擒虎军直入朱雀门，陈人欲战，忠挥之曰："老夫尚降，诸军㊾何事？"众皆散走。于是城内文武百司㊿皆遁出[7]，唯尚书仆射袁宪在殿中，尚书令江总等数人居省中。陈主谓袁宪曰："我从来接遇(91)卿不胜余人，今日但以追愧(92)。非唯朕无德，亦是江东衣冠道尽(93)。"

定可以取胜。”陈后主还是没有同意。陈后主召来萧摩诃、任忠等人在内殿商议军事，任忠说：“兵法上说：进攻的一方重在速战速决，被进攻的一方贵在稳重。现在我们足食足兵，应该固守宫城，沿秦淮河建立栅栏，隋军即使来攻，我们不与他们交战。同时派兵截断长江水路，不让敌人音讯相通。陛下给我一万精兵、三百艘金翅战船，顺江而下，直取六合镇，隋国大军必定会认为他们渡过长江的将士已经被俘，士气自会受挫。淮南当地百姓从前就与臣熟悉，现在得知是臣率军前去，一定紧相追随。臣再扬言要去攻打徐州，截断敌人归路，那么各路隋军就会不战自退。等到春天江河水涨，上游周罗睺等各路军队必然顺流而下前来救援。这是良策。”陈后主不能听从。第二天，陈后主忽然说：“两军相持长期不决战，令人心烦，可叫萧郎出兵攻击。”任忠磕头苦苦请求不要出战。孔范又上奏说：“请求与隋军一决胜负，我将为陛下在燕然山刻石纪功。”陈后主听从了孔范的意见，对萧摩诃说：“你可为我决此一战！”萧摩诃说：“向来打仗是为国为己，今天决战，还要为妻子儿女。”陈后主拿出许多金银丝帛，分发给各军作奖赏。正月二十日甲申，派鲁广达在白土冈布阵，地理位置在各军的最南边，在他的北边是任忠，再往北是樊毅、孔范，萧摩诃军队的位置在最北边。各军阵列南北绵延二十里，前后进退互不知晓。

贺若弼率领轻骑兵登上山头，望见陈朝各军，立即疾驰下山，与所部七位总管杨牙、员明等领兵八千人摆开阵列准备迎战。陈后主和萧摩诃的妻子有私情，因此萧摩诃原本无心作战。只有鲁广达率领部下拼死战斗，与贺若弼的军队旗鼓相当。隋军一再后退，贺若弼部下战死的有二百七十三人，贺若弼在军中燃起浓烟隐蔽自己，从险境中又振作起来。陈朝士兵斩得隋军人头，都跑去献给陈后主请求奖赏。贺若弼知道陈军骄惰，转而率军奔赴孔范，孔范的士兵与隋军刚一交战就败退，陈朝其他的军队看见了，骑兵步卒纷纷溃散，无法阻止，死了五千人。员明擒获了萧摩诃送交贺若弼，贺若弼命令拉出去斩首，萧摩诃脸色自如，贺若弼于是给他松绑并以礼相待。

任忠快马跑进台城，谒见陈后主，讲述战败情况，他说：“陛下好好保重，臣无能为力了！”陈后主给他两袋金子，要他招兵出战，任忠说：“陛下只应该备船，到上游周罗睺等人的军队中，臣当拼死保驾。”陈后主信以为真，命令他出外安排，让宫女收拾行装等待。陈后主责怪任忠很久不来。当时韩擒虎从新林进军，任忠已经率领数名骑兵到石子冈向他投降了。领军将军蔡徵率军防守朱雀航，听说韩擒虎快到了，部众恐慌一哄而散。任忠引导韩擒虎的军队直接进入朱雀门，陈朝守军还想抵抗，任忠对他们招手说：“老夫我尚且投降了，你们还抵抗什么？”陈军全都逃散。这时台城内文武百官都已逃出台城，只有尚书仆射袁宪在殿内，尚书令江总等人在尚书省中。陈后主对袁宪说：“我以前对待你不如对别人好，今日却只能追悔惭愧而已。不只是朕无德，也是江东士大夫的气节全都丧失完了。”

陈主遑遽[94]，将避匿，宪正色曰："北兵之入，必无所犯。大事如此，陛下去欲安之？臣愿陛下正衣冠，御正殿，依梁武帝见侯景故事[95]。"陈主不从，下榻驰去，曰："锋刃之下，未可交当[96]，吾自有计。"从宫人十余出后堂景阳殿，将自投于井，宪苦谏，不从。后阁舍人[97]夏侯公韵以身蔽井，陈主与争，久之，乃得入。既而军人窥井，呼之，不应，欲下石，乃闻叫声，以绳引之，惊其太重，及出，乃与张贵妃、孔贵嫔同束而上。沈后居处如常。太子深[98]年十五，闭阁而坐，舍人孔伯鱼侍侧，军士叩阁而入，深安坐，劳之曰："戎旅在涂，不至劳也！"军士咸致敬焉。时陈人宗室王侯在建康者百余人，陈主恐其为变，皆召入，令屯朝堂，使豫章王叔英总督之，又阴为之备，及台城失守，相帅出降。

贺若弼乘胜至乐游苑，鲁广达犹督余兵苦战不息，所杀获数百人。会日暮，乃解甲，面台[99]再拜恸哭，谓众曰："我身不能救国，负罪深矣！"士卒皆涕泣[8]歔欷，遂就擒。诸门卫皆走，弼夜烧北掖门入，闻韩擒虎已得陈叔宝，呼视之，叔宝惶惧，流汗股栗，向弼再拜。弼谓之曰："小国之君当大国之卿[100]，拜乃礼也。入朝不失作归命侯[101]，无劳恐惧。"既而耻功在韩擒虎后，与擒虎相诟[102]，挺刃而出。欲令蔡徵为叔宝作降笺，命乘骡车归己，事不果。弼置叔宝于德教殿，以兵卫守。

高颎先入建康，颎子德弘为晋王广记室[103]，广使德弘驰诣颎所，令留张丽华[104]，颎曰："昔太公蒙面以斩妲己[105]，今岂可留丽华？"乃斩之于青溪。德弘还报，广变色曰："昔人云'无德不报'，我必有以报高公[106]矣！"由是恨颎。

丙戌[107]，晋王广入建康，以施文庆受委[108]不忠，曲为谄佞以蔽耳目[109]，沈客卿重赋厚敛以悦其上[110]，与太市令阳慧朗、刑法监[111]徐析、尚书都令史暨慧皆为民害，斩于石阙下，以谢三吴。使高颎与元帅府记室裴矩[112]收图籍，封府库，资财一无所取，天下皆称广，以为贤。矩，让之之弟子也。

广以贺若弼先期[113]决战，违军令，收以属吏[114]。上驿召之，诏广

陈后主惶恐不安，想躲藏起来，袁宪严肃地说：“北兵进入皇宫，一定不会侵侮陛下。大事已经如此，陛下还能躲到哪里去？臣希望陛下整理衣冠，端坐正殿，效法以前梁武帝见侯景的做法。”陈后主不听从，下了座榻飞驰而去，说道：“刀锋之下，不能与它对抗，我自有计策。”带领十几个宫人逃出后堂景阳殿，将自投于井，袁宪苦苦谏阻，后主不听。后阁舍人夏侯公韵用自己的身体遮蔽井口，陈后主和他争夺，好长时间，才跳进井里。不久隋军士兵向井里窥探，呼叫后主，没有人答应，打算投下石头，才听到井里的喊叫声，用绳子将人往上拉，奇怪的是非常沉重，等拉出井口，才看见是陈后主与张贵妃、孔贵嫔三人拴在一起被拉上来。沈皇后还住皇后宫中，跟平常一样。皇太子陈深十五岁，闭门而坐，太子舍人孔伯鱼在旁侍立，隋军士兵敲门进去，陈深端坐不动，慰问他们说：“一路行军打仗，很辛苦了吧！”隋兵都纷纷向他表示敬意。当时陈朝在建康的宗室王侯有一百多人，陈后主担心他们发生变乱，就全召进宫中，让他们驻留在朝堂中，派豫章王陈叔英统领，又私下加以防备。台城失守后，他们相率出降。

贺若弼乘胜抵达乐游苑，陈朝都督鲁广达还在督率残部苦战不停，杀死、俘获隋军数百人。当时天色已晚，鲁广达才卸下盔甲，面向台城磕头痛哭，对部下说：“我不能救国，背负的罪责重大啊！”部下也都流泪叹息，于是被俘。台城所有宫门卫队都已逃散，贺若弼夜晚烧毁北掖门进入皇宫，听说韩擒虎已经抓到陈叔宝，就喊来看看，陈叔宝惊惶恐惧，冷汗直流，浑身发抖，向贺若弼拜了又拜。贺若弼对陈后主说：“小国的君王，只相当于大国的公卿，向我叩拜是礼节。你到了隋朝少不了封一个归命侯，不必害怕。”后来贺若弼因耻于功劳在韩擒虎之后，便和韩擒虎相骂，拔刀而出。他想命令蔡徵替陈叔宝撰写投降书，让陈叔宝乘坐骡车投降自己，但事情没有办成。贺若弼把陈叔宝安置在德教殿，派兵看守。

高颎比晋王杨广先进入建康，高颎的儿子高德弘是晋王杨广的记室参军，杨广派高德弘驰马急奔到高颎住处，传令留下陈叔宝宠妃张丽华，高颎说：“从前姜太公蒙面斩了妲己，如今怎可留下张丽华？”于是在青溪斩了张丽华。高德弘回去报告，杨广脸色大变，说：“古人说‘恩德没有不报答的’，我一定有回报高公的办法。”从此痛恨高颎。

正月二十二日丙戌，晋王杨广进入建康，认为施文庆接受委命没有尽忠，极尽谄谀邪佞之能事，蒙蔽天子的视听；沈客卿重赋厚敛以取悦皇上，与太市令阳慧朗、刑法监徐析、尚书都令史暨慧景等人皆为民害，把他们在石阙下斩首，以此向三吴地区人民谢罪。杨广派遣高颎和元帅府记室裴矩一起搜集档案图书，封存国库，钱财分文不取，天下的人都称赞杨广，认为他贤明。裴矩是裴让之的侄儿。

杨广因贺若弼提前决战，违犯了军令，逮捕贺若弼交付军法审判。隋文帝派驿

曰：“平定江表⑮，弼与韩擒虎之力也。”赐物万段。又赐弼与擒虎诏，美其功。

开府仪同三司王颁，僧辩之子也[9]。夜发陈高祖陵⑯，焚骨取灰，投水而饮之。既而自缚，归罪于晋王广。广以闻，上命赦之。诏陈高祖、世祖、高宗陵，总给五户分守之⑰。

上遣使以陈亡告许善心，善心衰服号哭于西阶⑱之下，藉草⑲东向坐三日，敕书唁焉⑳。明日，有诏就馆㉑，拜通直散骑常侍，赐衣一袭㉒。善心哭尽哀，入房改服㉓，复出，北面立，垂泣㉔再拜受诏。明日乃朝，伏泣于殿下，悲不能兴㉕。上顾左右曰：“我平陈国，唯获此人。既能怀其旧君，即我之诚臣也。”敕以本官直㉖门下省。

陈水军都督周罗睺与郢州刺史荀法尚守江夏，秦王俊督三十总管水陆十余万屯汉口㉗，不得进，相持逾月。陈荆州刺史陈慧纪㉘遣南康内史吕忠肃屯岐亭㉙，据巫峡㉚，于北岸凿岩，缀铁锁三条，横截上流以遏隋船，忠肃竭其私财以充军用。杨素、刘仁恩奋兵击之，四十余战，忠肃守险力争，隋兵死者五千余人，陈人尽取其鼻以求功赏。既而隋师屡捷，获陈之士卒，三纵之。忠肃弃栅而遁，素徐去其锁。忠肃复据荆门之延洲，素遣巴蜑㉛千人，乘五牙㉜四艘，以拍竿碎其十余舰，遂大破之，俘甲士二千余人，忠肃仅以身免。陈信州刺史顾觉屯安蜀城㉝，弃城走。陈慧纪屯公安，悉烧其储蓄，引兵东下，于是巴陵㉞以东无复城守者。陈慧纪帅将士三万人，楼船㉟千余艘，沿江而下，欲入援建康，为秦王俊军[10]所拒，不得前。是时，陈晋熙王叔文罢湘州㊱，还，至巴州，慧纪推叔文为盟主㊲。而叔文已帅巴州刺史毕宝等致书请降于俊，俊遣使迎劳之。会建康平，晋王广命陈叔宝手书招上江诸将，使樊毅诣周罗睺，陈慧纪子正业诣慧纪谕指㊳。时诸城皆解甲，罗睺乃与诸将大临㊴三日，放兵散，然后诣俊降，陈慧纪亦降，上江皆平。杨素下至汉口，与俊会。王世积在蕲口，闻陈已亡，移书[11]告谕江南诸郡，于是江州司马黄偲㊵弃城走，豫章等[12]诸郡太守皆诣世积降。

癸巳㊶，诏遣使者巡抚㊷陈州郡。二月乙未㊸，废淮南行台省㊹。

使召贺若弼入朝，下诏给杨广说：“平定江南，是贺若弼与韩擒虎的功劳。”下令赏赐贺若弼布帛一万段。又赐贺若弼与韩擒虎诏书，称美他们的功劳。

开府仪同三司王颁是王僧辩的儿子。他趁夜掘开陈高祖陵墓，焚烧陈高祖的骨头，取出骨灰，掺到水中喝了，然后把自己绑起来，向晋王杨广请罪。杨广把此事奏报皇上，隋文帝命令赦免他。下诏书总共安排五户人家守护陈高祖、陈世祖、陈高宗三座坟陵。

隋文帝派使者把陈灭亡的消息告诉陈朝使臣许善心，许善心身穿丧服在西阶之下号哭，在地上铺上干草面朝东方独坐了三天，隋文帝下敕书慰问他。第二天，诏命许善心到客馆，拜授通直散骑常侍，赐朝服一套。许善心大哭，极尽哀伤，然后进入房里脱掉丧服，改穿所赐朝服，出来后朝北站立，流着眼泪再拜，接受诏命。第二天上朝，又趴在殿下哭泣，极度悲哀，无法起立。隋文帝顾视身边的人说：“我平定陈国，只得到这个人。他既然能怀念旧日的国君，就一定会是我的忠臣。”敕令他以通直散骑常侍值事门下省。

陈朝水军都督周罗睺和郢州刺史荀法尚据守江夏，秦王杨俊督率三十名总管水陆大军十多万人屯驻汉口，不能前进，相持了一个多月。陈朝荆州刺史陈慧纪派南康内史吕忠肃驻兵岐亭，扼守江峡，在北岸岩石上凿洞，连接三条铁链，横江拦阻上游隋军船舰，吕忠肃竭尽个人财物以补充军用。杨素、刘仁恩率兵奋力攻击，四十多次交战，吕忠肃据险奋战，隋军士兵战死的有五千多人，陈军将士把他们的鼻子都割下来去邀功请赏。不久隋军屡战屡捷，俘获陈军士兵，一再释放。吕忠肃放弃营栅逃走，杨素慢慢拆除锁链。吕忠肃又占据荆门的延洲，杨素派遣一千名巴蜑人，乘坐四艘五牙战舰，用拍竿击破陈军十余艘战舰，于是大败陈军，俘虏披甲士卒两千多人，吕忠肃只身逃走。陈朝信州刺史顾觉屯驻安蜀城，弃城逃走。陈慧纪屯驻公安，烧掉全部物资储备，率兵东下，于是巴陵以东再没有据城而守的陈军。陈慧纪率领将士三万人，楼船一千余艘，顺江而下，想入援建康，但被秦王杨俊的军队阻截，不能前进。这时，陈朝晋熙王陈叔文被罢免湘州刺史之职，返回建康，抵达巴州，陈慧纪推举陈叔文为盟主。但是陈叔文已经率领巴州刺史毕宝等人向杨俊递交了请降书，杨俊派遣使者迎接慰劳他们。适逢建康平定，晋王杨广让陈叔宝亲笔写信招降上游诸将，派樊毅前往周罗睺处，陈慧纪之子陈正业到陈慧纪处传达陈叔宝的意旨。当时各城都放下武器，周罗睺便和众将一起痛哭了三天，解散军队，然后到杨俊处投降，陈慧纪也投降了，上游全部平定。杨素顺江而下到达汉口，与杨俊会师。王世积在蕲口，听说陈朝已经灭亡，就写信告谕江南各郡，于是江州司马黄偲弃城逃走，豫章等各郡太守都到王世积处投降。

正月二十九日癸巳，隋文帝下诏派使臣巡视安抚原陈朝各州郡。二月初一日乙未，撤销淮南行台省。

【段旨】

以上为第一段，写隋文帝灭陈，破金陵，消灭陈朝主力军队的战斗过程。

【注释】

①隋：隋朝国号。初杨忠以功封随国公，子坚袭爵受周禅，遂以随为国号。因恶随字带辵，辵训为走，故去辵为隋。②高祖文皇帝：隋朝开国皇帝杨坚，公元五八一至六〇四年在位。③开皇九年：隋文帝于陈宣帝太建十三年（公元五八一年）受周禅，至此年平陈，统一天下，《资治通鉴》记事始以开皇系年。④乙丑朔：正月初一日。⑤晡时：古人进餐习惯，吃第二顿饭是在晡时。即每天下午三至五时。古时“晡”与“铺”相通。⑥渎：沟渠；水道。⑦内国：即中国。隋避杨忠讳，改中作内。⑧交代：换防。⑨时猎：经常打猎。时，时常。⑩喧噪：大声喧闹。⑪横江：津渡名，即横江浦，在今安徽和县东南长江北岸。⑫采石：地名，即采石矶，在今安徽当涂北采石矶。⑬六合镇：地名，在今江苏南京市六合区。⑭桃叶山：地名，在今江苏南京市六合区南。⑮丙寅：正月初二日。⑯丁卯：正月初三日。⑰军旅：军事；战争。⑱戊辰：正月初四日。⑲犬羊：是陈后主对隋军的蔑称。⑳郊畿：指陈都城地区。古代称距都城百里为郊，天子所直辖之地为畿。㉑蜂虿：蜂与蝎，毒虫的泛称。㉒六师：即六军。周制，天子有六军，后作为全国军队的统称。㉓廓清：肃清；澄清。㉔八表：八方之外，指极远的地方。㉕大监军：官名，掌监察军事。㉖樊猛：字智烈，南阳湖阳（今河南唐河西南湖阳镇）人。仕陈，官至南豫州刺史，后降隋。传附《陈书·樊毅传》《南史·樊毅传》。㉗白下：地名，在今江苏南京北。㉘赏格：悬赏所定的等级、标准。㉙执役：服役。㉚庚午：正月初六日。㉛酤酒：买酒。酤，买。㉜劳遣：安慰而遣送。㉝宣谕：宣传、告诉。谕，同“喻”。㉞建康：陈朝都城，在今江苏南京。㉟摄行：代理。此指樊巡代替其父处理南豫州军政之事。㊱辛未：正月初七日。㊲姑孰：南豫州治所，在今安徽当涂境。㊳世真：鲁广达长子。事附《陈书·鲁广达传》《南史·鲁广达传》。㊴新蔡：郡名，治所苞信县，在今河南息县东北包信镇。㊵自劾：自己弹劾自己的罪行。㊶廷尉：官名，古代九卿之一，掌刑法。㊷游弈：来回巡逻。㊸六合兵：指隋军。此时晋王杨广率大军驻扎于六合镇桃叶山。㊹徐谕：慢慢地告诉。㊺重伤其意：难以伤害樊猛的心意。重，难的意思。㊻北道：指从京口进军。京口在建康偏北，故称北道。㊼南道：指从姑孰进军。姑孰在建康偏南，故称南道。㊽断曲阿之冲：曲阿，本指云阳，秦朝时，传说此地有天子气，凿北冈以败其势，截直使阿曲，因名曲阿县。在今江苏丹阳。贺若弼为阻止三吴之兵援救建康，故分兵断其要冲。㊾白土冈：地名，在今江苏南京东。㊿己卯：正月十五日。51吴兴：郡名，治所乌程县，在今浙江湖州市吴兴区南下菰城遗址。52朱雀门：城门名，一名大航门，建康城南面城门。53辛未：前已有辛未，此恐误。〖按〗《陈书》

卷八《后主纪》作“辛巳，贺若弼进据钟山”，《南史》同。据此，“未”当改为“巳”。辛巳，正月十七日。㊺钟山：山名，即紫金山，在今江苏南京东。㊻杜彦（公元五四二至六〇一年）：云中（今内蒙古和林格尔西北土城子）人，历仕周、隋，官至云州总管。传见《隋书》卷五十五、《北史》卷七十三。㊼上状：把伐陈的进军情状上奏隋文帝。状，文体的一种，向上级陈述事实的文书。㊽达：通达；通晓。㊾台内处分：朝廷政事的处理安排。台，晋、宋时称朝廷禁省为台。㊿逆战：迎战；迎击敌军。(60)垒堑：军营的围墙和护营的壕沟。(61)客：指进攻的一方。(62)主：指被进攻的一方。(63)北军：指隋军。隋军自北方而来，故称北军。(64)金翅：战舰名。(65)挫气：挫伤锐气。(66)土人：土著人；当地人。(67)景从：紧相追随，如影随形。景，“影”本字。(68)扬声：声言；宣称。(69)上江：长江上游。(70)欻然：忽然；迅疾的样子。(71)腹烦：心中烦恼。腹，心中。(72)萧郎：指萧摩诃。(73)勒石燕然：东汉窦宪曾出击匈奴，取得胜利，在燕然山立碑，以纪其功。事详《后汉书·窦宪传》。勒石，刻文于石。燕然，山名，即今蒙古国杭爱山。(74)行陈：军队行列。此指出军打仗。陈，通“阵”。(75)赋：给予；分给。(76)甲申：正月二十日。(77)亘：连绵。(78)员明：隋将，官至开府。事附《隋书·贺若弼传》。员，姓。(79)勒陈：统兵列阵。陈，通“阵”。(80)通：私通；通奸。(81)纵烟：放火生烟。(82)顾之：看见孔范军队败走。(83)官：对陈后主的称呼。(84)縢：用绳子捆扎起来的物品。(85)就上流众军：谓乘船到长江上游周罗睺等的军队中去。(86)奉卫：侍卫。奉，对陈后主的敬辞。(87)石子冈：地名，在今江苏南京西南。(88)朱雀航：东晋、南朝时建康正南朱雀门外的古浮桥，以船舶连接而成。战时有警，则撤航为备。故址在今江苏南京镇淮桥东。航，舟船相连。(89)军：胡三省注，“或作‘君’”。(90)百司：百官。(91)接遇：对待。(92)追愧：回忆往事，表示惭愧。(93)江东衣冠道尽：指陈朝运数已尽。衣冠，指士大夫。(94)遑遽：惶恐不安。(95)依梁武帝见侯景故事：太清三年（公元五四九年），侯景之乱，乱军已攻入台城，梁武帝安坐殿上不动，侯景入殿，梁武帝又神色不变。详见本书卷一百六十二《梁纪》十八武帝太清三年。(96)交当：抵挡。当，通“挡”。(97)后阁舍人：官名，殿中舍人，主守后阁。(98)太子深：即陈后主第四子陈深。先封始安王，后立为太子。传见《陈书》卷二十八、《南史》卷六十五。(99)面台：面向台城。(100)小国之君当大国之卿：谓小国的君主与大国之卿的地位相当。(101)归命侯：爵位名。三国末，晋武帝灭东吴，吴主孙皓投降，封为归命侯。归命，归顺之意。(102)相诟：互相对骂。(103)记室：官名，即记室参军，掌章表书记文檄。(104)张丽华：即陈后主的张贵妃。(105)太公蒙面以斩妲己：太公，即姜尚，周初政治家。妲己，有苏氏美女，商纣王宠妃。周武王灭商，被杀。(106)报高公：高颎违背了晋王旨意，杀死了张贵妃，晋王广因此怀恨在心，发誓要报复他。高公，指高颎。(107)丙戌：正月二十二日。(108)受委：接受委任。指施文庆接受陈后主以台内处分相委付之事。(109)以蔽耳目：指遮蔽君主耳目，使君主不能了解下情。(110)以悦其上：以取悦、讨好其主子。(111)刑法监：官名，掌管刑法。(112)裴矩（公元五四八至六二七年）：本名裴世矩，唐人因避李世民讳而省。字弘大，河东闻喜（今山西闻喜）人，历仕北齐、北周、隋与唐，官至太子詹事、兼检校侍中，著《开业平陈记》十二卷。传见《隋书》卷六十七、《北史》卷三十八、《新唐书》卷一百、《旧唐书》卷六十三。⑪3 先期：谓决战日期提前，没按规定日期行事。⑪4 收以属吏：谓将贺若弼收押，交给主管官吏处理。⑪5 江表：指长江以南地区。从中原看，地在长江之外，故称江表。⑪6 发陈高祖陵：挖掘陈高祖的坟墓。高祖，指武帝陈霸先。曾杀王颁之父僧辩，故颁为他报仇。⑪7 分守之：由五户分别守护陈高祖、世祖、高宗三陵。⑪8 西阶：宾客所在处之阶。⑪9 藉草：坐在草荐上。此系丧礼。因陈亡，故许善心行丧礼，表示痛悼。⑫0 敕书唁焉：发敕书对许善心表示安慰。唁，慰问遇有丧事的人。⑫1 就馆：回到客馆。去年许善心聘隋，被留于客馆。⑫2 袭：衣服一套称袭。⑫3 改服：谓脱下丧服，换上赐服。⑫4 垂泣：无声而出涕。⑫5 兴：起来。⑫6 直：当值；值勤。⑫7 汉口：地名，汉水入长江之口，又称沔口。在今湖北武汉。⑫8 陈慧纪：字符方，陈高祖之从孙，官至荆州刺史。传见《陈书》卷十五、《南史》卷六十五。⑫9 岐亭：地名，故址在今湖北宜昌西北长江西陵峡口。⑬0 巫峡：指杨素水军于去年冬已过夷陵狼尾滩，在巫峡东。当从《隋书·杨素传》，巫峡作“江峡”。⑬1 巴蜑：古代南方民族之一，居今湖北巴东一带，习水性。⑬2 五牙：大舰名，上起楼五层，容纳战士八百人。⑬3 安蜀城：地名，故址在今湖北宜昌西北长江西陵峡口。⑬4 巴陵：巴州治所，在今湖南岳阳。⑬5 楼船：有叠层的大船，多作为战船。⑬6 湘州：州名，治所新化县，在今湖北大悟东北。⑬7 盟主：同盟的领袖。晋熙王叔文是陈后主之弟，陈慧纪欲联合陈宗室及陈将抗隋，故推他为领袖。⑬8 谕指：告知旨意。指，通“旨”。⑬9 大临：哭吊。因陈朝灭亡而痛哭哀悼。⑭0 黄偲：人名，陈朝江州司马。⑭1 癸巳：正月二十九日。⑭2 巡抚：巡视、安抚。⑭3 乙未：二月初一日。⑭4 废淮南行台省：祯明二年（公元五八八年）十月，隋文帝为消灭陈朝，于寿春置淮南行省，以晋王杨广为尚书令。今陈已亡，故废。

【原文】

苏威奏请五百家置乡正[145]，使治民，简辞讼[146]。李德林以为：“本废乡官[147]判事[148]，为其里闾[149]亲识，剖断[150]不平，今令乡正专治五百家，恐为害更甚。且要荒[151]小县，有不至五百家者，岂可使两县共管一乡？”帝不听。丙申[152]，制：“五百家为乡，置乡正一人；百家为里，置里长[153]一人。”

陈吴州刺史萧瓛能得物情[154]，陈亡，吴人推瓛为主，右卫大将军武川宇文述[155]帅行军总管元契、张默言等讨之。落丛公燕荣[156]以舟师自

【校记】

[1]事：原作“士”。据章钰校，乙十一行本、孔天胤本皆作“事”，张敦仁《通鉴刊本识误》、张瑛《通鉴校勘记》同，今据改。[2]昼：原作“日”。据章钰校，甲十一行本、乙十一行本皆作“昼”，今据改。〖按〗《南史·恩幸·施文庆传》作“昼”。[3]等：原作“辈”。据章钰校，甲十一行本、乙十一行本、孔天胤本皆作“等”，今据改。〖按〗《南史·恩幸·施文庆传》作“等”。[4]等：原无此字。据章钰校，甲十一行本、乙十一行本、孔天胤本皆有此字，今据补。[5]足食足兵：原作“足兵足食”。据章钰校，甲十一行本、乙十一行本、孔天胤本皆作“足食足兵”，今据改。〖按〗《南史·任忠传》作“足食足兵”。[6]乃：“乃”上原有“弼”字。据章钰校，甲十一行本、乙十一行本皆无“弼”字，今据删。〖按〗《通鉴纪事本末》卷二五无“弼”字。[7]出：原无此字。据章钰校，甲十一行本、乙十一行本皆有此字，张敦仁《通鉴刊本识误》同，今据补。[8]涕泣：原作“流涕”。据章钰校，甲十一行本、乙十一行本、孔天胤本皆作“涕泣”，今据改。〖按〗《陈书·鲁广达传》《南史·鲁悉达传附鲁广达传》皆作“涕泣”。[9]也：原无此字。据章钰校，甲十一行本、乙十一行本、孔天胤本皆有此字，张敦仁《通鉴刊本识误》同，今据补。[10]军：原无此字。据章钰校，甲十一行本、乙十一行本、孔天胤本皆有此字，张敦仁《通鉴刊本识误》同，今据补。[11]移书：原无此二字。据章钰校，甲十一行本、乙十一行本、孔天胤本皆有此二字，张敦仁《通鉴刊本识误》同，今据补。〖按〗《通鉴纪事本末》卷二五有此二字。[12]等：原无此字。据章钰校，甲十一行本、乙十一行本、孔天胤本皆有此字，张敦仁《通鉴刊本识误》同，今据补。

【语译】

苏威奏请每五百家设置一乡正，让乡正治理百姓，审理讼案。李德林认为：“本来当初撤销乡官审理讼案，就是因为乡官是乡里百姓的亲朋，判案不能公平。现在让乡正专管五百家，恐怕危害更为严重。更何况偏远小县，有不到五百家的，怎能让两个县共同管理一个乡？”隋文帝不听从。二月初二日丙申，颁发诏书：“五百家为乡，设置乡正一人；一百家为里，设置里长一人。”

陈朝吴州刺史萧瓛能得民心，陈亡后，吴地民众推举萧瓛为首领。右卫大将军武川人宇文述率领行军总管元契、张默言等人前去讨伐。落丛公燕荣率领水军从东东海至，亦受述节度[13]。陈永新侯陈君范自晋陵[157]奔瓛，并军拒述。述军且至，瓛立栅于晋陵城东，留兵拒述，遣其将王褒守吴州，自义兴[158]入太湖[159]，欲掩[160]述后。述进破其栅，回兵击瓛，大破之。又遣兵别道袭吴州，王褒衣道士服弃城走。瓛以余众保包山[161]，燕荣击破之。瓛将左右数人匿民家，为人所执。述进至奉公埭[162]，陈东扬州[163]刺史萧岩[164]以会稽降，与瓛皆送长安，斩之。

杨素之下荆门也，遣别将庞晖将兵略地，南至湘州，城中将士，莫有固志[165]，刻日请降[14]。刺史岳阳王叔慎[166]，年十八，置酒会文武僚吏[167]。酒酣[168]，叔慎叹曰："君臣之义，尽于此乎！"长史谢基伏而流涕。湘州助防[169]遂兴侯正理在坐，乃起曰："主辱臣死。诸君独非陈国之臣乎？今天下有难，实致命之秋也。纵其无成，犹见臣节，青门之外，有死不能[170]！今日之机，不可犹豫，后应者斩！"众咸许诺。乃刑牲结盟[171]，仍遣人诈奉降书于庞晖。晖信之，克期[172]而入[15]，叔慎伏甲待之，晖至，执之以徇[173]，并其众皆斩之。叔慎坐于射堂[174]，招合士众，数日之中，得五千人。衡阳[175]太守樊通、武州[176]刺史邬居业皆请举兵助之。隋所除湘州刺史薛胄[177]将兵适至，与行军总管刘仁恩共击之。叔慎遣其将陈正理与樊通拒战，兵败。胄乘胜入城，禽[178]叔慎，仁恩破邬居业于横桥[179]，亦擒之，俱送秦王俊，斩于汉口。

岭南未有所附[180]，数郡共奉高凉郡太夫人洗氏[181]为主，号"圣母"，保境拒守。诏遣柱国韦洸[182]等安抚岭外，陈豫章太守徐璒据南康[183]拒之，洸等不得进。晋王广遣陈叔宝遗夫人书，谕以国亡，使之归隋。夫人集首领数千人，尽日恸哭，遣其孙冯魂[184]帅众迎洸。洸击斩徐璒，入，至广州说谕[185]，岭南诸州皆定。表冯魂为仪同三司[186]，册洗氏为宋康郡夫人。洸，敻之子也。

衡州司马任瓌劝都督王勇[187]据岭南，求陈氏子孙，立以为帝。勇不能用，以所部来降，瓌弃官去。瓌，忠之弟子也。

于是陈国皆平[188]，得州三十，郡一百，县四百。诏建康城邑宫室，并平荡耕垦，更于石头城[16]置蒋州[189]。

晋王广班师，留王韶镇石头城，委以后事。三月己巳[190]，陈叔宝与

海到达吴州也受到宇文述的调度。陈朝永新侯陈君范从晋陵投奔萧瓛，联合抵抗宇文述。宇文述军队即将到达，萧瓛在晋陵城东设立栅栏，留下兵力阻截宇文述，另派他的将领王褒驻守吴州，而自己从义兴进入太湖，想从后面掩袭宇文述。宇文述进兵攻破晋陵城东的栅栏，回兵攻击萧瓛，把他打得大败。又派兵从另路袭击吴州，王褒穿上道士服装弃城逃走。萧瓛带领残余部众退守包山，燕荣又击败了他。萧瓛带领身边数人躲藏在老百姓家里，被人抓获。宇文述进军到奉公埭，陈朝东扬州刺史萧岩献出会稽城投降，他同萧瓛一起被押送长安，被斩首。

杨素攻下荆门时，派副将庞晖率兵攻城略地，向南到达湘州，城中陈军将士无心坚守，即日投降。湘州刺史岳阳王陈叔慎，年纪十八，摆设酒席聚集文武僚佐。酒喝到尽兴时，陈叔慎叹息说："我们的君臣关系，今天结束了！"长史谢基伏地流泪。湘州助防遂兴侯陈正理在座，便站起身说："人主受辱，臣子效死。在座诸君难道不是陈朝的臣子吗？现在天下有难，正是我们献身的时候。即使不能成功，也能够显示做臣子的节操。陈灭亡，我们宁愿一死，绝不像召平那样种瓜青门之外，做隋朝顺民。今日已到了危急关头，不能犹豫，不迅速响应的人立即斩首！"大家全都赞成。于是杀牲歃血共结盟誓，并派人假装献投降文书给庞晖。庞晖信以为真，约定日期入城受降，陈叔慎埋伏甲士等待他。庞晖到来后，抓获了他，斩首示众，连同他率领的部众也全部杀掉。陈叔慎坐在射堂之上，招集士众，几天之内，得到了五千人。衡阳太守樊通、武州刺史邬居业都请求率军协助陈叔慎。正赶上隋朝所任命的湘州刺史薛胄领兵到来，和行军总管刘仁恩一起攻打湘州。陈叔慎派他的将领陈正理与樊通一起抵抗，军队战败。薛胄乘胜进入城内，擒获了陈叔慎，刘仁恩在横桥打败了邬居业，也擒获了他，一起押送到秦王杨俊那里，在汉口把他们斩首。

岭南尚未归附，几个郡共同推举高凉郡太夫人冼氏为盟主，号称"圣母"，保境抵抗。隋文帝下诏派柱国韦洸等人安抚岭南，陈朝豫章太守徐璒据守南康郡进行抵抗，韦洸等人不能前进。晋王杨广派陈叔宝写信送给冼夫人，告诉她陈朝已经灭亡，让她归附隋朝。冼夫人集合首领数千人，哀哭了一整天，派她的孙子冯魂率部众迎接韦洸。韦洸率军攻打徐璒，把他斩首，进入岭南，到达广州劝说晓谕，岭南各州全部平定。上表请求朝廷授任冯魂为仪同三司，册封冼氏为宋康郡夫人。韦洸是韦夐的儿子。

衡州司马任瓌劝说都督王勇占据岭南，寻找陈氏子孙，立为皇帝。王勇没有采纳他的意见，率领所辖部众前来投降，任瓌弃官而去。任瓌是任忠弟弟的儿子。

于是陈国全部平定，隋朝获得三十个州，一百个郡，四百个县。隋文帝颁诏，把建康的城邑宫殿房屋，一并荡平耕垦，另外在石头城设置蒋州。

晋王杨广班师，留下王韶镇守石头城，委托他处理善后事宜。三月初六日己巳，

其王公百司发建康，诣长安，大小在路，五百里累累不绝[191]。帝命权分长安士民宅以俟[192]之，内外修整，遣使迎劳，陈人至者如归。夏，四月辛亥[193]，帝幸骊山，亲劳旋师[194]。乙巳[195]，诸军凯入[196]，献俘于太庙，陈叔宝及诸王侯将相并乘舆服御[197]、天文图籍[198]等以次行列，仍以铁骑围之，从晋王广、秦王俊入，列于庙[17]庭。拜广为太尉，赐辂车[199]、乘马、衮冕之服、玄圭[200]、白璧[201]。丙午[202][18]，帝坐广阳门[203]观，引陈叔宝于前，及太子、诸王二十八人，司空司马消难以下至尚书郎[204]凡二百余人。帝使纳言宣诏劳之，次使内史令宣诏，责以君臣不能相辅，乃至灭亡。叔宝及其群臣并愧惧[205]伏地，屏息[206]不能对。既而宥之。

初，武元帝[207]迎司马消难，与消难结为兄弟，情好甚笃，帝每以叔父礼事之。及平陈，消难至，特免死，配为乐户[208]，二旬而免，犹以旧恩引见，寻卒于家。

鲁广达追伤本朝沦覆，得疾不疗，愤慨而卒[19]。庚戌[209]，帝御广阳门宴将士，自门外夹道列布帛之积，达于南郭[210]，班赐[211]各有差，凡用三百余万段。故陈之境内，给复[212]十年，余州免其年[20]租赋。

乐安公元谐进曰："陛下威德远被，臣前请以突厥可汗为候正[213]，陈叔宝为令史[214]，今可用臣言矣。"帝曰："朕平陈国，本以除逆，非欲夸诞[215]。公之所奏，殊非朕心。突厥不知山川[216]，何能警候？叔宝昏醉[217]，宁堪驱使[218]？"谐默然而退。

辛酉[219]，进杨素爵为越公，以其子玄感[220]为仪同三司，玄奖[221]为清河郡公，赐物万段，粟万石。命贺若弼登御坐[222]，赐物八千段，加位上柱国，进爵宋公。仍各加赐金宝及陈叔宝妹为妾。

贺若弼、韩擒虎争功于帝前。弼曰："臣在蒋山[223]死战，破其锐卒，擒其骁将，震扬威武，遂平陈国。韩擒虎略不交陈[224]，岂臣之比？"擒虎曰："本奉明旨，令臣与弼同时合势以取伪都[225]，弼乃敢先期，逢贼遂战，致令将士伤死甚多。臣以轻骑五百，兵不血刃[226]，直取金陵[227]，降任蛮奴[228]，执陈叔宝，据其府库，倾其巢穴。弼至夕方扣[229]北掖门，臣启[230]关而纳之，斯乃救罪不暇[231]，安得与臣相比？"帝曰："二

陈叔宝及其王公百官从建康出发，前往长安，踏上路途的大人小孩，五百里连绵不断。隋文帝命令临时割划出长安士民住宅供他们居住，内外重新装修，派使者迎接慰劳，陈朝降人到达后就像回到家里一样。夏，四月辛亥日，隋文帝驾临骊山，亲自慰问凯旋大军。十二日乙巳，各路大军高奏凯乐入城，到太庙献俘，陈叔宝和陈朝王侯将相连同他们的车驾服饰、天文图籍等依次排开行列，并由铁甲骑兵四面围住，跟随着晋王杨广、秦王杨俊进入，排列在殿庭上。隋文帝授杨广为太尉，赏赐辂车、乘马、衮服冠冕、黑圭、白璧。十三日丙午，隋文帝坐在广阳门城楼上观看，派人把陈叔宝带到跟前，还有陈朝太子、诸王二十八人，司空司马消难以下至尚书郎共二百多人。隋文帝派纳言宣读诏书慰劳他们，再让内史令宣读诏书，责备他们君臣不能互相辅助，以致国家灭亡。陈叔宝和他的大臣们又羞愧又害怕，伏身在地，不敢出气，无言以对。隋文帝随后宽恕了他们。

当初，武元帝杨忠迎接司马消难投降北周，与司马消难结拜为兄弟，感情极为深厚，隋文帝经常以侍奉叔父的礼节侍奉他。等到平定陈朝，司马消难作为俘虏到了长安，隋文帝特别下令免死，发配为乐户，过了二十天又免除乐户籍，仍然以旧日情谊接见他。不久，司马消难死在家里。

鲁广达追念伤悼陈朝的灭亡，得病后不接受治疗，愤恨不平而死。四月十七日庚戌，隋文帝驾临广阳门宴请将士，从门外两侧摆放成堆布匹绸缎，一直到南边的外城，按照功勋等级分别赏赐，一共用去三百多万段。原陈朝境内，免除十年田租赋税，其他各州免除本年田租赋税。

乐安公元谐进言说：“陛下威德远播四海，臣以前请求任命突厥可汗为候正，陈叔宝为令史，今日可以采用臣的建议了。”隋文帝说：“朕平定陈国，本来是为了铲除叛逆，不是想虚为夸耀。你的奏请，一点也不符合我的心意。突厥可汗不了解山川形势，怎么能够侦候警戒？陈叔宝昏醉，岂能役使？”元谐默然无语，退了下去。

四月二十八日辛酉，隋文帝把杨素的爵位进封为越公，任命他的儿子杨玄感为仪同三司，杨玄奖为清河郡公；赏赐绢帛一万段，粟一万石。命贺若弼坐上御座，赏赐绢帛八千段，加位上柱国，进封为宋公。另外又分别加赐金银珍宝，并把陈叔宝的妹妹赏赐给他为妾。

贺若弼、韩擒虎在文帝面前争功，贺若弼说：“臣在蒋山拼死力战，打败了陈朝的精兵，擒获了他们的骁勇将领，耀武扬威，终于平定了陈国。韩擒虎几乎没有临阵交战，岂能与臣相比？”韩擒虎说：“原本接到晋王的命令，让臣与贺若弼同时合力攻取伪都，贺若弼竟敢先于约定时间，碰到敌军便交战，致使将士伤亡极多。而臣率领轻骑兵五百人，兵不血刃，直取金陵，降伏任忠，抓获了陈叔宝，占领他们的府库，倾覆了他们的巢穴。贺若弼到了晚上才进攻到北掖门，臣打开城门让他进城，他连赎罪都来不及，怎能与臣相比？”隋文帝说：“你们二位将领都是上等功勋。”于

将俱为上勋[232]。”于是进擒虎位上柱国，赐物八千段。有司劾擒虎放纵士卒，淫污[233]陈宫，坐[234]此不加爵邑。

加高颎上柱国，进爵齐公，赐物九千段。帝劳之曰：“公伐陈后，人言公反，朕已斩之。君臣道合[235]，非青蝇[236]所能间也。”帝从容命颎与贺若弼论平陈事，颎曰：“贺若弼先献十策[237]，后于蒋山苦战破贼。臣文吏耳，焉敢与大将论功？”帝大笑，嘉[238]其有让。

帝之伐陈也，使高颎问方略于上仪同三司[239]李德林，以授晋王广。至是，帝赏其功，授柱国，封郡公[240]，赏物三千段。已宣敕讫，或说高颎曰：“今归功于李德林，诸将必当愤惋[241]，且后世观公有若虚行[242]。”颎入言之，乃止。

以秦王俊为扬州总管四十四州诸军事，镇广陵。晋王广还并州。

晋王广之戮陈五佞[243]也，未知都官尚书[244]孔范、散骑常侍王瑳、王仪、御史中丞沈瓘之罪，故得免。及至长安，事并露，乙未[245]，帝暴其过恶，投之边裔，以谢吴、越之人。瑳刻薄贪鄙，忌害才能；仪倾巧[246]侧媚[247]，献二女以求亲昵；瓘险惨[248]苛酷，发言邪谄，故同罪焉。

帝给赐陈叔宝甚厚，数得引见，班同三品[249]。每预宴，恐致伤心，为不奏吴音[250]。后监守者奏言：“叔宝云：‘既无秩位[251]，每预朝集[252]，愿得一官号。’”帝曰：“叔宝全无心肝！”监者又言：“叔宝常醉，罕有醒时。”帝问：“饮酒几何？”对曰：“与其子弟日饮一石[253]。”帝大惊，使节[254]其酒，既而曰：“任其性，不尔[255]，何以过日？”帝以陈氏子弟既多，恐其在京城为非，乃分置边州[256]，给田业使为生，岁时[257]赐衣服以安全之。

诏以陈尚书令江总为上开府仪同三司，仆射袁宪、骠骑[258]萧摩诃、领军任忠皆为开府仪同三司，吏部尚书吴兴姚察为秘书丞。上嘉袁宪雅操[259]，下诏，以为江表称首[260]，授昌州[261]刺史。闻陈散骑常侍袁元友数直言于陈叔宝，擢拜主爵侍郎[262]。谓群臣曰：“平陈之初，我悔不杀任蛮奴。受人荣禄[263]，兼当重寄[264]，不能横尸[265]徇国[266]，乃云无所用力，与弘演纳肝[267]何其[268]远也！”

是进封韩擒虎爵位为上柱国，赏赐绢帛八千段。掌管司法的有关官员弹劾韩擒虎放纵士兵，奸淫陈朝宫女，因此其没有被晋升爵位、增加食邑。

隋主加授高颎上柱国，进封爵位为齐公，赏赐绢帛九千段。隋文帝慰劳他说：“你讨伐陈国后，有人说你造反，朕已把他杀了。君臣道义相合，不是谗言可以离间的。”隋文帝让高颎与贺若弼畅所欲言谈论平定陈国之事，高颎说：“贺若弼先进献平陈十策，后来又苦战蒋山，打败贼兵，臣只是一个文职官员，怎敢与大将争功？”隋文帝大笑，称赞他的谦让。

隋文帝讨伐陈朝时，派高颎向上仪同三司李德林询问谋略，然后转告晋王杨广。到这时隋文帝嘉奖李德林出谋划策的功劳，授予他上柱国，进封为郡公，赏赐绢帛三千段。敕令已经宣布，有人劝高颎说：“如今把功劳都归给李德林，诸将必定愤愤不平，而且后世会看待您在平陈之中如同白跑了一趟。”高颎进宫陈奏，隋文帝封赏李德林之事就作罢了。

隋主任命秦王杨俊为扬州总管四十四州诸军事，镇守广陵。晋王杨广回到并州。

晋王杨广诛杀陈朝施文庆等五个奸臣的时候，不知道都官尚书孔范、散骑常侍王瑳、王仪、御史中丞沈瓘的罪行，所以他们得以免死。等到了长安，事情全都暴露了，乙未日，隋文帝公开了他们的罪恶，把他们流放到边疆，用来向吴、越地区的百姓谢罪。王瑳为人刻薄，贪婪鄙陋，忌害才能；王仪狡诈奸巧，阿谀奉承，进献两个女儿给陈后主以求亲近；沈瓘阴险残酷，出言表里不一，投人所好，所以一同治罪。

隋文帝给陈叔宝的赏赐十分丰厚，陈叔宝一再得到召见，班位和三品官相同。每次陈叔宝参加宴会，隋文帝怕引起他伤心，因而禁止演奏吴地音乐。后来监护看守的人上奏说：“陈叔宝说：‘既没有官秩爵位，却常参加朝会宴集，希望得到一个官号。’”隋文帝说：“陈叔宝完全没有心肝！”监护的人又说：“陈叔宝常常喝醉，极少有清醒的时候。”隋文帝问道：“喝多少酒？”回答说：“和他的子弟每天喝一石酒。”隋文帝大惊，派人节制他的酒量，不久又说：“让他随心所欲吧，不然，他怎么度日呢？”隋文帝因为陈氏的子弟已经很多，担心他们在京城惹是生非，就把他们分散安置到边远州郡，供给农田让他们自为生计，年节和四时赏赐衣服以安定保全他们。

隋文帝下诏任命原陈朝尚书令江总为上开府仪同三司，尚书仆射袁宪、骠骑将军萧摩诃、领军将军任忠都为开府仪同三司，吏部尚书吴兴人姚察为秘书丞。隋文帝称赞袁宪有高尚的品操，颁下诏书，认为他是江东第一人，授任昌州刺史。听说原陈朝散骑常侍袁元友多次向陈叔宝直言进谏，提升他为主爵侍郎。隋文帝对群臣说：“平定陈朝初期，我后悔没有杀了任忠，他接受陈朝高官厚禄，又担当重任，不能以身殉国，却说自己无能为力，这和剖腹纳肝为卫懿公殉死的弘演相差多么远啊！”

帝见周罗睺，慰谕之，许以富贵。罗睺垂泣对曰："臣荷㉖⑨陈氏厚遇，本朝沦亡，无节可纪。得免于死，陛下之赐也，何富贵之敢望？"贺若弼谓罗睺曰："闻公郢、汉捉兵㉗⓪，即知扬州可得。王师利涉㉗①，果如所量。"罗睺曰："若得与公周旋㉗②，胜负未可知也[21]。"顷之，拜上仪同三司。先是㉗③，陈禆[22]将羊翔来降，伐陈之役，使为乡导㉗④，位至上开府仪同三司，班在罗睺上。韩擒虎于朝堂戏之曰："不知机变㉗⑤，乃立在羊翔之下，能无愧乎？"罗睺曰："昔在江南，久承令问㉗⑥，谓公天下节士㉗⑦，今日所言，殊非所望。"擒虎有愧色。

帝之责陈君臣也，陈叔文独欣然㉗⑧有得色㉗⑨。既而复上表自陈㉘⓪："昔在巴州，已先送款㉘①，乞知此情，望异常例。"帝虽嫌其不忠，而欲怀柔㉘②江表，乃授叔文开府仪同三司，拜宜州刺史。

初，陈散骑常侍韦鼎聘于周，遇帝而异之，谓帝曰："公当大贵，贵则天下一家㉘③，岁一周天㉘④，老夫当委质㉘⑤于公。"及至德㉘⑥之初，鼎为太府卿㉘⑦，尽卖田宅，大匠卿㉘⑧毛彪问其故，鼎曰："江东王气㉘⑨，尽于此矣！吾与尔当葬长安。"及陈平，上召鼎为上仪同三司。鼎，叡之孙也。

壬戌㉙⓪，诏曰："今率土大同㉙①，含生㉙②遂性，太平之法，方可流行。凡我臣民，澡身浴德㉙③，家家自修，人人克念㉙④。兵可立威，不可不戢，刑可助化㉙⑤，不可专行。禁卫九重㉙⑥之余，镇守四方之外，戎旅㉙⑦军器，皆宜停罢。世路既夷㉙⑧，群方无事，武力之子㉙⑨，俱可学经。民间甲仗㉚⓪，悉皆除毁。颁告天下，咸悉此意。"

贺若弼撰其所画策㉚①上之，谓为《御授平陈七策》㉚②。帝弗省㉚③，曰："公欲发扬我名，我不求名，公宜自载家传㉚④。"弼位望隆重，兄弟并封郡公，为刺史、列将㉚⑤。家之珍玩，不可胜计，婢妾曳罗绮㉚⑥者数百，时人荣之。其后突厥来朝，上谓之曰："汝闻江南有陈国天子乎？"对曰："闻之。"上命左右引突厥诣韩擒虎前曰："此是执得陈国天子者。"擒虎厉色顾之，突厥惶恐，不敢仰视。

隋文帝接见周罗睺，安慰勉励他，以富贵相许。周罗睺流着眼泪回答说："臣身承陈氏厚遇，前朝沦亡，我无节可述。能够免死，是陛下的恩赐，岂敢奢望富贵?"贺若弼对周罗睺说："听说你在郢、汉地区掌握兵权，就知道扬州可以取得。王师渡江获胜，果然如所预料的那样。"周罗睺说："假如能够和您交手，胜败还不一定。"不久，周罗睺被授上仪同三司。起先，陈朝副将羊翔投降隋朝，在讨陈之战中，派他做隋军向导，到现在位至上开府仪同三司，班位还在周罗睺之上。韩擒虎在朝堂上取笑周罗睺说："你不知道随机应变，班位还在羊翔之下，能不羞愧吗?"周罗睺说："以前在江南，我久仰您的美名，认为您是天下节义之士，今天您说这种话，使我很失望。"韩擒虎满脸羞愧。

隋文帝责备陈朝君臣时，唯独陈叔文欣然喜悦。接着他又上表自陈："从前在巴州，我已先向隋朝表示诚心归附，请陛下明察此中情实，希望封赏打破常例。"隋文帝虽然讨厌他的不忠，但是想要安抚江南地区，就授予陈叔文开府仪同三司，授任宜州刺史。

当初，陈朝散骑常侍韦鼎出使北周，见到隋文帝，觉得他不同寻常，就对隋文帝说："您一定会大贵，您大贵时就会天下统一，十二年后，老夫应该委身于您。"到了至德初年，韦鼎任陈朝太府卿，把田地房屋全部卖掉，大匠卿毛彪问他原因，韦鼎说："江南的帝王之气，到现在结束了！我和你应葬身长安。"等到平定陈朝，隋文帝召来韦鼎任为上仪同三司。韦鼎是韦叡的孙子。

四月二十九日壬戌，隋文帝下诏说："如今天下统一，万物生灵顺适本性，太平时代的法令规章，正可普遍推行。凡是我隋朝臣民，修身养德，家家自我修习，人人都克制欲念。军队可以树立国威，但是不能不加以节制，刑罚可以帮助推动教化，但是不可以任意专行。除了保卫京师皇宫的禁卫军和镇守四方的边防军之外，其余的军队和武器，都要停止使用。社会已经安定，各方无事，军人的子弟，都可以学习经书。民间的武器，全部予以销毁。通告天下，让大家都明白朕偃武修文的想法。"

贺若弼撰写了他所筹划的平陈计策上奏隋文帝，为《御授平陈七策》，隋文帝没有阅览，说："你想宣扬我的名声，我不求名，你应该自己记载在家传里面。"贺若弼位高望重，兄弟一起封为郡公，担任刺史、将军。家中的珍宝玩物，不计其数，穿戴绫罗绸缎的婢妾数百，世人都认为十分荣耀。后来突厥派使节前来朝见，隋文帝对使节说："你听说过江南有陈国天子吗?"使节回答说："听说过。"皇上命左右侍从把突厥使节带到韩擒虎面前，说："这个就是抓获陈国天子的人。"韩擒虎板着脸看着突厥使节，突厥使节惶恐不安，不敢抬头仰视。

【段旨】

以上为第二段，写隋文帝平定陈朝全境，以及巩固统一的措施，妥善安置陈朝降人君臣，封赏立功将士。隋文帝并提贺若弼、韩擒虎两员大将，用心公允，避免了纷争。

【注释】

⑭⑤乡正：官名，掌一乡之政教禁令。⑭⑥“使治民”二句：此处字句有误。〖按〗《隋书·李德林传》云：“威又奏置五百家乡正，即令理民间辞讼。”据此“简”当作“间”。此句应作“使治民间辞讼”。辞讼，争讼、诉讼。⑭⑦乡官：治理一乡事务的官吏。⑭⑧判事：审理案件。⑭⑨里闾：里巷；乡里。⑮⓪剖断：辨明是非而加以判处。⑮①要荒：泛指边远地方。⑮②丙申：二月初二日。⑮③里长：古代的乡职，谓一里之长。⑮④物情：人心。物，人。⑮⑤宇文述（？至公元六一六年）：字伯通，代郡武川（今内蒙古武川西南）人，历仕周、隋，官至左卫大将军，加开府仪同三司，封许国公。传见《隋书》卷六十一、《北史》卷七十九。⑮⑥燕荣：字贵公，华阴弘农（今河南灵宝东北）人，历仕周、隋，官至幽州总管。传见《隋书》卷七十四、《北史》卷八十七。⑮⑦晋陵：郡名，治所晋陵县，在今江苏常州。⑮⑧义兴：郡名，治所阳羡县，在今江苏宜兴。⑮⑨太湖：湖名，在今江苏苏州市吴中区西南，跨江苏、浙江二省。⑯⓪掩：乘其不备而袭击对方。⑯①包山：地名，又名洞庭山，在太湖中，四面环水。⑯②奉公埭：地名，故址在今浙江杭州市萧山区西。⑯③东扬州：侨州名，治所山阴县，在今浙江绍兴。⑯④萧岩（？至公元五八九年）：字义远，后梁萧詧第五子，降陈，封东扬州刺史。传附《周书·萧詧传》。⑯⑤固志：固守城池的意志。⑯⑥岳阳王叔慎：即陈宣帝第十四子陈叔慎（公元五七二至五八九年），字子敬，封岳阳王。传见《陈书》卷二十八、《南史》卷六十五。⑯⑦僚吏：执役服事的人，即官吏。⑯⑧酒酣：酒兴正浓。⑯⑨助防：官名，城防为正职，助防为副职，协助城防保卫城池。⑰⓪“青门之外”二句：意谓陈国臣民宁死也不效法秦时召平，种瓜青门之外，作新朝隋的顺民。青门，即汉长安城东青门。秦时人召平，封东陵侯，秦亡为民，种瓜于青门外。事见《史记·萧相国世家》。⑰①刑牲结盟：杀牲口取血，以结成同盟。⑰②克期：约定日期。⑰③徇：宣示众人，即示众。⑰④射堂：行射礼的处所。⑰⑤衡阳：郡名，治所湘西县，在今湖南株洲西南。⑰⑥武州：州名，治所武陵县，在今湖南常德。⑰⑦薛胄：字绍玄，河东汾阳（今山西万荣西南）人，历仕周、隋，官至刑部尚书。传见《隋书》卷五十五、《北史》卷三十六。⑰⑧禽：通“擒”，捉住。⑰⑨横桥：桥名，故址在今陕西咸阳东北。⑱⓪附：归附；服从。⑱①高凉郡太夫人冼氏：高凉（今广东阳江西）人，世为岭南少数民族领袖。隋文帝封她为谯国夫人。传见《隋书》卷八十、《北史》卷九十一。⑱②韦洸：字世穆，京兆杜陵（今陕西西安东北）人，历仕周、隋，官至广州总管。传见《隋

书》卷四十七、《北史》卷六十四。⑱南康：郡名，治所赣县，在今江西赣州西南。⑱冯魂：冯融之孙，其祖母为洗夫人。⑱说谕：劝说告谕。⑱仪同三司：官名，隋文帝以为文散官，无职掌。⑱王勇（？至公元五八九年）：仕陈，官至东衡州刺史，总督衡、广、交、桂、武等二十四州诸军事，后降隋。传附《陈书·南康愍王昙朗传》《南史·南康愍王昙朗传》。⑱陈国皆平：自陈武帝于公元五五七年受梁禅建立陈朝，至此而亡，凡历五主，三十三年。⑱蒋州：州名，治所石头城，在今江苏南京石头山后。⑲己巳：三月初六日。⑲累累不绝：连绵不断。累累，接连成串。⑲俟：等待。⑲辛亥：《隋书》卷二《高祖纪》上“辛亥”作“己亥”，《北史》同，当改。己亥，四月初六日。⑲旋师：回军。旋，返还、归来。⑲乙巳：四月十二日。⑲凯入：高奏凯乐而入。⑲乘舆服御：乘舆，皇帝、诸侯乘坐的车子。服御，衣服车马之类。⑲天文图籍：天文，此指历法。图籍，地图与户籍。⑲辂车：大车。⑳玄圭：黑色的玉，古代帝王举行典礼所用的一种玉器。⑳白璧：古代以白璧为重要宝器。⑳丙午：四月十三日。⑳广阳门：长安宫城正南门，后改称承天门。⑳尚书郎：官名，尚书省列曹尚书所辖诸曹郎之通称。⑳愧惧：羞愧而又害怕。⑳屏息：抑制呼吸不敢出声，形容恭谨畏惧的神态。⑳武元帝：即隋文帝之父杨忠，谥武元帝。⑳乐户：古代犯罪的妇女或犯人的妻女没入官府，充当官伎，从事吹弹歌唱，供统治者取乐，名隶乐籍，户称乐户。⑳庚戌：四月十七日。〖按〗四月甲午朔，庚戌当在“丙辰”（四月二十三日）之前。此处干支错乱。㉑郭：外城。㉑班赐：颁赐。㉑复：免除赋税或徭役。㉑候正：官名，掌斥候警戒。㉑令史：官名，官位次于郎，掌文书。㉑夸诞：夸大、虚妄。㉑山川：山河，指地理情况。㉑昏醉：迷乱，糊涂，犹如人喝醉了酒一样。㉑宁堪驱使：岂能役使。宁，岂、难道。驱使，役使。㉑辛酉：四月二十八日。㉒玄感（？至公元六一三年）：杨素长子，官至礼部尚书，袭爵楚国公，后叛乱，被杀。传见《隋书》卷七十、《北史》卷四十一。㉒玄奖（？至公元六一三年）：杨素之子，官至义阳太守，封清河郡公。事附《隋书·杨玄感传》《北史·杨玄感传》。㉒御坐：皇帝的座位。㉒蒋山：地名，即今江苏南京中山门外钟山。㉒交陈：两兵交战。陈，通“阵”。㉒伪都：指陈都城建康。隋以本朝为正统，故称陈都为伪都。㉒兵不血刃：不经激战就取得胜利。兵，兵器。血刃，血染刀口，指杀人。㉒金陵：地名，在今江苏南京。㉒任蛮奴：任忠字蛮奴，隋讳忠字，故称其字。㉒方扣：才敲，指贺若弼军至夕才到宫门。㉓启：开。㉓不暇：忙不过来；没时间。㉓上勋：上等功勋。㉓淫污：奸淫。㉓坐：因。㉓道合：指思想一致。㉓青蝇：语出《诗经·小雅·青蝇》，常用以比喻进谗言的佞人。㉓献十策：《资治通鉴》不载十策内容，《隋书》本传亦不详。㉓嘉：称赞。㉓上仪同三司：官名，位在仪同三司上，文散官，无职事。㉔郡公：爵名，九等爵位中的第四等。㉔愤惋：悲愤惋惜。㉔虚行：白走一趟。㉔陈五佞：指陈朝的施文庆、沈客卿、阳慧朗、徐析、暨慧景五个佞人。㉔都官尚书：官名，尚书省列曹尚书之一。南北朝有都官尚书，隋改为刑部尚书，掌刑法。㉔乙未：孔范等投之边裔事，《隋书》卷二《高祖纪》系于“己未”下。《通鉴》作乙未，当误。己未，四月二十六日。㉔⑥倾巧：狡诈；看风行事。㉔⑦侧媚：以不正当手段讨好别人。㉔⑧险惨：邪恶而狠毒。㉔⑨班同三品：指安排陈后主上朝时列位相当于三品官的职位。班，秩位、官位。三品，自晋以后，官分九品，三品为第三等。㉕⓪吴音：指吴语，江南三吴地区之语音。㉕①秩位：官职的品级。㉕②朝集：朝会。㉕③石：容量单位，十斗为石。㉕④节：控制；节制。㉕⑤不尔：不这样。㉕⑥分置边州：分别安置在边远的州地。㉕⑦岁时：岁，一年。时，指春、夏、秋、冬四季。㉕⑧骠骑：将军名号，骠骑将军的省略语。位在三公之下。㉕⑨雅操：高尚的操行。㉖⓪称首：称为第一。㉖①昌州：州名，治所枣阳县，在今湖北枣阳。㉖②主爵侍郎：官名，隶属吏部尚书，掌选举。㉖③荣禄：官职和俸禄。㉖④重寄：重托；重任。㉖⑤横尸：尸首横陈，自杀之意。㉖⑥徇国：为国献身。㉖⑦弘演纳肝：弘演，春秋时为卫大夫。翟人攻卫，杀卫懿公，尽食其肉，舍其肝。弘演见后大哭，因自杀，把卫懿公肝纳入自己腹内。详见《吕氏春秋·忠廉》。㉖⑧何其：多么。㉖⑨荷：承受。㉗⓪捉兵：掌管军队。捉，把、持。㉗①利涉：渡江获得胜利。此指隋军顺利渡过长江，攻下建康。㉗②周旋：追逐；交战。㉗③先是：此前；在这以前。㉗④乡导：带路的人。乡，通“向”。㉗⑤机变：随机应变。㉗⑥令问：好名声。令，善、美好。㉗⑦节士：有节操之人。节，气节、操守。㉗⑧欣然：喜悦的样子。㉗⑨得色：得意的脸色。㉘⓪自陈：自述。㉘①送款：递送诚意，指向隋投诚。㉘②怀柔：招徕安抚。㉘③天下一家：谓天下统一，消除南北对峙的局面。㉘④岁一周天：岁，指岁星，即木星，约十二年运行一周天。㉘⑤委质：古代臣下向君主献礼，表示献身的意思。委，托付，引申为致送之意。质，通“贽”，旧时初次求见人时所送的礼物。㉘⑥至德：年号。公元五八三年，陈长城公（后主）即位，改元至德。㉘⑦太府卿：官名，太府长官，掌库藏财物。㉘⑧大匠卿：官名，即将作大匠，掌皇族宫庙建筑。㉘⑨王气：古代指象征帝王运数的祥瑞之气。㉙⓪壬戌：四月二十九日。㉙①率土大同：全国统一。率土，谓境域以内，指全国、全境。大同，谓太平盛世，指统一。㉙②含生：指一切生物。㉙③澡身浴德：修身养德。语出《礼记·儒行》。㉙④克念：约束自己的欲望。㉙⑤助化：有助于教化。㉙⑥九重：谓天子所居之处。古称天有九重。㉙⑦戎旅：指军队。㉙⑧世路既夷：指世界太平。夷，平。㉙⑨武力之子：意指武人或武人之子。㉚⓪甲仗：盔甲器械。㉚①画策：计划；谋划。㉚②御

【原文】

右[23]卫将军庞晃㉚⑦等短高颎于上，上怒，皆黜㉚⑧之，亲礼逾㉚⑨密。因谓颎曰：“独孤公㉛⓪，犹镜也，每被磨莹㉛①，皎然㉛②益明。”初，颎父宾㉛③为独孤信僚佐，赐姓独孤氏，故上常呼为独孤而不名。

授平陈七策:《隋书》本传及《高颎传》皆作“十策”,《通鉴》本卷上文亦作“十策”,疑“七”为“十”字之误。㉝弗省:不看。㉞家传:子孙叙述其父祖事迹的传记。㉟列将:位在将军之列。㊱罗绮:经纬组织显椒眼纹的称为罗,素地织起花的丝织物称作绮。

【校记】

[13]亦受述节度:原无此五字。据章钰校,甲十一行本、乙十一行本、孔天胤本皆有此五字,张敦仁《通鉴刊本识误》同,今据补。〖按〗《隋书·宇文述传》《北史·宇文述传》《通鉴纪事本末》卷二五皆有此五字。[14]刻日请降:原无此四字。据章钰校,甲十一行本、乙十一行本、孔天胤本皆有此四字,张敦仁《通鉴刊本识误》同,今据补。〖按〗《通鉴纪事本末》卷二五、《通鉴纲目》卷三六上皆有此四字。[15]而入:原作“入城”。据章钰校,甲十一行本、乙十一行本、孔天胤本皆作“而入”,今据改。〖按〗《陈书·岳阳王叔慎传》《通鉴纪事本末》卷二五皆作“而入”。[16]城:原无此字。据章钰校,甲十一行本、乙十一行本、孔天胤本皆有此字,今据补。〖按〗《隋书·地理志下》《通鉴纪事本末》卷二五皆有此字。[17]庙:原作“殿”。据章钰校,甲十一行本、乙十一行本皆作“庙”,张敦仁《通鉴刊本识误》同,今据改。〖按〗《陈书·晋熙王叔文传》《通鉴纪事本末》卷二五皆作“庙”。[18]丙午:原作“丙辰”。据章钰校,甲十一行本、乙十一行本皆作“丙午”,张敦仁《通鉴刊本识误》同,今据改。〖按〗《通鉴纪事本末》卷二五作“丙午”。[19]鲁广达追伤本朝沦覆,得疾不疗,愤慨而卒:原无此十七字。据章钰校,甲十一行本、乙十一行本、孔天胤本皆有此十七字,张敦仁《通鉴刊本识误》同,今据补。〖按〗《通鉴纪事本末》卷二五、《通鉴纲目》卷三六上皆有此十七字。[20]年:原无此字。据章钰校,甲十一行本、乙十一行本、孔天胤本皆有此字,张敦仁《通鉴刊本识误》同,今据补。〖按〗《通鉴纪事本末》卷二五有此字。[21]也:原无此字。据章钰校,甲十一行本、乙十一行本、孔天胤本皆有此字,张敦仁《通鉴刊本识误》同,今据补。[22]禅:原无此字。据章钰校,甲十一行本、乙十一行本、孔天胤本皆有此字,张敦仁《通鉴刊本识误》同,今据补。〖按〗《隋书·周罗睺传》《北史·周罗睺传》皆有此字。

【语译】

右卫将军庞晃等向隋文帝说高颎的坏话,隋文帝很生气,全部贬黜了他们的官职,对高颎更加亲近礼遇。隋文帝便对高颎说:“独孤公,就像镜子,每次被磨治,更加皎然明亮。”当初,高颎的父亲高宾是独孤信的僚佐,赐姓独孤氏,因此隋文帝常称呼他独孤公,而不叫他的名字。

乐安公元谐，性豪侠[314]，有气调[315]，少与上同学，甚相爱，及即位，累历显仕[316]。谐好排诋[317]，不能取媚左右。与上柱国王谊善，谊诛，上稍疏忌[318]之。或告谐与从父弟上开府仪同三司滂、临泽侯田鸾、上仪同三司祁绪[24]等谋反，下有司按验[319]，奏："谐谋令祁绪勒[320]党项兵断[321]巴、蜀。又，谐尝与滂同谒上，谐私谓滂曰：'我是主人[322]，殿上者贼[323]也。'因令滂望气[324]，滂曰：'彼云似蹲狗走鹿[325]，不如我辈有福德云。'"上大怒，谐、滂、鸾、绪并伏诛。

闰月[326]己卯[327]，以吏部尚书苏威为右仆射。六月乙丑[328]，以荆州总管杨素为纳言。

朝野皆称封禅，秋，七月丙午[329]，诏曰："岂可命一将军除一小国，遐迩[330]注意，便谓太平？以薄德而封名山，用虚言而干上帝，非朕攸[331]闻。而今以[25]后，言及封禅，宜即禁绝。"

左卫大将军广平王雄，贵宠特盛，与高颎、虞庆则、苏威称为四贵。雄宽容下士[332]，朝野倾属[333]，上恶其得众，阴忌之，不欲其典[334]兵马。八月壬戌[335]，以雄为司空，实夺之权。雄既无职务，乃杜门不通[336]宾客。

帝践阼[337]之初，柱国沛公郑译请修正雅乐[338]，诏太常卿牛弘、国子祭酒辛彦之[339]、博士[340]何妥[341]等议之，积年不决。译言："古乐[342]十二律[343]，旋相为宫[344]，各用七声，世莫能通。"译因龟兹人苏祗婆[345]善琵琶，始得其法，推演[346]为十二均[347]、八十四调[348]，以校太乐[349]所奏，例皆乖越[350]。译又于七音[351]之外更立一声，谓之应声[352]，作书宣示朝廷。与邳公[353]世子苏夔[354]议累黍定律[355]。

时人以音律久无通者，非译、夔一朝可定。帝素不悦学[356]，而牛弘不精音律，何妥自耻宿儒[357]反不逮[358]译等，常欲沮坏其事，乃立议，非十二律旋相为宫[359]及七调，竞为异议，各立朋党。或欲令各造乐，待成，择其善者而从之。妥恐乐成善恶易见，乃请帝张乐[360]试之，先白帝云："黄钟[361]象人君之德。"及奏黄钟之调，帝曰："滔滔和雅[362]，甚与我心会[363]。"妥因奏止用黄钟一宫，不假余律。帝悦，从之。

乐安公元谐，性情豪放侠义，有风度气概，年少时和隋文帝一起学习，相互之间极为友爱，等到隋文帝即位后，元谐屡次担任显职。元谐喜欢排斥诋毁别人，不能取媚隋文帝左右近臣。元谐与上柱国王谊友善，王谊被杀，隋文帝渐渐疏远疑忌元谐。有人控告元谐和堂弟上开府仪同三司元滂、临泽侯田鸾、上仪同三司祁绪等人谋反，于是被交司法官吏审查，司法官吏奏报说："元谐阴谋派遣祁绪率领党项兵阻断巴、蜀。还有，元谐曾经和元滂一同谒见皇上，元谐私下对元滂说：'我是人君，坐在殿上的是贼人。'于是就让元滂观察云气，元滂说：'他的云气像一只蹲着的狗、奔跑的鹿，不像我们有象征福德的云气。'"隋文帝大怒，元谐、元滂、田鸾、祁绪都被处死。

闰四月十七日己卯，任命吏部尚书苏威为尚书右仆射。六月初三日乙丑，任命荆州总管杨素为纳言。

朝野上下都说应该封禅。秋，七月十五日丙午，隋文帝下诏说："怎么可以因为我朝派遣了一个将军灭掉了一个小国，远近的人都注意，就说天下已经太平了呢？以我浅薄的德行而封名山，用虚假的话去干求上帝，这不是朕所愿听到的。从今以后，谈到封禅的话，应该立即禁止。"

左卫大将军广平王杨雄，特别尊贵荣宠，和高颎、虞庆则、苏威一起被称为四贵。杨雄宽厚容人，礼贤下士，朝野上下都倾心属意于他。隋文帝讨厌他得人心，暗暗忌恨他，不想让他掌管军队。八月初一日壬戌，任命杨雄为司空，实际上夺了他的兵权。杨雄既然无实权，便紧闭家门不交往宾客。

隋文帝即位初期，柱国沛公郑译请求修正雅乐，诏令太常卿牛弘、国子祭酒辛彦之、博士何妥等人商议此事，多年没有结果。郑译进言说："古乐有十二律，每律都可以作为宫音，循环转调，各调又分用宫、商、角、变徵、徵、羽、变宫七个音阶，世人没有能通晓的。"郑译因为龟兹人苏祇婆善于弹琵琶，就向他学得确定音调乐律的方法，推演为十二均、八十四调，用来校订太乐署乐师所演奏的音乐，发现大多不一致。郑译又在七音之外，另提出一声，称为应声，并写成文章在朝廷宣示。又和邳公苏威的长子苏夔商量用排列黍粒的方法测量并确定律管长度，以便重定乐律。

当时的人认为音律长期无人通晓，不是郑译、苏夔一朝一夕可以确定的。隋文帝向来不喜学问，而牛弘也不精通音律，何妥自愧身为饱学宿儒而在音律方面反不如郑译等人，经常想阻挠破坏修订雅乐之事，于是就提出建议，反对用十二律循环转调为宫及七调，大家争着提出异议，各自结成团伙。有人提出让各派各自作乐，等待完成后，择善而从。何妥恐怕乐调制成后好坏很容易看出，就奏请隋文帝立即演奏各种乐调，抢先告诉隋文帝说："黄钟调象征人君的德业。"等到演奏黄钟乐调时，隋文帝说："滔滔不绝，和顺雅致，与我的心意十分契合。"何妥于是奏请只用黄钟一种乐调，不用其他的乐律。隋文帝很高兴，听从了他的建议。

时又有乐工万宝常[364]，妙达钟律[365]。译等为黄钟调成，奏之，帝召问宝常，宝常曰："此亡国之音也。"帝不悦。宝常请以水尺[366]为律，以调乐器，上从之。宝常造诸乐器，其声率下[367]郑译调二律，损益[368]乐器，不可胜纪[369]。其声雅淡，不为时人所好，太常善声者多排毁之。苏夔尤忌宝常，夔父威方用事，凡言乐者皆附之而短宝常，宝常乐竟为威所抑，寝不行[370]。

及平陈，获宋、齐旧乐器，并江左乐工，帝令廷奏[371]之，叹曰："此华夏[372]正声[373]也。"乃调五音为五夏[374]、二舞[375]、登歌[376]、房内等[26]十四调[377]，宾祭用之。仍诏太常置清商署[378]以掌之。

时天下既壹[379]，异代[380]器物，皆集乐府。牛弘奏："中国旧音多在江左，前克荆州[381]得梁乐，今平蒋州[382]又得陈乐，史传相承以为合古[383]，请加修缉[384]以备雅乐。其后魏之乐及后周所用，杂有边裔之声，皆不可用，请悉停之。"冬，十二月甲子[385][27]，诏弘与许善心、姚察及通直郎虞世基参定雅乐。世基，荔之子也。

己巳[386]，以黄州[387]总管周法尚为永州[388]总管，安集岭南，给黄州兵三千五百人为帐内[389]，陈桂州[390]刺史钱季卿等皆诣法尚降。定州[391]刺史吕子廓，据山洞，不受命，法尚击斩之。

以驾部侍郎[392]狄道辛公义[393]为岷州[394]刺史。岷州俗畏疫，一人病疫，阖家避之，病者多死。公义命皆舆置[395]己之听事[396]，暑月，病人或至数百，听廊皆满，公义设榻，昼夜处其间，以秩禄[397]具[398]医药，身自省问[399]。病者既愈，乃召其亲戚谕之曰："死生有命，岂能相染[400]？若相染者，吾死久矣。"皆惭谢而去。其后人有病者，争就使君[401]，其家亲戚固留养之，始相慈爱，风俗遂变。后迁牟州[402]刺史，下车，先至狱中露坐[403]，亲自验问[404]。十余日间，决遣[405]咸尽，方还听事受领新讼。事皆立决[406]，若有未尽，必须禁[407]者，公义即宿听事[408]，终不还阁。或谏曰："公事有程[409]，使君何自苦[410]？"公义曰："刺史无德，不能使民无讼，岂可禁人在狱而安寝于家乎？"罪人闻之，咸自款服[411]。后有讼者，乡闾[412]父老遽晓之曰："此小事，何忍勤劳使君？"讼者多两让[413]而止。

当时还有一个乐师名叫万宝常，精通音律，郑译等人制成黄钟调后，进行演奏，隋文帝召见万宝常询问，万宝常说："这是亡国之音。"隋文帝不高兴。万宝常请求用水尺调定五音律吕，用来调正乐器，皇上听从了他。万宝常制造出了各种乐器，其乐调比郑译等人定调低二律，他对乐器的增损改进，难于详述。这些乐器的声音雅淡，不为当时的人所喜欢，太常寺中懂得声律的人大多排斥诋毁这种音乐。苏夔尤为忌恨万宝常，苏夔的父亲苏威正在主政，凡是谈论音乐的人都附和苏夔而批评万宝常，万宝常的乐调最终被苏威所压制，废止未能流行。

等到平定陈朝，得到宋、齐的旧乐器，连同江左乐师，隋文帝命令他们在殿廷上演奏，赞叹说："这才是华夏的正声啊。"于是调整五音为五夏、二舞、登歌、房内等十四调，在宴宾和祭祀时使用。便诏令在太常寺设置清商署负责管理。

当时全国已经统一，不同时代的乐器，都集中在乐府。牛弘上奏说："中国古乐多在江左，前时攻取荆州时获得了梁朝的音乐，如今平定蒋州又获得陈朝的音乐，史籍书传相承，都认为合于古乐。请求加以修订编辑，来充实雅乐。至于北魏的音乐以及北周所使用的，杂有边疆之声，都不能使用，请全部加以停止。"冬，十二月初五日甲子，诏令牛弘与许善心、姚察以及通直郎虞世基参定雅乐。虞世基是虞荔的儿子。

十二月初十日己巳，隋文帝任命黄州总管周法尚为永州总管，安定岭南，给他黄州兵三千五百人作为亲兵，陈朝桂州刺史钱季卿等都到周法尚处投降。定州刺史吕子廓占据山洞，不接受命令，周法尚发动攻击，将他斩首。

隋朝任命驾部侍郎狄道人辛公义为岷州刺史。岷州习俗畏惧瘟疫，一个人染上了瘟疫，全家都躲避他，病人大多死去。辛公义命人把病人用车拉来安置在自己的办公厅堂内，暑热月份，病人有时达到数百，厅堂和过廊都挤满了人，辛公义设置床榻，昼夜处在病人中间，用自己的俸禄备办医药，亲自探问病情。生病的人痊愈后，就叫来他们的亲戚，告诉他们说："生死是命中注定的，怎么能互相传染呢？如果互相传染，我早就死了。"他们都惭愧地道谢而去。后来有生病的人，都争着要到刺史那里去，病人的亲属都坚持要将病人留下来自己看护，于是开始相互慈爱，风俗得以改变。辛公义后来迁调牟州刺史，下了车，先到监狱露天坐下，亲自审问，十多天之内，把囚犯结案判决并遣送完毕，这才回到州衙厅堂受理新的案件。案件全都立即裁决结案，如果有的案件不能马上处理，必须囚禁的，辛公义就在厅堂住宿，始终不回家。有人劝谏他说："公事有一定的办事程序，使君何必自讨苦吃？"辛公义说："刺史没有德行，不能使民众没有诉讼，怎么能把人囚禁在监狱而自己在家中安然睡觉呢？"犯罪的人听了这些话，都自己坦诚认罪。后来有人要打官司，乡里父老马上告诉他说："这是件小事，怎么忍心去烦劳刺史？"要打官司的人大多双方互谅互让而化解了。

【段旨】

以上为第三段，写隋文帝平陈后，开始转向文治，制礼作乐，注意地方官的选举，任用贤吏。

【注释】

㉚⁷庞晃（公元五三二至六〇一年）：字元显，榆林（今内蒙古准格尔旗东北）人，历仕周、隋，官至原州总管，封比阳公。传见《隋书》卷五十、《北史》卷七十五。308黜：贬；废免。309逾：通“愈”，更加。310独孤公：指高颎，因其父高宾曾被赐姓独孤氏。311磨莹：磨治。312皎然：白而亮的样子。313颎父宾：高颎父高宾，北齐人，后背齐归周，官至鄀州刺史。事附《隋书·高颎传》《北史·高颎传》。314豪侠：强横任侠。315气调：气概风度。316累历显仕：屡次担任显官。显仕，显要的官职。317排诋：排斥诋毁别人。318稍疏忌：渐渐疏远而猜忌。319按验：审查；查验。320勒：率领。321断：阻断。指欲阻断巴、蜀二地与隋朝的联系。322主人：人主；人君。323殿上者贼：指坐在殿廷上的隋文帝是贼。324望气：古代觇候之法，望云气附会人事，预言吉凶。325彼云似蹲狗走鹿：彼云，指隋文帝的云气。蹲狗走鹿，指云气如蹲着的狗，跑着的鹿，没有福德的样子。326闰月：此指闰四月。327己卯：闰四月十七日。328乙丑：六月初三日。329丙午：七月十五日。330遐迩：远近。331攸：所。332下士：谦恭对待贤士。333倾属：倾心属意。此处意谓朝野都归心于杨雄。334典：主典；统领。335壬戌：八月初一日。336通：交通；交接。337践阼：即位；登基。338雅乐：用于郊庙朝会的正乐。339辛彦之（？至公元五九一年）：陇西狄道（今甘肃临洮）人，历仕周、隋，官至礼部尚书。传见《隋书》卷七十五、《北史》卷八十二。340博士：即太常博士，官名，掌宗庙礼仪诸事。341何妥：字栖凤，西域（今新疆和田境）人，历仕周、隋，官至国子祭酒，著《周易讲疏》十三卷、《孝经义疏》三卷等。传见《隋书》卷七十五、《北史》卷八十二。342古乐：古代帝王祭祀、朝会所奏音乐，亦称雅乐。343十二律：即古乐的十二调。其中阳律六，阴律六。344宫：五音之一。宫、商、角、徵、羽为五音，也叫五声。345苏祗婆：龟兹人，从突厥皇后入北周，善弹琵琶，精通音律，曾帮助隋修正雅乐。事见《隋书·音乐志中》。346推演：推求演变。347均：古乐器中的调律器。348调：指乐律。349太乐：官名，太常寺属官，掌奏乐的乐人。350乖越：乖错；不一致。351七音：古乐理以宫、商、角、徵、羽、变宫、变徵为七音，也称七声。352应声：琴瑟的弦音互相配应。353邳公：指苏威。苏威曾封邳国公，故称为邳公。354苏夔：字伯尼，官至鸿胪少卿。传附《隋书·苏威传》《北史·苏威传》。355累

黍定律：古代以黍粒为计量基准，累黍是以一定方式排列黍粒，为分、寸、尺等，来计算音律管的长度。㊿悦学：喜欢读书学习。宿儒：知名博学的读书人。不逮：不及；比不上。旋相为宫：古代谐音之法，以十二律与七声相配而成众调。张乐：奏乐。黄钟：古乐十二律之一，声调最为洪大响亮。和雅：谐和而高雅。心会：心合；想法一致。万宝常：隋代音乐家，北齐时，因父罪被配为乐户，因妙精音律，隋开皇中奉诏造诸乐器，其声雅淡，不为时人所喜。撰《乐谱》六十四卷，贫病而死，临终时将《乐谱》焚烧几尽。传见《隋书》卷七十八、《北史》卷九十。妙达钟律：精通钟乐。水尺：调整五音律吕的仪器。率下：一般降低。损益：增减；改动。不可胜纪：多得不能全记下来。胜，尽、全。寝不行：废止而未流行。廷奏：在朝廷上演奏。华夏：初指我国中原地区，后来包举我国全部领土而言。正声：纯正的乐声。五夏：指古代郊庙乐曲《昭夏》《皇夏》《諴夏》《需夏》《肆夏》的合称。二舞：文、武二舞。登歌：升堂奏歌。国家举行祭典或大朝会时，乐师登堂而歌。《周礼·春官·大师》："大祭祀，帅瞽登歌，令奏击拊。"房内等十四调：隋文帝未称帝前，弹琵琶作了《地厚天高》二首歌，托言夫妻之义，取之为房内曲。十四调用北周故事，悬钟、磬法七正七倍，合为十四调。清商署：官署名，隶属太常寺，掌乐器。既壹：已经统一。异代：不同朝代，指隋以前各代。克荆州：指灭后梁。因后梁以荆州治所江陵为都，故称克荆州。平蒋州：指灭陈。因隋已毁建康城邑宫室，开垦耕种，并于石头城置蒋州，以治其地，故称平蒋州。合古：当时多以南朝为正统，承继华夏之音乐，故称陈乐与古乐相合。修缉：修订整理。甲子：十二月初五日。己巳：十二月初十日。黄州：州名，治所南安县，在今湖北武汉市新洲区。永州：州名，治所零陵县，在今湖南零陵。帐内：帐中，指亲信兵。桂州：州名，治所始安县，在今广西桂林。定州：州名，治所信安县，在今湖北麻城东北。驾部侍郎：官名，属兵部，掌舆辇、传乘、邮驿、厩牧之事。辛公义：陇西狄道（今甘肃临洮）人，历仕周、隋，官至司隶大夫。传见《隋书》卷七十三、《北史》卷八十六。岷州：州名，治所溢乐县，在今甘肃岷县。舆置：用车拉来安置。听事：谓刺史办公的场所。听，通"厅"。秩禄：俸禄。具：备办。省问：探望；照顾。染：传染。使君：人们对州郡长官的尊称。牟州：州名，治所掖县，在今山东莱州。露坐：坐在室外露天里。验问：审问验证。决遣：结案发遣。立决：立时裁决无遗。禁：囚禁。即宿听事：就住宿在办事厅里。程：指办事程序。自苦：自讨苦吃。款服：诚服。款，诚。乡闾：乡里。两让：双方互相谦让。

【校记】

［23］右：原作“左”。据章钰校，甲十一行本、乙十一行本、孔天胤本皆作“右”，张敦仁《通鉴刊本识误》同，今据改。〖按〗《隋书·高颎传》《北史·高颎传》皆作“右”。［24］祁绪：原作“祈绪”。据章钰校，甲十一行本、乙十一行本、孔天胤

【原文】

十年（庚戌，公元五九〇年）

春，正月乙未[414]，以皇孙昭[415]为河南王，楷为华阳王。昭，广之子也。

二月庚申[416]［28］，上幸晋阳，命高颎居守[417]。夏，四月辛酉[418]，至自晋阳。

成安文子[419]李德林，恃其才望，论议好胜，同列多疾之。由是以佐命[420]元功[421]，十年不徙级[422]。德林数与苏威异议，高颎常助威，奏德林狠戾[423]，上多从威议。上赐德林庄店，使自择之，德林请逆人[424]高阿那肱卫国县[425]市店，上许之。及幸晋阳，店人诉称高氏强夺民田，于内造店赁[426]之。苏威因奏德林诬罔[427]，妄奏自入[428]，司农卿[429]李圆通[430]等复助之曰：“此店收利，如食千户[431]，请计日追赃。”上自是益恶之。虞庆则等奉使关东巡省[432]，还，皆奏称“乡正专理辞讼，党与爱憎[433]，公行货贿[434]，不便于民。”上令废之。德林曰：“兹事臣本以为不可，然置来始尔，复即停废，政令不一，朝成暮毁[435]，深非帝王设法之义。臣望陛下自今群臣于律令辄欲改张[436]，即以军法从事，不然者，纷纭未已。”上遂发怒，大诟[437]云：“尔欲以我为王莽[438]邪？”先是，德林称父为太尉谘议[439]以取赠官，给事黄门侍郎[440]猗氏陈茂[441]等密奏：“德林父终于校书[442]，妄称谘议。”上甚衔之[443]。至是，上因之曰：“公为内史，典朕机密，比不可豫[444]计议者，以公不弘[445]耳，宁自知乎？又罔冒取店，妄加父官，朕实忿之，而未能发，今当以一州相遣耳。”因出为湖州[446]刺史。德林拜谢

本皆作“祁绪”，今据改。下同。〖按〗《隋书·元谐传》《北史·元谐传》皆作“祁绪”。[25]以：原作“而”。据章钰校，甲十一行本、乙十一行本、孔天胤本皆作“以”，今据改。[26]等：原无此字。据章钰校，甲十一行本、乙十一行本、孔天胤本皆有此字，今据补。[27]甲子：原无此二字。据章钰校，甲十一行本、乙十一行本、孔天胤本皆有此二字，今据补。〖按〗《隋书·高祖纪下》《北史·高祖文帝纪》皆有此二字。

【语译】

十年（庚戌，公元五九〇年）

春，正月初七日乙未，隋文帝册封皇孙杨昭为河南王，杨楷为华阳王。杨昭是杨广的儿子。

二月初二日庚申，隋文帝亲临晋阳，命高颎留守京师。夏，四月初四日辛酉，隋文帝从晋阳回到京师。

成安文子李德林，依恃他的才能声望，争强好胜，同朝班的官员大多嫉恨他。因此，他以辅佐王命之首功，却十年没有升迁。李德林屡次和苏威的意见不一，高颎常常帮助苏威，上奏说李德林贪狠暴戾，隋文帝多听从苏威的建议。隋文帝赏赐李德林庄园店舍，让他自己选择，李德林请求得到叛逆人高阿那肱在卫国县的市店，隋文帝同意了。等到隋文帝亲临晋阳，店舍的人控诉说高氏强夺民田，在里面建造店舍出租。苏威于是上奏李德林欺骗，说他所奏欺君罔上，把民田占为己有。司农卿李圆通等人又趁机帮助苏威，说：“这些店舍的收益，如同享有千户封邑的王侯，请求按日计算，追回李德林收取的赃款。”隋文帝因而更加讨厌他。虞庆则等人奉命到关东巡视，回来之后都奏称：“乡正专断讼案，偏私亲友，随心爱憎，公然索取贿赂，不利于民。”隋文帝命令废除。李德林说：“设置乡正这件事臣本来认为不可，但是刚刚设置，又马上停废，政令不一，朝成夕毁，实在不是帝王设置法令的正道。臣希望陛下从现在开始，凡是群臣对于律令有要求更改的，就用军法来处置，不然的话，议论纷纷，不会停止。”皇上于是发怒，大骂他说：“你想把我当作王莽吗？”起先，李德林说他的父亲是太尉谘议，以取得死后赠官，给事黄门侍郎猗氏县人陈茂等秘密上奏：“李德林的父亲死时只是个校书郎，假冒说是谘议。”隋文帝十分痛恨此事。这时，隋文帝便指责李德林说：“你是内史，典掌朕的机密，近来不能让你参与计议的原因，是因为你的气度不够恢宏，你自己难道不知道吗？你欺蒙假冒，索人店舍，乱加父亲的官职，朕的确很气愤，但是没有发作，如今送你一州之地，让你去做州官。”因此调出为湖州刺史。李德林拜谢说：“臣不敢再奢望做

曰:“臣不敢复望内史令，请但预散参[447]。”上不许，迁怀州刺史而卒。

李圆通，本上微时[448]家奴，有器干[449]，及为隋公，以圆通及陈茂为参佐[450]，由是信任之。梁国之废也，上以梁太府卿柳庄[451]为给事黄门侍郎。庄有识度[452]，博学，善辞令，明习典故[453]，雅达[454]政事，上及高颎、苏威[29]皆重之。与陈茂同僚，不能降意[455]，茂谮之于上，上稍疏之，出为饶州[456]刺史。

上性猜忌[457]，不悦学，既任智[458]以获大位，因以文法[459]自矜，明察临下，恒令左右觇视[460]内外，有过失则加以重罪。又患令史赃污[461]，私使人以钱帛遗之，得犯立斩。每于殿庭捶人，一日之中，或至数四。尝怒问事[462]挥楚不甚[463]，即命斩之。尚书左仆射高颎、治书侍御史柳彧等谏，以为“朝堂非杀人之所，殿廷非决罚之地。”上不纳。颎等乃尽诣朝堂请罪，上顾谓领左右都督[464]田元曰:“吾杖重乎?”元曰:“重。”帝问其状[465]，元举手曰:“陛下杖大如指，捶人三十者，比[466]常杖[467]数百，故多死。”上不怿[468]，乃令殿内去杖，欲有决罚，各付所由[469]。后楚州[470]行参军[471]李君才上言:“上宠高颎过甚。”上大怒，命杖之，而殿内无杖，遂以马鞭捶杀之，自是殿内复置杖。未几[472]，怒甚，又于殿廷杀人。兵部侍郎[473]冯基固谏[474]，上不从，竟于殿廷杀之。上亦寻悔，宣慰[475]冯基，而怒群臣之不谏者。

五月乙未[476]，诏曰:“魏末丧乱，军人权置[477]坊府[478]，南征北伐，居处无定，家无完堵[479]，地罕包桑[480]，朕甚愍[481]之。凡是军人，可悉属州县，垦田、籍帐[482]，一与民同。军府统领，宜依旧式[483]。罢山东、河南及北方缘边之地新置军府。”

六月辛酉[484]，制民年五十免役收庸[485]。

秋，七月癸卯[486]，以纳言杨素为内史令。

冬，十一月辛丑[487]，上祀南郊[488]。

江表自东晋已来，刑法疏缓，世族[489]陵驾寒门[490]，平陈之后，牧民者[491]尽更变之。苏威复作《五教》[492]，使民无长幼悉诵之，士民嗟怨[493]。民间复讹言[494]隋欲徙之入关，远近惊骇。于是婺州[495]汪文进、越

内史令，只请求做无职务而能参与朝会的散官。”隋文帝没有同意，迁调他为怀州刺史后死去。

李圆通原本是隋文帝地位微贱时候的家奴，很有才干；等到隋文帝为隋公时，就任命圆通和陈茂为参佐，从此很信任他。梁朝被废时，隋文帝任命梁朝太府卿柳庄为给事黄门侍郎。柳庄有才识器度，学问广博，善于辞令，熟悉典章制度，深通政事，隋文帝和高颎、苏威都很器重他。柳庄和陈茂同僚，互不迁就，陈茂在隋文帝面前说柳庄的坏话，隋文帝逐渐疏远了柳庄，命他出任饶州刺史。

隋文帝生性好猜忌，不喜欢学习，既然运用智略权术而获得皇位，于是就以精于律令自夸，以明察制御臣下，长期命令左右的人探察朝廷内外，只要有人犯了过错，就判处重罪。又担心令史贪赃枉法，便暗中派人拿金钱丝帛赠送他们，抓到犯法的立刻斩杀。常常在殿廷上捶打人，一天内，有时发生好几次。曾经因为愤怒行杖的人用力不重，立刻下令把行杖人杀了。尚书左仆射高颎、治书侍御史柳彧等人谏阻，认为“朝堂内不是杀人的地方，殿廷中也不是判罪的场所”。隋文帝不采纳。高颎等人于是全部到朝堂请罪，隋文帝回头对领左右都督田元说：“我刑杖重了吗?”田元说：“重了。”隋文帝又问刑杖太重的情状，田元举起手说：“陛下的刑杖粗大如同五指，捶打人三十下，等于一般荆杖的几百下，因此很多人被打死。”隋文帝听了不高兴，但还是下令殿内去除刑杖，如果有处罚行刑，分别交给主管的人去处理。后来楚州行参军李君才进言说：“皇上宠幸高颎太过分了。”隋文帝大怒，命令用刑杖处罚他，而殿内无杖，于是用马鞭把他打死了。从此殿内又设置刑杖。没多久，隋文帝盛怒，又在殿廷杀人。兵部侍郎冯基坚决谏阻，皇上不听从，最终在殿廷把人杀死了。隋文帝不久也后悔了，抚慰冯基，而气恼群臣中那些没有谏阻自己的人。

五月初九日乙未，隋文帝下诏说：“魏朝末年丧乱，军人临时设置坊府，南征北战，居无定所，家里没有完好的屋墙，地里桑树稀少，朕甚为哀怜。凡是军人，可以一律隶属州县，受田开垦、田籍账簿全部和百姓相同。士兵由军府统领，仍应遵守旧有的规章。撤销山东、河南以及北方沿边界之地新设置的军府。”

六月初五日辛酉，规定百姓年满五十岁可免除征役，收绢作为劳役的代金。

秋，七月十八日癸卯，任用纳言杨素为内史令。

冬，十一月十七日辛丑，隋文帝在南郊祭天。

江南自东晋以来，刑法疏阔宽松，世家大姓欺压寒族，平定陈朝以后，郡县治民官吏完全改变了这一状况。苏威又制定《五教》，让百姓不管长幼都背诵，士民嗟叹怨恨。民间又谣传隋朝要把他们迁徙入关，远近的人都惊恐。因此婺州的汪文进、

州[496]高智慧、苏州[497]沈玄懀皆举兵反，自称天子，署置百官。乐安[498]蔡道人、蒋山李稜[30]、饶州吴世华、温州[499]沈孝彻、泉州[500]王国庆、杭州杨宝英、交州[501]李春等皆自称大都督，攻陷州县。陈之故境，大抵皆反，大者有众数万，小者数千，共相影响。执县令，或抽其肠，或脔[502]其肉食之，曰："更能使侬[503]诵《五教》邪？"诏以杨素为行军总管以讨之。

素将济江，使始兴麦铁杖[504]戴束藁[505]，夜浮渡江觇贼[506]，还而复往，为贼所擒，遣兵仗三十人防之。铁杖取贼刀，乱斩防者，杀之皆尽，割其鼻，怀之以归。素大奇之，奏授仪同三司。

素帅舟师自杨子津[507]入，击贼帅朱莫问于京口，破之。进击晋陵[508]贼帅顾世兴、无锡[509]贼帅叶略，皆平之。沈玄懀败走，素追擒之。高智慧据浙江[510]东岸为营，周亘[511]百余里，船舰被江。素击之。子总管[512]南阳来护兒[513]言于素曰："吴人[514]轻锐，利在舟楫，必死之贼，难与争锋，公宜严陈以待之，勿与接刃[515]。请假奇兵数千潜渡江，掩破其壁[516]，使退无所归，进不得战，此韩信破赵[517]之策也。"素从之。护兒以轻舸[518]数百直登江岸，袭破其营，因纵火，烟焰张[31]天。贼顾火而惧，素因纵兵奋击，大破之，贼遂溃。智慧逃入海，素蹑之[519]至海曲，召行军记室[520]封德彝[521]计事，德彝坠水，人救，获免，易衣见素，竟不自言。素后知之，问其故，曰："私事也，所以不白。"素嗟异之。德彝名伦，以字行，隆之之孙也。汪文进以蔡道人为司空，守乐安，素进讨，悉平之。

素遣总管史万岁[522]帅众二千，自婺州别道逾岭越海，攻破溪洞，不可胜数。前后七百余战，转斗千余里，寂无声问[523]者十旬，远近皆以万岁为没[524]。万岁置书竹筒中，浮之于水，汲者得之，言于素。素上其事，上嗟叹，赐万岁家钱十万。

素又破沈孝彻于温州，步道向天台[525]，指临海[526]，逐捕遗逸[527]，前后百余战，高智慧走保闽、越[528]。上以素久劳于外，令驰传入朝。素以余贼未殄[529]，恐为后患，复请行，遂乘传[530]至会稽。王国庆自以海路艰阻，非北人[531]所习，不设备。素泛海[532]奄至，国庆惶遽弃州走。余党散入海岛，或守溪洞，素分遣诸将，水陆追捕。密令人说国庆，使斩送智慧以自赎[533]，国庆乃执送智慧，斩于泉州，余党悉降。江南大定。

越州的高智慧、苏州的沈玄懀都举兵造反，自称天子，设置百官。乐安的蔡道人、蒋山的李稜、饶州的吴世华、温州的沈孝彻、泉州的王国庆、杭州的杨宝英、交州的李春等人都自称大都督，攻占州县。陈朝旧境，大部分都造反了，力量大的有数万人，小的有几千人，互相响应。他们抓获县令后，有的抽出他们的肠子，有的把他们的肉切成碎块吃了，说："还能让我们背诵《五教》吗？" 隋文帝下诏任命杨素为行军总管去镇压他们。

杨素即将渡江，派始兴人麦铁杖顶着一束禾柴，趁夜浮水渡过长江探察贼情，返回后再次前往，被贼兵捉住，派了三十人带着武器看守他。麦铁杖夺过贼刀，乱砍防守他的人，把他们全杀光了，割下他们的鼻子，揣在怀中带回来。杨素大为惊奇，奏请授为仪同三司。

杨素率领水军从杨子津攻入，在京口攻击贼兵主帅朱莫问，打败了他。进击晋陵贼帅顾世兴、无锡贼帅叶略，全都平定了。沈玄懀战败逃跑，杨素追赶擒住了他。高智慧据守浙江东岸扎营，周围绵亘一百多里，船舰布满江面。杨素发动攻击。子总管南阳人来护兒报告杨素说："吴地的人轻快锐利，长于舟船作战，抱着必死决心的贼兵，难与争锋，您应该严密布阵等待他们，不要和他们交战。请给我数千名奇兵暗渡长江，突然袭击，攻破他们的营垒，使他们后退无路，前进无法作战，这是韩信打败赵军的计策。" 杨素听从了他的建议。来护兒用数百艘轻船直登江岸，袭破敌人的营垒，乘势纵火，浓烟烈火弥漫天空。贼兵回头看见大火，心中恐惧，杨素纵兵奋击，把他们打得大败，于是贼兵溃散。高智慧逃进大海，杨素跟踪追击到海湾，宣召行军记室封德彝商议军事，封德彝掉进水中，被人救起，得免一死。封德彝换好衣服来见杨素，始终不讲这件事。杨素后来知道了，问他原因，他说："这是私人的事，所以不说。" 杨素惊异叹服。封德彝，名伦，以字行世，是封隆之的孙子。汪文进任命蔡道人为司空，守卫乐安，杨素进兵讨伐，全都平定了。

杨素派遣总管史万岁率领两千人，从婺州支路越岭跨海，攻破溪洞不计其数。前后打了七百多仗，转战一千多里，一百多天杳无音信，远近的人都以为史万岁战死了。史万岁把信放在竹筒里，漂浮在水面，被打水的人得到，告诉了杨素。杨素把这件事奏闻隋文帝，隋文帝赞叹不已，赏赐史万岁家十万钱。

杨素又在温州打败沈孝彻，步行向天台进军，直指临海县，一路上追捕残余逃命的敌人，前后百余战，高智慧逃亡到闽、越自守。隋文帝因杨素长期在外辛苦，下令乘驿站车马入朝。因残余的贼兵还没有消灭，杨素担心成为后患，又请求进兵，于是乘传车到达会稽。王国庆自以为海路艰难险阻，不是北方人所能熟习的，就不设防备。杨素渡海突然到达，王国庆仓皇弃州而逃。余党散入海岛，有的占据溪洞，杨素分派众将领从水陆两路追捕。秘密派人游说王国庆，让他斩杀或捆送高智慧替自己赎罪，王国庆于是捉住高智慧送来，在泉州被处死，余党全部投降。江南大体平定。

素班师，上遣左领军将军独孤陀[534]至浚仪[535]迎劳。比到京师，问者[536]日至。拜素子玄奖为仪同三司，赏赐甚厚。陀，信之子也。

杨素用兵多权略[537]，驭众[538]严整，每将临敌，辄求人过失而斩之，多者百余人，少不下十数，流血盈前[539]，言笑自若[540]。及其对陈，先令一二百人赴敌，陷陈则已，如不能陷而还者，无问多少，悉[541]斩之。又令二三百人复进，还如向法[542]。将士股栗，有必死之心，由是战无不胜，称为名将。素时贵幸，言无不从，其从素行者，微功必录[543]。至他将虽有大功，多为文吏所谴却[544]，故素虽残忍，士亦以此愿从焉。

以并州总管晋王广为扬州总管，镇江都，复以秦王俊为并州总管。

番禺[545]夷王仲宣反，岭南首领多应之，引兵围广州[546]。韦洸中流矢卒，诏以其副慕容三藏[547]检校广州道行军事[548]。又诏给事郎[549]裴矩巡抚岭南，矩至南康，得兵数千人。仲宣遣别将周师举围东衡州[550]，矩与大将军鹿愿击斩之，进至南海[551]。

高凉洗夫人遣其孙冯暄将兵救广州，暄与贼将陈佛智素善[552]，逗留不进，夫人知之，大怒，遣使执暄，系州狱[553]。更遣孙盎[554]出讨佛智，斩之。进会鹿愿于南海，与慕容三藏合击仲宣，仲宣众溃，广州获全。洗氏亲被甲，乘介马[555]，张锦伞[556]，引彀骑[557]卫，从裴矩巡抚二十余州。苍梧[558]首领陈坦等皆来谒见，矩承制[559]署为刺史、县令，使还统其部落，岭表遂定。

矩复命，上谓高颎、杨素曰："韦洸将二万兵不能早度岭[560]，朕每患其兵少。裴矩以三千弊卒[561]径至南海，有臣若此，朕亦何忧？"以矩为民部侍郎[562]。拜冯盎高州[563]刺史，追赠冯宝广州总管、谯国公。册洗氏为谯国夫人，开谯国夫人幕府，置长史以下官属，给[32]印章，听发部落六州兵马，若有机急[564]，便宜行事[565]。仍敕以夫人诚效之故，特赦暄逗留之罪，拜罗州[566]刺史。皇后赐夫人[567]首饰及宴服[568]一袭，夫人并盛于金箧[569]，并梁、陈赐物，各藏一库，每岁时大会，陈之于庭，以示子孙，曰："我事三代主，惟用一忠顺之心，今赐物具存，此其报也。汝曹皆念之，尽赤心于天子！"

杨素班师回京，隋文帝派遣左领军将军独孤陀到浚仪迎接慰劳。等到抵达京师，每天有人来慰问。隋文帝授杨素的儿子杨玄奖为仪同三司，赏赐极为优厚。独孤陀是独孤信的儿子。

杨素用兵多权变谋略，治军严整，每次将要临阵对敌，就挑寻一些人的过失在阵前斩杀，多者一百多人，少的也不少于十人，流血盈前，谈笑自如。等到他和敌人对阵，先命令一二百人奔赴敌阵，如果陷阵则已，若不能陷阵而退回来，不论多少人，全部斩首。又下令二三百人再前进，还是用和前一次相同的方法。将士颤抖，有拼命死战之心，因此他战无不胜，被称为名将。杨素当时宠贵亲幸，言无不从，那些跟随杨素征战的人，很小的功劳也必加叙录。至于别的将军即使有重大功劳，也多被文官所压低，所以杨素虽然残忍，兵士也愿意跟随他。

隋文帝任命并州总管晋王杨广为扬州总管，镇守江都，又任命秦王杨俊为并州总管。

番禺夷人王仲宣反叛，岭南夷族首领很多响应他，王仲宣率军包围广州。韦洸中流箭死去，隋文帝下诏任命他的副职慕容三藏检校广州道代行军事。又下诏命令给事郎裴矩巡抚岭南，裴矩到达南康，得到数千名兵力。王仲宣派遣别将周师举围攻东衡州，裴矩和大将军鹿愿击杀了周师举，进军抵达南海。

高凉洗夫人派遣她的孙子冯暄带兵救援广州，冯暄和贼兵将领陈佛智向来关系很好，军队逗留不进，洗夫人知道了，大怒，派使者逮捕冯暄，关押在州内监狱中。另外派遣孙子冯盎出兵讨伐佛智，把佛智杀了。冯盎进军，在南海与鹿愿会师，同慕容三藏合力攻打王仲宣，王仲宣的军队溃败，广州得到保全。洗氏亲自穿上战甲，乘着披甲的战马，张开丝锦伞盖，率领手持弓弩的骑兵卫队，跟从裴矩巡抚二十多州。苍梧首领陈坦等人都前来谒见，裴矩承奉皇上旨意，授任他们为刺史、县令，让他们回去统领各自的部落，岭南于是安定了。

裴矩回京禀报，隋文帝对高颎、杨素说："韦洸率领两万士兵不能早日越过南岭，朕经常担心他的兵力太少。裴矩以三千名衰疲的士卒径直到达南海，有这样的臣子，朕还有什么可担忧的呢？"任命裴矩为民部侍郎。授任冯盎为高州刺史，追赠冯宝为广州总管、谯国公。册封洗氏为谯国夫人，开设谯国夫人幕府，设置长史以下的官属，授给洗氏印章，允许她调拨部落所属六州兵马。如果有紧急情况，可以自行相机处置。还下诏说，由于洗夫人效诚的原因，特赦冯暄逗留不进的罪过，拜为罗州刺史。皇后赏赐洗夫人首饰和宴居之服一套，洗夫人把这些物品都装在金箱里面，连同梁朝、陈朝时赏赐的东西，各自藏在一库之中。每当岁时大会，陈列在大庭中，给子孙们看，说："我侍奉三朝的君主，只用一颗忠顺的心，现在所赏赐的东西都保存着，这就是忠顺的回报。你们都要记住，对天子要尽赤诚之心！"

番州⑤⑦⓪总管赵讷贪虐⑤⑦①，诸俚、獠⑤⑦②多亡叛。夫人遣长史张融上封事⑤⑦③，论安抚之宜，并言讷罪，不可以招怀远人。上遣推⑤⑦④讷，得其赃贿，竟致于法。敕[33]委夫人招慰亡叛。夫人亲载诏书，自称使者，历十余州，宣述⑤⑦⑤上意，谕诸俚、獠，所至皆降。上嘉之，赐夫人临振县⑤⑦⑥为汤沐邑⑤⑦⑦，赠冯仆⑤⑦⑧崖州⑤⑦⑨总管、平原公。

【段旨】

以上为第四段，写开皇十年（公元五九〇年），隋朝平定江南反叛，安抚岭南地区，以及杨素用兵的情形。

【注释】

⑭乙未：正月初七日。⑮皇孙昭（？至公元六〇六年）：隋炀帝长子，先封为河南王，隋炀帝即位后立为太子。传见《隋书》卷五十九、《北史》卷七十一。⑯庚申：二月初二日。⑰居守：留守。⑱辛酉：四月初四日。⑲成安文子：成安，县名。文，李德林谥号。子，爵号。⑳佐命：古代帝王建立王朝，自谓承天受命，故称辅佐之臣为佐命。㉑元功：一等功。㉒徙级：升级；迁升。㉓狠戾：狂暴。㉔逆人：反叛之人。逆，叛逆。㉕卫国县：县名，县治在今山东济南市章丘区西南。㉖赁：雇工；租借。㉗诬罔：以不实之词欺骗人。㉘妄奏自入：指李德林奏报不实，强占卫国县平民市店，妄称为叛逆人之产。妄奏，欺君罔上之奏。自入，占为己有。㉙司农卿：官名，古代九卿之一，主管钱粮。㉚李圆通（？至公元六〇六年）：京兆泾阳（今陕西泾阳）人，历仕周、隋，官至兵部尚书。传见《隋书》卷六十四、《北史》卷七十五。㉛“此店收利”二句：指市店收的利息如同食封千户的租赋一样多。㉜巡省：巡视。㉝党与爱憎：指乡正在处理狱讼时，爱憎出于己私，袒护同党，憎恨异己。㉞货贿：以财货贿赂人。㉟朝成暮毁：早晨做成的，到了晚上又毁弃，犹言朝令夕改。㊱改张：改动；改弦更张。㊲大诟：大声辱骂。㊳王莽：西汉末外戚王莽篡汉，以频频变更法令而亡，隋文帝以为李德林拿王莽来比况自己。㊴太尉谘议：太尉僚佐，掌咨询商议。㊵给事黄门侍郎：官名，侍卫之官，掌侍从左右，给事中使，内外联络。隋炀帝改称黄门侍郎。㊶陈茂：河东猗氏（今山西临猗南）人，历仕周、隋、唐三朝，官至梁州总管。传见《隋书》卷六十四、《北史》卷七十五。㊷校书：官名，即校书郎，掌校雠典籍。㊸衔之：衔恨李德林。㊹豫：通“与”，参与。㊺弘：宽；大。㊻湖州：州名，治所乌程县，在今浙江湖州。㊼散参：谓

番州总管赵讷贪婪暴虐，众俚人、獠人大多逃亡背叛。冼夫人派长史张融呈上密封奏章，论述安抚事宜，并说明赵讷的罪状，不能任用他招抚怀柔边远之人。皇上派人推问查证赵讷，获得他的赃物，最终将他绳之以法。隋文帝下敕委派冼夫人抚慰叛亡的人。冼夫人亲自载着诏书，自称皇帝的使者，经历十几个州府，公开陈述皇上的旨意，晓谕众俚人、獠人，她所到之处，众人都降服了。隋文帝称赞她，赏赐她临振县作为封邑，追赠冯仆为崖州总管、平原公。

散官无职务，而预朝参。㊽微时：未显达之时。㊾器干：才干；本领。㊿参佐：僚属；部下。451 柳庄：字思敬，河东解（今山西临猗）人，历仕后梁与隋，官至给事黄门侍郎。传见《隋书》卷六十六、《北史》卷七十、《周书》卷四十二。452 识度：见识与度量。453 明习典故：熟习典章制度。454 雅达：非常通晓。雅，极、甚。455 降意：抑制心意，屈居人下。456 饶州：州名，治所鄱阳县，在今江西鄱阳。457 性猜忌：生性猜疑妒忌。458 任智：凭借智慧、计谋。459 文法：法制；法令条文。460 觇视：窥视；侦察。461 赃污：贪污受贿。462 问事：执行杖法的人。463 挥楚不甚：杖打得不厉害、不重。楚，木名，即牡荆。枝干坚劲，可以作杖。464 领左右都督：官名，北齐有领左、右府，将军之下置正、副都督。隋因齐制，掌侍卫。465 状：情状。466 比：等于。467 常杖：一般官府所用的杖。468 怿：欢喜；快乐。469 所由：主管官吏。犹言有关官吏。470 楚州：州名，治所山阳县，在今江苏淮安。471 行参军：官名，州府僚佐，参与军事，地位低于参军。472 未几：时过不久。473 兵部侍郎：官名，兵部副长官，掌天下军卫、武官选授的政令等。474 固谏：坚持谏阻。固，一定、坚持。475 宣慰：安抚。476 乙未：五月初九日。477 权置：临时设置。478 坊府：西魏兵制有六坊，也称六府。479 家无完堵：家中没有完整的墙，形容家里破弊不堪。堵，土墙。480 地罕包桑：地上少有桑树。包桑，亦作“苞桑”，桑树的本干。481 愍：哀怜；忧伤。482 籍帐：管理户籍与赋税缴纳。483 旧式：过去的法令规定。式，法式。484 辛酉：六月初五日。485 免役收庸：指农民到五十岁时，即可以庸代役。庸，代替力役的赋税。隋制：每天纳绢三尺可代役一日。486 癸卯：七月十八日。487 辛丑：十一月十七日。488 南郊：隋于长安城南，太阳门外道西设坛，坛高七尺，广四丈。489 世族：又称士族，几世连做高官的家族，在东晋、南朝均享有经济与政治特权。490 寒门：又称庶族。父祖官位不显，是土地和权力拥有者中的下层家族。491 牧民者：指官吏。牧民，治民。492《五教》：五种封建伦理道德，即父义、母慈、兄友、弟恭、子孝。此指苏威所作宣传五教的作品。493 嗟怨：又慨叹又怨恨。494 讹言：谣言；谣传。495 婺州：州名，治所金华县，在今浙江金华。496 越州：州名，治所会稽县，在今浙江绍兴。497 苏州：州名，治所吴县，

在今江苏苏州。⑱ 乐安：郡名，治所千乘县，在今山东东营市广饶县北。⑲ 温州：州名，治所永嘉县，在今浙江温州。⑳ 泉州：州名，治所原丰县，在今福建福州。㉑ 交州：州名，治所交趾县，在今越南河内。㉒ 脔：碎割。㉓ 侬：我。江南方言。㉔ 麦铁杖（？至公元六一二年）：始兴（今广东韶关市东南莲花岭下）人，官至右屯卫大将军。传见《隋书》卷六十四、《北史》卷七十八。㉕ 藁：禾柴。㉖ 觇贼：侦察敌情。㉗ 杨子津：又称扬子桥，渡口名，故址在今江苏扬州南。㉘ 晋陵：县名，县治在今江苏常州。㉙ 无锡：县名，县治在今江苏无锡。㉚ 浙江：水名，又名之江，因为多曲折，故名。上游有二源，北为新安江，南为兰溪，二水合于建德市东南，东北流至桐庐县为桐江，至富阳县为富春江，至旧钱塘县境为钱塘江。㉛ 周亘：周围连绵。㉜ 子总管：即领兵的裨将，隶属总管。㉝ 来护兒（？至公元六一六年）：字崇善，江都（在今江苏扬州西南）人。隋代著名将领，官至左翊卫大将军，封荣国公。传见《隋书》卷六十四、《北史》卷七十五。㉞ 吴人：泛指今江浙一带人。㉟ 接刃：兵刃相接，即交战。㊱ 壁：壁垒；栅寨。㊲ 韩信破赵：韩信派轻骑诱赵军出壁垒，然后用伏兵攻入赵壁，使赵军退无归路，遂降。事详本书卷十《汉纪二》高帝三年。㊳ 轻舸：即轻船。舸，大船。㊴ 蹑之：紧随在高智慧军后边。㊵ 行军记室：官名，外出作战时掌管文书、羽檄。㊶ 封德彝（公元五六八至六二七年）：名伦，字德彝，观州蓨（今河北景县）人，历仕隋、唐，官至尚书右仆射。事见《隋书·卫玄传》《旧唐书》卷六十三、《新唐书》卷一百。㊷ 史万岁（？至公元六〇〇年）：京兆杜陵（今陕西西安市长安区）人，历仕周、隋，官至河州刺史。传见《隋书》卷五十三、《北史》卷七十三。㊸ 寂无声问：杳无音信。声问，音讯、消息。㊹ 为没：已战死。㊺ 天台：山名，在今浙江天台北。㊻ 临海：县名，县治在今浙江临海市。㊼ 遗逸：指逃亡四散的敌军。㊽ 闽、越：皆州名。闽州，治所侯官县，在今福建福州。越州，治所会稽县，在今浙江绍兴。㊾ 未殄：没有被消灭。殄，灭绝、消灭。㊿ 乘传：乘用驿站的车。531 北人：指隋军。532 泛海：渡海。泛，漂浮。533 自赎：自我立功以赎罪。赎，赎罪。534 独孤陀：字黎邪，云中（今山西大同）人。历仕周、隋，官至上大将军、延州刺史。传见《隋书》卷七十九、《北史》卷六十一。535 浚仪：县名，县治在今河南开封。536 问者：慰劳、慰问的人。537 权略：权变谋略。538 驭众：治军；统领众军。驭，驾驭、整治。539 盈前：充溢眼前。540 自若：自如；和平常一样。541 悉：全部。542 向法：先前的方法。543 微功必录：小的战功也都加以记载。录，记载、采取。544 谴却：降低或推辞不受。谓不能计功行赏。545 番禺：县名，县治在今广东广州。546 广州：州名，治所南海县，在今广东广州。547 慕容三藏（？至公元六一一年）：燕人，历仕北齐、北周与隋，官至和州刺史。传见《隋书》卷六十五、《北史》卷五十三。548 检校广州道行军事：谓在广州道代理行使军事权力。检校，未得实授的加官，或兼领某官为检校，即代理任职。广州道，是中央派出去的设在广州的统治机构。⑤⁴⁹给事郎：官名，隶属吏部，掌省读奏案。⑤⁵⁰东衡州：侨州名，治所曲江县，在今广东韶关市南武水西。⑤⁵¹南海：郡名，治所番禺县，在今广东广州。⑤⁵²素善：一向很要好。⑤⁵³州狱：州府所辖监狱。⑤⁵⁴盎：即冯盎，高凉冼夫人之孙，官至高州刺史。事附《隋书·谯国夫人传》《北史·谯国夫人传》。⑤⁵⁵介马：披甲的战马。介，披甲。⑤⁵⁶张锦伞：打着锦伞。⑤⁵⁷彀骑：持弓弩的骑兵。彀，张满弓弩。⑤⁵⁸苍梧：郡名，治所广信，在今广西梧州。⑤⁵⁹承制：秉承皇帝旨意，以皇帝名义权宜行事。⑤⁶⁰岭：五岭。⑤⁶¹弊卒：衰疲的士卒。⑤⁶²民部侍郎：官名，民部副长官，协助民部尚书掌国家财政。民部唐改为户部。⑤⁶³高州：州名，治所高凉县，在今广东阳江西。⑤⁶⁴机急：谓紧急时机。机，时机、机会。⑤⁶⁵便宜行事：不待上奏，自行相机处置。便宜，因利乘便，方便行事。⑤⁶⁶罗州：州名，治所石龙县，在今广东化州。⑤⁶⁷夫人：古代妇女的封号。隋时皇帝之妃亦称夫人。⑤⁶⁸宴服：宴居之服，犹今之便服。⑤⁶⁹箧：箱子之类的器具。大的称箱，小的称箧。⑤⁷⁰番州：州名，治所南海县，在今广东广州。⑤⁷¹贪虐：贪婪暴虐。⑤⁷²俚、獠：古代生活在五岭以南的少数民族。⑤⁷³封事：密封的章奏。古代百官上书机密事，为防泄露，用皂囊封缄呈奏，故称封事。⑤⁷⁴推：推问查证。⑤⁷⁵宣述：公开陈述。⑤⁷⁶临振县：县名，县治在今海南三亚东北。⑤⁷⁷汤沐邑：天子赐给诸侯的封邑，邑内收入供诸侯汤沐之用。⑤⁷⁸冯仆：冼夫人之子，官至石龙太守。事附《隋书·谯国夫人传》《北史·谯国夫人传》。⑤⁷⁹崖州：州名，治所义伦县，在今海南儋州西北。

【校记】

［28］庚申：原无此二字。据章钰校，甲十一行本、乙十一行本、孔天胤本皆有此二字，张敦仁《通鉴刊本识误》同，今据补。〖按〗《隋书·高祖纪下》《北史·高祖文帝纪》皆有此二字。［29］苏威：原无此二字。据章钰校，甲十一行本、乙十一行本、孔天胤本皆有此二字，张敦仁《通鉴刊本识误》同，今据补。〖按〗《通鉴纲目》卷三六上有此二字。［30］稜：原作“悛”。据章钰校，甲十一行本、乙十一行本、孔天胤本皆作“稜”，今据改。〖按〗《隋书·高祖纪下》作“稜”。［31］张：原作“涨”。据章钰校，甲十一行本、乙十一行本皆作“张”，今据改。〖按〗《隋书·来护兒传》作“张”。［32］给：“给”上原有“官”字。据章钰校，甲十一行本、乙十一行本、孔天胤本皆无“官”字，今据删。〖按〗《隋书·列女·谯国夫人传》《北史·列女·隋谯国夫人冼氏传》皆无“官”字。［33］敕：原无此字。据章钰校，甲十一行本、乙十一行本、孔天胤本皆有此字，今据补。〖按〗《隋书·列女·谯国夫人传》《北史·列女·隋谯国夫人冼氏传》皆有此字。

【原文】

十一年（辛亥，公元五九一年）

春，正月丙午[580][34]，皇太子妃元氏薨。

二月戊午[581]，吐谷浑遣使入贡。吐谷浑可汗夸吕闻陈亡，大惧，遁逃保险[582]，不敢为寇。夸吕卒，子世伏[583]立，使其兄子无素奉表称藩[584]，并献方物，请以女备[585]后庭。上谓无素曰："若依来请，他国闻之，必当相效，何以拒之？朕情存安养，各令遂性，岂可聚敛[586]子女以实后宫乎？"竟不许。

平乡[587]令刘旷[588]有异政[589]，以义理晓谕讼者，皆引咎[590]而去。狱中草满，庭可张罗[591]。迁临颍[592]令。高颎荐旷清名善政为天下第一，上召见，劳[35]勉之，顾[36]谓侍臣曰："若不殊奖[593]，何以为劝[594]？"丙子[595]，优诏擢[596]为莒州[597]刺史。

辛巳晦[598]，日有食之。

初，帝微时，与滕穆王瓒[599]不协。帝为周相，以瓒为大宗伯，瓒恐为家祸，阴欲图帝[600]，帝隐之[601]。瓒妃，周高祖妹顺阳公主也，与独孤后素不平，阴为咒诅[602]。帝命出之[603]，瓒不可。秋，八月壬申[604][37]，瓒从帝幸栗园[605]，暴薨[606]，时人疑其遇鸩。乙亥[607]，帝至自栗园[608]。

沛达公郑译卒。

【段旨】

以上为第五段，写开皇十一年（公元五九一年），隋文帝安抚吐谷浑，因猜忌而暗除杨瓒的事件。本年隋朝无大事。

【语译】

十一年（辛亥，公元五九一年）

春，正月二十三日丙午，皇太子妃元氏去世。

二月初六日戊午，吐谷浑派遣使者到隋朝进贡。吐谷浑可汗夸吕听说陈朝亡国，大为恐惧，遁逃，据险自保，不敢再来侵犯。夸吕去世，他的儿子世伏继位，世伏派遣他哥哥的儿子无素到隋朝上表称臣，并进献地方物产，请求把女儿送到皇帝后宫。隋文帝对无素说："如果答应了世伏的请求，别的国家听说了，就一定会仿效，朕用什么理由拒绝他们呢？朕一心想使天下百姓安居乐业，各顺天性发展，怎能聚集女子充实后宫呢？"最终没有同意世伏的请求。

平乡县令刘旷有不同寻常的政绩，他对前来告状的人都能晓之以理，告状的人都自责而去。监狱中长满了杂草，县衙厅堂里冷清得可以张网捕雀。刘旷升任临颍县令。尚书左仆射高颎推荐刘旷，认为他的清廉名声和良好政绩为天下第一，隋文帝召见了他，慰劳勉励他，回头对侍臣说："如果不给特殊奖励，如何勉励天下官吏？"二月二十四日丙子，特下诏命，提升刘旷为莒州刺史。

二月二十九日辛巳，发生日食。

当初，隋文帝在下层时，与滕穆王杨瓒不和。隋文帝担任了周朝丞相，任命杨瓒为大宗伯，杨瓒害怕为家招祸，暗中谋划除掉隋文帝，隋文帝把此事隐忍于心。杨瓒的妃子是周高祖的妹妹顺阳公主，与独孤皇后一向不和，暗中用巫术诅咒独孤皇后。隋文帝下令杨瓒休掉顺阳公主，杨瓒不同意。秋，八月二十三日壬申，杨瓒随从文帝亲临栗园，突然死去，当时人们怀疑是被毒死的。二十六日乙亥，隋文帝从栗园回来。

沛达公郑译去世。

【注释】

㊿580 丙午：正月二十三日。581 戊午：二月初六日。582 保险：据守险要。583 世伏：吐谷浑主，在位一年，国乱被杀。事见《隋书·吐谷浑传》《北史·吐谷浑传》。584 称藩：称臣。藩，藩国；封建王朝的属国。585 备：充。586 聚敛：聚集。587 平乡：县名，县治在今河北平乡西南。588 刘旷：籍贯不详，仕隋，官至莒州刺史。传见《隋书》卷七十三、《北史》卷八十六。589 异政：特异的政绩。590 引咎：承认过失。591 庭可张罗：形容政治清明，无政务缠身，县衙大堂可张罗捕雀。592 临颍：县名，县治在今河南临颍西北。593 殊奖：

特别奖励。㊶勋：勉励。㊷丙子：二月二十四日。㊸擢：提拔；选拔。㊹莒州：州名，治所团城，在今山东沂水。㊺辛巳晦：辛巳，二月二十九日。晦，每月最后一日。〖按〗二月壬午晦，非辛巳，"晦"字疑衍。㊻滕穆王瓒：即杨瓒（公元五五〇至五九一年），字恒生，隋文帝弟，封为滕王。传见《隋书》卷四十四、《北史》卷七十一。㊼图帝：谋害隋文帝。㊽隐之：隋文帝知滕王欲谋害自己事，但隐而不揭发。㊾咒诅：咒骂。诅，请神加给某人祸殃。㊿出之：弃逐。㊿壬申：八月二十三日。㊿栗园：地名，故址在今陕西西安南。㊿暴薨：突然死亡。薨，古代王侯之死称薨。㊿乙亥：八月二十六日。㊿至自栗园：谓自栗园还长安宫室。

【校记】

［34］丙午：原无此二字。据章钰校，甲十一行本、乙十一行本、孔天胤本皆有此二字，今据补。〖按〗《隋书·高祖纪下》《北史·高祖文帝纪》皆有此二字。［35］劳：原无此字。据章钰校，甲十一行本、乙十一行本、孔天胤本皆有此字，张敦仁《通鉴刊本识误》、张瑛《通鉴校勘记》同，今据补。［36］顾：原无此字。据章钰校，甲十一行本、乙十一行本、孔天胤本皆有此字，今据补。〖按〗《隋书·循吏·刘旷传》《北史·循吏·刘旷传》皆有此字。［37］壬申：原无此二字。据章钰校，甲十一行本、乙十一行本、孔天胤本皆有此二字，今据补。〖按〗《隋书·高祖纪下》有此二字。

【研析】

本卷所记公元五八九至五九一年三年事，以灭陈的具体过程、灭陈一年后南方发生的大规模暴动为重点。兹就卷中所记隋朝雅乐制作问题及南方暴动背景，作一些分析。

"制礼作乐"，在儒家看来是华夏政治文化的精髓，也是圣君明主化成天下的手段。十六国北朝，北方少数民族政权兴灭频繁，在当时人看来，也意味着华夏礼乐文化的消失。隋初以"复汉、魏之旧"作为制度建设的一个目标，礼乐建设自不可少。开皇六年正月，礼部尚书牛弘便已奉命编成多达百卷的新编《五礼》，下诏颁行。可是"作乐"并不成功。

"作乐"对于隋朝来说，最重要的是制定以"华夏正声"为标志的庙堂"雅乐"，或者说在国家重大礼仪场合演奏的华夏传统乐舞。从大的方面讲，包括乐器制作、配器、乐章、曲调选择、演奏形式、演奏场所等等，以编钟、编磬及琴、瑟、笛、箫为主要乐器，以舒缓中和为乐调特征，歌词及演唱则多含华夏古音。与"礼"有较为详细的儒家文本记载不同，"乐"并不详载于儒家经典，汉代以后儒学复兴，但古乐传者甚少，汉魏儒者根据经典中的只言片语，结合自己的理解，利用自古相传的钟、磬等乐器，新编曲调、歌词，搞出了一套"当代雅乐"，魏、西晋相承。《晋书》卷二十三《乐志下》说："诸乐皆和之以钟律，文之以五声，咏之于歌词，陈之于舞列。宫悬在庭，琴瑟在堂，八音迭奏，雅乐并作，登歌下管，各有常咏，周人之旧也。"但即使是这一套"新编雅乐"，在西晋灭亡时，华夏文明再一次遭遇"礼崩乐坏"，承载雅乐的乐人、乐器被消灭西晋的匈奴、羯人所获，明珠暗投，东晋在江南以华夏正统相号召，其初因"无雅乐器及伶人，省太乐并鼓吹令"。到东晋后期，历次"北伐"鸠集到的乐器已有不少，一些代代传授的音乐人也有不少来到江南，"雅乐"渐成规模，"雅乐始颇具""四厢金石始备焉"。宋、齐、梁陆续又有所增补，尤其是梁武帝锐意于制礼作乐，以至于"中原士大夫望之以为正朔所在"。

至于十六国北朝，战争为常事，以战鼓、长喇叭为主要演奏器物形成的高亢激越的"鼓吹"乐，最受喜爱，各民族歌舞随着少数民族成为统治民族，自然流行于庙堂之上，而传自西域胡人的琵琶，在民众中的影响也远远超过了琴瑟。《隋书》卷十四《音乐志中》记西魏北周时庙堂乐舞发展过程说：宇文泰当政时"高昌款附，乃得其伎，教习以备飨宴之礼"；周武帝迎娶突厥阿史那皇后，"得其所获康国、龟兹等乐，更杂以高昌之旧，并于大司乐习焉。采用其声，被于钟石，取《周官》制以陈之"。乐器、曲调基本上是来自西域的东西，又用钟、磬演奏西域风格的乐曲，按《周礼》规定演奏程序进行。如同今日某些博物馆内用编钟演奏群众喜闻乐见的"现代革命歌曲"，说是娱乐，可也，说是"雅乐"，则绝对是驴唇不对马嘴。因此唐初人在编写《隋书·音乐志》时，加以嘲笑："《下武》之声，岂姬人之唱，登歌之奏，协鲜卑之音，情动于中，亦人心不能已也。"

据《隋书·音乐志》，隋初，承北周乐舞，"受命惟新，八州同贯，制氏全出于胡人，迎神犹带于边曲"。隋开皇二年，鉴于"太常雅乐，并用胡声"，实在是有悖于"复汉、魏之旧"的国家形象，颜之推请求根据南朝梁时"雅乐"遗规，并"考寻古典"，创立大隋雅乐。隋文帝看不起梁朝的所谓雅乐，说："梁乐亡国之音，奈何遣我用邪?"决计要自搞一套，结果找人弄了五年，一无所成，文帝大为恼火："我受天命七年，乐府犹歌前代功德邪?"差点将主持其事的牛弘、何妥等人下狱治罪。郑译自告奋勇，要为隋朝制定雅乐，权臣苏威之子苏夔也积极回应。"因龟兹人苏祇婆善琵琶，始得其法，推演为十二均、八十四调"，以此定音，复按古法"议累黍定律"，制作古式乐器。苏夔"博览群言，尤以钟律自命"，其人原本不名"夔"，因传说中尧臣有名夔者，善音乐，能使"百兽率舞"，其父苏威改其名为"夔"，足见当时人对雅乐制作的热心，也表明雅乐制作与政治高层的动向有着强烈的关系。

郑译等结合西域胡人琵琶曲调所搞出的一套雅乐计划，曾让文帝大为兴奋。《隋书》卷三十八《郑译传》记文帝说："律令则公定之，音乐则公正之。礼乐律令，公居其三，良足美也。"但坚持儒家传统说法的何妥等人并不甘心，予以严厉批评，"竞为异议，各立朋党"。何妥建议文帝听听属于华夏正声的黄钟之调，"素不悦学"的文帝对争论双方引经据典根本不感兴趣，一听黄钟演奏，感觉颇为不错，于是“妥因奏止用黄钟一宫，不假余律。帝悦，从之”。“大隋雅乐”终于如此这般定了下来，而希望通过雅乐制作成为学术领袖的“学术超男”苏夔，也因此一蹶不振。只不过这黄钟大调，在精通音乐、追求淡雅旨趣的音乐家万宝常听来，竟然是“亡国之音”。

隋军灭陈，并没遭遇激烈抵抗。而一年多后，“陈之故境，大抵皆反。大者有众数万，小者数千，共相影响”。原因不是梁陈旧贵族试图复辟，而是江南各地豪族、百姓对于新政严重不适应。

据《北史》卷六十三《苏绰传附苏威传》，平陈之后，在苏威的具体负责下，在原陈朝统治地区实施了三项政策：一是“牧人者尽改变之”，二是“无长幼悉使诵《五教》”，三是“江表依内州责户籍”。陈朝统治时期，江南地方豪族势力在政治上有了很大的发展，担任各地郡县长官者不在少数，隋灭陈之后，对其在陈朝时期发展起来的政治权利一概不予承认，“尽改变之”，必然引起强烈的不满。隋朝统治集团源于西魏北周，从西魏创立时代开始，宇文泰、苏绰即将儒教伦理实践当成整合社会的重要手段，《孝经》特别受到推重，这一政治文化理念也为隋朝统治集团所继承。而东晋南朝，上流社会崇尚老庄玄学，看重诗文写作能力，拒绝与社会下层往来，儒学不兴，整个江南地方社会并没受到儒教伦理的强烈熏陶。隋朝统治者急于将自己成功的经验推广到江南地区，“无长幼悉使诵《五教》”，据说苏威复“加以烦鄙之辞”，既属烦民之举，又反映出对南方民众不尊重的心理，自然会引起民众普遍的反感。东晋南朝，南方私有大土地发育得极为充分，人身依附关系普遍化，有学者估计南方总人口中，大土地上的各类依附人口，是国家户籍管理人口的四倍以上。隋在江南“依内州责户籍”，实际就是要曾在原北齐境内实行过的那样，“大索貌阅”，清查人口，使南方两三个世纪发展起来、适应南方生产与发展需要的社会结构，在短时间内瓦解。而集中人口，加以清查登记，使“徙民入关”的谣言，得以迅速传播，造成民众的心理不安。豪族与依附豪族的民众，遂以隋朝地方官吏为攻击的对象，发起暴动。“执县令，或抽其肠，或脔其肉食之，曰：‘更能使侬诵《五教》邪？’”表示了对隋现行政策的强烈排斥。

总的来说，南方民众暴动表明，在南北长期政治分裂的情况下，南方与北方社会在社会经济状态、文化面貌与社会心态上，有着很大的差异。这种差异并不因政治统一而迅速消失，不承认这种差异，将北方行之有效的制度与法令，一概照搬至南方，自然会引起严重的问题。南方的暴动被镇压下去了，但是否继续“无长幼悉使诵《五教》”“依内州责户籍”，史无明文，想来应该是不了了之。

卷第一百七十八　隋纪二

起玄黓困敦（壬子，公元五九二年），尽屠维协洽（己未，公元五九九年），凡八年。

【题解】

本卷载述公元五九二至五九九年共八年史事，当隋文帝开皇十二年至十九年，是隋文帝统治的中段。此时期，一方面，隋朝国力发展，府库充盈。对外，安定四夷，大破北方突厥。在内政方面，隋文帝制礼作乐，完善明堂制度，制定新历法、雅乐，废公廨钱而设置职分田，努力安定民生，尚能纳谏称明主。另一方面，隋文帝日益滋长猜忌心，借故兴大狱，诛功臣；又兴建仁寿宫，穷极奢侈，开始从节俭步入纵欲。

【原文】

高祖文皇帝上之下

开皇十二年（壬子，公元五九二年）

春，二月己巳[①]，以蜀王秀为内史令兼右领军大将军。

国子博士[②]何妥与尚书右仆射邳公苏威争议事，积不相能[③]。威子夔为太子通事舍人[④]，少敏辩，有盛名，士大夫多附之。及议乐，夔与妥各有所持。诏百僚署[⑤]其所同，百僚以威故，同夔者什八九。妥恚[⑥]曰："吾席间函丈[⑦]四十余年，反为昨暮儿[⑧]之所屈邪？"遂奏："威与礼部尚书[⑨]卢恺、吏部侍郎薛道衡、尚书右丞[⑩]王弘、考功侍郎[⑪]李同和等共为朋党。省中呼弘为世子，同和为叔，言二人如威之子弟也。"复言威以曲道[⑫]任其从父弟彻、肃罔冒[⑬]为官等数事。上命蜀王秀、上柱国虞庆则等杂按[⑭]之，事颇有状[⑮]。上大怒。秋，七月乙巳[⑯]，威坐免

【语译】

高祖文皇帝上之下

开皇十二年（壬子，公元五九二年）

春，二月己巳日，隋文帝任命蜀王杨秀为内史令兼右领军大将军。

国子博士何妥和尚书右仆射邳公苏威议事争吵，长久不和。苏威的儿子苏夔担任太子通事舍人，年轻时就敏捷善辩，负有盛名，士大夫大多依附他。等到讨论修订乐律时，苏夔和何妥各持己见。文帝诏令百官署名表示赞同谁的主张，百官由于苏威的缘故，十有八九赞同苏夔。何妥气愤地说："我在席上从师就学四十多年了，难道被一个幼稚小儿所屈辱吗？"于是上奏隋文帝说："苏威和礼部尚书卢恺、吏部侍郎薛道衡、尚书右丞王弘、考功侍郎李同和等人结党营私。尚书省中称呼王弘为世子，称李同和为叔，这是说他们二人犹如苏威的大儿子和兄弟。"又告发苏威用不正当手段让他的堂弟苏彻、苏肃假冒为官等多桩事件。因此隋文帝命蜀王杨秀、上柱国虞庆则等人共同查办，发现所揭发的事都有证据。隋文帝大怒，秋，七月初一日乙巳，苏威因罪被罢免官职爵位，仅保留开府仪同三司官衔回家闲居，卢恺被免职

官爵，以开府仪同三司就第⑰，卢恺除名，知名之士坐威得罪者百余人。

初，周室⑱以来，选无清浊⑲，及恺摄吏部，与薛道衡等[1]甄别士流⑳，故涉朋党之谤，以至得罪。未几，上曰："苏威德行者，但为人所误耳！"命之通籍㉑。威好立条章，每岁责民间五品㉒不逊，或答者乃[2]云："管内㉓无五品之家。"其不相应领，类多如此。又为余粮簿，欲使有无相赡㉔，民部侍郎郎茂㉕以为烦迂不急，皆奏罢之。茂，基之子也，尝为卫国㉖令，有民张元预兄弟不睦，丞、尉请加严刑，茂曰："元预兄弟本相憎疾，又坐得罪，弥益㉗其忿，非化民㉘之意也。"乃徐谕之以义。元预等各感悔，顿首请罪，遂相亲睦，称为友悌㉙。

己巳㉚，上享太庙。

壬申晦㉛，日有食之。

帝以天下用律者多踳驳㉜，罪同论异㉝，八月甲戌㉞，制："诸州死罪，不得辄决㉟，悉移大理㊱按覆㊲，事尽，然后上省奏裁。"

冬，十月壬午㊳，上享太庙。十一月辛亥㊴，祀南郊。

己未，新义公韩擒虎卒。

十二月乙酉㊵，以内史令杨素为尚书右仆射，与高颎专掌朝政。素性疏辩㊶，高下在心㊷，朝臣之内，颇推㊸高颎，敬牛弘，厚接㊹薛道衡，视苏威蔑如㊺也，自余朝贵，多被陵轹㊻。其才艺风调㊼优于颎，至于推诚体国㊽，处物平当㊾，有宰相识度㊿，不如颎远矣。

右领军大将军贺若弼，自谓功名出朝臣之右[51]，每以宰相自许[52]。既而杨素为仆射，弼仍为将军，甚不平，形于言色[53]，由是坐免官，怨望愈甚。久之，上下弼狱，谓之曰："我以高颎、杨素为宰相，汝每昌言[54]曰：'此二人惟堪啖饭[55]耳。'是何意也？"弼曰："颎，臣之故人，素，臣之[3]舅子，臣并知其为人，诚有此语。"公卿奏弼怨望，罪当死。上曰："臣下守法不移，公可自求活理。"弼曰："臣恃至尊威灵[56]，将八千兵渡江，擒陈叔宝，窃以此望活。"上曰："此已格外重赏，何用追论？"弼曰："臣已蒙格外重赏，今还格外望活。"

除名，知名人士由于受苏威牵连而获罪的有一百多人。

当初，从北周以来，选官不分清官与浊官，等到卢恺兼管吏部，与薛道衡等人甄别士庶，所以招致结党营私的指控，并因此获罪。没过多久，隋文帝说："苏威是一个有德行的人，只是被别人陷害了！"于是下令把苏威的名字列入可以上朝的名籍中。苏威爱好订立各种章程条例，每年责令地方上报不重视"五品"道德的人家，有些地方官员便回答说："本管辖区没有五品之家。"他做事不切实际，大多如此。苏威又编制余粮账簿，想让民间互相周济有无，民部侍郎郎茂认为烦琐迂腐，不是紧要的事，奏请一律停止。郎茂，是郎基的儿子，曾经做过卫国县令，平民张元预兄弟不和睦，县丞、县尉请求施用严刑，郎茂说："张元预兄弟原本互相仇视，又因此获罪，更加增添他们的仇恨，这不是教化平民的本意。"于是逐渐地用义来劝谕两兄弟。张元预等人各自感悟悔恨，磕头请罪，于是兄弟亲睦，人们称赞他们兄弟友爱，尊敬兄长。

七月二十五日己巳，隋文帝祭祀太庙。

本月最后一天二十九日壬申，发生日食。

隋文帝因执法官员对法律的理解多错乱，常常罪行相同而判决不同，八月初一日甲戌，下制书说："各州犯死罪的人，州府不要专擅判决，全部要移交大理寺复审，复审完毕，然后送尚书省裁决。"

冬，十月初十日壬午，隋文帝到太庙祭祀。十一月初九日辛亥，隋文帝到南郊祭天。

十一月十七日己未，新义公韩擒虎去世。

十二月十四日乙酉，任命内史令杨素为尚书右仆射，与尚书左仆射高颎共掌朝政。杨素性情疏犷，口才辩捷，上下随意，在朝臣之中，颇为推崇高颎，尊敬太常卿牛弘，厚待薛道衡，很看不起苏威，其余的朝廷权贵，大多被他欺凌。杨素的才能风度比高颎强，至于推诚待人，关心国事，处事公正，有宰相的见识和度量，就远远不如高颎了。

右领军大将军贺若弼自以为功劳名望在群臣之上，常常以宰相自许。后来杨素担任仆射，贺若弼仍旧为将军，心中很不平，显露在言谈表情上，因此获罪免官，怨恨牢骚更加强烈。过了很久，隋文帝把贺若弼关进了监狱，对他说："我任用高颎、杨素为宰相，你经常扬言说：'这两个人只配白吃饭。'这是什么意思？"贺若弼说："高颎是臣的老友，杨素是臣的舅父之子，臣知道这两人的为人，确实说过这样的话。"公卿上奏贺若弼怨恨朝廷，其罪当处死。隋文帝说："公卿大臣依法不徇私情，你可以自己找活命的理由。"贺若弼说："臣依靠皇上的声威和神灵，率领八千名子弟兵横渡长江，抓获陈叔宝，自认为靠这个功劳有望活命。"隋文帝说："这已经给了你特别的重赏，哪里需要再提出？"贺若弼说："臣已经蒙受皇上的特别重赏，今日还

既而上低回⑰者[4]数日，惜其功，特令除名。岁余，复其爵位，上亦忌之，不复任使⑱，然每宴赐，遇之甚厚。

有司⑲上言：“府藏皆满，无所⑳容，积于廊庑㉑。”帝曰：“朕既薄赋于民，又大经㉒赐用，何得尔也㉓？”对曰：“入者㉔常多于出，略计每年赐用，至数百万段，曾无减损。”于是更辟㉕左藏院㉖以受之。诏曰：“宁积于人，无藏府库。河北、河东今年田租三分减一㉗，兵减半功㉘，调㉙全免。”时天下户口岁增，京辅㉚及三河㉛地少而人众，衣食不给㉜，帝乃发使四出，均天下之田，其狭乡每丁才至二十亩，老少又少焉㉝。

【段旨】

以上为第一段，着重写隋文帝的三大重臣苏威、杨素、贺若弼与公卿大臣的微妙关系，以及在开皇十二年（公元五九二年）之际的升沉。

【注释】

①己巳：二月丁丑朔，无己巳。己巳疑为“乙巳”之误。乙巳，二月二十九日。②国子博士：官名，于国子学掌经学教授。③不相能：谓不和睦。④太子通事舍人：东宫官名，掌宣传令旨，内外启奏。⑤署：签名。⑥恚：发怒；怨恨。⑦席间函丈：谓在席上从师就学。函丈，席方三尺三寸三分，称为函丈。后来多用于弟子对老师的敬称。⑧昨暮儿：初生的婴儿，极言其幼稚。⑨礼部尚书：官名，掌礼部、祠部、主客、膳部四曹，主管礼仪、祭享、贡举等。⑩尚书右丞：官名，掌尚书省兵部、刑部、工部等十二司。⑪考功侍郎：官名，属吏部，掌考察内外百官及功臣家传、碑、颂、诔、谥等事。⑫曲道：不正直，与直道相对。⑬罔冒：欺骗；冒称。⑭杂按：俱推问审查。杂，共、俱。⑮有状：有情状；有犯罪事实。⑯乙巳：七月初一日。⑰就第：谓罢官归家。⑱周室：指北周王朝。⑲选无清浊：谓选官不分清官与浊官。清浊，在南北朝时，高门士族士人任清官，寒门庶族子弟任浊官。⑳甄别士流：谓区别士庶。㉑通籍：谓通籍殿中，可以参与朝请活动。㉒五品：即五常。一家之内，尊卑之差，即父、母、兄、弟、子。㉓管内：即州、县所辖区内。㉔有无相赡：有无互相周济。赡，供给、供养。㉕郎茂（公元五四一至六一一年）：字蔚之，恒山新市（今湖北京山东北）人，历仕齐、周、隋，官至尚书左丞。传见《隋书》卷六十六、《北史》卷五十五。㉖卫国：县名，县治在今山东济南市章丘区西

希望皇上格外开恩。”随后皇上犹豫了好几天，爱惜贺若弼的功劳，特别下令免官除名。过了一年多，恢复了贺若弼的爵位，但皇上还是猜忌他，不再任用他，然而每次宴请赏赐，对待他特别优厚。

主管官员上奏说：“国家的府库都装满了，没有地方放了，就堆积在厅堂走廊上。”隋文帝说：“朕已经减轻了赋税，又大量赏赐耗用，怎么能如此呢?”官员回答说：“收入常多于支出，大略统计每年赏赐耗用的，达到几百万段绢帛，但府库的收藏没有减少。”于是隋文帝另外兴建左藏院收藏新征收来的钱粮，同时下诏书说：“宁可藏富于民，不要收藏在国家的府库。河北、河东今年的田租减征三分之一，兵户的田租减收二分之一，户调全免。”当时全国户口年年增加，京辅和三河地区地少人多，衣食不足，隋文帝便派遣使者到全国各地，均分天下的田地，地少人多的狭乡每个成年男丁只能分到二十亩土地，老人与未成年人分到的土地又少于此。

南。㉗弥益：更加增添。㉘化民：教化人民。㉙友悌：友爱兄弟。悌，敬爱兄长。㉚己巳：七月二十五日。㉛壬申晦：七月二十九日。“晦”字疑衍。㉜踳驳：杂乱。踳，乖违。㉝罪同论异：罪行相同，判决不同。㉞甲戌：八月初一日。㉟辄决：专决。辄，独、专擅。㊱大理：官署名，即大理寺，掌管刑法。㊲按覆：审理复核。㊳壬午：十月初十日。㊴辛亥：十一月初九日。㊵乙酉：十二月十四日。㊶疏辩：性情粗犷，口才辩捷。㊷高下在心：谓不照法则办事，随心任意。㊸颇推：很推崇。㊹厚接：交接很厚。㊺蔑如：没有什么了不起，轻视之意。㊻陵轹：同“凌轹”。欺压。轹，车轮碾过。㊼风调：风度；韵致。㊽体国：关心国事。㊾平当：公平允当。㊿识度：见识度量。(51)右：古代以右为尊上。(52)自许：自己称许自己。许，赞同、承认。(53)形于言色：在言谈和表情上表现出来。(54)昌言：放声高言；大言。(55)啖饭：吃饭。啖，吃。(56)威灵：声威与神灵。(57)低回：徘徊；犹豫。低，降意。回，回心转意。(58)任使：差遣、使用。(59)有司：官司，指主管部门。古代设官分职，事各有专司，故称有司。(60)无所：没地方。所，处所。(61)廊庑：堂前廊屋。廊，堂下周屋。庑，堂下周围的走廊、廊屋。(62)大经：大量。(63)何得尔也：怎能如此呢？尔，如此、这样。(64)入者：指每年收入府库的赋税。(65)更辟：再开设。(66)左藏院：府库名，隋原有左藏、黄藏令等府库，至此又开设左藏院。(67)三分减一：即减收三分之一的田租。(68)兵减半功：隋寓兵于农，按人授田，计亩收租，如今也减少一半。(69)调：指户调，每户每年调绢一匹、绵三两。(70)京辅：地区名，指关中地区。(71)三河：指河东、河南、河内三郡为三河，大致包括今山西南部地区和河南北部、中部地区。(72)不给：不足；不够用。(73)焉：于此。

【校记】

［1］等：原无此字。据章钰校，甲十一行本、乙十一行本、孔天胤本皆有此字，张敦仁《通鉴刊本识误》同，今据补。［2］者乃：原无此二字。据章钰校，甲十一行本、乙

【原文】

十三年（癸丑，公元五九三年）

春，正月壬子⑭，上祀感生帝⑮。

壬戌⑯，行幸岐州。

二月丙午⑰，诏营仁寿宫⑱于岐州之北，使杨素监之⑲。素奏前莱州⑳刺史宇文恺检校㉑将作大匠，记室封德彝为土木监㉒。于是夷山堙㉓谷以立宫殿，崇台累榭㉔，宛转相属㉕。役使严急，丁夫多死，疲顿㉖颠仆者[5]，推填坑坎㉗，覆以土石，因而筑为平地。死者以万数。

丁亥㉘，上至自岐州。

己卯㉙，立皇孙暕为豫章王。暕，广之子也。

丁酉㉚，制："私家不得藏纬候㉛、图谶㉜。"

秋，七月戊辰晦㉝，日有食之。

是岁，上命礼部尚书牛弘等议明堂㉞制度。宇文恺献明堂木样，上命有司规度安业里㉟地。将立之，而诸儒异议，久之不决，乃罢之。

上之灭陈也，以陈叔宝屏风赐突厥大义公主㊱。公主以其宗国㊲之覆，心常不平，书屏风，为诗叙陈亡以自寄㊳。上闻而恶之，礼赐渐薄。彭公刘昶先尚周公主，流人㊴杨钦亡入突厥，诈言昶欲与其妻作乱攻隋，遣钦来[6]密告大义公主，发兵扰边。都蓝可汗信之，乃不修职贡㊵，颇为边患。上遣车骑将军长孙晟使于突厥，微观㊶察之。公主见晟，言辞不逊，又遣所私㊷胡人安遂迦与杨钦计议，扇惑㊸都蓝。晟至京师，具以状闻。上遣晟往索钦，都蓝不与，曰："检校㊹客内无此色人㊺。"晟乃赂其达官，知钦所在，夜掩获㊻之，以示都蓝，因

十一行本、孔天胤本皆有此二字，张敦仁《通鉴刊本识误》同，今据补。〖按〗《隋书·郎茂传》《北史·郎基传附郎茂传》皆有此二字。[3]之：原无此字。据章钰校，甲十一行本、乙十一行本、孔天胤本皆有此字，今据补。[4]者：原无此字。据章钰校，甲十一行本有此字，今据补。〖按〗《北史·贺若敦传附贺若弼传》有此字。

【语译】

十三年（癸丑，公元五九三年）

春，正月十一日壬子，隋文帝祭祀感生帝。

二十一日壬戌，隋文帝巡视岐州。

二月丙午日，隋文帝诏令在岐州北边营建仁寿宫，派杨素监督施工。杨素奏请前莱州刺史宇文恺为检校将作大匠，记室封德彝为土木监。于是平山填谷营造宫殿，高台累榭，宛转相连。督使严厉急迫，很多民工死了。有些人疲惫困顿，倒在地上，便被推到坑中填埋了，用土石覆盖，随即整理成平地。死的人数以万计。

二月十七日丁亥，隋文帝从岐州回到长安。

初九日己卯，册立皇孙杨暕为豫章王。杨暕是杨广的儿子。

二十七日丁酉，隋文帝下制书说："私家不得收藏占卜吉凶的纬候、图谶类书。"

秋，七月最后一天三十日戊辰，发生日食。

这一年，隋文帝命令礼部尚书牛弘等人讨论明堂制度。宇文恺献上木制的明堂模型，皇上命令主管官吏在长安南城安业里测量施工地区。准备建造明堂，但是众儒有异议，很久不能决定，于是作罢。

隋文帝讨灭陈国时，把陈叔宝的屏风赏赐给突厥大义公主。大义公主因为自己的宗国北周灭亡，心里常常愤慨不平，便在屏风上作了叙述陈朝灭亡的诗篇，借以寄托自己的情怀。隋文帝知道后心里很厌恶大义公主，礼遇和赏赐渐渐淡薄。彭公刘昶原先娶了周室公主为妻，有一个被流放的名叫杨钦的人逃入突厥，谎称刘昶准备和他的妻子一起反叛进攻隋朝，派遣他杨钦来密告大义公主，请求派兵侵扰隋朝边境。都蓝可汗听信了杨钦的话，就不再进献贡物，时常为患隋朝边境。隋文帝派车骑将军长孙晟出使突厥，暗中观察情况。大义公主接见长孙晟，言辞不敬，又派和她有私情的胡人安遂迦与杨钦商议，煽动蛊惑都蓝可汗。长孙晟回到京师，把全部情形奏报了隋文帝。隋文帝派遣长孙晟去往突厥索要杨钦，都蓝可汗不肯给，说："经过查核，我们的宾客中没有这个人。"长孙晟便贿赂突厥的高官，得知了杨钦所在地，趁夜乘其不备抓获了他，带给都蓝可汗看，借机告发了公主的私情，突厥国

发[107]公主私事，国人大以为耻。都蓝执安遂迦等，并以付晟。上大喜，加授开府仪同三司，仍遣入突厥废公主。内史侍郎[108]裴矩请说都蓝使杀公主。

时处罗侯之子染干，号突利可汗，居北方，遣使求婚，上使裴矩谓之曰："当杀大义公主，乃许婚。"突利复谮之于都蓝，都蓝因发怒，杀公主，更表请婚，朝议[109]将许之。长孙晟曰："臣观雍虞闾[110]反复无信，直以与玷厥[111]有隙，所以欲依倚[112]国家，虽与为婚，终当叛去。今若得尚公主，承藉威灵，玷厥、染干必受其征发[113]。强而更反，后恐难图。且染干者，处罗侯之子，素有诚款[114]，于今两代。前乞通婚，不如许之，招令南徙，兵少力弱，易可抚驯[115]，使敌[116]雍虞闾以为边捍。"上曰："善。"复遣晟慰谕染干，许尚公主。

牛弘使协律郎[117]范阳祖孝孙[118]等参定雅乐，从[119]陈阳山[120]太守毛爽[121]受京房[122][7]律法，布管飞灰，顺月皆验。又每律生五音，十二律为六十音，因而六之，为三百六十音，分直一岁之日以配七音，而旋相为宫之法，由是著名。弘等乃奏请复用旋宫法[123]，上犹记何妥之言，注弘奏下，不听作旋宫，但用黄钟一宫。于是弘等复为奏，附顺[124]上意，其前代金石[125]并销毁之，以息异议。弘等又作武舞[126]，以象隋之功德。郊庙[127]飨[128]用一调[129]，迎气用五调[130]。旧工稍尽，其余声律，皆不复通。

【段旨】

以上为第二段，写隋文帝招抚突厥，牛弘主持完成隋代雅乐的制定。由于新律只用黄钟作宫音，其他宫音的传统古乐从此失传。

人认为非常羞耻。都蓝可汗拘捕了安遂迦等人，一起交给长孙晟。隋文帝非常高兴，加官长孙晟为开府仪同三司，再次派他去突厥废除大义公主。内史侍郎裴矩请求劝说都蓝可汗，让他杀掉公主。

当时处罗侯的儿子染干，号突利可汗，居住在北方，派使者到隋朝来求婚，隋文帝让裴矩告诉来使说："突厥杀死大义公主，才能答应通婚。"突利可汗又向都蓝可汗说大义公主的坏话，都蓝可汗因此很生气，杀死了大义公主，另又上表请求通婚，朝臣商议准备答应他。长孙晟说："臣观察雍虞闾反复无常，没有信用，只因他与玷厥有矛盾，所以才想要依靠皇上，即使和他通了婚，最终一定会叛离。现在如果让都蓝可汗娶了隋朝公主，他依靠皇上的威灵，玷厥、染干一定会听凭都蓝可汗调遣。都蓝可汗强大了再反叛，以后恐怕很难对付了。何况染干这个人，是处罗侯的儿子，一向忠诚，到现在两代了。前次曾请求通婚，不如答应他，令他向南迁徙，他兵少力弱，容易安抚控制，让他同雍虞闾对抗，作为我们北方边疆的一道屏卫。"隋文帝说："很好。"于是又派长孙晟前往突厥安慰劝谕染干，答应他娶公主的请求。

牛弘让协律郎范阳人祖孝孙等参加制定雅乐，祖孝孙向原陈朝阳山太守毛爽学习京房的律法，排列律管吹动葭灰，以测候节气，顺着时月十分应验。又每律产生五音，十二律有六十音，重复六次为三百六十音，分别和一年的三百六十日相应，再和宫、商、角、变徵、徵、羽、变宫七个音阶配合，以形成各种律调，也就是用十二律轮流作为宫音，以构成各种不同音阶的方法，这样产生的乐律十分鲜明。牛弘等人于是奏请重新用转相为宫的方法，隋文帝还记得何妥说的"黄钟像人君之德"的话，在牛弘的奏疏上批注自己的意见，不准采用十二律转相为宫的方法，只用第一律黄钟作宫音。于是牛弘等人又上奏，迎合隋文帝的旨意，把前代的金石乐器一并销毁，以平息不同的议论。牛弘等人又作武舞，用来象征隋朝的功德。郊祀和庙祭只用黄钟宫一个调，迎接时令的乐律用五个调。旧日的乐工逐渐没有了，其余声律，全都不再通行。

【注释】

⑭ 壬子：正月十一日。⑮ 感生帝：隋以火德王，以赤帝赤熛怒为感生帝。即隋文帝是赤帝下凡而生。⑯ 壬戌：正月二十一日。⑰ 丙午：二月辛未朔，无丙午。〖按〗《隋书》卷二《高祖纪》下"丙午"作"丙子"，《北史》同，此误。丙子，二月初六日。⑱ 仁寿宫：宫名，故址在今陕西麟游西。⑲ 监之：指监造仁寿宫。⑳ 莱州：州名，治所掖县，在今山东莱州。㉑ 检校：隋制规定，未实授的加官，或暂领其职务者，称为检校官。㉒ 土木监：官名，掌土木建筑事，因营建仁寿宫而临时设置，非常设之官。㉓ 堙：填；堵。㉔ 崇台累

榭：层层高台、重重亭榭。台，高而上平的建筑物。榭，台上盖的高屋。⑧⑤宛转相属：宛转，辗转、曲折。相属，互相连接在一起。⑧⑥疲顿：疲惫困顿。⑧⑦推填坑坎：谓把伤病跌倒的劳工推填到坑洼中。⑧⑧丁亥：二月十七日。〖按〗二月辛未朔，丁亥不应记在己卯（九日）前，史文当有讹误或颠倒。⑧⑨己卯：二月初九日。⑨⓪丁酉：二月二十七日。⑨①纬候：纬是汉代神学迷信附会儒家经义的书，以经义附会人事吉凶废兴。候是古代占卜吉凶。⑨②图谶：图是河图。谶是假借神灵的一种预言。⑨③戊辰晦：七月三十日。⑨④明堂：古代帝王宣明政教的地方。凡朝会、祭祀、庆赏、选士、养老、教学等大典，均在此处举行。后来宫室逐渐完备，另在都城近郊东南修建明堂，以保存古制。⑨⑤安业里：地名，在今陕西西安南部。⑨⑥大义公主（？至公元五九三年）：早年称千金公主，北周赵王宇文招之女。事见《隋书》卷八十四、《北史》卷九十九《突厥传》。⑨⑦宗国：指北周。⑨⑧自寄：寄托自己的情思。⑨⑨流人：因有罪而被流放的人。⑩⓪不修职贡：谓不尽职贡纳。⑩①微观：暗地观察。⑩②所私：指大义公主私通的人。⑩③扇惑：煽动蛊惑。⑩④检校：查核。⑩⑤无此色人：没有这个人。此色，此种。色，种类。⑩⑥掩获：乘其不备而将其抓获。⑩⑦发：检举；告发。⑩⑧内史侍郎：官名，内史省（即中书省）副长官，专掌诏制草稿。⑩⑨朝议：又称廷议。即在朝廷中商议国家大事。⑪⓪雍虞闾：即突厥颉伽施多那都蓝可汗，简称都蓝。⑪①玷厥：即突厥达头可汗。⑪②依倚：凭借；依靠。⑪③征发：调遣。一般指上级征集动用下级的人力和物力。⑪④诚款：恳挚；忠诚。⑪⑤抚驯：安抚而控制。⑪⑥敌：抵御。⑪⑦协

【原文】

十四年（甲寅，公元五九四年）

春，三月，乐成。夏，四月乙丑[131]，诏行新乐，且曰："民间音乐，流僻[132]日久，弃其旧体，竞造繁声，宜加禁约[133]，务存其本。"万宝常听太常所奏乐，泫然[134]泣曰："乐声淫厉[135]而哀，天下不久将尽！"时四海全盛[136]，闻者皆谓不然，大业之末，其言卒验[137]。宝常贫而无子，久之，竟饿死。且死，悉取其书烧之，曰："用此何为？"

先是，台[138]、省[139]、府[140]、寺[141]及诸州皆置公廨钱[142]，收息取给[143]。工部尚书扶风[8]苏孝慈[144]以为"官司[145]出举兴生，烦扰百姓，败损风俗，请皆禁止，给地以营农[146]。"上从之。六月丁卯[147]，始诏"公卿以下皆给职田[148]，毋得治生[149]，与民争利。"

律郎：官名，属太常寺，掌和六律六吕，辨四季之气，监试太乐鼓吹教乐。⑱祖孝孙：幽州范阳（今河北涿州）人，隋唐音乐家。曾撰《大唐雅乐》。事见《隋书》卷十六《律历志》上，传见《旧唐书》卷七十九。⑲从：胡三省注曰："'从'字上更有'孝孙'二字！文意乃明。"⑳阳山：郡名，治所含洭县，在今广东英德西北。㉑毛爽：隋朝音乐家，曾仕陈朝为阳山太守。参与议定律吕，著有《律谱》。事见《隋书》卷十六《律历志上》。㉒京房：西汉人，今文《易》学京氏学的创始人。本姓李，好音律，推律自京为京氏。传见《汉书》卷七十五。㉓旋宫法：秦汉以前谱音之法。以十二律与七声相配而成众调。㉔附顺：迎合顺从。㉕金石：指钟磬类乐器。㉖武舞：武士身披盔甲、手执兵器跳的一种舞蹈。㉗郊庙：指郊祀和庙祭。㉘祫：合祭。㉙一调：即只用黄钟一宫。㉚迎气用五调：即春用角，夏用徵，中央用宫，秋用商，冬用羽。气，季节。

【校记】

［5］者：原无此字。据章钰校，甲十一行本、乙十一行本、孔天胤本皆有此字，张敦仁《通鉴刊本识误》同，今据补。［6］来：原无此字。据章钰校，甲十一行本、乙十一行本皆有此字，今据补。〖按〗《通鉴纪事本末》卷二五有此字。［7］房：原作空格。《通鉴纲目》卷三六上有"房"字，当是，今据补。

【语译】

十四年（甲寅，公元五九四年）

春，三月，雅乐制定完成。夏，四月初一日乙丑，下诏颁行新乐，诏令说："民间的音乐，放荡邪僻，流传已经很久，又抛弃了旧有的格调，争相制作繁杂的新声，应当加以禁止约束，必须保持其传统的本来面貌。"万宝常听了太常所演奏的音乐，流着眼泪哭泣说："乐音淫靡凄厉而哀伤，天下不久就要灭亡！"当时天下正处于全盛时期，听了万宝常话的人都认为并非如此，大业末年，他的话终于应验了。万宝常家贫无子，过了很久，竟然饿死了。临死的时候，万宝常把他的书全部拿出来烧毁了，说："这些书有什么用？"

此前，朝廷台、省、府、寺，以及地方各州都设置办公费，借贷收取利息以供使用。工部尚书扶风人苏孝慈认为："官府放贷公钱，收取利息，烦扰百姓，败坏风俗，请求一律禁止，拨给各级官员土地来经营农业。"隋文帝听从了，六月初四日丁卯下诏书："公卿以下都按级别授给职分田，不允许经营放贷，与民争利。"

秋，七月乙未⑮，以邳公苏威为纳言。

初，张宾历既行，广平刘孝孙⑮及[9]冀州秀才刘焯⑮并言其失。宾方有宠于上，刘晖⑮附会之，共短孝孙等[10]，斥罢之。后宾卒，孝孙为掖县⑮丞，委官⑮入京，上其事，诏留直太史⑮，累年不调，乃抱其书，使弟子舆榇⑮来诣阙下，伏而恸哭，执法拘而奏之。帝异焉，以问国子祭酒⑮何妥，妥言其善。乃遣与宾历比校短长⑮。直太史勃海张胄玄⑯与孝孙共短宾历，异论锋⑯起，久之不定。上令参问日食事，杨素等奏："太史⑯凡奏日食二十有五，率皆无验，胄玄所刻⑯，前后妙中⑯，孝孙所刻，验亦过半。"于是上引孝孙、胄玄等亲自劳徕⑯。孝孙请先斩刘晖，乃可定历，帝不怿，又罢之。孝孙寻卒。

关中大旱，民饥，上遣左右视民食，得豆屑杂糠以献。上流涕以示群臣，深自咎责⑯，为之不御酒肉者[11]殆将一期⑯。八月辛未⑯，上帅民就食⑯于洛阳，敕斥候不得辄有驱逼。男女参厕⑰于仗卫之间，遇扶老携幼者，辄引马避之，慰勉而去。至艰险之处，见负担者，令左右扶助之。

冬，闰十月甲寅⑰，诏以齐、梁、陈宗祀⑰废绝，命高仁英、萧琮、陈叔宝以时⑰修祭，所须器物⑰，有司给之。陈叔宝从帝登邙山，侍饮，赋诗曰："日月光天德，山河壮帝居，太平无以报⑰，愿上东封⑰书。"并表请封禅。帝优诏答之。他日，复侍宴，及出，帝目之曰："此败岂不由酒？以作诗之功，何如思安时事⑰？当贺若弼度京口，彼人密启告急，叔宝饮酒，遂不之省。高颎至日，犹见启在床下，未开封。此诚⑰可笑，盖天亡之也。昔苻氏⑰征伐所得国，皆荣贵⑱其主，苟欲求名，不知违天命[12]，与之官，乃违天也。"

齐州⑱刺史卢贲坐民饥闭民粜⑱，除名。帝后复欲授以一州⑱，贲对诏失旨⑱，又有怨言，帝大怒，遂不用。皇太子为言："此辈⑱并有佐命功，虽性行轻险⑱，诚不可弃。"帝曰："我抑屈⑱之，全⑱其命也。微⑱刘昉、郑译、卢贲、柳裘、皇甫绩等，则我不至此。然此等皆反复

秋，七月初三日乙未，任命邳公苏威为纳言。

当初，张宾《甲子元历》颁行以后，广平人刘孝孙和冀州秀才刘焯都说它有失误。张宾当时正得到隋文帝的宠信，刘晖附和他，一起说刘孝孙等人的坏话，隋文帝斥责刘孝孙并把他赶出京师。后来张宾去世，刘孝孙担任掖县县丞，他弃官进京，上奏陈述关于历法的事，隋文帝诏令他留京在太史曹为当直太史，从此以后好多年不迁调他的职务，刘孝孙于是抱着自己的书，让弟子们用车拉着棺材，来到宫阙之下，伏地痛哭，执法人员把他抓起来，奏报皇上。隋文帝觉得很诧异，就此事询问国子祭酒何妥，何妥说刘孝孙的历法好。于是隋文帝派人比较刘孝孙历和张宾历的好坏。当直太史勃海人张胄玄和刘孝孙一同指出张宾历法的缺点，不同的意见纷纷兴起，很久不能作出结论。隋文帝询问两种历法对日食观测的情况，杨素等人上奏说："太史一共奏报日食二十五次，一律没有应验；张胄玄所推定的日食，前后精妙准确；刘孝孙所推定的日食，应验的也超过一半。"于是皇上召见刘孝孙、张胄玄，亲自慰劳勉励。刘孝孙请求先将刘晖斩首，才可以制定历法，隋文帝很不高兴，又罢斥了他。刘孝孙不久就死了。

关中大旱，民众饥荒，隋文帝派身边近臣察看灾民的饭食，他们得到灾民吃的豆屑掺合糠皮，就拿回呈献给隋文帝看。隋文帝流着眼泪拿给群臣看，深深地自责，为此将近一年时间不饮酒不吃肉。八月初九日辛未，隋文帝带领灾民就食洛阳，敕令侦察放哨的士兵不许随便驱赶他们。男男女女混杂在仪仗卫队之间，遇到扶老携幼的灾民，隋文帝就勒马让路，好言慰勉之后才走。到了艰险难行的地方，看见有背东西或挑担子的人，便命令身边的人帮助他们。

冬，闰十月二十三日甲寅，隋文帝下诏，由于齐朝、梁朝、陈朝的宗庙祭祀已经断绝，就命高仁英、萧琮、陈叔宝分别在四季向祖先致祭，所需要的器物祭品，由主管官府供给。陈叔宝随从隋文帝登上邙山，陪侍隋文帝饮酒，吟诗说："日月光天德，山河壮帝居，太平无以报，愿上东封书。"并上表请求封禅。隋文帝用嘉奖诏书回复了陈叔宝。另有一天，陈叔宝又陪侍隋文帝饮酒，等陈叔宝离去时，隋文帝望着他说："此人的失败亡国，难道不就是由于饮酒吗？有用来赋诗的功夫，为什么不思考国事？当贺若弼率军渡江攻击京口的时候，他们中有人密奏告急，陈叔宝正在饮酒，竟看也不看。高颎进入宫城的那天，还看见告急密启在床下，竟还没有开封。这真是可笑啊，大概是天要亡他吧！从前苻坚征伐别的国家，都使俘获的亡国之君尊荣显贵，苻坚一心想博得好名声，殊不知这有背天意，给亡国之君官职，就是违背天意。"

齐州刺史卢贲因在人民闹饥荒时禁止向百姓出售粮食获罪，被削除官籍。隋文帝后来又想授任他为一州刺史，卢贲的复命未能符合皇上的旨意，还有怨言，隋文帝大怒，于是不予任用。皇太子替他进言说："这些人都有佐命大功，虽然性情行为轻佻险诈，但还不能抛弃不用。"隋文帝说："我贬抑他，是保全他的性命。没有刘昉、郑译、卢贲、柳裘、皇甫绩这些人，我不会达到今天这样的地位。然而这些人

子也，当周宣帝时，以无赖得幸⑲⓪。及帝大渐⑲①，颜之仪等请以赵王辅政，此辈行诈⑲②，顾命于我。我将为政，又欲乱之，故昉谋大逆⑲③，译为巫蛊。如赍之例，皆不满志⑲④，任之⑲⑤则不逊，置之⑲⑥则怨望，自为难信，非我弃之。众人见此，谓我薄于功臣，斯不然矣。”赍遂废，卒于家。

晋王广帅百官抗表⑲⑦，固请封禅。帝令牛弘等[13]创定仪注⑲⑧，既成，帝视之，曰：“兹事体⑲⑨大，朕何德以堪之？但当东巡，因致祭泰山耳。”十二月乙未⑳⓪，车驾东巡。

上好机祥⑳①小数⑳②，上仪同三司萧吉⑳③上书曰：“甲寅、乙卯，天地之合⑳④也。今兹甲寅之年，以辛酉朔旦冬至，来年乙卯，以甲子夏至。冬至阳始，郊天之日，即至尊本命。夏至阴始，祀地之辰，即皇后本命。至尊德并乾⑳⑤之覆育⑳⑥，皇后仁同地之载养⑳⑦，所以二仪元气⑳⑧并会本辰。”上大悦，赐物五百段。吉，懿之孙也。员外散骑侍郎⑳⑨王劭言上有龙颜㉑⓪戴干㉑①之表，指示群臣。上悦，拜著作郎㉑②。劭前后上表言上受命符瑞㉑③甚众，又采民间歌谣，引图书谶纬，捃摭㉑④佛经，回易㉑⑤文字，曲加诬饰㉑⑥，撰《皇隋灵感志》三十卷奏之，上令宣示天下。劭集诸州朝集㉑⑦，使盥手㉑⑧焚香，闭目[14]而读之，曲折其声㉑⑨，有如歌咏，经涉㉒⓪旬朔㉒①，遍而后罢。上益喜，前后赏赐优洽㉒②。

【段旨】

以上为第三段，写隋文帝的双重性格：一方面同情平民大众，为灾民减膳；另一方面，又好大喜功，定历法、制乐律、议封禅。牛弘等大臣顺风承旨，滋长了隋文帝的骄矜。

【注释】

⑬① 乙丑：四月初一日。⑬② 流僻：邪弊流传。僻，邪。⑬③ 禁约：限制；禁止。⑬④ 泫然：流泪的样子。⑬⑤ 淫厉：淫靡凄厉。淫即淫声，古称郑卫之音等俗乐为淫声，后来以淫声指浮靡不正派的乐调乐曲。⑬⑥ 四海全盛：天下正处于全盛时期。⑬⑦ 卒验：终于得到验证。卒，终于、最后。⑬⑧ 台：中央官署，此时隋设有御史、都水、谒者三台。⑬⑨ 省：

全是反复不定的家伙，北周宣帝时，他们靠狡猾无赖受到宠幸。等到周宣帝病危时，颜之仪等人请求让赵王辅政，这些人使用欺骗手法，让我辅政。我将要执政时，他们又想作乱，所以刘昉策划谋反，郑译用巫术诅咒害人。像卢贲这些人，都是意志得不到满足，任用了，他们则不恭逊，不用了，他们则心怀怨恨，他们自己的所作所为难以让人信服，不是朕要抛弃他们。大家看到这些表面现象，说我薄待功臣，事实不是这样的。”卢贲于是被废黜，死在家中。

晋王杨广率领百官直言上奏，坚决请求封禅。隋文帝命令牛弘等人起草封禅的礼仪制度，完成以后，隋文帝看了说：“这件事规模宏大，朕有何德能够承受呢？只应该巡视东方，顺便致祭泰山罢了。”十二月初五日乙未，隋文帝车驾东巡。

皇上爱好预卜吉凶的小技，上仪同三司萧吉上书说：“甲寅、乙卯，是天地相合的时候。今年是甲寅年，朔旦冬至在辛酉日，明年是乙卯年，夏至在甲子日。冬至日阳气开始产生，是到南郊祭天的日子，也是皇上的本命日子。夏至日阴气开始产生，是祭祀地的日子，也是皇后的本命日。皇上的恩德如同苍天覆盖养育众生，皇后的仁爱如同大地载养万物，所以天地元气都在这个时候会合。”隋文帝大为高兴，赏赐萧吉绢绸五百段。萧吉，是萧懿的孙子。员外散骑侍郎王劭说皇上有龙颜戴干的相貌，并指给群臣看，皇上非常高兴，拜授王劭为著作郎。王劭先后多次上奏章，讲了很多皇上承受天命的祥瑞，又采集了民间歌谣，引用谶纬图书，摘取佛经文句，改换字句，捏造粉饰，撰写了《皇隋灵感志》三十卷上奏。隋文帝命令向全天下公布。王劭召集各州的朝集使，让他们洗手焚香，闭目诵读《皇隋灵感志》，要他们声音委婉曲折，如同唱歌，诵读了十几天，从头到尾读完全书这才停止。皇上更加高兴，先后赏赐非常优厚。

中央官署，隋设有尚书、门下、内史、秘书、内侍五省。⑭⓪府：直属中央的地方官署，隋有京兆府、河南府。⑭①寺：中央低于省一级的官署，此时设太常、光禄、卫尉、宗正、太仆、大理、鸿胪、司农、太府等九寺。⑭②公廨钱：各级官府的办公费用。⑭③收息取给：收取利息以供使用。⑭④苏孝慈：扶风（今陕西宝鸡市凤翔区）人，历仕周、隋，官至兵部尚书。传见《隋书》卷四十六、《北史》卷七十五。⑭⑤官司：指百官。⑭⑥营农：经营农业。⑭⑦丁卯：六月初四日。⑭⑧职田：又称职分田，此制始于北周，按官品的高低给田，多少不等。⑭⑨治生：谋生计；经商取利。⑮⓪乙未：七月初三日。⑮①刘孝孙：广平（今河北鸡泽东南）人，通晓历法，官至掖县丞。事见《隋书》卷十七《律历志》中。⑮②刘焯（公元五四四至六一〇年）：字士元，信都昌亭（今河北衡水市冀州区）人，官至太学博

士，与王劭同修国史，兼参议律历。著有《稽极》十卷、《历书》十卷、《五经述议》等。传见《隋书》卷七十五、《北史》卷八十二。⑬刘晖：仕隋，官至仪同、太史令，参议律历。事见《隋书》卷十七《律历志》中。⑭掖县：县名，县治在今山东莱州。⑮委官：弃官不做。⑯直太史：以他官入太史曹，当值太史。⑰舆榇：载棺前往，表示必死的决心。⑱国子祭酒：官名，掌国子学之政。⑲短长：优劣。⑳张胄玄：勃海蓨（今河北景县）人，仕隋，官至员外散骑侍郎，兼太史令，参议律历，改定新历。传见《隋书》卷七十八、《北史》卷八十九。⑯锋：亦作“蜂”，众多之意。⑯太史：官名，即太史令，掌天文历法。⑯所刻：指测定日食的刻度。⑯妙中：精妙准确。⑯劳徕：劝勉。亦作“劳来”。⑯咎责：引咎自责。⑯殆将一期：差不多一整年。殆，几乎。期，一周年。⑯辛未：八月初九日。⑯就食：移至粮多之处，就地取得食物。⑰参厕：掺杂。⑰甲寅：闰十月二十三日。⑰宗祀：庙祭；祭祀祖宗。⑰以时：按季节。⑰器物：指祭祀所用器皿供物。⑰报：回报；回答。⑰东封：指到泰山封禅。因泰山位于长安东，故称东封。⑰时事：当时的政事。指陈叔宝灭亡前事。⑰诚：实在。⑰苻氏：指前秦帝苻坚。他在位时，曾一度统一了北方地区。传见《晋书》卷一百十三、《魏书》卷九十五。⑱荣贵：谓以官爵尊宠之。⑱齐州：州名，治所历城县，在今山东济南市。⑱闭民粜：禁止老百姓出卖粮食。粜，卖出谷物。⑱授以一州：即授任某一州刺史的官职。⑱失旨：不符合皇帝的旨意。⑱此辈：这些人。包括卢贲、刘昉、郑译等人。⑱轻险：轻佻险诈。⑱抑屈：压抑、摧折。⑱全：保全。⑱微：没有。⑲得幸：受到宠幸。⑲大渐：皇帝病危。渐，加剧之意。⑲行诈：使用欺骗的手法。⑲大逆：封建时代，凡干犯君主及谋毁陵庙、宫阙者，皆为大逆罪。⑲不满志：意志得不到满足。⑲任之：指任用他们做官。⑲置之：搁置起来。指不用他们做官。⑲抗表：上表直言。⑲仪注：礼节制度。此指封禅时的礼仪制度。⑲体：规模。⑳乙未：十二月初五日。⑳机祥：吉凶。⑳小数：小的技能。⑳萧

【原文】

十五年（乙卯，公元五九五年）

春，正月壬戌[223]，车驾顿[224]齐州。庚午[225]，为坛于泰山，柴燎祀天，以岁旱谢愆咎[226]，礼如南郊。又亲祀青帝[227]坛。赦天下。

二月丙辰[228]，收天下兵器，敢私造者坐之[229]，关中、缘边[230]不在其例。

三月己未[231]，至自东巡。

吉：字文休，梁宗室后裔，历仕后梁、周、隋，官至太府少卿。精通阴阳术，著有《金海》三十卷、《葬经》六卷、《乐谱》二十卷。传见《隋书》卷七十八、《北史》卷八十九。⑳④天地之合：谓天干地支之和。⑳⑤乾：《易》乾象天、象君、象阳。⑳⑥覆育：指天的庇护化育。⑳⑦载养：人们生活在大地，承受大地的养育。⑳⑧二仪元气：指天地未分前混一之气。二仪，指天地。⑳⑨员外散骑侍郎：官名，侍从皇帝左右，掌规谏。㉑⓪龙颜：谓眉骨圆起。后称皇帝的颜貌为龙颜。㉑①戴干：一种特异的相貌。指头部有肉突起如干戈对立。干，盾牌。㉑②著作郎：官名，隋著作郎掌秘书省太史、著作二曹的历法、修史等。㉑③符瑞：吉祥的征兆。㉑④捃摭：拾取。㉑⑤回易：改换。㉑⑥诬饰：捏造粉饰。㉑⑦朝集：官名，各州每年朝集京师者。又称朝集使。㉑⑧盥手：洗手。㉑⑨曲折其声：使读书的声调委婉动听。㉒⓪经涉：经过。㉒①旬朔：十天或一月。旬，十天。朔，农历每月初一。㉒②优洽：优厚而普遍。

【校记】

［8］扶风：原无此二字。据章钰校，甲十一行本、乙十一行本、孔天胤本皆有此二字，今据补。〖按〗《隋书·苏孝慈传》《北史·苏孝慈传》载其为“扶风”人。［9］及：原无此字。据章钰校，甲十一行本、乙十一行本、孔天胤本皆有此字，今据补。［10］等：原无此字。据章钰校，甲十一行本、乙十一行本、孔天胤本皆有此字，今据补。［11］者：原无此字。据章钰校，甲十一行本、乙十一行本、孔天胤本皆有此字，今据补。［12］命：原作“令”。据章钰校，甲十一行本、乙十一行本、孔天胤本皆作“命”，今据改。〖按〗《南史·后主纪》作“命”。［13］等：原无此字。据章钰校，甲十一行本、乙十一行本、孔天胤本皆有此字，今据补。［14］闭目：原无此二字。据章钰校，甲十一行本、乙十一行本、孔天胤本皆有此二字，张敦仁《通鉴刊本识误》同，今据补。〖按〗《隋书·王劭传》有此二字。

【语译】

十五年（乙卯，公元五九五年）

春，正月初三日壬戌，隋文帝车驾在齐州停留。十一日庚午，在泰山上修筑祭坛，举行燃烧柴火的祭天典礼，因为年岁干旱，向天请罪，就像在南郊的祭天礼仪。隋文帝又亲自祭祀青帝，大赦天下。

二月二十七日丙辰，收缴天下的兵器，敢于私造兵器的人要判罪，关中和沿边地区不在限令之内。

三月初一日己未，隋文帝从东方巡视回到长安。

仁寿宫成。丁亥㉜，上幸仁寿宫。时天暑，役夫死者相次㉝于道，杨素悉焚除之，上闻之，不悦。及至，见制度㉞壮丽，大怒曰："杨素殚民力为离宫㉟，为吾结怨天下。"素闻之，惶恐，虑获谴㊱，以告封德彝，曰："公勿忧，俟㊲皇后至，必有恩诏㊳。"明日，上果㊴召素入对，独孤后劳之曰："公知吾夫妇老，无以自娱，盛饰㊵此宫，岂非忠孝？"赐钱百万，锦绢三千段。素负贵恃才，多所陵侮㊶，唯赏重德彝，每引之与论宰相职务，终日忘倦，因抚其床曰："封郎必当[15]据吾此座[16]。"屡荐于帝，帝擢为内史舍人㊷。

夏，四月己丑朔㊸，赦天下。

六月戊子㊹，诏凿底柱㊺。

庚寅㊻，相州刺史豆卢通㊼贡绫文布，命焚之于朝堂。

秋，七月，纳言苏威坐从祠泰山不敬，免，俄而复位。上谓群臣曰："世人言苏威诈清㊽，家累金玉，此妄言㊾也。然其性狠戾，不切世要㊿，求名太甚，从己则悦，违之必怒，此其大病耳。"

戊寅(251)，上至自仁寿宫。

冬，十月戊子(252)，以吏部尚书韦世康为荆州总管。世康，洸之弟也，和静谦恕(253)，在吏部十余年，时称廉平(254)。常有止足之志(255)，谓子弟曰："禄岂须多？防满则退。年不待暮(256)，有疾便辞。"因恳乞骸骨(257)。帝不许，使镇荆州。时天下惟有四总管，并、扬、益、荆，以晋、秦、蜀三王及世康为之，当时以为荣。

十一月辛酉(258)，上幸温汤(259)。

十二月戊子(260)，敕："盗边粮(261)一升已上，皆斩，仍籍没其家(262)。"

己丑(263)，诏文武官以四考受代(264)。

汴州(265)刺史令狐熙来朝，考绩(266)为天下之最，赐帛三百匹，颁告天下。熙，整之子也。

仁寿宫落成，三月二十九日丁亥，隋文帝幸临仁寿宫。当时天气暑热，死去的服役民工相次于路，杨素把尸体全部焚烧处理掉，隋文帝听说了，很不高兴。隋文帝到了仁寿宫，看见规模宏伟，装饰华丽，大怒，说："杨素穷尽民力修建行宫，为我结怨于天下。"杨素听了，惶恐不安，担心受到谴责，把情况告诉封德彝，封德彝说："您不必担忧，等皇后驾到，一定有降恩的诏书。"第二天，隋文帝果然召杨素入宫答话，独孤皇后慰劳他说："你知道我们夫妇年老，没有什么用来娱乐，极力装饰这座行宫，这难道不是忠孝的表现？"赏赐钱一百万，锦绢三千段。杨素凭仗自己贵显的地位和才干，对朝臣多有欺凌；唯独赏识器重封德彝，常常请他来和他讨论宰相的职责，整天不知疲倦，并抚摸自己的坐榻，说："封郎必定会坐上我这个座位。"他多次向隋文帝推荐，隋文帝提拔封德彝为内史舍人。

夏，四月初一日己丑，大赦天下。

六月初一日戊子，下诏开凿砥柱山。

六月初三日庚寅，相州刺史豆卢通进贡绫纹布，隋文帝命令在朝堂上把布烧掉。

秋，七月，纳言苏威犯了随从隋文帝祭祀泰山时不敬之罪，被免职，不久又恢复职位。隋文帝对群臣说："世人说苏威假装清正，家中堆满金玉，这是胡说。但是他的性情凶狠暴戾，不符合时代需要，追求名望太甚，顺从自己的就喜欢，违背自己一定恼怒，这是他的大缺点。"

七月二十二日戊寅，隋文帝从仁寿宫返回长安。

冬，十月初三日戊子，任命吏部尚书韦世康为荆州总管。韦世康是韦洸的弟弟，平和沉静，谦虚宽厚，在吏部十多年，当时人都称赞他廉洁公正。他常有知足知止之心，对子弟们说："俸禄哪里需要多？要注意过满就应谦退。做官不能等到年老，有了病就辞职。"因此乞请退职。隋文帝没有同意，让他镇守荆州。当时全国只设置了四个总管，并州、扬州、益州、荆州，命晋王杨广、秦王杨俊、蜀王杨秀以及韦世康分别担任，当时人们认为这是韦世康的光荣。

十一月初七日辛酉，隋文帝幸临骊山温泉。

十二月初四日戊子，隋文帝敕令："偷盗边疆军粮一升以上的，都要杀头，并且查抄家中全部财产。"

十二月初五日己丑，隋文帝下诏文武百官经过四次考核调转提升。

汴州刺史令狐熙进京朝见，考核政绩为全国第一，隋文帝赐给他绢帛三百匹，并通报全国。令狐熙是令狐整的儿子。

【段旨】

以上为第四段，着重记述隋文帝对四位大臣的嘉奖。杨素监造仁寿宫穷极奢侈，讨好皇上；苏威严厉；韦世康廉洁谦让；令狐熙在地方政绩第一。

【注释】

㉓壬戌：正月初三日。㉔顿：停留；止息。㉕庚午：正月十一日。㉖愆咎：过错。㉗青帝：天帝名，东方之神。㉘丙辰：二月二十七日。㉙坐之：对私造兵器者判罪。坐，定罪。㉚缘边：边疆一带。㉛己未：三月初一日。㉜丁亥：三月二十九日。㉝相次：排列。㉞制度：规模。㉟离宫：古代帝王于正宫之外，别造宫室，以便随时游处，称为离宫。㊱获谴：受到谴责。㊲俟：等到；待。㊳恩诏：降恩的诏书。㊴果：果然。㊵盛饰：极力装饰。㊶陵侮：欺凌侮辱。㊷内史舍人：官名，掌起草诏制。后改为中书舍人。㊸己丑朔：四月初一日。㊹戊子：六月初一日。㊺底柱：即砥柱，山名，位于黄河三门峡。相传大禹治水，山陵挡住水路，故凿开以通河水。河水分流，包山而过，山现于水中，若柱一样，遂称砥柱。㊻庚寅：六月初三日。㊼豆卢通（公元五三九至五九七年）：一名会，昌黎徒河（今辽宁锦州）人。历仕周、隋，官至相州刺史，封南陈郡公。传附《隋

【原文】

十六年（丙辰，公元五九六年）

春，正月丁亥[267]，以皇孙裕为平原王，筠为安成王，嶷为安平王，恪为襄城王，该为高阳王，韶为建安王，煚为颍川王，皆勇之子也。

夏，六月甲午[268]，初制工商不得仕进[269]。

秋，八月丙戌[270]，诏："决[271]死罪者，三奏然后行刑。"

冬，十月己丑[272]，上幸长春宫[273]，十一月壬子[274]，还长安。

党项寇会州[275]，诏发陇西兵讨降之。

帝以光化公主[276]妻吐谷浑可汗世伏[277]。世伏上表请称公主为天后，上不许。

书·豆卢勣传》《北史·豆卢勣传》。㉔⑧ 诈清：假装清正。㉔⑨ 妄言：胡说；不合实际。㉕⓪ 不切世要：不符合当时的需要。切，合、靠近。㉕① 戊寅：七月二十二日。㉕② 戊子：十月初三日。㉕③ 谦恕：谦逊而宽容。㉕④ 廉平：廉洁公正。㉕⑤ 止足之志：即志在知止知足，不贪求名利。㉕⑥ 年不待暮：年岁不能等到暮年。㉕⑦ 乞骸骨：古代官吏因年老请求退职，常称乞骸骨。言使骸骨得以归葬故乡。㉕⑧ 辛酉：十一月初七日。㉕⑨ 温汤：即温泉，在今陕西西安市临潼区骊山。因为其泉水温热若汤，故称温汤。㉖⓪ 戊子：十二月初四日。㉖① 边粮：指运送给边防军的粮食。㉖② 籍没其家：指将盗边粮者家中财产没收入官府。㉖③ 己丑：十二月初五日。㉖④ 四考受代：即任官期满四年才能迁转。考，一年为一考，考查官吏的政绩。㉖⑤ 汴州：州名，治所浚仪县，在今河南开封。㉖⑥ 考绩：考核官吏的政绩。

【校记】

［15］当：原作“须”。据章钰校，甲十一行本、乙十一行本、孔天胤本皆作“当”，今据改。〖按〗《旧唐书·封伦传》作“当”。［16］座：原作“坐”。据章钰校，甲十一行本、乙十一行本、孔天胤本皆作“座”，张敦仁《通鉴刊本识误》同，今据改。〖按〗《旧唐书·封伦传》作“座”。

【语译】

十六年（丙辰，公元五九六年）

春，正月丁亥日，隋文帝册封皇孙杨裕为平原王，杨筠为安成王，杨嶷为安平王，杨恪为襄城王，杨该为高阳王，杨韶为建安王，杨煚为颍川王，都是太子杨勇的儿子。

夏，六月十三日甲午，第一次颁布从事工商业的人不得做官。

秋，八月初六日丙戌，隋文帝下诏：“判处死罪的人，要三次奏报，然后才执行。”

冬，十月初十日己丑，隋文帝巡幸长春宫，十一月初三日壬子，回到长安。

党项人侵扰会州，隋文帝下诏调发陇西军队前往征讨，收降党项人。

隋文帝把光化公主嫁给吐谷浑可汗世伏为妻。世伏上奏表请求称光化公主为天后，皇上不允许。

【段旨】

以上为第五段，记述开皇十六年（公元五九六年）有两项重大政令，一是隋文帝首次用政令方式重申自秦汉以来的重农抑商传统政策，不允许工商之民做官；二是对处决死囚的重视，要三次奏报才可执行。

【注释】

㉖⑦丁亥：正月甲寅朔，无丁亥。《资治通鉴》本《隋书·高祖纪》误。〖按〗《北史》

【原文】

十七年（丁巳，公元五九七年）

春，二月癸未㉗⑧，太平公史万岁击南宁羌㉗⑨，平之。初，梁睿之克王谦也，西南夷、獠㉘⓪莫不归附，唯南宁州酋帅爨震恃远不服。睿上疏，以为："南宁州，汉世牂柯㉘①之地，户口殷众㉘②，金宝富饶。梁南宁州刺史徐文盛㉘③为湘东王㉘④征赴荆州，属东夏㉘⑤尚阻，未遑㉘⑥远略，土民爨瓒遂窃据一方，国家遥授刺史，其子震相承至今。而震臣礼多亏㉘⑦，贡赋不入，乞因平蜀之众，略定南宁。"帝以为天下初定，未之许[17]。其后南宁夷爨翫来降，拜昆州刺史，既而复叛。乃以左领军将军史万岁为行军总管，帅众击之，入自蜻蛉川㉘⑧，至于南中㉘⑨。夷人前后屯据要害，万岁皆击破之。过诸葛亮纪功碑㉙⓪，渡西洱河㉙①，入渠滥川㉙②，行千余里，破其三十余部，虏获男女二万余口。诸夷大惧，遣使请降，献明珠径寸㉙③，于是勒石㉙④颂美隋德。万岁请将爨翫入朝，诏许之。爨翫阴有贰心，不欲诣阙，赂万岁以金宝，万岁于是舍翫而还。

庚寅㉙⑤，上幸仁寿宫。

桂州俚㉙⑥帅李光仕作乱，帝遣上柱国王世积与前桂州总管周法尚讨之，法尚发岭南㉙⑦兵，世积发岭北㉙⑧兵，俱会尹州㉙⑨。世积所部遇瘴㉚⓪，不能进，顿于衡州，法尚独讨之。光仕战败，帅劲兵㉚①走保白石洞㉚②。法尚大获家口㉚③，其党有来降者，辄以妻子还之，居旬日，降者

卷十一《隋本纪》上第十一作“春二月丁亥”，疑作“二月丁亥”为是。丁亥，二月初四日。㉘甲午：六月十三日。㉙工商不得仕进：从事工商业的人不许入仕做官。这是封建时代一贯的重农抑商政策。仕进，进身为官。㉚丙戌：八月初六日。㉛决：判决；判定。㉜己丑：十月初十日。㉝长春宫：离宫名，故址在今陕西大荔朝邑镇西北。㉞壬子：十一月初三日。㉟会州：州名，治所广阳县，在今四川茂县西北。㊱光化公主：隋宗室女。㊲世伏：吐谷浑国主，公元五九一至五九七年在位。事见《隋书》卷八十三、《北史》卷九十六。

【语译】

十七年（丁巳，公元五九七年）

春，二月初六日癸未，太平公史万岁攻打南宁羌人，平定了他们。当初，梁睿攻克王谦的时候，西南夷、獠人没有不归附的，只有南宁州酋帅爨震依仗偏远不顺从。梁睿上书认为：“南宁州是汉代牂柯郡，人口众多，物产丰富。梁朝南宁州刺史徐文盛被湘东王萧绎征调到荆州以讨伐侯景，当时华夏东部尚有战乱，没有时间经略边远地方，南宁州的土著百姓爨瓒于是窃据一方，朝廷遥授爨瓒为刺史，他的儿子爨震继承刺史职位直到今天。可是爨震多失为臣之礼，不缴纳贡赋，臣请求借重平定蜀地的兵力，去平定南宁州。”隋文帝认为天下刚刚平定，没有同意。此后南宁州夷人爨翫前来投降，拜授他为昆州刺史，不久，爨翫又叛乱。于是任命左领军将军史万岁为行军总管，领兵攻打他。史万岁从蜻蛉川攻入，到达南中。夷人先后屯兵据守险要，全都被史万岁攻破。史万岁率众经过诸葛亮纪功碑，渡过西洱河，进入渠滥川，行军千余里，攻破了三十多个部落，俘获男女两万多人。各部夷人大为恐惧，派遣使臣请求投降，贡献直径一寸大的明珠，于是立石刻碑称颂隋朝功德。史万岁请求带爨翫入朝，隋文帝同意了。爨翫暗中怀有二心，不愿意前往朝廷，用金银珠宝贿赂史万岁，史万岁于是留下爨翫返回。

二月十三日庚寅，隋文帝驾临仁寿宫。

桂州俚族部落酋长李光仕作乱，隋文帝派遣上柱国王世积和前桂州总管周法尚去讨伐他，周法尚调发岭南军队，王世积调发岭北军队，一起会师尹州。王世积率领的军队遇到瘴疫，不能前进，屯驻衡州，周法尚单独进军讨伐。李光仕战败，率领精锐士卒逃走据守白石洞。周法尚俘获了李光仕部属的很多家属，李光仕党羽有来投降的，周法尚就把妻子儿女交还他们，过了十天，归降的有几千人。李光仕的

数千人。光仕众溃而走，追斩之。

帝又遣员外散骑侍郎何稠[304]募兵讨光仕，稠谕降其党莫崇等，承制署首领为州县官。稠，妥之兄子也。

上以岭南夷、越[305]数反，以汴州刺史令狐熙为桂州总管十七州诸军事，许以便宜从事，刺史以下官得承制补授。熙至部，大弘[306]恩信，其溪洞渠帅[307]更相谓曰："前时总管皆以兵威相胁，今者乃以手教[308]相谕，我辈其可违乎？"于是相帅归附。先是州县生梗[309]，长吏[310]多不得之官[311]，寄政[312]于总管府，熙悉遣之，为建城邑，开设学校，华、夷感化焉。俚帅甯猛力者[18]，在陈世已据南海[313]，隋因而抚之，拜安州[314]刺史。猛力恃险骄倨[315]，未尝参谒[316]，熙谕以恩信，猛力感之，诣府请谒，不敢为非。熙奏改安州为钦州。

帝以所在属官[317]不敬惮[318]其上，事难克举[319]，三月丙辰[320]，诏"诸司论属官罪，有律轻情重[321]者，听于律外[322]斟酌决杖[323]。"于是上下相驱，迭行[324]捶楚[325]，以残暴为干能，以守法为懦弱。

帝以盗贼繁多，命盗一钱[326]以上皆弃市，或三人共盗一瓜，事发即死。于是行旅皆晏起早宿[327]，天下懔懔[328]，有数人劫执事而谓之曰："吾岂求财者邪？但为枉人[329]来耳。而为我奏至尊：自古以来，体国立法[330]，未有盗一钱而死[19]也。而不为我以闻[331]，吾更来，而属[332]无类矣！"帝闻之，为停此法。

帝尝乘怒，欲以六月杖杀人[333]，大理少卿[334]河东赵绰[335]固争曰："季夏之月，天地成长庶类[336]，不可以此时诛杀。"帝报曰："六月虽曰生长，此时必有雷霆，我则天[337]而行，有何不可？"遂杀之。

大理掌固[338]来旷上言大理官司[339]太宽，帝以旷为忠直，遣每旦于五品行中[340]参见。旷又告少卿赵绰滥免徒囚，帝使信臣[341]推验[342]，初无阿曲[343]，帝怒，命斩之。绰固争，以为旷不合死，帝拂衣入阁。绰矫言[344]："臣更不理旷，自有他事，未及奏闻。"帝命引入阁，绰再拜请曰："臣有死罪三，臣为大理少卿，不能制驭[345][20]掌固，使旷触挂[346]天刑[347]，一也。囚不合死，而臣不能死争，二也。臣本无他事，而妄言求入，三也。"

部众溃散逃走，周法尚追杀了李光仕。

隋文帝又派员外散骑侍郎何稠招募军队讨伐李光仕，何稠劝降了李光仕的党羽莫崇等人，又以朝廷的命令安置他们的首领担任州县官吏。何稠是何妥兄长的儿子。

隋文帝因为岭南夷族、越族多次反叛，任命汴州刺史令狐熙为桂州总管十七州诸军事，允许他可以自行决断处置紧急事务，并以朝廷的命令补授刺史以下官职。令狐熙到任后，广施恩德信义，那些溪洞中的夷族、越族酋长互相商量说："以前的总管都是用军队杀伐来威逼我们，现在的总管却是用亲笔教令来劝说开导，我们这些人怎能违背他呢？"于是相继归附。以前岭南各州县有意梗阻，刺史、县令都不能前往就职，只能让他们寄居在总管府。现在令狐熙把他们全部派遣到职，并为各州县修建城邑，兴办学堂，汉、夷各族人民同受教化。俚族部落酋长甯猛力在陈朝时已据有南海，隋朝乘机安抚他，拜授他为安州刺史。甯猛力凭借险要，态度傲慢，未曾到总管府拜谒长官。令狐熙用恩德诚信晓谕他，甯猛力被感动，到总管府请示拜谒，不敢为非作歹。令狐熙奏请改安州为钦州。

隋文帝认为下属官吏不敬畏他们的长官，事情很难办成，三月初九日丙辰，诏令"官府各部门给下属官员定罪，有按法律处罚很轻，而犯罪情节严重的情况，允许在法律规定之外斟酌情况处以杖刑"。于是上下各部门驱逼属官，一级压一级施用拷打，把残酷暴虐当作本事，把遵纪守法当作懦弱。

隋文帝因为盗贼太多，下令偷窃一文钱以上的全要在闹市斩首，暴尸街头。有三个人一起偷了一个瓜，事情被揭发便都立即处死。因此行路的人都不敢早起赶路，天不晚就急忙投宿，天下人惶惧。有几个人劫持了执政官员，对他说："我们哪是贪求钱财的人？只是为被冤枉的人来的。你替我们奏报皇上：自古以来，治国立法，没有偷一文钱就被处死的。你若不把我们的话奏报皇上知道，我们再来，你们一个也活不成！"隋文帝得知此事，为此废止了这条法令。

隋文帝曾经乘着怒气，想在六月杖杀人，大理寺少卿河东人赵绰尽力谏争说："季夏月份，天地间万物正在蓬勃成长，不可在这个时候杀人。"隋文帝回答说："六月份虽然说是万物生长，但此时也一定有雷霆，我效法上天而行，有何不可？"终于将人杖死。

大理寺掌固来旷上奏说大理寺断案判刑太宽，隋文帝认为来旷忠诚耿直，派他每天早朝时在五品官员行列中参拜。来旷又控告大理寺少卿赵绰随便赦免囚徒。隋文帝派诚信臣子去调查验证，赵绰原本就没有徇私枉法，隋文帝大怒，下令将来旷斩首。赵绰极力谏争，认为来旷不应处死，隋文帝气愤，拂衣起身进殿。赵绰假称："臣不再说来旷的事，本来还有别的事，没有来得及上奏。"隋文帝派人把赵绰引进殿中，赵绰磕了两次头，向隋文帝请罪说："臣有三条死罪：臣任大理寺少卿，没能管束好掌固，使得来旷触犯国法，这是第一条；囚犯不应判死罪，而臣不能以死谏争，这是第二条；臣本来没有别的事，却说谎话请求进殿来见皇上，这是第三条。"

帝解颜。会独孤后在坐，命赐绰二金杯酒，并杯赐之。旷因免死，徙广州。

萧摩诃子世略在江南作乱，摩诃当从坐㊽，上曰："世略年未二十，亦何能为？以其名将之子，为人所逼耳。"因赦摩诃。绰固谏不可，上不能夺㊾，欲绰去而赦之，因命绰退食㊿。绰曰："臣奏狱(351)未决，不敢退。"上曰："大理其为朕特舍[21]摩诃也！"因命左右释之。

刑部侍郎辛亶尝衣绯裈(352)，俗云利官(353)，上以为厌蛊(354)，将斩之。绰曰："法不当死，臣不敢奉诏(355)。"上怒甚，曰："卿惜辛亶而不自惜也？"命引绰斩之。绰曰："陛下宁杀臣，不可杀辛亶。"至朝堂，解衣当斩，上使人谓绰曰："竟何如(356)？"对曰："执法一心，不敢惜死。"上拂衣而入，良久，乃释之。明日谢绰(357)，劳勉之，赐物三百段。

时上禁行恶钱(358)，有二人在市，以恶钱易好者，武候(359)执以闻，上令悉斩之。绰进谏曰："此人所坐当杖(360)，杀之非法。"上曰："不关卿事(361)。"绰曰："陛下不以臣愚暗(362)，置在法司(363)，欲妄杀人，岂得不关臣事？"上曰："撼大木，不动者当退。"对曰："臣望感天心(364)，何论动木？"上复曰："啜羹(365)者热则置之，天子之威，欲相挫(366)邪？"绰拜而益前，诃之(367)，不肯退，上遂入。治书侍御史柳彧复上奏切谏，上乃止。

上以绰有诚直之心，每引入阁中，或遇上与皇后同榻(368)，即呼绰坐，评论得失，前后赏赐万计。与大理卿薛胄同时，俱名平恕(369)，然胄断狱以情(370)而绰守法(371)，俱为称职。胄，端之子也。

帝晚节用法益峻(372)，御史(373)于元日不劾(374)武官衣剑之不齐(375)者，帝曰："尔为御史，纵舍自由。"命杀之。谏议大夫毛思祖谏，又杀之。将作寺丞以课麦䴵迟晚(376)，武库令(377)以署庭荒芜，左右出使，或授牧宰(378)马鞭、鹦鹉，帝察知，并亲临斩之。

帝既喜怒不恒，不复依准科律(379)。信任杨素，素复任情(380)不平，与

隋文帝的怒容缓和下来。适逢独孤皇后坐在旁边，下令赏赐赵绰两金杯酒，连同金杯也赏赐给赵绰。来旷因此被免除了死刑，流放到广州。

萧摩诃儿子萧世略在江南作乱，萧摩诃应当株连判罪，隋文帝说："萧世略年龄不满二十，他能干什么？因为他是名将的儿子，被别人逼迫罢了。"因此赦免了萧摩诃。赵绰极力谏争，认为不可赦免，隋文帝不能使赵绰改变观点，想等赵绰离开后再赦免萧摩诃，便让赵绰退下回去吃饭。赵绰说："臣奏报的狱案还没有决断，不敢退下。"隋文帝说："大理卿你就为了朕特别宽恕萧摩诃吧！"于是命令左右侍臣释放了萧摩诃。

刑部侍郎辛亶曾经穿红色裤子，世俗说这有利于升官，隋文帝认为这是巫蛊妖术，准备把辛亶斩首。赵绰说："按照法律他不应当处死，臣不敢奉行诏命。"隋文帝极为恼怒，说："你难道顾惜辛亶而不顾惜自己吗？"命令带赵绰出去斩首。赵绰说："陛下可杀臣，不可杀辛亶。"走到朝堂，脱下衣服，将要斩首，隋文帝派人对赵绰说："到底怎么样？"赵绰回答说："一心执法，不敢怕死。"隋文帝拂袖而起走进后殿，过了很久，才释放了赵绰。第二天隋文帝向赵绰道歉，慰勉他，赏赐绢帛三百段。

当时隋文帝禁止劣质铜钱流通，有两个人在集市上用劣质铜钱兑换正品真币，负责巡查的武候抓住了他们，奏报朝廷，隋文帝命令全都斩首。赵绰进谏说："这两个人所犯的罪应当受杖刑，杀死他们就不合法律量刑的规定。"隋文帝说："这不关你的事。"赵绰说："陛下不因为臣愚暗，把臣安排在法官的位置上，现在您想任意杀人，怎么能不关臣的事？"隋文帝说："摇撼大树，摇不动的人就退下。"赵绰回答说："臣希望感动天子的圣心，岂止是摇动大树？"隋文帝又说："喝汤的人，汤太热就先放一下，天子的神威，你想冒犯吗？"赵绰拜伏在地上，越来越往前移，隋文帝呵斥赵绰，赵绰也不肯退后，隋文帝于是转身进入殿内。治书侍御史柳彧又上奏恳切劝谏，隋文帝才罢休。

隋文帝认为赵绰心地忠诚正直，常常召他进入殿中，有时碰上隋文帝和皇后同榻而坐，就招呼赵绰也坐下，评论政事的得失，前前后后对赵绰的赏赐以万计。赵绰与大理寺卿薛胄同时都以公平宽恕闻名，然而薛胄断案依据实情，赵绰则谨守法律，两人都很称职。薛胄，是薛端的儿子。

隋文帝晚年用法更加严厉，曾有个御史在正月元旦朝会时没有纠劾着装佩剑不规范的武官，隋文帝说："你作为御史，这样随意放任。"命令杀了他。谏议大夫毛思祖谏阻，也被杀了。将作寺丞因为征收麦秸迟缓，武库令因为府署大堂荒芜，身边近臣出使，有的人接受州牧县宰的马鞭、鹦鹉，隋文帝发现了，都亲自到场斩了他们。

隋文帝已喜怒无常，不再依据法律。信任杨素，杨素又恣意放任，处事待人不

鸿胪少卿[381]陈延有隙，尝经蕃客馆[382]，庭中有马屎，又众仆于毡上樗蒲，以白帝。帝大怒，主客令[383]及樗蒲者皆杖杀之，棰陈延几死。

帝遣亲卫大都督[384]长安屈突通[385]往陇西检覆群牧，得隐匿马二万余匹，帝大怒，将斩太仆卿[386]慕容悉达及诸监官千五百人。通谏曰："人命至重，陛下奈何以畜产之故杀千有余人？臣敢以死请！"帝瞋目[387]叱之，通又顿首曰："臣一身分死，就陛下丐[388]千余人命。"帝感寤[389]，曰："朕之不明，以至于此！赖有卿忠言耳。"于是悉达等皆减死论，擢通为右[22]武候将军[390]。

上柱国彭公[23]刘昶与帝有旧，帝甚亲之。其子居士，任侠不遵法度，数有罪，上以昶故，每原之[391]。居士转[392]骄恣，取公卿子弟雄健者，辄将至家，以车轮括其颈而棒之，殆死[393]能不屈者，称为壮士，释而与交[394]。党与[395]三百人，殴击路人，多所侵夺，至于公卿妃主[396]，莫敢与校[397]。或告居士谋为不轨，帝怒，斩之，公卿子弟坐居士除名者甚众。

杨素、牛弘等复荐张胄玄历术[398]。上令杨素与术数人[399]立议六十一事，皆旧法久难通者，令刘晖[24]与胄玄等辩析之[25]。晖杜口[400]一无所答，胄玄通者五十四，上乃拜胄玄员外散骑侍郎兼太史令，赐物千段，令参定新术[401]。至是，胄玄历成。夏，四月戊寅[402]，诏颁新历。前造历者刘晖等[26]四人并除名。

秋，七月，桂州人李世贤反，上议讨之。诸将数人请行[403]，上不许，顾右武候大将军虞庆则曰："位居宰相[404]，爵乃上公[405]，国家有贼，遂无行意，何也？"庆则拜谢，恐惧。乃以庆则为桂州道行军总管，讨平之。

秦王俊，幼仁恕[406]，喜佛教，尝请为沙门[407]，不许。及为并州总管，渐好奢侈，违越制度[408]，盛治宫室。俊好内[409]，其妃[27]崔氏，弘度之妹也，性妒[410]，于瓜中进毒，由是得疾，征还京师。上以其奢纵[411]，丁亥[412]，免俊官，以王就第。崔妃以毒王，废绝[413]，赐死于家。左武卫将军[414]刘昇谏曰："秦王非有他过，但费官物，营廨舍[415]而已，臣谓可容。"上曰："法不可违。"杨素复[28]谏曰："秦王之过，不应至此，愿陛下详之[416]！"上曰："我是五儿之父[417]，非兆民之父？若如公意，何不

公平。杨素与鸿胪寺少卿陈延有矛盾，曾经经过蕃客馆，庭中有马屎，还有许多仆人在毛毡上赌博，杨素禀报了皇上。隋文帝大怒，把主客令和参加赌博的人都用刑杖打死，陈延被捶打得几乎死去。

隋文帝派亲卫大都督长安人屈突通去陇西复查畜牧情况，查出隐瞒马匹两万多匹，隋文帝大怒，要杀掉太仆卿慕容悉达和其他监官一千五百人，屈突通谏阻说："人命最为宝贵，陛下为何为了畜产，就要杀死一千多人？臣愿冒死请求陛下宽恕！"隋文帝睁大眼睛呵责他，屈突通又磕头说："臣甘愿一个人受死，特向陛下哀求一千多条人命。"隋文帝感动醒悟，说："朕糊涂不明，居然到如此地步！幸亏有你的忠言。"于是慕容悉达等都被免除死罪，另外量刑处罚，提拔屈突通为右武候将军。

上柱国彭公刘昶和隋文帝是旧交，隋文帝十分亲近他。他的儿子刘居士，好打抱不平，不遵守法度，多次违法犯罪，隋文帝因为刘昶的缘故，每次都原谅了他。刘居士反而更加骄横放肆，劫持了身体雄健的公卿子弟，就带到家中，把车轮挂在他们的脖子上，再用棍棒毒打，直到将死仍不屈服的，就称为壮士，释放他并和他结交。党羽共有三百人，殴打攻击路上行人，抢劫财物，连公卿大臣王妃公主都不敢和他们计较。有人控告刘居士想造反，隋文帝发怒，杀了他，公卿子弟受牵连而被免官除名的很多。

杨素、牛弘等人再次推荐张胄玄的历法。隋文帝命杨素同几位律历学者讨论提出了六十一个问题，都是旧历法很久不能解决的，命刘晖与张胄玄等人辩论解析。刘晖闭口不言，一个问题都未回答，而张胄玄可以解释清楚的问题有五十四个，隋文帝于是拜授张胄玄为员外散骑侍郎兼太史令，赏赐绢帛一千段，命他参加制定新历法。至此，张胄玄历法修订完成。夏，四月初二日戊寅，诏令颁行新历。以前制定历法的刘晖等四人都被免官除名。

秋，七月，桂州人李世贤造反，隋文帝召集大臣们商议出兵讨伐他。众将中有几位将领请求出征，隋文帝没有同意，回头对右武候大将军虞庆则说："你位居宰相，爵为上公，朝廷有了反贼，你竟然没有出征的意思，为什么？"虞庆则跪拜谢罪，十分恐惧。于是任命虞庆则为桂州道行军总管，讨伐并平定了李世贤。

秦王杨俊年幼时仁慈宽厚，喜欢佛教，曾请求当和尚，隋文帝不同意。等到担任了并州总管，渐渐爱好奢侈，违反制度规定，大规模修建宫室。杨俊喜欢女色，他的王妃崔氏是崔弘度的妹妹，生性嫉妒，在瓜中放毒药，杨俊因此得病，被召回京师。隋文帝因为他骄奢放纵，七月十三日丁亥，罢免了杨俊的官职，保留王爵回到府第。崔妃因为毒害秦王，被废除，赐死家中。左武卫将军刘昇进谏说："秦王并没有别的过错，只是浪费点官府财物，营造官舍和住处而已，臣认为可以宽容他。"隋文帝说："法律不可违反。"杨素又进谏说："秦王的过错，还不至于违反法律，希望陛下明察！"皇上说："我是五个儿子的父亲，难道不是天下人民的君父？

别制天子儿律？以周公之为人，尚诛管、蔡[418]，我诚不及周公远矣，安能亏法乎？”卒不许。

戊戌[419]，突厥突利可汗来逆女，上舍之太常，教习六礼[420]，妻以宗女安义公主。上欲离间都蓝，故特厚其礼，遣太常卿[421]牛弘、纳言苏威、民部尚书斛律孝卿相继为使。

突利本居北方，既尚主，长孙晟说其帅众南徙，居度斤旧镇[422]，锡赉优厚。都蓝怒曰：“我，大可汗也，反不如染干？”于是朝贡遂绝，亟来抄掠边鄙。突利伺知动静，辄遣奏闻，由是边鄙每先有备。

九月甲申[423]，上至自仁寿宫。

何稠之自岭南还也，甯猛力请随稠入朝，稠见其疾笃，遣还钦州，与之约曰：“八九月间，可诣京师相见。”使还，奏状，上意不怿。冬，十月，猛力病卒。上谓稠曰：“汝前不将猛力来，今竟死矣！”稠曰：“猛力与臣约，假令身死，当遣子入侍[424]。越人性直，其子必来。”猛力临终，果诫[425][29]其子长真曰：“我与大使[426]约，不可失信，汝葬我毕，宜即登路。”长真嗣为刺史，如言入朝。上大悦曰：“何稠著信[427]蛮夷，乃至于此！”

鲁公虞庆则之讨李世贤也，以妇弟[428]赵什住为随府长史[429]。什住通于庆则爱妾，恐事泄，乃宣言庆则不欲此行，上闻之，礼赐甚薄。庆则还，至潭州[430]临桂岭[431]，观眺山川形势，曰：“此诚险固，加以足粮，若守得其人，攻不可拔。”使什住驰诣京师奏事，观上颜色[432]，什住因告庆则谋反，下有司按验。十二月壬子[433]，庆则坐死[434]，拜什住为柱国。

高丽王汤[435]闻陈亡，大惧，治兵积谷，为拒守之策。是岁，上赐汤玺书[436]，责以“虽称藩附[437]，诚节未尽”。且曰：“彼之一方，虽地狭人少，今若黜王[438]，不可虚置，终须更选官属，就彼安抚。王若洒心易行[439]，率由宪章[440]，即是朕之良臣，何劳别遣才彦[441]？王谓辽水[442]之广，何如长江？高丽之人，多少陈国？朕若不存含育[443]，责王前愆，命一将军，何待多力？殷勤[444]晓示，许王自新耳。”汤得书，惶恐，将奉表

若按你的意思，为什么不另外制定一部皇帝儿子的法律？周公那样宽厚的人，况且杀了管叔、蔡叔，我确实远远赶不上周公，怎么能破坏法律呢？”隋文帝最后也没有同意。

七月二十四日戊戌，突厥突利可汗来迎娶公主，隋文帝安置突利可汗住在太常寺，教他学习汉人娶亲的六礼：纳采、问名、纳吉、纳征、请期、亲迎，把宗室女安义公主嫁给突利可汗为妻。隋文帝想离间都蓝和突厥，因此礼仪特别隆重，派遣太常卿牛弘、纳言苏威、民部尚书斛律孝卿相继为使臣。

突利可汗原本住在大漠北方，既然娶了公主，长孙晟便劝说他领众南移，定居在度斤旧镇，赏赐特别优厚。都蓝发怒，说：“我是大可汗，反而不如染干？”于是断绝了向隋朝的朝请贡献，还多次侵扰边境。突利可汗一打探到了动静，就派遣使臣上奏，因此边境上每次都事先有了准备。

九月十一日甲申，隋文帝从仁寿宫回到京师。

何稠从岭南返回京城，甯猛力请求随同入朝，何稠见他病重，就把他送回钦州，和他约定说：“八九月间，可以到京城相见。”何稠出使返回京城，奏报了这些情况，隋文帝很不高兴。冬，十月，甯猛力病死，隋文帝对何稠说：“你先前不带甯猛力来京，如今竟然死了！”何稠说：“甯猛力与臣相约，如果他死了，应派儿子入朝侍奉，越人生性直率，他的儿子一定前来。”甯猛力临死时，果真告诫他的儿子甯长真说：“我与朝廷大使有约，不可失信，你安葬我完了，应该立即上路。”甯长真接任钦州刺史，遵从父亲的遗言进京朝拜。隋文帝非常高兴，说：“何稠在蛮族、夷族中树立诚信，竟然到了这个境地！”

鲁公虞庆则征讨李世贤时，任用他的内弟赵什住担任随府长史。赵什住与虞庆则的爱妾私通，担心事情泄露，就扬言虞庆则本意不想出征，隋文帝听到这话，接待的礼仪赏赐十分微薄。虞庆则回朝，到达潭州临桂岭，观赏眺望山川形胜，说：“这里真是险要坚固，加上充足的粮食，如果有得力的人把守，是无法攻克的。”虞庆则派赵什住飞驰进京师奏事，观察皇上的表情。赵什住趁机诬告虞庆则谋反，虞庆则被逮捕交给主管部门调查核验。十二月十日壬子，虞庆则被定死罪，赵什住被授为柱国。

高丽王高汤得知陈朝灭亡，大为恐惧，于是训练军队，积聚粮食，做好抵抗防守的准备。这一年，隋文帝赐给高汤加盖玺印的国书，责备他“虽然说是藩属国，却没有尽到藩属的忠诚之节”。并且说：“你们那一片地方，虽然地小人少，现在如果把你废黜，也不能没有人治理，最终还是要另外选派官员到那里去安抚。你如果革心易行，遵循规章制度，就是朕的好臣子，何必让朕劳神费力另派高人？你认为辽水广阔，能和长江相比吗？高丽人口，与陈国相比是多是少？朕如果不存有包容化育的心怀，而责备你以往的过失，只需命令一名将军征讨，哪里需要很多气力？这样诚恳深切地晓谕规劝，是让你改过自新罢了。”高汤接到了玺书，惶恐不安，准备

陈谢[445]。会病卒，子元嗣立，上使使拜元为上开府仪同三司，袭爵辽东公。元奉表谢恩，因请封王，上许之。

吐谷浑大乱，国人杀世伏，立其弟伏允[446]为主，遣使陈废立之事，并谢专命[447]之罪，且请依俗尚主，上从之。自是朝贡岁至。

【段旨】

以上为第六段，记述隋文帝开皇十七年（公元五九七年），成功地抚夷安边和晚年用法苛酷尚能纳谏两大政绩。这一年，隋文帝平定岭南叛乱，安抚西边的吐谷浑、东边的高丽，羁縻北方突厥，用人得当，都取得了成功。隋文帝晚年用法苛酷，大理寺少卿赵绰执法公平，与屈突通等人冒死谏争，避免了一些大案、冤案的发生，缓解了矛盾，隋朝政治稳定。

【注释】

[278]癸未：二月初六日。[279]南宁羌：指生活在南宁一带的羌族人。南宁，州名，治所味县，在今云南曲靖西。[280]西南夷、獠：指生活在今四川南部和云南一带的少数民族。[281]牂柯：郡名，西汉武帝时设置，治所且兰，在今贵州凯里西北。[282]殷众：众多。[283]徐文盛（？至公元五四八年）：字道茂，彭城（今江苏徐州）人。仕梁，官至秦州刺史。传见《梁书》卷四十六、《南史》卷六十四。[284]湘东王：即梁元帝萧绎。传见《梁书》卷五、《南史》卷八。[285]东夏：指中国的东部。古代称中国为夏。[286]未遑：没有时间；来不及。[287]臣礼多亏：没有尽到臣子的礼节。亏，少、不足。[288]蜻蛉川：地名，汉蜻蛉县境，在今云南大姚、姚安境。[289]南中：相当于今四川南部及云南贵州地区。[290]诸葛亮纪功碑：诸葛亮记录平南中之功的碑刻，碑址在今云南保山市境。[291]西洱河：河名，一名叶榆泽，即今云南西部洱海。[292]渠滥川：城名，在今云南昆阳东。[293]径寸：直径为一寸。[294]勒石：在石碑上刻文字。[295]庚寅：二月十三日。[296]桂州俚：指生活在桂州（在今广西桂林）一带的俚族人。[297]岭南：泛指五岭以南地区。[298]岭北：泛指五岭以北的地区。[299]尹州：州名，治所郁林县，在今广西贵港东南郁江南岸。[300]瘴：指瘴气。古代指我国南部和西南部地区山林间湿热蒸发致人疾病之气。[301]劲兵：精锐的兵士。[302]白石洞：地名，故址在今广西桂平南。[303]家口：指李光仕兵士家属。[304]何稠：字桂林，西域人。历仕后梁、周、隋、唐，官至将作少匠。传见《隋书》卷六十八、《北史》卷九十。[305]岭南夷、越：指生活在今福建、广东、广西一带的夷、越等少数民族。[306]大弘：大为弘

奉表陈情谢罪，不巧患病死了。儿子高元继位，隋文帝派使者封高元为上开府仪同三司，承袭爵位为辽东公。高元奉上表章谢恩，并请求封王，隋文帝答应了。

吐谷浑大乱，国人杀死世伏可汗，立他的弟弟伏允为国主，派遣使者向隋文帝报告废立之事，并对专擅废立请罪，同时请求依照惯例娶公主为妻，隋文帝同意了。从此，吐谷浑每年都派使臣入朝进贡。

扬。㉝⑦渠帅：魁首。渠，大。㉝⑧手教：即手书。㉝⑨生梗：故意阻拦。㉞⓪长吏：指州县一级官长。㉞①之官：上任就职。㉞②寄政：让长吏寄居在总管府。政，指治事的官吏。㉞③南海：郡名，治所番禺县，在今广东广州西。㉞④安州：州名，治所宋寿县，在今广西钦州东北。㉞⑤倨：傲慢。㉞⑥参谒：参拜进见。古代指下级见上级或进见受尊敬的人。㉞⑦所在属官：所有下属官吏。所在，处处、到处。㉞⑧敬惮：尊敬而惧怕。㉞⑨克举：成功；成事。克，能够。㉟⓪丙辰：三月初九日。㉟①律轻情重：指从法律的条文上说，并未犯重法，但从实情上看，却是严重的。㉟②律外：法律以外。㉟③决杖：罚以杖刑。㉟④迭行：指主管上级一级压一级，轮番压迫下级。迭，轮流、更替。㉟⑤捶楚：用杖或板打。指杖刑。㉟⑥一钱：古代钱的单位，指一文钱。㉟⑦晏起早宿：晚起早睡。晏，晚。㉟⑧懔懔：畏惧的样子。㉟⑨枉人：受冤枉的人。㊱⓪体国立法：治理国家，制定法律。㊱①以闻：指把此事上奏给皇帝。㊱②而属：即汝辈、你们。㊱③六月杖杀人：古代行刑，一般规定在秋季。㊱④大理少卿：官名，大理寺副长官，掌刑法。㊱⑤赵绰：河东（今山西永济西南）人，历仕周、隋，官至大理少卿。传见《隋书》卷六十二、《北史》卷七十七。㊱⑥成长庶类：指各种生物都在成长时期。庶类，众多的物类。㊱⑦则天：以天为法。则，法则。㊱⑧掌固：官名，掌看守仓库及陈设等。㊱⑨官司：讼事；断狱案。㊲⓪五品行中：在五品官行列中。㊲①信臣：诚恳而信用的臣子。㊲②推验：推究检验。㊲③阿曲：指不依法行事，徇私曲从。㊲④矫言：假称。㊲⑤制驭：控制。驭，同“御”，驾驭。㊲⑥触挂：触犯。㊲⑦天刑：刑法。对隋文帝所制刑法的尊称。㊲⑧从坐：古代以参与犯罪或受牵连而判罪称从坐。同案犯人主谋者为首，随从者也称从坐。㊲⑨夺：迫使人改变本意。㊳⓪退食：退朝就餐。㊳①奏狱：指奏请萧摩诃当从坐的事。㊳②绯裈：绯色有裆的内裤。绯，红色。㊳③利官：谓有利于官职的迁转。㊳④厌蛊：古代迷信，能以诅咒害人称厌，能以邪术害人称蛊。㊳⑤奉诏：谓奉行处斩辛亶的诏命。㊳⑥竟何如：究竟怎样。㊳⑦谢绰：向赵绰道歉。㊳⑧恶钱：古代私自铸造的钱，质料低劣而又分量较轻，称为恶钱。㊳⑨武候：武官名，隶属左右武候将军，掌昼夜巡查、执捕奸盗。㊴⓪所坐当杖：所犯的罪行，应当处以杖刑。㊴①不关卿事：指此事与赵绰无关。因赵绰时任大理少卿，故称他为卿。㊴②愚暗：愚蠢而昏庸。㊴③法司：指掌司

法刑狱的官署。㉞感天心：指感动隋文帝，使他回心转意。㉟啜羹：喝羹汤。啜，饮、吃。羹，一种和味的汤。㊱相挫：指打击天子的威望。挫，打击。㊲诃之：大声呵斥赵绰。诃，同“呵”，怒斥、大声呵斥。㊳同榻：同坐一个榻上。榻，狭长而低的坐卧用具。㊴平恕：公平而能宽容人。恕，宽容。㊵断狱以情：审定狱讼根据实情。㊶守法：遵守法律条文，以法断案。㊷益峻：更加严酷。㊸御史：官名，掌纠察。㊹于元日不劾：不弹劾在元日朝会上有过错的官员。元日，正月初一日。㊺衣剑之不齐：指穿衣、佩剑不规范。㊻将作寺丞以课麦䴬迟晚：将作寺丞，官名，掌治土木工程、宫室营建。隋初承北齐制，置将作寺，后改为将作监。课麦䴬，收麦秆。课，纳课、税收。䴬，麦秸。㊼武库令：官名，属卫尉寺，掌管武器府库。㊽牧宰：泛指州县长官。州官称牧，县官称宰。㊾依准科律：依照法律办事。科律，法令、条律。㊿任情：任性；随意所为。(381)鸿胪少卿：官名，鸿胪寺副长官，掌典客、司仪二署。(382)蕃客馆：外国或外族来宾所居住的客馆。当时习称外国或外族为蕃。(383)主客令：官名，鸿胪寺典客署之长，掌蕃客辞见、迎送、宴会等。(384)亲卫大都督：武官名，掌宿卫之事。(385)屈突通（公元五五七至六二八年）：雍州长安（今陕西西安）人，历仕隋、唐，官至刑部尚书。传见《旧唐书》卷五十九、《新唐书》卷八十九。(386)太仆卿：官名，太仆寺长官，掌厩马及畜牧。(387)瞋目：张目；瞪大眼睛。(388)丐：乞求。(389)感寤：有所感而觉醒。寤，觉、睡醒。(390)右武候将军：武官名，掌帝出入时侍卫，并掌京城昼夜巡逻，追捕盗贼。(391)每原之：每次都原宥刘居士的罪过。(392)转：变得；反而。(393)殆死：将近死亡。殆，近、几乎。(394)与交：与他交为好友。(395)党与：同党的人。(396)妃主：王妃与公主。(397)与校：跟他计较。校，较量、计较。(398)历术：历法。(399)术数人：又称术士。惯用阴阳五行相生相克的数理，来推断人事的吉凶，如占候、卜筮、星命等。(400)杜口：闭口不言。(401)新术：新的历法。(402)戊寅：四月初二日。(403)请行：请求让自己率兵前去平定李世贤反叛。(404)位居宰相：虞庆则曾任尚书右仆射，宰相之职。(405)爵乃上公：时虞庆则授上柱国，封鲁国公。上公，公爵的尊称，言位在诸爵之上。(406)仁恕：仁慈宽厚。(407)沙门：僧徒。也称“桑门”。梵语室罗摩拏的音译。义译为勤息、勤修善法、止息恶行之意。(408)违越制度：违背和超过了有关制度的规定。(409)好内：此指喜欢女色。(410)性妒：生性妒忌。(411)奢纵：奢侈放纵。(412)丁亥：七月十三日。(413)废绝：废掉王妃身份，断绝夫妻关系。(414)左武卫将军：武官名，掌理禁卫。左武卫，隋十二卫之一。(415)廨舍：官吏办事及居住的处所。(416)详之：审慎地处理此事。详，审慎、审察。(417)五儿之父：隋文帝有五个儿子，依次是太子杨勇、晋王杨广、秦王杨俊、蜀王杨秀、汉王杨谅。(418)诛管、蔡：管、蔡即周武王弟管叔、蔡叔。周武王灭商，封管、蔡为诸侯，以监视商纣王子武庚。武王死，子成王年幼，周公摄政，管、蔡同武庚叛乱，为周公所杀。详见《史记》卷三十三《鲁周公世家》。(419)戊戌：七月二十四日。(420)六礼：古代婚制的六项礼仪，即纳采、问名、纳吉、纳征、请期、亲迎。(421)太常卿：官名，太常寺长官，掌陵庙、礼乐、天文、仪制等。(422)度斤旧镇：即都斤山。突厥沙钵略的旧居。㊷甲申：九月十一日。㊹遣子入侍：派遣子弟入京师侍卫。㊺诫：命令；告诫。㊻大使：指何稠。这年二月，何稠以员外散骑侍郎的身份出讨李光仕，岭南夷、越族把他视为隋朝的使臣。㊼著信：树立诚信。著，标举。㊽妇弟：妻子的弟弟，俗称内弟。㊾随府长史：官名，行军总管府的临时官员，掌军政。㊿潭州：州名，治所长沙县，在今湖南长沙。431临桂岭：地名，在今湖南长沙附近。432观上颜色：观察皇帝对此事的态度、反应。颜色，脸色。433壬子：十二月初十日。434坐死：判为死刑。435高丽王汤（？至公元五九七年）：高句丽昭烈帝六世孙，北周武帝封为辽东王，隋文帝改封高丽王。事见《隋书》卷八十一、《北史》卷九十四。436玺书：古代天子用玺印封记的文书。437藩附：指向隋称臣，附属于隋。438黜王：废掉汤的王号。439洒心易行：悔改。洒心，洗心。易，改变。440率由宪章：遵循规章制度。441才彦：才德杰出的人。442辽水：水名，即今辽河，有东西两源，东辽河源出吉林辽源境，西辽河上游西拉木伦源出内蒙古克什克腾旗境。两河在辽宁昌图汇合后称辽河，折西南至盘山入海。443含育：包容养育。444殷勤：情意恳切。445奉表陈谢：上表陈述缘由，表示道歉。446伏允（？至公元六三五年）：吐谷浑国主。详见《隋书》卷八十三、《北史》卷九十六、《旧唐书》卷一百九十八、《新唐书》卷二百二十一上。447专命：不待请示而行事。此指事先未经隋朝批准而就国主之位。

【校记】

［17］帝以为天下初定，未之许：原无此十字。据章钰校，甲十一行本、乙十一行本、孔天胤本皆有此十字，今据补。［18］者：原无此字。据章钰校，甲十一行本、乙十一行本、孔天胤本皆有此字，张敦仁《通鉴刊本识误》同，今据补。［19］死：原作“死者”。据章钰校，甲十一行本、乙十一行本、孔天胤本皆无“者”字，今据删。［20］驭：原作“御”。据章钰校，甲十一行本、乙十一行本、孔天胤本皆作“驭”，今据改。〖按〗《隋书·刑法志》作“驭”。［21］舍：原作“赦”。据章钰校，甲十一行本、乙十一行本、孔天胤本皆作“舍”，今据改。〖按〗《隋书·赵绰传》《北史·赵绰传》皆作“舍”。［22］右：原作“左”。据章钰校，甲十一行本、乙十一行本、孔天胤本皆作“右”，今据改。〖按〗《旧唐书·屈突通传》作“右”。［23］彭公：原无此二字。据章钰校，甲十一行本、乙十一行本、孔天胤本皆有此二字，今据补。［24］令刘晖：原作“令晖等”。据章钰校，甲十一行本、乙十一行本、孔天胤本皆作“令刘晖”，张敦仁《通鉴刊本识误》云“‘令’下脱‘刘’字”，今据改。〖按〗《通鉴纲目》卷三六上作“令刘晖”，无“等”字。［25］之：原无此字。据章钰校，甲十一行本、乙十一行本、孔天胤本皆有此字，张敦仁《通鉴刊本识误》同，今据补。［26］等：原无此字。据章钰校，甲十一行本、乙十一行本、孔天胤本皆有此字，张敦仁《通鉴刊本识误》同，今据补。［27］妃：原作“妻”。据章钰校，甲十一行本、乙十一行本、孔天胤本皆作“妃”，张敦仁《通鉴刊本识

误》同，今据改。[28]复：原无此字。据章钰校，甲十一行本、乙十一行本、孔天胤本皆有此字，今据补。〖按〗《隋书·秦孝王俊传》有此字。[29]诫：原作“戒”。据章钰校，甲十一行本、乙十一行本、孔天胤本皆作“诫”，今据改。〖按〗《隋书·何稠传》《北史·艺术下·何稠传》皆作“诫”。

【原文】

十八年（戊午，公元五九八年）

春，二月甲辰⑷⑷⑻，上幸仁寿宫。

高丽王元帅靺鞨⑷⑷⑼之众万余寇辽西⑷⑸⑽，营州⑷⑸⑴总管韦冲⑷⑸⑵击走之。上闻而大怒，乙巳⑷⑸⑶，以汉王谅、王世积并为行军元帅，将水陆三十万伐高丽，以尚书左仆射高颎为汉王长史，周罗睺为水军总管。

延州刺史独孤陀⑷⑸⑷有婢曰徐阿尼，事猫鬼，能使之杀人，云每杀人，则死家财物潜移⑷⑸⑸于畜猫鬼家。会独孤后及杨素妻郑氏俱有疾，医皆曰：“猫鬼疾也。”上以陀，后之异母弟，陀妻，杨素异母妹，由是意陀所为，令高颎等杂治⑷⑸⑹之，具得其实。上怒，令以犊车⑷⑸⑺载陀夫妻，将赐死于家[30]，独孤后三日不食，为之请命⑷⑸⑻曰：“陀若蠹政害民⑷⑸⑼者，妾不敢言。今坐为妾身，敢请其命。”陀弟司勋侍郎⑷⑹⑽整⑷⑹⑴诣阙求哀，于是免陀死，除名为民，以其妻杨氏为尼。先是，有人讼其母为猫鬼所杀者，上以为妖妄，怒而遣之。至是，诏诛被讼行猫鬼家。夏，五[31]月辛亥⑷⑹⑵，诏：“畜猫鬼、蛊毒⑷⑹⑶、厌魅[32]野道之家，并投于四裔⑷⑹⑷。”

六月丙寅⑷⑹⑸，下诏黜高丽王元官爵。汉王谅军出临渝关⑷⑹⑹，值水潦⑷⑹⑺，馈运不继⑷⑹⑻，军中乏食，复遇疾疫。周罗睺自东莱⑷⑹⑼泛海趣平壤城⑷⑺⑽，亦遭风，船多飘没。秋，九月己丑⑷⑺⑴，师还，死者什八九。高丽王元亦惶惧遣使谢罪，上表称“辽东⑷⑺⑵粪土臣元”，上于是罢兵，待之如初。

百济王昌遣使奉表，请为军导⑷⑺⑶，帝下诏谕以“高丽服罪，朕已赦

【语译】

十八年（戊午，公元五九八年）

春，二月初三日甲辰，隋文帝幸临仁寿宫。

高丽王高元率领靺鞨一万多人侵犯辽西郡，营州总管韦冲打退了高元。隋文帝得知情况后大怒。二月初四日乙巳，隋文帝任命汉王杨谅、上柱国王世积同为行军元帅，率领水陆军队三十万人讨伐高丽，任命尚书左仆射高颎为汉王长史，周罗睺为水军总管。

延州刺史独孤陀有一个婢女叫徐阿尼，供奉猫鬼，能指使猫鬼杀人，并说每次杀人，能让死者的家财暗中转移到养猫鬼的人家。恰好独孤皇后和杨素的妻子郑氏都有病，医生都说："这是猫鬼作祟带来的病。"隋文帝因为独孤陀是独孤皇后的同父异母弟弟，独孤陀的妻子杨氏是杨素的同父异母妹妹，因此就想到是独孤陀所为，命令高颎等人共同审理，完全得到真实情况。隋文帝很生气，命令用牛车载送独孤陀夫妻，准备赐死在家中。独孤皇后三天不吃饭，替独孤陀求情说："独孤陀如果是败坏国政，残害百姓，妾不敢说什么。如今是因为妾个人生病而犯罪，斗胆地为他们请命。"独孤陀的弟弟司勋侍郎独孤整也到宫阙下哀求，隋文帝这才免了独孤陀的死刑，削除官籍，贬为平民，令他的妻子杨氏出家为尼。此前，有人控告他的母亲被猫鬼杀害，隋文帝认为是妖言妄语，怒气冲冲把告状人赶走。到这时，下诏诛杀被控告用猫鬼害人的那家人。夏，五月辛亥日，隋文帝下诏："畜养猫鬼、蛊毒，以及从事诅咒妖术的人家，统统流放到四方边远地区。"

六月二十七日丙寅，隋文帝下诏罢黜高丽王高元的官爵。汉王杨谅大军从临渝关出发，正值雨后大水，运送的粮食接济不上，军中缺乏食物，又遇到瘟疫。周罗睺从东莱渡海赶赴平壤城，也遇到大风，船舰大多飘散沉没。秋，九月二十一日己丑，隋军撤回，死去的士卒有十之八九。高丽王高元也惶恐畏惧，派遣使者来谢罪，上表章自称"辽东粪土臣高元"，隋文帝于是休兵，对待高元和原来一样。

百济王余昌派使者奉上表章，请求担任征讨大军的向导，隋文帝下诏告诉他

之，不可致伐。”厚其使而遣之。高丽颇知其事，以兵侵掠其境。

辛卯㊹，上至自仁寿宫。

冬，十一月癸未㊺，上祀南郊。

十二月，自京师至仁寿宫，置行宫㊻十有二所。

南宁夷爨翫复反。蜀王秀奏“史万岁受赂纵贼，致生边患。”上责万岁，万岁诋谰㊼，上怒，命斩之。高颎及左卫大将军㊽元旻㊾等固请曰：“万岁雄略过人，将士乐为致力㊿，虽古名将，未能过也。”上意少解，于是除名为民。

【段旨】

以上为第七段，写隋文帝惩治妖术，远征高丽失利。

【注释】

㊽甲辰：二月初三日。㊾靺鞨：古代民族名，在高丽之北。商周时称肃慎，汉魏时称挹娄，北朝时称勿吉，隋朝改为靺鞨。其活动区域在长白山与黑龙江流域。㊿辽西：郡名，治所柳城，在今辽宁朝阳。㊿营州：州名，治所柳城，在今辽宁朝阳。㊿韦冲（公元五四〇至六〇五年）：字世冲，京兆杜陵（今陕西长安）人。历仕周、隋，官至民部尚书，封义丰县侯。传附《隋书·韦世康传》《北史·韦孝宽传》。㊿乙巳：二月初四日。㊿独孤陀（？至公元五九八年）：字黎邪，云中（今山西大同）人。历仕周、隋，官至延州刺史。传见《隋书》卷七十九、《北史》卷六十一。㊿潜移：暗地转移。㊿杂治：共同治办。杂，俱、共。㊿犊车：牛车。官品低下者所乘。犊，小牛、牛子。㊿为之请命：替独孤陀祈求保全他的生命。㊿蠹政害民：败坏政治，残害人民。蠹，一种蛀虫，能破坏各种物品。㊿司勋侍郎：官名，属于吏部，掌校定勋绩，论官赏勋，官告身等。㊿整：独孤整，独孤陀之弟。仕隋，官至幽州刺史。传附《隋书·独孤陀传》《北

“高丽服罪，朕已经赦免了高元，不可再去讨伐了。”赠给百济使者很多的礼物，送他回国。高丽知道了一些消息，就派兵侵掠百济边境。

九月二十三日辛卯，隋文帝从仁寿宫回到京师。

冬，十一月十六日癸未，隋文帝在南郊祭天。

十二月，隋文帝从京师到仁寿宫，设置行宫十二处。

南宁夷族首领爨翫又反叛。蜀王杨秀奏告“史万岁收受贿赂，放纵贼兵，以致产生边患”。隋文帝斥责史万岁，史万岁抵赖，隋文帝大怒，命人把他处死。高颎和左卫大将军元旻等坚决请求说：“史万岁雄才武略过人，将士都乐意为他效力，即使古代的名将，也不能超过他。”隋文帝的怒气稍微消了些，于是削除官籍，贬为平民。

史·独孤陀传》。㊽辛亥：五月辛未朔，无辛丑日，疑《资治通鉴》误。㊾蛊毒：毒害。㊿四裔：四方边远地区。(465)丙寅：六月二十七日。(466)临渝关：关名，故址在今河北秦皇岛抚宁区东榆关镇。(467)水潦：指雨后的大水。(468)馈运不继：运送的粮草接济不上。馈，供给。(469)东莱：郡名，治所掖县，在今山东莱州。(470)平壤城：地名，当时高丽国都城，即今朝鲜平壤。(471)己丑：九月二十一日。(472)辽东：辽水以东地区，大致包括今辽宁东南部辽河以东的地区。(473)军导：军事上的向导。(474)辛卯：九月二十三日。(475)癸未：十一月十六日。(476)行宫：京城以外供帝王出行时居住的宫殿。(477)诋谰：抵赖。诋，拒绝谈所隐讳的事。谰，狂言、抵赖。(478)左卫大将军：武官名，掌禁卫营兵。(479)元旻（？至公元五九〇年）：官至左卫大将军，封五原公。(480)致力：效力。

【校记】

［30］于家：原无此二字。据章钰校，甲十一行本、乙十一行本、孔天胤本皆有此二字，今据补。［31］五：原作“四”。据章钰校，甲十一行本、乙十一行本、孔天胤本皆作“五”，张敦仁《通鉴刊本识误》同，今据改。〖按〗《隋书·高祖纪下》《北史·高祖文帝纪》皆作“五”。［32］魅：原作“媚”。据章钰校，甲十一行本、乙十一行本、孔天胤本皆作“魅”，今据改。〖按〗《隋书·高祖纪下》《北史·高祖文帝纪》皆作“魅”。

【原文】

十九年（己未，公元五九九年）

春，正月癸酉[481]，赦天下。

二月甲寅[482]，上幸仁寿宫。

突厥突利可汗因长孙晟奏言都蓝可汗作攻具[483]，欲攻大同城[484]。诏以汉王谅为元帅，尚书左仆射高颎出朔州道[485]，右仆射杨素出灵州道，上柱国燕荣[486]出幽州道以击都蓝，皆取汉王节度，然汉王竟不临戎[487]。

都蓝闻之，与达头可汗结盟，合兵掩袭突利，大战长城下，突利大败。都蓝尽杀其兄弟子侄，遂渡河入蔚州[488]。突利部落散亡，夜与长孙晟以五骑南走，比旦[489]，行百余里，收得数百骑。突利与其下谋曰："今兵败入朝，一降人耳，大隋天子岂礼[490]我乎？玷厥[491]虽来，本无冤隙[492]，若往投之[493]，必相存济[494]。"晟知之，密遣使者入伏远镇[495]，令速举烽[496]。突利见四烽俱发，以问晟，晟绐之曰："城高地迥[497]，必遥见贼来。我国家法，若贼少，举二烽；来多，举三烽；大逼[498]，举四烽。彼见贼多而又近耳。"突利大惧，谓其众曰："追兵已逼，且可投城。"既入镇，晟留其达官执室领其众，自将突利驰驿入朝。夏，四月丁酉[499]，突利至长安。帝大喜，以晟为左勋卫骠骑将军[500]，持节[501]护[502]突厥。

上令突利与都蓝使者因头特勒相辩诘[503]，突利辞直，上乃厚待之。都蓝弟都速六[33]弃其妻子，与突利归朝，上嘉之，使突利多遗之珍宝以慰其心。

高颎使上柱国赵仲卿[504]将兵三千为前锋，至族蠡山[505]，与突厥遇，交战七日，大破之。追奔至乞伏泊[506]，复破之，虏千余口，杂畜万计。突厥复大举而至，仲卿为方陈，四面拒战，凡五日。会高颎大兵至，合击之，突厥败走，追度白道，逾秦山[507]七百余里而还。杨素军与达头遇。先是诸将与突厥战，虑其骑兵奔突[508]，皆以戎车步骑相参[509]，设鹿角[510]为方陈，骑在其内。素曰："此乃自固之道[511]，未足以取胜也。"于是悉除旧法，令诸军为骑陈[512]。达头闻之，大喜曰："天赐我也！"下马仰天而拜，帅骑兵十余万直前。上仪同三司周罗睺曰："贼陈未整，

【语译】

十九年（己未，公元五九九年）

春，正月初七日癸酉，大赦天下。

二月十九日甲寅，隋文帝幸临仁寿宫。

突厥突利可汗通过长孙晟上奏说都蓝可汗制造攻城器具，想要攻打大同城。隋文帝下诏任命汉王杨谅为元帅，尚书左仆射高颎从朔州道出发，右仆射杨素从灵州道出发，上柱国燕荣从幽州道出发，前往讨伐都蓝，都受汉王杨谅指挥，但汉王竟不亲临前线。

都蓝听到消息，与达头可汗结盟，合兵偷袭突利可汗，在长城下大战，突利大败。都蓝杀死了他的全部兄弟子侄，乘胜渡过黄河侵入蔚州。突利的部落溃散逃亡，趁夜晚突利可汗与长孙晟带领五名骑兵南逃，等到天亮时，跑了一百多里，收拢了数百名骑兵。突利和部下商议说："现在兵败进京朝见，只不过是一个投降的人而已，大隋天子岂能以礼待我？玷厥虽然这次来袭击我，但是我和他原本没有什么仇怨，如果前去投奔他，他一定保全我。"长孙晟得知这一情况，便暗中派使者进入伏远镇，命令军士迅速点燃告急烽火。突利可汗看见四堆烽火同时点燃，便问长孙晟，长孙晟骗他说："伏远镇城池很高，地势辽阔，一定是远远望见敌军来了。我朝制度：如果敌军少，燃起两堆烽火；敌军来得多，燃起三堆烽火；大军压境，燃起四堆烽火。他们是望见敌军很多而又逼近了啊。"突利可汗非常害怕，对他的部众说："追兵已经逼近，我们暂且进城。"进入伏远镇之后，长孙晟留下突利可汗的达官执室统领可汗部众，自己带领突利可汗驱驰驿马入朝。夏，四月初二日丁酉，突利可汗到达长安。隋文帝非常高兴，封长孙晟为左勋卫骠骑将军，持节监护突厥。

隋文帝命突利可汗和都蓝的使者因头特勒两人互相辩论，突利理直气壮，隋文帝因此厚待他。都蓝的弟弟都速六抛弃他的妻子儿女，和突利可汗一起归附朝廷，隋文帝赞许都速六，让突利可汗多送给他珍宝表示安慰。

高颎派上柱国赵仲卿领兵三千为先锋，到达族蠡山，与突厥军队遭遇，交战七天，大败突厥。又追击逃敌直到乞伏泊，再次打败突厥兵，俘虏了一千多人，各种牲畜以万计。突厥兵又大量到来。赵仲卿把军队摆成方阵，四面拒敌，一共五天。正好高颎的大军赶到，合力攻击，突厥军队败逃，隋军追击，渡过白道，翻过秦山追击七百多里后班师。杨素的军队和达头可汗相遇。此前，隋军众将与突厥交战，担心突厥骑兵奔驰冲击，便都把战车、步兵、骑兵混合编队，设置鹿角，组成方阵，骑兵在方阵之内。杨素说："这是自我固守的方法，不能用来打败敌人。"于是完全废除旧法，命令各军摆出骑兵阵。达头知道后，非常高兴地说："这是上天赐给我取胜良机！"便下马向苍天叩拜，率领十余万骑兵径直奔袭隋军。上仪同三司周罗睺说：

请击之。”先[34]帅精骑逆战，素以大兵继之，突厥大败，达头被重创[513]而遁，杀伤不可胜计，其众号哭而去。

六月丁酉[514]，以豫章王暕为内史令。

宜阳公王世积为凉州[515]总管，其亲信安定皇甫孝谐有罪，吏捕之，亡[516]抵世积，世积不纳。孝谐配防桂州[517]，因上变[518]，称“世积尝令道人相其贵不[519]，道人答曰：‘公当为国主[520]，又将之[521]凉州。’其所亲谓世积曰：‘河西[522]天下精兵处，可图大事[523]。’世积曰：‘凉州土旷人希[524]，非用武之国。’”世积坐诛[525]，拜孝谐上大将军。

独孤后性妒忌，后宫莫敢进御[526]。尉迟迥女孙[527]，有美色，先没宫中，上于仁寿宫见而悦之，因得幸[528]。后伺上听朝[529]，阴杀之，上由是大怒，单骑[530]从苑中出，不由径路[531]，入山谷间二十余里。高颎、杨素等追及上，扣马苦谏。上太息[532]曰：“吾贵为天子，不得自由！”高颎曰：“陛下岂以一妇人而轻天下？”上意少解，驻马良久，中夜[533]方还宫。后俟上于阁内，及至，后流涕拜谢，颎、素等和解之，因置酒极欢。先是后以高颎，父之家客[534]，甚见亲礼[535]，至是，闻颎谓己为一妇人，遂衔之。

时太子勇失爱于上，潜有废立之志，从容谓颎曰：“有神告晋王妃，言王必有天下，若之何[536]？”颎长跪[537]曰：“长幼有序[538]，其可废乎？”上默然而止[35]。独孤后知颎不可夺，阴欲去之[539]。

会上令选东宫卫士以入上台[540]，颎奏称：“若尽取强者，恐东宫宿卫太劣。”上作色[541]曰：“我有时出入，宿卫须得勇毅。太子毓德东宫[542][36]，左右何须壮士？此极弊法。如我意者，恒于交番[543]之日，分向东宫，上下团伍[544]不别，岂非佳事？我熟见[545]前代，公不须仍踵旧风[546]。”颎子表仁[547]，娶太子女，故上以此言防之。

颎夫人卒，独孤后言于上曰：“高仆射老矣，而丧夫人，陛下何能不为之娶？”上以后言告颎。颎流涕谢曰：“臣今已老，退朝，唯斋居[548]读佛经而已。虽陛下垂哀[549]之深，至于纳室[550]，非臣所愿。”上乃止。既而颎爱妾生男，上闻之，极喜，后甚不悦。上问其故，后曰：

“敌军的阵列还没整齐，请立即出击。”先率领精锐骑兵迎战，杨素率领大军紧随其后，突厥军队大败，达头受重伤而逃，死伤不计其数，剩下的部众哀号痛哭，向北逃去。

六月初三日丁酉，隋文帝任命豫章王杨暕为内史令。

宜阳公王世积任凉州总管，他的亲信安定人皇甫孝谐犯了罪，官吏缉拿他，他逃到王世积那里，王世积没有接纳。皇甫孝谐被捕后发配到桂州当兵，因此他向朝廷举报王世积谋反叛乱，说：“王世积曾经让道士给他看相，是否能大贵。道士回答说：‘您应成为一国君主，又将要调往凉州。’他的亲信对他说：‘河西是天下的精兵所在，可以图谋大事。’王世积说：‘凉州地广人稀，不是用武的地方。’”王世积被定罪杀头，皇甫孝谐被授为上大将军。

独孤皇后生性嫉妒，没有宫女敢去侍候皇上。尉迟迥的孙女，姿色美艳，早先被没入宫中，隋文帝在仁寿宫看见她很喜爱，因而得到宠幸。独孤皇后乘皇上上朝听政，暗中杀了她，隋文帝因此大怒，独自一人骑马从宫苑出走，不经由道路，进入山谷二十多里。高颎、杨素等人追赶上皇上，拉住马笼头苦苦劝谏。隋文帝叹息说：“我贵为天子，却不能自由！”高颎说：“陛下怎能因为一个妇人而看轻天下？”隋文帝怒气稍微缓解，把马停下来，过了许久，半夜才回宫。独孤皇后在后宫等候皇上，等到皇上回来了，独孤皇后流着泪跪拜谢罪，高颎、杨素等人又从中劝解，隋文帝于是摆下酒宴，尽情欢乐。此前，独孤皇后因高颎是自己父亲家中的常客，对他十分亲近礼遇，到这时，听到高颎说自己是一个妇人，于是心怀愤恨。

当时，太子杨勇失宠于隋文帝，隋文帝暗中有废黜杨勇另立太子的打算，闲谈时对高颎说：“有神灵告诉晋王妃，说晋王一定据有天下，该怎么办？”高颎长跪在地上，说：“长幼有序，怎么可以废黜太子呢？”隋文帝不说话，放弃了这个打算。独孤皇后知道高颎护卫太子的意志不会改变，便暗中想要除掉他。

适逢隋文帝下令选调东宫卫士入宫宿卫，高颎上奏说：“如果完全挑选强壮的，恐怕东宫宿卫力量太弱。”隋文帝变了脸色，说：“我时有进出，宿卫之士需要骁勇强健。太子在东宫修养德行，身边何必要强壮勇士？东宫卫队强大是一个严重弊端。依我的想法，应当经常在禁卫军轮值交接时，分一部分去宿卫东宫，使皇宫卫队和东宫卫队编制不区分，岂不是件好事？我熟悉前代的情况，你不要仍然沿袭旧制。”高颎的儿子高表仁娶太子之女为妻，所以隋文帝用这些话来提防他。

高颎的夫人去世，独孤皇后对皇上说：“高仆射老了，而又死了夫人，陛下怎能不为他再娶一位？”隋文帝把独孤皇后的话告诉了高颎。高颎流泪致谢说：“臣现已年老，退朝后，只是心清虑专而居，诵读佛经而已。虽然陛下深加哀怜，但是至于娶妻，不是臣所愿意的。”隋文帝于是作罢。后来高颎的爱妾生了男孩，隋文帝听说了，非常喜悦，独孤皇后却很不高兴。隋文帝问是什么原因，独孤皇后说：“陛下还

“陛下尚复信高颎邪？始，陛下欲为颎娶，颎心存爱妾，面欺[551]陛下。今其诈已见[552]，安得信之？”上由是疏[553]颎。

伐辽之役，颎固谏，不从，及师[554]无功，后言于上曰：“颎初不欲行，陛下强遣之，妾固知其无功矣！”又，上以汉王年少，专委军事于颎，颎以任寄隆重[555]，每怀至公[556]，无自疑[557]之意，谅所言多不用。谅甚衔之，及还，泣言于后曰：“儿幸免高颎所杀。”上闻之，弥不平。

及击突厥，出白道[558]，进图入碛[559]，遣使请兵，近臣缘此[560]言颎欲反。上未有所答，颎已破突厥而还。及王世积诛，推核[561]之际，有宫禁中事，云于颎处得之，上大惊。有司又奏“颎及左右卫大将军元旻、元胄，并与世积交通[562]，受其名马之赠”。旻、胄坐免官。上柱国贺若弼、吴州总管宇文弢[563]、刑部尚书薛胄、民部尚书斛律孝卿、兵部尚书柳述[564]等明颎无罪，上愈怒，皆以属吏，自是朝臣莫[37]敢言者。秋，八月癸卯[565]，颎坐免上柱国、左仆射，以齐公[566]就第。

未几，上幸秦王俊第，召颎侍宴。颎歔欷悲不自胜，独孤后亦对之泣。上谓颎曰：“朕不负公，公自负[567]也。”因谓侍臣曰：“我于高颎，胜于儿子，虽或不见，常似目前。自其解落[568]，瞑然忘之[569]，如本无高颎。人臣不可以身要君[570]，自云第一也。”

顷之，颎国令[571]上颎阴事[572]，称其子表仁谓颎曰：“司马仲达[573]初托疾不朝，遂有天下，公今遇此[574]，焉知非福？”于是上大怒，囚颎于内史省而鞫之[575]。宪司[576]复奏沙门真觉尝谓颎云：“明年国有大丧[577]。”尼令晖复云：“十七、十八年，皇帝有大厄[578]，十九年不可过。”上闻而益怒，顾谓群臣曰：“帝王岂可力求？孔子以大圣[579]之才，犹不得天下。颎与子言，自比晋帝[580]，此何心乎？”有司请斩之。上曰：“去年杀虞庆则，今兹斩王世积，如更诛颎，天下其谓我何？”于是除名为民。

颎初为仆射，其母诫[38]之曰：“汝富贵已极，但有一斫头[581]耳，尔其慎之[582]！”颎由是常恐祸变[583]。至是，颎欢然[584]无恨色。先是国子祭酒元善[585]言于上曰：“杨素粗疏，苏威怯懦，元胄、元旻正似鸭[586]耳。可以付社稷[587]者，唯独高颎。”上初然之[588]。及颎得罪，上深责之，善忧惧而卒。

相信高颎吗？当初，陛下想替高颎再娶，高颎心里想着爱妾，当面蒙骗陛下。现在他的欺诈之心已经暴露出来了，怎能还信任他呢？”隋文帝由此疏远高颎。

隋文帝讨伐高丽的战役，高颎极力谏阻，隋文帝没有听从，等到军队无功而还，独孤皇后对隋文帝说：“高颎当初不愿出征，陛下强行派遣他，妾本来就知道高颎不会建功！”又，隋文帝认为汉王杨谅年少，把军事全权委托给高颎，高颎深感责任重大，常怀大公无私之心，没有自我疑虑之意，汉王杨谅的话大多不被采纳。杨谅内心怀恨，等到班师回朝，杨谅流着眼泪对独孤皇后说：“儿子万幸，差点被高颎杀害。”隋文帝听了，更加不平。

到攻打突厥时，高颎从白道出发，进一步图谋深入大漠，派使者向朝廷请求增兵，隋文帝身边的近臣因此说高颎想要谋反。隋文帝没有答复高颎，高颎已打败突厥班师回朝。等到王世积被处死，在审判调查之际，牵涉宫禁中的机密，说是从高颎那里得到的，隋文帝大惊。主管部门又奏称“高颎和左右卫大将军元旻、元胄，都和王世积交结来往，接受王世积赠送的名马”。元旻、元胄坐罪免官。上柱国贺若弼、吴州总管宇文弢、刑部尚书薛胄、民部尚书斛律孝卿、兵部尚书柳述等证明高颎无罪，隋文帝更加生气，把他们全都交给法官审问，从此朝中大臣没有敢再说话的。秋，八月初十日癸卯，高颎因罪被解除上柱国、左仆射官职，仅以齐公的爵位回到家中。

不久，隋文帝临幸秦王杨俊宅第，召高颎陪侍酒宴。高颎哭泣抽咽，悲伤不已，独孤皇后也对着他哭泣。隋文帝对高颎说：“朕没有对不起你，是你自己对不起自己。”便对侍臣说：“我对待高颎，比对儿子还好，虽然有时见不到他，也好像近在眼前。自从他被解官免职，便逐渐被淡忘，好像原本没有他这个人。做臣子的不该拿自己的功劳要挟君王，自以为天下第一。”不久，高颎的国令上奏揭发高颎阴秘的事，说高颎的儿子高表仁对高颎说：“司马仲达当初托称有病不入宫朝见，于是夺取了天下，您今天这种境遇，又怎么知道不是将来之福呢？”于是隋文帝大怒，把高颎囚禁在内史省审讯。执法部门又上奏揭发，和尚真觉曾经对高颎说：“明年国家有大丧。”尼姑令晖又说：“开皇十七、十八年，皇上有大难，十九年不能过得去。”隋文帝听了更加愤怒，回头对群臣说：“帝王难道是人力可以求得的吗？孔子以大圣的才干，尚不能得到天下。高颎与他儿子谈话，把自己比作晋宣帝司马懿，这打的是什么主意？”执法官吏奏请杀掉高颎，隋文帝说：“去年杀了虞庆则，今年斩了王世积，如果再杀高颎，天下人将会怎么说我呢？”于是将高颎从官籍除名，罢官为民。

高颎开始担任尚书仆射时，他的母亲告诫他说：“你富贵达到了极点，但可能有砍头的危险，你要谨慎！”高颎因此常常担心灾祸临头。到这时，高颎很高兴，没有怨恨的表情。此前，国子祭酒元善对隋文帝说：“杨素粗略疏阔，苏威胆怯懦弱，元胄、元旻只不过像鸭子一样随波逐流。可以托付国家的，只有高颎。”隋文帝起初认为元善说得对。等到高颎获罪，隋文帝严厉斥责元善，元善恐惧忧虑而死。

九月乙丑[589][39]，以太常卿牛弘为吏部尚书。弘选举先德行而后文才，务在审慎，虽致停缓，其所进用，并多称职。吏部侍郎高孝基[590]鉴赏机晤，清慎[591]绝伦[592]，然爽俊[593]有余，迹[594]似轻薄，时宰[595]多以此疑之，唯弘深识其真，推心任委。隋之选举得人，于斯为最，时论[596]弥服弘识度之远。

冬，十月甲午[597]，以突厥突利可汗为意利珍豆启民可汗，华言"意智健[598]"也。突厥归启民者男女万余口，上命长孙晟将五万人于朔州，筑大利城[599]以处之。时安义公主已卒，复使晟持节送宗女义成公主以妻之[600]。

晟奏："染干部落，归者益众，虽在长城之内，犹被雍虞闾抄掠，不得宁居。请徙五原[601]，以河为固，于夏、胜[602]两州之间，东西至河，南北四百里，掘为横堑[603]，令处其内，使得任情[604]畜牧。"上从之。

又令上柱国赵仲卿屯兵二万为启民防达头，代州[605]总管韩洪[606]等将步骑一万镇恒安[607]。达头骑十万来寇，韩洪军大败，仲卿自乐宁镇[608]邀击，斩虏[40]首千余级。

帝遣越公杨素出灵州，行军总管韩僧寿[609]出庆州[610]，太平公史万岁出燕州[611]，大将军武威姚辩[612]出河州[613]，以击都蓝。师未出塞，十二月乙未[614]，都蓝为部下所杀，达头自立为步迦可汗，其国大乱。长孙晟言于上曰："今官军临境，战数有功，虏内[615]自携离，其主被杀，乘此招抚，可以尽降。请遣染干部下分道招慰。"上从之。降者甚众。

【段旨】

以上为第八段，写开皇十九年（公元五九九年），隋文帝用兵大破突厥，保持对外英武的形象，而内政多疑偏信，杀大臣王世积，罢斥高颎，渐露专制君主晚年昏聩的迹象。

九月初三日乙丑，隋文帝任命太常卿牛弘为吏部尚书。牛弘选拔官吏以德行为先，然后才看文才，力求严格慎重，虽然导致选授迟缓，但是他所进用的人，大多都称职。吏部侍郎高孝基鉴别赏识人才机警聪明，清廉谨慎，无与伦比，但是爽朗才智有余，行为似嫌轻薄，当时执政大臣大多因此怀疑他，只有牛弘深刻了解他的真实才情，推心置腹，加以任用。隋朝选举得到真正的人才，此时最多。当时舆论都很佩服牛弘的远见卓识和器度。

冬，十月初二日甲午，册封突厥突利可汗为意利珍豆启民可汗，意思是"心智强健"。突厥归附启民可汗的男女有一万多人，隋文帝命令长孙晟在朔州率领五万人修筑大利城安置他们。这时安义公主已经逝世，又派长孙晟持节送皇室之女义成公主给启民可汗为妻。

长孙晟上奏说："染干的部落，归附的人越来越多，虽然居住在长城之内，仍被雍虞闾袭击抢掠，不得安居。请把他们迁徙到五原，以黄河为屏障，在夏州、胜州之间，东西以黄河河曲为界，南北相距四百里，挖掘两条横向深沟，让他们居住在这个范围之内，使他们能够随便放牧。"隋文帝听从了他的建议。

隋文帝又命令上柱国赵仲卿屯驻军队两万人为启民部众防御达头，代州总管韩洪等率领步骑兵一万人镇守恒安。达头骑兵十万人来犯，韩洪军队大败，赵仲卿从乐宁镇拦击达头军队，斩杀一千多人。

隋文帝派遣越公杨素从灵州出兵，行军总管韩僧寿从庆州出兵，太平公史万岁从燕州出兵，大将军武威人姚辩从河州出兵，前往攻击都蓝。大军还没出塞，十二月初四日乙未，都蓝被部下杀死，达头自立为步迦可汗，突厥国大乱。长孙晟向隋文帝进言说："现在官军到达敌境，几次作战都胜了，敌人内部四分五裂，可汗也被杀了，借此机会招抚他们，可以悉数招降。请派染干的部属分几路去招抚。"隋文帝听从了他的建议。投降的突厥人很多。

【注释】

㊽① 癸酉：正月初七日。㊽② 甲寅：二月十九日。㊽③ 攻具：攻城的装置、工具。㊽④ 大同城：地名，故址在今内蒙古乌拉特前旗东北。㊽⑤ 朔州道：谓从朔州出击突厥。朔州，治所马邑县，在今山西朔州。道，指外出作战的进军路线。㊽⑥ 燕荣（？至公元六〇三年）：字贵公，华阴弘农（今河南灵宝东北）人，历仕周、隋，官至幽州总管。传见《隋书》卷七十四、《北史》卷八十七。㊽⑦ 临戎：亲临战场。㊽⑧ 蔚州：州名，治所灵丘县，在今山西灵丘。㊽⑨ 比旦：到了天亮时。比，及。㊾⓪ 礼：谓以礼相待。㊾① 玷厥：达头可汗之

名。㊾②冤隙：怨恨；仇恨。㊾③投之：投奔达头可汗部。㊾④存济：保全。㊾⑤伏远镇：地名，故址不详。㊾⑥举烽：点燃烽火，向内地报警。烽，也作“熢”，古代边防报警的烟火。㊾⑦迥：远。㊾⑧大逼：大军压境。㊾⑨丁酉：四月初二日。㊿⓪左勋卫骠骑将军：武官名，掌宫廷侍卫。㊿①持节：古代使臣出使，必持节以做凭证。节，符节。㊿②护：监护。㊿③相辩诘：相互辩论，以弄清是非。诘，责问。㊿④赵仲卿（公元五四二至六〇五年）：天水陇西（今甘肃陇西东南）人，历仕周、隋，官至检校司农卿，判兵部、工部二曹尚书事。传见《隋书》卷七十四、《北史》传六十九。㊿⑤族蠡山：山名，今在何处不详。㊿⑥乞伏泊：湖名，即今内蒙古察哈尔右翼旗东北黄旗海。㊿⑦秦山：山名，即今内蒙古境内黄河东北大青山。㊿⑧奔突：奔驰冲突。㊿⑨相参：互相混合。⑤①⓪鹿角：古时阵地营寨以前的一种防御工事。把带枝的树木削尖，半埋入地下，以阻止敌人进入。⑤①①自固之道：自我固守的方法。固，牢固。⑤①②骑陈：用骑兵组成阵势。⑤①③重创：重伤。创，创伤。⑤①④丁酉：六月初三日。⑤①⑤凉州：州名，治所姑臧县，在今甘肃武威。⑤①⑥亡：逃跑。⑤①⑦配防桂州：发配桂州当兵防守。⑤①⑧上变：向朝廷举报谋反叛乱之事。⑤①⑨相其贵不：给世积相面，看其能否富贵。不，通“否”。⑤②⓪国主：一国之君主。⑤②①之：往。⑤②②河西：泛指黄河以西的甘肃地区。又称河右。⑤②③大事：重大的事情。指发动政变，夺取皇位。⑤②④土旷人希：土地辽阔，人烟稀少。旷，辽阔、广大。希，通“稀”，稀少。⑤②⑤坐诛：被判为死刑。⑤②⑥进御：指侍候皇帝。⑤②⑦女孙：孙女。⑤②⑧得幸：得到皇帝的宠遇。封建时代称皇帝亲临为幸。⑤②⑨听朝：上朝听政；帝王主持朝会以处理政事。听，治理。⑤③⓪单骑：谓隋文帝独自乘马，没有从骑。⑤③①径路：道路。⑤③②太息：出声长叹。⑤③③中夜：半夜。⑤③④“后以高颎”二句：高颎父宾，为皇后父独孤信参佐，独孤信被杀后，皇后以宾为独孤信的部下，多往来其家，故称家客。⑤③⑤亲礼：亲近而尊敬。⑤③⑥若之何：怎么办。⑤③⑦长跪：直身而跪。古代人席地而坐，坐时两膝据地以臀部着脚跟。跪时则伸直腰、腿，以表示庄重。⑤③⑧长幼有序：按宗法制，立太子要按照先长后幼的顺序。⑤③⑨去之：指除去高颎。去，去掉、除去。⑤④⓪上台：宫禁。⑤④①作色：脸上变色。⑤④②太子毓德东宫：太子在东宫修养德行。毓，生长、养育。此指修养、培养。⑤④③交番：番卫交接、轮换。⑤④④团伍：当时禁卫的军事组织，三百人为团，五人为伍。⑤④⑤熟见：熟悉；明了。⑤④⑥仍踵旧风：仍然因袭旧的习惯。踵，跟随、因袭。⑤④⑦表仁：即高表仁，高颎第三子，封渤海郡公。传附《隋书·高颎传》。⑤④⑧斋居：居处心清虑专。⑤④⑨垂哀：怜爱。垂，俯、下。⑤⑤⓪纳室：娶妻。室，妻。⑤⑤①面欺：当面欺骗。⑤⑤②见：“现”的本字。⑤⑤③疏：疏远；不亲近。⑤⑤④师：军队；师旅。⑤⑤⑤任寄隆重：受托的责任重大。任寄，任用委托。隆重，重要。⑤⑤⑥每怀至公：常怀大公无私之心。每，常常。至，极、甚。⑤⑤⑦自疑：自我疑虑。⑤⑤⑧白道：地名，故址在今内蒙古呼和浩特西北。⑤⑤⑨进图入碛：进一步图谋深入大漠。碛，沙漠。⑤⑥⓪缘此：因此。⑤⑥①推核：推究查问。核，审察。⑤⑥②交通：交结往来。⑤⑥③宇文弼（公元五四六至六〇七年）：字公辅，河南洛阳（今河南洛阳）人，历仕周、隋，官至礼部尚书。传见《隋书》卷五十六、《北史》卷七十五。弜，古“弼”字。564柳述：字业隆，河东解（今山西运城市西南解州镇）人。仕隋，官至兵部尚书。传附《隋书·柳机传》《北史·柳虬传》。565癸卯：八月初十日。566齐公：高颎曾封为齐国公。567自负：自己对不起自己。568解落：谓解官落职。569瞑然忘之：闭上眼睛，什么也看不到，被忘记了。570要君：要挟君主。571国令：官名，王国、公国皆有令，掌封国的政事。572阴事：秘密的事。573司马仲达：曹魏丞相司马懿，字仲达，是西晋篡夺曹魏政权的奠基人。事详本书卷七十五《魏纪》邵陵厉公嘉平元年。574公今遇此：指高颎被解职归家之事。575鞫之：审查高颎。鞫，审讯、查问。576宪司：法司。魏、晋以来御史的别称。577大丧：指帝王、皇后及其嫡长子的丧礼。578大厄：大的危难。厄，危难、灾难。579大圣：至圣，指道德高尚完备的人。580晋帝：指司马懿。曹魏丞相，其孙司马炎代魏称帝，建立晋朝，追谥为宣帝。581斫头：砍头。斫，用刀砍。582尔其慎之：你要谨慎。尔，你。583祸变：灾祸。584欢然：欢喜的样子。585元善（公元五四〇至五九九年）：河南洛阳人，仕隋，官至国子祭酒。传见《隋书》卷七十五、《北史》卷十六。586似鸭：鸭子常浮在水上，随波上下。以此比喻元胄等人随波逐流，以保全自己。587付社稷：谓交付国家大事。社稷，国家政权的象征。588初然之：起初以为是这样。589乙丑：九月初三日。590高孝基：官至吏部侍郎。事附《隋书·牛弘传》《北史·牛弘传》。591清慎：廉洁谨慎。592绝伦：无与伦比。伦，同类、同辈。593爽俊：爽朗而有才智。594迹：行为。595时宰：当时的执政官。596时论：当时的舆论。597甲午：十月初二日。598意智健：“意智”犹言“智慧”，“健”是强健之意。599大利城：城名，故址在今内蒙古和林格尔东北。600以妻之：把义成公主嫁给启民可汗为妻子。妻，以女嫁人。601五原：郡名，治所九原县，在今内蒙古包头西北。602夏、胜：两州名。夏州，治所岩绿县，在今陕西靖边东北白城子。胜州，治所榆林县，在今内蒙古准格尔旗东北黄河南岸十二连城。603横堑：横沟。堑，壕沟。604任情：任意；随便。605代州：州名，治所雁门县，在今山西代县。606韩洪（公元五四八至六一〇年）：字叔明，河南东垣（今河南新安）人，韩擒虎三弟，历仕北周、隋，官至陇西太守。传附《隋书·韩擒虎传》《北史·韩雄传》。607恒安：镇名，故址在今山西大同东北古城。608乐宁镇：镇名，故址不详。609韩僧寿（公元五四七至六一二年）：字玄庆，韩擒虎二弟，历仕北周、隋，官至蔚州刺史，封新蔡郡公。传附《隋书·韩擒虎传》《北史·韩雄传》。610庆州：州名，治所合水县，在今甘肃庆阳。611燕州：州名，治所怀戎县，在今河北涿鹿西南。612姚辩（？至公元六一一年）：武威（今甘肃武威）人，官至右光禄大夫、左屯卫大将军。事散见《隋书》本纪。613河州：州名，治所枹罕县，在今甘肃临夏西南。614乙未：十二月初四日。615虏内：指突厥内部。当时中原人习称突厥为虏。

【校记】

[33] 都速六：原作“郁速六”。据章钰校，甲十一行本、乙十一行本、孔天胤本皆作“都速六”，今据改。〖按〗《隋书·北狄·突厥传》《北史·突厥传》皆作“都速六”。[34] 先：原无此字。据章钰校，甲十一行本、乙十一行本、孔天胤本皆有此字，张敦仁《通鉴刊本识误》同，今据补。[35] 上默然而止：原无此五字。据章钰校，甲十一行本、乙十一行本、孔天胤本皆有此五字，今据补。〖按〗《隋书·高颎传》有此五字。[36] 东宫：原作“春宫”。据章钰校，甲十一行本、乙十一行本、孔天胤本皆作“东宫”，今据改。〖按〗《隋书·房陵王勇传》《北史·房陵王杨勇传》皆作“东宫”。[37] 莫：原作“无”。据章钰校，甲十一行本、乙十一行本、孔天胤本皆作“莫”，今据改。〖按〗《隋书·高颎传》《北史·高颎传》皆作“莫”。[38] 诫：原作“戒”。据章钰校，甲十一行本、乙十一行本、孔天胤本皆作“诫”，今据改。〖按〗《隋书·高颎传》《北史·高颎传》皆作“诫”。[39] 乙丑：原无此二字。据章钰校，甲十一行本、乙十一行本、孔天胤本皆有此二字，张敦仁《通鉴刊本识误》、张瑛《通鉴校勘记》同，今据补。〖按〗《隋书·高祖纪下》《北史·高祖文帝纪》有此二字。[40] 虏：原无此字。据章钰校，甲十一行本、乙十一行本、孔天胤本皆有此字，今据补。〖按〗《隋书·赵仲卿传》《通鉴纪事本末》卷二六皆有此字。

【研析】

本卷所记公元五九二至五九九年八年间，统一的隋帝国平稳发展，一派太平景象。但盛世往往孕育着危机，开皇后期的危机，在政治、经济上都有表现。

政治上，隋已是全国统一政权，但政治权力核心掌握在源自西魏北周的关陇统治集团手中，隋统一以前东西分裂敌视的历史仍隐隐影响着隋朝的政策措施与人物的政治命运。《隋书》卷七十三《梁彦光传》称“齐亡后，衣冠士人多迁关内”，既有监视管理之意，亦有集中选拔人才的目的。开皇二年，隋文帝亦曾下诏要求对“山东”即原齐境的人才加以选拔。诏书中说：“自周平东夏，每遣搜扬，彼州俊乂，多未应起。或以东西旧隔，情犹自疏，或以道路悬远，虑有困乏，假为辞托，不肯入朝。”这反映出，隋朝代周，政治上的急剧变化，东西地域间的社会文化差异与心理隔阂，并未能消除。文帝在诏书中强调：“朕受天命，四海为家，关东关西，本无差异，必有材用，来即铨叙，虚心待之，犹饥思食。”诏书宣传是一回事，实行起来又是另一回事。我们从李德林的遭遇，便可发现“山东”士人在隋朝的处境的尴尬。

据《隋书》卷四十二《李德林传》，周武帝平齐，称赏李德林：“平齐之利，唯在于尔。”杨坚相周，引李德林入于幕府，出了很多重要主意，“三方构乱，指授兵略，皆与之参详。军书羽檄，朝夕填委，一日之中，动逾百数。或机速竞发，口授数人，文意百端，不加治点”。充分显示了他的政治才干。后杨坚创隋之际，李德林反对杨坚尽诛宇文氏的计划，却被杨坚怒斥：“君读书人，不足平章此事!”李德林也因此“自是品位不加”。“德林自隋有天下，每赞平陈之计”，后灭陈之战，李德林病不能行，文帝使高颎至李德林家“取其方略”，“高祖以之付晋王广。后从驾还，在涂中，高祖以马鞭南指云：‘待平陈讫，会以七宝装严公，使自山东无及之者。’”灭陈之后，因李德林有定策之勋，文帝欲“授柱国、郡公，实封八百户，赏物三千段”。有人向高颎进言：“天子画策，晋王及诸将勠力之所致也。今乃归功于李德林，诸将必当愤惋，且后世观公有若虚行。”结果高颎将这话给文帝一讲，奖赏李德林一事便音信全无。“十年不徙级”的李德林，最终被高颎、苏威联手逐出朝廷，不再参与最高决策。才高且实际政治贡献很大的李德林，尚且如此，其他山东士人的处境可想而知。

山东士人受到关陇集团的压制，原陈境士人进入开皇时期政治高层者更是鲜有其人，苏威在江南实施的“牧人者尽改变之”的政策，一度成为南方暴动的重要原因。这些都使隋朝虽然已是全国统一政权，但远未赢得全国的心理认同，统一的政治基础仍相当薄弱。王劭出于讨好的目的，撰《皇隋灵感志》三十卷，“上令宣示天下。劭集诸州朝集，使盥手焚香，闭目而读之，曲折其声，有如歌咏，经涉旬朔，徧而后罢”。杨坚大为高兴，重加赏赐。不过，通过将《皇隋灵感志》“宣示天下”，在“集诸州朝集”之时宣讲诵读，是否真的可以在全国人民心中确立隋政权不可动摇的地位，颇值得怀疑。

经济上，开皇后期，国家财政充足，“府藏皆满，无所容，积于廊庑”。这主要缘于户口的快速增长以及户口清查卓有成效。隋朝建立之初，民户不满四百万户，到开皇末年，国家掌握的民户已接近九百万户，只河北所在的冀州已多达一百万户。租调按户计算，户口增多，同时也意味国家财税成倍地增长，因此尽管开皇时期“薄赋于民”，国家开支也并没减少，但“入者常多于出”，财政积余越来越多。可是，民户成倍增长，并不等于耕地也同时成倍地扩大。也就是说，和平时期民户的巨大增长，结果是民户平均耕地的减少，在农业劳动生产率不可能迅速提高的情况下，民户增长、国家财政增加，同时也意味着民户总体生活水平的不断下降，民户的再生产能力以及应对天灾人祸的能力降低。“时天下户口岁增，京辅及三河地少而人众，衣食不给，帝乃发使四出，均天下之田，其狭乡每丁才至二十亩，老少又少焉”，便是这种情况的反映。开皇后期，“盗贼繁多”，以至于文帝改变开皇前期轻刑的政策，“命盗一钱以上皆弃市，或三人共盗一瓜，事发即死。于是行旅皆晏起早宿，天下懔懔”，结果因有人劫持“执事”，要求改变这种“盗一钱而死”的严酷刑法，文帝遂加以取消。盗贼多发，甚至可以通过劫持重要官员要挟朝廷改变政策，情况不可谓不严重。这些现象体现的正是中国古代农业社会经常面临的盛世危机。到了炀帝统治时期，滥用民力，百姓无以为生，“群盗蜂起”，危机遂演变为不可遏止的民众暴动。

经济上的危机，还表现在政治中心与经济中心区已严重分离。开皇初，文帝曾积极通过改善仓储、运输条件，增加长安地区的粮食储备，但仍应付不了开皇十四年关中地区因大旱引起的灾荒。灾民以豆屑杂糠维持生命，文帝知道后深以自责，甚至“为之不御酒肉者殆将一期”。皇帝不得不亲自率领百姓离开长安到洛阳“就食”，其实就是举国逃荒。国家经济上业已仰赖黄河中下游地区甚至南方，而政治中心仍在长安，国家权力掌握在关陇集团手中，黄河中下游地区的人们经济上支撑着隋帝国，在政治上却受到歧视，东、西区域经济上的差异，使东、西区域在帝国政治上的权益不对称问题显得更加突出。这无疑就是后来隋炀帝修建东都洛阳的经济与政治背景。

上述政治、经济业已表现出来的危机，在很大程度上被人口增长、国家财政富裕的盛世景象掩盖了。节俭之风渐渐让位于奢侈之俗，而最值得注意的是，统治集团开边拓土的政治野心也膨胀起来，“开皇之末，国家殷盛，朝野皆以高丽为意”。开皇十七年（公元五九七年）文帝致书高丽国王，责其“虽称藩附，诚节未尽”，并以战争相威胁：“王谓辽水之广，何如长江？高丽之人，多少陈国？朕若不存含育，责王前愆，命一将军，何待多力？殷勤晓示，许王自新耳。”次年六月，文帝不顾高颎的强烈反对，发军三十万进攻高丽，结果陆道“值水潦，馈运不继，军中乏食”，海道“亦遭风，船多飘没”。至九月退军，“死者什八九”。

开皇后期，促成开皇盛世的两个著名宰相苏威、高颎，均已被逐出了权力核心，隋文帝也“喜怒不恒，不复依准科律”，这些都是盛世不再的征兆。但文帝还是保持了足够的清醒，刘居士招聚公卿子弟三百余人，为非作歹，“殴击路人，多所侵夺，至于公卿妃主，莫敢与校”，最终受到严厉惩处；死刑的终审权从地方政府收归朝廷；进攻高丽失败后，他也并没有因怒而强行攻打，甚至拒绝百济国联合进攻的请求：“高丽服罪，朕已赦之，不可致伐。”其子秦王杨俊“渐好奢侈，违越制度”，亦强调“法不可违”，免其官。当有人认为杨俊不过“费官物，营廨舍”，法有可容时，文帝称：“我是五儿之父，非兆民之父？若如公意，何不别制天子儿律？以周公之为人，尚诛管、蔡，我诚不及周公远矣，安能亏法乎？”所有这些都使政治、经济的危机仍在可控的范围之内，在他统治时期，并未酿成国家乱亡的悲剧。

高颎在政治上失势，是本卷特别值得关注的事件，且这本身与太子废立关系巨大，我们将在下卷集中予以讨论。

卷第一百七十九 隋纪三

起上章涒滩（庚申，公元六〇〇年），尽昭阳大渊献（癸亥，公元六〇三年），凡四年。

【题解】

本卷载述公元六〇〇至六〇三年四年史事，当隋文帝开皇二十年至仁寿三年。此时期是隋文帝执政从开明到昏暴的一个转折时期，最大的政治事件是废太子杨勇更立太子杨广。太子杨勇并无大恶，近声色，亲嬖幸，只是小恶，不如杨广之甚。杨勇任性率直，友爱兄弟，不施报复，闻过有悔改之意，不被废黜，隋朝不会短祚灭亡。而杨勇之被废黜，完全是一场人为的大冤案，本卷做了详尽的记载。

【原文】

高祖文皇帝中

开皇二十年（庚申，公元六〇〇年）

春，二月，熙州①人李英林反。三月辛卯②，以扬州总管司马③河内张衡④为行军总管，帅步骑五万讨平之。

贺若弼复坐事下狱，上数⑤之曰："公有三太猛：嫉妒心太猛，自是⑥、非人⑦心太猛，无上心太猛。"既而释之。他日，上谓侍臣曰："弼将伐陈，谓高颎曰：'陈叔宝可平也。不作高鸟尽、良弓藏⑧邪？'颎云：'必不然。'及平陈，遽索⑨内史，又索仆射。我语颎曰：'功臣正宜授勋官⑩，不可预朝政⑪。'弼后语颎：'皇太子于己，出口入耳⑫，无所不尽。公终久何必不得弼力，何脉脉⑬邪！'意图镇[1]广陵，又图荆州，皆作乱之地⑭，意终不改也。"

【语译】

高祖文皇帝中

开皇二十年（庚申，公元六〇〇年）

春，二月，熙州人李英林反叛。三月初二日辛卯，隋文帝任命扬州总管司马河内人张衡为行军总管，率领步兵、骑兵五万征讨，平定了叛乱。

贺若弼又犯罪下狱，隋文帝斥责他说："你有三个方面太过头：嫉妒心太强；自以为是，责难别人太苛刻；心无皇上太过分。"不久又释放了他。有一天，隋文帝对侍臣说："贺若弼将要讨伐陈朝时，对高颎说：'陈叔宝是可以平定的。皇上不做高鸟尽、良弓藏的事吗？'高颎说：'一定不会那样。'等到平定了陈朝，立即就伸手要当内史令，又要求做尚书仆射。我对高颎说：'功臣只适合授勋官，不可以干预朝政。'贺若弼后来对高颎说：'皇太子对我，说话出口入耳，从无保留。你日后未必不需要我的帮助，为什么沉默不说话？'贺若弼一心想要出镇广陵，又想要荆州，那都是作乱的地方，他的这个心意一直没有改变。"

夏，四月壬戌⑮，突厥达头可汗犯塞⑯，诏命晋王广、杨素出灵武道，汉王谅、史万岁出马邑道以击之。

长孙晟帅降人⑰为秦州行军总管，受晋王节度⑱。晟以突厥饮泉，易可行毒⑲，因取诸药毒水上流，突厥人畜饮之多死，于是大惊曰："天雨恶水⑳，其亡我乎？"因夜遁。晟追之，斩首千余级。

史万岁出塞，至大斤山㉑，与虏相遇。达头遣使问："隋将为谁？"候骑报："史万岁也。"突厥复问："得非敦煌戍卒㉒乎？"候骑曰："是也。"达头惧而引去。万岁驰追百余里，纵击㉓，大破之，斩数千级。逐北㉔，入碛㉕数百里，虏远遁而还。诏遣长孙晟复还大利城，安抚新附。

达头复遣其弟子俟利伐从碛东攻启民，上又发兵助启民守要路，俟利伐退走入碛。启民上表陈谢曰："大隋圣人可汗㉖怜养百姓，如天无不覆，地无不载㉗。染干如枯木更叶，枯骨更肉㉘，千世万世，常为大隋典羊马㉙也。"帝又遣赵仲卿为启民筑金河、定襄㉚二城。

秦孝王俊久疾未能起，遣使奉表陈谢。上谓其使者曰："我勠力㉛创兹大业，作训㉜垂范，庶㉝臣下守之，汝为吾子而欲败之，不知何以责汝？"俊惭怖㉞，疾遂笃，乃复拜俊上柱国。六月丁丑㉟，俊薨。上哭之，数声而止。俊所为侈丽之物，悉命焚之。王府僚佐㊱请立碑㊲，上曰："欲求名，一卷史书足矣，何用碑为？若子孙不能保家㊳，徒与人作镇石㊴耳。"俊子浩㊵，崔妃所生也。庶子曰湛。群臣希旨，奏称[2]："汉之栗姬子荣㊶、郭后子强㊷皆随母废，今秦王二子，母皆有罪，不合承嗣。"上从之，以秦国官为丧主㊸。

初，上使太子勇参决军国政事，时有损益，上皆纳之。勇性宽厚，率意任情，无矫饰㊹之行。上性节俭，勇尝文饰㊺蜀铠㊻，上见而不悦，戒之曰："自古帝王未有好奢侈而能久长者。汝为储后㊼，当以俭约为先，乃能奉承宗庙㊽。吾昔日衣服，各留一物，时复观之以自警戒。恐汝以今日皇太子之心忘昔时之事，故赐汝以我旧所带刀子[3]一枚，并菹酱㊾一合，汝昔作上士㊿时常所食也。若存记(51)前事，应知我心。"

夏，四月初四日壬戌，突厥达头可汗侵犯边塞，隋文帝下诏任命晋王杨广、越国公杨素出兵灵武道，汉王杨谅、史万岁出兵马邑道迎击达头可汗。

长孙晟率领归降的突厥军队出任秦州行军总管，接受晋王杨广指挥。长孙晟认为突厥人饮用泉水，投毒方便，便把很多毒药投入泉水的上游，突厥人和牲畜饮用后大多死亡，于是大惊说："上天降下毒水，是要灭亡我们吗？"便乘夜逃走。长孙晟追击他们，斩首一千多级。

史万岁出塞，到达大斤山，与突厥人遭遇。达头可汗派使者询问："隋朝将领是谁？"侦察骑兵回答说："是史万岁。"突厥达头使者又问："莫非是敦煌的那个戍卒吗？"侦察骑兵说："是的。"达头可汗害怕了，率兵离去。史万岁驱驰追赶了一百多里，纵兵进攻，大败突厥，杀死了几千人。又乘胜追击败兵，深入沙漠几百里，敌人逃远了才回军。隋文帝诏令长孙晟仍然回到大利城，安抚新归服的突厥人。

达头可汗又派他弟弟的儿子俟利伐从大漠的东边攻击启民可汗，隋文帝又发兵援助启民可汗把守要害道路，俟利伐退兵回到大漠。启民可汗上表感谢说："大隋圣明天子怜爱百姓，恩德如天无不覆盖，如地无不载育。染干我就像枯木长叶，朽骨生肉，愿意千世万世，永远替大隋管理羊马。"隋文帝又派赵仲卿替启民可汗修筑金河、定襄两座城。

秦孝王杨俊久病不起，派使者奏表陈情谢罪。隋文帝对他的使者说："我努力开创这番大业，制定规章，树立典范，希望臣下遵守它；你是我的儿子，却想要败坏它，我不知道该怎样责备你！"杨俊既惭愧又恐惧，病情因而加重，隋文帝便重新拜授杨俊为上柱国。六月二十日丁丑，杨俊病逝。隋文帝哭了几声就停止了。杨俊制作的奢侈华丽物品，隋文帝下令全都烧掉。秦王府僚属佐吏请求立碑，隋文帝说："要想求名，一卷史书足够了，立碑干什么？如果子孙后代不能保住家业，那碑只是徒然给别人作镇石罢了。"杨俊的嫡子杨浩，为崔妃所生。庶子名叫杨湛。群臣迎合皇上的旨意，上奏说："汉代栗姬的儿子刘荣、郭后的儿子刘强，都随母亲而被废黜，如今秦王的两个儿子，母亲都有罪，不应当担任继嗣。"隋文帝听从了群臣的意见，命秦王府的官员做主持丧事的人。

当初，隋文帝让太子杨勇参与决策军国大事，他时常有所损益，隋文帝全都采纳了。杨勇性情宽厚，直率坦诚，没有虚假伪装的行为。隋文帝生性节俭，杨勇曾经把蜀地制造的精美铠甲再加纹饰，隋文帝看见了很不高兴，告诫他说："自古以来的帝王，没有喜欢奢侈而能久坐江山的。你身为储君，应当以节俭为先，才能够奉承宗庙。我往日的衣服，每种留下一件，时常拿出来看看，用来警诫自己。担心你今天持有皇太子的心态，而忘记了过去之事，所以把我以前用的佩刀一把赐给你，再加上腌菜一盒，这是你以前做北周上士时常吃的食物。你如果能记住以前的事，应该知道我的用心。"

后遇冬至，百官皆诣勇，勇张乐[52]受贺。上知之，问朝臣曰："近闻至日[53]内外百官相帅朝东宫，此何礼也？"太常少卿辛亶对曰："于东宫，乃贺也，不得言朝。"上曰："贺者正可三数十人，随情各去，何乃[54]有司征召，一时普集[55]？太子法服[56]设乐以待之，可乎？"因下诏曰："礼有等差，君臣不杂[57]。皇太子虽居上嗣[58]，义兼臣子，而诸方岳牧[59][4]正冬朝贺，任土作贡[60]，别上东宫。事非典则[61]，宜悉停断。"自是恩宠始衰，渐生猜阻[62]。

勇多内宠[63]，昭训云氏[64]尤幸。其妃元氏无宠，遇心疾，二日而薨，独孤后意有他故，甚责望[65]勇。自是云昭训专内政，生长宁王俨[66]，平原王裕，安成王筠；高良娣[67]生安平王嶷，襄城王恪；王良媛[68]生高阳王该，建安王韶；成姬生颍川王煚；后宫生孝实，孝范。后弥不平，颇遣人伺察，求勇过恶。

晋王广知之[5]，弥自矫饰，唯与萧妃居处，后庭有子皆不育[69]，后由是数称[70]广贤。大臣用事者，广皆倾心与交[71]。上及后每遣左右至广所，无贵贱，广必与萧妃迎门接引，为设美馔[72]，申[73]以厚礼。婢仆[74]往来者，无不称其仁孝。上与后尝幸其第，广悉屏匿[75]美姬于别室，唯留老丑者，衣以缦彩[76]，给事[77]左右。屏帐[78]改用缣素，故绝乐器之弦，不令拂去尘埃。上见之，以为不好声色，还宫，以语侍臣[79]，意甚喜，侍臣皆称庆[80]，由是爱之特异诸子。

上密令善相者[81]来和[82]遍视诸子，对曰："晋王眉上双骨隆起，贵不可言。"上又问上仪同三司韦鼎："我诸儿谁得嗣位[83]？"对曰："至尊、皇后所最爱者当与之，非臣敢预知也。"上笑曰："卿不肯显言[84]邪？"

晋王广美姿仪[85]，性敏慧，沉深严重[86]，好学，善属文[87]，敬接朝士，礼极卑屈[88]。由是声名籍甚[89]，冠于诸王。

广为扬州总管，入朝，将还镇，入宫辞后，伏地流涕，后亦泫然泣下。广曰："臣性识[90]愚下，常守平生昆弟[91]之意，不知何罪失爱东宫[92]，恒蓄盛怒，欲加屠陷[93]。每恐谗谮[94]生于投杼[95]，鸩毒遇于杯勺，是用[6]勤忧积念，惧履[96]危亡。"后忿然曰："睍地伐[97]渐不可耐，我

后来遇到冬至，百官都前往杨勇那里，杨勇陈设乐队接受贺礼。隋文帝知道了这件事，问朝臣们说："近来听说冬至日朝廷内外官员接二连三去朝贺太子，这是什么礼仪？"太常少卿辛亶回答说："到东宫，是庆贺节日，不能说是朝见。"隋文帝说："庆贺节日，只能是三五人或数十人，随便来去，为什么由主管部门召集，大家同时全部集合？太子身穿礼服，陈设乐队来接待百官，可以这样吗？"于是隋文帝下诏说："礼仪有等级差别，君与臣不能混淆。皇太子尽管是皇位继承人，大义上既是臣子，又是儿子，可是各地方长官冬至日前去朝贺，各自进贡土产，分别送给东宫。此事不符合典制，应全都停止。"从此以后隋文帝对太子的恩宠开始衰减，逐渐产生了猜疑。

杨勇有很多宠爱的姬妾，昭训云氏尤其受到宠幸。太子妃元氏不受宠爱，突然发了心脏病，两天就死了，独孤皇后心想有其他原因，极为责怪杨勇。从此云昭训独掌东宫内政，她生了长宁王杨俨、平原王杨裕、安成王杨筠；高良娣生了安平王杨嶷、襄城王杨恪；王良媛生了高阳王杨该、建安王杨韶；成姬生了颍川王杨煚；另有宫女生了杨孝实、杨孝范。独孤皇后更加愤愤不平，经常派人窥探，寻找杨勇的过错。

晋王杨广知道后，更加伪装掩饰自己，只和萧妃住在一起，后宫姬妾有了身孕也不让生育，独孤皇后因此一再称赞杨广贤德。朝中主政的大臣，杨广都一心和他们交往。隋文帝和独孤皇后每次派遣身边的人到杨广那里，来者不论身份贵贱，杨广一定和萧妃在门口迎接，为他们备办精美食品，再加送厚礼。来往的婢女仆人，无不称赞他的仁爱和孝心。隋文帝与独孤皇后曾经亲临他的住宅，杨广把漂亮的姬妾全都藏匿在别的房间，只留下老的丑的，穿上不带花纹图案的丝织物，在身边伺候。房间的屏帐换上浅色的丝绢，故意弄断乐器上的弦，不让擦去上面的尘埃。隋文帝看到了，以为杨广不爱好音乐女色，回到宫中，把这些情况告诉侍臣，心里很是高兴，侍臣们全都祝贺，因此，隋文帝疼爱杨广不同于其他的儿子。

隋文帝秘密命令善于看相的来和给几个儿子都看看相，来和报告说："晋王杨广眉上双骨隆起，贵不可言。"隋文帝又问上仪同三司韦鼎："我的几个儿子谁能继承皇位？"韦鼎回答说："皇上、皇后最喜欢的人，就应当把皇位给予他，不是臣敢于预先知道的。"隋文帝笑着说："你不愿明说吧？"

晋王杨广仪表俊美，生性机敏聪慧，又深沉庄重，爱好学习，善写文章，恭敬地接待朝中官员，礼节极为谦恭。因此，名声盛大，在诸王之上。

杨广担任扬州总管，入京朝见，将要返回镇所扬州，进宫拜别母亲独孤皇后，趴在地上流泪，独孤皇后也潸然泪下。杨广说："臣思想意识愚笨，才识浅薄，经常维护兄弟间平时的感情，不知什么罪过失爱于太子，他总是胸怀盛怒，想要陷害灭绝我。我时时担心，遭到连亲人也相信的谗言加身，更担心酒杯汤勺之中有毒药，因此忧虑积心，生怕踏上灭亡的境地。"独孤皇后气愤地说："睍地伐越来越使人不可

为之娶元氏女，竟不以夫妇礼待之，专宠阿云，使有如许豚犬⑱。前新妇遇毒而夭⑲，我亦不能穷治⑳，何故复于汝发如此意？我在尚尔㉑，我死后，当鱼肉㉒汝乎？每思东宫竟无正嫡㉓，至尊千秋万岁之后㉔，遣汝等兄弟向阿云儿前再拜问讯，此是几许㉕苦痛邪！”广又拜，呜咽㉖不能止，后亦悲不自胜㉗。自是后决意欲废勇立广矣。

广与安州㉘总管宇文述素善，欲述近己，奏为寿州㉙刺史。广尤亲任总管司马张衡，衡为广画㉚夺宗㉛之策。广问计于述，述曰：“皇太子失爱已久，令德㉜不闻于天下。大王仁孝著称，才能盖世㉝，数经将领㉞，频有大功。主上之与内宫㉟，咸所钟爱㊱，四海之望，实归大王。然废立者国家大事，处人父子骨肉㊲之间，诚未易谋也。然能移主上意者，唯杨素耳，素所与谋者唯其弟约㊳。述雅知㊴约，请朝京师，与约相见，共图之。”广大悦，多赍金宝，资述入关㊵。

约时为大理少卿，素凡有所为，皆先筹㊶于约而[7]行之。述请约，盛陈㊷器玩，与之酣畅㊸，因而共博㊹，每阳㊺不胜，所赍金宝尽输之。约[8]所得既多，稍以谢述，述因曰：“此晋王之赐，令述与公为欢乐耳。”约大惊曰：“何为尔㊻？”述因通广意，说之曰：“夫守正履道㊼，固人臣之常致，反经㊽合义，亦达者㊾之令图㊿。自古贤人君子，莫不与时消息(131)，以避祸患。公之兄弟，功名盖世，当涂用事(132)有年矣，朝臣为足下家所屈辱者，可胜数哉？又，储后以所欲不行，每切齿于执政。公虽自结于人主，而欲危公者(133)，固亦多矣！主上一旦弃群臣(134)，公亦何以取庇(135)？今皇太子失爱于皇后，主上素有废黜(136)之心，此公所知也。今若请立晋王，在贤兄之口耳。诚能因此时建大功，王必永铭骨髓，斯则去累卵之危(137)，成太山(138)之安也。”约然之(139)，因以白素。素闻之，大喜，抚掌(140)曰：“吾之智思殊不(141)及此，赖汝起[9]予(142)。”约知其计行，复谓素曰：“今皇后之言，上无不用，宜因机会早自结托(143)，则长保荣禄，传祚(144)子孙。兄若迟疑，一旦有变，令太子用事，恐祸至无日(145)矣！”素从之。

后数日，素入侍宴，微称“晋王孝悌恭俭(146)，有类至尊。”用此

忍耐，我替他娶了元氏女，他竟然不以夫妇之礼对待她，一心只宠爱阿云，使她生下这么多儿子。先前新娶的媳妇遭到毒害死了，我没有彻底追究，为何又对你动了这样的念头？我活着他尚且这样，我要死了，那不把你们当鱼肉吗？我常常想到太子竟然没有正妻生的嫡子，皇上千秋万岁后，让你们兄弟去向阿云的儿子面前磕头问安，这是多么痛苦啊！”杨广接着磕头，呜咽悲泣不能停止，独孤皇后也悲伤得控制不住。从这以后，独孤皇后决意要废除杨勇而立杨广为太子了。

杨广和安州总管宇文述一向关系好，他想让宇文述靠近自己，便奏请让他担任寿州刺史。杨广特别亲近信任总管司马张衡，张衡替杨广谋划夺取太子地位的策略。杨广向宇文述询问计策，宇文述说：“皇太子失宠已经很久，美德不为天下人所知。大王的仁爱忠孝著名，才能盖世，多次为将率兵打仗，屡建大功。皇上和皇后，都十分喜爱你，天下的希望，实际已经归向大王。然而废黜太子另立储君，是朝廷大事，我处在别人父子骨肉之间，确实不容易出谋划策。但是能够改变皇上心意的，只有杨素一人而已，能与杨素一起议事的人只有他的弟弟杨约。我宇文述很了解杨约，让我入京师朝见，同杨约会面，共同商议此事。”杨广大为高兴，送给他很多金银财宝，资助宇文述入京。

杨约当时任大理寺少卿，杨素凡是要做什么事，都要和杨约先谋划然后再行动。宇文述约请杨约，摆了很多珍宝玩物，和他一起畅饮，又一起博戏，每次假装不赢，所带的金银财宝全都输给了杨约。杨约赢了很多财宝，向宇文述略示歉意。宇文述趁机说：“这些东西都是晋王杨广送的，让我与你娱乐罢了。”杨约大惊说：“为什么这样？”宇文述便告诉了杨广的心意，劝杨约说：“遵守正道，本应是做臣子的平常应做到的，但是违反常规而合于义理，也是通达事理者最好的谋略。自古以来的贤人君子，无不顺应潮流，以避免祸患。你们兄弟，功劳名望超过了世人，执掌大政有很多年了，朝中大臣被你家凌辱的，数得过来吗？还有，皇太子因为要求的很多事没有办成，时常对掌权的人切齿痛恨。你虽然得到当今皇上的宠信，可是一心想谋害你的人，本来就很多！皇上一旦弃群臣而逝，你到哪里得到庇护？如今皇太子失去了皇后的宠爱，皇上一向有废黜太子的心意，这是你知道的事。现今如果请求皇上立晋王杨广为太子，只不过是你哥哥的一句话罢了。如果真的借这机会建立了大功，晋王一定永远刻骨铭心，这样，你们兄弟就可以排除累卵一样的危险，形成泰山一样的安稳。”杨约认为说得正确，便将此事告诉了杨素。杨素听了，非常高兴，拍掌说：“在我的思考谋划中，一点也没有考虑到此事，全靠你提醒我。”杨约知道自己的计谋能推行，便又对杨素说：“如今皇后说的话，皇上没有不采纳的，应当趁这时机早一点巴结上皇后，就能长保荣华富贵，把福禄传给子孙后代。兄长如果迟疑，一旦发生变故，让太子掌权，恐怕大祸就要临头了！”杨素听从了。

几天以后，杨素进宫陪伴皇后酒宴，婉转地说：“晋王孝顺友爱，谦恭节俭，类

揣[147]后意。后泣曰："公言是也！吾儿大孝爱，每闻至尊及我遣内使[148]到，必迎于境首[149]。言及违离[150]，未尝不泣。又其新妇亦大可怜，我使婢去，常与之同寝共食。岂若睍地伐与阿云对坐，终日酣宴[151]，昵近[152]小人，疑阻[153]骨肉？我所以益怜阿麽[154]者，常恐其潜杀[155]之。"素既知后意，因盛言太子不才。后遂遗素金，使赞上废立。

勇颇知其谋，忧惧，计无所出，使新丰人王辅贤造诸厌胜[156]。又于后园作庶人[157]村，室屋卑陋[158]，勇时于中寝息，布衣草褥，冀以当之。上知勇不自安，在仁寿宫，使杨素观勇所为。素至东宫，偃息[159]未入，勇束带[160]待之，素故久不进以激怒勇，勇衔[161]之，形于言色[162]。素还言："勇怨望，恐有他变，愿深防察[163]！"上闻素谮毁，甚疑之。后又遣人伺觇[164]东宫，纤介[165]事皆闻奏，因加诬饰[166]以成其罪。

上遂疏忌[167]勇，乃于玄武门[168]达至德门[169]量置候人[170]，以伺动静，皆随事奏闻。又，东宫宿卫之人，侍官[171]以上，名籍悉令属诸卫府[172]，有勇健者咸屏去之。出左卫率[173]苏孝慈[174]为淅州[175]刺史，勇愈不悦。太史令袁充[176]言于上曰："臣观天文，皇太子当废。"上曰："玄象[177]久见，群臣不敢言耳。"充，君正之子也。

晋王广又令督王府军事[178]姑臧段达[179]私赂东宫幸臣姬威，令伺太子动静，密告杨素。于是内外喧谤[180]，过失日闻。段达因胁姬威曰："东宫过失，主上皆知之矣。已奉密诏，定当废立，君能告之，则大富贵！"威许诺，即上书告之。

秋，九月壬子[181]，上至自仁寿宫。翌日[182]，御大兴殿[183]，谓侍臣曰："我新还京师，应开怀欢乐，不知何意翻邑然[184]愁苦。"吏部尚书牛弘对曰："臣等不称职，故至尊忧劳。"上既数闻谮毁，疑朝臣悉知之，故于众中发问，冀闻太子之过。弘对既失旨[185]，上因作色[186]，谓东宫官属曰："仁寿宫去此[10]不远，而令我每还京师，严备仗卫[187]，如入敌国。我为下利[188]，不解衣卧。昨夜欲近厕，故在后房恐有警急，还移就前

似皇上。”用这话来揣摩独孤皇后的心意。皇后哭着说：“你说得对！我的阿麽儿最孝敬友爱，每次听到皇上和我派的内使到达，一定到边境上迎接。说起远离双亲，没有不流泪的。还有他新娶的媳妇也十分可爱，我派婢女去，她经常和婢女同床睡觉，一起吃饭。哪里像睍地伐只和阿云面对面相坐，整天饮宴，亲近小人，猜疑骨肉兄弟？我之所以更加怜爱阿麽，是常担心睍地伐暗中杀害他。”杨素既然知道了独孤皇后的心意，趁机大讲太子不成器。皇后于是送给杨素很多金银，让杨素帮助劝说隋文帝废黜太子另立杨广。

杨勇察觉了他们的阴谋，忧愁恐惧，拿不出计策，便让新丰人王辅贤造设了许多巫术诅咒之物来镇伏。又在后园修建了平民村，房屋低矮简陋，杨勇时常在里面睡觉休息，穿粗布衣服，垫草褥席，希望以此来阻挡谗言。隋文帝知道杨勇内心不安，在仁寿宫派杨素到长安观察杨勇的作为。杨素到了东宫，在宫外休息不进去，杨勇穿戴衣冠等候他，杨素故意长时间不入东宫，以此来激怒杨勇，杨勇怨恨在心，便在言辞和脸色上表现出来。杨素回去报告说：“杨勇满怀怨恨，恐怕有其他变故，希望严加防备和观察！”隋文帝听了杨素的诬陷，极为猜疑杨勇。独孤皇后又派人暗中监视东宫，细小琐事都奏报皇上，再加上诬陷增饰，以构成杨勇的罪状。

隋文帝于是疏远并且猜忌杨勇，就在玄武门到至德门之间，按一定距离布置密探，用来侦察杨勇的动静，全都随时奏报。另外，东宫侍卫人员，凡是侍官以上的，名册全部划归十二禁军府，有勇武健壮的全都裁撤。又调出东宫左卫率苏孝慈为淅州刺史，杨勇更加不高兴。太史令袁充对隋文帝说：“臣观察天文，皇太子应该废黜。”隋文帝说：“天象已经出现很久了，群臣不敢言语而已。”袁充，是袁君正的儿子。

晋王杨广又命督王府军事姑臧人段达暗中贿赂东宫宠臣姬威，要他监视太子动静，秘密报告杨素。于是朝廷内外喧闹诽谤，太子的过失每天奏闻。段达借势威胁姬威说：“太子的过失，皇上全都知道了。已经接到密诏，决定要废立太子，你能告发太子，就会大富大贵！”姬威答应了，马上上书告发太子。

秋，九月二十六日壬子，隋文帝从仁寿宫回到京师。第二天，亲临大兴殿，对侍臣说：“我刚刚回到京师，应当心胸开朗，高兴快乐，不知为什么反而郁闷愁苦。”吏部尚书牛弘回答说：“臣等不称职，所以让皇上忧愁劳苦。”隋文帝已经多次听到了对太子的诽谤，怀疑满朝大臣都知道，所以当众发问，希望听到太子的过失。牛弘的回答有失心意，隋文帝于是变了脸色，对东宫的官员说：“仁寿宫离这里不远，但让我每次返回京师，都要严密设置兵仗警卫，就像进入敌国。我因拉肚子，不敢脱下衣服睡觉。昨晚，想靠近厕所，便住在后房，又担心有紧急事变，就又搬到前殿，

殿，岂非尔辈[189]欲坏我家国邪？”于是执太子左庶子[190]唐令则[191]等数人付所司讯鞫[192][11]。命杨素陈东宫事状以告近臣，素乃显言之曰：“臣奉敕向京[193]，令皇太子检校[194]刘居士[195]余党。太子奉诏，作色奋厉[196]，骨肉飞腾[197]，语臣云：‘居士党尽伏法，遣我何处穷讨？尔作右仆射，委寄不轻，自检校之，何关我事？’又云：‘昔大事[198]不遂[199]，我先被诛，今作天子，竟乃令我不如诸弟，一事以上，不得自遂[200]！’因长叹回视云：‘我大觉[201]身妨。’”上曰：“此儿不堪承嗣久矣，皇后恒劝我废之。我以布衣[202]时所生，地复居长[203]，望其渐改，隐忍至今。勇尝指皇后侍儿谓人曰：‘是皆我物。’此言几许异事[204]！其妇初亡，我深疑其遇毒，尝责之，勇即怼[205]曰：‘会[206]杀元孝矩[207]。’此欲害我而迁怒[208]耳。长宁[209]初生，朕与皇后共抱养之，自怀彼此，连遣来索。且云定兴女，在外私合[210]而生，想此由来，何必是其体胤[211]？昔晋太子[212]取屠家女，其儿即好屠割。今傥非类，便乱宗祏[213]。我虽德惭尧、舜，终不以万姓[214]付不肖[215]子！我恒畏其加害，如防大敌，今欲废之以安天下！”

左卫大将军五原公元旻谏曰：“废立大事，诏旨若行，后悔无及。谗言罔极[216]，惟陛下察之。”上不应，命姬威悉陈[217]太子罪恶。威对曰：“太子由来与臣语，唯意在骄奢，且云：‘若有谏者，正当斩之，不杀百许人，自然永息[218]。’营起台殿，四时[219]不辍。前苏孝慈解左卫率，太子奋髯扬肘[220]曰：‘大丈夫会当[221]有一日，终不忘之，决当快意。’又宫内所须[222]，尚书多执法不与，辄怒曰：‘仆射以下，吾会戮一二人，使知慢[223]我之祸。’每云：‘至尊恶我多侧庶[224]，高纬、陈叔宝岂孽子[225]乎？’尝令师姥[226]卜吉凶[227]，语臣云：‘至尊忌在十八年，此期促矣。’”上泫然曰：“谁非父母生，乃至于此！朕近览《齐书》[228]，见高欢纵其儿子，不胜忿愤，安可效尤[229]邪？”于是禁勇及诸子，部分[230]收其党与。杨素舞文[231]巧诋，锻炼[232]以成其狱。

居数日，有司承素意，奏元旻常曲事于勇，情存附托[233]，在仁寿宫，勇使所亲裴弘以书与旻，题云“勿令人见”。上曰：“朕在仁寿宫，有纤介事，东宫必知，疾于驿马[234]，怪之甚久，岂非此徒邪？”遣武士

这难道不是你们想要毁掉我的朝廷吗?”于是逮捕太子左庶子唐令则等数人，交给司法部门审问。命杨素陈述东宫的情况，通报近臣，杨素于是公开指控太子说:“臣从仁寿宫奉诏命到京师，让皇太子清查刘居士的党羽，太子接了诏令，变了脸色，愤激严厉，暴跳如雷，对臣说:‘刘居士同党全都伏法，令我到哪里去追查?你担任右仆射，责任不轻，自己去追查，与我有何相干?’又说:‘先前禅让大事如果不成功，我第一个被诛杀，现今做了天子，竟然使我不如几个弟弟，任何一件事，都不让我顺心自主!’便长叹一声回头说:‘我深感身不由己。’”隋文帝说:“我早就知道这个儿子不能继承帝位，皇后一直劝我废黜他。我以为他是我身为平民时所生，兄弟排行又居长位，希望他慢慢改过，所以一直克制忍耐拖到今天。杨勇曾经指着皇后的侍女对人说:‘她们都将属于我。’这话说得太怪了!他的妻子刚死，我深深怀疑她是中毒死的，曾经因此责备他，杨勇当即怨恨地说:‘一定要杀死元孝矩。’这是想害我才迁怒到岳父头上啊!长宁王杨俨刚出生，朕与皇后一起抱过来抚养他，杨勇心存隔阂，接连派人来要回。再说云定兴的女儿，在外面与人私通生下的儿子。想想这个由来，怎能断定是他的亲生骨肉?从前晋惠帝的太子娶了屠户的女儿，所生的儿子就喜欢杀猪。现在如果传位不伦不类，就会乱了皇家宗祠。我虽然德行自愧不如尧舜，也断不会把天下百姓交给不肖的儿子!我经常害怕他加害于我，如同防备大敌，今天想废掉他以安定天下!”

左卫大将军五原公元旻谏阻说:“废立太子是国家大事，诏旨如果颁行，后悔就来不及了。谗言无穷无尽，希望皇上明察。”隋文帝不吭声，命令姬威全面陈述太子的罪恶。姬威回答说:“太子与臣讲话，从来想的只是骄纵奢侈，他还说:‘如果有人来谏阻，就应杀掉他，不过杀掉一百人，谏阻就会永远止息。’太子营造亭台殿阁，一年四季都不停止。先前苏孝慈被解除了左卫率，太子吹胡子瞪眼睛，挥舞拳头说:‘大丈夫终当有扬眉吐气的一天，我永远不会忘记这件事，一定要扬眉吐气。’又，东宫所需的物品，尚书大多按法规办事不给，太子常发怒说:‘尚书仆射以下，我要杀他一两个，让人知道怠慢我的下场。’他还经常说:‘皇上讨厌我有很多小妾生的儿子，北齐末主高纬、陈朝末主陈叔宝难道是庶子吗?’太子曾经命巫婆占卜吉凶，对臣说:‘皇上开皇十八年将归天，这个期限快到了。’”隋文帝泪流满面，说:“谁人不是父母所生，太子竟然到了这个地步!朕近来翻阅《齐书》，看到高欢放纵儿子，气愤难忍，我怎么能够效法高欢呢?”于是拘禁了杨勇和他的几个儿子，安排逮捕太子的党羽。杨素舞文弄墨，歪曲捏造，罗织罪名，造成了太子的罪案。

过了几天，司法官吏秉承杨素的旨意，向隋文帝奏告说元旻经常曲意侍奉杨勇，存心攀附。在仁寿宫时，杨勇曾派亲信裴弘送信给元旻，信上题写“不要让别人看见”。隋文帝说:“朕在仁寿宫，有一点点小事，东宫必定知道，比驿马传信还快，我长时间以来觉得奇怪，难道不是这个家伙泄密的?”因此就派武士在左卫禁军行列中

执旻于仗[235]。右卫大将军元胄时当下直[236]，不去，因奏曰："臣向不下直者，为防元旻耳。"上以旻及裴弘付狱。

先是，勇见老枯槐，问："此堪何用？"或对曰："古槐尤宜取火。"时卫士皆佩火燧[237]，勇命工造数千枚，欲以分赐左右。至是，获于库。又药藏局[238]贮艾数斛[239]，索得之，大以为怪，以问姬威，威曰："太子此意别有所在，至尊在仁寿宫，太子常饲马千匹，云：'径往守城门[240]，自然饿死。'"素以威言诘勇，勇不服，曰："窃闻公家马数万匹，勇忝备[241]太子，马千匹，乃是反乎？"素又发东宫服玩[242]，似加雕饰[243]者，悉陈之于庭，以示文武群官[12]，为太子之罪。上及皇后迭遣使[244]责问勇，勇不服。

冬，十月乙丑[245]，上使人召勇，勇见使者，惊曰："得无[246]杀我邪？"上戎服陈兵，御武德殿[247]，集百官立于东面，诸亲[248]立于西面，引勇及诸子列于殿庭，命内史侍郎[249]薛道衡宣诏，废勇及其男、女为王、公主者，并为庶人[13]。勇再拜言曰："臣当伏尸[250]都市[251]，为将来鉴戒，幸蒙哀怜，得全性命！"言毕，泣下流襟，既而舞蹈而去，左右莫不闵默[252]。长宁王俨上表乞宿卫，辞情哀切，上览之闵然[253]。杨素进曰："伏望[254]圣心同于螫手[255]，不宜复留意[256]。"

己巳[257]，诏："元旻、唐令则及太子家令[258]邹文腾、左卫率司马[259]夏侯福、典膳[260]监元淹、前吏部侍郎萧子宝、前主玺下士[261]何竦并处斩，妻妾子孙皆没官。车骑将军榆林阎毗[262]、东郡公崔君绰[263]、游骑尉[264]沈福宝、瀛州术士章仇太翼[265]，特免死，各杖一百，身及妻子、资财、田宅皆没官。副将作大匠[266]高龙叉、率更令[267]晋文建、通直散骑侍郎[268]元衡皆处尽[269]。"于是集群官于广阳门[270]外，宣诏戮之。乃移勇于内史省，给五品料食[271]。赐杨素物三千段，元胄、杨约并千段，赏鞫勇之功也。

文林郎[272]杨孝政上书谏曰："皇太子为小人所误，宜加训诲，不宜废黜。"上怒，挞其胸。

逮捕了元旻。右卫大将军元胄当时正要下朝，却不肯离去，便上奏说："臣刚才没有回家去，就是为了防备元旻。"皇上把元旻以及裴弘一齐关进监狱。

此前，杨勇看到老枯槐树，问道："这树能有什么用？"有人回答说："古槐最适用于取火。"当时卫士都带火燧，杨勇命令工匠制作了几千枚火燧，打算分赐给下属。到这时，这些火燧在藏库中查获。此外，药藏局储存了数斛艾草，也被搜查出来了，隋文帝感到非常奇怪，便问姬威，姬威说："太子这样做另有目的。皇上在仁寿宫，太子经常养马一千匹，说：'直接去守住城门，皇上自然就会饿死。'"杨素用姬威的话去责问杨勇，杨勇不服，说："我听说你家养马几万匹，我身为太子，养马千匹，能说是谋反吗？"杨素又把从东宫收缴来的服用珍玩中像是加工雕饰过的物品，全部摆在殿庭之中，让文武百官观看，作为太子谋反的罪证。隋文帝和独孤皇后轮番派出使者责问杨勇，杨勇不认罪。

冬，十月初九日乙丑，隋文帝派人召见杨勇，杨勇见到使者，吃惊地说："莫非要杀我吗？"隋文帝穿上军装，列队士卒，登上武德殿，集合文武百官站立在东面，皇室宗亲站立在西面，带杨勇和他的几个儿子站在殿堂中间，命令内史侍郎薛道衡宣读诏书，废黜杨勇以及他有王爵、公主封号的儿女，一律贬为百姓。杨勇连连叩拜说："臣应当陈尸长安闹市，为后来的人鉴戒，有幸蒙陛下哀怜，能够保全性命！"说完，泪流满襟，随后行舞蹈礼后离去，左右的人无不默然哀怜。长宁王杨俨上表请求担任京师的宿卫，言辞情意哀伤恳切，隋文帝看了也感动悲切。杨素进言说："臣希望圣上下狠心，就像毒蛇咬伤手指、壮士挥刀断腕一样，不宜再留温情。"

十月十三日己巳，隋文帝下诏："元旻、唐令则，以及太子家令邹文腾、左卫率司马夏侯福、典膳监元淹、前吏部侍郎萧子宝、前主玺下士何竦，一律处斩，妻妾子孙都籍没入官为奴。车骑将军榆林人阎毗、东郡公崔君绰、游骑尉沈福宝、瀛州术士章仇太翼，特赦免死罪，各处杖刑一百，本人及妻子儿女、家产田地房屋，都籍没入官府。副将作大匠高龙叉、率更令晋文建、通直散骑侍郎元衡，都处置其罪，让他们自尽。"于是在广阳门外集合朝官，宣读诏书，处死罪臣。然后将杨勇转到内史省，给他五品官员的生活待遇。赐给杨素三千段绢帛，元胄、杨约各一千段，奖励他们审讯杨勇的功劳。

文林郎杨孝政上书进谏说："皇太子被小人所误，应该加强训导教诲，不应该废黜。"隋文帝大怒，鞭打他的前胸。

【段旨】

以上为第一段，写隋文帝开皇二十年（公元六〇〇年）废黜太子杨勇的过程。

【注释】

①熙州：州名，治所怀宁县，在今安徽潜山。②辛卯：三月初二日。③总管司马：官名，掌总管府军事。④张衡（？至公元六一二年）：字建平，河内（今河南沁阳）人，历仕周、隋，官至御史大夫。传见《隋书》卷五十六、《北史》卷七十四。⑤数：责备；数落。⑥自是：自以为是。⑦非人：责难、诋毁别人。⑧高鸟尽、良弓藏：春秋时越国人范蠡对大夫文种说的话，用以比喻诛杀功臣，见《史记·越王勾践世家》。⑨遽索：马上要求。索，索取、要求。⑩勋官：官职的一种，无具体职掌，是授予有功之臣的一种荣誉职衔。⑪预朝政：参与朝廷政事。⑫出口入耳：语出《左传》昭公二十年，指两人之间私下相传，没有第三者知道。⑬脉脉：相视不语的样子。⑭作乱之地：谋反、叛乱的要地。荆州、扬州自古就是长江中下游的军事要冲。⑮壬戌：四月初四日。⑯犯塞：指侵犯隋朝边塞。⑰降人：指突厥原突利可汗部下。⑱节度：节制调度。⑲行毒：投毒；下毒。指在突厥士卒饮用的泉水中下毒。⑳天雨恶水：雨，降落。恶水，有毒的水，指已下过毒的泉水。㉑大斤山：山名，即位于今内蒙古境内阴山山脉中段的大青山。㉒敦煌戍卒：即史万岁。史万岁原为上大将军，在至德元年（公元五八三年）因事被发配为敦煌戍卒，曾威镇突厥。㉓纵击：纵兵击杀。纵，发、放。㉔逐北：追击败逃的敌军。北，败北、失败者。㉕碛：沙漠，不生草木的沙石地。㉖大隋圣人可汗：是突厥对隋朝皇帝的尊敬称呼。㉗“天无不覆”二句：比喻恩德如同天地。㉘“枯木更叶”二句：干枯的树木又长出树叶，干枯的骨头又长出肉来。比喻隋朝使染干可汗死而复生。㉙典羊马：掌管羊马。指染干可汗永远臣服于隋朝，为其效力尽忠。㉚金河、定襄：两城。金河，故址在今内蒙古托克托境。定襄，故址在今山西忻州。㉛勠力：并力；勉力。㉜作训：制定法则。训，教诲、法则。㉝庶：副词，表示希望。㉞惭怖：惭愧而恐惧。㉟丁丑：六月二十日。㊱王府僚佐：秦王府的幕僚，主要包括师、友、文学、长史、司马、谘议参军、掾、属、主簿、录事、功曹等。㊲碑：埋葬时所立，臣子追述君父之功，书写于碑上。㊳保家：指守住祖宗开创的帝业。㊴镇石：压物之石。㊵俊子浩（？至公元六一八年）：秦孝王杨俊嫡子杨浩，炀帝立为秦王，后来，曾被宇文化及立为帝。传附《隋书·秦孝王传》《北史·秦孝王传》。㊶栗姬子荣：栗姬为汉景帝妃，荣为其子，曾立为太子，后栗姬被杀，荣也被废。㊷郭后子强：郭后为光武帝皇后，因失宠被废，其子强也被废。㊸丧主：主持丧事的人。㊹矫饰：虚假伪装。㊺文饰：修饰；装饰。㊻蜀铠：蜀人制作的铠甲，做工精巧。㊼储后：储君。后，君主。㊽奉承宗庙：供奉宗庙，指能继承帝王之业。㊾菹酱：酸菜酱。菹，腌菜。㊿上士：官名，周有上士、中士、下士之分。上士为六卿一类的官。杨勇在北周时曾做过上士。(51)存记：记住；留心。(52)张乐：陈设乐舞。张，陈设。(53)至日：指冬至日。(54)何乃：为什么。(55)普集：全部集合。(56)太子法服：法服是礼法所规定的标准服装。《隋书》卷十二《礼仪志七》载：皇太子法服

为衮冕，下垂白珠九旒，红组缨，犀牛角簪笄，青纩琉耳，绀衣，纁裳，去日月星辰为九章。㊲君臣不杂：指君主与臣子在礼法上各有等级，不能混淆。㊳上嗣：古代君主的嫡长子。㊴岳牧：相传尧舜时有四岳、十二州牧分管政务和方国诸侯，合称岳牧。后用于封疆大吏的泛称。㊵任土作贡：根据土地的具体情况制定贡赋。㊶典则：典制、法则。㊷猜阻：猜疑。㊸内宠：姬妾。㊹昭训云氏：昭训，东宫女官名。云氏，名阿云，云定兴之女，太子杨勇昭训。事见《隋书》卷四十五、《北史》卷七十一。㊺责望：责难抱怨。㊻长宁王俨（？至公元六〇七年）：杨勇长子，封长宁王。传附《隋书·文四子传》《北史·文帝四王传》。㊼良娣：东宫女官名。㊽良媛：东宫女官名。㊾有子皆不育：指后宫人怀孕后堕胎，全部不让生育。㊿数称：一再称赞、夸奖。数，屡次、数次。(71)倾心与交：一心与其相交结。(72)美馔：美好的食品。馔，食物。(73)申：重；再加上。(74)婢仆：奴婢；仆人。(75)屏匿：隐藏。匿，藏。(76)缦彩：无花纹图案的丝织物。(77)给事：供职；供人役使。(78)屏帐：屏风和帷幕。(79)以语侍臣：把见到的情况告诉侍臣。(80)称庆：道贺。庆，庆贺。(81)相者：观察人的形貌以占测其命运的人。(82)来和：字弘顺，京兆长安（今陕西西安）人，善相术，著《相经》四十卷。官至开府。传见《隋书》卷七十八、《北史》卷八十九。(83)嗣位：继承皇位。(84)显言：明白地说出来。(85)姿仪：形貌仪表。(86)严重：处事认真、严肃、庄重。(87)属文：写文章。属，撰写。(88)卑屈：谦虚恭敬。(89)声名籍甚：名声甚盛。(90)性识：思想意识。(91)昆弟：兄弟。(92)东宫：指太子杨勇。(93)屠陷：灭绝与陷害。(94)谗谮：说别人的坏话，以陷害别人。(95)投杼：战国时有与曾参同名的人杀了人，有人告诉曾母说曾参杀人，曾母不信，依然织布，至第三人来告时，曾母误信为真，遂投杼逾墙而走。事见《战国策·秦二》。比喻传闻可以动摇原来的信心。杼，织布梭，两头尖。(96)惧履：恐怕走上。履，踏、踩。(97)睍地伐：杨勇的小字。(98)豚犬：三国时曹操曾说："生子当如孙仲谋（权），刘景升（表）儿子若豚犬耳！"见《三国志·吴主权传》。豚犬乃轻贱之词，后常用以谦称自己的儿子。(99)夭：少壮而死。(100)穷治：追究到底。(101)尚尔：尚且如此。(102)鱼肉：如鱼肉任人宰割。比喻被欺凌屠戮。(103)正嫡：嫡子。(104)千秋万岁之后：婉言帝王之死。(105)几许：多么。(106)呜咽：悲泣的声音。(107)悲不自胜：悲痛得忍受不了。胜，经得起。(108)安州：州名，治所安陆县，在今湖北安陆。(109)寿州：州名，治所寿春县，在今安徽寿县。(110)画：筹划；谋划。(111)夺宗：古代宗法，宗子为诸侯，即失去宗子的权力，称夺宗。后来泛称争夺继承之权为夺宗。(112)令德：美德。(113)盖世：谓压倒当世。(114)数经将领：谓屡次为将率兵外出征战。数，屡次。(115)内宫：即中宫，指皇后。隋讳中，故称内。(116)钟爱：极其喜爱。(117)父子骨肉：父子之情如同骨肉，比喻至亲。(118)其弟约：即杨素弟杨约，字惠伯，官至内史令，封修武县公。传附《隋书·杨素传》《北史·杨敷传》。(119)雅知：很熟悉；很了解。(120)入关：进入关中，赴京师。(121)筹：谋划。(122)盛陈：陈列很多。(123)酣畅：畅饮。(124)博：即六博，古代的一种游戏，用十二棋，六棋白，六棋黑，以较胜负。(125)阳：通"佯"，假装。(126)何为尔：为什么这样。⑫⑦守正履道：遵守正道。⑫⑧反经：违反常规。⑫⑨达者：通达事理的人。⑬⓪令图：好的谋略。⑬①与时消息：谓随时代的变化而变化。消息，一消一长，互为变化。⑬②当涂用事：谓执掌大政。当涂，同“当路”。⑬③危公者：危害杨约的人。公，指杨约。⑬④弃群臣：指君主丢弃群臣而死去。婉言君主去世。⑬⑤取庇：得到庇护。⑬⑥废黜：废除。黜，废免、摈弃。⑬⑦累卵之危：堆累起来的蛋，极易倾倒打碎，比喻非常危险。⑬⑧太山：即泰山。此句比喻地位安如泰山，不能动摇。⑬⑨然之：以为这样正确。⑭⓪抚掌：拍手，表示高兴的样子。⑭①殊不：一点也不。⑭②起予：启发了我；提醒了我。予，我。⑭③结托：结交依托。⑭④传祚：把福禄传给后代。祚，福。⑭⑤无日：无时日。犹言不久，随时。⑭⑥孝悌恭俭：孝顺父母，尊敬兄长，谦恭节俭。⑭⑦揣：揣度；试探。⑭⑧内使：中使；宫廷里派出由宦官担任的使者。隋讳中，故称内。⑭⑨境首：边境上。⑮⓪违离：离开。⑮①酣宴：饮宴。⑮②昵近：亲近。⑮③疑阻：猜疑。⑮④阿麽：杨广小字。⑮⑤潜杀：暗中杀害。⑮⑥厌胜：利用诅咒制胜。⑮⑦庶人：泛指无官爵的平民、百姓。⑮⑧卑陋：低矮简陋。⑮⑨偃息：休息。⑯⓪束带：整饰衣帽，束紧衣带，表示恭敬。⑯①衔：衔恨；怨望。⑯②言色：言谈和脸色。⑯③防察：防备和观察其变化。⑯④伺觇：侦察窥视。⑯⑤纤介：细微。介，也作“芥”。⑯⑥诬饰：诬陷增饰。⑯⑦疏忌：疏远而猜忌。⑯⑧玄武门：隋大兴宫城正北门。⑯⑨至德门：在宫城东北角。⑰⓪候人：道路上迎送宾客的官吏。此为侦察太子情况的人。⑰①侍官：侍卫之官。东宫侍官包括直阁、直寝、直斋、直后、备身、直长等官，由东宫率府统辖，略同十二卫府。⑰②名籍悉令属诸卫府：谓东宫侍卫都隶属于国家卫府掌管，太子无指挥权。名籍，东宫侍官的名册。诸卫府，指十二卫府。⑰③左卫率：官名，掌东宫门卫卫士。⑰④苏孝慈（？至公元六〇一年）：扶风（今陕西宝鸡市凤翔区）人，历仕周、隋，官至兵部尚书。传见《隋书》卷四十六、《北史》卷七十五。⑰⑤淅州：州名，治所修阳县，在今河南西峡县北。⑰⑥袁充（公元五四四至六一八年）：字德符，陈郡夏阳（今河南周口市淮阳区）人，历仕陈、隋，官至秘书令。传见《隋书》卷六十九、《北史》卷七十四。⑰⑦玄象：天象。日月星辰，在天成象，故称玄象。⑰⑧督王府军事：官名，掌亲王府军事。⑰⑨段达（？至公元六二一年）：武威姑臧（今甘肃武威）人，官至开府仪同三司，兼纳言。传见《隋书》卷八十五、《北史》卷七十九。⑱⓪喧谤：大声诽谤。大声而嘈杂。⑱①壬子：九月二十六日。⑱②翌日：第二天。⑱③大兴殿：新都大兴城的正殿。⑱④邑然：忧郁的样子。邑，通“悒”。忧郁。⑱⑤失旨：不符合皇帝旨意。⑱⑥作色：脸上变色，指生气。⑱⑦仗卫：仪仗侍卫。⑱⑧下利：泄利；拉肚子。⑱⑨尔辈：你们。指东宫官属。⑲⓪太子左庶子：官名，与右庶子分掌东宫门下坊、典书坊事。⑲①唐令则（？至公元六〇四年）：北海平寿（今山东潍坊昌乐县）人。历仕周、隋，官至太子左庶子。传附《周书·唐瑾传》《北史·唐永传》。⑲②讯鞫：审讯。鞫，审讯犯人。⑲③向京：杨素自仁寿宫奉敕去长安。⑲④检校：检查；清理。⑲⑤刘居士：上柱国刘昶之子，骄横不法，于开皇十七年（公元五九七年）被处死。⑲⑥作色奋厉：脸色变得愤怒厉害。奋，愤怒。⑲⑦胥肉飞腾：雄健踊跃的样子。此指愤怒异常。(198)昔大事：指夺取北周政权事。(199)不遂：不成。遂，成功。(200)自遂：自我顺心如意。遂，顺、如意。(201)大觉：深感。(202)布衣：百姓；未做官之时。(203)地复居长：兄弟排行又居长位。(204)异事：怪事。(205)怼：怨恨。(206)会：一定要。(207)元孝矩：太子元妃之父。传见《隋书》卷五十。(208)迁怒：把愤怒转移给他人。(209)长宁：杨勇长子俨，封长宁王。(210)私合：即野合，指不合礼仪的婚配。(211)体胤：亲生子女。胤，后代。(212)晋太子：指晋惠帝之子，娶屠家女，其儿好屠割，所称斤两，轻重不差。事见《资治通鉴》卷八十三晋纪五孝惠帝元康九年。(213)宗祏：宗庙中藏神主的石室。(214)万姓：百姓。(215)不肖：不才；不贤。(216)罔极：无穷尽。罔，副词，毋、不。(217)悉陈：尽量详细陈述。(218)“不杀百许人”二句：此二句文理不通。《隋书·文四子传》“杀”上有“过”字，文意明白，当据补。《北史》亦有“过”字。(219)四时：四季。时，季。(220)奋髯扬肘：震怒的样子。髯，胡须。(221)会当：终当。(222)须：通“需”。(223)慢：怠慢。(224)侧庶：妾生的儿子。(225)孽子：庶子；非正妻所生之子。(226)师姥：巫婆。(227)卜吉凶：以占卜的形式预测吉凶。卜，古人用火灼龟甲取兆，以预测吉凶。(228)《齐书》：书名，此时李百药《齐书》未出，可能是崔子发所撰《齐纪》，记北齐史事。(229)效尤：明知有错误而仿效。尤，罪过、过失。(230)部分：部署；安排。(231)舞文：玩弄法令条文。(232)锻炼：罗织罪名。(233)附托：依附。(234)驿马：驿站的马。供载人或传邮之用。(235)仗：左卫仗。因元旻时为左卫大将军，在左卫仗值班。(236)下直：值班已毕而退，即下班。(237)火燧：取火的木头。燧，古时取火的工具。(238)药藏局：官署名，属东宫门下坊，掌保管药物。(239)斛：量器名，也为容量单位。古代以十斗为一斛。南宋末年改为五斗一斛，两斛为一石。(240)径往守城门：直接去守住城门，阻止隋文帝回京城。(241)忝备：惭愧地聊以充数。忝，羞愧。备，谦辞，聊以充数。(242)服玩：服用与玩赏的用品。(243)雕饰：刻镂文彩，加以装饰。琱，刻镂、雕饰。(244)迭遣使：接连派遣使者。迭，屡次、接连。(245)乙丑：十月初九日。(246)得无：莫非。(247)武德殿：殿名，在延恩殿西。(248)诸亲：谓皇族宗亲。(249)内史侍郎：官名，即中书侍郎，掌侍从、制敕、册命、敷奏文表等。(250)伏尸：倒在地上的尸体。(251)都市：城市。此指都城长安。(252)闵默：哀怜而不敢出声。闵，怜恤、哀伤。(253)闵然：哀伤的样子。(254)伏望：希望；请求。伏，身体前倾，面向下。(255)圣心同于螫手：蝮蛇螫手，壮士断腕。比喻为保全大局，忍痛牺牲局部。(256)留意：留情。(257)己巳：十月十三日。(258)太子家令：官名，东宫官，掌刑法、食膳、仓库、物品、奴婢等。(259)左卫率司马：官名，东宫官，左卫率属吏，掌军事。(260)典膳：官名，东宫门下坊典膳局长官，掌膳食。(261)主玺下士：官名，北周官，掌印玺。(262)阎毗：榆林盛乐（今内蒙古托克托）人，历仕周、隋，官至殿内少监。传见《隋书》卷六十八、《北史》卷六十一。(263)崔君绰：清河东武城（今河北清河县东北）人，历仕周、隋，嗣爵东郡公。传附《周书·崔彦穆传》《北史·崔彦穆传》。(264)游骑尉：官名，掌流动突袭的骑兵。(265)章仇太翼：字协昭，本姓章仇氏，隋炀帝赐姓卢，故又名卢太翼，河间（今河北河间）人。传见《隋书》卷七十八、《北史》

卷八十九。㉖⑥副将作大匠：官名，将作监副长官，掌城郭宫室建筑。㉖⑦率更令：官名，掌东宫伎乐、漏刻。㉖⑧通直散骑侍郎：官名，东宫官，掌文书奏事。㉖⑨处尽：处置其罪，使自尽。㉗⓪广阳门：长安宫城南面五门，正南为广阳门，唐神龙元年（公元七〇五年）改为承天门。㉗①给五品料食：按五品官料食的标准供给。㉗②文林郎：官名，隋开皇六年置，文散官。

【校记】

［1］镇：原无此字。据章钰校，甲十一行本、乙十一行本、孔天胤本皆有此字，张敦仁《通鉴刊本识误》同，今据补。［2］称：原无此字。据章钰校，甲十一行本、乙十一行本、孔天胤本皆有此字，张瑛《通鉴校勘记》同，今据补。［3］子：原无此字。据章钰校，甲十一行本、乙十一行本皆有此字，今据补。〖按〗《北史·房陵王杨勇传》有此字。［4］牧：原无此字。据章钰校，甲十一行本、乙十一行本、孔天胤本皆有此字，今据补。〖按〗《隋书·房陵王勇传》《北史·房陵王杨勇传》皆有此字。［5］知之：原无此二字。据章钰校，甲十一行本、乙十一行本、孔天胤本皆有此二字，张敦仁《通鉴刊本识

【原文】

初，云昭训父定兴，出入东宫无节㉗③，数进其[14]奇服异器以求悦媚㉗④。左庶子裴政㉗⑤屡谏，勇不听。政谓定兴曰："公所为不合法度。又，元妃暴薨，道路籍籍㉗⑥，此于太子，非令名㉗⑦也。公宜自引退㉗⑧，不然，将及祸。"定兴以告勇，勇益疏政，由是出为襄州总管。唐令则为勇所昵狎㉗⑨，每令以弦歌教内人㉘⓪，右庶子㉘①刘行本㉘②责之曰："庶子当辅太子以正道，何有取媚于房帷㉘③之间哉？"令则甚惭而不能改。时沛国刘臻㉘④、平原明克让㉘⑤、魏郡陆爽㉘⑥，并以文学为勇所亲。行本怒其不能调护，每谓三人曰："卿等正解读书㉘⑦耳！"夏侯福尝于阁内与勇戏，福大笑，声闻于外。行本闻之，待其出，数之曰："殿下宽容，赐汝颜色㉘⑧。汝何物小人，敢为亵慢㉘⑨？"因付执法者治之。数日，勇为福致请，乃释之。勇尝得良马，欲令行本乘而观之，行本正色曰："至尊置臣于庶子，欲令辅导殿下，非为殿下作弄臣㉙⓪也。"勇惭而止。及

误》、张瑛《通鉴校勘记》同，今据补。[6]用：原作“以”。据章钰校，甲十一行本、乙十一行本、孔天胤本皆作“用”，张敦仁《通鉴刊本识误》同，今据改。〖按〗《隋书·房陵王勇传》作“用”。[7]而：原作“而后”。据章钰校，甲十一行本、乙十一行本皆无“后”字，今据删。〖按〗《通鉴纪事本末》卷二五无“后”字。[8]约：“约”字原重。据章钰校，甲十一行本、乙十一行本“约”字皆不重，今据删。〖按〗《隋书·宇文述》传同。[9]起：原作“启”。据章钰校，甲十一行本、乙十一行本皆作“起”，今据改。〖按〗《隋书·杨素传附杨约传》《北史·杨敷传附杨约传》皆作“起”。[10]去此：原作“此去”。据章钰校，孔天胤本二字互乙，今据改。〖按〗《隋书·房陵王勇传》《北史·房陵王杨勇传》《通鉴纪事本末》卷二五皆作“去此”。[11]鞠：原作“鞫”。张瑛《通鉴校勘记》作“鞠”，今据改。〖按〗《隋书·房陵王勇传》《北史·房陵王杨勇传》《通鉴纪事本末》卷二五皆作“鞠”。[12]官：原作“臣”。据章钰校，甲十一行本、乙十一行本、孔天胤本皆作“官”，今据改。〖按〗《隋书·房陵王勇传》作“官”。[13]并为庶人：原无此四字。据章钰校，甲十一行本、乙十一行本、孔天胤本皆有此四字，张敦仁《通鉴刊本识误》、张瑛《通鉴校勘记》同，今据补。

【语译】

当初，云昭训的父亲云定兴，随意进出东宫，不受节制，多次进献他的奇异服装、器物，用来取悦献媚太子。左庶子裴政多次进谏，杨勇不听。裴政对云定兴说：“您干的事不合法度。而且，元妃突然死了，路途上议论纷纷，这对于太子并不是好名声。您应当自行引退，不然，将要大祸临头。”云定兴把裴政说的话转告给杨勇，杨勇更加疏远裴政，因此把他调去做襄州总管。唐令则被杨勇亲近宠爱，常常命他教宫女妃妾弹奏唱歌，右庶子刘行本责备他说：“太子庶子应当用正道辅佐太子，哪有在内室献媚取宠的道理？”唐令则深感惭愧，但却不能够改正。当时沛国人刘臻、平原人明克让、魏郡人陆爽，都因为有文学才华被杨勇亲近。刘行本痛恨他们不能辅导太子，常常对这三个人说：“你们只知道死读书罢了！”夏侯福曾在阁内和杨勇嬉戏，夏侯福哈哈大笑，声音传到外面。刘行本听到了，等他出来之后，责备他说：“殿下宽容，赏脸色给你。你算什么东西，竟敢轻慢无理？”于是把他交付执法官员治罪。过了几天，杨勇替夏侯福说情，才释放了他。杨勇曾得到好马，想让刘行本骑上马观赏一下，刘行本严肃地说：“皇上把臣安排在太子庶子这个职位上，是要让臣辅导殿下，不是要给殿下做弄臣。”杨勇惭愧作罢。等到杨勇被废黜，裴政和刘行

勇败，二人已卒，上叹曰："向使㉑裴政、刘行本在，勇不至此。"

勇尝宴宫臣㉒，唐令则自弹琵琶，歌《娬媚娘》㉓。洗马㉔李纲㉕起白勇曰："令则身为宫卿㉖，职当调护㉗，乃于广坐㉘自比倡优，进淫声，秽㉙视听。事若上闻，令则罪在不测㉚，岂不为殿下之累邪？臣请速治其罪！"勇曰："我欲为乐耳，君勿多事。"纲遂趋出。及勇废，上召东宫官属切责㉛之，皆惶惧无敢对者。纲独曰："废立大事，今文武大臣皆知其不可而莫肯发言，臣何敢畏死，不一为陛下别白㉜言之乎？太子性本中人㉝，可与为善，可与为恶。向㉞使陛下择正人辅之，足以嗣守㉟鸿基㊱。今乃以唐令则为左庶子，邹文腾为家令，二人唯知以弦歌鹰犬娱悦㊲太子，安得㊳不至于是邪？此乃陛下之过，非太子之罪也。"因伏地流涕呜咽。上惨然㊴良久曰："李纲责㊵我，非为㊶无理，然㊷徒㊸知其一，未知其二。我择汝为宫臣，而勇不亲任，虽更得正人，何益哉？"对曰："臣之[15]所以不被亲任㊹者，良由奸臣[16]在侧故也。陛下但斩令则、文腾，更选贤才以辅太子，安知臣之终见疏弃也？自古国家[17]废立冢嫡㊺，鲜㊻不倾危㊼，愿陛下深留圣思㊽，无贻㊾后悔。"上不悦，罢朝，左右皆为之股栗。会尚书右丞㊿缺，有司请人，上指纲曰："此佳右丞也！"即用之。

太平公史万岁还自大斤山，杨素害其功㉑，言于上曰："突厥本降，初不为寇㉒，来塞上畜牧耳。"遂寝之。万岁数抗表陈状㉓，上未之悟㉔。上废太子，方穷㉕东宫党与。上问万岁所在，万岁实在朝堂，杨素曰："万岁谒东宫矣！"以激怒上。上谓为信然㉖，令召万岁。时所将㉗将士在朝堂称冤者数百人，万岁谓之曰："吾今日为汝极言㉘于上，事当决矣。"既见上，言："将士有功，为朝廷所抑！"词气㉙愤厉。上大怒，令左右搒杀㉚之。既而㉛追之㉜，不及，因下诏陈其罪状，天下共冤惜之。

十一月戊子㉝，立晋王广为皇太子。天下地震，太子请降章服㉞，宫官不称臣。十二月戊午㉟，诏从之。以宇文述为左卫率。始，太子之谋夺宗也，洪州㊱总管郭衍㊲预焉，由是征衍为左监门率㊳。

本已经死了，隋文帝叹息说：“假如裴政、刘行本还活着，杨勇不会到这地步。”

杨勇曾经宴请东宫臣僚，唐令则自弹琵琶，唱《娬媚娘》。太子洗马李纲起身告诉杨勇说：“唐令则身为宫卿，职责是辅导太子，却在大庭广众中把自己当作歌伎，进献靡靡之音，污秽太子的眼耳。这事如果皇上知道了，唐令则的罪责不可预知，难道不会连累殿下吗？臣请求立即惩处他！”杨勇说：“我想取乐而已，你不要多事。”李纲于是快步退出。等到杨勇被废黜，皇上召集东宫官属严厉责备，大家都惊恐慌张，没有人敢说话。只有李纲说：“废立太子是国家大事，现在文武大臣都知道不可以，但不敢出来说话。臣怎么敢怕死，就不对陛下明明白白说一下是非呢？太子是一个中等人才，可以使他为善，也可以使他为恶。从前陛下如果选择正直的人辅导太子，太子足可以继承大隋的伟大基业。如今选用唐令则做太子左庶子，邹文腾做太子家令，这两个人只知道用声色犬马取悦太子，怎能不导致这个下场？这乃是陛下的过错，不是太子之罪。”于是伏在地上痛哭流涕，呜咽不止。隋文帝悲痛了好长时间，才说：“李纲责备我，不是没有道理，但是只知道一面，不知道另一面。我选择你为东宫的臣子，可是杨勇不亲任你，即使我选择了别的正直的人，又有什么用？”李纲回答说：“臣之所以不被太子亲近信任，实在是因为奸臣在太子身边的缘故。陛下只要杀了唐令则、邹文腾，另选贤才辅导太子，怎么知道臣最终会被太子疏远嫌弃呢？自古以来，朝廷废黜嫡长子，很少有不倾覆危亡的，希望陛下深加思考，不要留下悔恨。”隋文帝很不高兴，起身退朝，左右官员都因此而两腿发抖。正巧尚书右丞空缺，主管部门请求人选，隋文帝指着李纲说：“这就是一个好右丞！”立即任命了李纲。

太平公史万岁从大斤山回来后，杨素嫉妒他的功劳，对隋文帝进言说：“突厥已投降，原本没有入侵，前来塞上放牧罢了。”于是把封赏功劳的事搁置下来。史万岁多次直言上表陈述战况，隋文帝都没有醒悟。隋文帝废黜了太子，正穷究东宫党羽。隋文帝问史万岁在什么地方，其实史万岁正在朝堂，杨素却说：“史万岁拜见太子去了！”以此激怒皇上。隋文帝信以为真，传令召见史万岁。当时史万岁所率领的将士在朝堂上声称冤屈的有数百人，史万岁对他们说：“我今天为你们向皇上尽力说明情况，事情会有结果了。”史万岁见到隋文帝说：“将士有功，却被朝廷压抑！”言辞语气激愤严厉。隋文帝大怒，命令左右的人把他拖出去乱棍打死。过了一会儿派人传令停止行刑，没有来得及，便下诏列举史万岁的罪状，天下的人全都觉得他冤枉，惋惜他。

十一月初三日戊子，册立晋王杨广为皇太子。国内地震，太子杨广请求礼服降低等级，东宫官属对太子不以臣自称。十二月初三日戊午，隋文帝下诏同意杨广的请求。任命宇文述为左卫率。当初，杨广阴谋夺取太子地位的时候，洪州总管郭衍参与了此事，因此征召郭衍为左监门率。

帝囚故太子勇于东宫，付太子广掌之。勇自以废非其罪，频请见上申冤，而广遏[339]之不得闻。勇于是升树大叫，声闻帝所，冀得引见。杨素因言勇情志昏乱[340]，为癫鬼[341]所著[342]，不可复收。帝以为然，卒不得见。

【段旨】

以上为第二段，写废立太子前前后后的错综关系。杨勇蒙冤，却也咎由自取。杨广与杨素谋划夺嫡成功，又继续扩大冤案，因而史万岁遭冤杀，隋朝的清平政治开始走下坡路。

【注释】

[273]无节：没有节制；很随便。[274]悦媚：取悦献媚。[275]裴政：字德表，河东闻喜（今山西闻喜）人，历仕梁、周、隋，官至左庶子。传见《隋书》卷六十六、《北史》卷七十七。[276]籍籍：语声喧哗。此指议论纷纷。[277]令名：美名。[278]引退：谓辞职。[279]昵狎：亲昵。狎，亲近而不庄重。[280]内人：妻妾。此指宫中女伎艺人。[281]右庶子：官名，东宫官，掌门下典书坊。[282]刘行本：沛（今江苏沛县）人，历仕后梁、周与隋，官至左庶子。传见《隋书》卷六十二、《北史》卷七十。[283]房帷：又作“帷房”。指妇女居住的内室。[284]刘臻（公元五二七至五九八年）：字宣挚，沛国相（今安徽省淮北市）人。历仕梁、北周及隋，位至仪同三司。传见《隋书》卷七十六、《北史》卷八十三。[285]明克让：字弘道，平原鬲（今山东德州市陵城区）人，历仕后梁、周与隋，官至率更令，封历城县侯。著《孝经》一卷、《古今帝代记》一卷等书。传见《隋书》卷五十八、《北史》卷八十三。[286]陆爽（公元五三九至五九一年）：字开明，魏郡临漳（今河北临漳西南）人。历仕北齐、北周及隋，官至太子洗马。传见《隋书》卷五十八、《北史》卷二十八。[287]正解读书：只知读书，即读死书，什么都不会做。[288]赐汝颜色：赏给你脸面。[289]亵慢：轻慢；不庄重。[290]弄臣：为帝王亲近狎玩之臣。[291]向使：假使。[292]宫臣：东宫里的官吏。[293]《妩媚娘》：乐曲名。[294]洗马：官名，东宫官，隶司经局，掌侍奉及经史图籍。[295]李纲（公元五四七至六三一年）：字文纪，观州蓨（今河北景县）人，历仕周、隋与唐三代，官至太子少师。传见《旧唐书》卷六十二、《新唐书》卷九十九。[296]宫卿：东宫左、右庶子称为宫卿。[297]调护：调理保护，即辅导。[298]广坐：众人会聚的场所。[299]秽：污浊；丑陋。[300]罪在不测：罪名难以预知。谓罪过严重。[301]切责：严词谴责。[302]别白：分辨明白。[303]中人：

隋文帝把前太子杨勇囚禁在东宫，交给太子杨广掌管。杨勇自认为无罪而被废黜，屡次请求见到隋文帝申诉冤屈，但杨广阻拦他，使他的请求不能让皇上知道。杨勇于是爬到树上大声喊叫，使声音传到隋文帝那里，希望能够被召见。杨素便说杨勇神志已经昏乱，被疯鬼附身，治不好了。隋文帝信以为真，始终没有召见杨勇。

平常人。㉚④向：从前；旧时。㉚⑤嗣守：继承和守住。㉚⑥鸿基：帝王事业。鸿，通“洪”。大。㉚⑦娱悦：欢娱以取悦。㉚⑧安得：怎能；怎么能。㉚⑨惨然：悲痛、凄惨的样子。㉛⓪责：诘问；批评。㉛①非为：不是。㉛②然：转折词，但是。㉛③徒：副词。只；仅。㉛④亲任：亲近而信任。㉛⑤冢嫡：嫡长子。冢，大。㉛⑥鲜：少。㉛⑦倾危：倾侧欲倒的样子。㉛⑧圣思：指皇帝的思考。㉛⑨贻：留下；遗留。㉜⓪尚书右丞：官名，与左丞分掌尚书省诸司纠察驳议。㉜①害其功：谓妒忌史万岁的功劳。㉜②为寇：指侵犯边塞。㉜③陈状：陈述状况。㉜④未之悟：指因受杨素欺骗而未明白其情状。㉜⑤穷：穷究；追查到底。㉜⑥谓为信然：以为是这样。信然，诚然、确实。㉜⑦所将：所率领的。㉜⑧极言：尽力陈说。㉜⑨词气：言辞和气色。㉝⓪搕杀：击杀。搕，掷击。㉝①既而：事后很快。㉝②追之：追改成命，免其死刑。㉝③戊子：十一月初三日。㉝④请降章服：古代认为地震是上天对天子的谴告，故太子请求章服降等级，以表示自责。章服，礼服，上有图文作为等级标志。㉝⑤戊午：十二月初三日。㉝⑥洪州：州名，治所南昌县，在今江西南昌。㉝⑦郭衍（？至公元六一一年）：字彦文，太原介休（今山西介休）人，历仕周、隋，官至左武卫大将军。传见《隋书》卷六十一、《北史》卷七十四。㉝⑧左监门率：官名，东宫设左、右监门率，掌监门卫。㉝⑨遏：阻止。㉞⓪情志昏乱：精神错乱。㉞①癫鬼：得狂病而死者。㉞②著：附着。

【校记】

[14]其：原无此字。据章钰校，甲十一行本、乙十一行本、孔天胤本皆有此字，今据补。〖按〗《通鉴纪事本末》卷二五、《通鉴纲目》卷三六下皆有此字。[15]之：原无此字。据章钰校，甲十一行本、乙十一行本、孔天胤本皆有此字，今据补。〖按〗《通鉴纪事本末》卷二五有此字。[16]臣：原作“人”。据章钰校，甲十一行本、乙十一行本、孔天胤本皆作“臣”，今据改。〖按〗《通鉴纪事本末》卷二五作“臣”。[17]国家：原无此二字。据章钰校，甲十一行本、乙十一行本、孔天胤本皆有此二字，张敦仁《通鉴刊本识误》同，今据补。〖按〗《通鉴纪事本末》卷二五有此二字。

【原文】

初，帝之克陈也，天下皆以为将太平，监察御史房彦谦㉝私谓所亲曰："主上忌刻㉞而苛酷，太子卑弱，诸王擅权㉟，天下虽安，方忧危乱。"其子玄龄㊱亦密言于彦谦曰："主上本无功德，以诈取天下，诸子皆骄奢不仁，必自相诛夷㊲，今虽承平㊳，其亡可翘足待㊴。"彦谦，法寿之玄孙㊵也。

玄龄与杜果㊶之兄孙如晦㊷皆预选，吏部侍郎高孝基名知人，见玄龄，叹曰："仆阅人多矣，未见如此郎者，异日必为伟器㊸，恨不见其大成㊹耳。"见如晦，谓曰："君有应变㊺之才，必任栋梁之重。"俱以子孙托之。

帝晚年深信佛道鬼神，辛巳㊻，始诏："有毁盗[18]佛及天尊、岳、镇、海、渎神像㊼者，以不道论。沙门毁佛像，道士毁天尊像者，以恶逆论㊽。"

是岁，征同州刺史蔡王智积㊾入朝。智积，帝之弟子也，性修谨㊿，门无私谒(361)，自奉(362)简素(363)，帝甚怜之。智积有五男，止教读《论语》(364)《孝经》[19]，不令交通宾客。或问其故，智积曰："卿非知我者！"其意盖恐诸子有才能以致祸也。

齐州行参军(365)章武王伽(366)送流囚李参等七十余人诣京师，行至荥阳，哀其辛苦，悉呼谓曰："卿辈自犯国刑(367)，身婴缧绁(368)，固其职也，重劳援卒(369)，岂不愧心哉？"参等辞谢。伽乃悉脱其枷锁，停援卒，与约曰："某日当至京师，如致前却(370)，吾当为汝受死。"遂舍之而去。流人(371)感悦，如期而至，一无离叛。上闻而惊异，召见与语(372)，称善久之。于是悉召流人，令携负妻子俱入，赐宴于殿庭而赦之。因下诏曰："凡在有生(373)，含灵(374)禀性(375)，咸知善恶，并识是非。若临以至诚，明加劝导，则俗必从化(376)，人皆迁善(377)。往以海内(378)乱离，德教废绝，吏无慈爱之心，民怀奸诈之意。朕思遵圣法，以德化民，而伽深识朕意，诚心宣导(379)，参等感悟(380)[20]，自赴宪司(381)，明是率土(382)之人，非为难教。若使官尽王伽之俦(383)，民皆李参之辈，刑厝(384)不用，其何远哉？"乃擢伽为雍(385)令。

太史令袁充表称："隋兴已后，昼日渐长，开皇元年，冬至之景长一丈二尺七寸二分，自尔(386)渐短，至十七年，短于旧三寸七分。日去

【语译】

当初，隋文帝平定陈朝的时候，天下人都认为将要太平了，监察御史房彦谦私下对亲近的人说："皇上猜忌刻薄而又苛严残酷，太子卑微懦弱，诸王专权，天下虽然安定，我正担忧危急祸乱发生。"他的儿子房玄龄也暗中对父亲说："皇上本来没有功德，用欺诈的方法夺取天下，几个儿子都骄纵奢侈没有仁德，一定会自相残杀，现今虽然太平已久，但它的灭亡翘足可待。"房彦谦，是房法寿的玄孙。

房玄龄和杜果的侄孙杜如晦都接受吏部选拔，吏部侍郎高孝基以识人知名，他见了房玄龄，惊叹说："我见过的人很多，还没有见过像这样的年轻人，日后必成大器，遗憾的是我不能亲眼看到他的重大成就。"高孝基见到杜如晦，对他说："你有应变的才干，一定能够担当栋梁的重任。"高孝基把子孙都托付给他们两人。

隋文帝晚年笃好佛法、道教、鬼神，十二月二十六日辛巳，第一次下诏："敢有毁坏、偷盗佛像和道教元始天尊神像，以及五岳、九镇、二海、四渎神像的人，以不道论罪。和尚毁坏佛像、道士毁坏元始天尊像的，以大逆不道论罪。"

这一年，隋文帝征召同州刺吏蔡王杨智积入朝。杨智积，是隋文帝弟弟的儿子，生性谨慎，门口没有来私下请托的人，自己生活简易朴素，隋文帝非常怜爱他。杨智积有五个儿子，只教他们读《论语》《孝经》，不让他们交往宾客。有人问他是什么缘故，杨智积说："你不是了解我的人！"他的用意大概是担心几个儿子有才能会招来祸患吧！

齐州行参军章武人王伽押送被判流放的囚徒李参等七十多人前往京城，走到荥阳，王伽可怜囚犯困苦，便把他们全都叫来说："你们自己犯了国法，身子被绳索捆绑，这本是罪有应得，还要劳累押送的狱卒，心里难道不惭愧吗？"李参等人向王伽谢罪。王伽便把全体囚犯的枷锁解开，把押送的狱卒遣回，与囚犯相约，说："某天你们应当到达京师，如果早到或迟到，我必定替你们受死。"于是放了他们，自己就走了。被流放的人又感动又高兴，都如期到达京师，没有一个人叛逃。隋文帝听到后非常惊异。召见王伽，与他谈话，称赞了好长时间。于是召集全体流放的犯人，让他们带着妻子儿女一起入朝，在殿廷上赐宴，然后赦免了他们。因而下诏书说："凡是有生命的人，都有灵气善性，都知道善恶，明辨是非。如果用诚心对待他们，耐心劝导，那么习俗一定能够顺应教化，人人都会一心向善。从前因为海内战乱，道教废绝，官吏没有慈爱之心，黎民怀有奸诈之念。朕想要遵循古代圣贤的方法，用道德教化民众，而王伽深刻了解朕的心意，诚心宣谕开导，李参等人有所感而觉悟，自动到达执法机关，这表明全天下的人，不是很难教育。如果官吏都是王伽一样的人，黎民都像李参等人，距离刑法搁置不用的时日有什么远的呢？"于是提拔王伽为雍县县令。

太史令袁充上表说："隋朝建立以后，白昼渐渐加长，开皇元年，冬至的日影长一丈二尺七寸二分，从此渐渐缩短，到了开皇十七年，日影比从前缩短三寸七分。

极[387]近则景短而日长，去极远则景长而日短。行内道[388]则去极近，行外道则去极远。谨按《元命包》[389]云[21]：'日月出内道，璇玑[390]得其常。'《京房别对》[391]曰：'太平，日行上道；升平[392]，行次道；霸代[393]，行下道。'伏惟大隋启运[394]，上感乾元[395]，景短日长，振古希有[396]。"上临朝，谓百官曰："景长之庆，天之祐[397]也。今太子新立，当须改元，宜取日长之意以为年号。"是后百工作役，并加程课[398]，以日长故也。丁匠苦之。

【段旨】

以上为第三段，写有识之士已预感到隋朝盛世危机潜伏。隋文帝嘉奖王伽释囚事件，表明隋文帝尚未糊涂昏聩；而太史令袁充上奏，隋文帝又被阿谀的言辞弄昏了头。

【注释】

㉟343 房彦谦：字孝冲，清河（今河北清河西北）人，历仕周、隋，官至监察御史。传见《隋书》卷六十六、《北史》卷三十九。344 忌刻：猜忌刻薄。345 诸王擅权：指秦、晋、蜀三王分别占据一方。346 玄龄：即房玄龄（公元五七九至六四八年），字乔，历仕隋、唐，官至尚书左仆射，封梁国公。唐代名相。传见《旧唐书》卷六十六、《新唐书》卷九十六。347 诛夷：杀戮。夷，削平。348 承平：治平相承。指太平已久。349 翘足待：即翘足可待。一举足的短时间内即可到来。言极短的时间。350 玄孙：曾孙之子。即本身以下第五世。351 杜果：杜如晦父祖世系，旧史记载，多相牴牾，然"杜果"当作"杜杲"为是。详参赵超《新唐书宰相世系表》卷二。352 如晦：杜如晦（公元五八五至六三〇年），字克明，京兆杜陵（今陕西西安市长安区）人，历仕隋、唐，官至尚书右仆射，封蔡国公。唐代名相。传见《旧唐书》卷六十六、《新唐书》卷九十六。353 伟器：大器，指能担当大事的人。354 大成：指学问、事业等大有成就。355 应变：应付事变。356 辛巳：十二月二十六日。357 佛及天尊、岳、镇、海、渎神像：均民间信仰的各种神像。佛，指佛教寺庙中的神像。天尊，道家对所奉最高神仙的尊称。《道经》载，它生于太元之先，禀受自然之气，其体常存不灭。岳，指五岳之神。东岳泰山，西岳华山，南岳衡山，北岳恒山，中岳嵩山。镇，指山神。一方的主山称镇，如扬州其山镇为会稽，荆州其山镇为衡山，豫州其山镇为华山，青州其山镇为沂山等，并就山立祠。海，指海神。东海于会稽县界，

太阳离北极近，则日影短而白昼长。太阳离北极远，则日影长而白昼短。太阳在黄道之北运行则离北极近，在黄道之南运行则离北极远。谨按《元命包》说：‘日月在黄道之北运行，天文仪器观测就正常。’《京房别对》上说：‘太平之世，太阳在黄道之北运行；升平之世，在黄道运行；乱世，在黄道之南运行。’臣想大隋创业，上感苍天，日影短白昼长，自古少有。”隋文帝临朝，对文武百官说：“影短日长的吉庆，是上天福祐。现在太子刚刚册封，应当改年号，应该取白昼增长的意思作为年号。”此后工匠民夫作工，都加大了工作量，因为白昼时间加长了。民间工匠都深受其苦。

南海于南海镇南，并近海立祠。渎，指河神。四渎，指长江、黄河、淮河、济河。㊳以恶逆论：以犯恶逆之罪论处。恶逆，古代刑律十恶大罪之一。指殴打及谋杀祖父母、父母，杀死叔、伯、姑、兄、姐、外祖父母、夫、夫之祖父母、夫之父母等亲属的人。㊴蔡王智积：杨智积（？至公元六一六年），隋文帝弟杨整之子，封蔡王。传见《隋书》卷四十四、《北史》卷七十一。㊵修谨：谨慎。㊶私谒：以私事谒见请托。㊷自奉：对待自己。㊸简素：简易朴素。㊹《论语》：书名，“四书”之一。是孔子弟子及后学关于孔子言行思想的记录。共二十篇。㊺行参军：官名，位在诸曹参军之下，参谋军事。㊻王伽：河间章武（今河北黄骅西北）人，仕隋，官至雍县令。传见《隋书》卷七十三、《北史》卷八十六。㊼国刑：国法。㊽身婴缧绁：身上捆绑着绳索。婴，系、戴。缧绁，拘系犯人的绳索。㊾重劳援卒：深深劳累押送的狱卒。援卒，押送之兵士。援，执、持。㊿前却：或前或后，不能如期到达。却，迟到、后到。(371)流人：被判处流刑的罪犯。(372)与语：指与王伽谈话。(373)有生：有生命者。一般指人。(374)含灵：旧时称人为万物之灵，故称人为含灵。(375)禀性：旧称天所赋予人的品性资质。(376)从化：顺从归化。(377)迁善：改恶从善。(378)海内：四海之内，指国内。(379)宣导：宣谕引导。(380)感悟：有所感而觉悟。悟，醒悟。(381)宪司：司法机关。魏晋以来多是御史的别称。(382)率土：谓境域以内。(383)俦：同辈；伴侣。(384)刑厝：刑法搁置而不用。厝，通“措”，安置。(385)雍：县名，县治在今陕西宝鸡市凤翔区。(386)自尔：从此。(387)极：顶点；最高限度。指北极。(388)内道：地球围绕太阳运行的路线，天文学称为黄道。(389)《元命包》：纬书，即《春秋元命包》。(390)璇玑：古代以玉作装饰的天体观测仪器。璇，美玉。(391)《京房别对》：书名，京房为西汉元帝时人，精通五行灾异说，曾以灾异之变对答元帝。详见《汉书》卷七十五。(392)升平：太平。(393)霸代：称霸时代。代，世。(394)启运：创业；开创帝业。(395)乾元：指天。《易经·乾卦》：“大哉乾元。”(396)振古希有：自古少有。振，自。(397)祐：也作“佑”。指神明的祐助。(398)程课：工作量。

【校记】

［18］盗：原无此字。据章钰校，甲十一行本、乙十一行本、孔天胤本皆有此字，今据补。〖按〗《北史·高祖文帝纪》有此字。［19］孝经：原无此二字。据章钰校，甲十一

【原文】

仁寿元年（辛酉，公元六〇一年）

春，正月乙酉朔[399]，赦天下，改元[400]。

以尚书右仆射杨素为左仆射，纳言苏威为右仆射。

丁酉[401]，徙河南王昭[402]为晋王。

突厥步迦可汗犯塞，败代州[403]总管韩弘[404]于恒安[405]。

以晋王昭为内史令。

二月乙卯朔[406]，日有食之。

夏，五月己丑[407]，突厥男女九万口来降。

六月乙卯[408]，遣十六使巡省[409]风俗。

乙丑[410]，诏以天下学校生徒[411]多而不精，唯简留国子学[412]生七十人，太学[413]、四门[414]及州县学[415]并废。前[22]殿内将军[416]河间刘炫[417]上表切谏，不听。秋，七月戊戌[418][23]，改国子学为太学。

初，帝受周禅，恐民心未服，故多称符瑞以耀之，其伪造而献者，不可胜计。冬，十一月己丑[419]，有事于南郊，如封禅礼，版文[420]备述[421]前后符瑞以报谢云。

山獠[422]作乱，以卫尉少卿[423]洛阳卫文昇[424]为资州[425]刺史镇抚之。文昇名玄，以字行。初到官，獠方攻大牢镇[426]，文昇单骑造[427]其营，谓曰："我是刺史，衔天子诏[428]，安养汝等，勿惊惧也！"群獠莫敢动。于是说以利害，渠帅[429]感悦，解兵而去，前后归附者十余万口。帝大悦，赐缣二千匹。壬辰[430]，以文昇为遂州[431]总管。

潮、成[432]等五州獠反，高州酋长冯盎驰诣京师，请讨之。帝敕杨

行本、乙十一行本、孔天胤本皆有此二字，张敦仁《通鉴刊本识误》、张瑛《通鉴校勘记》同，今据补。[20]悟：原作“寤”。据章钰校，甲十一行本、乙十一行本、孔天胤本皆作“悟”，今据改。[21]云：原作“曰”。据章钰校，甲十一行本、乙十一行本皆作“云”，今据改。〖按〗《隋书·袁充传》《北史·袁充传》皆作“云”。

【语译】

仁寿元年（辛酉，公元六〇一年）

春，正月初一日乙酉，大赦天下，改换年号。

隋文帝任命尚书右仆射杨素为左仆射，纳言苏威为右仆射。

十三日丁酉，徙封河南王杨昭为晋王。

突厥步迦可汗侵犯边塞，在恒安郡打败代州总管韩弘。

隋文帝任命晋王杨昭为内史令。

二月初一日乙卯，发生日食。

夏，五月初七日己丑，突厥男女九万人前来归附。

六月初三日乙卯，隋文帝派出十六位使者巡察各地风俗。

六月十三日乙丑，颁布诏令，因为全国各级学校生员很多，而学业不精，只挑选七十名学生留在国子学，太学、四门学以及州学、县学全都停办。前殿内将军河间人刘炫上表恳切地谏阻，隋文帝没有听从。秋，七月十七日戊戌，把国子学改为太学。

当初，文帝接受周朝禅让，怕民心不服，因此就多次声称有符瑞来炫耀，假造符瑞征兆以进献的人不计其数。冬，十一月初九日己丑，隋文帝到京师南郊祭天，跟封禅大典一样，把祭文刻在木板上，详细叙述前前后后的符瑞，以此来报谢上天。

居住在山中的獠人造反，朝廷任命卫尉少卿洛阳人卫文昇为资州刺史镇抚他们。卫文昇名玄，以字号行于世。他刚到职时，獠人正在攻打大牢镇，他单枪匹马前往獠人军营，对獠人说：“我是刺史，奉天子诏命，安抚保护你们，不要惊恐！”獠人不敢乱动。于是卫文昇用利害关系劝说他们，獠人首领又感动又高兴，撤兵而去，前后归附的有十多万人。隋文帝大为高兴，赏赐卫文昇绢帛二千匹。十一月十二日壬辰，任命卫文昇为遂州总管。

潮州、成州等五州的獠人造反，高州酋长冯盎奔赴京师，请求朝廷派兵征讨。

素与蛊论贼形势，素叹曰："不意[433]蛮夷中有如是[434]人！"即遣蛊发江、岭[435]兵击之。事平，除蛊汉阳[436]太守[437]。

诏以杨素为云州道[438]行军元帅，长孙晟为受降使者[439]，挟[440]启民可汗北击步迦[441]。

【段旨】

以上为第四段，写隋文帝仁寿元年（公元六〇一年）裁减学校，边患再起。

【注释】

⑲乙酉朔：正月初一日。朔，初一。⑳改元：由开皇二十一年改为仁寿元年。㉑丁酉：正月十三日。㉒河南王昭：即隋炀帝长子杨昭（？至公元六〇六年），初封河南王，炀帝即位，被立为皇太子，不久病死。传见《隋书》卷五十九、《北史》卷七十一。㉓代州：州名，治所雁门县，在今山西代县。㉔韩弘（公元五四八至六一〇年）：字叔明，河南东垣（今河南新安）人，韩擒虎之弟，历仕周、隋，官至陇西太守。传附《隋书·韩擒虎传》《北史·韩雄传》。〖按〗《隋书》本传"弘"作"洪"，《北史》同。此避宋讳改。㉕恒安：镇名，故址在今山西大同东北。㉖乙卯朔：二月初一日。㉗己丑：五月初七日。㉘乙卯：六月初三日。㉙巡省：巡视；视察。㉚乙丑：六月十三日。㉛生徒：学生。㉜国子学：古代教育管理机关，亦为最高学府。㉝太学：古学校名，即国学。仅次于国子学的高级学府。㉞四门：指四门学，于京城四门设立的学校，故称四门学。㉟州县学：在州、县所设立的地方学校。㊱殿内将军：武官名，即殿中将军，隋避讳所改。属左、右卫，掌禁卫。㊲刘炫：字光伯，河间景城（今河北沧州景城村）人，历仕周、隋，官至殿中将军。著《论语述议》十卷、《春秋攻昧》十卷、《尚书述议》二十卷等。传见《隋书》卷七十五、《北史》卷八十二。㊳戊戌：七月十七日。㊴己丑：十一月初九日。㊵版文：书版为文。版，牍，即用以写字的简。㊶备述：详细叙述。㊷山獠：指

【原文】

二年（壬戌，公元六〇二年）

春，三月己亥[442]，上幸仁寿宫。

突厥思力俟斤[443]等南渡河[444]，掠启民男女六千口、杂畜二十余万而

隋文帝敕令杨素和冯盎讨论这一情况，杨素叹息说："没想到蛮夷中有这样忠心的人！"随即派遣冯盎征调江南、岭南的军队攻打獠人。乱事平定后，任命冯盎为汉阳太守。

隋文帝下诏任命杨素为云州道行军元帅，长孙晟为受降使者，带领启民可汗北上攻打步迦可汗。

生活在山区里的仡佬族。"獠"为蔑称。㊼㉓卫尉少卿：官名，卫尉寺副长官，监门卫掌宫门屯兵。㊼㉔卫文昇（公元五四一至六一七年）：名玄，字文昇，河南洛阳（今河南洛阳）人，历仕周、隋，官至刑部尚书。传见《隋书》卷六十三、《北史》卷七十六。㊼㉕资州：州名，治所磐石县，在今四川资中北。㊼㉖大牢镇：地名，故址在今四川荣县。㊼㉗造：到；去。指登门访问。㊼㉘衔天子诏：奉行天子诏命。衔，领受。㊼㉙渠帅：首领。渠，大。㊽㉚壬辰：十一月十二日。㊽㉛遂州：州名，治所方义县，在今四川遂宁。㊽㉜潮、成：两州名。潮州，治所海阳县，在今广东潮州市潮安区。成州，治所梁信县，在今广东封开东南。㊽㉝不意：没想到。㊽㉞如是：如此。是，此。㊽㉟江、岭：江指江南，岭指岭南。㊽㊱汉阳：郡名，治所上禄县，在今甘肃礼县南。㊽㊲太守：官名，郡中长官，掌管一郡政事。〖按〗冯盎不当出任在今甘肃的职务，疑是遥领的虚衔。㊽㊳云州道：云州，州名，治所大利县，在今内蒙古和林格尔西北。道，是一种行军路线，对外作战时，大抵按行军方位、作战地点命名，长官为某某道行军总管或元帅。㊽㊴受降使者：使者名，掌管接受对方投降事宜。㊽㊵挟：携带；带领。㊽㊶步迦：即步迦可汗，突厥都蓝可汗死，达头可汗自立为步迦可汗。

【校记】

［22］前：原无此字。据章钰校，甲十一行本、乙十一行本、孔天胤本皆有此字，张敦仁《通鉴刊本识误》同，今据补。［23］戊戌：原无此二字。据章钰校，甲十一行本、乙十一行本、孔天胤本皆有此二字，张敦仁《通鉴刊本识误》、张瑛《通鉴校勘记》同，今据补。〖按〗《隋书·高祖纪下》《北史·高祖文帝纪下》皆有此二字。

【语译】

二年（壬戌，公元六〇二年）

春，三月二十一日己亥，隋文帝临幸仁寿宫。

突厥思力俟斤等人南渡黄河，掳掠启民部落男女六千人、各种牲畜二十多万头

去。杨素帅诸军追击，转战六十余里，大破之。突厥北走，素复进追，夜，及之㊺，恐其越逸㊻，令其骑稍后，亲引两骑并降突厥二人与虏并行，虏不之觉。候㊼其顿舍㊽未定，趣㊾后骑掩击，大破之，悉得人畜以归启民。自是突厥远遁㊿，碛南无复寇抄(451)。素以功进子玄感爵柱国，赐玄纵爵淮南公。

兵部尚书柳述(452)，庆之孙也，尚兰陵公主(453)，怙宠(454)使气，自杨素之属(455)皆下之。帝问符玺直长(456)万年韦云起(457)："外间有不便事，可言之。"述时侍侧，云起奏曰："柳述骄豪(458)，未尝经事，兵机要重，非其所堪，徒以主婿(459)，遂居要职。臣恐物议(460)以陛下为[24]'官不择贤，专私所爱'，斯亦不便之大者。"帝甚然(461)其言，顾谓述曰："云起之言，汝药石(462)也，可师友之。"秋，七月丙戌(463)，诏内外官各举所知。柳述举云起，除通事舍人(464)。

益州总管蜀王秀，容貌瑰伟(465)，有胆气(466)，好武艺。帝每谓独孤后曰："秀必以恶终(467)，我在当无虑，至兄弟，必反矣。"大将军刘哙之讨西爨(468)也，帝令上开府仪同三司杨武通(469)将兵继进。秀以嬖人万智光为武通行军司马(470)。帝以秀任非其人(471)，谴责之，因谓群臣曰："坏我法者，子孙也。譬如猛虎，物不能害，反为毛间虫(472)所损食(473)耳。"遂分秀所统。

自长史元岩卒后，秀渐奢僭(474)，造浑天仪(475)，多捕山獠充宦者，车马被服，拟于乘舆(476)。

及太子勇以谗废(477)，晋王广为太子，秀意甚不平。太子恐秀终为后患，阴令杨素求其罪而谮之。上遂征秀(478)，秀犹豫，欲谢病不行(479)。总管司马源师(480)谏，秀作色曰："此自我家事，何预卿也？"师垂涕对曰："师忝参(481)府幕(482)，敢不尽忠？圣上有敕追王(483)，以淹(484)时月，今乃迁延(485)未去。百姓不识王心，傥生异议，内外疑骇，发雷霆(486)之诏，降一介(487)之使，王何以自明？愿王熟计之！"朝廷恐秀生变，戊子(488)，以原州总管独孤楷(489)为益州总管，驰传(490)代之。楷至，秀犹未肯行，楷讽谕(491)久之，乃就路。楷察秀有悔色，因勒兵(492)为备。秀行

而后离去。杨素率领各路大军追击，转战六十多里，大败思力俟斤。突厥人向北逃跑，杨素又进军追击，夜里，追上了突厥兵。杨素怕敌人四散逃跑，便命令他的骑兵稍稍拉开与前面敌人的距离，自己亲率两名骑兵和两名投降的突厥人与敌军一起行进，敌人没有发觉。等到敌人停下，住宿还没有安顿下来，急令后面的骑兵突然袭击，把突厥兵打得大败，将得到的全部被俘的人口与牲畜归还启民可汗。从此突厥人远远逃离，大漠南边再没有突厥人抄掠。杨素因为这次战功，他的儿子杨玄感被进爵柱国，杨玄纵被赐爵淮南公。

兵部尚书柳述，是柳庆的孙子，娶隋文帝第五女兰陵公主，他仗恃皇帝宠爱，任性霸道，连杨素他们都屈居其下。隋文帝问符玺直长万年人韦云起："宫外有不便说的事，你可以说一说。"柳述当时陪坐在旁边，韦云起奏说："柳述骄横放纵，没办过大事，兵机重事，他担当不起，只因是皇上的女婿，于是担任了要职，臣担心舆论会认为陛下'用人不择贤，专门偏心所爱的人'，这是最不便说的事。"隋文帝非常赞同韦云起的话，回头对柳述说："韦云起说的话，是你治病的良药，你应当把他当作你的良师益友。"秋，七月初十日丙戌，隋文帝下诏让朝内朝外的官员推荐自己了解的贤才，柳述荐举韦云起，隋文帝任命韦云起为通事舍人。

益州总管蜀王杨秀，容貌魁伟，有胆量有勇气，爱好练武。隋文帝常常对独孤皇后说："杨秀一定以恶终其身，我在世的时候当然不必担心，等到他们兄弟当政时，杨秀肯定要反叛。"大将军刘哙讨伐西爨时，隋文帝命令上开府仪同三司杨武通率领军队随后跟进。杨秀派他的宠信弄臣万智光担任杨武通的行军司马，隋文帝认为杨秀任用的人不合适，就责备他，并对群臣说："破坏我的法度的，是我的子孙。这好比猛虎，它不会被别的动物所伤，反倒被它自身皮毛间的小虫子所损害。"于是减少了杨秀统领的军队数量。

自从长史元岩去世后，杨秀逐渐奢侈违规，制造天子用的浑天仪，又捕捉了很多的山居獠人充当宦官，车马服饰，仿照皇上的仪仗。

等到太子杨勇因为谗言而被废黜，晋王杨广做了太子，杨秀心里很不平。太子杨广担心杨秀最终成为后患，暗中让杨素找他的过错谗害杨秀。隋文帝便征召杨秀入朝，杨秀迟疑不决，想假托有病不启程。总管司马源师进谏，杨秀板着脸说："这是我的家事，与你有什么相干？"源师流着眼泪回答说："源师忝列王府幕僚，怎敢不尽忠心？圣上有敕令催促大王，已经滞留很长时间了，如今还在拖延不动身。百姓不了解大王的心意，如果产生非议，朝廷内外猜疑震惊，皇上颁下震怒的诏书，再派出一个使臣来，大王将怎么解释清楚呢？希望大王深思熟虑！"朝廷担心杨秀发生变故，七月十二日戊子，隋文帝任命原州总管独孤楷为益州总管，乘驿站车马快速去接替杨秀。独孤楷到了益州，杨秀仍不愿意启程，独孤楷劝说了很长时间，杨秀才上了路。独孤楷观察杨秀启程后又有后悔之意，便部署军队，做了防备。杨秀走

四十余里，将还袭楷，觇知有备，乃止。

八月甲子[493]，皇后独孤氏崩。太子对上及宫人哀恸绝气[494]，若不胜丧者，其处私室，饮食言笑如平常。又，每朝令进二溢[495]米，而私令外[25]取肥肉脯鲊[496]，置竹筩[497]中，以蜡闭口，衣襆[498]裹而纳之。

著作郎[499]王劭上言："佛说：'人应生天上及生无量寿国之时，天佛放大光明，以香花妓乐[500]来迎。'伏惟大行皇后[501]福善祯符，备诸秘记[502]，皆云是妙善菩萨[503]。臣谨按八月二十二日，仁寿宫内再雨金银花[504]。二十三日，大宝殿[505]后夜有神光。二十四日卯时[506]，永安宫[507]北有自然种种音乐，震满虚空。至夜五更[508]，奄然[509]如寐，遂即升遐[510]，与经文所说，事皆符验。"上览之悲喜。

九月丙戌[511]，上至自仁寿宫。

冬，十月癸丑[512]，以工部尚书杨达[513]为纳言。达，雄之弟也。

闰月甲申[514]，诏杨素、苏威与吏部尚书牛弘等脩定五礼[515]。

上令上仪同三司萧吉[516]为皇后择葬地，得吉处[517]，云："卜年二千，卜世二百。"上曰："吉凶由人，不在于地。高纬[518]葬父，岂不卜乎？俄而国亡。正如我家墓田，若云不吉，朕不当为天子；若云不凶，我弟不当战没[519]。"然竟从吉言。吉退，告族人萧平仲曰："皇太子遣宇文左率[520]深谢余云：'公前称我当为太子，竟有其验，终不忘也。今卜山陵[521]，务令我早立。我立之后，当以富贵相报。'吾语之曰[26]：'后四载，太子御天下[522]。'若太子得政，隋其亡乎？吾前绐云'卜年二千'者，三十字也；'卜世二百'者，取世二传也。汝其识[523]之！"

壬寅[524]，葬献皇后[525][27]于太陵。诏以"杨素经营葬事，勤求吉地，论素此心，事极诚孝，岂与夫平戎定寇[526]比其功业？可别封[527]一子义康公，邑[528]万户。"并赐田三十顷，绢万段，米万石，金珠绫锦称是。

蜀王秀至长安，上见之，不与语，明日，使使[529]切让[530]之。秀谢罪，太子诸王流涕庭谢[531]。上曰："顷者秦王糜费[532]财物，我以父道[533]训之。今秀蠹害生民，当以君道[534]绳[535]之。"于是付执法者。开府仪同三司庆整谏曰："庶人勇[536]既废，秦王已薨，陛下见子[537]无多，何至如

了四十多里，打算返回袭击独孤楷，侦察得知他已有了防备，这才停止。

八月十九日甲子，独孤皇后逝世。太子杨广当着皇上和宫女宦官的面悲痛欲绝，仿佛承受不了丧事一样，可是住到自己房中，吃喝谈笑和平时一样。又，杨广每天早上使人只送进房中两溢米，而暗中却命人从外边把肥肉、干肉、腌鱼等，放在竹筒里，用蜡封口，用巾帕裹着送进房中。

著作郎王劭上奏说："佛经说：'人的灵魂应当升天和进入极乐世界时，天上的佛会大放光明，使用香花和女子乐舞来迎接。'臣私下认为，大行皇后的福缘善果、祯祥符瑞，在各种秘籍里都有记载，都说是妙善菩萨。臣谨慎考虑，八月二十二日，仁寿宫内再次从天上降下金银花。二十三日，大宝殿后面夜晚出现神光。二十四日卯时，永安宫北面出现各种天乐，响彻空中。到了夜晚五更，忽然如入梦境，皇后随即升天，与佛家经文所说的，事事全都符合验证。"皇上看了奏章悲喜交加。

九月十一日丙戌，皇上从仁寿宫回到京师。

冬，十月初九日癸丑，任命工部尚书杨达为纳言。杨达，是杨雄的弟弟。

闰十月初十日甲申，诏令杨素、苏威和吏部尚书牛弘等修订五礼。

隋文帝命令上仪同三司萧吉替独孤皇后选择葬地，选得一处吉地，上奏说："占卜年代，隋朝可享年两千岁；占卜世代，皇家可传二百代。"隋文帝说："吉凶由人，不在于地。高纬埋葬父亲，难道没有占卜选择葬地吗？不久国家就灭亡了。正如我家的墓地，如果说不吉利，朕就不该为天子；如果说不凶险，我弟弟就不该战死。"然而隋文帝最终还是听从了萧吉的意见。萧吉退出，告诉族人萧平仲说："皇太子派左卫率宇文述深深感谢我说：'你以前说我当为太子，竟然应验了，我终究不会忘记的。现今占卜选择皇后葬地，务必让我早日即位，我即位之后，一定用富贵报答你。'我告诉他说：'四年以后，太子要统治天下。'如果太子当政，隋朝恐怕就要灭亡了吧？我先前骗他说'占卜年代，隋朝可享两千年'，其实是'三十'两个字；'占卜世代，皇家可传二百世'，是取能传二世的意思。你记住这件事！"

闰十月二十八日壬寅，在太陵安葬了献皇后。隋文帝下诏，因为"杨素办理丧事，辛苦寻找吉地，他的这份心意至诚至孝，那平定夷狄寇贼的功劳怎能与此相比？可另外封一个儿子为义康公，食邑一万户。"并赏赐田地三十顷、绢一万段、米一万石，另外还有与这价值相当的金珠绫锦等物品。

蜀王杨秀到达长安，隋文帝见了他，不和他说话，第二天，派使者严厉谴责他。杨秀谢罪认错，太子和几个王也在殿庭上流泪赔罪。隋文帝说："不久前秦王浪费财物，我以做父亲的原则教训他。现在杨秀残害百姓，应当以为君之道制裁他。"于是把他交给执法官吏。开府仪同三司庆整进谏说："庶人杨勇已经废黜，秦王杨俊也死了，陛下现有的儿子不多，何必要这样处置？蜀王生性很正直，现今受到严厉责罚，

是？蜀王性甚耿介[538]，今被重责，恐不自全。”上大怒，欲断其舌，因谓群臣曰：“当斩秀于市[539]以谢百姓。”乃令杨素等推治[540]之。

太子阴作偶人[541]，缚[542]手钉心，枷锁杻械[543]，书上及汉王姓名，仍云“请西岳[544]慈父圣母神兵[28]收杨坚、杨谅神魂，如此形状[545]，勿令散荡[546]。”密埋之华山下，杨素发之。又云秀妄述图谶，称京师妖异，造蜀地征祥[547]，并作檄文[548]，云指期问罪，置秀集[549]中，俱以闻奏。上曰：“天下宁有是邪？”十二月癸巳[550]，废秀为庶人，幽之[551]内侍省[552]，不听与妻子相见，唯给[29]獠婢二人驱使[553]，连坐[554]者百余人。秀上表摧[555]谢，且[30]曰：“伏愿慈恩，赐垂矜愍[556]，残息[557]未尽之间，希与瓜子[558]相见。请赐一穴，令骸骨有所。”瓜子，其爱子也。上因下诏数其十罪，且曰：“我今[31]不知杨坚、杨谅是汝何亲？”后乃听与其子同处。

初，杨素尝以少谴[559]敕送南台[560]，命治书侍御史[561]柳彧治之。素恃贵，坐彧床。彧从外来见之[32]，于阶下端笏整容[562]谓素曰：“奉敕治公之罪！”素遽下。彧据案而坐，立素于庭，辨诘事状[563]。素由是衔之。蜀王秀尝从彧求李文博[564]所撰《治道集》，彧与之，秀遗彧奴婢十口。及秀得罪，素奏彧以内臣交通诸侯[565]，除名为民，配戍[566]怀远镇[567]。

帝使司农卿[568]赵仲卿往益州穷按秀事，秀之宾客经过之处，仲卿必深文[569]致法，州县长吏坐者太半[570]。上以为能，赏赐甚厚。

久之，贝州[571]长史裴肃[572]遣使上书，称：“高颎以天挺[573]良才，元勋[574]佐命，为众所疾，以至废弃。愿陛下录其大功，忘其小过。又二庶人[575]得罪已久，宁无革心[576]？愿陛下弘[577]君父之慈，顾天性之义，各封小国，观其所为：若能迁善，渐更增益；如或不悛[578]，贬削[579]非晚。今者自新之路永绝，愧悔之心莫见，岂不哀哉？”书奏，上谓杨素曰：“裴肃忧我家事，此亦至诚[580]也。”于是征肃入朝。太子闻之，谓左庶子张衡曰：“使勇自新，欲何为也？”衡曰：“观肃之意，欲令如吴太伯、汉东海王[581]耳。”肃至，上面谕以勇不可复收之意而罢遣之。肃，侠之子也。

杨素弟约及从父文思[582]、文纪[583]、族父忌[584]并为尚书、列卿[585]，诸子无汗马之劳，位至柱国、刺史。广营资产，自京师及诸方都会[586]处，

恐怕不会保全自己。”隋文帝大怒，要割掉庆整的舌头，便对群臣说：“应当把杨秀在闹市斩首，以向百姓谢罪。”于是命令杨素等人审查治罪。

太子杨广暗中制作木偶人，用绳子绑了双手，用铁钉钉在心上，再加上枷锁和脚镣手铐，写上皇上杨坚和汉王杨谅的姓名，还写上“请求西岳慈父圣母派神兵收杨坚、杨谅的魂魄，就像这个样子，不要让他们四处游荡。”秘密埋在华山脚下，由杨素把它挖出来。又指控杨秀胆大妄为，引述图谶，声称京师有妖怪，捏造蜀地有吉祥征兆，还制作了檄文，说到时追究罪责，把这篇檄文收进杨秀的文集中，全部上奏皇上。隋文帝说：“天下难道有这样的事？”十二月二十日癸巳，废黜杨秀为庶人，囚禁在内侍省，不让他与妻子儿子相见，只派两个獠人婢女供驱使，株连判罪的有一百多人。杨秀呈上奏表，悲伤哀痛地谢罪，并说：“恳求陛下慈悲施恩，赐下怜悯，在我苟延残喘之时，希望和瓜子相见。请求赐一个墓穴，让尸骨有一个处所。”瓜子是杨秀的爱子。隋文帝于是下诏书列举杨秀十条罪状，并说：“我现在不知道杨坚、杨谅是你的什么亲人。”后来才让杨秀和他的儿子住在一起。

当初，杨素曾因小过错被敕令送到御史台，命治书侍御史柳彧治罪。杨素倚仗贵宠，坐在柳彧床上。柳彧从外面进来看到杨素这样，在台阶下端持笏板，整理衣饰，对杨素说：“奉皇上敕令治你的罪！”杨素立即下床。柳彧坐在文案后面，让杨素站在厅堂上，查问案情。杨素从此怀恨在心。蜀王杨秀曾经向柳彧索要李文博所撰的《治道集》，柳彧给了杨秀，杨秀送给柳彧十个奴婢。等到杨秀获罪，杨素奏告柳彧身为朝内大臣交通诸侯，柳彧被罢官除名，贬为平民，发配到怀远镇戍边。

隋文帝派司农卿赵仲卿前往益州追查杨秀犯罪事实，凡是杨秀的宾客所到之处、所往来的人，赵仲卿一定苛刻地曲解法律条文陷人于罪，州县长吏受牵连获罪的有一大半。隋文帝认为赵仲卿能干，赏赐很丰厚。

过了很久，贝州长史裴肃派遣使者上书，说：“高颎以天生的优异才能，成为开国元勋，遭到众人的嫉妒，以至于被免官除名。希望陛下念他的大功，忘记他的小过。另外，杨勇、杨秀两人获罪已经很久了，怎么会没有悔过自新？希望陛下发扬君父的慈爱，念及父子的情义，各封他们一个小国，观察他们的作为：如果能够改过向善，就逐渐增加封邑；如果仍不悔改，再贬黜削夺也不迟。如今是改过自新之路永远断绝，他们惭愧悔恨的心意没法表现，岂不令人悲哀？”上书奏报后，隋文帝对杨素说：“裴肃忧虑朕的家事，这也是至诚之心。”于是征召裴肃入朝。太子杨广听到消息，对左庶子张衡说：“让杨勇自新，想干什么？”张衡说：“看来裴肃的意思，是想让杨勇做周时的吴太伯、汉代的东海王罢了。”裴肃到了京师，隋文帝当面把杨勇不可能再做太子的原因告诉裴肃，然后打发他回去。裴肃，是裴侠的儿子。

杨素的弟弟杨约和叔父杨文思、杨文纪以及族叔杨忌都担任尚书、列卿，他们的儿子没有汗马之劳，官位却达到柱国、刺史。杨家大肆经营家产，从京城到地方

邸店[587]、碾硙[588]、便利田宅，不可胜数。家僮千数，后庭妓妾曳绮罗者以数千[33]。第宅华侈，制拟宫禁[589]。亲故吏[590]布列清显[591]。既废一太子及一王，威权愈盛。朝臣有违忤[592]者，或至诛夷，有附会及亲戚，虽无才用，必加进擢[593]。朝廷靡然[594]，莫不畏附。敢与素抗而不桡[595]者，独柳彧及尚书右丞李纲、大理卿梁毗[596]而已。

始，毗为西宁州[597]刺史，凡十一年，蛮夷酋长皆以金多者为豪隽[598]，递相[599]攻夺，略无宁岁，毗患之。后因诸酋长相帅[600]以金遗毗，毗置金坐侧，对之恸哭，而谓之曰："此物饥不可食，寒不可衣，汝等以此相灭，不可胜数，今将此来，欲杀我邪?"一无所纳[601]。于是蛮夷感悟，遂不相攻击。上闻而善之，征为大理卿，处法平允[602]。

毗见杨素专权，恐为国患[603]，乃上封事[604]曰："臣闻臣无有作威作福，其害于而家，凶于而国。窃见左仆射越国公素，幸遇[605]愈重，权势日隆，搢绅[606]之徒，属其视听[607]。忤意[34]者严霜夏零[608]，阿旨[609]者膏[35]雨冬澍[610]。荣枯由其唇吻[611]，废兴候其指麾。所私皆非忠谠[612]，所进咸是亲戚，子弟布列，兼州连县[613]。天下无事，容息异图[614]，四海有虞[615]，必为祸始。夫奸臣擅命[616]，有渐[617]而来，王莽[618]资之于积年，桓玄[619]基之于易世[620]，而卒殄汉祀[621]，终倾晋祚[622]。陛下若以素为阿衡[623]，臣恐其心未必伊尹也。伏愿揆鉴[624]古今，量为处置，俾洪基永固，率土幸甚!"书奏，上大怒，收毗系狱[625]，亲诘之。毗极言："素擅宠弄权[626]，将领之处，杀戮无道[627]。又太子及[36]蜀王罪废之日，百僚无不震竦[628]，唯素扬眉奋肘[629]，喜见容色，利国家有事以为身幸[630]。"上无以屈，乃释之。

其后上亦寖疏忌素，乃下敕曰："仆射，国之宰辅[631]，不可躬亲[632]细务，但三五日一向省，评论大事。"外示优崇[633]，实夺之权也。素由是终仁寿之末，不复通判[634]省事。出杨约为伊州[635]刺史。素既被疏，吏部尚书柳述益用事，摄兵部尚书，参掌机密[636]，素由是恶之。

太子问于贺若弼曰："杨素、韩擒虎、史万岁皆称良将，其优劣何

各大都会，客店、磨坊、上等的田产和宅第不计其数。家奴几千个，庭院穿着拖地的绫罗绸缎的歌伎姬妾也有几千人。宅第豪华奢侈，规模规制可以和皇宫相比。亲戚和旧属都安置高官显位。当皇室废黜了一个太子和一个王以后，杨素家族的声威权势更加显赫。朝廷大臣敢冒犯杨素的，有的被杀头，甚至灭族，攀附杨素以及沾亲带故的人，即使没有才干，也一定得到升迁提拔。朝廷官随风一边倒，没人不畏惧他、依附他。敢与杨素对抗不屈服的人，只有侍御史柳彧、尚书右丞李纲、大理卿梁毗而已。

当初，梁毗担任西宁州刺史，共有十一年，当地的蛮夷酋长都以金子多的人为英雄豪杰，因此他们总是互相攻击掠夺，简直没有安宁的日子，梁毗深感忧虑。后来，梁毗借各酋长都给自己送金子的机会，把金子放在座位旁边，对着金子痛哭，并对送金子的豪酋们说："这东西饥饿的时候不能吃，寒冷的时候不能穿，你们为了它互相残杀，死了无数的人，现在又拿这种东西来，是想害死我吗？"他一点金子也不收。于是蛮夷都受到感化而醒悟，从此不再互相残杀。隋文帝听说此事后十分称赞，征召梁毗为大理卿，他执法公平允当。

梁毗见杨素专权，担心他成为国家的祸患，于是呈上一封密奏说："臣听说人臣不可以作威作福，那样将会伤害家庭，毁灭国家。臣私下看到尚书左仆射越国公杨素，所受到的宠幸恩遇越来越重，权势一天比一天隆盛，在朝做官的人，全都听他指挥。冒犯他的，夏天也遭寒霜，迎合旨意的，冬季也降霖雨。是荣华富贵还是身败名裂，全凭他口中一句话，飞黄腾达还是罢黜杀戮，就等他一挥手。他所宠爱的都不是忠诚正直的人士，他所荐举提拔的人全是他的亲戚，子弟遍布全国，连州跨县。天下太平无事，他们或许停止反叛的图谋，天下有了可忧之事，他们必定成为祸乱之根源。奸臣专擅权力是逐渐形成的，王莽凭借多年的积累，桓玄依据两代的基业，最终灭掉了西汉王朝，倾覆了晋朝皇位。陛下假若以杨素为辅佐，臣恐怕他的心未必能像伊尹。臣恳求陛下借鉴古今，酌情处置，使王朝大业永远稳固，那样天下百姓就万幸了！"密奏呈上，隋文帝大怒，把梁毗抓起来关进监狱，亲自审问他。梁毗极力陈言："杨素依恃宠信，专擅用权，他率兵所到之处，屠杀平民，残酷无道。此外太子和蜀王获罪被废的时候，百官无不震惊恐惧，只有杨素扬眉奋髯，喜形于色，把朝廷的灾难当作自己的幸事。"隋文帝没有办法使梁毗屈服，便释放了他。

此后，隋文帝也逐渐疏远猜忌杨素，便下敕令说："尚书仆射，是国家的宰辅，不可以亲自处理一些细事，只需三五天到一次尚书省，处理大事。"表面上显示对杨素优礼尊崇，实际上是剥夺他的权力。杨素因此直到仁寿末年，都不再掌理尚书省政事。隋文帝还外放杨约为伊州刺史。杨素被疏远之后，吏部尚书柳述愈益主政，他兼任兵部尚书，参与决策国家大事，杨素因此厌恶他。

太子询问贺若弼说："杨素、韩擒虎、史万岁都被称为良将，他们的优劣如何？"

如？”弼曰：“杨素猛将，非谋将[637]；韩擒虎斗将，非领将[638]；史万岁骑将[639]，非大将[640]。”太子曰：“然则大将谁也？”弼拜曰：“唯殿下所择！”弼意自许[641]也。

交州[642]俚[643]帅李佛子作乱，据越王故城[644]，遣其兄子大权据龙编城[645]，其别帅李普鼎据乌延城[646]。杨素荐瓜州[647]刺史长安刘方[648]有将帅之略，诏以方为交州道行军总管，统二十七营而进。方军令严肃，有犯必斩，然仁爱士卒，有疾病者亲临抚养，士卒亦以此怀之。至都隆岭[649]，遇贼，击破之。进军临佛子营，先谕以祸福。佛子惧，请降，送之长安。

【段旨】

以上为第五段，写仁寿二年（公元六〇二年）的政事变故。独孤皇后去世，蜀王杨秀被废，奸臣杨素被疏远。

【注释】

㊷己亥：三月二十一日。㊸思力俟斤：即阿勿思力俟斤可汗。当时突厥内部分为多部，此为各部可汗之一。㊹河：指黄河。㊺及之：指杨素军追上了突厥兵。㊻越逸：四散逃亡。逸，逃散。㊼候：等到；待。㊽顿舍：安顿休息。顿，止息、停止。㊾趣：催促。㊿遁：逃走。[451]寇抄：抄掠。[452]柳述：字隆业，河东解（今山西运城市西南解州镇）人，柳机之子。仕隋，官至兵部尚书。传附《隋书·柳机传》《北史·柳则传》。[453]兰陵公主：字阿五，隋文帝第五女。传见《隋书》卷八十、《北史》卷九十一。[454]怙宠：恃宠。怙，依靠、倚仗。[455]属：类；辈。[456]符玺直长：官名，门下省符玺局官员，掌符玺。[457]韦云起（？至公元六二六年）：雍州万年（今陕西西安南）人，历仕隋、唐，官至司农卿。传见《旧唐书》卷七十五、《新唐书》卷一百三。[458]骄豪：骄横。豪，强横。[459]徒以主婿：只因为是公主的丈夫。徒以，仅因为。主婿，公主的丈夫。[460]物议：众人的议论。[461]甚然：很以为然。[462]药石：药物总称。[463]丙戌：七月初十日。[464]通事舍人：官名，隋属内史省，掌呈奏案章。[465]瑰伟：相貌魁异。[466]胆气：胆量和勇气。[467]以恶终：以恶终其身。[468]西爨：史称“南宁夷”，生活在今云南曲靖一带。其首领爨翫曾多次起兵反隋。[469]杨武通：弘农华阴（今陕西华阴）人，官至左武卫大将军。传附《隋书·刘方传》《北史·刘方传》。[470]行军司马：武官名，掌军政，权任很重。[471]任非其人：用人不

贺若弼回答说：“杨素是猛将，不是善于谋略的将领；韩擒虎是斗将，不是统率全军的将领；史万岁是骑将，不是大将。”太子说：“那么大将是谁呢？”贺若弼叩拜说：“全靠殿下选择！”贺若弼的意思是以大将自许。

交州俚人豪帅李佛子叛乱，占据了越王故城，派遣他哥哥的儿子李大权占据龙编城，他的部将李普鼎占据了乌延城。杨素荐举瓜州刺史长安人刘方，认为其有将帅的谋略。隋文帝下诏任命刘方为交州道行军总管，统领二十七营军队进讨。刘方军令严肃，有犯必斩，但他爱护士兵，有生病的士兵，他亲自抚慰调养，士兵们也因此拥戴他。刘方的军队到达都隆岭，遭遇了敌兵，打败了他们。进军逼进李佛子的兵营，先向李佛子讲明利害祸福关系。李佛子害怕了，请求投降，被押解到长安。

当。㊼毛间虫：指藏在毛里的寄生虫。㊽损食：伤害蚕食。损，损害、伤害。㊾奢僭：奢侈僭越。僭，越分。㊿浑天仪：古代观测天体位置的仪器，类似今天的天球仪。476乘舆：指皇帝所乘坐的车子。477以谗废：因被别人说坏话而被废黜。478征秀：征召蜀王杨秀还京。479谢病不行：托辞有病不启程。480源师：字践言，河南洛阳（今河南洛阳）人，历仕周、隋，官至刑部侍郎。传见《北齐书》卷四十三、《隋书》卷六十六、《北史》卷二十八。481忝参：愧列。忝，有愧于。482府幕：王府幕僚。483追王：催促王入京。484淹：久留；滞留。485迁延：拖延。486雷霆：比喻严厉。487一介：一人。488戊子：七月十二日。489独孤楷：本姓李，赐姓独孤氏，字修则，本籍不详。历仕周、隋，官至益州总管，封汝阳郡公。传见《隋书》卷五十五、《北史》卷七十三。490驰传：驾驿站车马急行。491讽谕：用委婉的话进行劝说。492勒兵：指挥军队；统率军队。493甲子：八月十九日。494哀恸绝气：悲痛得断了气。恸，极其悲痛。495溢：同“镒”。古代计量单位。二十两（古一斤为十六两）为一镒。496脯鲊：干肉称脯，经过加工制成的鱼肉称鲊。497竹篙：竹筒。498袱：包袱；巾帕。499著作郎：官名，属秘书省，专掌编修史书。500妓乐：歌舞奏乐。妓，歌舞女艺人。501大行皇后：指未安葬的独孤皇后。大行，古代臣下讳言帝王死亡，用大行（一去不返）指代。502秘记：指谶纬之类的书籍。503菩萨：梵语，指能普济众生的佛教徒，次于佛。菩，普。萨，济。504金银花：忍冬花的别称，药草。藤生，冬天不凋谢。505大宝殿：寝殿，在仁寿宫中。506卯时：指早晨五至七时。507永安宫：隋永安宫在今重庆市奉节县。508五更：天将亮时。509奄然：忽然。510升遐：升天。指帝王之死。此指独孤皇后之死。511丙戌：九月十一日。512癸丑：十月初九日。513杨达（公元五五一至六一二年）：字士达，隋文帝族子。历仕周、隋，官至纳言。传附《隋书·观德王雄传》《北史·杨绍传》。514甲申：闰十月初十日。515五礼：指吉礼、凶礼、军礼、宾

礼、嘉礼。⑯萧吉（？至公元六一四年）：字文休，梁武帝兄长沙宣武王懿之孙，梁亡，入北，历仕周、隋，官至上仪同三司。精通阴阳算术，著《金海》三十卷、《葬经》六卷、《乐谱》二十卷等。传见《隋书》卷七十八、《北史》卷八十九。⑰吉处：吉祥的葬地。⑱高纬：北齐后主，公元五六五至五七六年在位。事见《北齐书》卷八、《北史》卷八。⑲我弟不当战没：隋文帝弟杨整从周武帝伐齐，战死并州（今山西太原）。⑳宇文左率：即宇文述，时为左卫率。㉑山陵：帝王陵墓。㉒御天下：君临天下。御，统治、驾驭。㉓识：记。㉔壬寅：闰十月二十八日。㉕献皇后：即独孤皇后，谥曰献。㉖平戎定寇：平定戎狄寇贼。㉗别封：另封。㉘邑：食邑。食邑之内，编户把租税上缴给食封之人。㉙使使：派遣使者。前“使”为动词，后“使”为名词。㉚切让：严厉责备。让，责备。㉛庭谢：在朝廷谢罪。庭，通“廷”，朝廷。㉜糜费：浪费。糜，通“靡”，浪费。㉝父道：为父之道；做父亲的原则。㉞君道：为君之道；做君主的原则。㉟绳：制裁。㊱庶人勇：即废太子杨勇。㊲见子：现有的儿子。见，同“现”。㊳耿介：正直；守志不趋时。介，耿直。㊴斩秀于市：在闹市行刑，即公开处死刑。市，市场。长安有东、西两市。㊵推治：审查治罪。推，推究。㊶偶人：用土木制成的人像。㊷缚：捆绑。㊸杻械：手铐脚镣。杻，刑具名。㊹西岳：五岳之一，即华山。在今陕西华阴南。㊺如此形状：即如缚手钉心、戴着刑具的偶人那样。㊻散荡：散开。㊼征祥：吉祥的预兆。征，同“祯”。㊽檄文：古代用于申讨的文书。㊾集：文集。㊿癸巳：十二月二十日。551幽之：把他幽闭。552内侍省：官署名，中央官署，管领内侍、内常侍等官。553驱使：使唤。554连坐：谓受株连而被判罪。555摧：悲伤哀痛。556垂矜愍：降下怜悯之心。垂，降下。557残息：仅存的喘息。指临近死亡。558瓜子：《隋书》卷四十五《文四子传》“瓜”作“爪”，《北史》同。559少谴：小罪。谴，罪过。560南台：即御史台。朝堂在北，台省皆在南，故尚书省称南省，御史台称南台。561治书侍御史：官名，唐以后称御史中丞，掌纠察百官过失。562整容：整理衣饰，态度端庄认真。563辨诘事状：审问罪状。辨诘，分辨追问。事状，罪状。564李文博：博陵（今河北定州）人，仕隋，官至校书郎。好读书，著《治道集》十卷。传见《隋书》卷五十八、《北史》卷八十三。565彧以内臣交通诸侯：柳彧身为朝中大臣与诸侯王交通，违反禁令。中国古代历代专制帝王均禁止大臣与诸侯王交通，犯此为大逆罪。内臣，宫廷内的臣僚。诸侯，杨秀时封为蜀王，镇定一方，故称为诸侯。566配戍：因罪被流放边疆戍守。567怀远镇：地名，故址在今辽宁沈阳市辽中区境。568司农卿：官名，司农寺长官，掌农林仓廪。569深文：援用法律条文，苛细周纳，以治人罪。570坐者太半：获罪的人超过半数。571贝州：州名，治所清河县，在今河北清河县东北。572裴肃：字神封，河东闻喜（今山西闻喜）人，历仕周、隋，官至贝州长史。传见《周书》卷三十五、《隋书》卷六十二、《北史》卷三十八。573天挺：犹言天生。挺，拔。574元勋：首功。575二庶人：指被废为庶人的原太子杨勇和蜀王杨秀。576革心：谓洗心改过。577弘：通“宏”，光大、弘扬。578悛：悔改。579贬削：贬职和削去爵位。贬，降职。580至诚：极为忠诚。至，极、大。581汉东海王：光武帝之子刘强，郭皇后所生。先立为太子，后因郭后被废，心里不安，遂辞去太子位，备位藩国。光武帝以其无罪，又去就有礼，故封为东海王。事见《后汉书》卷四十二《光武十王传》。582文思：字温才，杨素从叔。历仕周、隋，官至纳言。传附《隋书·杨素传》《北史·杨敷传》。583文纪：字温范，历仕周、隋，官至荆州总管。传附《隋书·杨素传》《北史·杨敷传》。584忌：《隋书》卷四十六作“异”，《北史》同。疑“异”字是。异，即杨异，字文殊，历仕周、隋，官至刑部尚书。传见《隋书》卷四十六、《北史》卷四十一。585列卿：指在九卿之列。586都会：大城市。587邸店：古代兼具货栈、商店、客舍性质的市肆。588碾硙：利用水力，使水磨的机械装置自然转动，可以作灌溉及粮食加工之用。碾，即石碾。硙，石磨。589制拟宫禁：规制比拟皇宫。宫禁，皇帝居住的地方，宫中禁卫森严，臣下不得任意出入，故称宫禁。590亲故吏：《隋书》卷四十八《杨素传》作“亲戚故吏”，此脱“戚”字。591清显：政事清简而职位显要之官。592违忤：背犯；违反。593进擢：进用和提拔。擢，提升。594靡然：趋附的样子。靡，披靡。595桡：屈从。596梁毗（？至公元六一〇年）：字景和，安定乌氏（今甘肃泾川县东北）人，历仕周、隋，官至刑部尚书。传见《隋书》卷六十二、《北史》卷七十七。597西宁州：州名，治所越雟县，在今四川西昌。598豪雟：豪杰。雟，通“俊”“儁”，才智出众。599递相：互相。递，交替。600帅：通“率”。601纳：收受。602处法平允：执法公平而允当。处法，执法。603国患：国家的大患。604上封事：向皇帝呈密封的奏章。605幸遇：得到皇帝的宠遇。606搢绅：士大夫。搢绅原指把笏插于衣带间，后代指士大夫。搢，插。绅，衣带。607属其视听：谓百官视听系于杨素，全听从杨素指挥。608零：凋落。609阿旨：迎合旨意。610澍：降。611唇吻：言辞；说句话。612忠谠：忠诚正直。613兼州连县：连州跨县，形容地面广阔。兼，并。614容息异图：或许停止反叛的图谋。615虞：忧虑。616擅命：擅自发号施令，不受节制。617有渐：逐渐；渐进。618王莽：西汉末年外戚，逐渐专权擅命，最后代汉而称帝。详见《汉书》卷九十九。619桓玄：东晋后期权臣，曾举兵作乱，被杀。详见《晋书》卷九十九、《魏书》卷九十七。620易世：即易代，不止一代之意。621汉祀：指西汉政权。祀，祭祀。622晋祚：东晋政权。祚，皇位。623阿衡：商代之官名。伊尹曾为阿衡，辅佐国政。引申为辅佐帝王，主持国政。624揆鉴：鉴戒。揆，测度。625系狱：囚禁于牢狱。系，拘囚。626擅宠弄权：凭借皇帝宠信而专擅权柄。擅宠，特受宠信。弄权，玩弄权势。627无道：残暴；无德政。628震竦：震惊恐惧。629扬眉奋肘：形容扬扬得意的样子。630身幸：本人的幸运。631宰辅：辅政大臣。一般指宰相或三公。632躬亲：亲身去做。躬，亲自。633优崇：优待尊崇。634通判：全面管理。通，全部。判，治理。635伊州：州名，治所伏流县，在今河南嵩县东北。636参掌机密：参与国家机密大事，职掌同宰相。637谋将：指有谋略的将领。638领将：统率全军的将领。639骑将：骑兵将领。640大将：此指智勇双全、可独当一面的高级将领。641自许：自己认可自己。642交州：州名，

治所交趾县，在今越南河内。㊸俚：古代对黎族的称呼。㊹越王故城：地名，大概是秦、汉间骆越之王所筑。故址不详。㊺龙编城：即龙编县城。故址在今越南北宁仙游。㊻乌延城：地名，故址不详。㊼瓜州：州名，治所敦煌县，在今甘肃敦煌西。㊽刘方（？至公元六〇五年）：京兆长安（今陕西西安）人，历仕周、隋，官至瓜州刺史。传见《隋书》卷五十三、《北史》卷七十三。㊾都隆岭：地名，故址不详。

【校记】

［24］陛下为：原作“为陛下”。据章钰校，甲十一行本、乙十一行本、孔天胤本皆作“陛下为”，今据改。［25］外：原无此字。据章钰校，甲十一行本、乙十一行本、孔天胤本皆有此字，张敦仁《通鉴刊本识误》同，今据补。［26］曰：原作“云”。据章钰校，甲十一行本、乙十一行本、孔天胤本皆作“曰”，今据补。［27］献皇后：原作“文献皇后”。据章钰校，甲十一行本、乙十一行本皆无“文”字，熊罗宿《胡刻资治通鉴校字记》同，今据删。〖按〗《隋书·高祖纪下》《北史·高祖文帝纪》皆无“文”字。［28］神兵：原无此二字。据章钰校，甲十一行本、乙十一行本、孔天胤本皆有此二字，张敦仁

【原文】

三年（癸亥，公元六〇三年）

秋，八月壬申㊿，赐幽州总管燕荣[651]死。荣性严酷，鞭挞[652]左右，动至千数。尝见道次[653]丛荆[654]，以为堪作杖，命取之，辄以试人。人或自陈[655]无罪，荣曰：“后有罪，当免汝。”既而有犯，将杖之，人曰：“前日被杖，使君[656]许以有罪宥[657]之。”荣曰：“无罪尚尔，况有罪邪？”杖之自若。

观州[658]长史元弘嗣[659]迁幽州长史，惧为荣所辱，固辞。上敕荣曰：“弘嗣杖十已上罪，皆须奏闻。”荣忿曰：“竖子[660]何敢玩我？”于是遣弘嗣监纳仓粟，飏[661]得一糠一粃[662]，辄[37]罚之。每笞虽不满十，然一日之中，或至三数。如是历年，怨隙[663]日构[664]。荣遂收弘嗣付狱，禁绝其粮，弘嗣抽衣[38]絮杂水咽之。其妻诣阙称冤，上遣使按验[665]，奏荣暴虐，赃秽[666]狼籍。征还，赐死。元弘嗣代荣为政，酷又甚之。

九月壬戌[667]，置常平官[668]。

《通鉴刊本识误》同，今据补。〖按〗《隋书·庶人秀传》《北史·庶人杨秀传》皆有此二字。[29]给：原无此字。据章钰校，甲十一行本、乙十一行本、孔天胤本皆有此字，今据补。〖按〗《隋书·庶人秀传》《北史·庶人杨秀传》皆有此字。[30]且：原无此字。据章钰校，甲十一行本、乙十一行本、孔天胤本皆有此字，张敦仁《通鉴刊本识误》同，今据补。[31]今：原无此字。据章钰校，甲十一行本、乙十一行本、孔天胤本皆有此字，今据补。〖按〗《隋书·庶人秀传》《北史·庶人杨秀传》皆有此字。[32]见之：原无此二字。据章钰校，甲十一行本、乙十一行本、孔天胤本皆有此二字，张敦仁《通鉴刊本识误》同，今据补。〖按〗《隋书·柳彧传》有此二字。[33]数千：原作"千数"。据章钰校，甲十一行本、乙十一行本、孔天胤本二字皆互乙，张敦仁《通鉴刊本识误》同，今据改。[34]意：原作"旨"。据章钰校，甲十一行本、乙十一行本、孔天胤本皆作"意"，张敦仁《通鉴刊本识误》同，今据改。[35]膏：原作"甘"。据章钰校，甲十一行本、乙十一行本、孔天胤本皆作"膏"，今据改。〖按〗《隋书·梁毗传》作"膏"。[36]及：原无此字。据章钰校，甲十一行本、乙十一行本、孔天胤本皆有此字，张敦仁《通鉴刊本识误》同，今据补。

【语译】

三年（癸亥，公元六〇三年）

秋，八月初三日壬申，隋文帝赐死幽州总管燕荣。燕荣生性暴虐，鞭打左右的人，一打就是上千棍。他曾经看到路旁丛生的荆条，认为能做刑杖，派人砍伐回来，就拿人来试验。被试验的人有的自诉无罪，燕荣说："以后有罪，可以免除你的杖刑。"不久那人犯罪，将要用刑杖打他，他说："前些天被杖打，使君答应以后有罪就赦免我。"燕荣说："没有罪还遭了杖刑，何况有罪呢？"照样施以杖刑。

观州长史元弘嗣调任幽州长史，害怕遭受燕荣凌辱，坚决推辞。隋文帝敕令燕荣说："元弘嗣犯了十棍以上的杖刑罪，都要事先奏报朝廷知道。"燕荣气愤地说："这小子怎胆敢戏耍我？"于是派元弘嗣监收仓库粟米，如果从粟米中扬出一粒糠一粒秕，就要处罚他。每次责打虽然不满十下，但是一天之中，有时连遭三五次杖刑。这样过了一年，双方的仇怨隔阂日益加深。于是燕荣逮捕元弘嗣，将其关进监狱，断绝粮米，元弘嗣抽取衣絮混合着水吞吃。他的妻子到宫阙喊冤，隋文帝派遣使者查验，使者上奏燕荣暴虐，贪污受贿非常严重。燕荣被征召回朝，赐死。元弘嗣代替燕荣为幽州刺史，残暴又超过了燕荣。

九月二十三日壬戌，设置常平官。

是岁，龙门王通⑥⑨诣阙献《太平十二策》，上不能用，罢归。通遂教授于河、汾之间⑦⓪，弟子自远至者甚众，累征不起⑦①。杨素甚重之，劝之仕，通曰："通有先人之弊庐足以庇[39]风雨，薄田⑦②足以具饘粥⑦③，读书谈道足以自乐。愿明公正身以治天下，使时和年丰[40]，通也受赐多矣，不愿仕也。"或谮通于素曰："彼实慢公，公何敬焉?"素以问通，通曰："使⑦④公可慢，则仆⑦⑤得矣；不可慢，则仆失矣：得失在仆，公何预焉?"素待之如初。

弟子贾琼问息谤⑦⑥，通曰："无辩。"问止怨，曰："不争。"通尝称："无赦⑦⑦之国，其刑必平。重敛之国，其财必削⑦⑧。"又曰："闻谤而怒者，谗之囮⑦⑨也。见誉而喜者，佞⑧⓪之媒也。绝囮去媒，谗佞远矣。"大业⑧①末，卒于家，门人谥曰文中子⑧②。

突厥步迦可汗所部大乱，铁勒仆骨⑧③等十余部，皆叛步迦降于启民。步迦众溃，西奔吐谷浑。长孙晟送启民置碛口⑧④，启民于是尽有步迦之众。

【段旨】

以上为第六段，仁寿三年（公元六〇三年）无大事，略记二三事：隋文帝惩治暴吏，杨素礼遇王通，西突厥众溃。隋文帝赐令暴吏幽州刺史燕荣自裁，但继任者暴虐更甚。由于隋文帝晚年为政暴虐，上行下效，虽然惩治了个别暴吏，但无济于风气的改变。

【注释】

⑥⑤⓪壬申：八月初三日。⑥⑤①燕荣（？至公元六〇三年）：字贵公，华阴弘农（今河南灵宝）人，历仕周、隋，官至幽州总管。传见《隋书》卷七十四、《北史》卷八十七。⑥⑤②鞭挞：即鞭打。挞，打。⑥⑤③道次：道路附近。次，处。⑥⑤④丛荆：灌木荆。⑥⑤⑤自陈：自己诉说。陈，说、述说。⑥⑤⑥使君：汉以后对州郡长官的尊称。⑥⑤⑦宥：赦免。⑥⑤⑧观州：州名，治所东光县，在今河北东光。⑥⑤⑨元弘嗣（公元五六五至六一三年）：河南洛阳人，仕隋，官至殿内少监，金紫光禄大夫。传见《隋书》卷七十四、《北史》卷八十七。⑥⑥⓪竖子：对

这一年，龙门人王通到宫阙进献《太平十二策》，隋文帝没有采纳，王通作罢返回。王通于是在黄河、汾水之间讲学授徒，学生从远方到来的很多。朝廷多次征召，他都不出来做官。杨素极为敬重他，劝他出来做官。王通说："我王通有祖辈的破旧房屋可以遮风避雨，瘠薄的田地足以供我一碗稠粥，读书论道足以自乐。希望明公端正身心治理天下，使四时和顺，年成丰收，那我王通所受到的恩赐就够多了，不愿意做官。"有人在杨素面前谮毁王通说："他实际上是怠慢您，您为何还这样敬重他？"杨素便问王通，王通说："假使您是可以怠慢的，那么我就有所得；假使您不可以怠慢，那么我就有所失；得与失都在于我，与您有何干呢？"杨素对待他一如既往。

学生贾琼问怎样才能止住诽谤，王通说："不要辩解。"又问怎样消除怨恨，王通说："不要相争。"王通曾经说："不实行大赦的国家，它的刑法一定公平。横征暴敛的国家，它的财力必然会削弱。"又说："听到诽谤就发怒的人，是招引谗言的媒介。听到赞扬就欢喜的人，是招致谄佞的媒介。杜绝谗言的媒介，消除谄佞的媒介，谗言邪佞就会远离而去。"大业末年，王通在家中去世，学生们送他一个谥号叫文中子。

突厥步迦可汗所统部落大乱，铁勒仆骨等十多个部落都背叛步迦归降启民可汗，步迦部众溃散，向西投奔吐谷浑。长孙晟护送启民可汗把他安置在碛口，启民可汗于是统领了步迦的部众。

人的鄙称。犹言"小子"。㊅㊅㊀飏：扬起。㊅㊅㊁秕：同"秕"。中空或不饱满的谷粒。㊅㊅㊂怨隙：怨恨隔阂。㊅㊅㊃日构：一天一天结怨。㊅㊅㊄案验：审查；查验。㊅㊅㊅赃秽：贪污受贿。㊅㊅㊆壬戌：九月二十三日。㊅㊅㊇常平官：官名，掌义仓事。义仓于开皇初年设立，为赈济灾荒之用。㊅㊅㊈王通（公元五八四至六一八年）：字仲淹，绛州龙门（今山西河津西北）人，仕隋，官至蜀郡司户书佐，后辞官以讲学为业，并有著述。传附《旧唐书·王勃传》。㊅㊆㊀河、汾之间：黄河、汾河之间的地区。大致在今山西新绛一带。㊅㊆㊁累征不起：朝廷屡次征召，却不出来做官。㊅㊆㊂薄田：土质瘠薄的土地。㊅㊆㊃饘粥：稠粥。饘，同"饘"。㊅㊆㊄使：假使。㊅㊆㊅仆：仆人。此是王通的谦称。㊅㊆㊆息谤：使诽谤止息。㊅㊆㊆无赦：不实行大赦。㊅㊆㊇削：减少。㊅㊆㊈囮：鸟媒。原意是指用经过训练的鸟引诱他鸟前来，伺机捕捉。引申为媒介、引诱。㊅㊇㊀佞：花言巧语。㊅㊇㊁大业：隋炀帝年号（公元六〇五至六一七年）。㊅㊇㊁文中子：王通死，弟子共议谥号。取《易经》"黄裳元吉，文在中也"之语，请谥曰文中子。㊅㊇㊂仆骨：突厥铁勒族的一部，生活在独洛河（即今土拉河，在蒙古乌兰巴托以西）流域。㊅㊇㊃碛口：地名，在今内蒙古苏尼特右旗西、中蒙交界处。

【校记】

［37］辄：原作“皆”。据章钰校，甲十一行本、乙十一行本、孔天胤本皆作“辄”，张敦仁《通鉴刊本识误》同，今据改。［38］衣：原无此字。据章钰校，甲十一行本、乙十一行本、孔天胤本皆有此字，今据补。〖按〗《隋书·酷吏·燕荣传》《北史·酷吏·燕荣传》皆有此字。［39］庇：原作“蔽”。据章钰校，甲十一行本、乙十一行本、孔天胤本皆作“庇”，今据改。［40］使时和年丰：原作“时和岁丰”。据章钰校，甲十一行本、乙十一行本、孔天胤本皆有“使”字，“岁”皆作“年”，今据改。〖按〗《通鉴纲目》卷三六下作“使时和年丰”。

【研析】

本卷记公元六〇〇至六〇三年事，主要围绕隋朝太子更替进行。皇位继承人之争，历代都不乏其事，而隋文帝末年废立太子，却有着鲜明的时代特色。

汉代之后，皇位继承基本上按嫡长子继承制度进行。继承人更替，常常伴着帝王薄幸，太子母亲年老色衰、缺乏政治势力的支持，皇帝移情别恋，宠爱后妃，并试图将后妃立为皇后，将后妃之子立为太子，这成为太子废立的一个常见的原因。但隋文帝五个儿子，同为独孤皇后所生，并不存在这样的问题，文帝本人即曾说：“前世天子，溺于嬖幸，嫡庶纷争，遂有废立，或至亡国；朕旁无姬侍，五子同母，可谓真兄弟也，岂有此忧邪!”历代太子废立，另一个重要原因，是皇帝老而昏庸，朝臣各自为政，纷纷在太子与诸王间选边站队，希望在皇位更替时捞取政治资本，如汉武帝末年、孙权后期的继承人之争，但隋文帝废立太子与此也不相同。太子废立还有一个重要原因便是太子失德，不足以担当重任，皇帝为社稷江山计，决计废立，这是卷中所记文帝废太子杨勇、立晋王杨广的重要依据，但又远不是事实。下面结合当时社会与政治特征，就太子废立事进行较深入的探讨。

杨勇被废，起因于其母亲独孤皇后的个人好恶，也就是因为独孤皇后的嫉妒。据《隋书·文献独孤皇后传》，独孤氏十四岁时嫁与杨坚，青年时二人感情甚为融洽，“誓无异生之子”。在西魏北周以来的政治中，独孤氏家族地位显赫，其父独孤信为西魏首批柱国大将军之一，独孤氏姐姐为周明帝皇后，她与杨坚所生长女，为周宣帝皇后。作为女性，独孤氏“柔顺恭孝，不失妇道”，“颇仁爱，每闻大理决囚，未尝不流涕”。应该说，尽管其家族“贵盛莫比”，但无论是作为杨坚的妻子，还是作为隋帝国的皇后，她都是相当称职的。

但独孤氏有着北朝女性共同的性格特征——妒忌。《北齐书》卷二十八《元孝友传》曾极言当时风气：“妇人多幸，生逢今世，举朝略是无妾，天下殆皆一妻。设令人强志广娶，则家道离索，身事迍邅，内外亲知，共相嗤怪。凡今之人，通无准节。父母嫁女，则教之以妒。姑姊逢迎，必相劝以忌。持制夫为妇德，以能妒为女工。”在家庭生活中，女性明显居于重要地位，特别是那些迎娶公主、权门女子的家庭，老公忍气吞声的史实，常见于史书记录。隋文帝亦不例外。《文献独孤皇后传》说：“性尤妒忌，后宫莫敢进御。尉迟迥女孙有美色，先在宫中。上于仁寿宫见而悦之，因此得幸。后伺上听朝，阴杀之。上由是大怒，单骑从苑中而出，不由径路，入山谷间二十余里。高颎、杨素等追及上，扣马苦谏。上太息曰：‘吾贵为天子，而不得自由。’”作为皇后，独孤氏虽然并不常参与国家大事，但“后每与上言及政事，往往意合，宫中称为二圣”，杨坚很重视她的意见。正因如此，她的忌妒心理影响到的便不只是家庭，而具有政治层面的意义。传称：“又以（高）颎夫人死，其妾生男，益不善之，渐加谮毁，上亦每事唯后言是用。后见诸王及朝士有妾孕者，必劝上斥之。时皇太子多内宠，妃元氏暴薨，后意太子爱妾云氏害之。由是讽上黜高颎，竟废太子，立晋王广，皆后之谋也。”

太子杨勇“性宽厚，率意任情，无矫饰之行”，原本无甚过错，独孤氏因妇人妒忌之心，迁怒于长子“多内宠”。太子杨勇正妃去世后，宠爱妾云氏，让独孤氏尤其难以忍受，她对杨广等说：“每思东宫竟无正嫡，至尊千秋万岁之后，遣汝等兄弟向阿云儿前再拜问讯，此是几许苦痛邪！”遂必废之而后快，另立“乖巧”的次子杨广为太子。在独孤氏的一步步推动下，杨坚越来越觉得太子不可信任，处处予以防范，最终加以废黜。

太子废立，与晋王杨广努力争取，想办法讨独孤氏喜欢，并结援朝臣杨素等有很大关系。值得注意的是，杨广不只是通过宫廷运作谋取皇位继承权，而且有着更深厚的政治背景，与文帝的统治策略相关。

文帝取周建隋以后，为巩固杨氏皇位，分封诸子以屏藩。《隋书》卷六十二《元岩传》说：“高祖初即位，每惩周代诸侯微弱，以致灭亡，由是分王诸子，权侔王室，以为磐石之固。”开皇元年，即以第四子杨秀为蜀王、益州刺史，总管二十二州诸军事；开皇三年，又以第二子杨俊为秦州总管，“陇右诸州尽隶焉”；开皇十七年，又以第五子杨谅为并州总管，“自山以东，至于沧海，南拒黄河，五十二州尽隶焉”。杨广为灭陈隋军名义上的统帅，江南暴动被平定后，杨广被任命为扬州总管，坐镇扬州，总管江淮以南四十四州诸军事，长达十年。

诸子分据要地，总管数十州军政大权，拱卫中央，在文帝看来，足以保证无人敢觊觎杨氏天下。但这一个个总管区，无疑就是一个个地方小朝廷，隋朝统一的时间并不长，而分裂的历史已有两三个世纪，隋政权不可能在短时间内消除造成分裂的政治势力、心理观念以及区域经济差异，这些因素，加上皇位的极度诱惑，镇守地方、手握大片疆土的宗王们，政治野心便不断膨胀。据《隋书》卷四十五《文帝四子传》，杨秀在蜀地，“车马被服，拟于天子”，“重述木易之杨，更治成都之宫，妄说禾乃之名，以当八千之运”，几乎要另立朝廷；杨谅在并州，“自以所居天下精兵之处”，遂“阴有异图”；杨俊亦以“违犯制度”被废为平民。如《隋书》卷六十一《郭衍传》所说，杨广在扬州极力争夺太子之位的同时，还招徕南方亡国失意之士，“大修甲仗，阴养士卒”，夺太子位不成，便“据淮海，复梁、陈之旧”，建立割据政权的政治准备。

因此，独孤氏妒忌心理的迁怒，杨坚听从独孤氏的意见，都只是文帝晚年继承人危机产生的表面原因，更深层次的原因在于专制集权与“家天下”所引发的最高权力争夺。如果太子杨勇未失爱于母，在文帝去世后得以顺利即位，早有准备的杨广势不可能束手就缚，这意味着国家内战，甚至南北朝割据局面的再现。我们知道，杨广当上皇帝后，并州总管杨谅便以山东之众举兵反抗，兄弟之间兵戎相见。古人多从道德的层面，哀杨勇之无辜、忿杨广之虚伪，更从杨广后来造成隋帝国崩溃的事实，指责其“夺嫡之谋”的非正当性。从权力争夺的角度来说，成王败寇，原本无所谓正义与非正义，杨勇身为太子，在与杨广争夺继承人的斗争中，原本具有道义上、地位上的优势，但最终败下阵来，成为权力斗争的牺牲品。当然，假设他当上皇帝，也很难说一定就比杨广干得更为出色，隋政权也并非一定能长治久安。

卷第一百八十　隋纪四

起阏逢困敦（甲子，公元六〇四年），尽强圉单阏（丁卯，公元六〇七年），凡四年。

【题解】

本卷载述公元六〇四至六〇七年共四年史事，当隋文帝仁寿四年至隋炀帝大业三年。这是隋朝多事和盛衰转折的一个时期。重大史事有：隋炀帝弑君弑父得以继位；平定汉王杨谅的叛乱，国家遭受一次大浩劫，平叛后杀戮流放者达二十万人；隋炀帝建东宫、修运河、筑长城、巡游江都、耀兵北疆、通西域，加之赏赐无节，都耗费了隋朝大量资财。由于当时天下承平，无内忧外患，尚能支撑。

【原文】

高祖文皇帝下

仁寿四年（甲子，公元六〇四年）

春，正月丙午①，赦天下。

帝将避暑于仁寿宫，术士章仇太翼固谏，不听。太翼曰："是行恐銮舆②不返！"帝大怒，系之长安狱，期③还而斩之。甲子④，幸仁寿宫。乙丑⑤，诏赏赐支度⑥，事无巨细⑦，并付皇太子。夏，四月乙卯⑧，上[1]不豫⑨。六月庚申⑩，赦天下。秋，七月甲辰⑪，上疾甚，卧与百僚辞诀⑫，并握手歔欷，命太子赦章仇太翼。丁未⑬，崩于大宝殿。

高祖性严重⑭，令行禁止。勤于政事[2]，每旦听朝，日昃⑮忘倦。虽啬⑯于财，至于赏赐有功，即无所爱⑰。将士战没，必加优赏⑱，仍遣使者劳问⑲其家。爱养百姓，劝课⑳农桑㉑，轻徭薄赋㉒。

【语译】

高祖文皇帝下

仁寿四年（甲子，公元六〇四年）

春，正月初九日丙午，大赦天下。

隋文帝将要到仁寿宫去避暑，术士章仇太翼极力谏阻，隋文帝没有听从。章仇太翼说："这次出行恐怕圣驾回不了京师！"隋文帝大怒，把章仇太翼关进长安的监狱，限定回京时斩首。正月二十七日甲子，隋文帝驾临仁寿宫。二十八日乙丑，隋文帝下诏，赏赐和财政支出，事无巨细，全都交给太子杨广处理。夏，四月乙卯日，隋文帝生病。六月庚申日，大赦天下。秋，七月初十日甲辰，隋文帝病重，卧床与百官诀别，并与大臣们握手呜咽，命令太子杨广赦免章仇太翼。十三日丁未，隋文帝在大宝殿去世。

隋高祖杨坚生性严谨持重，有令即行，有禁即止。勤劳政务，每天清早听朝理政，到了太阳偏西仍不知疲倦。虽然吝啬钱财，到了赏赐有功之臣时，却无所爱惜。将士战死，必加厚赏，并派使者慰问他们家。他爱护百姓，劝勉农桑，减轻劳役和

其自奉养㉓，务为俭素㉔，乘舆御物㉕故弊㉖者，随宜补用。自非享宴㉗，所食不过一肉。后宫皆服浣濯㉘之衣。天下化之，开皇、仁寿之间，丈夫率衣绢布，不服绫绮，装带不过铜铁骨角，无金玉之饰。故衣食滋殖㉙，仓库盈溢。受禅之初，民户不满四百万，末年，逾㉚八百九十万，独冀州㉛已一百万户。然猜忌苛察㉜，信受㉝谗言，功臣故旧㉞，无始终保全者，乃至子弟，皆如仇敌，此其所短也。

初，文献皇后既崩，宣华夫人陈氏㉟、容华夫人蔡氏㊱皆有宠。陈氏，陈高宗之女。蔡氏，丹杨人也。上寝疾于仁寿宫，尚书左仆射杨素、兵部尚书柳述、黄门侍郎元岩㊲皆入阁侍疾，召皇太子入居大宝殿。太子虑上有不讳㊳，须预防拟㊴，手自为书，封出问素，素条录㊵事状以报太子。宫人误送上所㊶，上览而大恚㊷。陈夫人平旦出更衣，为太子所逼㊸，夫人[3]拒之，得免，归于上所。上怪其神色有异㊹，问其故。夫人泫然曰："太子无礼！"上恚，抵㊺床曰："畜生㊻何足付大事？独孤误我㊼！"乃呼柳述、元岩曰："召我儿！"述等将呼太子，上曰："勇也。"述、岩出阁为敕书。杨素闻之，以白太子，矫诏执述、岩，系大理狱㊽。追东宫兵士帖㊾上台宿卫，门禁出入，并取㊿宇文述、郭衍(51)节度。令右庶子张衡入寝殿侍疾，尽遣后宫出就别室。俄而上崩。故中外颇有异论(52)。陈夫人与后宫闻变(53)，相顾战栗失色。晡后(54)，太子遣使者赍小金合，帖纸于际(55)，亲署封字，以赐夫人。夫人见之，惶惧，以为鸩毒(56)，不敢发。使者促之，乃发，合中有同心结(57)数枚，宫人咸悦，相谓曰："得免死矣！"陈氏恚而却坐，不肯致谢。诸宫人共逼之，乃拜使者。其夜，太子蒸(58)焉。

赋税。他自己的供给，力求节俭，乘坐的舆车以及日常用品破旧了的，还随时修补再用。除了宴会，平时吃饭不超过一个肉菜。后宫嫔妃都穿洗过的衣服。全国风气都受到感化，开皇、仁寿年间，男人们都穿用绢布，不服用绫罗绸缎，装饰用品不过是铜铁骨角，没有用金银珠玉之饰。所以百姓吃穿增加，国家仓库充溢。隋文帝接受禅让的初年，民众户口不满四百万，到了仁寿末年，超过了八百九十万户，仅冀州已有一百万户。然而隋文帝猜疑忌刻心太重，喜欢苛刻细究，听信谗言，功臣故交，没有能保全始终的，甚至自己的子弟，也都有如仇敌，这是他的短处。

当初，独孤皇后去世以后，宣华夫人陈氏、容华夫人蔡氏都受到隋文帝的宠幸。陈氏，是陈宣帝的女儿。蔡氏，是丹杨人。隋文帝卧病仁寿宫，尚书左仆射杨素、兵部尚书柳述、黄门侍郎元岩都进宫侍候，召来皇太子杨广住进大宝殿。太子杨广想到皇上万一去世，必须预先做好应变防备，他亲自写了书信，密封送出来询问杨素，杨素把各种情况及要采取的措施，一条条写下来回复太子。宫人把回信误送到了隋文帝那里，隋文帝看后十分气愤。陈夫人天亮时出去换衣服，被太子逼迫，陈夫人抗拒，得以逃脱，回到隋文帝寝宫。隋文帝奇怪她神色失常，问她是什么缘故，陈夫人流泪说:“太子非礼!”隋文帝大怒，用手捶床说:“国家大事怎么能交付给他这个畜生?独孤氏害了我!”便叫来柳述、元岩说:“召我儿!”柳述等人准备去喊太子，隋文帝说:“是勇儿。”柳述、元岩出了寝宫，撰写敕书。杨素听到消息，告诉了太子杨广，假传皇上诏令逮捕柳述、元岩，将他们关进大理寺牢狱。急调东宫的兵士增补台省宿卫，宫禁出入，全受宇文述、郭衍调度指挥。命令太子右庶子张衡进入寝宫侍候，把寝宫的宫女宦官全部送到其他房舍。一会儿，隋文帝崩逝。因此朝廷内外多有不同的议论。陈夫人与后宫宫女听到变故，面面相觑，全身发抖，面无人色。晡时以后，太子派使者送来小金盒，接口处贴着纸条，太子亲自题字签封，用来赐给夫人。夫人看见小金盒，惊恐不安，以为是毒药，不敢打开。使者催促她，她才打开，盒内有几枚同心结，宫女们都很高兴，互相说:“得以免死了!”陈夫人很气愤，退后坐下，不肯答谢。宫女们一起逼迫她，她才拜谢使者。当天夜里，太子杨广奸淫了陈夫人。

【段旨】

以上为第一段，写隋文帝暴崩于仁寿宫，太子杨广弑父弑君，蒸淫陈夫人。

【注释】

①丙午：正月初九日。②銮舆：又称銮驾，指天子的车驾。③期：限期。④甲子：正月二十七日。⑤乙丑：正月二十八日。⑥支度：财政支出。⑦巨细：大小。⑧乙卯：四月丙寅朔，无乙卯。当是己卯之误。己卯，四月十四日。⑨不豫：天子有病称不豫。⑩庚申：六月乙丑朔，无庚申。〖按〗《北史·隋本纪》作“庚午”，是。庚午，六月初六日。⑪甲辰：七月初十日。⑫辞诀：告别。诀，别。⑬丁未：七月十三日。⑭严重：严谨持重。⑮日昃：太阳偏西。⑯啬：悭吝。⑰爱：舍不得；爱惜。⑱优赏：优厚的奖赏。优，丰厚。⑲劳问：慰问。问，问候。⑳劝课：劝勉考查。课，凡定有程序而试验考核，均称课。㉑农桑：农耕与蚕桑。指耕织。㉒轻徭薄赋：减轻劳役，收轻薄的赋税。徭，劳役。赋，田地税。㉓奉养：进奉供养。㉔务为俭素：力求节约朴素。㉕御物：御用之物。指天子用品。㉖故弊：破旧。故，陈旧。㉗享宴：宴会。享，宴会。㉘浣濯：洗涤。㉙滋殖：增殖。㉚逾：超过。㉛冀州：州名，治所信都县，在今河北衡水市冀州区。隋代冀州包括信都、清河、辽西等三十一郡，兼有以前幽、并、营三州之地，故其户数最多。㉜苛察：苛刻细究。㉝信受：听信。㉞故旧：故交；老友。㉟宣华夫人陈氏：陈宣帝之女，陈灭，选入宫为嫔，封为宣华夫人。传见《隋书》卷三十六、《北史》卷十四。㊱容华夫人蔡氏：丹阳（隋时称“丹杨”，今江苏南京）人，陈灭，选入宫，封为贵人，后加号容华夫人。传见《隋书》卷三十六、《北史》卷十四。㊲元岩：河南洛阳（今河南洛阳）人，仕隋，官至黄门侍郎，封龙涸县公。传附《隋书·华阳王楷妃传》《北史·华阳王楷妃传》。㊳不

【原文】

乙卯[59]，发丧，太子即皇帝位。会伊州刺史杨约来朝，太子遣约入长安，易留守[60]者，矫称高祖[61]之诏，赐故太子勇死，缢杀之。然后陈兵集众，发高祖凶问[62]。炀帝闻之，曰：“令兄[63]之弟，果堪大任[64]。”追封勇为房陵王，不为置嗣[65]。八月丁卯[66]，梓宫[67]至自仁寿宫，丙子[68]，殡[69]于大兴前殿[70]。柳述、元岩并除名，述徙龙川[71]，岩徙南海[72]。帝令兰陵公主与述离绝，欲改嫁之。公主以死自誓，不复朝谒[73]，上表请与述同徙，帝大怒。公主忧愤而卒，临终，上表请葬于柳氏，帝愈怒，竟不哭，葬送甚薄。

太史令袁充奏言：“皇帝即位，与尧受命[74]年合。”讽百官表贺[75]。

讳：死的婉词。意为人死不可避免，无可忌讳。㊴ 防拟：犹言防备。㊵ 条录：逐条记载。㊶ 上所：天子所居之处。㊷ 大恚：十分恼怒。恚，发怒。㊸ 逼：胁迫。此指意图奸污。㊹ 神色有异：脸色与平常不一样。㊺ 抵：触。㊻ 畜生：骂人的话。言其无识无礼，如同牛马猪狗一样。㊼ 独孤误我：独孤皇后坏了我的大事。独孤，指独孤皇后。误我，毁坏了我的大事。指废立太子之事。㊽ 大理狱：大理寺所属监狱。㊾ 帖：裨；补。㊿ 取：受。51 郭衍（？至公元六一一年）：字彦文，自称太原介休（今山西介休）人，历仕周、隋，官至左武卫大将军。传见《隋书》卷六十一、《北史》卷七十四。52 颇有异论：多有不同的议论。53 闻变：听说有变故，指文帝被弑事。54 晡后：晡时以后。晡，即下午三至五时。55 际：指金盒缝口。56 鸩毒：毒酒。鸩，传说中一种有毒的鸟，其羽毛有剧毒，放在酒里，饮后立即死亡。57 同心结：用锦带制成的菱形连环回文结，表示恩爱之意。58 蒸：下淫上称蒸。

【校记】

［1］上：原作“帝”。据章钰校，十二行本、乙十一行本、孔天胤本皆作“上”，今据改。〖按〗《通鉴纪事本末》卷二五作“上”。［2］勤于政事：原无此四字。据章钰校，十二行本、乙十一行本、孔天胤本皆有此四字，今据补。〖按〗《通鉴纲目》卷三六下有此四字。［3］夫人：原无此二字。据章钰校，十二行本、乙十一行本、孔天胤本皆有此二字，今据补。〖按〗《隋书·后妃·宣华夫人陈氏传》《北史·后妃下·隋文帝宣华夫人陈氏传》皆有此二字。

【语译】

七月二十一日乙卯，发丧，太子杨广即皇帝位。适逢伊州刺史杨约来朝见，杨广派杨约进入长安，调换了看守杨勇的宿卫，假称高祖的诏命，赐死故太子杨勇，将他勒死了。然后陈列军队会集众人，发布高祖崩逝的消息。隋炀帝得知这一切，对杨素说：“令兄的弟弟，果然堪当重任。”追封杨勇为房陵王，不为他立爵位继承人。八月初三日丁卯，隋文帝灵柩从仁寿宫运到京师，十二日丙子，停灵柩于大兴宫正殿。柳述、元岩一起被罢官除名，柳述发配到龙川，元岩发配到南海。隋炀帝强迫兰陵公主与柳述离婚，想把她改嫁。公主誓死不从，不再朝请，上表请求与柳述一起发配，隋炀帝大怒。公主忧愤而死，临死，又上表请求埋葬在柳氏墓地，隋炀帝更加愤怒，竟然不去哭丧，所送葬礼很少。

太史令袁充上奏说：“皇帝即位，与帝尧接受天命的时间相合。”暗示百官上表

礼部侍郎许善心议，以为“国哀[76]甫尔，不宜称贺。”左卫大将军宇文述素恶[77]善心，讽御史劾之，左迁[78]给事郎[79]，降品二等。

汉王谅有宠于高祖，为并州总管，自山[80]以东，至于沧海[81]，南距[82]黄河，五十二州皆隶焉，特许以便宜从事，不拘[83]律令。谅自以所居天下精兵处，见太子勇以谗废，居常怏怏[84]，及蜀王秀得罪，尤不自安，阴蓄异图。言于高祖，以“突厥方强，宜修武备[85]”。于是大发工役，缮治[86]器械，招集亡命[87]，左右私人殆将[88]数万。突厥尝寇边，高祖使谅御之，为突厥所败，其所领将帅坐除解者[89]八十余人，皆配防岭表[90]。谅以其宿旧[91]，奏请留之，高祖怒曰：“尔为藩王[92]，惟当敬依朝命，何得私论宿旧，废国家宪法[93]邪？嗟乎[94]小子[95]，尔一旦无我，或欲妄动，彼取尔如笼内鸡雏耳，何用腹心为？”

王頍[96]者，僧辩之子，倜傥[97]好奇略，为谅谘议参军，萧摩诃，陈氏旧将，二人俱不得志，每郁郁[98]思乱，皆为谅所亲善，赞成其阴谋。

会荧惑[99]守东井[100]，仪曹[101]邺人傅奕[102]晓星历，谅问之曰：“是何祥也？”对曰：“天上东井，黄道[103]所经，荧惑过之，乃其常理，若入地上井，则可怪耳。”谅不悦。

及高祖崩，炀帝遣车骑将军屈突通[104]以高祖玺书征之。先是，高祖与谅密约：“若玺书召汝，敕字傍别加一点，又与玉麟符[105]合者，当就征。”及发书无验[106]，谅知有变。诘通，通占对[107]不屈，乃遣归长安。谅遂发兵反。

总管司马安定皇甫诞[108]切谏，谅不纳，诞流涕曰：“窃料大王兵资非京师之敌。加以君臣位定[109]，逆顺势殊[110]，士马虽精，难以取胜。一旦陷身叛逆，絓于刑书[111]，虽欲为布衣，不可得也。”谅怒，囚之。

岚州[112]刺史乔钟葵将赴谅，其司马京兆陶模[113]拒之曰：“汉王所图不轨，公荷[114]国厚恩，位为方伯[4]，当竭诚效命，岂得身为厉阶[115]乎？”钟葵失色曰：“司马反邪？”临之以兵[116]，辞气[117]不挠，钟葵义[118]而释之。军吏曰：“若不斩模，无以压众心[119]。”乃囚之。于是从谅反者凡十九州。

庆贺。礼部侍郎许善心发表意见，认为“国丧刚开始，不宜庆贺”。左卫大将军宇文述一向憎恨许善心，暗示御史弹劾他，贬为给事郎，官品降二等。

汉王杨谅受高祖的宠爱，担任并州总管，从太行山以东，直到大海，南到黄河，五十二州的地方都隶属于并州，特许汉王可以根据需要，自行处置事务，不必拘泥律令条文。杨谅自认为他所在的地方是天下精兵会聚的地方，他看到太子杨勇因受诬陷而被废黜，居家常常怏怏不乐，等到蜀王杨秀获罪，杨谅更加不安，暗怀反叛之意。他对高祖说，由于“突厥正日益强盛，应该整治武备”。于是大规模征调工匠夫役，修理器械，招集亡命之徒，自己身边的私人武装将近数万人。突厥人曾侵犯边境，高祖派杨谅抵御，被突厥人打败，他所率领的将帅因罪被解职除名的有八十余人，都被发配到岭南戍守。杨谅因为这些人是他多年的旧部，奏请留下他们。高祖生气地说：“你作为藩主，只应服从朝廷命令，怎么可以私自强调故旧关系，废弃朝廷的法令呢？小子啊，你一旦没有了我，假如要轻举妄动，人家抓你就像抓笼子里的小鸡一样，你要那些心腹又有何用？”

王頍是王僧辩的儿子，为人洒脱，善出奇谋，担任杨谅的谘议参军。萧摩诃是陈国的旧将。两个人都不得志，常郁郁忧闷，图谋作乱，都被杨谅所亲善，赞同杨谅的阴谋。

正巧，火星处在井宿的位置，仪曹邺人傅奕通晓占星术，杨谅问他说：“这是什么征兆？”傅奕回答：“天上的井宿，在黄道带上，火星通过，是正常的现象，假如进入地上井宿的分野，就奇怪了。”杨谅很不高兴。

到高祖去世时，隋炀帝派车骑将军屈突通持高祖玺书召杨谅进京。此前，高祖与杨谅秘密约定：“假若用玺书召你，敕字旁另外加上一点，而又和玉麟符相合，你就应当接受征召。”等到打开玺书一看没有验证，杨谅知道出了事。盘问屈突通，屈突通回答不改口，便打发他返回长安，杨谅于是起兵造反。

总管司马安定人皇甫诞恳切谏阻，杨谅不接受，皇甫诞流着泪说：“我料定大王的兵力和装备不能和京师相抗衡。加上君臣的地位已经确定，逆顺的形势悬殊，大王虽然兵强马壮，也难以取胜。一旦陷身为叛逆，被刑律所羁绊，纵然想做一个平民也不可能了。”杨谅大怒，囚禁了他。

岚州刺史乔钟葵将要奔赴杨谅，他的司马京兆人陶模阻止他说：“汉王图谋不轨，您身受国家厚恩，位居刺史，应当竭诚效命，怎么能自陷祸端呢？”乔钟葵变了脸色，说：“司马你反了吗？”对陶模以刀相加，陶模言辞气度毫不屈服，乔钟葵佩服他大义凛然，就放了他。军吏说：“如果不杀陶模，无法镇服众心。”于是把他囚禁起来。当时跟从杨谅造反的有十九个州。

王頍说谅曰："王所部将吏，家属尽在关西⑳，若用此等，则宜长驱深入，直据京都，所谓疾雷不及掩耳，若但欲割据旧齐之地㉑，宜任东人㉒。"谅不能决，乃兼用二策，唱言㉓杨素反，将诛之。

总管府兵曹㉔闻喜裴文安说谅曰："井陉㉕以西，在王掌握之内，山东㉖士马，亦为我有，宜悉发之，分遣羸兵㉗屯守要害，仍命随方略地㉘，帅其精锐，直入蒲津㉙。文安请为前锋，王以大军继后，风行雷击㉚，顿于霸上㉛。咸阳㉜以东，可指麾㉝而定。京师震扰，兵不暇集㉞，上下相疑，群情离骇㉟，我陈兵号令㊱，谁敢不从？旬日㊲之间，事可定矣。"谅大悦，于是遣所署大将军余公理出太谷㊳，趣河阳㊴，大将军綦良出滏口㊵，趣黎阳，大将军刘建出井陉，略燕、赵㊶，柱国乔钟葵出雁门㊷，署㊸文安为柱国，与柱国纥单㊹贵、王聃㊺等直指京师。

帝以右武卫将军㊻洛阳丘和㊼为蒲州刺史，镇蒲津。谅简[5]精锐数百骑戴羃离㊽[6]，诈称谅宫人还长安，门司㊾弗觉㊿，径入蒲州，城中豪杰亦有应之者。丘和觉其变，逾城，逃归长安。蒲州长史勃海高义明、司马北平荣毗(151)皆为反者所执。裴文安等未至蒲津百余里，谅忽改图(152)，令纥单贵断河桥(153)，守蒲州，而召文安还。文安至，谓谅曰："兵机(154)诡速(155)，本欲出其不意。王既不行，文安又返，使彼计成，大事去矣。"谅不对。以王聃为蒲州刺史，裴文安为晋州(156)刺史，薛粹为绛州(157)刺史，梁菩萨为潞州(158)刺史，韦道正为韩州(159)刺史，张伯英为泽州(160)刺史。代州总管天水李景(161)发兵拒谅，谅遣其将刘嵩袭景，景击斩之。谅复遣乔钟葵帅劲勇(162)三万攻之，景战士不过数千，加以城池不固，为钟葵所攻，崩毁相继，景且战且筑，士卒皆殊死(163)斗，钟葵屡败。司马冯孝慈(164)、司法(165)吕玉并骁勇善战，仪同三司侯莫陈乂(166)多谋画，工(167)拒守之术，景知三人可用，推诚(168)任之，己无所关预(169)，唯在阁持重(170)，时抚循(171)而已。

杨素将轻骑五千袭王聃、纥单贵于蒲州，夜，至河际，收商贾(172)船，得数百艘，船内多置草，践之无声，遂衔枚(173)而济，迟明(174)，击之。纥单贵败走，聃惧，以城降。有诏征素还。初，素将行，计日(175)破贼，皆

王頍劝说杨谅说："大王所辖将吏，家属都在关西，如果用这些人，就应当长驱深入，直接占领京师，这就叫迅雷不及掩耳，如果只打算割据旧齐的地方，应当任用东部的人。"杨谅拿不定主意，就兼用两策，声言杨素反叛，准备起兵诛讨。

总管府兵曹参军闻喜人裴文安劝杨谅说："井陉以西，在大王控制之内，太行山以东的兵马，也归我有，应当全部征发，分派老弱驻守要害地方，并命令他们随机攻取土地，大王率领精锐部队，直接进入蒲津关。我裴文安请求作为先锋，大王以大军继后，风行雷击，进驻霸上。咸阳以东的地方，就可以很容易平定。这时京师震动纷扰，军队无暇调集，上下相互猜疑，人心恐惧离散，我军严阵以待，发号施令，谁敢不从命？十天之内，大事可定了。"杨谅非常高兴，于是派遣暂任的大将军余公理从太谷出兵，奔赴河阳；大将军綦良从滏口出兵，赶往黎阳；大将军刘建从井陉出兵，攻略燕赵地区，柱国乔钟葵从雁门出兵，任命裴文安为柱国，与柱国纥单贵、王聃等直指京师。

隋炀帝任命右武卫将军洛阳人丘和为蒲州刺史，镇守蒲津。杨谅挑选几百个精锐骑兵，戴上妇女的面纱，诈称是杨谅的宫人回长安，守门的官员没有发觉，径直进入蒲州城，城中豪杰也有响应的。丘和觉察了变故，翻过城墙，逃回长安。蒲州长史勃海人高义明、司马北平人荣毗都被反叛的人抓获。裴文安等人到达距蒲津关一百余里处，杨谅忽然改变策略，派纥单贵拆断河桥，据守蒲州，而召回裴文安。裴文安回来后，对杨谅说："用兵的玄机贵在诡诈神速，本来想出其不意。大王既不前行，我又返回，让对方制定好计划，我们的大事完了。"杨谅不应答。他任命王聃为蒲州刺史，裴文安为晋州刺史，薛粹为绛州刺史，梁菩萨为潞州刺史，韦道正为韩州刺史，张伯英为泽州刺史。代州总管天水人李景发兵抵抗杨谅，杨谅派部将刘暠袭击李景，李景斩杀了刘暠。杨谅又派乔钟葵率领三万劲卒攻打李景，李景手下战士不过几千人，加上城池不坚固，被乔钟葵所攻破，城墙相继崩塌，李景一边作战一边筑城，士卒们都拼死战斗，乔钟葵多次被击败。代州司马冯孝慈、司法吕玉都骁勇善战，仪同三司侯莫陈乂足智多谋，擅长防御战术。李景知道这三人可以重用，便诚心诚意任用他们，自己不加干预，只是在衙署内主持大计，时时抚慰而已。

杨素率领轻骑兵五千人在蒲州袭击王聃、纥单贵，夜里，到达河边，搜集商人船只，得到几百艘，船内放置很多草，人马踏到上面没有声音，于是士兵口含木片渡过黄河，黎明，发起攻击。纥单贵战败逃走，王聃恐惧，献出城池投降。隋炀帝下诏召回杨素。当初，杨素将要出发，计算日期打败叛贼，结果完全和估

如所量[176]，于是以素为并州道行军总管、河北道安抚大使[177]，帅众数万以讨谅。

谅之初起兵也，妃兄豆卢毓[178]为府主簿[179]，苦谏，不从，私谓其弟懿曰："吾匹马归朝，自得免祸，此乃身计[180]，非为国也，不若且伪从之，徐伺其便[181]。"毓，勣之子也。毓兄显州[182]刺史贤[183]言于帝曰："臣弟毓素怀志节[184]，必不从乱，但逼凶威，不能自遂，臣请从军，与毓为表里[185]，谅不足图也。"帝许之。贤密遣家人赍敕书至毓所，与之计议。

谅出城，将往介州[186]，令毓与总管属[187]朱涛留守。毓谓涛曰："汉王构逆[188]，败不旋踵[189]，吾属岂可坐受夷灭，孤负[190]国家邪？当与卿出兵拒之。"涛惊曰："王以大事相付，何得有是语？"因拂衣而去，毓追斩之。出皇甫诞于狱，与之协计，及开府仪同三司宿勤武[191]等闭城拒谅。部分[192]未定，有人告谅，谅袭击之。毓见谅至，绐其众曰："此贼军也！"谅攻城南门，稽胡[193]守南城[194]，不识谅，射之，矢[195]下如雨。谅移攻西门，守兵识谅，即开门纳之，毓、诞皆死。

綦良攻慈州[196]刺史上官政，不克，引兵攻行相州事[197]薛胄，又不克，遂自滏口攻黎州，塞白马津[198]。余公理自太行[199]下河内[200]，帝以右卫将军史祥[201]为行军总管，军[202]于河阴[203]。祥谓军吏曰："余公理轻[204]而无谋，恃众[205]而骄，不足破也。"公理屯河阳，祥具舟南岸，公理聚兵当之。祥简精锐于下流潜济，公理闻之，引兵拒之，战于须水[206]。公理未成列[207]，祥击之，公理大败。祥东趣黎阳，綦良军不战而溃。祥，宁之子也。

帝将发幽州兵，疑幽州总管窦抗[208]有贰心，问可使取抗者于杨素[7]，素荐前江州[209]刺史勃海李子雄[210]，授上大将军，拜广州刺史[211]。又以左领军将军[212]长孙晟为相州刺史，发山东兵，与李子雄共经略之。晟辞以男行布[213]在谅所部，帝曰："公体国之深，终不以儿害义，朕今相委，公其勿辞。"李子雄驰至幽州，止传舍[214]，召募得千余人。抗来诣子雄，子雄伏甲擒之。抗，荣定之子也。

子雄遂发幽州兵步骑三万，自井陉西击谅。时刘建围戍将京兆张祥于井陉，子雄破建于抱犊山[215]下，建遁去。李景被围月余，诏朔州刺史代人杨义臣[216]救之。义臣帅马步二万，夜出西陉[217]，乔钟葵悉众拒

计的一样。于是任命杨素为并州道行军总管、河北道安抚大使，率领数万军队征讨杨谅。

杨谅开始起兵的时候，王妃的哥哥豆卢毓任汉王府主簿，苦苦谏阻，杨谅不听。豆卢毓私下对他弟弟豆卢懿说："我单枪匹马返回朝廷，自然能够免祸，这只是为自身安危之计，不是为了国家。不如暂且假装服从他，慢慢伺机下手。"豆卢毓是豆卢勣的儿子。豆卢毓的哥哥显州刺史豆卢贤对隋炀帝说："臣的弟弟豆卢毓一向就有气节，一定不会跟着作乱，只是被凶威逼迫，不能够按自己心意办事。我请求随军出征，与豆卢毓里应外合，打败杨谅没有问题。"隋炀帝同意了。豆卢贤隐密地派家人带上敕书到豆卢毓的住所，和他商量。

杨谅出城，将要前往介州，命豆卢毓与总管属朱涛留守。豆卢毓对朱涛说："汉王图谋反叛，很快就要失败，我们怎能坐等灭族，辜负皇上呢？我和你应当出兵抵抗汉王。"朱涛吃惊地说："汉王把大事交给我们，怎么能说这种话？"便拂袖而去，豆卢毓追上去杀了朱涛。豆卢毓从牢狱中放出皇甫诞，与他一起商议，并和开府仪同三司宿勤武等共同关闭城门抵抗杨谅。还没有部署妥当，有人报告了杨谅，杨谅袭击豆卢毓等。豆卢毓看到杨谅到来，就欺骗守城士兵说："这是敌军！"杨谅攻打南门，稽胡人守卫南城，不认识杨谅，用弓弩射击，箭如雨下。杨谅转攻西门，守城兵士认识杨谅，立即开门让杨谅进城，豆卢毓、皇甫诞都被杀死。

綦良进攻慈州刺史上官政，没能攻克，率军进攻代理相州刺史薛胄，又没有取胜，于是从滏口攻打黎州，封锁白马津。余公理从太行山直下河内，隋炀帝任命右卫将军史祥为行军总管，驻军在河阴。史祥对军吏说："余公理轻佻无谋，依靠兵多而骄傲，很容易打败他。"余公理屯驻河阳，史祥在南岸准备好了船只，余公理集中兵力抵挡。史祥挑选精锐在下游偷偷渡河，余公理听到消息，领兵抵抗他们，两军在须水交战。余公理还没有摆好阵势，史祥便攻打他，余公理大败。史祥东赴黎阳，綦良的军队未战而溃。史祥，是史宁的儿子。

隋炀帝即将征调幽州的军队，怀疑幽州总管窦抗有二心，向杨素询问谁能擒获窦抗。杨素推荐前江州刺史勃海人李子雄，隋炀帝任命李子雄为上大将军，拜广州刺史。又任命左领军将军长孙晟为相州刺史，征调山东的军队，与李子雄共同掌管处置。长孙晟以他的儿子长孙行布在杨谅的部下为由进行推辞，隋炀帝说："你以国家利益为重，终不会因为儿子而损害大义，朕现今托付你大事，你不要推辞。"李子雄驰马到达幽州，停留在驿站，招募到了一千多人。窦抗来见李子雄，李子雄埋伏武士活捉了窦抗。窦抗，是窦荣定的儿子。

李子雄于是征调幽州兵步骑三万，从井陉西进攻击杨谅。当时刘建在井陉包围了井陉戍将京兆人张祥，李子雄在抱犊山下打败了刘建，刘建逃走。李景被包围了一个多月，隋炀帝诏令朔州刺史代郡人杨义臣救援他。杨义臣率领步骑两万，乘

之。义臣自以兵少，悉取军中牛驴，得数千头，复令兵数百人，人持一鼓潜驱之，匿于涧谷间。晡后，义臣复与钟葵战，兵初合[218]，命驱牛驴者疾进，一时鸣鼓，尘埃张[8]天[219]，钟葵军不知，以为伏兵发，因而奔溃[220]，义臣纵击，大破之。晋、绛、吕[221]三州皆为谅城守[222]，杨素各以二千人縻[223]之而去。谅遣其将赵子开拥众十余万，栅绝径路[224]，屯据高壁[225]，布陈五十里。素令诸将以兵临之，自引奇兵潜入霍山[226]，缘崖谷而进。素营于谷口，自坐营外，使军司[227]入营简[228]留三百人守营，军士惮北兵[229]之强，不欲出战，多愿守营，因尔致迟。素责所由，军司具对，素即召所留三百人出营，悉斩之。更令简留，人皆无愿留者。素乃引军驰进，出北军之北，直指其营，鸣鼓纵火。北军不知所为，自相蹂践，杀伤数万。谅所署介州刺史梁脩罗屯介休[230]，闻素至，弃城走。

谅闻赵子开败，大惧，自将众且十万，拒素于蒿泽[231]。会大雨，谅欲引军还，王頍谏曰："杨素悬军[232]深入，士马疲弊，王以锐卒自将击之，其势必克。今望敌而退，示人以怯，沮[233]战士之心，益西军[234]之气，愿王勿还。"谅不从，退守清源[235]。

王頍谓其子曰："气候[236]殊不佳，兵必败，汝可随我。"杨素进击谅，大破之，擒萧摩诃。谅退保晋阳，素进兵围之，谅穷蹙[237]，请降，余党悉平。帝遣杨约赍手诏[238]劳素。王頍将奔突厥，至山中，径路断绝，知必不免，谓其子曰："吾之计数不减杨素[239]，但坐言不见从[240]，遂至于此，不能坐受擒获，以成竖子名，吾死之后，汝慎勿过亲故。"于是自杀，瘗[241]之石窟[242]中。其子数日不得食，遂过其故人，竟为所擒，并获頍尸，枭[243]于晋阳。

群臣奏汉王谅当死，帝不许，除名为民，绝其属籍[244]，竟以幽死。谅所部吏民坐谅死徙者二十余万家。初，高祖与独孤后甚相爱重，誓无异生之子[245]，尝谓群臣曰："前世天子，溺[246]于嬖幸，嫡庶[247]分争，遂有废立，或至亡国。朕旁无姬侍[248]，五子同母，可谓真兄弟也，岂有此忧邪？"帝又惩周室诸王微弱[249]，故使诸子分据大镇，专制[250]方面，权侔帝室。及其晚节[251]，父子兄弟迭相[252]猜忌，五子皆不以寿终[253]。

夜出西陉关，乔钟葵率领全部兵马迎击。杨义臣自以为兵少，全部调取军中的牛驴，得到数千头，又派了士卒几百人，每人拿一个鼓暗中驱赶牛驴，隐藏在山谷中。下午三时以后，杨义臣再次与乔钟葵交战，刚一交兵，命令驱赶牛驴的士兵迅速前进，一时间鼓声大震，尘埃满天，乔钟葵军不知虚实，以为埋伏的兵士出击，因而溃逃，杨义臣纵兵出击，大败敌军。晋州、绛州、吕州三座州城都是杨谅兵驻守，杨素每州用两千人牵制，然后率军离去。杨谅派部将赵子开率领十余万人，用栅栏阻断道路，屯兵据守高壁岭，布阵五十里。杨素命令众将率军靠拢高壁岭，自己率领奇兵潜入霍山，沿着悬崖陡壁前进。杨素驻扎在山谷口，自己坐在营帐外边，派军司入营选三百人留下守营。兵士害怕杨谅军队强大，不愿出战，大多都愿守营，因而拖延了时间。杨素责问原因，军司据实回答，杨素立即召唤留守的三百人出营，全部杀掉。他重新下令选派留守的人，再没有人愿意留下。杨素于是率领军士飞驰前进，到达杨谅军队的北边，直冲杨谅的军营，鸣鼓放火。杨谅军队不知所措，自相践踏，杀伤数万人，杨谅委任的介州刺史梁脩罗屯守介休，听说杨素到来，弃城逃跑。

杨谅得知赵子开战败，十分恐惧，亲自率领近十万大军，在蒿泽抵抗杨素。正赶上大雨，杨谅想率领军队返回，王頍谏阻说："杨素孤军深入，兵马困乏不足，大王亲自率领精兵攻击他，其势必胜。如今望见敌人就退走，向人显示胆怯，挫伤我军将士的斗志，增强杨素军队的士气，希望大王不要退回去。"杨谅不听，退守清源。

王頍对他儿子说："形势很不好，我军必败，你要跟着我。"杨素进击杨谅，把他打得大败，活捉了萧摩诃。杨谅撤退到晋阳防守，杨素进军包围，杨谅窘迫无路，请求投降，残余党羽都被扫平。隋炀帝派杨约带着自己的亲笔诏书慰劳杨素。王頍准备投奔突厥，走到山中，道路断绝，自知一定不能幸免，对他的儿子说："我的谋略不比杨素差，只因为我的话不被听从，才落到了这种地步。我不能坐着被抓获，以成就杨素那小子的功名。我死后，你千万不要去亲友那里。"于是自杀，被埋葬在石窟中。他儿子几天吃不上饭，就到朋友家去，终于被人抓获，同时寻获了王頍的尸体，在晋阳将首级挂在树上示众。

群臣上奏汉王杨谅应当处死，隋炀帝不答应，把杨谅从官籍中除名为民，断绝了他的宗室族籍，最后被囚禁而死。他的所属吏民受牵连而获罪，被处死和流放的有二十余万家。当初，高祖杨坚与独孤皇后极为互爱互敬，发誓不和别的姬妾生儿子，高祖曾经对群臣说："前朝天子，沉溺于宠幸的姬妾，嫡子与庶子互相争斗，便有废立太子之事，有的因此亡国。我没有别的姬妾生子，五个儿子都是一母所生，可以说是真正的兄弟，怎么会有废立的忧患呢？"隋文帝又以北周宗室微弱终致亡国为鉴戒，所以让几个儿子分据大镇，专制一方，权力与皇室相当。到了晚年，父子兄弟互相猜忌，五个儿子都不能寿终正寝。

臣光曰："昔辛伯[254]谂[255]周桓公[256]曰：'内宠[257]并后，外宠[258]贰政[259]，嬖子[260]配嫡[261]，大都[262]偶国[263]，乱之本也。'人主诚能慎此四者，乱何自生哉？隋高祖徒知嫡庶之多争，孤弱之易摇，曾不知势钧[264]位逼，虽同产[265]至亲，不能无相倾夺。考诸辛伯之言，得其一而失其三乎？"

冬，十月己卯[266]，葬文皇帝[267]于太陵，庙号高祖，与文献皇后同坟异穴。

诏除妇人及奴婢、部曲[268]之课，男子二十二成丁[269]。

章仇太翼言于帝曰："陛下木命[270]，雍州为破木之冲[271]，不可久居。又谶云：'修治洛阳还晋家。'"帝深以为然。十一月乙未[272]，幸洛阳，留晋王昭守长安。杨素以功拜其子万石、仁行、侄玄挺皆[9]为仪同三司，赉物五万段，绮罗千匹，谅妓妾二十人。

丙申[273]，发丁男数十万掘堑，自龙门东接长平[274]、汲郡[275]，抵临清关[276]，渡河至浚仪[277]、襄城[278]，达于上洛[279]，以置关防。

壬子[280]，陈叔宝卒，赠大将军、长城县[281]公，谥曰炀[282]。

癸丑[283]，下诏于伊洛[284]营建东京[285]，仍曰："宫室之制，本以便生，今所营构，务从俭约[10]。"

蜀王秀之得罪也，右卫大将军元胄坐与交通除名，久不得调。时慈州刺史上官政坐事徙岭南，将军丘和以蒲州失守除名，胄与和有旧，酒酣，谓和曰："上官政，壮士也，今徙岭表，得无大事乎？"因自拊[286]腹曰："若是公者，不徒然[287]矣。"和奏之，胄竟坐死。于是征政为骁卫将军[288]，以和为代州刺史。

司马光说：“从前辛伯深谏周桓公说：‘内室姬妾与王后平列，外宠之臣与正卿二人执政，宠爱的庶子与嫡子匹对，大的都会与国都相等，这都是祸乱的根源。’人主真能在这四个方面特别慎重，祸乱从哪里产生呢？隋高祖只知嫡庶之间多有争斗，皇室孤单诸藩弱小政权容易被摇动，竟不知道势均力敌、地位相当，虽然是同母兄弟，关系至亲，也不能避免互相倾轧争夺。对照辛伯说的话，隋高祖是只领会了一条而丢了三条吗？”

冬，十月十六日己卯，安葬隋文帝于太陵，庙号高祖，与文献皇后同一个坟冢而不同墓穴。

隋炀帝下诏免除妇女，以及奴婢、部曲的赋税，规定男子二十二岁而服徭役。

章仇太翼向隋炀帝进言说：“陛下是木命，雍州是破木的要冲，不可长久居住。又图谶上说：‘修治洛阳还晋家。’”隋炀帝极为赞同。十一月初三日乙未，隋炀帝幸临洛阳，留晋王杨昭守长安。杨素因有功劳，皇上授他的儿子杨万石、杨仁行、侄儿杨玄挺都为仪同三司，赏赐丝帛五万段、绮罗一千匹，杨谅的歌伎侍妾二十人。

十一月初四日丙申，征发丁男数十万人挖长壕，从龙门起向东连接长平、汲郡，直到临清关，越过黄河到浚仪、襄城，到达上洛，沿壕沟布置关卡。

十一月二十日壬子，陈叔宝去世，赠大将军、长城县公，谥号曰炀。

十一月二十一日癸丑，隋炀帝下诏在伊水、洛水交汇处建筑东京，还说：“宫室制度，原本是方便生活，如今建造，务必节约。”

蜀王杨秀获罪时，右卫大将军元胄因与杨秀往来被罢官除名，长久没有起用。当时慈州刺史上官政犯罪流徙岭南，将军丘和因为失守蒲州被罢官除名。元胄与丘和有旧交，喝酒酣畅时，对丘和说：“上官政，是一位壮士，如今流徙岭南，大概不会出什么大事吧？”然后拍着自己的肚子说：“像你这样的人，是不会无所作为的。”丘和上奏朝廷，元胄终被处死。于是征召上官政担任骁卫将军，任命丘和为代州刺史。

【段旨】

以上为第二段，写隋炀帝讨平汉王杨谅的反叛。

【注释】

㉟乙卯：七月二十一日。㊱易留守：替换监视废太子杨勇的人。㊲高祖：隋文帝庙号。㊳凶问：死讯。凶，不吉利、死。㊴令兄：对别人之兄的敬称。此指杨素。㊵大任：重任。㊶置嗣：设立后嗣。㊷丁卯：八月初三日。㊸梓宫：天子的棺材，梓木所制。㊹丙子：八月十二日。㊺殡：停柩待葬。㊻大兴前殿：即大兴宫正殿。㊼龙川：郡名，治所归善县，在今广东惠州市惠阳区东北。㊽南海：郡名，治所番禺县，在今广东广州。㊾朝谒：朝见。谒，晋见。㊿受命：接受天命。指即帝位。⑺表贺：上表庆贺。⑺国哀：帝王之死，举国哀悼，称国哀。⑺素恶：一向憎恶。⑺左迁：降职。古代以右为尊，以左为卑，故降职称左迁。⑺给事郎：官名，掌顾问应对。⑻山：指太行山。⑻沧海：大海，此指渤海与黄海。⑻距：去。⑻不拘：不拘泥；不受约束。⑻怏怏：不服气；不乐意。⑻武备：军备。⑻缮治：修整；整治。⑻亡命：指逃亡的人。⑻殆将：将近。⑻除解者：罢官的人。除，除名。解，解官。⑼岭表：即岭南。指五岭以外之地。⑼宿旧：旧好。⑼藩王：古代皇帝诸子分封外地为王，以藩屏王室，故称藩王。⑼宪法：法律。⑼嗟乎：叹词。⑼小子：尊者称卑者之辞。⑼王頍（公元五五一至六〇四年）：字景文，太原祁（今山西祁县）人。历仕后梁、周、隋，官至王府谘议参军。著《五经大义》三十卷，已佚。传见《隋书》卷七十六、《北史》卷八十四。⑼倜傥：洒脱；不拘束。⑼郁郁：忧闷。⑼荧惑：火星别名。因隐现不定，令人迷惑，故称荧惑。⑽东井：星名，即井宿。⑽仪曹：官名，王府属官，掌礼仪。⑽傅奕（公元五五五至六三九年）：相州邺（今河南安阳）人，精通天文历数，历仕隋、唐，官至太史令。传见《旧唐书》卷七十九、《新唐书》卷一百四。⑽黄道：地球上的人看太阳于一年之内在恒星之间所走的路径，即地球的公转轨道平面和天球相交的大圆。⑽屈突通（公元五五七至六二八年）：雍州长安人，历仕隋、唐，官至工部尚书，封蒋国公。传见《旧唐书》卷五十九、《新唐书》卷八十九。⑽玉麟符：符是过去皇帝调兵遣将的凭证，因状似玉麒麟，故称玉麟符。隋以文帝三子分镇并、扬、益三州，管辖甚广，特颁玉麟符。⑽无验：得不到验证。⑽占对：应口对答。⑽皇甫诞（？至公元六〇四年）：字玄虑（洪颐煊《诸史考证》云皇甫诞碑作“字玄宪”），安定乌氏（今甘肃泾川县东北）人。仕隋，官至并州总管司马。传见《隋书》卷七十一、《北史》卷七十。⑽君臣位定：指太子已即位为国君，汉王杨谅身居臣位。⑾逆顺势殊：谋反为逆，保卫皇权为顺，二者情势不同。⑾绖于刑书：被刑律所羁绊。绖，绊住。刑书，刑法的条文。⑾岚州：州名，治所宜芳县，在今山西岚县北之岚城。⑾陶模：《北史·皇甫璠传》本作“陶世模”，《隋书》避唐太宗讳改。京兆（今陕西西安）人。仕隋，位至银青光禄大夫。传见《隋书》卷七十一、《北史》卷七十。⑾荷：承受。⑾厉阶：祸端。厉，恶。阶，上下的台阶。⑾临之以兵：把兵器高举在上方，欲砍杀的样子。兵，指刀剑等兵器。⑾辞气：言

辞声调。⑱义：善。称道他的临危不惧。⑲压众心：压服众人之心。⑳关西：此关西指蒲津关以西，即今陕西大荔东朝邑镇以西。㉑旧齐之地：旧齐指北齐，南至黄河，北尽燕、代，皆是北齐之地。㉒东人：即关东人，即函谷关以东，包括今山西、河北、河南、山东等地。㉓唱言：扬言。㉔兵曹：官名，即兵曹参军，掌管军防的烽火、驿马传送、门禁、田猎、仪仗等事。㉕井陉：山名，太行山的支脉，有要隘名井陉口。在今河北井陉西北。㉖山东：泛指太行山以东的地区。㉗羸兵：疲弱的兵士。羸，瘦弱、疲病。㉘略地：攻取土地。略，取。㉙蒲津：关名，在今陕西大荔东朝邑镇东北。㉚风行雷击：形容行动迅速，气势壮盛。㉛顿于霸上：屯驻霸上。顿，停留、止息。霸上，地名，在今陕西西安东。㉜咸阳：地名，故址在今陕西咸阳东北。㉝指麾：同"指挥"。手指挥动。形容很容易。㉞兵不暇集：没有空暇调集军队。㉟群情离骇：人心离散而又惧怕。㊱号令：发号施令。㊲旬日：十天。一旬为十天。㊳太谷：县名，县治在今山西晋中市太谷区。㊴趣河阳：奔赴河阳。趣，通"趋"。河阳，县名，县治在今河南孟州南。㊵滏口：古隘道名，太行八陉之一。在今河北磁县西北石鼓山。㊶略燕赵：攻取燕、赵旧地，大致包括今河北、辽宁部分地区。㊷雁门：郡名，治所雁门县，在今山西代县。㊸署：官制术语，指代理、暂任或试充官职。㊹纥单：北方少数民族复姓。㊺王聃：又称王聃子。原为柱国，从汉王杨谅叛乱。事迹散见《隋书》卷四十五、卷四十八等。㊻右武卫将军：武官名，与左武卫将军共领外军宿卫。㊼丘和（公元五五二至六三七年）：河南洛阳人，历仕周、隋、唐，官至左武候大将军，封谭国公。传见《旧唐书》卷五十九、《新唐书》卷九十。㊽羃离：面纱。古时妇女障面之巾。㊾门司：官名，掌城门。㊿弗觉：没有发现。弗，不、没有。(151)荣毗：字子谌，北平无终（今天津市蓟州区）人，历仕周、隋，官至治书侍御史。传见《隋书》卷六十六、《北史》卷七十七。(152)改图：改变原来的策略、计谋。(153)河桥：指蒲津之桥。(154)兵机：用兵的机宜。(155)诡速：诡诈神速。(156)晋州：州名，治所白马城，在今山西临汾。(157)绛州：州名，治所龙头城，在今山西闻喜东北。(158)潞州：州名，治所上党县，在今山西长治。(159)韩州：州名，治所襄垣县，在今山西襄垣。(160)泽州：州名，治所丹川县，在今山西晋城东北。(161)李景（？至公元六一七年）：字道兴，天水休官（今甘肃天水）人，历仕周、隋，官至右武卫大将军，封滑国公。传见《隋书》卷六十五、《北史》卷七十六。(162)劲勇：指强劲勇猛的士卒。(163)殊死：拼死；决死。(164)冯孝慈（？至公元六一三年）：人名，仕隋，官至右候卫将军。事散见《隋书》卷四、卷六十四、卷六十五等。(165)司法：官名，即法曹行参军，掌刑法狱讼事。(166)侯莫陈乂：人名。侯莫陈，北方少数民族的复姓。(167)工：擅长。(168)推诚：以诚意相待。(169)关预：参与；干涉。(170)持重：稳重固守，主持大计。(171)抚循：同"拊循"，安抚。(172)商贾：经商的人。行曰商，坐曰贾。(173)衔枚：枚形状如筷子，横衔口中，防止行军喧哗。(174)迟明：黎明。(175)计日：计算日期。(176)量：估量。(177)安抚大使：官名，帝王特派出的临时使节，主管安顿官民。(178)豆卢毓（公元五七七至六〇四年）：字道生，昌黎徒河（今辽宁锦州）人，仕隋，官至仪同三司。传附《隋书·豆卢勣传》《北史·豆卢宁传》。⑰⁹府主簿：官名，掌管王府文记簿书。⑱⁰身计：为了自身安危之计。⑱¹徐伺其便：慢慢伺机下手。⑱²显州：州名，治所比阳县，在今河南泌阳。⑱³贤：即豆卢贤，昌黎徒河（今辽宁锦州）人。仕隋，官至显州刺史、大理少卿。传附《隋书·豆卢勣传》《北史·豆卢宁传》。⑱⁴志节：志尚节操。⑱⁵表里：内外。⑱⁶介州：州名，治所隰城县，在今山西汾阳。⑱⁷总管属：总管府僚佐，位在掾下。⑱⁸构逆：图谋反叛。构，图谋。⑱⁹旋踵：转足之间，形容迅速。⑲⁰孤负：亏负。孤，有负。⑲¹宿勤武：人名。宿勤，北方少数民族复姓。⑲²部分：安排；部署。⑲³稽胡：即步落稽，少数民族，散居在今山西介休、吕梁市离石区一带。⑲⁴南城：即城南门一带。⑲⁵矢：箭。以竹为箭，以木为矢。⑲⁶慈州：州名，治所滏阳县，在今河北磁县。⑲⁷行相州事：代理相州事。行，官阶高而所理职低称行。相州，州名，治所安阳县，在今河南安阳。⑲⁸白马津：古代黄河著名渡口。故址在今河南滑县东北。⑲⁹太行：关名，又称天井关、楚雄关、平阳关。在山西晋城太行山上。⑳⁰河内：郡名，治所河内县，在今河南沁阳。⑳¹史祥：字世休，朔方（今内蒙古杭锦旗）人，历仕周、隋，官至左骁卫大将军。传见《隋书》卷六十三、《北史》卷六十一。⑳²军：驻扎。⑳³河阴：县名，县治在今河南孟州南。⑳⁴轻：轻佻；不稳重。⑳⁵恃众：依仗人多。⑳⁶须水：胡三省注认为须水镇在河南荥阳，而双方战于河北，此不应是须水。《通典》卷一百五十三作“溴水”，“须”字误，当从改。⑳⁷成列：摆成队列、阵势。⑳⁸窦抗（？至公元六二一年）：字道生，扶风平陵（今陕西咸阳西北）人，历仕隋、唐，官至左武候大将军，领左右千牛备身大将军。传见《隋书》卷三十九、《北史》卷六十一、《旧唐书》卷六十一、《新唐书》卷九十五。⑳⁹江州：州名，治所湓口城，在今江西九江市。㉑⁰李子雄（？至公元六一三年）:《北史》称“李雄”，勃海蓨县（今河北景县）人，历仕周、隋，官至右武候大将军，后从杨玄感作乱。传见《隋书》卷七十、《北史》卷七十四。㉑¹拜广州刺史：史称拜广州刺史，却赴幽州，实际上未到广州赴任。㉑²左领军将军：武官名，掌十二军籍账、差役、诉讼之事。㉑³行布（？至公元六〇四年）：长孙晟长子，官至库真。传附《隋书·长孙晟传》《北史·长孙道生传》。㉑⁴传舍：古时供来往行人休息住宿的处所。㉑⁵抱犊山：山名，故址在今河北石家庄市鹿泉区西。㉑⁶杨义臣：代县（今山西代县）人，本姓尉迟氏，隋文帝赐姓杨氏。历仕周、隋，官至礼部尚书。传见《隋书》卷六十三、《北史》卷七十三。㉑⁷西陉：关名，故址在今山西代县西北。㉑⁸兵初合：双方士兵刚一交战。㉑⁹张天：冲天。张，弥漫、充满。㉒⁰奔溃：奔跑溃散。㉒¹吕：州名，治所霍邑县，在今山西霍州。㉒²城守：据城防守。㉒³縻：本指牛鼻绳，引申为束缚、牵制。㉒⁴栅绝径路：设置木栅，以断绝道路。㉒⁵高壁：岭名，在今山西灵石南。㉒⁶霍山：山名，也称霍太山或太岳山。在今山西霍州东北。㉒⁷军司：官名，为监军之职。㉒⁸简：选择。㉒⁹北兵：即汉王杨谅军。杨谅镇守太原，在长安之北，故称北军。㉓⁰介休：县名，县治在今山西介休。㉓¹蒿泽：湖泊名，在今山西平遥、祁县境内。㉜悬军：孤军。㉝沮：败坏；挫伤。㉞西军：杨素军从长安来，故称之为西军。㉟清源：县名，因县西清源水为名，县治在今山西清徐。㊱气候：气象。意指交战形势。㊲穷蹙：窘迫无路。蹙，皱缩。㊳手诏：帝王亲自写的诏书。也称“手敕”。㊴吾之计数不减杨素：我的谋略不比杨素差。计数，计谋。不减，不少。㊵不见从：不被采纳。从，听从、采纳。㊶瘗：埋葬。㊷石窟：山中石洞穴。㊸枭：将首级挂在树木上。㊹属籍：家族的名册。㊺异生之子：指与除了独孤皇后之外的其他妃嫔所生之子。㊻溺：溺爱。㊼嫡庶：正妻生子称嫡，妾生子称庶。㊽姬侍：侍妾。㊾惩周室诸王微弱：以北周皇室诸侯王力量弱小为鉴戒。惩，鉴戒。㊿专制：独断独行。(251)晚节：晚年。(252)迭相：互相。迭，更替、轮流。(253)寿终：自然死亡。(254)辛伯：春秋时人，周桓王大夫。事见《史记》卷四。(255)谂：规谏；告知。(256)周桓公：当是周公黑肩。事见《左传》桓公十八年、闵公二年及《史记》卷四。(257)内宠：帝王所宠爱的人。此指姬妾。(258)外宠：指宠臣。(259)贰政：政谓正卿，执宰相之权者二人。(260)嬖子：宠爱的儿子。(261)配嫡：与嫡子相匹对。(262)大都：大的都会。(263)偶国：与国都相等。偶，同等。(264)势钧：势力相均衡。钧，通“均”。(265)同产：同母兄弟。(266)己卯：十月十六日。(267)文皇帝：“文”为隋高祖谥号。(268)部曲：指依附豪门大族的家丁、门客等农民。(269)成丁：成为丁壮劳力，开始向国家纳税服徭役。(270)木命：古代术士把人生之年和木金水火土五行相结合，以推测人运气的好坏。(271)破木之冲：章仇太翼称，隋炀帝本旺（运气）在卯，在东方，而雍州在西，称为破木之冲，不吉利。(272)乙未：十一月初三日。(273)丙申：十一月初四日。(274)长平：郡名，治所玄氏县，在今山西高平。(275)汲郡：郡名，治所卫县，在今河南淇县东。(276)临清关：关名，故址在今河南新乡东北。(277)浚仪：县名，县治在今河南开封。(278)襄城：县名，县治在今河南襄城县。(279)上洛：郡名，治所上洛县，在今陕西商洛市商州区。(280)壬子：十一月二十日。(281)长城县：县名，县治在今浙江长兴。(282)谥曰炀：帝王、贵族、大臣等死后，依其生前事迹给予的称号叫谥。炀，《谥法》：好内怠政称炀。(283)癸丑：十一月二十一日。(284)伊洛：伊水和洛水。二河于今河南偃师汇合。(285)东京：洛阳城，在长安东，故称东京，在今河南洛阳。(286)拊：拍；轻击。(287)徒然：枉然；空。(288)骁卫将军：武官名，掌管宿卫。

【校记】

［4］位为方伯：原无此四字。据章钰校，十二行本、乙十一行本、孔天胤本皆有此四字，张敦仁《通鉴刊本识误》同，今据补。〖按〗《通鉴纪事本末》卷二五有此四字。［5］简：原作“选”。据章钰校，十二行本、乙十一行本、孔天胤本皆作“简”，今据改。〖按〗《通鉴纪事本末》卷二五作“简”。［6］离：原作“罵”。据章钰校，十二行本、乙十一行本皆作“离”，今据改。〖按〗《通鉴纪事本末》卷二五作“离”。［7］杨素：原无“素”字。据章钰校，十二行本、乙十一行本、孔天胤本皆有此字，张敦仁《通鉴刊本识误》同，今据补。［8］张：原作“涨”。据章钰校，十二行本、乙十一行本、孔天胤本皆

作“张”，今据改。〖按〗《隋书·杨义臣传》《北史·杨义臣传》皆作“张”。[9] 皆：原无此字。据章钰校，十二行本、乙十一行本皆有此字，张敦仁《通鉴刊本识误》同，今据补。[10] 癸丑，下诏于伊洛营建东京，仍曰：“宫室之制，本以便生，今所营构，务从俭约。”：原无此二十九字。据章钰校，十二行本、乙十一行本、孔天胤本皆有此二十九字，张敦仁《通鉴刊本识误》同，今据补。

【原文】

炀皇帝[289]上之上

大业元年（乙丑，公元六〇五年）

春，正月壬辰朔[290]，赦天下，改元[291]。

立妃萧氏为皇后。

废诸州总管府。

丙辰[292]，立晋王昭为皇太子。

高祖之末，群臣有言林邑[293]多奇宝者。时天下无事，刘方新平交州，乃授方驩州[294]道行军总管，经略林邑。方遣钦州[295]刺史甯长真等以步骑万余出越裳[296]，方亲帅大将军张愻等以舟师出比景[297]，是月，军至海口[298]。

二月戊辰[299]，敕有司大陈金宝、器物、锦彩、车马，引杨素及诸将讨汉王谅有功者立于前，使奇章公牛弘宣诏，称扬功伐[300]，赐赉各有差。素等再拜舞蹈而出。己卯[301]，以素为尚书令[302]。

诏天下公除，惟帝服浅色黄衫、铁装带。

三月丁未[303]，诏杨素与纳言杨达、将作大匠宇文恺营建东京，每月役丁二百万人，徙洛州[304]郭内居民及诸州富商大贾数万户以实之。废二崤道[305]，开葼册道[306]。

戊申[307]，诏曰：“听采舆颂[308]，谋及庶民[309]，故能审刑政[310]之得失，今将巡历淮、海[311]，观省风俗。”

敕宇文恺与内史舍人封德彝等营显仁宫[312]，南接皂涧[313]，北跨洛滨[314]。发大江[315]之南、五岭[316]以北奇材异石，输之洛阳。又求海内嘉

【语译】

炀皇帝上之上

大业元年（乙丑，公元六〇五年）

春，正月初一日壬辰，大赦天下，改换年号。

册立王妃萧氏为皇后。

撤销各州总管府。

正月二十五日丙辰，册立晋王杨昭为皇太子。

高祖末年，群臣中有人说林邑有许多珍宝。当时天下太平，刘方刚刚平定交州，隋文帝于是任命刘方为驩州道行军总管，治理林邑。刘方派钦州刺史甯长真等率领步骑一万多人出越裳进兵，刘方亲自率领大将军张愻等以水师出比景进兵，这个月，军队到达林邑国的出海口。

二月初七日戊辰，隋炀帝敕命主管部门盛陈金宝、器物、锦彩、车马，引导杨素以及征讨汉王杨谅的有功将领站在前面，让奇章公牛弘宣读诏书，表彰功劳，赏赐各有等级。杨素等人再拜施舞蹈礼之后离去。十八日己卯，任命杨素为尚书令。

下诏全国除去丧服，只有隋炀帝穿浅色黄衫，系黑色腰带。

三月十七日丁未，诏令杨素与纳言杨达、将作大匠宇文恺等营建东京，每月投入做工的男丁二百万人，迁移洛州城内的居民以及各州富商大贾数万户用以充实东京，废除二崤道，开通葼册道。

三月十八日戊申，下诏说："君王听取民众的舆论，与庶民百姓商议国事，所以能了解刑政的得失，朕现今将巡视淮、海，观察各地民风习俗。"

隋炀帝下令让宇文恺与内史舍人封德彝等人营建显仁宫，南边连接皂涧，北边横跨洛水。征调大江以南、五岭以北的奇材异石，运送到洛阳。又征求全国的嘉木

木异草，珍禽奇兽，以实园苑。辛亥㉑⑦，命尚书右丞皇甫议发河南、淮北㉑⑧诸郡民，前后百余万，开通济渠㉑⑨。自西苑引谷、洛水㉒⓪达于河；复自板渚㉒①引河历荥泽㉒②入汴㉒③；又自大梁㉒④之东引汴水入泗，达于淮；又发淮南民十余万开邗沟㉒⑤，自山阳㉒⑥至杨子㉒⑦入江。渠广四十步，渠旁皆筑御道㉒⑧，树以柳。自长安至江都㉒⑨，置离宫四十余所。庚申㉓⓪，遣黄门侍郎王弘等往江南造龙舟㉓①及杂船数万艘。东京官吏督役严急，役丁死者什四五，所司以车载死丁，东至成皋㉓②[11]，北至河阳，相望于道。又作天经宫㉓③于东京，四时㉓④祭高祖。

林邑王梵志㉓⑤遣兵守险，刘方击走之。师度阇黎江，林邑兵乘巨象，四面而至。方战不利，乃多掘小坑，草覆其上，以兵挑之，既战，伪北㉓⑥，林邑逐之，象多陷地颠踬㉓⑦，转相惊骇，军遂乱。方以弩㉓⑧射象，象却走，蹂㉓⑨其陈，因以锐师㉔⓪继之，林邑大败，俘馘㉔①万计。方引兵追之，屡战皆捷，过马援铜柱㉔②南，八日至其国都。夏，四月，梵志弃城走入海。方入城，获其庙主㉔③十八，皆铸金为之。刻石纪功而还。士卒肿足，死者什四五㉔④，方亦得疾，卒于道。

初，尚书右丞李纲数以异议忤杨素及苏威，素荐纲于高祖，以为方行军司马㉔⑤。方承素意，屈辱之，几死。军还，久不得调㉔⑥，威复遣纲诣南海应接林邑，久而不召。纲自归奏事，威劾奏纲擅离所职，下吏按问㉔⑦，会赦，免官，屏居㉔⑧于鄠㉔⑨。

五月，筑西苑，周二百里。其内为海，周十余里，为方丈、蓬莱[12]、瀛洲㉕⓪诸山，高出水百余尺，台观宫殿[13]，罗络㉕①山上，向背㉕②如神。海[14]北有龙鳞渠㉕③，萦纡㉕④注海内。缘渠作十六院，门皆临渠，每院以四品夫人㉕⑤主之，堂殿楼观，穷极华丽。宫树秋冬凋落，则翦彩㉕⑥为华叶，缀于枝条，色渝㉕⑦则易以新者，常如阳春㉕⑧。沼内㉕⑨亦翦彩为荷芰菱芡㉖⓪，乘舆游幸，则去冰而布之。十六院竞以殽羞㉖①精丽相高，求市恩宠。上好以月夜从宫女数千骑游西苑，作《清夜游曲》，于马上奏之。

帝待诸王恩薄，多所猜忌，滕王纶㉖②、卫王集㉖③内自忧惧，呼术者问吉凶及章醮求福。或告㉖④其怨望咒诅㉖⑤，有司奏请诛之。秋，七月丙午㉖⑥，诏除名为民，徙边郡。纶，瓒之子。集，爽之子也。

异草，珍禽奇兽，用来充实皇家园林。三月二十一日辛亥，命令尚书右丞皇甫议征发河南、淮北各郡百姓，前后一百多万人，开凿通济渠。从西苑引谷水、洛水到达黄河；又从板渚引河水经荥泽进入汴水；又从大梁的东边引汴水进入泗水，到达淮水；又征发淮南民众十余万开挖邗沟，从山阳至杨子进入长江。渠宽四十步，渠旁都修筑御道，栽种柳树。从长安到江都，修建离宫四十余处。三十日庚申，派黄门侍郎王弘等前往江南造龙舟以及其他各种船只数万艘。东京的官吏催督工役十分严厉急迫，服役的民夫死亡的有十分之四五，主管部门用车载死尸，东到成皋，北到河阳，在道路上前后相望。又在东京建造天经宫，四季祭祀高祖。

林邑王梵志派兵把守险要，刘方赶跑了他们。部队渡过阇黎江，林邑的士兵乘坐大象，从四面八方到来。刘方交战失利，于是隋军挖了许多小土坑，将草盖在上面，用兵挑战，交战以后，隋军假装败退，林邑人追赶他们，很多大象陷入土坑摔倒，林邑兵转而惊慌害怕，军队大乱。刘方用箭弩射击大象，大象后退逃跑，践踏林邑军的阵列，刘方乘势用精兵追赶，林邑兵大败，被俘被杀的数以万计。刘方领兵追击，多次战斗都胜利了，经过马援铜柱南进，八天到达了林邑国都。夏，四月，林邑国王梵志弃城逃到海上。刘方进城，获得林邑国庙主牌位十八个，都是用黄金铸成。刘方立碑纪功班师。士兵脚肿，死亡的有十分之四五。刘方也生了病，死在半道。

当初，尚书右丞李纲多次因发表不同意见冒犯了杨素和苏威。杨素向高祖推荐李纲，任命李纲为刘方的行军司马。刘方秉承杨素的旨意，凌辱李纲，差点死去。军队回朝，长久得不到提升。苏威又派李纲到南海处理林邑事务，长期不召他回朝。李纲自己回京奏报公务，苏威弹劾李纲擅离职守，交由司法官审理，适逢大赦，罢免官职，隐居在鄠县。

五月，营建东京西苑，周长二百里。苑内有海，周长十余里，海中造方丈、蓬莱、瀛洲几座神山，高出水面一百多尺，亭台宫殿，分布山上，正面背面如同仙境。海的北面有龙鳞渠，渠水弯弯曲曲流入海内。沿着渠水建造了十六处宫院，院门都面临渠水，每院安置一个四品夫人主持。殿堂楼观，极其华丽。秋冬时节，宫中树木凋落，就剪彩帛为花朵绿叶，缀连在树枝上，颜色变了就换新的，常年保持温暖的春天景象。在池沼之中也剪彩帛为荷叶菱角，皇上来游玩，就除去冰面，布置在池水中。十六院的夫人争相用精美的食品比试高低，用以求得皇上恩宠。皇上喜欢在月夜带领几千名宫女，骑马游西苑，创作《清夜游曲》，在马背上演奏。

隋炀帝对待诸王薄情寡恩，对诸王多所猜忌，滕王杨纶、卫王杨集心怀忧惧，叫来方术士询问吉凶祸福，以及打醮求福。有人控告二王怨望诅咒，主管部门奏请诛杀二王。秋，七月十八日丙午，隋炀帝下诏废黜二王，除名为平民，发配到边郡。杨纶，是杨瓒的儿子。杨集，是杨爽的儿子。

八月壬寅[367]，上行幸江都，发显仁宫，王弘遣龙舟奉迎。乙巳[368]，上御小朱航，自漕渠[369]出洛口[370]，御龙舟。龙舟四重[371]，高四十五尺，长二百尺[15]。上重有正殿，内殿，东、西朝堂，中二重有百二十房，皆饰以金玉，下重内侍[372]处之。皇后乘翔螭[373]舟，制度差小，而装饰无异。别有浮景九艘，三重，皆水殿也。又有漾彩、朱鸟、苍螭、白虎、玄武、飞羽、青凫[374]、陵波、五楼、道场[375]、玄坛[376]、楼船[16]、板艙[377]、黄篾[378]等数千艘，后宫、诸王、公主、百官、僧、尼、道士、蕃客[379]乘之，及载内外百司供奉之物，共用挽船士[380]八万余人，其挽漾彩以上者九千余人，谓之殿脚[381]，皆以锦彩为袍。又有平乘、青龙、艨艟、艚航[382]、八棹[383]、艇舸[384]等数千艘，并十二卫[385]兵乘之，并载兵器帐幕，兵士自引，不给夫。舳舻[386]相接二百余里，照耀川陆，骑兵翊[387]两岸而行，旌旗蔽野。所过州县，五百里内皆令献食，多者一州至百轝[388]，极水陆珍奇，后宫厌饫[389]，将发之际，多弃埋之。

契丹寇营州[390]，诏通事谒者[391]韦云起[392]护突厥兵讨之，启民可汗发骑二万，受其处分。云起分为二十营，四道俱引，营相去一里，不得交杂，闻鼓声而行，闻角声[393]而止，自非公使[394]，勿得走马，三令五申[395]，击鼓而发。有纥干[396]犯约，斩之，持首以徇。于是突厥将帅入谒，皆膝行[397]股栗，莫敢仰视。契丹本事突厥，情无猜忌。云起既入其境，使突厥诈云向柳城[398]与高丽交易[399]，敢漏泄事实者斩。契丹不为备，去其营五十里，驰进袭之，尽获其男女四万口，杀其男子，以女子及畜产之半赐突厥，余皆收之以归。帝大喜，集夏仲[400]曰："云起用突厥平契丹，才兼文武，朕今自举[401]之。"擢为治书侍御史。

初，西突厥[402]阿波可汗为叶护可汗所虏，国人立鞅素特勒之子，是为泥利可汗。泥利卒，子达漫立，号处罗可汗。其母向氏，本中国人，更嫁[403]泥利之弟婆实特勒。开皇末，婆实与向氏入朝，遇达头之乱，遂留长安，舍[404]于鸿胪寺[405]。处罗多居乌孙[406]故地，抚御[407]失道，国人多叛，复为铁勒[408]所困。铁勒者，匈奴之遗种，族类最多，有仆骨、同罗、契苾、薛延陀等部，其酋长皆号俟斤。族姓虽殊，通谓之铁勒，大抵与突厥同俗，以寇抄[409]为生，无大君长，分属东、西两突厥。是岁，处罗引兵击铁勒诸部，厚税[410]其物，又猜忌薛延陀[411]，恐

八月十五日壬寅，隋炀帝巡幸江都，从显仁宫出发，王弘派龙舟迎接。十八日乙巳，隋炀帝乘坐小朱航，从漕渠驶出洛口，乘坐龙舟。龙舟四层，高四十五尺，长二百尺，最上层有正殿、内殿、东西朝堂，中间两层有一百二十间房，都用金玉装饰，底层由内侍居住。萧皇后乘坐的翔螭舟，规制稍微小一些，但装饰没有差别。另外有浮景船九艘，船上建筑有三层楼，都是水上宫殿。又有漾彩、朱鸟、苍螭、白虎、玄武、飞羽、青凫、陵波、五楼、道场、玄坛、楼船、板艙、黄篾等船数千艘，供后宫、诸王、公主、百官、和尚、尼姑、道士、蕃客乘坐，以及运载内外百官向皇上奉献的物品。一共用了拉纤的船工八万多人，其中拉漾彩以上级别船只的纤夫九千多人，称为殿脚，都身穿锦缎彩绸的袍服。还有平乘、青龙、艨艟、艚航、八棹、艇舸等几千艘兵船，都供十二卫的士兵乘坐，同时运载兵器帐幕，由兵士自己牵引，不配民夫。船舰前后相接，连绵二百多里，灯火照耀河面及两岸陆地，骑兵在两岸护卫行进，旌旗遍野。所经过的州县，五百里以内都奉命供给食物，多的一个州要出动一百多辆车运送，食物极尽水陆珍奇，后宫美女都吃腻了，用餐后将要起程时，未吃完的食物大多被扔掉掩埋。

契丹入侵营州，下诏通事谒者韦云起监护突厥兵去讨伐，启民可汗调集两万骑兵，接受韦云起指挥。韦云起分为二十营，四路并进，每营相隔一里，不得相混，听到鼓声前行，听到角声停止，除非是传递公事的使者，其余都不得驰马，三令五申，击鼓出发。突厥军的一个纥干犯了军令，斩杀了他，将其枭首示众。于是突厥将帅入见韦云起，都膝行而前，两腿发抖，没有人敢仰视。契丹人原本归附突厥，没有猜忌之心。韦云起进入契丹境内，让突厥人谎称到柳城去与高丽人做生意，敢泄露真实情况的就杀头。契丹人没有防备，在距离契丹兵营五十里时，快骑行进发起袭击，将契丹男女四万人全部俘虏，把男子都杀死，妇女及畜产的一半赏赐给突厥人，其余的都集中起来带回。隋炀帝非常高兴，召集夏仲说："韦云起用突厥人平定了契丹，文武之才兼备，朕今天要亲自提拔他。"升迁韦云起为治书侍御史。

当初，西突厥阿波可汗被叶护可汗俘获，国人拥立鞅素特勒的儿子，他就是泥利可汗。泥利去世，儿子达漫继位，称处罗可汗。达漫的母亲向氏，本是中国人，在泥利去世后改嫁泥利之弟婆实特勒。开皇末年，婆实特勒和向氏到长安觐见，遇上达头可汗叛乱，便留居长安，住在鸿胪寺。处罗可汗多半居住在乌孙国故地，由于安抚治理不当，国人大多叛乱，又受到铁勒人侵扰。铁勒是匈奴后裔，分为很多部族，有仆骨、同罗、契苾、薛延陀等部，他们的酋长都称俟斤。各部族姓氏虽然不同，但都通称铁勒，大致与突厥人的习俗相同，以抢劫掠夺为生，没有大的君长，分别属于东、西两突厥。这一年，处罗可汗率兵袭击铁勒各部，对铁勒人的财物课以重税，又猜忌薛延陀部，担心他们发生变故，便召集薛延陀部

其为变，集其酋长数百人，尽杀之。于是铁勒皆叛，立俟利发俟斤契苾歌楞为莫何可汗，又立薛延陀俟斤字也咥为小可汗，与处罗战，屡破之。莫何勇毅绝伦⑫，甚得众心，为邻国所惮，伊吾⑬、高昌⑭、焉耆⑮皆附之。

【段旨】

以上为第三段，写隋炀帝大业元年（公元六〇五年），执政伊始就穷奢极欲，建东都、修运河、下江南。征役数百万，毫不顾惜民力。

【注释】

㉘⑨炀皇帝：隋朝第二代皇帝杨广，隋文帝第二子。一名英，小字阿拟。公元六〇五至六一七年在位。㉙⓪壬辰朔：正月初一日。㉙①改元：由仁寿五年改为大业元年。㉙②丙辰：正月二十五日。㉙③林邑：国名，后又称“占城”。故国在今越南南部。㉙④驩州：州名，治所九德县，在今越南义安省荣市。㉙⑤钦州：州名，治所钦江县，在今广西钦州北。㉙⑥越裳：县名，县治在今越南中部。㉙⑦比景：郡名，治所比景县，在今越南中部。㉙⑧海口：林邑出海之口。㉙⑨戊辰：二月初七日。㉚⓪称扬功伐：颂扬功业。指颂扬隋炀帝平定汉王杨谅的叛乱。称扬，颂扬、歌颂。伐，功劳。㉚①己卯：二月十八日。㉚②尚书令：官名，尚书省最高长官，辅佐皇帝处理全国政事。为宰相之职。㉚③丁未：三月十七日。㉚④洛州：州名，治所洛阳县，在今河南洛阳东北。㉚⑤二崤道：路名，在今河南洛宁西北。《元和郡县志》卷五《河南府》载：“崤山分东西二崤，自东崤至西崤三十五里，东崤长阪数里……车不得方轨；西崤全是石阪二十里。”㉚⑥蔓册道：道路名，故址不详。㉚⑦戊申：三月十八日。㉚⑧舆颂：众人的议论。㉚⑨谋及庶民：与庶民谋议。㉛⓪刑政：刑罚与政令。㉛①淮、海：淮指淮河流域，海指东海沿海一带。㉛②显仁宫：宫名，在今河南宜阳东南。㉛③皂涧：河名，在今河南宜阳西南。㉛④洛滨：洛水之滨。㉛⑤大江：即今长江。㉛⑥五岭：山名，说法不一。有称大庾、骑田、都庞、萌渚、越城为五岭；有称大庾、始安、临贺、桂阳、揭阳为五岭。㉛⑦辛亥：三月二十一日。㉛⑧河南、淮北：指黄河以南、淮河以北地区。㉛⑨通济渠：隋大运河中的一段。从洛阳东板渚至今江苏盱眙，沟通了黄河与淮水。㉜⓪谷、洛水：二河名。谷水，发源于河南渑池，东经新安至洛阳，与洛水汇合。洛水，源于陕西洛南西北，东入河南，经卢氏、洛宁、宜阳、洛阳，至偃师的纳伊河后，至巩县的洛口入黄河。㉜①板渚：即板城渚口，古为黄河中段重要渡口。古址在今河南荥阳汜水镇东北。㉜②荥泽：古泽名，故址在今河南荥阳境。㉜③汴：即汴水，河名，经河南

酋长几百人，全部杀掉。因此铁勒各部族全都叛变，拥立俟利发俟斤契苾歌楞为莫何可汗，又拥立薛延陀部俟斤字也咥为小可汗。与处罗部交战，多次打败处罗可汗。莫何可汗勇猛刚毅绝伦，深得民心，被邻国所惧怕，伊吾、高昌、焉耆等国都归附他。

的郑州、开封、商丘，流经江苏旧徐州，合泗水入淮河。㉔大梁：地名，战国时魏国都。故址在今河南开封。㉕邗沟：春秋时吴国所开故渠道。从江苏扬州西北至淮安北入淮河的运河。㉖山阳：郡名，治所山阳县，在今江苏淮安。㉗杨子：县名，县治在今江苏扬州南。㉘御道：皇帝专用道路。㉙江都：郡名，治所江阳县，在今江苏扬州。㉚庚申：三月三十日。㉛龙舟：帝王所乘，因船身制成龙形刻有龙纹，故称龙舟。㉜成皋：郡名，治所成皋县，在今河南荥阳西北汜水镇。㉝天经宫：宫名，因《孝经》说："夫孝，天之经也。"故取名天经宫。㉞四时：谓春、夏、秋、冬四季。时，季。㉟梵志：林邑国王。事见《隋书》卷八十二、《北史》卷九十五《林邑传》。㊱伪北：假装败北。北，败。㊲颠踬：倾跌。踬，跌倒。㊳弩：用机械发射的大弓，也叫窝弓，力强可以射远。㊴蹂：践踏。㊵锐师：精锐部队。㊶俘馘：俘，被活捉的敌人。馘，从敌尸上割下的左耳，指杀死的敌人。㊷马援铜柱：在林邑南二千余里，有西屠夷国，汉马援在此树立两铜柱，以标识边界。马援，东汉开国功臣之一，封新息侯。传见《后汉书》卷二十四。㊸庙主：庙中祭祀的神主。㊹什四五：十分之四五。㊺行军司马：官名，在行军作战中掌军政，权任很重。㊻调：迁转；升迁。㊼下吏按问：交法官审讯。㊽屏居：隐居。㊾鄠：县名，县治在今陕西西安鄠邑区。㊿方丈、蓬莱、瀛洲：传说中海上三座仙山之名。351罗络：分布排列，连在一起。352向背：正面与背面。353龙鳞渠：渠名，在今河南洛阳西北。354萦纡：回旋曲折。355四品夫人：命妇品级视同百官。356翦彩：剪裁彩帛。翦，同"剪"。357色渝：颜色变了。渝，变更。358阳春：温暖的春天。359沼内：池内。沼，水池。360荷芰菱芡：指形同荷花的菱角和芡。芰，菱角。芡，水生植物，又名鸡头。361殽羞：美味的菜肴和食物。殽，同"肴"。羞，美味的食物。362滕王纶：滕穆王杨瓒之子。先封邵国公，后袭封滕王。传附《隋书·滕穆王瓒传》《北史·滕穆王瓒传》。363卫王集：卫昭王杨爽之子。初封遂安王，袭封卫王。传附《隋书·卫昭王爽传》《北史·卫昭王爽传》。364或告：有人告发。365咒诅：诅咒，咒骂。366丙午：七月十八日。367壬寅：八月十五日。368乙巳：八月十八日。369漕渠：漕运用的渠道。370洛口：洛水入黄河之口。在今河南巩义东北。371重：层。372内侍：在皇帝宫廷听使唤的人。373螭：传说中无角的龙。374凫：野鸭。375道场：佛、道二教诵经修道的地方。376玄坛：道教的斋坛。377艟：大船。378黄

篾：船名。㊲⑨蕃客：外族或外国来客。⑳挽船士：拉船前进的人，即纤夫。⑳殿脚：龙舟、漾彩，帝后所乘，如同宫殿，故称挽船士为殿脚。⑳平乘、青龙、艨艟、艚艄：均为战船。⑳八棹：棹本是划船用具，形状似桨。此指船。⑳艇舸：轻便小船。⑳十二卫：官署名，包括左右翊卫、左右骁卫、左右武卫、左右屯卫、左右御卫、左右候卫。⑳舳舻：泛指船队。舳，船尾。舻，船头。⑳翊：护卫。⑳轝：车。轝，同“舆”。⑳厌饫：饮食饱足。饫，饱。⑳营州：州名，治所柳城县，在今辽宁朝阳。⑳通事谒者：官名，隋炀帝即位后改内史省通事舍人为通事谒者，职掌同通事舍人。⑳韦云起（？至公元六二六年）：雍州万年（今陕西西安）人，历仕隋、唐，官至益州行台兵部尚书。传见《旧唐书》卷七十五、《新唐书》卷一百三。⑳角声：角号声。⑳公使：公事使者。⑳三令五申：再三告诫。申，述说。⑳纥干：突厥小官。⑳膝行：匍匐前行。表示畏服。⑳柳城：柳城县治，在今辽宁朝阳。⑳交易：交换货物。指物物交换。⑳夏仲：此处作“夏仲”，未知何意。据两《唐书·韦云起传》，当作“百官”为是。⑳自举：亲自举荐、提拔。⑳西突厥：太建四年（公元五七二年），突厥木杆可汗死，其子大逻便与新立沙钵略可汗有矛盾，突厥分裂，大逻便居西，称为西突厥。⑳更嫁：改嫁。⑳舍：居住。⑳鸿胪寺：中央官署名，掌与周边少数民族国家与外国的外交来往。⑳乌孙：汉西域城国名，少数民族建立的国家。先居于甘肃敦煌、祁连之间，被匈奴所逼而西迁，驱逐大月氏而建立乌孙国。参见《汉书》卷六十一、卷九十一下。⑳抚御：安抚控驭。⑳铁勒：古代北方民族名，匈奴族后裔中的一支，南北朝时曾为突厥兼并。其部主要有仆骨、同罗、

【原文】

二年（丙寅，公元六〇六年）

春，正月辛酉[416]，东京成，进将作大匠宇文恺位开府仪同三司。

丁卯[417]，遣十使并省[418]州县。

二月丙戌[419]，诏吏部尚书牛弘等议定舆服、仪卫制度[420]。以开府仪同三司何稠为太府少卿，使之营造，送江都。稠智思[421]精巧，博览图籍[422]，参会[423]古今，多所损益。衮冕[424]画日、月、星、辰，皮弁[425]用漆纱为之。又作黄麾[426]三万六千人仗，及辂辇[427]车舆，皇后卤簿[428]，百官仪服[429]，务为华盛，以称上意。课州县送羽毛，民求捕之，网罗被[430]水陆，禽兽有堪氅毦[431]之用者，殆无遗类。乌程[432]有高树，逾百尺，旁无附枝，上有鹤巢，民欲取之，不可上，乃伐其根。鹤恐杀其子，自

薛延陀等。隋时活动在今新疆乌鲁木齐西南一带。⑩寇抄：侵掠。⑩厚税：多征收赋税。⑪薛延陀：部族名，铁勒中的一部。初与薛族杂居，后并延陀部，因称薛延陀。其酋长曾称莫何可汗。后又成为突厥的附庸。⑫绝伦：无与伦比。⑬伊吾：西域城国名，故址在今新疆哈密。⑭高昌：西域城国名，故址在今新疆吐鲁番境。⑮焉耆：西域城国名，故址在今新疆焉耆回族自治县境。

【校记】

［11］成皋：原作“城皋”。据章钰校，十二行本、乙十一行本、孔天胤本皆作“成皋”，今据改。〖按〗《通鉴纪事本末》卷二六作“成皋”。［12］方丈、蓬莱：原作“蓬莱方丈”。据章钰校，十二行本、乙十一行本、孔天胤本二词皆互乙，今据改。〖按〗《通鉴纪事本末》卷二六、《通鉴纲目》卷三六下皆作“方丈蓬莱”。［13］宫殿：原作“殿阁”。据章钰校，十二行本、乙十一行本、孔天胤本皆作“宫殿”，今据改。〖按〗《通鉴纪事本末》卷二六、《通鉴纲目》卷三六下皆作“宫殿”。［14］海：原无此字。据章钰校，十二行本、乙十一行本、孔天胤本皆有此字，张敦仁《通鉴刊本识误》同，今据补。［15］尺：原作“丈”。据章钰校，十二行本、乙十一行本、孔天胤本皆作“尺”，今据改。〖按〗《通鉴纪事本末》卷二六、《通鉴纲目》卷三六下皆作“尺”。［16］楼船：原无此二字。据章钰校，十二行本、乙十一行本、孔天胤本皆有此二字，张敦仁《通鉴刊本识误》同，今据补。〖按〗《通鉴纪事本末》卷二六有此二字。

【语译】

二年（丙寅，公元六〇六年）

春，正月初六日辛酉，东京营建完成，将作大匠宇文恺被进位为开府仪同三司。

正月十二日丁卯，隋炀帝派出十路使者去裁撤合并州县。

二月初一日丙戌，下诏吏部尚书牛弘等制定皇帝的车服仪仗制度。任命开府仪同三司何稠为太府少卿，让他负责制造，送到江都。何稠聪慧精巧，博览图书典籍，综合古今式样，有许多增删改进。皇帝衮衣和冠冕都绣上日、月、星、辰，鹿皮冠改用漆纱制作。何稠又制作朝会所用三万六千人的黄色旌旗仪仗，以及皇帝的御车、御轿，皇后的仪仗，文武百官的礼服，都力求华丽壮观以称皇上心意。又督责各州县送交羽毛，百姓为捕捉鸟兽，在水上陆地遍布网罗，羽毛可作装饰品的鸟兽，几乎都被捕尽杀绝。乌程有一棵高树，超过一百尺，树干没有可以攀附的枝条，这棵树上有鹤巢，人们想捉鹤、取羽毛，但爬不上树，就砍伐树根。鹤担心它的幼鹤摔

拔氅毛[433]投于地，时人或称以为瑞，曰："天子造羽仪[434]，鸟兽自献毛羽[17]。"所役工十万余人，用金银钱帛钜亿[435]计。帝每出游幸，羽仪填街溢路[436]，亘二十余里。三月庚午[437]，上发江都，夏，四月庚戌[438]，自伊阙[439]陈法驾，备千乘万骑入东京。辛亥[440]，御端门[441]，大赦，免天下今年租赋。制五品已上文官乘车，在朝弁服，佩玉；武官马加珂[442]，戴帻[443]，服袴褶[444]。文物[445]之盛，近世莫及也。

六月壬子[446]，以杨素为司徒，进封豫章王暕为齐王。

秋，七月庚申[447]，制百官不得计考[448]增级，必有德行、功能灼然[449]显著者进擢之。帝颇惜名位，群臣当进职者，多令兼假[450]而已。虽有阙员[451]，留而不补。时牛弘为吏部尚书，不得专行其职，别敕纳言苏威、左翊卫大将军[452]宇文述、左骁卫大将军张瑾、内史侍郎虞世基[453]、御史大夫裴蕴[454]、黄门侍郎裴矩参掌选事，时人谓之"选曹[455]七贵"。虽七人同在坐，然与夺[456]之笔，虞世基独专之，受纳贿赂，多者超越等伦[457]，无者注色[458]而已。蕴，邃之从曾孙也。

元德太子昭自长安来朝，数月，将还，欲乞少留，帝不许。拜请无数，体素肥，因致劳疾，甲戌[459]，薨。帝哭之，数声而止，寻奏声伎[460]，无异平日。

楚景武公[461]杨素，虽有大功，特为帝所猜忌，外示殊礼[462]，内情甚薄。太史言隋分野[463]有大丧，乃徙素为楚公，意言楚与隋同分[464]，欲以厌之。素寝疾，帝每令名医诊候[465]，赐以上药，然密问医者，恒恐[466]不死。素亦自知名位已极，不肯饵药[467]，亦不将慎[468]，谓[18]弟约曰："我岂须更活邪？"乙亥[469]，素薨，赠太尉公[470]、弘农等十郡太守，葬送甚盛。

八月辛卯[471]，封皇孙倓[472]为燕王，侗[473]为越王，侑[474]为代王，皆昭之子也。

九月乙丑[475]，立秦孝王[476]子浩为秦王。

帝以高祖末年，法令峻刻[477]，冬，十月，诏改修律令。

置洛口仓[478]于巩[479]东南原[480]上，筑仓城，周回二十余里，穿三千窖，窖容八千石以还，置监官并镇兵千人。十二月，置回洛仓[481]于洛阳北七里，仓城周回十里，穿三百窖。

死，自己把羽毛拔下来扔在地上。当时有人宣称这是一种吉兆，说："天子造有羽饰的仪仗，鸟兽自动呈献羽毛。"制造仪仗所役使的工匠达十万余人，耗费的金银钱帛多得数以亿计。隋炀帝每次出行，仪仗队伍都堵塞了街衢，充满了道路，连绵二十余里。三月十六日庚午，隋炀帝从江都出发。夏，四月二十六日庚戌，从伊阙开始排列车驾，备有千乘万骑，浩浩荡荡，进入东京。二十七日辛亥，隋炀帝驾临端门，大赦天下，免去全国当年的租赋。又制定五品以上文官乘车，在朝穿弁服，佩挂碧玉；武官的马勒加白螺装饰，戴包头巾，着袴褶。文物典制的隆盛，近世没有比得上的。

六月二十九日壬子，任命以杨素为司徒，进封豫章王杨暕为齐王。

秋，七月初八日庚申，规定百官不能凭累计考核升级，一定要德行、功劳和才能显著的人才能得以升迁。隋炀帝很吝惜名位，群臣中有应当进升官职的，大多让他兼职暂代而已。即使职位有空缺，宁可空留着也不让人补上。当时牛弘任吏部尚书，让他不能独立行使职权，而另外敕令纳言苏威、左翊卫大将军宇文述、左骁卫大将军张瑾、内史侍郎虞世基、御史大夫裴蕴、黄门侍郎裴矩一起掌理选用官吏之事，时人称之为"选曹七贵"。虽然这七个人一同在座，但是用与不用的实权，由虞世基专断，他接受贿赂，行贿多的人可以破格提拔，没有行贿的人仅登记一下姓名履历而已。裴蕴，是裴邃的堂曾孙。

元德太子杨昭从长安来朝见皇上，过了数月，将要返回，请求再留住一些时日，隋炀帝没有答应。杨昭跪拜请求了无数次，他身体向来肥胖，以至于劳苦而得病，七月二十二日甲戌，病死。隋炀帝为他哭了，几声而止，不一会儿命女伎演奏音乐，与平日没有什么不同。

楚景武公杨素虽然立有大功，但是，特别遭隋炀帝的猜忌，表面上显示给他特殊礼遇，内心感情十分淡薄。太史令说隋地分野内会有大丧，隋炀帝就把杨素改封为楚国公，意思是说楚与隋在同一分野内，想用杨素来压邪。杨素患病卧床，隋炀帝经常派名医去给他看病，赐给上等医药，但秘密地询问医生，总担心他不死。杨素也自知名声地位已经到了极点，不肯服药，也不细心调养，对弟弟杨约说："我哪里还想再活啊？"七月二十三日乙亥，杨素去世，追赠太尉公、弘农等十郡太守，赙仪丰厚，葬礼十分隆重。

八月初九日辛卯，隋炀帝册封皇孙杨倓为燕王，杨侗为越王，杨侑为代王，他们都是杨昭的儿子。

九月十四日乙丑，册立秦孝王的儿子杨浩为秦王。

隋炀帝因高祖晚年法令严峻苛刻，冬，十月，下诏命令修改法令。

隋炀帝在巩县东南平原上建造洛口仓，修筑仓城，方圆二十余里，开凿三千个地窖，每个窖可装粮食八千石以上，设置粮仓监官和镇守的士兵一千人。十二月，在洛阳北七里建造回洛仓，仓城方圆十里，开凿三百个地窖。

初，齐温公[482]之世，有鱼龙[483]、山车[484]等戏，谓之散乐[485]，周宣帝时，郑译奏征之。高祖受禅，命牛弘定乐，非正声[486]清商[487]及九部四舞[488]之色，悉放遣之。帝以启民可汗将入朝，欲以富乐[489]夸之。太常少卿裴蕴希旨，奏括[490]天下周、齐、梁、陈乐家子弟皆为乐户。其六品以下至庶人，有善音乐者，皆直[491]太常。帝从之。于是四方散乐，大集东京，阅之于芳华苑[492]积翠池侧。有舍利兽先来跳跃，激水满衢，鼋鼍[493]、龟鳖、水人、虫鱼，偏覆于地。又有鲸鱼喷雾翳[494]日，倏忽化成黄龙，长七八丈。又二人戴竿，上有舞者，欻[19]然[495]腾过，左右易处[496]。又有神鳌负山，幻人[497]吐火，千变万化。伎人皆衣锦绣缯彩，舞者鸣环佩[498]，缀花毦[499]。课京兆[500]、河南[501]制其衣，两京锦彩为之空竭。帝多制艳篇[502]，令乐正[503]白明达造新声播之，音极哀怨。帝甚悦，谓明达曰："齐氏偏隅[504]，乐工曹妙达[505]犹封王，我今天下大同，方且贵汝，宜自修谨！"

【段旨】

以上为第四段，写大业二年（公元六〇六年）隋炀帝制仪仗，创艳乐，穷奢极侈，歌舞升平，又写权臣杨素之死。

【注释】

⑯辛酉：正月初六日。⑰丁卯：正月十二日。⑱并省：合并、裁减。⑲丙戌：二月初一日。⑳舆服、仪卫制度：舆服，车服，车乘衣冠章服的总称。古代的车服制度，表明了个人的等级。仪卫，仪仗与卫士的统称。不同地位的人，仪卫形式也不相同，也表明个人的地位。㉑智思：智慧心计。㉒图籍：图画与书籍。㉓参会：综合；调合。㉔衮冕：衮衣和冠冕。古代帝王及士大夫的礼服和礼帽。㉕皮弁：古冠名，用白鹿皮制作，为视朝的常服。㉖黄麾：皇帝仪仗所用的黄色旌旗。㉗辂辇：辂，大车，天子所用的车子。辇，原是人拉的车，自汉以来也为天子所乘用。㉘卤簿：天子驾出时扈从的仪仗队。自汉以后，后妃、太子、大臣也给卤簿。㉙仪服：礼服。㉚被：遍布。㉛氅毦：羽毛装饰。㉜乌程：县名，县治在今浙江湖州。㉝氅毛：羽毛。㉞羽仪：仪仗中以羽毛装饰的旌旗之类。㉟钜亿：指极大的数目。钜，通"巨"，大。㊱填街溢路：充满了街衢

当初，齐温公高纬在位时，有鱼龙、山车等杂戏，称作散乐。周宣帝时，郑译奏请征召这些杂戏乐人。隋高祖受周禅让后，命令牛弘制定雅乐，凡是不属正声清商和九部乐、四舞的乐舞，全部遣散不用。隋炀帝由于启民可汗即将入朝，想向他炫耀隋朝的富庶欢乐。太常少卿裴蕴迎合隋炀帝的心意，奏请征召天下原来周、齐、梁、陈等国的乐家子弟，将他们都编入乐户。此外，六品以下官员和庶民百姓，凡擅长音乐的，都要到太常寺当差。隋炀帝听从了这个建议。于是四面八方的乐舞，大量集中到东京，在芳华苑积翠池旁边公开展演。舍利兽首先出场欢腾跳跃，激水满街，鼋鼍、龟鳌、会泅水的人、虫鱼，遍布地面。又有鲸鱼喷水成雾遮天蔽日，忽然间化作黄龙，长七八丈。又有二人头顶长竿，竿子上有起舞的人，忽然两竿上的人飞腾而过，互相交换了位置。还有神鳌背负大山，魔术师吐火，千变万化。艺人们都穿绫罗绸缎，跳舞的人环佩叮当，缀饰着鲜花。让京兆、河南两地制作艺人所穿的彩服，以致长安、洛阳两京绸缎为之一空。隋炀帝创作了许多文辞华丽的诗篇，命乐师白明达谱上新曲教人演奏，音调极为哀婉愁怨。隋炀帝大为高兴，对白明达说："齐氏偏居一隅，乐工曹妙达尚且封王，我现在天下统一，将要使你显贵，你应当慎重努力！"

道路。㊲ 庚午：三月十六日。㊳ 庚戌：四月二十六日。㊴ 伊阙：县名，县治在今河南洛阳南，即春秋周阙塞。㊵ 辛亥：四月二十七日。㊶ 端门：东京皇城南面三门，中间称端门。㊷ 珂：马笼头上的装饰品。㊸ 帻：包头巾。㊹ 袴褶：服装名，上服褶而下服袴，其外不再穿裘裳。㊺ 文物：旧指礼乐典章制度。㊻ 壬子：六月二十九日。㊼ 庚申：七月初八日。㊽ 计考：累计考核。考，考查，古代对官员政绩大小进行定期考查，然后迁转。㊾ 灼然：明显的样子。灼，同"焯"。㊿ 兼假：兼任或摄代，即代理。451 阙员：官员缺额。阙，通"缺"。452 左翊卫大将军：武官名，即左卫大将军，隋炀帝所改，掌禁卫。453 虞世基（？至公元六一七年）：字茂世，会稽余姚（今浙江余姚）人，历仕陈、隋，官至内史侍郎，专典机密。传见《隋书》卷六十七、《北史》卷八十三。454 裴蕴（？至公元六一七年）：河东闻喜（今山西闻喜）人，历仕陈、隋，官至御史大夫。传见《隋书》卷六十七、《北史》卷七十四。455 选曹：官署名，主铨选官吏事。456 与夺：给予或剥夺。457 等伦：同辈。458 注色：填写入仕的履历。履历，古称"脚色"，简称"色"。459 甲戌：七月二十二日。460 声伎：古代宫廷及贵族官僚家中的歌舞伎。461 楚景武公：楚公为杨素封爵。景武为杨素谥号。462 殊礼：特殊的礼遇。463 分野：古天文学说，把十二星辰的位置与地上州、国的位置相对应，如以鹑火（星次名，南方七宿中部）对应周，鹑尾

（星次名，指翼、轸二宿）对应楚。就天文说，称分星；就地面说，称分野。古人通常以天象的变异来比附州国的吉凶。464 同分：谓分野相同。465 诊候：看病。466 恒恐：常常担心。467 饵药：服药。饵，吃。468 将慎：调养保重。469 乙亥：七月二十三日。470 太尉公：太尉为三公之一，故称太尉公。471 辛卯：八月初九日。472 皇孙倓（公元六〇二至六一七年）：字仁安，元德太子长子，封燕王。传附《隋书·元德太子传》《北史·元德太子传》。473 侗（？至公元六一九年）：元德太子次子，封越王。隋炀帝死，曾被立为帝。传附《隋书·元德太子传》《北史·元德太子传》。474 侑（公元六〇五至六一九年）：元德太子第三子，封代王。曾被唐高祖李渊拥立为傀儡皇帝。传见《隋书》卷五、《北史》卷十二。475 乙丑：九月十四日。476 秦孝王：秦王杨俊谥号为孝，故称。477 峻刻：严厉而苛刻。478 洛口仓：隋著名粮仓之一，容粮八千万石。因在洛水入黄河之口，故称洛口仓。479 巩：县名，县治在今河南巩义东。480 原：宽阔平坦之地。481 回洛仓：隋著名粮仓之一，故址在今河南洛阳东隋洛阳城遗址北七里。482 齐温公：北齐后主高纬降周后，周封为温公。483 鱼龙：杂戏名，据张衡《西京赋》可知，鱼龙戏称为舍利之兽，先于庭尽头游戏，然后入殿前激水、化成比目鱼，跳跃潄水，作雾障日，最后化成黄龙八丈，出水遨游于庭，炫耀日光。484 山车：杂戏名，车上设立棚阁，用缯彩加以装饰，做成山林之状。485 散乐：古代乐舞名。包括俳优歌舞杂戏，因不在官乐之内，故称散乐。486 正声：纯正的乐声。此指郑译所定之乐。487 清商：隋平陈，设清商署，管宋齐旧乐，即清乐。488 九部四舞：九部，指规定的清商、西凉、龟兹、天竺、康国、疏勒、安国、高丽、

【原文】

三年（丁卯，公元六〇七年）

春，正月朔旦[506]，大陈文物。时突厥启民可汗入朝，见而慕之，请袭冠带[507]，帝不许。明日，又率其属上表固请，帝大悦，谓牛弘等曰：“今衣冠[508]大备，致单于[509]解辫[510]，卿等功也！”各赐帛甚厚。

三月辛亥[511]，帝还长安。

癸丑[512]，帝使羽骑尉[513]朱宽入海求访异俗，至流求国[514]而还。

初，云定兴、阎毗坐媚事[515]太子勇，与妻子皆没官为奴婢。上即位，多所营造，闻其有巧思[516]，召之，使典其事，以毗为朝请郎[517]。时宇文述用事，定兴以明珠络帐赂述，并以奇服新声求媚于述，述大喜，

礼毕为九部乐。四舞，指鞞、铎、巾、拂四舞。㊽⑨富乐：富足而欢乐。㊾⓪括：搜求。㊾①直：当值；做事。㊾②芳华苑：据《唐两京城坊考》卷五载："唐之东都苑，隋之会通苑，又曰上林苑，武德初改为芳华苑。"因在宫城之西，故多称西苑。㊾③鼋鼍：鼋，一种大鳖。鼍，一名鼍龙，又名猪婆龙，或称扬子鳄。㊾④翳：遮蔽。㊾⑤欻然：忽然。㊾⑥易处：变换位置。㊾⑦幻人：能作幻术的人，如同今天的魔术师。㊾⑧鸣环佩：环佩随着舞蹈发出响声。环佩，也作"环珮"，衣服上的佩玉。㊾⑨花毦：鲜花。毦，花草。⑤⓪⓪京兆：郡名，隋京兆郡统大兴、长安等关中中部二十二县。⑤⓪①河南：郡名，隋河南郡统河南、洛阳等十八县，即东京洛阳地区。⑤⓪②艳篇：文辞华丽的诗篇。⑤⓪③乐正：官名，即清商署乐师。⑤⓪④偏隅：一隅之地。⑤⓪⑤曹妙达：曹僧奴之子，善弹琵琶，齐后主为他开府封王。传附《北史·恩幸传》。

【校记】

［17］毛羽：原作"羽毛"。据章钰校，十二行本、乙十一行本、孔天胤本二字皆互乙，今据改。〖按〗《通鉴纪事本末》卷二六作"毛羽"。［18］谓：原作"谓其"。据章钰校，十二行本、乙十一行本、孔天胤本皆无"其"字，今据删。〖按〗《通鉴纲目》卷三六下无"其"字。［19］欻：原作"歘"。据章钰校，乙十一行本、孔天胤本皆作"欻"，今据改。〖按〗《通鉴纪事本末》卷二六作"欻"。

【语译】

三年（丁卯，公元六〇七年）

春，正月初一日早晨，隋朝大量陈列礼乐车服以及观赏物品。当时，突厥启民可汗入朝，看了非常羡慕，请求穿戴隋朝服饰，隋炀帝不同意。第二天，启民可汗又带领他的部属上表坚决请求，隋炀帝大为高兴，对牛弘等人说："现今文明礼教十分完备，以致单于也要解辫更服，这都是你们的功劳！"给每个臣子赏赐了丰厚的丝帛。

三月初二日辛亥，隋炀帝返回长安。

三月初四日癸丑，隋炀帝下令让羽骑尉朱宽出海采访外国习俗，朱宽到达琉球国后返回。

当初，云定兴、阎毗因巴结太子杨勇被判罪，与妻子儿女一起都罚没为官奴婢。隋炀帝即位，大兴土木，听说他俩有奇巧的构思，召见两人，派他们掌管营建事务。任命阎毗为朝请郎。当时宇文述掌权，云定兴用夜明珠、细罗帐贿赂宇文述，并用珍奇的衣服和新造的音乐讨好宇文述，宇文述大为高兴，待他如兄长。隋炀帝将要

兄事之[518]。上将有事四夷[519]，大作兵器，述荐定兴可使监造，上从之。述谓定兴曰：“兄所作器仗，并合上心，而不得官者，为长宁兄弟[520]犹未死耳。”定兴曰：“此无用物，何不劝上杀之？”述因奏：“房陵[521]诸子年并成立，今欲兴兵征[20]讨，若使之从驾，则守掌为难；若留于一处，又恐不可。进退无用，请早处分。”帝然之，乃鸩杀长宁王俨，分徙其七弟于岭表，仍遣间使[522]于路尽杀之。襄城王恪之妃柳氏自杀以从恪。

夏，四月庚辰[523]，下诏欲安辑河北，巡省赵、魏[524]。

牛弘等造新律成，凡十八篇，谓之《大业律》[525]，甲申[526]，始颁行之。民久厌严刻，喜于宽政[527]。其后征役繁兴，民不堪命，有司临时迫胁[528]以求济事，不复用律令矣。旅骑尉[529]刘炫预修律令，弘尝从容问炫曰：“《周礼》士多而府史少[530]，今令史[531]百倍于前，减则不济，其故何也？”炫曰：“古人委任[532]责成[533]，岁终考其殿最[534]，案[535]不重校，文[536]不繁悉[537]，府史之任，掌要目而已。今之文簿[538]，恒虑覆治，若锻炼不密，则万里追证百年旧案。故谚云：‘老吏抱案死[539]。’事繁政弊，职此之由也。”弘曰：“魏、齐之时，令史从容而已，今则不遑[540]宁处，何故？”炫曰：“往者州唯置纲纪[541]，郡置守、丞，县置令而已。其余具僚[542]则长官自辟，受诏赴任，每州不过数十。今则不然，大小之官，悉由吏部，纤介[543]之迹，皆属考功[544]。省官不如省事，官事不省而望从容，其可得乎？”弘善其言而不能用。

壬辰[545]，改州为郡。改度量权衡[546]，并依古式。改上柱国以下官为大夫[547]。置殿内省[548]，与尚书、门下、内史、秘书为五省。增谒者[549]、司隶台[550]，与御史为三台。分太府寺[551]置少府监[552]，与长秋[553]、国子、将作、都水[554]为五监。又增改左、右翊卫等为十六府[555]。废伯、子、男爵，唯留王、公、侯三等。

丙寅[556]，车驾北巡，己亥[557]，顿赤岸泽[558]。五月丁巳[559]，突厥启民可汗遣其子拓特勒来朝。戊午[560]，发河北十余郡丁男凿太行山[561]，达于并州，以通驰道。丙寅[562]，启民遣其兄子毗黎伽特勒来朝。辛未[563]，启民遣使请自入塞奉迎舆驾[564]，上不许。

讨伐四夷，大造兵器，宇文述推荐云定兴，可让他监造，隋炀帝听从了。宇文述对云定兴说："兄长制造的兵器，都称皇上心意，但没有给你封官，那是因为你的外甥长宁王兄弟还没有死。"云定兴说："他们都是无用的东西，为什么不劝皇帝把他们杀了呢？"宇文述便上奏说："房陵王杨勇的几个儿子都长大成人了，现今皇上正要起兵征讨，如果让他们跟随圣驾，那么看管很困难；如果把他们留在一个地方，恐怕不行，反正进退都没有用处，请求早做处理。"隋炀帝认为很对，就用毒酒杀死了长宁王杨俨，把他的七个弟弟分别发配到岭南，又派密使在半道把他们都杀了。襄城王杨恪的王妃柳氏自杀殉夫。

夏，四月初二日庚辰，隋炀帝下诏打算安抚河北，巡视赵、魏地区。

牛弘等人修订新律完成，共十八篇，称之为《大业律》，四月初六日甲申，开始颁布执行。民众长久以来怨恨旧律严酷苛刻，喜欢政刑宽缓。后来频繁征发劳役，民众不堪役使，官吏临时威逼以求完成任务，不再依律令办事了。旅骑尉刘炫参与律令起草，牛弘曾经闲谈时问刘炫说："按照《周礼》制度，主管事务的官员多而承办具体文牍案卷的属吏少，现今属吏百倍于官员，减少了则办不成事，这是什么缘故呢？"刘炫说："古代任命官吏责以成效，年终要考核分出最好最坏，案件审结不再重新复核，文书不求烦琐，属吏的职责是掌握大纲节目罢了。现在的文案簿书，时常担心复查，如果办理不周密，就要不远万里去追查百年旧案。所以谚语说：'老吏抱着案卷累死。'事务烦琐，政令衰敝，这就是属吏多而效率低的原因。"牛弘说："北魏、北齐时期，属吏们清闲，如今却无暇休闲，是什么原因？"刘炫说："先前州衙只设置长史、司马，郡衙设置郡守、郡丞，县衙设置县令，仅此而已，其他办事僚属则由长官自己任命，接受诏命上任的，每州不过几十人。现今不是这样，大小官员，全由吏部选任，细小的事，全由考功侍郎核准。减少官吏不如减少事务，官吏们的事务不减省，还希望清闲，能办得到吗？"牛弘赞赏刘炫说的话，但是不能采用。

四月十四日壬辰，改州为郡。又改革度量衡，全部依照古制。改上柱国以下的官叫大夫。增设殿内省，与尚书省、门下省、内史省、秘书省合称为五省。增设谒者台、司隶台，与御史台合称三台。分太府寺设置少府监，与长秋监、国子监、将作监、都水监合称为五监。又增改左、右翊卫等为十六府。废除伯爵、子爵、男爵，仅留王、公、侯三等爵位。

丙寅日，隋炀帝去北方巡视，四月二十一日己亥，停驻赤岸泽。五月初九日丁巳，突厥启民可汗派遣他的儿子拓特勒来朝见。初十日戊午，征发河北十几个郡的男丁开凿太行山，直达并州，用以贯通驰道。十八日丙寅，启民可汗又派遣他哥哥的儿子毗黎伽特勒来朝见。二十三日辛未，启民可汗遣使请求亲自入塞迎接圣驾，隋炀帝没有同意。

初，高祖受禅，唯立四亲庙[565]，同殿异室而已，帝即位，命有司议七庙之制[566]。礼部侍郎摄太常少卿许善心等奏请为太祖、高祖各立一殿，准周文、武二祧[567]，与始祖而三，余并分室而祭，从迭毁之法。至是，有司请如前议，于东京建宗庙。帝谓秘书监柳䛒[568]曰："今始祖及二祧已具，后世子孙处朕何所？"六月丁亥[569]，诏为高祖建别庙，仍修月祭礼。既而方事巡幸，竟不果[570]立。

帝过雁门，雁门太守丘和[571]献食甚精。至马邑[572]，马邑太守杨廓独无所献，帝不悦。以和为博陵[573]太守，仍使廓至博陵观和为式[574]。由是所至献食，竞为丰侈。

戊子[575]，车驾顿榆林郡[576]。帝欲出塞耀兵[577]，径突厥中，指于涿郡[578]，恐启民惊惧，先遣武卫将军长孙晟谕旨。启民奉诏，因召所部诸国奚、霫[579]、室韦等酋长数十人咸集。晟见牙帐[580]中草秽[581]，欲令启民亲除之，示诸部落，以明威重，乃指帐[21]前草曰："此根大香。"启民遽嗅之，曰："殊不香也。"晟曰："天子行幸所在[582]，诸侯躬自洒扫，耕除[583]御路，以表至敬之心。今牙内芜秽[584]，谓是留香草耳！"启民乃悟曰："奴之罪也！奴之骨肉皆天子所赐，得效筋力，岂敢有辞？特以边人[585]不知法耳，赖将军教之。此[22]将军之惠，奴之幸也。"遂拔所佩刀，自芟[586]庭草。其贵人及诸部争效之。于是发榆林北境，至其牙[587]，东达于蓟[588]，长三千里，广[589]百步，举国就役，开为御道。帝闻晟策，益嘉之。

丁酉[590]，启民及义成公主来朝行宫。己亥[591]，吐谷浑、高昌[592]并遣使入贡。

甲辰[593]，上御北楼观渔于河，以宴百僚。定襄[594]太守周法尚朝于行宫，太府卿元寿[595]言于帝曰："汉武[596]出关，旌旗千里。今御营之外，请分为二十四军，日别遣一军发，相去三十里，旗帜相望，钲鼓[597]相闻，首尾相属，千里不绝，此亦出师之盛者也。"法尚曰："不然，兵亘千里，动间山川，猝有不虞[598]，四分五裂。腹心有事，首尾未知，道路阻长，难以相救，虽有故事，乃取败之道也。"帝不怿，曰："卿意如何？"法尚曰："结为方陈，四面外拒[599]，六宫及百官家属并在其内；若

当初，隋高祖接受禅位，只设立了四座亲庙，都在同一个殿堂之内，只是不同房间。隋炀帝即位以后，命令有关部门讨论建七庙的仪制，礼部侍郎兼太常少卿许善心等人上奏请求为太祖、高祖各建一座殿，依照周代建文王、武王两座祖庙，加上始祖庙共三座祖庙，其余的祖先都在一座庙里，只是分室祭祀，后代每增加一主，就把最先的那个祖先撤去。到这时，有关部门上奏请求按照以前议定的那样，在东京建立宗庙。隋炀帝对秘书监柳訔说："如今始祖庙与两座祧庙都已具备，后世子孙把朕又放到何处呢？"六月初十日丁亥，隋炀帝下诏令为高祖另外建立一庙，仍然执行月祭礼。后来由于忙于巡游的事务，最终竟没有建立。

隋炀帝经过雁门，雁门太守丘和进献的食物十分精致。到达马邑，马邑太守杨廓却没有奉献什么东西，隋炀帝很不高兴。任命丘和为博陵太守，并且让杨廓到博陵参观，以丘和为榜样。从此以后，隋炀帝所到之处进献的食物，互相攀比丰盛奢侈。

六月十一日戊子，隋炀帝车驾留住榆林郡。隋炀帝想出塞显示军威，穿过突厥境内，直达涿郡。担心启民可汗惊恐，先派武卫将军长孙晟宣谕旨意。启民可汗接到诏命，就把他所辖的奚、霫、室韦等部族的酋长几十人都召集起来。长孙晟见启民可汗牙帐内长满杂草，想让启民可汗亲自除掉，向各部落显示天子的威严，就指着帐前的草说："这草非常香。"启民可汗急忙闻了一下，说："一点都不香。"长孙晟说："天子巡幸所居之处，诸侯都要亲自洒扫，填补打扫道路，以表示崇敬的心意。现在牙帐内杂草丛生，所以把它说成是留香草嘛！"启民可汗醒悟过来，说："这是我的罪过！我身上的骨肉都是天子赐给的，能效筋骨之力，怎敢推辞？只是因为边远之人不懂法度，幸亏将军教诲我。这是将军的恩惠，乃是我的荣幸。"于是拔出佩刀，亲自割除牙帐庭内的杂草。其他贵族和各部酋长都竞相仿效他。于是从榆林北境开始，西到可汗牙帐，东到蓟城，长三千里，宽一百步，突厥人全部就役，将其开辟为御道。隋炀帝得知长孙晟的计策，更加赞赏他。

六月二十日丁酉，启民可汗和义成公主来行宫朝见。二十二日己亥，吐谷浑、高昌都派遣使者前来进贡。

六月二十七日甲辰，隋炀帝登上北楼观看渔人在黄河中捕鱼，宴请百官。定襄太守周法尚到行宫朝见。太府卿元寿对隋炀帝说："汉武帝出关，旌旗千里。现今除了御营卫队以外，请求把军队分成二十四军，每天派遣一军出发，相隔三十里，前后旗帜可以互相望见，钲鼓之声互相听得清楚，首尾相连，千里不断，这也显示出师的盛况。"周法尚说："不对。军队连绵千里，时时被山川所阻隔，突然有不测之事，队伍会四分五裂。若中部有事变，首尾不知道，道路险阻漫长，难以相救。虽然历史上有先例，但却是自找失败的办法。"隋炀帝不高兴，说："你说怎么办？"周法尚说道："把军队集结为方阵，四面向外防御，六宫及百官家属都在方阵中心，如

有变起⑹⁰⁰，所当之面，即令抗拒，内引奇兵，出外奋击，车为壁垒[601]，重设钩陈[602]，此与据城[603]，理亦何异？若战而捷，抽骑追奔，万一不捷，屯营自守，臣谓此万全之策也。”帝曰：“善！”因拜法尚左武卫将军[604]。

启民可汗复上表，以为“先帝[605]可汗怜臣，赐臣安义公主，种种[606]无乏。臣兄弟嫉妒，共欲杀臣。臣当是时，走无所适[607]，仰视唯天，俯视唯地，奉身委命[608]，依归先帝。先帝怜臣且死，养而生之，以臣为大可汗，还抚突厥之民。至尊今御天下，还如先帝养生臣及突厥之民，种种无乏。臣荷戴[609]圣恩，言不能尽。臣今非昔日突厥可汗，乃是至尊臣民，愿率部落变改衣服，一如华夏[610]”。帝以为不可。秋，七月辛亥[611]，赐启民玺书，谕以“碛北未静，犹须征战，但存心恭顺，何必变服”。

帝欲夸示突厥，令宇文恺为大帐，其下可坐数千人。甲寅[612]，帝于城东御大帐，备仪卫[613]，宴启民及其部落，作散乐。诸胡骇悦[614]，争献牛羊驼马数千万头。帝赐启民帛二十[23]万段，其下各有差。又赐启民路车[615]乘马，鼓吹幡旗[616]，赞拜[617]不名[618]，位在诸侯王上。

又诏发丁男百余万筑长城，西距[24]榆林，东至紫河[619]。尚书左仆射苏威谏，帝[25]不听，筑之二旬而毕。帝之征散乐也，太常卿高颎谏，不听。颎退，谓太常丞[620]李懿曰：“周天元[621]以好乐而亡，殷鉴[622]不远，安可复尔？”颎又以帝遇启民过厚，谓太府卿何稠曰：“此虏颇知中国虚实，山川险易[623]，恐为后患。”又谓观王雄[624]曰：“近来朝廷殊无纲纪。”礼部尚书宇文弢私谓颎曰：“天元之侈，以今方[625]之，不亦甚乎？”又言：“长城之役，幸非急务。”光禄大夫[626]贺若弼亦私议宴可汗太侈。并为人所奏，帝以为诽谤朝政。丙子[627]，高颎、宇文弢、贺若弼皆坐诛[628]，颎诸子徙边，弼妻子没官为奴婢。事连苏威，亦坐免官。颎有文武大略，明达世务[629]，自蒙寄任[630]，竭诚尽节，进引贞良[631]，以天下为己任。苏威、杨素、贺若弼、韩擒虎皆颎所推荐，自余立功立事者不可胜数。当朝执政将二十年，朝野推服[632]，物无异议，海内富庶，颎之力也。及死，天下莫不伤之。先是，萧琮以皇后故，甚见亲重，为内史令，改封梁公，宗族缌麻[633]以上，皆随才擢用，诸萧昆弟，布列朝廷。琮性澹雅[634]，不以职务为意，身虽羁旅[635]，见北间[636]豪贵，

果有事变发生，受敌的一面，马上令其抵抗，从阵内率领奇兵，出阵外奋力攻击，用车辆作为壁垒，设置几重弯弯曲曲的钩阵，这和据守城池，道理又有什么不同？假如交战得胜，就抽调骑兵追赶，万一不胜，便屯营自守，臣认为这是万全之策。”隋炀帝说：“好！”于是任命周法尚为左武卫将军。

启民可汗又上表，认为“先帝可汗疼爱臣，赐给臣安义公主。使我们样样不缺少。臣的兄弟嫉妒，一起想杀我，臣在当时，走投无路，抬头只看到天，低头只看到地，便把自身托付给了先帝。先帝同情臣将死，便收留抚养，让臣做了大可汗，回来安抚突厥的人民。皇上如今统治天下，仍然像先帝一样抚育臣和突厥的民众，样样不缺少。臣深蒙圣上的恩德，不能尽言。臣现今不是先前的突厥可汗，而是皇上的臣民，臣愿意率领部落百姓改变服饰，同华夏一样”。隋炀帝认为不可以这样做。秋，七月初四日辛亥，隋炀帝赐给启民可汗玺书，告谕他“漠北还没有安定，还需要征讨，只要心存恭顺，何必改变服饰”。

隋炀帝想向突厥炫耀，命令宇文恺制作大帐，帐下能坐几千人。七月初七日甲寅，隋炀帝在城东亲临大帐，设置仪仗侍卫，宴请启民可汗和他的部落，表演各种杂戏。各胡族的人惊喜，争着贡献牛羊骆驼马匹几千万头。隋炀帝赏赐启民可汗锦帛二十万段，他的下属按照不同的等级都有赏赐。又赏赐给启民可汗路车、坐骑和鼓吹幡旗等仪仗，朝拜时司仪不呼其名，列位在诸侯王之上。

隋炀帝又下诏征发一百多万丁男修筑长城，西至榆林，东到紫河。尚书左仆射苏威进谏，隋炀帝不听。修筑了两个月完工。隋炀帝征集全国各种杂戏艺人时，太常卿高颎劝谏，隋炀帝不听。高颎退朝后，对太常丞李懿说：“周天元皇帝因喜好音乐而亡国，殷商之国的教训不远，怎么能再这样呢？”高颎又认为隋炀帝对待启民可汗过于优厚，就对太府卿何稠说：“这个胡人非常熟悉中国的虚实、山川险要，恐怕成为后患。”高颎又对观王杨雄说：“近来朝廷太没有纲常法纪了。”礼部尚书宇文弢私下对高颎说：“周天元皇帝奢侈，拿今天的情况和他相比，不是更严重吗？”又说：“长城之役，不是当务之急。”光禄大夫贺若弼也私下议论宴请启民可汗太奢侈。这些情况都被人上奏，隋炀帝认为是诽谤朝政。七月二十九日丙子，高颎、宇文弢、贺若弼都获罪诛杀，高颎的几个儿子发配边疆，贺若弼的妻子儿女籍没为官奴。这事牵连到苏威，他也获罪被免官。高颎有文武才略，通晓世务，自从蒙受委任，竭诚尽节，推荐忠贞贤良，以天下为己任。苏威、杨素、贺若弼、韩擒虎都是高颎推荐的人才，其余建功立业的人不胜枚举。高颎在朝执政近二十年，朝野推许佩服，人无异议。国家富足，是高颎的功劳。当他被杀，全国的人没有不伤心的。此前，萧琮因为皇后的缘故，深受隋炀帝的亲近推重，被任命为内史令，改封梁国公。萧氏宗族五服以内的人都被量才使用，萧氏兄弟，布列朝廷。萧琮性情恬淡儒雅，不把当官放在心上，虽然客居北方，见到北方的豪门贵族，从不低声下气。与贺若弼

无所降下。与贺若弼善，弼既诛，又有童谣曰："萧萧亦复起[637]。"帝由是忌之，遂废于家，未几而卒。

八月壬午[638]，车驾发榆林，历云中，溯[639]金河[640]。时天下承平，百物丰实，甲士五十余万，马十万匹，旌旗辎重[641]，千里不绝。令宇文恺等造观风行殿[642]，上容侍卫者数百人，离合为之，下施轮轴，倏忽推移。又作行城，周二千步，以板为干[643]，衣之以布，饰以丹青[644]，楼橹[645]悉备。胡人惊以为神，每望御营，十里之外，屈膝稽颡，无敢乘马。启民奉庐帐[646]以俟车驾，乙酉[647]，帝幸其帐，启民奉觞[648]上寿，跪伏恭甚，王侯以下袒割[649]于帐前，莫敢仰视。帝大悦，赋诗曰："呼韩[650]顿颡至，屠耆[651]接踵来，何如汉天子，空上单于台[652]！"皇后亦幸义成公主帐。帝赐启民及公主金瓮各一，并衣服被褥锦彩，特勒以下，受赐各有差。帝还，启民从入塞，己丑[653]，遣归国。

癸巳[654]，入楼烦关[655]。壬寅[656]，至太原，诏营晋阳宫。帝谓御史大夫张衡曰："朕欲过公宅，可为朕作主人。"衡乃先驰至河内[657]，具牛酒。帝上太行，开直道九十里，九月己未[658]，至济源[659]，幸衡宅。帝悦其山泉，留宴三日，赐赉甚厚。衡复献食，帝令颁赐公卿，下至卫士，无不沾洽[660]。己巳[661]，至东都。

壬申[662]，以齐王暕为河南尹[663]。癸酉[664]，以民部尚书杨文思为纳言。

冬，十月，敕河南诸郡送一艺户[665]陪东都三千余家，置十二坊[666]于洛水南以处之。

西域诸胡多至张掖[667]交市[668]，帝使吏部侍郎裴矩掌之。矩知帝好远略，诸商胡[26]至者，矩诱访诸国山川风俗、王及庶人仪形服饰，撰《西域图记》[669]三卷，合四十四国，入朝奏之。仍别造地图，穷其要害，从西倾[670]以去，纵横[671]所亘，将二万里。发自敦煌[672]，至于西海[673]，凡为三道，北道从伊吾[674]，中道从高昌[675]，南道从鄯善[676]，总凑[677]敦煌。且云："以国家威德，将士骁雄，泛蒙汜[678]而越昆仑[679]，易如反掌。但突厥、吐浑[680]分领羌、胡之国，为其壅遏[681]，故朝贡不通。今并因商人密送诚款[682]，引领翘首[683]，愿为臣妾。若服而抚之，务存安辑，皇华[684]遣使，弗动兵车，诸蕃既从，浑、厥[685]可灭，混壹[686]戎、

友善，贺若弼被杀，又有童谣说："萧萧亦复起。"隋炀帝因此猜忌萧琮，萧琮被免职回家，没多久就死了。

八月初六日壬午，隋炀帝车驾从榆林出发，经过云中，逆行金河。当时天下太平，百物丰实，甲士五十多万，马十万匹，旌旗辎重，绵延千里。隋炀帝命令宇文恺制造观景的移动宫殿，上面可容纳侍卫几百人。行殿可拆可合，下设轮轴，可以快速推移。又制造移动的城堡，周长两千步，用木板作骨架，用布覆盖，画上彩画，城楼、瞭望台一应俱全。突厥人惊讶，以为是神造的，每次望见御营，十里之外就跪下磕头，无人敢骑马。启民可汗供奉庐帐以等待圣驾，初九日乙酉，隋炀帝亲临启民可汗营帐，启民可汗捧着酒杯向皇上祝贺，跪伏在地上很是恭敬。突厥王侯以下的人都在帐前袒衣割肉，不敢仰视。隋炀帝大为高兴，赋诗云："呼韩顿颡至，屠耆接踵来，何如汉天子，空上单于台！"皇后萧氏也临幸义成公主营帐。隋炀帝赐启民可汗和义成公主每人一只金瓮，另外还有衣服、被褥、彩缎。特勒以下，分别得到不同等级的赏赐。隋炀帝返回，启民可汗跟随入塞。十三日己丑，隋炀帝让启民可汗回国。

八月十七日癸巳，隋炀帝进入楼烦关。二十六日壬寅，到达太原，下诏营建晋阳宫。隋炀帝对御史大夫张衡说："朕想看看你的家，你可要做主人招待朕。"张衡便先驰马回到河内，备办酒宴。隋炀帝登上太行山，命令开辟直道九十里通达张衡的家。九月十三日己未，隋炀帝抵达济源，亲临张衡宅第。隋炀帝喜爱这里的山泉，便住下来饮宴三天，赏赐非常丰富。张衡又进献食物，隋炀帝下令分赐公卿大臣，下至卫士，没有一人不沾圣恩。二十三日己巳，到达东都。

九月二十六日壬申，任命齐王杨暕为河南尹。二十七日癸酉，任命民部尚书杨文思为纳言。

冬，十月，敕令河南各郡选送一家艺户到东京协助原有的三千余户艺户，在洛水南边设置十二坊来安置他们。

西域各胡人大多到张掖做生意，隋炀帝委派吏部侍郎裴矩负责管理。裴矩知道隋炀帝喜欢略取远方，各国做生意的胡人到来，裴矩就探询各国的山川地理和风俗情况，以及国王、平民的仪表形貌和服饰，写成《西域图记》三卷，共记有四十四国，入朝上奏皇帝。另外还绘制地图，详细说明西域所有要害之地，从西倾山以西，纵横连亘将近二万里。从敦煌出发，直到西海，一共有三条路：北路从伊吾起，中路从高昌起，南路从鄯善起，三条路都通向敦煌。裴矩还说："凭借朝廷的威德，将士的骁勇，渡过蒙汜水，越过昆仑山，易如反掌。但是突厥、吐谷浑分别控制羌人、胡人的国家，被他们阻挡，所以不能来朝贡。现在都通过商人暗地里送达诚恳的心意，伸长脖子，翘首盼望，希望成为大隋的臣民。如果使他们归服，安抚他们，促使他们安定和睦，只需由朝廷派出使者，不必兴师动众，诸蕃国就会归服大隋，之后，吐谷浑、突厥就可以吞灭。统一戎狄、华夏，就在当前了吗？"隋炀帝非常高

夏，其在兹乎?”帝大悦，赐物[27]五百段，日⑱引矩至御坐，亲问西域事。矩盛言胡中多诸珍宝，吐谷浑易可并吞。帝于是慨然⑱慕秦皇、汉武之功⑱，甘心将通西域，四夷经略，咸以委之。以矩为黄门侍郎，复使至张掖，引致诸胡，啖⑲之以利，劝令入朝。自是西域诸[28]胡往来相继，所经郡县，疲于送迎，糜费⑲以万万计，卒令中国疲弊以至于亡，皆矩之唱导⑲也。

铁勒寇边，帝遣将军冯孝慈出敦煌击之，不利。铁勒寻遣使谢罪，请降，帝使裴矩慰抚之。

【段旨】

以上为第五段，写隋炀帝大业三年（公元六〇七年），巡视北疆，观兵突厥；筑长城，诛大臣，刚愎拒谏；通商西域，奢靡夸富，对外赏赐无节，即将导致隋朝府库衰竭。

【注释】

⑯朔旦：正月初一早晨。旦，早晨。⑰袭冠带：穿汉人官服。袭，穿衣。冠带，帽子和衣带。指汉人官服。⑱衣冠：原指士大夫的穿戴，此指文明礼教。⑲单于：突厥等少数民族首领的称呼。⑳解辫：解开辫子。此指换掉突厥服饰。㉑辛亥：三月初二日。㉒癸丑：三月初四日。㉓羽骑尉：武官名，隋所置八尉之一，掌羽林军骑兵。㉔流求国：国名，又称“琉球国”，隋代称今中国台湾地区为琉球国。㉕媚事：巴结；逢迎。㉖巧思：高妙的构思。㉗朝请郎：官名，为文散官，无职掌。古代诸侯朝见天子，春季朝见称朝，秋季朝见称请。㉘兄事之：像对待兄长那样对待云定兴。㉙有事四夷：指征伐四夷。有事，指用兵打仗。四夷，指隋周边的少数民族或国家。㉚长宁兄弟：指废太子杨勇之子长宁王杨俨的兄弟们。㉛房陵：废太子杨勇被炀帝杀死，追封为房陵王。㉜间使：负有伺隙使命的使者。㉝庚辰：四月初二日。㉞赵、魏：指战国时赵、魏旧地。赵大致包括今河北南部、山西北部，魏大致包括今河南大部、山东西南部等地。㉟《大业律》：因牛弘等所造新律于隋炀帝大业年间颁行，故取名为《大业律》。㊱甲申：四月初六日。㊲宽政：谓政刑宽松。㊳迫胁：威逼。㊴旅骑尉：武官名，开皇六年设八尉，此是其一，掌羽林军。㊵士多而府史少：士、府、史，均官名，士是各部门长官下面分管事务的长官。《周礼》各官所属有上士、中士、下士，人数甚多；府、史，是低于士官的吏员，公

兴，赏赐裴矩珍物丝帛五百段，每天让裴矩坐到御座旁，亲自询问西域的事务。裴矩大讲特讲，说西域各种珍宝很多，吐谷浑很容易吞并。隋炀帝于是十分感慨，羡慕秦始皇、汉武帝的功业，一心要开通西域，把经略四夷之事，都交付给裴矩。隋炀帝任命裴矩为黄门侍郎，又派他到张掖招引西域各国的胡人，用重利引诱他们，劝告他们入朝。从这以后，西域各国胡人一个接一个来到中国。胡人所经郡县，疲于招待迎接，浪费的资财以万万计，最终导致隋王朝疲困以致灭亡，这都是裴矩引起的。

铁勒人侵犯边境，隋炀帝派将军冯孝慈出敦煌攻击，没有取胜。不久，铁勒人遣使谢罪，请求归降，隋炀帝派裴矩安抚他们。

派给士官承办具体的文牍案卷，人数比士官少。㉛令史：官名，隋前令史有品秩，可补升为郎。隋朝令史没有品秩，为三省六部的低级官员。㉜委任：任命官职。㉝责成：督责完成任务。㉞殿最：政绩优劣。殿，后。最，前。㉟案：官府处理公事的文书、成例及狱讼判定结论叫案。㊱文：行文。㊲繁悉：烦琐详尽。㊳文簿：公文案卷。㊴老吏抱案死：形容文簿繁多。㊵不遑：来不及；不得。遑，闲暇。㊶纲纪：指主持政务的地方长吏、司马等职官。㊷具僚：备具僚佐。㊸纤介：细小。㊹考功：官名，即考功侍郎，掌考察内外文武官员的政绩与功过。㊺壬辰：四月十四日。㊻度量权衡：度指长度，如丈、尺等。量指容量，如石、斗等。权衡指重量，如斤、两等。权，秤锤。㊼改上柱国以下官为大夫：过去上柱国下至都督凡十一等，今改为光禄、左右光禄、金紫光禄、银青光禄、正议、通议、朝请、朝散九大夫。㊽殿内省：中央官署名，掌宫廷供奉。㊾谒者：即谒者台。中央官署名，掌受诏出使劳问、安抚、持节审理冤案而申奏朝廷。㊿司隶台：中央官署名，掌管巡察事宜。551太府寺：官署名，掌管左、右藏及黄藏等府库。552少府监：官署名，掌尚方、司织、司染、铠甲、弓弩等部门。553长秋：官署名，由内侍省所改。554都水：官署名，掌管水利。555十六府：原为十二卫，现增改左右卫为左右翊卫，左右备身为左右骁卫，左右武卫不变，改领军为左右屯卫，增加左右御卫，改左右武候为左右候卫，共十二卫。改左右府为左、右备身府，左右监门不变，计十六府。556丙寅：四月己卯朔，无丙寅。〖按〗《隋书》卷三《炀帝纪》作“丙申”；《北史》同。当作“丙申”。丙申，四月十八日。557己亥：四月二十一日。558赤岸泽：湖名，故址在今陕西渭南市华州区北。559丁巳：五月初九日。560戊午：五月初十日。561太行山：山名，绵延山西、河北、河南三省界的大山脉。562丙寅：五月十八日。563辛未：五月二十三日。564舆驾：皇帝车驾。565四亲庙：一是皇高祖太原府君庙，二是皇曾祖康王

庙，三是皇祖献王庙，四是皇考太祖武元皇帝庙。566七庙之制：历代帝王为进行宗法统治，设七庙供奉七代祖先。《礼记·王制》载："天子七庙，三昭三穆（左右顺序），与太祖之庙而七。"567文、武二祧：周文王、武王二庙。祧，祭远祖、始祖之庙。568柳䛒：字顾言，本河东（今山西永济西南）人，历仕陈、隋，官至秘书监。着《晋王北伐记》十五卷。传见《隋书》卷五十八、《北史》卷八十三。569丁亥：六月初十日。570果：此为实现之意。571丘和（公元五五二至六三七年）：河南洛阳人，历仕周、隋、唐，官至左武候大将军，封谭国公。传见《旧唐书》卷五十九、《新唐书》卷九十。572马邑：郡名，治所善阳县，在今山西朔州。573博陵：郡名，治所鲜虞县，在今河北定州。574式：榜样；规格。575戊子：六月十一日。576榆林郡：郡名，治所榆林县，在今内蒙古准格尔旗东北。577耀兵：炫耀武力。578涿郡：郡名，治所蓟县，在今北京西南。579霫：古代部族名，匈奴别支，居住潢水北。580牙帐：突厥可汗所居帐幕。581草秽：指野草荒芜，遍地是杂草。582所在：天子所居之处。583耕除：填补打扫。584芜秽：杂乱；杂草丛生。585边人：边远之人。586芟：除草。587牙：牙旗的简称。此指突厥启民可汗居所。588蓟：即涿郡治所蓟县，在今北京西南。589广：宽。590丁酉：六月二十日。591己亥：六月二十二日。592高昌：古代城国名，北朝时柔然以阚伯周为高昌王，建立高昌国，治高昌郡，在今新疆吐鲁番东哈拉和卓堡。593甲辰：六月二十七日。594定襄：郡名，治所大利县，在今内蒙古和林格尔西北。595元寿（公元五四八至六一〇年）：字长寿，河南洛阳（今河南洛阳）人，历仕周、隋，官至内史令。传见《隋书》卷六十三、《北史》卷七十五。596汉武：即西汉武帝刘彻。传见《史记》卷十二、《汉书》卷六。597钲鼓：古代军中乐器名，鸣钲作为鼓的节奏。598猝有不虞：突然有不测。猝，突然。虞，意料。599外拒：对外防守。拒，抵御。600变起：事变发生。601壁垒：军营的围墙。此指用车作为防守的工事。602钩陈：设阵弯曲如钩，像天上的钩陈星。钩陈，星名，在紫微垣内，最近北极，天文家多用以测极，称为极星。603据城：据守城防。604左武卫将军：武官名，掌管宿卫。605先帝：指隋文帝。606种种：件件；事事。607走无所适：走投无路。适，往、去。608委命：寄托性命。609荷戴：蒙受。610华夏：华夏初指我国中原地区，后来包举我国全部领土。611辛亥：七月初四日。612甲寅：七月初七日。613仪卫：仪仗与卫士的统称。文的称仪，武的称卫。614骇悦：惊喜。615路车：即辂车，古代天子及诸侯贵族所乘之车。616幡旗：旗帜。617赞拜：臣子朝见君王，司仪宣读行礼的仪式。618不名：不直呼其名，以示优宠。619紫河：河名，即今内蒙古乌兰察布南境黄河支流浑河。620太常丞：官名，掌行礼及祭祀，总署曹事，检举庙中非法之事。621周天元：即周宣帝，传位给其子静帝以后，自称天元皇帝，故称周天元。622殷鉴：指殷商亡国的教训。623险易：险要与平坦。易，平坦。624观王雄：杨雄由安德郡王改封观王。625方：比拟。626光禄大夫：官名，文散官，不治事。627丙子：七月二十九日。628坐诛：获罪被杀。坐，获罪。629世务：时务。630寄任：委任。寄，委托、托付。631贞良：忠贞贤良。贞，言行一致。632推服：推许佩服。633缌麻：丧服名，是五服中最轻的服制，服期三月。高祖父母、曾伯叔祖父母、族伯叔父母、外祖父母、岳父母、中表兄弟、婿、外孙等都属缌麻之亲。634澹雅：恬淡儒雅。澹，恬静、安定。635羁旅：寄居做客。因萧琮原为后梁人，故归隋后称寄居。636北间：后梁在南，故称隋地为北间。637萧萧亦复起：暗指后梁萧氏再起。638壬午：八月初六日。639溯：逆水而上。640金河：河名，古代黄河支流。故道在今内蒙古托克托以北。641辎重：行军携载的物资。642行殿：能移动的宫殿。643干：栏杆。644丹青：绘画用的颜色。丹指丹砂，青指石青（即蓝铜矿），两种可制颜料的矿石。此处代指彩画。645楼橹：城楼、瞭望台。646庐帐：帐幕做的房子；帐篷。647乙酉：八月初九日。648奉觞：举杯。649袒割：脱去上衣，露着臂膀切割肉。650呼韩：即呼韩邪单于，归降西汉。651屠耆：即屠耆单于，西汉时匈奴握衍朐提单于从兄。初封日逐王，后为呼韩邪所杀。652单于台：地名，故址在今山西大同。653己丑：八月十三日。654癸巳：八月十七日。655楼烦关：关名，故址在今山西宁武东北阳方口镇。656壬寅：八月二十六日。657河内：郡名，治所野王县，在今河南沁阳。658己未：九月十三日。659济源：县名，县治在今河南济源。660沾洽：指受其恩泽。沾，润泽。洽，沾润。661己巳：九月二十三日。662壬申：九月二十六日。663河南尹：官名，河南郡最高长官，管一郡政刑。洛阳在隋初称洛州，隋炀帝初年改为河南郡，置尹。664癸酉：九月二十七日。665艺户：擅长伎艺的家庭。666坊：城市中街市里巷的通称。667张掖：郡名，治所张掖县，在今甘肃张掖。668交市：互市；互相进行市场交易。669《西域图记》：书名，记载西域四十四国风俗及山川险易、君长姓族、物产、服章等。670西倾：山名，在今甘肃碌曲南。671纵横：南北称纵，东西称横。672敦煌：郡名，治所敦煌县，在今甘肃敦煌西。673西海：地名，在条支州都督府（今阿富汗）以西，即波斯湾。674伊吾：郡名，治所伊吾县，在今新疆哈密境。675高昌：地名，故址在今新疆吐鲁番东。676鄯善：郡名，治所鄯善城，在今新疆若羌。677凑：会合；聚集。678泛蒙汜：渡过蒙汜河。泛，浮起、渡过。蒙汜，河名，不详在今何处。679昆仑：山名，在新疆与西藏之间，西接帕米尔高原，东延入青海境内。680吐浑：即吐谷浑。681壅遏：阻塞。682诚款：恳挚；忠诚。683翘首：抬头而望，形容盼望殷切。684皇华：《诗·小雅》有《皇皇者华》，《诗序》谓为君遣使臣之作。后来遂用为使人或出使的典故。685浑、厥：指吐谷浑、突厥。686混壹：统一。壹，同“一”。687日：每天。688慨然：感慨的样子。689秦皇、汉武之功：指秦始皇、汉武帝开拓疆域的功劳。690啖：以利诱人。691縻费：浪费。692唱导：倡导。唱，通“倡”。

【校记】

［20］征：原作“诛”。据章钰校，十二行本、乙十一行本皆作“征”，今据改。〖按〗《隋书·宇文述传》《北史·宇文述传》皆作“征”。［21］帐：原无此字。据章钰校，十二行本、乙十一行本、孔天胤本皆有此字，今据补。〖按〗《通鉴纪事本末》卷二六有此

字。[22] 此：原无此字。据章钰校，十二行本、乙十一行本、孔天胤本皆有此字，今据补。〖按〗《通鉴纪事本末》卷二六有此字。[23] 十：原作“千”。据章钰校，十二行本、孔天胤本皆作“十”，张敦仁《通鉴刊本识误》同，今据改。〖按〗《通鉴纪事本末》卷二六作“十”。[24] 距：原作“拒”。据章钰校，十二行本、乙十一行本皆作“距”，张敦仁《通鉴刊本识误》同，今据改。〖按〗《通鉴纪事本末》卷二六作“距”。[25] 帝：原作“上”。据章钰校，十二行本、乙十一行本、孔天胤本皆作“帝”，今据改。〖按〗《通鉴纪事本末》卷二六作“帝”。[26] 诸商胡：原无“诸”字。章钰校云：“十二行本作‘诸胡商’三字，孔本同，张校同。”然张敦仁《通鉴刊本识误》云：“‘略’下脱‘诸’字”，则当作“诸商胡”，非如章钰校之作“诸胡商”，疑章钰校“商”、“胡”二字互乙而误。《隋书·裴矩传》《通鉴纪事本末》卷二六皆作“诸商胡”，今据补。[27] 物：原作“帛”。据章钰校，十二行本、乙十一行本、孔天胤本皆作“物”，今据改。〖按〗《隋书·裴矩传》《北史·裴佗传附裴矩传》作“物”。[28] 诸：原无此字。据章钰校，十二行本、乙十一行本、孔天胤本皆有此字，张敦仁《通鉴刊本识误》同，今据补。

【研析】

本卷所记公元六〇四至六〇七年事，隋炀帝开始主政隋帝国，并展示了与隋文帝完全不同的政治风格。兹就卷中所记炀帝逼幸陈夫人之事以及炀帝“好大喜功”的为政风格，做一些分析。

文帝病重，太子杨广侍疾，欲强暴文帝宠妃宣华夫人陈氏，文帝怒斥之为“畜生”，并试图废除杨广太子之位，重新立废太子杨勇为继承人。无奈整个皇宫已被杨广的亲信控制，文帝抱憾而终，是不是被杨广亲信杀害，已难确认。文帝死去的当日，“太子遣使者赍小金合，帖纸于际，亲署封字，以赐夫人。夫人见之，惶惧，以为鸩毒，不敢发。使者促之，乃发，合中有同心结数枚，宫人咸悦，相谓曰：‘得免死矣！’陈氏恚而却坐，不肯致谢。诸宫人共逼之，乃拜使者。其夜，太子烝焉”。杨广确实如其所愿，将陈夫人变成了自己的女人。不只陈夫人，文帝宠信的容华夫人蔡氏，“上崩后，自请言事，亦为炀帝所烝”。

陈夫人乃陈宣帝之女，“性聪慧，姿貌无双”，文帝死时，她二十七八岁，仍算得上江南美女，杨广其时三十六七岁，就个人来说，二人结合并无不妥，但就华夏传统伦理来说，事涉“乱伦”，历史确实也是将此事作为炀帝的人生污点予以记录的。但炀帝如此放肆，公然以同心结相赠，陈氏身边的宫人“共逼”陈氏就范，仅认为炀帝色欲熏心、悖于人伦，似乎还说不过去。我们知道，唐高宗为太子时，即曾着意于唐太宗身边的“才人”武则天，即皇位后，甚至立以为皇后，这与炀帝的行为，实际上没什么区别。这是北朝隋唐时期，草原民族风习强烈影响中原传统的一个事例。

《史记》记匈奴之俗："父死，妻其后母。兄弟死，皆取其妻妻之。"汉文帝时，汉朝使者曾与代表匈奴人的燕人中行说展开中原文化与匈奴文化优劣的讨论，汉使对匈奴这一"禽兽行为"给予了批评，但在中行说看来，这正是匈奴人重视血亲的表现："父子兄弟死，取其妻妻之，恶种姓之失也。故匈奴虽乱，必立宗种。今中国虽详不取其父兄之妻，亲属益疏则相杀，至乃易姓，皆从此类。"不仅匈奴人如此。《后汉书》记游牧的羌族人"父没则妻后母"、乌桓"其俗妻后母，报寡嫂"。《魏书》记吐谷浑之俗："父兄死，妻后母及嫂等，与突厥俗同。"《北史》记突厥之俗："父、兄、伯、叔死，子、弟及侄等妻其后母、世叔母、嫂，唯尊者不得下淫。"《汉书·西域传》记汉武帝时，为联合乌孙遏止匈奴人，嫁细君公主于乌孙王昆莫，"昆莫年老，欲使其孙岑陬尚公主。公主不听，上书言状，天子报曰：'从其国俗，欲与乌孙共灭胡。'"后细君公主死，汉朝又将解忧公主嫁与岑陬，岑陬死，其侄翁归靡为乌孙王，解忧公主又"从其国俗"，嫁给翁归靡为妻。在国家利益面前，汉朝选择了尊重乌孙"妻后母"的民族习惯。

十六国北朝以来，北方草原民族不断涌入中原建立政权，此等习俗亦传至内地，只是在各族汉化过程中，这种习俗已被视为落后、有悖人伦，偶见记录，也是为了强调当事者人品卑劣，行同畜生。炀帝逼幸陈夫人，从时代风气的角度来看，或许尚不足以说明炀帝本质上就是一个坏人。至于陈夫人生于江南，于此习惯尚不甚了解，心理上难以接受，杨广赠同心结示意，她"恚而却坐，不肯致谢"，也是可以理解的。

炀帝即位以后，不断地"巡幸"、追求豪华排场，与文帝时期为政风格迥异，与二人的政治理念有很大的关系，不能全以炀帝追求奢侈的心理加以解释。

隋文帝在位二十多年，自己坐镇长安，安排诸子为总管，坐镇一方，除开皇十四年因关中发生灾荒，不得不率长安军民"就食"洛阳，并短时期东至泰山行封禅大典外，基本上没有到各地"巡幸"。自己对全国局势的掌控，除了利用地方行政机构层层控制外，便是不断地派出"大使"，巡视各地，了解情况。

炀帝即位当年，便下诏"废诸州总管府"，在位十二年中，在帝国都城长安只待了不到八个月，在洛阳也很少停留，不断地巡视全国。其出巡，不是短暂的"微服私访"，而是带着中央政府、十二卫军人以及后宫，禁卫森严，队伍庞大。除了未到长江以南外，他还到了青海草原、塞北戈壁、辽东鸭绿江边，当然，有些"巡幸"是伴随战争而进行的。战争的样式也发生了改变，不再是委一大将为元帅率兵出征，而是皇帝亲自披挂上阵，指挥行动。在巡幸与出征的场合，炀帝表现得并不像个传统的华夏皇帝，倒像是草原游牧帝国的政治领袖，其巡幸途中的"大帐"或"观风行殿"，仿佛就是一草原"行国"的穹庐，只不过规模更为宏大。

通过巡幸与亲征，帝国皇帝对全国发挥了强大的个人影响。炀帝似乎陶醉于宏大场面带给人的心理震慑。“辂辇车舆，皇后卤簿，百官仪服，务为华盛”，“帝每出游幸，羽仪填街溢路，亘二十余里”。“文物之盛，近世莫及也”。其巡幸扬州，舟舰数千艘，“舳舻相接二百余里，照耀川陆，骑兵翊两岸而行，旌旗蔽野”。北巡长城沿线，“甲士五十余万，马十万匹，旌旗辎重，千里不绝。”奢华在这种情况下体现的不只是个人的享受，而是国家的强大与威严。其北巡时浩大的队伍，及周长两千步的“行城”，使塞北胡人“惊以为神，每望御营，十里之外，屈膝稽颡，无敢乘马”；“王侯以下袒割于帐前，莫敢仰视”。炀帝为此心旷神怡，赋诗说：“呼韩顿颡至，屠耆接踵来，何如汉天子，空上单于台！”“慨然慕秦皇、汉武之功”的隋炀帝，仅仅通过国力的“展示”，便使突厥人震恐拜服，一时间获得了自己已超越秦皇、汉武的心理满足。

当然，我们不能说隋炀帝以巡幸、亲征所体现出来的为政风格，与他“妻后母”一样，缘自草原习俗，但帝国的政治与经济活动，以及百姓与国家的命运，无疑都会受这种新的为政风格强烈的影响。大运河的开凿，尽管有诸多经济利益，对后代影响也大，最初开建主要还是为了巡幸的需要，与同时开建的从榆林至蓟城“长三千里、广百步”的御道、穿越太行的驰道以及遍地开花的离宫别馆，都是出于同样的目的。隋文帝“爱养百姓，劝课农桑，轻徭薄赋。其自奉养，务为俭素，乘舆御物，故弊者随宜补用；自非享宴，所食不过一肉；后宫皆服澣濯之衣。天下化之”。炀帝为政，目的不是“爱养百姓”，而是利用开皇时期积累起来的财富，无视百姓的痛苦，以极尽奢华突显皇帝个人的地位与国家的威严，向远方异域夸示隋帝国的富盛莫比，并不计成本，“引致诸胡，啖之以利”，以便造成“万方来仪”的盛况。以至于冬日剪裁锦彩作为树叶、花朵，装饰街道，举行盛大的招待宴会与长时间的演出活动，给异域来者以热情似火的接待。“西域诸胡往来相继，所经郡县，疲于送迎，靡费以万万计，卒令中国疲弊以至于亡”。讲排场、要面子，不惜血本，政策层面的奢华，比起个人追求享受，对国家与百姓造成的伤害更为严重。

卷第一百八十一　隋纪五

起著雍执徐（戊辰，公元六〇八年），尽玄黓涒滩（壬申，公元六一二年），凡五年。

【题解】

本卷载述公元六〇八至六一二年，共五年史事，当隋炀帝大业四年至大业八年。此时期隋炀帝的统治用四个字概括，就是“外征内作”。大业四年招抚西突厥，兵伐伊吾，南通赤土；大业五年亲征吐谷浑；大业七年、八年举国动员，兵伐高丽，只有大业六年无战事。又大兴土木，扩建东都、洛阳宫、江都宫、汾阳宫，可以说隋炀帝无年不生事。老子说：“治大国若烹小鲜。”只有十余年开皇年间的承平积蓄，怎能支撑如此荒唐的折腾！

【原文】

炀皇帝上之下

大业四年（戊辰，公元六〇八年）

春，正月乙巳①，诏发河北②诸军百余万众[1]穿永济渠③，引沁水④南达于河，北通涿郡。丁男不供⑤，始役妇人。

壬申⑥，以太府卿元寿为内史令。

裴矩闻西突厥处罗可汗思其母，请遣使招怀之。二月己卯⑦，帝遣司朝谒者⑧崔君肃⑨赍诏书慰谕之。处罗见君肃甚倨⑩，受诏不肯起，君肃谓之曰：“突厥本一国，中分为二，每岁交兵，积数十岁而莫能相灭者，明知其势敌⑪耳。然启民举其部落百万之众，卑躬⑫折节⑬，入臣天子者，其故何也？正以切恨⑭可汗，不能独制，欲借兵于大国，共灭可汗耳。群臣咸欲从启民之请，天子既许之，师出有

【语译】

炀皇帝上之下

大业四年（戊辰，公元六〇八年）

春，正月初一日乙巳，隋炀帝下诏征调河北各郡的军队一百多万人开凿永济渠，引导沁水向南流入黄河，向北通达涿郡。丁男不够用，开始征用妇女服役。

正月二十八日壬申，任命太府卿元寿为内史令。

裴矩听到西突厥处罗可汗思念母亲，请求派遣使者招抚他。二月初六日己卯，隋炀帝派遣司朝谒者崔君肃带着诏书去安抚晓谕处罗可汗。处罗可汗接见崔君肃态度很傲慢，接受诏书又不肯起身，崔君肃对他说："突厥原本是一国，中分为两国，每年交战，经过了几十年谁也灭不了谁，明知两国势均力敌。但是，启民可汗率领全部落百万之众，谦卑屈身，臣服大隋天子，原因是什么呢？只是因为他切齿痛恨你处罗可汗，又不能独自制服你，想从大国借兵，一起灭掉你罢了。群臣都想接受启民可汗的请求，天子也已经同意他了，出兵指日可待。考虑到你的母亲向夫人害

日⑮矣。顾可汗母向夫人惧西国⑯之灭，旦夕守阙⑰，哭泣哀祈⑱，匍匐⑲谢罪，请发使召可汗，令入内属⑳。天子怜之，故复遣使至此。今可汗乃倨慢如是[2]，则向夫人为诳天子，必伏尸㉑都市，传首虏庭㉒。发大隋之兵，资东国㉓之众，左提右挈以击可汗，亡无日矣！奈何爱两拜之礼㉔，绝慈母之命，惜一语称臣，使社稷为墟㉕乎?”处罗矍然㉖而起，流涕再拜，跪受诏书，因遣使者随君肃贡汗血马㉗。

三月壬戌㉘，倭王㉙多利思比孤㉚遣使[3]入贡，遗帝书曰:“日出处㉛天子致书日没处㉜天子无恙。”帝览之，不悦，谓鸿胪卿曰:“蛮夷书无礼者，勿复以闻。”

乙丑㉝，车驾幸五原㉞，因出塞巡长城。行宫设六合板城㉟，载以枪车㊱。每顿舍㊲，则外其辕以为外围，内布铁菱㊳;次施弩床㊴，床[4]皆插钢锥，外向；上施旋机弩㊵，以绳连机，人来触绳，则弩机㊶旋转，向所触而发。其外又以矰㊷周围，施铃柱、槌磬㊸以知所警。

帝募能通绝域㊹者，屯田主事㊺常骏等[5]请使赤土㊻，帝大悦，丙寅㊼，命骏赍物五千段，以赐其王。赤土者，南海中远国也。

帝无日不治宫室，两京㊽及江都，苑囿㊾亭殿虽多，久而益厌，每游幸，左右顾瞩㊿，无可意者，不知所适(51)。乃备责天下山川之图，躬自历览(52)，以求胜地(53)可置宫苑者。夏，四月，诏于汾州之北汾水之源，营汾阳宫(54)。

初，元德太子薨，河南尹齐王暕次(55)当为嗣，元德吏兵二万余人，悉隶于暕，帝为之妙选僚属(56)，以光禄少卿(57)柳謇之(58)为齐王长史，且戒之曰:“齐王德业修备，富贵自钟卿门(59)，若有不善，罪亦相及。”謇之，庆之从子也。暕宠遇日隆，百官趋谒(60)，阗咽(61)道路。暕以是骄恣，昵近小人，所为多不法。遣左右乔令则、库狄(62)仲锜、陈智伟等[6]求声色。令则等因此放纵，访人家有美女，辄矫暕命呼之，载入暕第，淫而遣之。仲锜、智伟诣陇西(63)，挝(64)炙诸胡，责其名马，得数匹以进暕。暕令还主，仲锜等诈言王赐，取归其家，暕不知也。乐平公主(65)尝奏帝，言柳氏女美，帝未有所答。久之，主复以柳氏进暕，

怕西突厥灭亡，从早到晚守在宫门外，哭泣哀求，匍匐在地上谢罪，请求天子派遣使臣来召唤你，让你归服。天子同情夫人，所以又派使臣到这里。如今可汗你如此傲慢，那么向夫人就是欺骗天子，一定会在闹市被处斩，首级会被传送到西域各国示众。天子征调大隋的军队，借助东突厥的部众，两面夹击可汗你，灭亡就不远了！为什么要吝惜一个臣服叩拜的礼节，断送慈母的生命，吝惜说一句称臣的话，却让国家化为废墟呢？”处罗可汗惊惶地站起来，流着泪拜了两拜，跪着接受诏书，便派出使者随崔君肃入朝贡献汗血马。

三月十九日壬戌，倭王多利思比孤派遣使者进贡，送国书给隋炀帝说：“日出处天子致信给日落处天子，问候安康。”隋炀帝看后非常不高兴，对鸿胪卿说：“不懂礼仪的蛮夷书信，不要再给我看。”

三月二十二日乙丑，隋炀帝临幸五原，趁便出塞巡视长城。行宫设有木制的六合城，用枪车来装载，每到一个地方顿宿，便把车辕朝外作外围，里面布置铁蒺藜；还安设弩床，每床都插上钢锥，钢锥朝外；上面装置旋机弩，用绳子系在弩的扳机上，如果有人前来触动绳子，弩机就会旋转，向触动的方向射箭。又在弩机外边环绕能弋射的短箭，并装设铃柱、木槌、石磬，用来报警。

隋炀帝召募能够出使极远国家的人，屯田主事常骏等人请求出使赤土，隋炀帝很高兴。三月二十三日丙寅，命令常骏带上丝帛五千段，用以赏赐赤土国王。赤土国是南海中遥远的国家。

隋炀帝每天都在建造宫室，在长安、洛阳以及江都，苑囿、亭台楼阁虽然很多，时间久了隋炀帝也感到厌烦，每次巡游，左顾右盼，没有适意的东西，不知该去往哪里。于是遍求天下山川的地理图册，亲自一一观看，寻找可以建造宫苑的好地方。夏，四月，隋炀帝下诏在汾州北边汾水源头地方营建汾阳宫。

当初，元德太子杨昭死了，河南尹齐王杨暕依次当为嗣子，元德太子所属两万余名官兵，全部隶属杨暕。隋炀帝为他精心挑选僚属，任命光禄少卿柳謇之为齐王长史，并且告诫柳謇之说：“齐王的德行和学业都兼备，荣华富贵自然就会聚你家，如果齐王不好，你也脱不了罪责。”柳謇之，是柳庆的侄儿。杨暕受到宠信日益隆盛，文武百官竞相拜谒，车马充塞了道路。杨暕因此骄傲放纵，亲近小人，干了许多不法的事。杨暕派亲近乔令则、库狄仲锜、陈智伟等人去寻找歌伎美女。乔令则等人因此肆意横行，打听人家有美女，就假传杨暕的命令召唤出来，拉上车子送进杨暕的府第，奸淫后送走。库狄仲锜、陈智伟到了陇西，酷刑拷打各部落的胡人，勒索名马，得到了几匹好马进献给杨暕。杨暕让他们归还原主人，库狄仲锜等人谎称是齐王的赏赐，牵马回了自己家，杨暕并不知晓。乐平公主曾经上奏隋炀帝，说柳家的女子漂亮，隋炀帝没有回答。过了很久，乐平公主又把柳氏女子进献给杨暕，

暕纳之。其后，帝问主："柳氏女安在？"主曰："在齐王所。"帝不悦。暕从帝幸汾阳宫，大猎，诏暕以千骑入围，暕大获麋鹿[66]以献；而帝未有得也，乃怒从官，皆言为暕左右所遏，兽不得前。帝于是发怒，求暕罪失。时制[67]：县令无故不得出境。有伊阙[68]令皇甫诩，得幸于暕，违禁，携之至汾阳宫。御史韦德裕希旨[69]劾奏暕，帝令甲士千余人大索暕第，因穷治[70]其事。暕妃韦氏早卒，暕与妃姊元氏妇通[71]，产一女。暕召相工[72]令遍视后庭，相工指妃姊曰："此产子者当为皇后。"暕以元德太子有三子[73]，恐不得立，阴挟左道[74]为厌胜，至是皆发。帝大怒，斩令则等数人，赐妃姊死，暕府僚皆斥之边远[75]。柳謇之坐不能匡正[76]，除名。时赵王杲[77]尚幼，帝谓侍臣曰："朕唯有暕一子，不然者，当肆[78]诸市朝[79]以明国宪[80]。"暕自是恩宠日衰，虽为京尹[81]，不复关预时政。帝恒令虎贲郎将[82]一人监其府事，暕有微失，虎贲辄奏之。帝亦常虑暕生变，所给左右，皆以老弱，备员[83]而已。太史令庾质[84]，季才之子也，其子为齐王属[85]，帝谓质曰："汝不能一心事我，乃使儿事齐王，何向背[86]如此？"对曰："臣事陛下，子事齐王，实是一心，不敢有二。"帝犹怒，出为合水[87]令。

乙卯[88]，诏以突厥启民可汗遵奉朝化[89]，思改戎俗，宜于万寿戍[90]置城造屋，其帷帐床褥以上，务从优厚。

秋，七月辛巳[91]，发丁男二十余万筑长城，自榆谷[92]而东。

裴矩说铁勒，使击吐谷浑，大破之。吐谷浑可汗伏允东走，入西平[93]境内，遣使请降求救。帝遣安德王雄出浇河[94]，许公[95]宇文述出西平迎之。述至临羌城[96]，吐谷浑畏述兵盛，不敢降，帅众西遁。述引兵追之，拔曼头[97]、赤水[98]二城，斩三千余级，获其王公以下二百人，虏男女四千口而还。伏允南奔雪山[99]，其故地皆空，东西四千里，南北二千里，皆为隋有，置郡[7]、县、镇、戍，天下轻罪徙居之。

八月辛酉[100]，上亲祠恒岳[101]，赦天下。河北道[102]郡守毕集，裴矩所致西域十余国皆来助祭[103]。

九月辛未[104]，征天下鹰师[105]悉集东京，至者万余人。

杨暕接收了。这之后，隋炀帝问乐平公主："柳氏美女在哪里？"乐平公主回答说："在齐王处。"隋炀帝很不高兴。杨暕随从隋炀帝游幸汾阳宫，举行大规模的围猎，隋炀帝下诏命令杨暕带领一千人围猎，杨暕猎获了大批麋鹿进献，而隋炀帝却没有什么收获，就对随从官员发脾气，官员们都说被杨暕的人阻拦，野兽到不了跟前。隋炀帝于是大怒，寻找杨暕的过失。当时制度规定：县令无故不得出境。有一位叫皇甫诩的伊阙县令，受到杨暕的宠信，杨暕违犯制度，把皇甫诩带进了汾阳宫。御史韦德裕迎合隋炀帝的心意弹劾杨暕，隋炀帝命令一千多名甲士去搜查杨暕的府第，彻底追查这件事。杨暕的妃子韦氏早死，杨暕与王妃姐姐元氏妇私通，生了一个女儿。杨暕召来相面师，令他给王府后宫女子一一相面，相面师指着王妃姐姐说："这个生了孩子的女人应当成为皇后。"杨暕因为元德太子生有三个儿子，担心自己不能继位，于是暗中用妖术诅咒来求胜，到这时全都被揭发出来了。隋炀帝大怒，杀了乔令则等几人，赐王妃姐姐自尽，杨暕府中的僚属都被流放到边疆。柳謇之因为不能辅助齐王纠正过失，被免官除名。当时赵王杨杲尚幼，隋炀帝对侍臣说："我只有杨暕一子，不然的话，应当将他在闹市斩杀示众，以昭明国法。"杨暕受到的恩宠从此日渐衰减，虽然担任京尹，却不能再参加议政。隋炀帝常派一名虎贲郎将负责监理齐王府事务，杨暕哪怕只有微小过失，虎贲郎也会立即奏报隋炀帝。隋炀帝也常常担忧杨暕作乱，派给杨暕身边的人，都年老体弱，只是充数而已。太史令庾质是庾季才的儿子，他的儿子是齐王府的府属。隋炀帝对庾质说："你不能一条心侍奉我，而让你儿子去侍奉齐王，为何背离我到这种样子？"庾质回答说："我侍奉陛下，儿子侍奉齐王，都是忠心的，不敢有二心。"隋炀帝还是怒气冲冲，便把他外任为合水县令。

四月十三日乙卯，隋炀帝下诏认为突厥启民可汗遵循隋朝教化，想变更戎狄习俗，应在万寿戍建城造屋，他的帷帐、床褥等物，一定要优厚供应。

秋，七月初十日辛巳，征调二十余万丁男修筑长城，从榆谷向东修筑。

裴矩劝说铁勒，让他攻打吐谷浑，把吐谷浑打得大败。吐谷浑可汗伏允东逃，进入西平境内，派使者向隋朝请降求救。隋炀帝派遣安德王杨雄从浇河郡出发、许公宇文述从西平郡出发迎接伏允。宇文述抵达临羌城，吐谷浑惧怕宇文述兵强马壮，竟不敢投降，率领部众向西逃亡。宇文述领兵追击，攻破曼头、赤水两城，斩杀三千余人，抓获王公以下二百人，俘虏男女平民四千人而返回。伏允可汗向南逃到雪山，吐谷浑原有领地全部空无一人，东西四千里，南北二千里，都被隋朝占领，隋朝设置了郡、县、镇、戍，把全国轻罪囚犯迁徙到这里居住。

八月二十一日辛酉，隋炀帝亲自到北岳恒山祭祀，大赦天下。河北道郡守都集中到恒山，裴矩招抚的十几个西域国都来助祭。

九月初一日辛未，隋炀帝征召全国的训鹰师集中到东京，到达的有一万多人。

冬，十月乙卯⑯，颁新式⑰。

常骏等至赤土境，赤土王利富多塞遣使以三十舶⑱迎之，进金锁以缆⑲骏船。凡泛海百余日，入境月余，乃至其都⑳。其王居处器用，穷极珍丽，待使者礼亦厚，遣其子那邪迦随骏入贡。

帝以右翊卫将军河东薛世雄⑪为玉门道⑫行军大将，与突厥启民可汗连兵击伊吾，师⑬出玉门，启民不至。世雄孤军度碛，伊吾初谓隋军不能至，皆不设备⑭，闻世雄兵[8]已度碛，大惧，请降。世雄乃于汉故伊吾城⑮东筑城，留银青光禄大夫⑯王威以甲卒千余人戍之而还。

【段旨】

以上为第一段，写隋炀帝大业四年（公元六〇八年）向外扩张，招抚西突厥，兵伐伊吾，通使南海赤土国。齐王骄恣失宠。

【注释】

①乙巳：正月初一日。②河北：黄河以北，大致包括今河北及山东、辽宁部分地区。③永济渠：隋大运河之一段。引沁水南通于黄河，北到涿郡（今北京西南），沟通了沁水、黄河与海河水系。④沁水：河名，黄河支流。发源于山西沁源东北的羊头山，南流经安泽，经河南武陟入黄河。⑤不供：供应不足。⑥壬申：正月二十八日。⑦己卯：二月初六日。⑧司朝谒者：官名，谒者台副长官，掌朝觐及奉诏出使。⑨崔君肃：清河东武城（今河北清河）人。历仕北周、隋，官至司朝谒者。传附《周书·崔彦穆传》《北史·崔彦穆传》。⑩倨：傲慢。⑪势敌：势均力敌。⑫卑躬：低身。表示恭敬。⑬折节：屈己下人，降低本人的身份。⑭切恨：切齿痛恨。⑮有日：有了明确日期。意谓指日可待。⑯西国：指西突厥。⑰阙：宫门。⑱哀祈：苦苦祈求。祈，求的意思。⑲匍匐：伏地而行。⑳内属：内附。㉑伏尸：倒在地上的尸体。㉒虏庭：指东突厥启民可汗庭。㉓东国：指东突厥。㉔两拜之礼：指拜受天子诏书的仪礼。㉕社稷为墟：社稷变成废墟。意指西突厥亡国。㉖矍然：惊惶的样子。㉗汗血马：古代一种骏马。据说汗从前髆出，如血，号一日千里。㉘壬戌：三月十九日。㉙倭王：日本国王。古时称日本人为倭。㉚多利思比孤：日本国王。姓阿每，字多利思比孤。事见《隋书·倭国传》《北史·倭国传》。㉛日出处：倭王自称倭国。因日本在东，故称日出处。㉜日没处：指隋

冬，十月十六日乙卯，颁布新制度量衡。

常骏等到达赤土国边境，赤土国王利富多塞派遣使者带着三十只大船迎接，进献黄金锁用来连系常骏的船只。常骏等在海上共行走了一百多天，进入赤土国境一个多月，才到达了赤土国的都城。赤土国王的王宫器用，都非常珍贵华丽，接待使者的礼仪也很优厚，赤土国王派他的儿子那邪迦随同常骏入隋进贡。

隋炀帝任命右翊卫将军河东人薛世雄为玉门道行军大将，与突厥启民可汗合兵攻打伊吾。隋军出了玉门关，启民可汗没有到达。薛世雄孤军穿过戈壁，伊吾人起初认为隋军不可能来到，没有做好防备，得知薛世雄的军队已经穿过戈壁，大为恐惧，请求投降。薛世雄就在汉时故伊吾城的东边筑城，留银青光禄大夫王威领兵一千余人镇守，而后班师回朝。

朝。因隋在日本西，故称日没处。㉝乙丑：三月二十二日。㉞五原：郡名，治所九原县，在今内蒙古五原西南。㉟六合板城：木城。城方圆一百二十步，高四丈二尺。六合是指用方一尺的六个立方体，外面一方有板，称为一板。垒六为城，高三丈六尺，上面加上女墙，板高六尺，开南北二门。城四角立敌楼两个，门观门楼皆涂上颜色。木城里还造有六合殿、千人帐等。㊱枪车：一种装有发射弩机关的车子。㊲顿舍：停顿住宿。㊳铁菱：又称铁蒺藜，散布路上，防敌人通过。㊴弩床：发射弩机的座。㊵旋机弩：装有旋转机械的弩。㊶弩机：弩的部件，青铜制成，装置在弩的木臂后部。㊷矰：古代系有生丝以射鸟的箭。㊸槌磐：一种用敲击以报警的装置。槌，通“捶”。敲打。㊹绝域：极远的地域。㊺屯田主事：官名，属工部尚书屯田曹，掌屯田曹事。㊻赤土：国名，即赤土国，扶南族的一支，在南海中。㊼丙寅：三月二十三日。㊽两京：指长安与洛阳。㊾苑囿：蓄养禽兽的圈地。㊿顾瞩：看；望。51适：往。52历览：一一观看。历，依次。53胜地：名胜的地方。54汾阳宫：宫名，修建于汾水之源燕京山上的天池周围。故址在今山西宁武西南。55次：依次。此指按照兄弟长幼次序。56僚属：僚佐属吏。57光禄少卿：官名，光禄寺副长官。除掌宫殿掖庭门户外，兼掌诸膳食、帐幕。58柳謇之：字公正，河东解（今山西临猗）人。历仕北周、隋，官至黄门侍郎。传见《隋书》卷四十七、《北史》卷六十四。59自钟卿门：自然都集你家。钟，聚。卿，指柳謇之。60趋谒：前往进见。61阗咽：挤满。阗，盛、满。咽，塞。62库狄：复姓。63陇西：郡名，治所狄道县，在今甘肃临洮。64挞：敲打；击。65乐平公主（公元五六一至六〇九年）：名丽华，隋文帝长女，周宣帝皇后。隋文帝代周后，改封乐平公主。传见《周书》卷九、《北史》卷十四。66麋鹿：鹿的一种。雄的有角，角像鹿，尾像驴，蹄像牛，颈像骆驼。也叫四不像。67时制：当时规定。制，制令。68伊阙：县名，县治在今河南洛阳南。69希旨：

迎合皇帝的旨意。希，迎合。⑦ 穷治：追究到底。⑦1 通：私通；通奸。⑦2 相工：观察人的形貌以占测其命运的人。⑦3 三子：指杨侑、杨倓、杨侗三人。⑦4 左道：邪门旁道。古代多指斥未经官府认可的巫蛊、方术等。⑦5 斥之边远：贬斥到边远的地方。⑦6 匡正：扶正。⑦7 赵王杲（公元六〇六至六一七年）：齐王杨暕之子杨杲，封赵王。传附《隋书·齐王暕传》《北史·齐王暕传》。⑦8 肆：执行死刑后陈尸示众。⑦9 市朝：市场。⑧0 国宪：国家的法制刑律。⑧1 京尹：即河南尹，因东京在河南郡管辖下，故又称京尹。⑧2 虎贲郎将：武官名，十二卫将军之副职，掌宿卫。⑧3 备员：凑数。谓虚其位，聊以充数。⑧4 庾质：字行修，新野（今河南新野）人，历仕周、隋，官至太史令。传附《隋书·庾季才传》《北史·庾季才传》。⑧5 齐王属：即齐王府官吏。⑧6 向背：支持和反对。⑧7 合水：县名，县治在今甘肃庆阳。⑧8 乙卯：四月十三日。⑧9 朝化：隋朝的教化。⑨0 万寿戍：军镇名，故址在今内蒙古托克托北。⑨1 辛巳：七月十日。⑨2 榆谷：地名，故址在今青海尖扎、贵德之间黄河以南。⑨3 西平：郡名，治所湟水县，在今青海海东市乐都区。⑨4 浇河：郡名，治所河津县，在今青海贵德。⑨5 许公：时宇文述封许国公，故简称许公。⑨6 临羌城：临羌县城，县治在今青海湟源东南。⑨7 曼头：城名，故址在今青海共和西南。⑨8 赤水：城名，河源郡治所，在今青海兴海县东南黄河西岸。⑨9 雪山：此雪山指蜀西山之西雪山，即今青海阿尼玛卿山。⑩0 辛酉：八月二十一日。⑩1 恒岳：即北岳恒山。⑩2 河北道：指太行山以东、黄河以北地区。这里的道是指一种行政区划，与行军道不同。早在两汉时期，即出现了道这一行政区划，唐朝也因山川形势之便先后将全国分为十道和十五道。而隋道如何区划，难以考述。⑩3 助祭：古代祭祀，分主祭与助祭。帝王主祭，诸侯只能助

【原文】

五年（己巳，公元六〇九年）

春，正月丙子[117]，改东京为东都。

突厥启民可汗来朝，礼赐益厚。

癸未[118]，诏天下均田[119]。

戊子[120]，上自东都西还。

己丑[121]，制民间铁叉、搭钩[122]、穳刃[123]之类皆禁之。

二月戊申[124]，车驾至西京。

三月己巳[125]，西巡河右[126]。乙亥[127]，幸扶风[128]旧宅。夏，四月癸

祭。⑭ 辛未：九月初一日。⑮ 鹰师：善于调养训练鹰隼的人。⑯ 乙卯：十月十六日。⑰ 新式：去年四月改度量权衡，并依古式，现在颁行天下。⑱ 舶：大船；海船。⑲ 缆：系船。⑩ 其都：指赤土国都城僧祇城。⑪ 薛世雄（公元五五二至六一四年）：字世英，河东汾阴（今山西万荣西南）人，历仕北周、隋，官至左御卫大将军，领涿郡留守。传见《隋书》卷六十五、《北史》卷七十六。⑫ 玉门道：指从玉门进军的路线。玉门，县名，县治在今甘肃玉门西北赤金堡稍东。⑬ 师：军队，指隋军。⑭ 设备：设兵防备。⑮ 汉故伊吾城：西汉伊吾旧城。故址在今新疆哈密西。⑯ 银青光禄大夫：官名，文散官，无职掌。

【校记】

［1］众：原无此字。据章钰校，十二行本、乙十一行本、孔天胤本皆有此字，张敦仁《通鉴刊本识误》同，今据补。［2］是：原作“此”。据章钰校，乙十一行本、孔天胤本皆作“是”。〖按〗《通鉴纪事本末》卷二八作“是”，今据改。［3］遣使：原无此二字。据章钰校，十二行本、乙十一行本、孔天胤本皆有此二字，张敦仁《通鉴刊本识误》同，今据补。［4］床：原无此字。据章钰校，十二行本、乙十一行本、孔天胤本皆有此字，张敦仁《通鉴刊本识误》同，今据补。［5］等：原无此字。据章钰校，十二行本、乙十一行本、孔天胤本皆有此字，今据补。［6］等：原无此字。据章钰校，十二行本、乙十一行本、孔天胤本皆有此字，今据补。［7］郡：原作“州”。据章钰校，十二行本、乙十一行本、孔天胤本皆作“郡”，今据改。［8］兵：原作“军”。据章钰校，十二行本、乙十一行本、孔天胤本皆作“兵”，今据改。

【语译】

五年（己巳，公元六〇九年）

春，正月初八日丙子，改东京为东都。

突厥启民可汗来朝拜，接待的礼仪和赏赐更加优厚。

正月十五日癸未，隋炀帝下诏全国重申均田令。

正月二十日戊子，隋炀帝从东都起程回西京长安。

正月二十一日己丑，规定民间铁叉、搭钩、铁矛一类器具都禁止生产使用。

二月十一日戊申，隋炀帝回到西京。

三月初二日己巳，隋炀帝西巡河西。初八日乙亥，驾临扶风郡杨氏故宅。夏，

亥[129]，出临津关[130]，渡黄河，至西平[131]，陈兵讲武[132]，将击吐谷浑。五月乙亥[133]，上大猎于拔延山[134]，长围周[9]亘二十里。庚辰[135]，入长宁谷[136]，度星岭[137]。丙戌[138]，至浩亹川[139]。以桥未成，斩都水使者[140]黄亘[141]及督役者九人。数日，桥成，乃行。

吐谷浑可汗伏允帅众保覆袁川[142]，帝分命内史元寿南屯金山[143]，兵部尚书段文振[144]北屯雪山[145]，太仆卿杨义臣东屯琵琶峡[146]，将军张寿西屯泥岭[147]，四面围之。伏允以数十骑遁出，遣其名王诈称伏允，保车我真山[148]。壬辰[149]，诏右屯卫大将军[150]张定和[151]往捕之。定和轻其众少，不被甲，挺身登山，吐谷浑伏兵射杀之。其亚将[152]柳武建击吐谷浑，破之。甲午[153]，吐谷浑仙头王穷蹙[154]，帅男女十余万口来降。六月丁酉[155]，遣左光禄大夫梁默[156]等追讨伏允，兵败，为伏允所杀。卫尉卿彭城[10]刘权出伊吾道，击吐谷浑，至青海[157]，虏获千余口，乘胜追奔，至伏俟城[158]。

辛丑[159]，帝谓给事郎蔡徵[160]曰："自古天子有巡狩[161]之礼，而江东诸帝多傅脂粉，坐深宫，不与百姓相见，此何理也？"对曰："此其所以不能长世。"丙午[162]，至张掖。帝之将西巡也，命裴矩说高昌王麹伯雅及伊吾吐屯设[163]等，啖以厚利，召使入朝。壬子[164]，帝至燕支山[165]，伯雅、吐屯设等及西域二十七国谒于道左，皆令佩金玉，被[166]锦罽[167]，焚香奏乐，歌舞喧噪。帝复令武威、张掖士女盛饰纵观，衣服车马不鲜者，郡县督课[168]之。骑乘填咽，周亘[169]数十里，以示中国之盛。吐屯设献西域数千里之地，上大悦。癸丑[170]，置西海[171]、河源[172]、鄯善[173]、且末[174]等郡，谪[175]天下罪人为戍卒以守之。命刘权[176]镇河源郡积石镇[177]，大开屯田，扞御[178]吐谷浑，以通西域之路。

是时天下凡有郡一百九十，县一千二百五十五，户八百九十万有奇。东西九千三百里，南北万四千八百一十五里。隋氏之盛，极于此矣。

帝谓裴矩有绥怀[179]之略，进位银青光禄大夫。自西京诸县及西北诸郡，皆转输塞外，每岁钜亿万计。经途险远及遇寇钞[180]，人畜死亡不达[181]者，郡县皆征破其家[182]。由是百姓失业，西方先困矣。

初，吐谷浑伏允使其子顺来朝，帝留顺不遣[183]。伏允败走，无以自

四月二十七日癸亥，车驾出临津关，渡过黄河，到达西平，陈列军队，进行军事演习，即将攻打吐谷浑。五月初九日乙亥，隋炀帝到拔延山大规模围猎，长围周长绵延二十里。十四日庚辰，进入长宁谷，翻过星岭。二十日丙戌，到达浩亹川。因过河的桥没有完成，隋炀帝杀了都水使者黄亘以及监督工程的官员九人。几天后，桥建成，才继续前行。

吐谷浑可汗伏允率领部众防守覆袁川，隋炀帝分别命令内史元寿往南驻守金山，兵部尚书段文振往北驻守雪山，太仆卿杨义臣往东驻守琵琶峡，将军张寿往西驻守泥岭，四面围攻覆袁川。伏允可汗带领数十骑逃出，派他的一位名王谎称是伏允可汗，据守车我真山。五月二十六日壬辰，隋炀帝下诏命令右屯卫大将军张定和进兵车我真山捕获伏允可汗。张定和轻视吐谷浑兵少，不穿铠甲，领头登山，吐谷浑的伏兵射死了他。张定和的副将柳武建进兵攻击吐谷浑，打败了敌人。二十八日甲午，吐谷浑仙头王走投无路，率领男女十余万口前来投降。六月初二日丁酉，隋炀帝派左光禄大夫梁默等追击伏允，兵败，梁默被伏允杀死。卫尉卿彭城人刘权从伊吾道出兵，攻打吐谷浑，到达青海，俘虏千余人，乘胜追击败兵，到达伏俟城。

六月初六日辛丑，隋炀帝对给事郎蔡徵说:“自古天子就有到各地巡狩的礼仪，可是江南的各位皇帝大多喜欢涂脂抹粉，坐在深宫，不与百姓相见，这是什么道理呢?”蔡徵回答说:“这正是他们各朝不能世代长久的原因。”十一日丙午，隋炀帝到达张掖。在隋炀帝将要西巡时，命令裴矩去劝说高昌王麹伯雅和伊吾吐屯设等，以厚利相诱惑，叫他们入朝。十七日壬子，隋炀帝抵达燕支山，曲伯雅、吐屯设及西域二十七国都到路边拜谒。隋炀帝让他们都佩戴金玉，穿上绸缎和毛织品，奏乐焚香，歌舞欢庆。隋炀帝又让武威、张掖两郡青年男女极力打扮，纵情观看，衣服、车马不新颖漂亮的，由郡县督责考查。于是马匹车辆堵塞道路，绵延几十里，用来表示中国的富强。吐屯设献上西域几千里土地，隋炀帝非常高兴。十八日癸丑，设置西海、河源、鄯善、且末等郡，贬谪天下的罪人作为戍卒守卫这些地方。又命刘权镇守河源郡积石镇，大量开荒垦田，防备吐谷浑，以确保西域道路通畅。

此时，全国一共有一百九十个郡，一千二百五十五个县，八百九十多万户。东西长九千三百里，南北宽一万四千八百一十五里。隋朝的强盛，这时到达了顶点。

隋炀帝认为裴矩有安抚怀柔的才能，晋升其为银青光禄大夫。从西京各县到西北各郡，都要转运物资到塞外，每年耗费数以亿计。所经路途遥远而艰险，又遭遇抢劫，人畜死亡运送不到的，郡县重新征调其家，人户全都家破人亡。因此百姓丧失生计，西部郡县首先贫困。

当初，吐谷浑可汗伏允让他的儿子顺前来朝见，隋炀帝将顺扣留下不让他回去。

资⑱，帅数千骑客于党项⑱。帝立顺为可汗，送至玉门，令统其余众，以其大宝王尼洛周为辅。至西平，其部下杀洛周，顺不果入而还。

丙辰⑱，上御观风殿⑱，大备文物，引高昌王麹伯雅及伊吾吐屯设升殿宴饮，其余蛮夷使者陪阶庭者二十余国，奏九部乐⑱及鱼龙戏以娱之，赐赉有差。戊午⑱，赦天下。

吐谷浑有青海，俗传置牝马⑲于其上，得龙种⑲。秋，七月丁卯⑲[11]，置马牧于青海，纵牝马二千匹于川谷以求龙种，无效而止。

车驾东还行[12]，经大斗拔谷⑲，山路隘险⑲，鱼贯⑲而出，风雪晦冥⑲，文武饥馁⑲沾湿，夜久不逮⑲前营，士卒冻死者太半，马驴什八九，后宫妃、主或狼狈相失，与军士杂宿山间。九月癸未⑲[13]，车驾入西京。冬，十一月丙子⑳，复幸东都。

民部侍郎裴蕴以民间版籍⑳，脱漏户口及诈注⑳老小尚多，奏令貌阅⑳，若一人不实，则官司⑳解职。又许民纠⑳得一丁者，令被纠之家代输⑳赋役。是岁，诸郡计帐⑳进丁二十四[14]万三千，新附口六十四万一千五百。帝临朝览状⑳，谓百官曰："前代无贤才，致此罔冒⑳，今户口皆实，全由裴蕴。"由是渐见亲委⑳，未几，擢授御史大夫，与裴矩、虞世基参掌机密。蕴善候伺㉑人主微意，所欲罪者，则曲法㉑锻㉑成其罪；所欲宥者，则附从轻典㉑，因而释之。是后大小之狱，皆以付蕴，刑部、大理莫敢与争，必禀承㉑进止㉑，然后决断。蕴有机辩㉑，言若悬河㉑，或重或轻，皆由其口，剖析㉑明敏㉒，时人不能致诘。

突厥启民可汗卒，上为之废朝㉒三日，立其子咄吉㉒，是为始毕可汗。表请尚公主，诏从其俗。

初，内史侍郎薛道衡以才学有盛名，久当枢要㉒，高祖末，出为襄州总管。帝即位，自番州㉒刺史召之，欲用为秘书监。道衡既至，上《高祖文皇帝颂》㉒，帝览之，不悦，顾谓苏威曰："道衡致美㉒先朝，此《鱼藻》㉒之义也。"拜司隶大夫㉒，将置之罪。司隶刺史㉒房彦谦

伏允失败逃走，生计困难，就率领几千名骑兵在党项境内客居下来。隋炀帝册立顺为可汗，把他送到玉门，让他统领吐谷浑余部，又让吐谷浑的大宝王尼洛周做他的辅佐。顺抵达西平后，他的部下杀了尼洛周，顺无法进入吐谷浑而返回。

六月二十一日丙辰，隋炀帝驾临观风行殿，陈列仪仗，规模很大，带领高昌王麹伯雅和伊吾的吐屯设上殿宴饮，其余陪侍阶庭的蛮夷使者共有二十多个国家。演奏九部乐，并表演鱼龙杂戏，用来欢庆娱乐，各国来使都得到不同等级的赏赐。二十三日戊午，大赦天下。

吐谷浑据有青海湖期间，民间传说把母马放到湖中山上，就会有良马来交配生龙种。秋，七月初二日丁卯，在青海设置牧马场，把两千匹母马放到川谷间，希望得到龙种，没有成效，就停止了。

隋炀帝车驾向东回返，途经大斗拔谷，山路狭窄险峻，人马一个接一个单行而出。风雪交加，昏天黑地，文武百官衣服湿透，又冻又饿，深夜还没有到达前面的营地，士卒冻死的有大半，马驴冻死的十分之八九，后宫的嫔妃、公主有的狼狈走失，与士兵混在一起留宿山中。九月十九日癸未，车驾回到西京。冬，十一月十三日丙子，隋炀帝又幸临东都。

民部侍郎裴蕴认为民间的户籍中，脱漏户口以及登记老少不实的情况很多，于是奏请查阅形貌以验老少。如果有一个人不确实，主管的官员就免职。又许诺民众，只要有人检举出一个成丁，就让被检举出的人家替检举人缴纳赋税或代替服役。这一年，各郡呈报户口统计，男丁增加了二十四万三千人，新登记的人数六十四万一千五百人。隋炀帝上朝览阅奏状，对百官说："前代没有贤才，导致户口虚假不实，现在户口都确实了，都是由于裴蕴。"因此裴蕴逐渐被亲近并委以重任。不久，隋炀帝提升他为御史大夫，让他和裴矩、虞世基一起掌管机密。裴蕴善于观察揣摩皇上深微的心意，隋炀帝想要加罪的人，裴蕴就曲解法律条文、罗织罪状构成他的罪名；隋炀帝想要赦免的人，裴蕴就附和意旨，拉扯上从轻的条款，因而开释。此后大大小小的狱案，全都交给裴蕴。刑部、大理寺都不敢与裴蕴争论，一定听命进退，然后才决断。裴蕴机警善辩，口若悬河，犯人的罪名轻重，全都由裴蕴说了算，他分析得清楚而敏捷，当时的人无法提出诘问。

突厥启民可汗去世，隋炀帝为此停止朝会三天。册立启民可汗的儿子咄吉，就是始毕可汗。他上表要求娶庶母义成公主，诏命遵从突厥风俗。

当初，内史侍郎薛道衡由于有才学而享有盛名，长期掌管枢要，高祖末年，外任襄州总管。隋炀帝即位，把他从番州刺史任上召回，想任用他为秘书监。薛道衡回到京城，献上《高祖文皇帝颂》，隋炀帝看了，心中不高兴，回头对苏威说："薛道衡颂扬前朝皇帝，这是效法《鱼藻》诗来寄托讽刺。"因此只授给他司隶大夫，准备治他的罪。司隶刺史房彦谦劝薛道衡闭门谢绝宾客，要言辞卑恭、低声下气，薛道

劝道衡杜绝宾客，卑辞㉚下气㉛，道衡不能用。会议新令，久不决，道衡谓朝士曰："向使㉜高颎不死，令决㉝当久行㉞。"有人奏之，帝怒曰："汝忆㉟高颎邪？"付执法者推之㊱。裴蕴奏："道衡负才恃旧㊲，有无君之心，推恶于国，妄造祸端。论其罪名，似如隐昧㊳，原㊴其情意，深为悖逆㊵。"帝曰："然。我少时与之行役㊶，轻我童稚㊷，与高颎、贺若弼等外擅威权。及我即位，怀不自安㊸，赖天下无事，未得反耳。公论其逆，妙体㊹本心。"道衡自以所坐非大过，促宪司㊺早断，冀奏日帝必赦之，敕㊻家人具馔㊼，以备宾客来候㊽者。及奏，帝令自尽，道衡殊不意㊾，未能引决㊿。宪司重奏，缢而杀之，妻子徙[251]且末。天下冤之。

帝大阅军实[252]，称器甲之美，宇文述因进言："此皆云定兴之功。"帝即擢定兴为太府丞[253]。

【段旨】

以上为第二段，写大业五年（公元六〇九年），隋炀帝无事亲征吐谷浑，枉杀大臣薛道衡。

【注释】

⑰ 丙子：正月初八日。⑱ 癸未：正月十五日。⑲ 均田：早在隋文帝开皇年间已颁行均田令，此均田是重申均田法令。⑳ 戊子：正月二十日。㉑ 己丑：正月二十一日。㉒ 搭钩：一种柄上装有铁钩，能钩挂东西的工具。㉓ 穳刃：小矛之类的兵器。㉔ 戊申：二月十一日。㉕ 己巳：三月初二日。㉖ 河右：即河西。泛指今青海、甘肃之黄河以西的河西走廊一带。㉗ 乙亥：三月初八日。㉘ 扶风：郡名，治所雍县，在今陕西宝鸡市凤翔区。㉙ 癸亥：四月二十七日。㉚ 临津关：关名，故址在今甘肃积石山保安族东乡族撒拉族自治县东。㉛ 西平：郡名，治所湟水县，在今青海海东市乐都区。㉜ 讲武：讲习武事，即军事演习。㉝ 乙亥：五月初九日。㉞ 拔延山：山名，在今青海化隆回族自治县西北。㉟ 庚辰：五月十四日。㊱ 长宁谷：山谷名，故址在今青海西宁北。㊲ 星岭：山岭名，在今青海大通附近。㊳ 丙戌：五月二十日。㊴ 浩亹川：河名，即今大通河，也称阁门河。源出祁连山脉东段托来南山与大通山之间，东南流经甘肃、青海边境，在民和入湟水。㊵ 都水使者：官名，由都水监所改。管舟楫、河渠二署。㊶ 黄亘（？至公元六〇

衡未能采纳。恰好要商议新的律令，长期争执不决，薛道衡对朝臣们说："要是高颎没死，新律令肯定早就施行了。"有人向皇上报告了此事，隋炀帝生气地说："你怀念高颎吗？"把薛道衡交给司法部门审问。裴蕴上奏说："薛道衡依仗有才能又是老臣，心里看不起皇上，把过恶推给国家，随意制造祸端。真要判他的罪，又好像不明显，推究他的真实内心，实在是大逆不道。"隋炀帝说："正是这样。我年轻时与他一起行军，他就轻视我年少，与高颎、贺若弼等人在外专权。等到我即位，他心怀不安，幸亏天下无事，未能造反。你认为他悖逆，真是精妙地领悟了他的内心。"薛道衡自认为没有犯大错，就催司法部门早作判决，期待着在上奏那天皇上一定赦免他，还告诫家里人备办酒席，好招待前来问候的宾客。等到判决上奏，隋炀帝令他自尽，薛道衡完全未想到，未能自杀。司法部门再次上奏，隋炀帝派人绞死了薛道衡，把他的妻子儿女流放到且末。天下人都认为他冤枉。

隋炀帝大规模检查军用物资，称赞器械精美，宇文述趁机进言说："这都是云定兴的功劳。"隋炀帝立即提升云定兴为太府丞。

九年）：籍贯不详。仕隋，官至朝散大夫。传附《隋书·何稠传》《北史·何稠传》。⑫覆袁川：河名，在今青海青海湖东北。⑬金山：山名，在今青海西宁西北。⑭段文振（？至公元六一二年）：北海期原（今山东青州）人，历仕北周、隋，官至兵部尚书。传见《隋书》卷六十、《北史》卷七十六。⑮雪山：山名，即今冷龙岭，在青海祁连东北，青海与甘肃交界之处。⑯琵琶峡：峡谷名，位于浩亹川与长宁川之间，在今青海门源回族自治县西南。⑰泥岭：即今大通山，在青海祁连西南。⑱车我真山：山名，在今青海祁连东南。⑲壬辰：五月二十六日。⑳右屯卫大将军：武官名，隋十二卫大将军之一，掌羽林军。㉑张定和（？至公元六〇九年）：字处谧，京兆万年（今陕西西安）人，仕隋，官至左屯卫大将军。传见《隋书》卷六十四、《北史》卷七十八。㉒亚将：副将。㉓甲午：五月二十八日。㉔穷蹙：紧迫；走投无路。㉕丁酉：六月初二日。㉖梁默（？至公元六〇九年）：本为梁士彦奴仆，以军功历仕北周、隋，官至大将军。传附《隋书·梁士彦传》《北史·梁士彦传》《周书·梁士彦传》。㉗青海：即今青海湖，在青海海晏西、刚察南。㉘伏俟城：城名，吐谷浑都城，在今青海湖西。㉙辛丑：六月初六日。㉚蔡徵：人名，历仕陈、隋，官至礼部侍郎。事散见《隋书》《北史》各传。㉛巡狩：同"巡守"。天子出巡。㉜丙午：六月十一日。㉝吐屯设：突厥设置，用以守伊吾的官员。㉞壬子：六月十七日。㉟燕支山：山名，在今甘肃永昌与民乐之间。㊱被：通"披"。㊲罽：一种毛织品。㊳督课：督责考核。㊴周亘：周围连绵。㊵癸丑：六月十八日。㊶西海：

郡名，治所伏俟城，在今青海湖西。⑰河源：郡名，治所赤水城，在今青海兴海县东南。⑰鄯善：郡名，治所古楼兰城，在今新疆若羌境。⑰且末：郡名，治所古且末城，在今新疆且末境。⑰谪：因罪流放或贬官。⑰刘权：字世略，彭城丰（今江苏丰县）人。历仕齐、北周与隋，官至司农卿。传见《隋书》卷六十三、《北史》卷七十六。⑰积石镇：镇名，故址在今青海兴海县一带。⑰扞御：抵御。⑰绥怀：安抚怀柔。⑱寇钞：攻劫掠夺。⑱不达：没有到达目的地。⑱征破其家：征收繁重，以致其家破产。⑱不遣：不放回。⑱自资：自己解决生活资用。⑱党项：羌族的一种。三苗的后裔，其部族有宕昌、白狼等，生活在今青海南部、四川北部、西藏的东北部一带。⑱丙辰：六月二十一日。⑱观风殿：即此前所造观风行殿。⑱九部乐：指清乐、龟兹、西凉、天竺、康国、疏勒、安国、高丽、礼毕等九部乐。⑱戊午：六月二十三日。⑲牝马：雌性马。俗称母马。⑲龙种：指优良品种的马。相传青海湖中有小山，冬天把牝马放养在山上，则得“龙种”马，能日行千里。⑲丁卯：七月初二日。⑲大斗拔谷：山谷名，故址在今甘肃民乐南，甘肃与青海交界的地方。⑲隘险：狭窄又险峻。⑲鱼贯：指连续而进，如鱼群相接。⑲晦冥：昏暗。冥，暗。⑲馁：饥饿。⑲逮：到达。⑲癸未：九月十九日。⑳丙子：十一月十三日。⑳版籍：户口册。⑳诈注：注册不实。诈，欺、伪。⑳貌阅：看其外貌，以检查其和户口册所注年龄是否相符。⑳官司：指主事的官员。⑳纠：检举。⑳输：缴纳。⑳计帐：计簿。由国家根据各地户籍情况编制而成。⑳览状：观看计账的情状。⑳罔冒：弄虚作假，以伪乱真。㉑亲委：宠爱信任。㉑候伺：观察揣摩。㉑曲法：曲解法律，使法律符合自己的心意。曲，弯曲。㉑锻：编织。㉑轻典：轻法。㉑禀承：承受；听命。㉑进止：进退；去留。㉑机辩：智巧善辩。机，机巧、灵巧。㉑悬河：比喻论辩不绝或文辞流畅奔放。㉑剖析：辨别，分析。㉒明敏：清楚而敏捷。㉒废朝：停止朝会。废，废除、停止。㉒咄吉（？至公元六一九年）：人名，又叫咄吉世。启民可汗卒后，他即位为突厥始毕可汗。事见《隋书》卷八十四、《北史》卷九十九、《旧唐书》卷一百九十四上、《新唐书》卷二百十五上。㉒枢要：中心。指中央政权中机要的部门或官职。㉒番州：州名，原为广州，仁寿元年改。治所在今广东广州。㉒《高祖文皇帝颂》：

【原文】

六年（庚午，公元六一〇年）

春，正月癸亥朔[254]，未明三刻[255]，有盗数十人，素冠[256]练衣[257]，焚香持华[258]，自称弥勒佛[259]，入自建国门[260]，监门者皆稽首[261]。既而夺卫士仗，将为乱，齐王暕遇而斩之。于是都下[262]大索[263]，连坐者千余家。

文章名，是颂扬隋文帝的文章。颂，是古代的一种文章体裁。㉖致美：极力美化。致，尽、极。㉗鱼藻：《诗经·小雅》篇名。小序曰："《鱼藻》，刺幽王也。言万物失其性，王居镐京，将不能以自乐，故君子思古之武王焉。"隋炀帝以为薛道衡颂扬高祖，意在讽刺他本人，所以很不高兴。㉘司隶大夫：官名，司隶台（隋炀帝改雍州牧为司隶台）长官，掌诸巡察。㉙司隶刺史：官名，隶属司隶台，掌巡察京畿以外诸郡。㉚卑辞：言辞卑恭。㉛下气：低声下气。㉜向使：假使。㉝决：肯定。㉞久行：早已颁布执行。㉟忆：想念。㊱推之：审问；追究。㊲恃旧：仗恃旧情。㊳隐昧：不明显。㊴原：本来；推其根源。㊵悖逆：违乱忤逆。悖，违反、乱逆。㊶行役：谓军旅之事。此指南伐陈朝之事。㊷童稚：幼小。稚，小儿。㊸怀不自安：自己心里不安。怀，胸前，引申为心意。㊹体：领悟；体察。㊺宪司：司法部门。魏晋以来为御史的别称。㊻敕：告诫。㊼具馔：准备酒食。馔，食品。㊽候：探望；问候。㊾殊不意：一点也没想到。㊿引决：也作"引诀"。自裁、自杀。(251)徙：迁；移。此是遣送、流放之意。(252)军实：指器械、粮饷及作战俘获等军事物资。(253)太府丞：官名，属太府寺，掌管寺事，如左右库藏账、请受输纳等。

【校记】

［9］周：原无此字。据章钰校，十二行本、乙十一行本、孔天胤本皆有此字，张敦仁《通鉴刊本识误》同，今据补。［10］彭城：原无此二字。据章钰校，十二行本、乙十一行本、孔天胤本皆有此二字，张敦仁《通鉴刊本识误》同，今据补。［11］丁卯：原无此二字。据章钰校，十二行本、乙十一行本、孔天胤本皆有此二字，张敦仁《通鉴刊本识误》同，今据补。〖按〗《隋书·炀帝纪上》《北史·炀帝纪》皆有此二字。［12］行：原无此字。据章钰校，十二行本、乙十一行本、孔天胤本皆有此字，张敦仁《通鉴刊本识误》同，今据补。［13］癸未：原作"乙未"。据章钰校，十二行本、乙十一行本、孔天胤本皆作"癸未"，张敦仁《通鉴刊本识误》同，今据改。〖按〗《隋书·炀帝纪上》《北史·炀帝纪》皆作"癸未"。［14］四：原无此字。据章钰校，十二行本、乙十一行本、孔天胤本皆有此字，张敦仁《通鉴刊本识误》同，今据补。〖按〗《隋书·裴蕴传》《北史·裴蕴传》皆有此字。

【语译】

六年（庚午，公元六一〇年）

春，正月初一日癸亥，天亮前三刻时，有几十个盗贼，戴着白帽，穿着白衣，燃香持花，自称是弥勒佛，从建国门进城，守城门的卫士都向他们磕头，这些人趁机抢了卫士的武器，将要作乱，齐王杨暕正好遇上，便杀了这群人。于是京都开展大搜捕，受牵连而被判罪的有一千多家。

帝以诸蕃酋长毕集[264]洛阳，丁丑[265]，于端门街[266]盛陈百戏，戏场周围五千步，执丝竹[267]者万八千人，声闻数十里，自昏达[15]旦，灯火光烛天地，终月而罢，所费巨万。自是[268]岁以为常[269]。

诸蕃请入丰都[270]市交易，帝许之。先命整饰店肆[271]，檐宇[272]如一，盛设帷帐，珍货充积，人物华盛，卖菜者亦藉[273]以龙须席[274]。胡客[275]每[16]过酒食店，悉令邀延[276]就坐，醉饱而散，不取其直[277]，绐[278]之曰："中国丰饶，酒食例[279]不取直。"胡客皆惊叹。其黠[280]者颇觉之，见以缯帛缠树，曰："中国亦有贫者，衣不盖形[281]，何如以此物与之，缠树何为？"市人惭不能答。

帝称裴矩之能，谓群臣曰："裴矩大识[282]朕意，凡所陈奏，皆朕之成算[283]，未发之顷，矩辄以闻，自非奉国[284]尽心，孰[285]能若是？"是时矩与左[17]翊卫大将军宇文述、内史侍郎虞世基、御史大夫裴蕴、光禄大夫郭衍皆以谄谀[286]有宠。述善于供奉，容止[287]便辟[288]，侍卫者咸取则[289]焉。郭衍尝劝帝五日一视朝[290]，曰："无效高祖，空自勤苦[291]。"帝益以为忠，曰："唯有郭衍心与朕同。"

帝临朝凝重[292]，发言降诏，辞义[293]可观，而内存声色，其在两都及巡游，常以僧、尼、道士、女官[294]自随，谓之四道场。梁公萧钜[295]，琮之弟子，千牛左右[296]宇文皛[297]，庆之孙也，皆有宠于帝。帝每日于苑中林亭间盛陈酒馔[298]，敕燕王倓与钜、皛及高祖嫔御[299]为一席，僧、尼、道士、女官为一席，帝与诸宠姬为一席，略相连接，罢朝即从之宴饮，更相劝侑[300]，酒酣殽乱[301]，靡所不至，以是为常。杨氏妇女之美者，往往进御[302]。皛出入宫掖[303]，不限门禁，至于妃嫔、公主皆有丑声，帝亦不之罪[304]也。

帝复遣朱宽招抚流求，流求不从，帝遣虎贲郎将[305]庐江陈稜[306]、朝请大夫[307]同安张镇周发东阳[308]兵万余人，自义安[309]汎海击之。行月余，至其国，以镇周为先锋，流求王渴剌兜遣兵逆战。屡破之，遂至其都[310]。渴剌兜自将出战，又败，退入栅，稜等乘胜攻拔之，斩渴剌兜，虏其民万余口而还。二月乙巳[311]，稜等献流求俘，颁赐百官，进稜位右光禄大夫[312]，镇周金紫光禄大夫[313]。

隋炀帝把各民族的部落酋长全都集中在洛阳，正月十五日丁丑，在端门街大规模展演百戏。剧场周围五千步，奏乐的有一万八千人，声闻几十里，从黄昏直到天亮，灯火照亮了天地，整整一个月才结束，耗费金钱亿万。从这以后，每年都如此。

各民族部落请求到东都东边的丰都市场做生意，隋炀帝同意了。先下令整修装饰店铺，屋檐式样统一，设置漂亮的帷帐，珍稀货物堆积，商人们衣饰华丽富贵，卖菜的人也坐在用龙须草编织成的席子上。每有胡人路过酒食店，令店主邀请他们都进店就座，酒足饭饱后离开，不要他们付钱，骗他们说："中国富饶，喝酒吃饭一律不用付钱。"胡人都惊奇赞叹。其中聪慧的人略有觉察，看到用丝绸缠树，就问："中国也有穷苦人，他们衣不蔽体，为什么不把这些丝绸送给他们，缠在树上做什么？"市集上的人感到惭愧，无言以对。

隋炀帝赞赏裴矩的才干，对群臣说："裴矩特别能领会朕的心意，凡是他陈述奏报的事，都是朕已经考虑好的，还没有讲出来那一刻，裴矩就上奏了，如果他不是尽心效忠国家，怎么能够做到这样？"这时裴矩与左翊卫大将军宇文述、内史侍郎虞世基、御史大夫裴蕴、光禄大夫郭衍都因为善于谄媚而受到炀帝宠爱。宇文述很会奉承隋炀帝，形貌举动都迎合皇上心意，侍卫隋炀帝的人都效仿他。郭衍曾经劝说隋炀帝五天上一次朝，他说："不要学高祖，自己白白辛苦。"隋炀帝更加认为郭衍忠心，说："只有郭衍的心和朕一样。"

隋炀帝上朝时仪容端庄，讲话下诏，文辞义理粲然可观，可是他心里却喜爱声色，他在东、西两京以及到各地巡游，常常让和尚、尼姑、道士、道姑陪同自己，称之为四道场。梁公萧巨，是萧琮的侄子；千牛左右宇文皛，是宇文庆的孙子，两人都受隋炀帝宠信。隋炀帝天天都在苑中林亭间摆酒席，命燕王杨倓与萧巨、宇文皛以及高祖的妃嫔同坐一席，和尚、尼姑、道士、道姑同坐一席，隋炀帝和他的宠姬同坐一席，各席差不多互相连接。隋炀帝退朝就和他们宴饮，他们互相劝酒，酒醉饭饱之后就乱七八糟，不管什么事都做得出来，习以为常。杨氏女子中有长相好的，常常进宫侍奉炀帝。宇文皛进出皇宫，不受门禁限制，以致妃嫔、公主都有丑闻，隋炀帝也不加罪。

隋炀帝又派遣朱宽去招抚流求国。流求不顺从，隋炀帝就派虎贲郎将庐江人陈稜、朝请大夫同安人张镇周征调一万余名东阳兵，从义安渡海进攻流求国。海上航行一个多月后，抵达流求，以张镇周为先锋，流求国王渴剌兜派兵迎战。隋军多次击败流求军，于是到达流求国都。渴剌兜亲自率军出战，再次战败，退入营寨，陈稜等人乘胜攻下流求国都，杀死了渴剌兜，俘虏一万余人后返回。二月十三日乙巳，陈稜等人向隋炀帝进献流求俘虏，隋炀帝颁赏百官，进升陈稜为右光禄大夫，张镇周为金紫光禄大夫。

乙卯[314]，诏以“近世茅土[315]妄假，名实相乖[316]，自今唯有功勋乃得赐封，仍令子孙承袭。”于是旧赐五等爵[317]，非有功者皆除之。

庚申[318]，以所征周、齐、梁、陈散乐悉配太常，皆置博士弟子以相传授，乐工至三万余人。

三月癸亥[319]，帝幸江都宫。

初，帝欲大营汾阳宫[320]，令御史大夫张衡具图[321]奏之。衡承[18]间[322]进谏曰：“比年[323]劳役繁多，百姓疲弊，伏愿留神，稍加抑损[324]。”帝意甚不平，后目衡谓侍臣曰：“张衡自谓由其计画[325]，令我有天下也。”乃录[326]齐王暕携皇甫诩从驾及前幸涿郡祠恒岳时父老谒见者衣冠多不整，谴衡以宪司不能举正[327]，出为榆林太守。久之，衡督役筑楼烦城[328]，因帝巡幸，得谒帝。帝恶衡不损瘦[329]，以为不念咎[330]，谓衡曰：“公甚肥泽[331]，宜且还郡。”复遣之榆林。未几，敕衡督役江都宫。礼部尚书杨玄感使至江都，衡谓玄感曰：“薛道衡真为枉死。”玄感奏之。江都郡丞王世充[332]又奏衡频减顿具[333]。帝于是发怒，锁诣江都市，将斩之，久乃得释，除名为民，放还田里。以王世充领江都宫监。

世充本西域胡人，姓支氏，父收，幼从其母嫁王氏，因冒其姓。世充性谲诈[334]，有口辩[335]，颇涉[336]书传，好兵法，习[337]律令。帝数幸江都，世充能伺候颜色[338]为阿谀，雕饰池台，奏献珍物，由是有宠。

夏，六月甲寅[339]，制江都太守秩[340]同京尹[341]。

冬，十二月己未[342]，文安宪侯[343]牛弘卒。弘宽厚恭[344]俭，学术精博。隋室旧臣，始终信任，悔吝[345]不及者，唯弘一人而已。弟弼，好酒而酗[346]，尝因醉射杀弘驾车牛。弘来还宅，其妻迎谓之曰：“叔射杀牛。”弘无所怪问，直答云：“作脯[347]。”坐定，其妻又曰：“叔忽射杀牛，大是异事！”弘曰：“已知之矣。”颜色自若，读书不辍。

敕穿江南河[348]，自京口[349]至余杭[350]，八百余里，广十余丈，使可通龙舟，并置驿宫[351]、草顿[352]，欲东巡会稽[353]。

上以百官从驾皆服袴褶[354]，于军旅间不便，是岁，始诏“从驾涉远者，文武官皆戎衣[355]，五品以上，通着紫袍，六品以下，兼用绯[356]绿，

二月二十三日乙卯，隋炀帝下诏“近世以来赐封的各级爵位采邑有虚假，名实不副，从今以后只有立功的人才可以得到赐封，仍让子孙继承”。于是以前赐封的五等爵位，不是有功的人就都免除了。

二月二十八日庚申，把征召来的周、齐、梁、陈旧时的散乐全都配属太常，全都设置博士弟子以相传授，乐工达到三万多人。

三月初二日癸亥，隋炀帝巡幸江都宫。

当初，隋炀帝想要大规模建造汾阳宫，让御史大夫张衡绘制好图样奏报。张衡趁机进谏说：“近年劳役繁多，百姓疲困，希望皇上留意，稍稍减省。”隋炀帝心里很不高兴，事后隋炀帝眼睛盯着张衡对侍臣说：“张衡自称因为他的谋划，才使我有了天下。”于是隋炀帝翻出先前齐王杨暕私带皇甫诩随从车驾到汾阳宫，又巡幸涿郡祭祀恒山时父老拜见有很多人衣冠不整等旧账，申斥张衡作为执法官没能举劾匡正，调他出京城为榆林太守。过了很久，张衡监督修筑楼烦城，因为隋炀帝巡幸，张衡得以拜谒隋炀帝。隋炀帝厌恶张衡没有瘦下来，认为他没有自省悔过，对张衡说：“你这么肥胖，还应该回到榆林郡。”又派张衡去做榆林郡守。没多久，敕令张衡去监修江都宫。礼部尚书杨玄感出使到江都，张衡对杨玄感说：“薛道衡真死得冤枉。”杨玄感上奏了此事。江都郡丞王世充又上奏张衡多次削减筑宫器具。隋炀帝因此大怒，用枷锁锁住张衡押送到江都闹市，将要杀他，过了很久又把他放了，免官除名，放归乡里。任命王世充兼任江都宫的督造总监。

王世充原本是西域胡人，姓支氏，父亲叫支收，年幼时随母嫁王氏，因而冒用王姓。王世充生性诡诈，能言善辩，读了许多典籍史传，爱好兵法，学习律令。隋炀帝几次巡幸江都，王世充善于观察皇上脸色阿谀奉承，雕饰水池亭台，进献奇珍异宝，由此受到宠信。

夏，六月二十四日甲寅，规定江都太守俸禄与京尹等同。

冬，十二月初三日己未，文安宪侯牛弘去世。牛弘宽宏忠厚，谦恭节俭，学问精湛渊博。隋朝的老臣中，始终得到皇帝信任，没有憾悔的，只有牛弘一个人。弟弟牛弼，喜欢喝酒耍酒疯，曾经因醉酒射杀了牛弘的驾车牛。牛弘回到家里，他妻子出迎并对他说：“叔叔射死了你驾车的牛。”牛弘没有责怪、追究，随口回答说：“做牛肉干。”坐定之后，妻子又说：“叔叔突然射死了牛，真是奇怪！”牛弘说：“已经知道了。”脸色平静，没有停止读书。

隋炀帝敕令开凿江南运河，从京口到余杭，长八百余里，宽十多丈，让龙舟可以通行，并在沿岸设置驿宫、简单的住所，准备东游会稽。

隋炀帝认为随驾百官穿上衣和套裤相连的服装，在军旅中行动不便，这一年，首次下诏：“随驾远行之人，文武群臣都穿戎服，五品以上的官员，一律穿紫袍，六胥史㉟以青，庶人以白，屠商㊳以皂㊴，士卒以黄。”

帝之幸启民帐也，高丽使者在启民所，启民不敢隐，与之见帝。黄门侍郎裴矩说帝曰：“高丽本箕子㊵所封之地，汉、晋皆为郡县，今乃不臣㊶，别为异域。先帝欲征之久矣，但杨谅不肖，师出无功。当陛下之时，安可不取，使冠带㊷之境，遂为蛮貊㊸之乡乎？今其使者亲见启民举国从化，可因其恐惧，胁㊹使入朝。”帝从之。敕牛弘宣旨曰：“朕以启民诚心奉国，故亲至其帐。明年当往涿郡，尔还日语高丽王：宜早来朝[19]，勿自疑惧，存育㊺之礼，当如启民。苟或不朝，将帅启民往巡彼土㊻。”高丽王元惧，藩礼㊼颇阙㊽，帝将讨之。课天下富人买武马㊾，匹至十万钱。简阅㊿器仗，务令精新，或有滥恶，则使者立斩。

【段旨】

以上为第三段，写隋炀帝大业六年（公元六一〇年）起，大办岁首灯节，厚敛以奉胡人，夸饰国威，耗费民脂。继续大兴土木，营建汾阳宫，扩建江都宫，二下江都，荒淫无度。

【注释】

㉔癸亥朔：正月初一日。㉕刻：计时的单位。古代以铜漏计时，一昼夜分为一百刻，至清代始用时钟，以十五分为一刻。㉖素冠：白帽子。㉗练衣：白色的衣服。练，白。㉘华：同“花”。㉙弥勒佛：佛名，弥勒是姓，为慈氏。字阿逸多，意为无胜。㉚建国门：东京洛阳皇城正南有三门，正南为建国门，唐称端门。㉛稽首：古代所行的跪拜礼，磕头额触地。㉜都下：京城。㉝大索：广泛搜索。㉞毕集：全都会集。毕，全部。㉟丁丑：正月十五日。㊱端门街：即洛阳皇城端门外的大街。㊲丝竹：指弦乐器和管乐器。㊳自是：从此。是，这。㊴岁以为常：每年都是这样。常，常事。㊵丰都：东都有三市，东市称丰都。㊶店肆：商店。肆，商店、客栈、旅馆等。㊷檐宇：屋檐。㊸藉：坐卧其上。㊹龙须席：一种用龙须草编织的席子。㊺胡客：外族或外国客人。胡，古代对北方或西北方少数民族或外国人的习称。㊻邀延：邀请。延，延请。㊼其直：指酒饭钱。㊽绐：欺骗。㊾例：一概。㊿黠：聪慧；机敏。(281)衣不盖形：衣服遮

品以下的官员，兼用红绿色，文书小吏着青衣，庶民百姓穿白衣，屠户商人穿黑衣，士兵穿黄衣。"

隋炀帝驾临启民可汗营帐时，高丽使者在启民可汗处，启民可汗不敢隐瞒，就和使臣一起去朝见隋炀帝。黄门侍郎裴矩劝隋炀帝说："高丽原是西周箕子的封地，汉、晋时都是郡县，现在却不称臣，另立国家。先帝早就想讨伐高丽，只不过杨谅无能，师出无功。在陛下君临临天下时候，怎么能够不攻取，而使文明之境竟沦为蛮荒之邦呢？今天高丽的使者亲眼看到启民举国归化中国，可以趁他害怕时，胁迫他们入朝。"隋炀帝听从了他的意见。敕令牛弘对高丽使者宣读诏旨说："朕因为启民诚心为中国效力，所以亲自驾临他的营帐。明年应当巡视涿郡，你回去转告高丽王，最好早日来朝拜，不必惊恐疑虑，朕对你们抚育的礼遇与对启民可汗的一样。如果不来朝贡，朕将要率领启民可汗巡行你的国土。"高丽王高元恐惧，因应尽的藩国礼节多有欠缺，隋炀帝打算征讨高丽。下令征收全国富人税捐，用来购买战马，每匹战马的价格高达十万钱。又下令检查武器，一定要精良新造，如果有粗制滥造的，那么监造军械的使者立即处斩。

蔽不住身体。形容穷困。形，形体。㉘²大识：特别能认识、领会。㉘³成算：预定的计划。㉘⁴奉国：为国家效劳。㉘⁵孰：疑问代词。谁。㉘⁶谄谀：奉承；谄媚。用不实之词奉承人。㉘⁷容止：形貌举动。㉘⁸便辟：逢迎谄媚的样子。㉘⁹取则：取法；仿效。㉙⁰视朝：临朝听政。㉙¹空自勤苦：白白地自我劳苦。㉙²凝重：庄重；端庄。㉙³辞义：文辞义理。㉙⁴女官：即女道士。㉙⁵萧钜（？至公元六一七年）：小名藏。兰陵（今江苏丹阳）人。梁昭明太子之后裔。传附《隋书·萧岿传》《北史·萧岿传》。㉙⁶千牛左右：武官名，掌供御弓箭。㉙⁷宇文皛（？至公元六一七年）：字婆罗门，河南洛阳（今河南洛阳）人，宇文庆之子。传附《隋书·宇文庆传》《北史·宇文庆传》。㉙⁸盛陈酒馔：大摆宴席。㉙⁹嫔御：古代帝王的侍妾、宫女。㉚⁰劝侑：劝说、鼓励。侑，劝人吃喝。㉚¹酒酣殽乱：酒兴很浓，杯盘杂乱。殽，同"肴"。㉚²进御：进宫侍奉皇帝。㉚³宫掖：掖，掖庭，宫内的旁舍，是妃嫔居住的地方，因称皇宫为宫掖。㉚⁴不之罪：不罪之，不加治罪的意思。㉚⁵虎贲郎将：武官名，掌虎贲宿卫。㉚⁶陈稜（？至公元六一七年）：字长威，庐江襄安（今安徽巢湖）人，仕隋，官至右御卫将军。传见《隋书》卷六十四、《北史》卷七十八。㉚⁷朝请大夫：官名，文散官，无职掌。㉚⁸东阳：郡名，治所东阳县，在今浙江金华。㉚⁹义安：郡名，治所海阳县，在今广东潮州市潮安区。㉛⁰其都：指流求王所居之地，叫婆罗檀洞，外有沟堑木栅三重，流水环绕，有荆棘为藩屏。㉛¹乙巳：二月十三日。㉛²右光禄大夫：官名，文散官，无职掌。㉛³金紫光禄大夫：官名，文散官，金章紫

绶，无职掌。314 乙卯：二月二十三日。315 茅土：谓受封为王侯。古代帝王社祭之坛以五色土建成，以茅包上，称为茅土，给受封者在封国内立社。316 相乖：互相背离；不一致。317 五等爵：一般指公、侯、伯、子、男五个爵位等级。318 庚申：二月二十八日。319 癸亥：三月初二日。320 汾阳宫：宫名，故址在今山西宁武西南管涔山上。321 具图：绘制汾阳宫图样。具，备办。322 承间：趁机会。间，间隙。323 比年：近年。324 抑损：控制并减少。325 计画：指张衡入宫侍疾，弑隋文帝之事。326 录：搜集。327 举正：纠正。328 楼烦城：即楼烦郡城。当时隋炀帝在此建造汾阳宫，故筑城。在今山西静乐。329 损瘦：减瘦。损，减少。330 念咎：自省悔过。咎，罪过。331 肥泽：肌肉丰润。泽，光润。332 王世充（？至公元六二一年）：字行满，本姓支，西域胡人，其父死，幼随母嫁王氏，遂姓王。仕隋为将军，宇文化及弑炀帝后，拥越王杨侗为帝。后杀杨侗而伪称帝，国号郑。传见《隋书》卷八十五、《北史》卷七十九、《旧唐书》卷五十四、《新唐书》卷八十五。333 顿具：筑宫的大型用具。334 谲诈：欺诈；诈骗。335 口辩：能言善辩。336 涉：涉及。此指阅读。337 习：通晓；熟悉。338 伺候颜色：察言观色，看人脸色行事。339 甲寅：六月二十四日。340 秩：官吏的职位或品级。341 京尹：官名，京兆尹的省称，掌管京都政刑。342 己未：十二月初三日。343 文安宪侯：牛弘爵位为奇章郡公，卒后赠文安县侯，谥曰宪，这里记其赠爵与谥号。344 恭：肃敬；有礼貌。345 悔吝：悔恨。吝，恨惜。346 酌：同“酗”。醉酒耍酒疯。347 作脯：制作肉干。脯，干肉。348 江南河：隋代大运河中的一段。349 京口：地名，即今江苏镇江。350 余杭：郡名，治所钱塘县，在今浙江杭州。351 驿宫：沿途供皇帝临时住宿的宫馆。352 草顿：简单的住所。353 会稽：郡名，治所会稽县，在今浙江绍

【原文】

七年（辛未，公元六一一年）

春，正月壬寅[371]，真定襄侯[372]郭衍卒。

二月己未[373]，上升钓台[374]，临杨子津[375]，大宴百僚。乙亥[376]，帝自江都行幸涿郡，御龙舟，渡河入永济渠，仍敕选部[377]、门下、内史、御史四司之官于前船[20]选补，其受选者三千余人，或徒步随船三千余里，不得处分[378]，冻馁疲顿[379]，因而致死者什一二。

壬午[380]，下诏讨高丽。敕幽州总管[381]元弘嗣[382]往东莱[383]海口造船三百艘，官吏督役，昼夜立水中，略不[384]敢息，自腰以下皆生蛆，死者什三四。

兴。㉞ 裤褶：服装名，上服褶而下缚裤，其外不再穿裘裳，故称为裤褶。裤，套裤。褶，上衣。㉟ 戎衣：军服。㊱ 绯：红色。㊲ 胥史：官府中办理文书的小吏。㊳ 屠商：宰杀牲畜和经商的人。㊴ 皂：黑色。㊵ 箕子：商朝人，纣王的父辈，封国于箕（据说封地在今朝鲜半岛），故称为箕子。纣王暴虐，箕子规谏而不听，遂披发装疯为奴，被纣王囚禁。周武王灭商后获释，归镐京。事见《史记》卷三。㊶ 不臣：不向隋朝称臣。㊷ 冠带：帽子和腰带。本指服制，引申为文明之称。㊸ 蛮貊：泛指少数民族。此处引申为不开化之意。㊹ 胁：胁迫；逼迫。㊺ 存育：保全、养育。存，抚养、保全。㊻ 往巡彼土：去巡视你们的国土。即加兵于高丽的意思。彼，指高丽。㊼ 藩礼：藩国向所臣服之国应尽的礼节。㊽ 阙：同“缺”。㊾ 武马：战马。㊿ 简阅：挑选检查。

【校记】

［15］达：原作“至”。据章钰校，十二行本、乙十一行本、孔天胤本皆作“达”，张敦仁《通鉴刊本识误》同，今据改。［16］每：原作“或”。据章钰校，十二行本、乙十一行本皆作“每”，今据改。〖按〗《通鉴纪事本末》卷二六作“每”。［17］左：原作“右”。据章钰校，十二行本、乙十一行本皆作“左”，今据改。〖按〗《通鉴纪事本末》卷二六作“左”。［18］承：原作“乘”。据章钰校，十二行本、乙十一行本、孔天胤本皆作“承”，张敦仁《通鉴刊本识误》同，今据改。［19］宜早来朝：原无此四字。据章钰校，十二行本、乙十一行本、孔天胤本皆有此四字，张敦仁《通鉴刊本识误》、张瑛《通鉴校勘记》同，今据补。〖按〗《通鉴纪事本末》卷二六有此四字。

【语译】

七年（辛未，公元六一一年）

春，正月十六日壬寅，真定襄侯郭衍去世。

二月初三日己未，隋炀帝登上钓台，又到杨子津边，大宴百官。十九日乙亥，隋炀帝从江都巡幸涿郡，乘坐龙舟，渡过黄河进入永济渠，并敕令吏部、门下省、内史省、御史四个部门的官员随船办公，选任调补官吏，这一路参加选补的人有三千多人，有的步行随船走了三千多里，也没有得到选补，这些人挨冻受饿，疲困不堪，因此死亡了一两成人。

二月二十六日壬午，隋炀帝下诏征讨高丽，敕令幽州总管元弘嗣到东莱海口造船三百艘，官吏监督工程，工匠昼夜站在水中，一点也不敢休息，腰以下都生了蛆，死亡的有十分之三四。

夏，四月庚午[385]，车驾至涿郡之临朔宫[386]，文武从官九品以上，并令给宅安置。

先是，诏总征天下之[21]兵，无问远近，俱会于涿[387]。又发江淮以南水手一万人，弩手三万人，岭南排镩手[388]三万人，于是四远[389]奔赴如流。五月，敕河南、淮南、江南造戎车[390]五万乘送高阳[391]，供载衣甲幔幕[392]，令兵士自挽之，发河南、北民夫以供军须[393]。秋，七月，发江、淮以南民夫及船运黎阳[394]及洛口诸仓米至涿郡，舳舻相次[395]千余里，载兵甲及攻取之具，往还在道常数十万人，填咽于道，昼夜不绝，死者相枕[396]，臭秽盈路，天下骚动。

山东、河南大水，漂没[397]三十余郡。冬，十月乙卯[398]，底柱崩，偃[399]河逆流数十里。

初，帝西巡，遣侍御史韦节召西突厥处罗可汗，令与车驾会大斗拔谷，国人[400]不从，处罗谢使者[401]，辞以他故。帝大怒，无如之何[402]。会其酋长射匮遣使来求婚，裴矩因奏曰："处罗不朝，恃强大耳。臣请以计弱之[403]，分裂其国，即易制也。射匮者，都六之子，达头之孙，世为可汗，君临[404]西面，今闻其失职，附属处罗，故遣使来以结援[405]耳。愿厚礼其使，拜为大可汗，则突厥势分，两从我[406]矣。"帝曰："公言是也。"因遣矩朝夕至馆，微讽谕[407]之。帝于仁风殿召其使者，言处罗不顺之状，称射匮向善，吾将立为大可汗，令发兵诛处罗，然后为婚[408]。帝取桃竹[409]白羽箭一枚以赐射匮，因谓之曰："此事宜速，使疾如箭也。"使者返，路径[410]处罗，处罗爱箭，将留之，使者谲而得免。射匮闻而大喜，兴兵袭处罗。处罗大败，弃妻子，将左右[22]数千骑东走，缘道[411]被劫，寓[412]于高昌，东保时罗漫山[413]。高昌王麹伯雅上状[414]。帝遣裴矩与向氏亲要左右驰至玉门关[415]晋昌城[416]，晓谕[417]处罗使入朝。十二月己未[418]，处罗来朝于临朔宫，帝大悦，接以殊礼[419]。帝与处罗宴，处罗稽首，谢入见之晚。帝以温言[420]慰劳之，备设天下珍膳[421]，盛陈女乐，罗绮丝竹，眩[422]曜耳目，然处罗终有怏怏之色。

帝自去岁谋讨高丽，诏山东置府[423]，令养马以供军役。又发民夫运

夏，四月十五日庚午，隋炀帝到达涿郡的临朔宫，随从的文武官员，九品以上的均由涿郡提供房舍安置。

此前，下诏在全国征调军队，无论远近，都到涿郡集中。又征发江淮以南的水手一万人、弓弩手三万人、岭南排镩手三万人，于是四方赶赴涿郡的人如江河奔流而来。五月，敕令河南、淮南、江南等地制造辎重运输车五万辆送往高阳，用来装载衣服、盔甲、帐幕，让士兵自己拉车；又征发黄河南北地区的民夫供给军用物资。秋，七月，征发长江、淮河以南民夫以及船只，把黎阳和洛口粮仓的米运输到涿郡，船舶前后依次相连一千多里，运载武器铠甲以及攻城器具，在道路上来往的人常常有几十万人，道路壅塞，日夜不停，路途上死去的人互相枕压，臭秽满路，天下骚动。

山东、河南发大水，淹没了三十余郡。冬，十月初三日乙卯，黄河底柱崩塌，河水被阻塞倒流数十里。

起初，隋炀帝西巡，派遣侍御史韦节征召西突厥处罗可汗，命他前往大斗拔谷与隋炀帝车驾相会，西突厥国人不从，处罗可汗向使者道歉，用别的借口谢绝了。隋炀帝大怒，但又无可奈何。适逢西突厥酋长射匮派使者来求婚，裴矩趁机启奏说："处罗可汗不来朝见，是自恃强大，臣请求用计谋削弱他，分裂他的国家，到那时就容易制服了。射匮是都六可汗的儿子，达头可汗的孙子，世代都是可汗，统治突厥西部，现在听说射匮丧失了可汗的职位，依附处罗可汗，因此才派使者来结交求援罢了。希望皇上用厚礼对待他的使者，拜射匮为大可汗，那么突厥势必争斗分裂，两部分都将臣服我们。"隋炀帝说："你说得很对。"于是就派裴矩早晚都到驿馆，委婉地暗示使者。隋炀帝在仁风殿召见使者，讲了处罗可汗不顺从的情况，并称赞射匮一心向善，表示将要立他为大可汗，让他发兵诛灭处罗可汗，事成后再行通婚。隋炀帝取出一枝桃竹白羽箭赐给射匮，并对他说："这件事要快，使其像箭一样迅速。"使者返回，路经处罗可汗的地方，处罗可汗很喜欢这支箭，想留下它，射匮的使者用诡计才保住了箭。射匮听了使者的回报大为高兴，发兵袭击处罗可汗。处罗可汗大败，抛弃妻儿，率领左右几千名骑兵东逃，沿途遭受劫掠，最后寄居在高昌，东面据守时罗漫山。高昌王麴伯雅上奏报告情况。隋炀帝派遣裴矩和处罗可汗的母亲向氏的亲信驰马到达玉门关晋昌城，劝说开导处罗可汗入朝。十二月初八日己未，处罗可汗来到临朔宫朝见，隋炀帝非常高兴，用隆重的礼仪接待他。隋炀帝与处罗可汗宴饮，处罗可汗磕头谢罪，抱歉入朝太晚。隋炀帝温言劝慰他，摆出全国各地的珍美食品，安排盛大的女子乐队演奏，个个穿着绫罗绸缎，演奏各种管弦乐器，让人眼花缭乱，可是处罗可汗始终有怏怏不乐的表情。

隋炀帝从去年就谋划征讨高丽，下诏山东设置府库，命令养战马以供军用。又

米，积于泸河、怀远[424]二镇，车牛往者皆不返，士卒死亡过半，耕稼失时[425]，田畴[426]多荒。加之饥馑，谷价踊贵[427]，东北边尤甚，斗米直数百钱。所运米或粗恶[428]，令民籴[429]以[23]偿之。又发鹿车[430]夫六十余万，二人共推米三石，道途险远，不足充糇粮[431]，至镇，无可输[432]，皆惧罪亡命。重以官吏贪残，因缘[433]侵渔[434]，百姓困穷，财力俱竭，安居则不胜冻馁，死期交急，剽掠[435]则犹得延生，于是始相聚为群盗。

邹平民王薄[436]拥众据长白山[437]，剽掠齐、济[438]之郊，自称知世郎，言事可知矣。又作《无向辽东浪死》[439]歌以相感劝，避征役者多往归之。

平原[440]东有豆子䴚[441]，负海带河[442]，地形深阻[443]，自高齐[444]以来，群盗多匿其中。有刘霸道者，家于其旁，累世仕宦，赀产富厚。霸道喜游侠，食客常数百人，及群盗起，远近多往依之，有众十余万，号"阿舅贼"。

漳南人窦建德[445]，少尚气侠，胆力过人，为乡党所归附。会募人征高丽，建德以勇敢选为二百人长[446]。同县孙安祖亦以骁勇选为征士[447]，安祖辞以家为水所漂[448]，妻子馁死，县令怒笞之。安祖刺杀令，亡抵[449]建德，建德匿之。官司逐捕，踪迹至建德家，建德谓安祖曰："文皇帝时，天下殷盛[450]，发百万之众以伐高丽，尚为所败。今水潦[451]为灾，百姓困穷，加之往岁西征[452]，行者不归，疮痍[453]未复，主上不恤[454]，乃更发兵亲击高丽，天下必大乱。丈夫[455]不死，当立大功，岂可但为亡虏[456]邪？"乃集无赖少年，得数百人，使安祖将之，入高鸡泊[457]中为群盗，安祖自号将军。时鄃人张金称[458]聚众河曲[459]，蓨人高士达聚众于清河[460]境内为盗。郡县疑建德与贼通，悉收其家属，杀之。建德帅麾下二百人亡归士达，士达自称东海公，以建德为司兵[461]。顷之，孙安祖为张金称所杀，其众尽归建德，兵至万余人。建德能倾身接物[462]，与士卒均劳逸，由是人争附之，为之致死[463]。

自是所在群盗蜂起，不可胜数，徒众多者至万余人，攻陷城邑[464]。甲子[465]，敕都尉[466]、鹰扬[467]与郡县相知追捕，随获斩决[468]，然莫能禁止。

征发民夫运输粮米，积储在泸河、怀远两镇，前往的车和牛都没有返回，士兵死亡过半，耽误了耕作季节，大多田地荒芜，加上饥荒严重，谷价飞涨，东北边境地区尤其严重，一斗米值数百钱。运送的米有些很粗劣，就强迫百姓买好米来补偿。又征发鹿车夫六十多万，两人一起推米三石，路途遥远艰险，这三石米连做车夫的干粮都不够，到达交粮的镇所，无粮可交，都畏罪逃亡。加上官吏贪污残暴，借机侵蚀盘剥，百姓穷困，财力俱竭。安分守己却经不住受冻挨饿，死期迫在眼前，抢掠劫夺还可延长性命，于是开始聚集为群盗。

山东邹平县平民王薄拥众占据长白山，劫掠齐郡、济北郡的边郊，自称知世郎，意思是说能知世事。又创作了《无向辽东浪死歌》用来感召劝告百姓，逃避征兵服役的人许多前去归附他。

平原郡东部有个叫豆子䴚的地方，靠海带河，地形幽深险阻，自从高氏齐朝以来，群盗多隐匿其中。有个叫刘霸道的人，住在附近，世代为官，家产富厚。刘霸道喜欢仗义行侠，家中食客常有数百名，及至群盗兴起，远近的人大多都前去依附他，他拥有部众十几万人，号称“阿舅贼”。

漳南人窦建德，年轻时就行侠仗义，胆识气力过人，为乡里人所归附。正赶上朝廷招募人征伐高丽，窦建德因勇敢而被挑选为两百人的头目。同县的孙安祖也因骁勇而被选为征士，孙安祖用房屋家产全被洪水冲走，妻子儿女又都饿死了为借口要求免役，县令很生气，鞭笞打孙安祖。孙安祖杀死了县令，逃到窦建德家中，窦建德把他藏了起来。官府追捕孙安祖，跟踪追寻到窦建德家。窦建德对孙安祖说：“文皇帝时，国家富庶强盛，调发百万部众讨伐高丽，尚且被高丽打败，如今水涝成灾，百姓穷困，加上往年西征吐谷浑，从军的一去不回，创伤还没有恢复，皇上不体恤百姓，竟还要征兵亲自攻打高丽，天下必定大乱。大丈夫不死的话，应当建立大功，怎么能只做逃犯呢？”于是聚集无赖少年，得到几百人，让孙安祖率领，进入高鸡泊中为盗，孙安祖自称将军。当时鄃县人张金称在河曲聚集民众，蓨郡人高士达在清河郡内聚集民众，成为盗贼。郡县官吏怀疑窦建德与盗贼串通，逮捕了他的全部家属，把他们杀死了。窦建德率领属下二百人逃归高士达，高士达自称东海公，任用窦建德为司兵。不久，孙安祖被张金称杀害，孙安祖的部众全都归附窦建德，兵力达到一万多人。窦建德能谦虚待人接物，与士兵同甘共苦，因此人们争着归附他，愿意替他出死力。

从此，各地群盗蜂起，不可胜数，士卒多的达到一万余人，攻城略地。十二月十三日甲子，隋炀帝敕令都尉、鹰扬郎将与郡县互相配合追捕盗贼，捕获后随时斩杀，然而不能禁止。

【段旨】

以上为第四段，写隋炀帝大业七年（公元六一一年），横征暴敛以讨伐高丽，征兵征役，全国骚动，加上山东、河南广大地区遭受水灾，人民走投无路，聚众起义。山东王薄首倡，河北窦建德、高士达等人相继起义。很快地，山东河北已成燎原之势。

【注释】

㉑壬寅：正月十六日。㉒真定襄侯：郭衍生前爵位为真定县侯，谥曰襄，故称。㉓己未：二月初三日。㉔钓台：也称钓鱼台。古钓台遗址不一，此钓台是汉淮阴侯韩信垂钓处，故址在今江苏淮安北。㉕杨子津：古津渡名，在今江苏扬州市邗江区南，有扬子桥，自古为江滨津要处。㉖乙亥：二月十九日。㉗选部：官署名，吏部的代称。㉘处分：处理。意谓做出安排，让受选者任职。㉙疲顿：劳苦困顿。㉚壬午：二月二十六日。㉛幽州总管：大业初已废诸州总管府，这是元弘嗣此前官名。㉜元弘嗣（公元五六五至六一三年）：河南洛阳人，仕隋，官至黄门侍郎。传见《隋书》卷七十四、《北史》卷八十七。㉝东莱：郡名，治所掖县，在今山东莱州。㉞略不：完全不；一点也不。略，完全。㉟庚午：四月十五日。㊱临朔宫：行宫名，故址在今北京市。㊲涿：即涿郡。㊳排镩手：投掷小矛之类武器的能手。排镩，如同飞镖。㊴四远：四方边远之地。㊵戎车：兵车。㊶高阳：县名，县治在今河北高阳东。㊷幔幕：帐幕；帐篷。㊸军须：同“军需”。指军用的物资。㊹黎阳：仓名，开皇三年（公元五八三年）置。故址在今河南浚县西南。㊺次：按次序排列。㊻死者相枕：死尸一个压一个。枕，以头枕物。㊼漂没：淹没。㊽乙卯：十月初三日。㊾偃：同“堰”。筑土以堵水。此指因砥柱崩塌而堵住了河水。㊿国人：西突厥国内的贵族大臣。(401)谢使者：向使者道歉。谢，认错、道歉。(402)无如之何：没法把他怎么样；无可奈何。(403)弱之：削弱它。之，指西突厥。(404)君临：以君主的身份来统管。临，统管、治理。(405)结援：结交以求援助。(406)两从我：谓射匮、处罗两部皆依从隋朝。(407)讽谕：用委婉的话进行劝说。(408)为婚：成婚。(409)桃竹：竹的一种。又名桃枝竹、桃丝竹。可做箭杆。(410)路径：路经。径，通“经”。走过。(411)缘道：沿途。缘，围绕、沿着。(412)寓：寄居。(413)时罗漫山：山名，天山支脉，在今新疆乌鲁木齐与哈密之间。(414)上状：上言其状，即将处罗逃亡高昌的情况上报隋廷。(415)玉门关：古关名，故址在今甘肃玉门西北。(416)晋昌城：城名，故址在今甘肃瓜州东南锁阳城。(417)晓谕：明白开导。(418)己未：十二月初八日。(419)殊礼：特殊的礼遇。殊，特出、出众。(420)温言：温

和的言辞。㊷㉑珍膳：珍贵的食物。膳，食物。㊷㉒眩：光彩夺目。㊷㉓府：库府，用以贮藏军用物资。㊷㉔泸河、怀远：两镇名，泸河镇，故址在今辽宁义县境，怀远镇与泸河镇相邻，故址在今辽宁义县东北、朝阳东。㊷㉕耕稼失时：耽误了农时。㊷㉖田畴：耕熟的田地。畴，已耕作的土地。㊷㉗踊贵：物价上涨。㊷㉘粗恶：谓米粗糙，质量恶劣。㊷㉙籴：买粮。㊸㉚鹿车：小车。用人力推挽的车。㊸㉛糇粮：路上食用的干粮。㊸㉜输：缴纳。㊸㉝因缘：借着机会。㊸㉞侵渔：侵蚀盘剥。㊸㉟剽掠：击杀，抢劫。剽，抢劫。㊸㊱王薄：邹平（今山东邹平北）人，首举义旗，拉开了隋末农民战争的序幕。事散见《隋书》卷六十五、六十七、七十一等。㊸㊲长白山：山名，在今山东章丘境。㊸㊳齐、济：两郡名。齐郡，治所历城县，在今山东济南。济，即济北郡，治所卢县，在今山东聊城市茌区平西南。㊸㊴浪死：犹言白白送死。浪，轻率、徒然。㊹㊵平原：郡名，治所安德县，在今山东德州市陵城区。㊹㊶豆子航：地名，故址在今山东商河县、惠民北。航，盐泽。㊹㊷负海带河：谓其地理位置依海傍黄河。㊹㊸深阻：幽深险峻。㊹㊹高齐：即北齐。因北齐皇室姓高，故称高齐。㊹㊺窦建德（公元五七三至六二一年）：贝州漳南（今河北故城县东北）人，隋末农民起义军领袖。传见《旧唐书》卷五十四、《新唐书》卷八十五。㊹㊻长：小头目。㊹㊼征士：应募出征高丽的兵士。㊹㊽漂：淹没。㊹㊾亡抵：逃亡到。㊺㊿殷盛：富强。451水潦：雨多成灾。452西征：指西征吐谷浑事。453疮痍：创伤。454恤：顾惜；救济。455丈夫：成年男子的通称。456亡虏：逃犯。457高鸡泊：湖泊名，广袤数百里，芦苇丛生，可以躲避。故址在今河北故城县西南。458张金称（？至公元六一六年）：鄃县（今山东夏津）人，隋末率众起事。事散见《隋书》卷四、卷六十三、卷六十七等。459河曲：地名，清河之曲。故址在今河北清河县境。460清河：郡名，治所清河县，在今河北清河县西北。461司兵：官名，掌军事。462倾身接物：待人接物谦虚。倾，斜、倒。463致死：尽以死力。致，极、尽。464城邑：城镇。邑，城市。465甲子：十二月十三日。466都尉：武官名，隋置奉车、驸马都尉，掌禁卫。467鹰扬：武官名，即鹰扬郎将，由骠骑将军所改。武散官，无职掌。468随获斩决：抓获后随即斩决。决，绝、完毕。

【校记】

［20］前船：原作“船前”。据章钰校，十二行本、乙十一行本二字皆互乙，今据改。〖按〗《通鉴纪事本末》卷二六作“前船”。［21］之：原无此字。据章钰校，十二行本、乙十一行本、孔天胤本皆有此字，今据补。［22］左右：原无此二字。据章钰校，十二行本、乙十一行本、孔天胤本皆有此二字，张敦仁《通鉴刊本识误》、张瑛《通鉴校勘记》同，今据补。［23］以：原作“而”。据章钰校，十二行本、乙十一行本、孔天胤本皆作“以”，今据改。

【原文】

八年（壬申，公元六一二年）

春，正月，帝分西突厥处罗可汗之众为三，使其弟阙达[24]度设[469]将羸弱万余口，居于会宁[470]，又使特勒[471]大奈别将余众居于楼烦[472]，命处罗将五百骑常从车驾[473]巡幸，赐号曷娑[25]那可汗，赏赐甚厚。

初，嵩高[474]道士潘诞自言三百岁，为帝合炼金丹。帝为之作嵩阳观[475]，华屋[476]数百间，以童男童女各一百二十人充给使，位视三品，常役数千人，所费巨万。云金丹应用石胆、石髓[477]，发石工凿嵩高大石深百尺者数十处。凡六年，丹不成。帝诘之，诞对以“无石胆、石髓，若得童男女胆髓各三斛[478]六斗，可以代之。”帝怒，锁[479]诣涿郡，斩之。且死，语人曰:“此乃天子无福，值我兵解[480]时至，我应生梵摩天[481]”云。

四方兵皆集涿郡，帝征合水令庾质，问曰:“高丽之众不能当我一郡，今朕以此众伐之，卿以为克不[482]？”对曰:“伐之可克。然臣窃有愚见，不愿陛下亲行。”帝作色曰:“朕今总兵至此，岂可未见贼而先自退邪?”对曰:“战而未克，惧损威灵[483]。若车驾留此，命猛将劲卒，指授方略[484]，倍道兼行[485]，出其不意，克之必矣。事机[486]在速，缓则无功。”帝不悦，曰:“汝既惮行，自可留此。”右尚方署[487]监事[488]耿询[489]上书[26]切谏，帝大怒，命左右斩之，何稠苦救，得免。

壬午[490]，诏左十二军出镂方、长岑、溟海、盖马、建安、南苏、辽东、玄菟、扶余、朝鲜、沃沮、乐浪[491]等道，右十二军出黏蝉、含资、浑弥、临屯、候城、提奚、蹋顿、肃慎、碣石、东暆、带方、襄平[492]等道，骆驿引途[493]，总集平壤[494]，凡一百一十三万三千八百人，号二百万，其馈运者倍之[495]。宜社[496]于南桑干水[497]上，类上帝[498]于临朔宫南，祭马祖[499]于蓟城[500]北。帝亲授节度：每军大将、亚将[501]各一人；骑兵四十队，队百人，十队为团，步卒八十队，分为四团，团各有偏将一人；其铠胄、缨拂、旗幡[502]，每团异色；受降使者[503]一人，承诏[504]慰抚，不受大将节制；其辎重散兵[505]等亦为四团，使步卒挟之[506]而行；进止立营，皆有次叙仪法[507]。癸未[508]，第一军发，日遣[509]一军，相去四十里，连营渐进，终四十日，

【语译】

八年（壬申，公元六一二年）

春，正月，隋炀帝把西突厥处罗可汗的部众分为三部分，命令处罗可汗的弟弟阙达度设率领衰弱之人一万多口，住在会宁，又命令特勒大奈另外率领其余部众住在楼烦，命令处罗可汗率领五百名骑兵随从车驾巡幸，赐号曷娑那可汗，赏赐很优厚。

当初，嵩高山道士潘诞自称有三百岁，给隋炀帝炼金丹。隋炀帝为他建造了嵩阳观，华丽的房屋几百间，以童男童女各一百二十人供他使唤，官位等同三品，经常役使几千人，耗费了亿万资财。他说炼金丹要用石胆、石髓，征发石工开凿嵩高山的大石头，深达百尺的有几十处。总共六年，金丹没有炼成。隋炀帝责问他，潘诞回答说："没有石胆、石髓，如果得到童男童女的胆和骨髓各三斛六斗，可以代替。"隋炀帝大怒，拘系了潘诞送到涿郡，把他杀了。潘诞临死，对人说："这是天子无福，当我被兵器解脱成仙的时候，我就升上梵摩天了。"

四方的军队都集中到涿郡，隋炀帝征召合水令庾质，问道："高丽的人口还不如我国的一个郡多，今天朕用这么多的军队讨伐它，你认为能否战胜它？"庾质回答："讨伐可以取胜，但臣私下有愚见，不希望陛下亲自出征。"隋炀帝脸色变了，说："朕今天统领大军到此，怎能没看见敌军自己就先后撤呢？"庾质回答说："作战而不能取胜，恐怕有损陛下威望。如果陛下留在涿郡，派猛将劲卒，指示策略，加速急行，出其不意，一定能够打败敌人。军机在于神速，迟缓就会无功。"隋炀帝不高兴，说："你既然害怕前往，自己可以留在此地。"右尚方署监事耿询上书恳切谏阻，隋炀帝大怒，命令身边人把他斩首。何稠极力相救，耿询才幸免一死。

正月初二日壬午，隋炀帝诏令左翼十二军分别进兵镂方、长岑、溟海、盖马、建安、南苏、辽东、玄菟、扶余、朝鲜、沃沮、乐浪；右翼十二军分别进兵黏蝉、含资、浑弥、临屯、候城、提奚、蹋顿、肃慎、碣石、东暆、带方、襄平，各路人马不断上路，全部到平壤城会师，军队共达一百一十三万三千八百人，号称二百万，运送军需的人是士兵的两倍。隋炀帝在桑干水的南面祭祀社主，在临朔宫南祭祀上天，在蓟城北郊祭祀马祖。隋炀帝亲自部署：每军设大将、副将各一人；骑兵四十队，每队一百人，十队组成一个团；步兵八十队，分为四个步兵团，每团设偏将一名；头盔铠甲、帽穗马缨、旗帜旌幡，每团用不同的颜色；受降使者一人，直接秉受诏命抚慰投降的人，不受大将调度管束。辎重后勤部队也分成四个团，派步兵左右夹护行进，军队前进、停止、扎营都按一定的次序法度进行。正月初三日癸未，第一军出发，以后每天派出一军，前后相距四十里，一营接着一营逐渐推进，过了四十天，

发乃尽[510]。首尾相继，鼓角相闻，旌旗亘九百六十里。御营内合十二卫、三台[511]、五省[512]、九寺[513]，分隶内、外、前、后、左、右六军，次后发，又亘八十里。近古出师之盛，未之有也。

甲辰[514]，内史令元寿薨。

二月壬戌[515]，观德王雄[516]薨。

北平襄侯段文振[517]为兵部尚书，上表，以为帝"宠待突厥太厚，处之塞内，资以兵食，戎狄之性，无亲而贪，异日[518]必为国患，宜以时谕遣，令出塞外，然后明设烽候[519]，缘边镇防，务令严重，此万岁之长策也。"兵曹郎[520]斛斯政[521]，椿之孙也，以器干[522]明悟，为帝所宠任，使专掌兵事。文振知政险薄[523]，不可委以机要，屡言于帝，帝不从。及征高丽，以文振为左候卫大将军，出南苏道。文振于道中疾笃，上表曰："窃见辽东小丑[524]，未服严刑，远降六师[525]，亲劳万乘[526]。但夷狄多诈，深须防拟[527]，口陈降款[528]，毋宜遽受。水潦方降，不可淹迟[529]。唯愿严勒诸军，星驰[530]速发，水陆俱前，出其不意，则平壤孤城，势可拔也。若倾其本根[531]，余城自克。如不时[532]定，脱[533]遇秋霖[534]，深为艰阻，兵粮既竭，强敌在前，靺鞨出后，迟疑不决，非上策也。"三月辛卯[535]，文振卒，帝甚惜之。

癸巳[536]，上始御师，进至辽水[537]。众军总会，临水为大陈，高丽兵阻水[538]拒守，隋兵不得济。左屯卫大将军麦铁杖[539]谓人曰："丈夫性命自有所在，岂能然艾灸頞[540]，瓜蒂歕鼻，治黄[541]不差，而卧死儿女手中乎？"乃自请为前锋，谓其三子曰："吾荷国恩[542]，今为死日！我得良杀[543]，汝当富贵。"帝命工部尚书宇文恺造浮桥三道于辽水西岸，既成，引桥趣[544]东岸，桥短不及岸丈余。高丽兵大至，隋兵骁勇者争赴水接战，高丽兵乘高击之，隋兵不得登岸，死者甚众。麦铁杖跃登岸，与虎贲郎将钱士雄、孟叉等皆战死。乃敛兵，引桥复就西岸。诏赠铁杖宿公，使其子孟才袭爵，次子仲才、季才并拜[27]正议大夫[545]。更命少府监何稠接桥，二日而成，诸军相次继进，大战于东岸，高丽兵大败，死者万计。诸军乘胜进围辽东城[546]，即汉之襄平城也。车驾渡辽，引曷萨那可汗及高昌王伯雅观战处以慑惮[547]之，因下诏赦天下。命刑部尚书卫文昇、尚书右丞[548]刘士龙[549]抚辽左之民，给复[550]十

军队才出发完毕。各军首尾相继，鼓角相闻，旌旗连绵九百六十里。御营内共有十二卫、三台、五省、九寺，分别隶属内、外、前、后、左、右六军，跟在后面出发，又连绵八十里。近古以来出兵如此的盛况，是没有的。

正月二十四日甲辰，内史令元寿去世。

二月十二日壬戌，观德王杨雄去世。

北平襄侯段文振任兵部尚书，他上表认为隋炀帝“对待突厥的恩宠太过优厚，安置他们在塞内，供应武器粮食。戎狄的本性是无视亲情，而又贪得无厌，他日一定会成为国家的祸患，应该及时加以晓谕，让他们回到塞外，然后正大光明地设置烽火台及侦察哨所，沿边境加强镇守防御，务必严密警戒，这才是万世长久之策。”兵曹郎斛斯政，是斛斯椿的孙子，因为精明强干，被隋炀帝宠信，让他专掌军事。段文振知晓斛斯政阴险刻薄，不能委以机要，他多次向隋炀帝进言，隋炀帝都没有听从。等到征伐高丽，隋炀帝任命段文振为左候卫大将军，进军南苏道。段文振在途中病重，向隋炀帝上表说：“臣私下认为辽东小丑，未受严刑，致使朝廷大军长途跋涉，劳烦陛下御驾亲征。但夷狄多诈，一定要严加防备，他们口头上表示诚心投降，不应当马上接受。如今大水刚刚到来，不可逗留迟缓。希望严令众军，迅速进发，水陆并进，出其不意，那么平壤这座孤城，肯定能够攻克。如果摧毁了他们的根基，其他城池自然会攻克。如果不能及时平定，倘若遇到秋雨连绵，愈加遭受艰难险阻，军粮用尽，强敌在前，靺鞨出兵背后，如果还迟疑不决，就不是上策了。”三月十二日辛卯，段文振去世，隋炀帝深感惋惜。

三月十四日癸巳，隋炀帝开始亲自统帅诸军，进兵到达辽水。各路大军会合，紧靠辽水摆开庞大的阵势，高丽军队依靠辽水在东岸驻守抵抗，隋军不能渡过辽水。左屯卫大将军麦铁杖对人说：“大丈夫性命自有归宿，怎么可以点燃艾草在鼻梁灸治，用瓜蒂在鼻孔喷汁，治热病不愈，而卧身死于儿女之怀？”于是主动请求担任前锋，对三个儿子说：“我身受国恩，今天是死的日子！我得好死，你们应该富贵。”隋炀帝命工部尚书宇文恺在辽水西岸建造三座浮桥，建成后，向东岸移动浮桥，桥身太短，还差一丈多不能到达东岸。这时高丽士卒大量赶到，隋军中骁勇的士兵争相跳进水中与高丽士兵交战，高丽士兵在岸上乘高拦击，隋军不能上岸，死了很多人。麦铁杖跃身上岸，与虎贲郎将钱士雄、孟叉等都战死了。于是隋军收兵，把浮桥又移到西岸。隋炀帝下诏追赠麦铁杖为宿公，让他的儿子麦孟才继承爵位，次子麦仲才、麦季才都拜授正议大夫。又命少府监何稠接长浮桥，两天才完成，各军按顺序相继进发，与高丽军在东岸大战，高丽兵大败，死了的人数以万计。各路军队乘胜进兵包围辽东城，也就是汉代的襄平城。隋炀帝车驾渡过辽水，带领曷萨那可汗和高昌王麹伯雅巡视战场，以使他们恐惧慑服，于是下诏大赦天下。命令刑部尚书卫文昇、尚书右丞刘士龙安抚辽东百姓，免除十年徭役

年，建置郡县，以相统摄[551]。

夏，五月壬午[552]，纳言杨达薨。

诸将之东下也，帝亲戒之曰："今者吊民伐罪[553]，非为功名。诸将或不识朕意，欲轻兵掩袭，孤军独斗，立一身之名[554]以邀勋赏[555]，非大军行法[556]。公等进军，当分为三道，有所攻击，必三道相知，毋得轻军独进，以致失亡。又，凡军事进止，皆须奏闻待报，毋得专擅。"辽东[557]数出战不利，乃婴城固守，帝命诸军攻之。又敕诸将，高丽若降，即宜抚纳，不得纵兵[558]。辽东城将陷，城中人辄言请降，诸将奉旨不敢赴机[559]，先令驰奏，比[560]报至，城中守御亦备，随出拒战。如此再三，帝终不悟[28]。既而城久不下，六月己未[561]，帝幸辽东城南，观其城池形势，因召诸将诘责之曰："公等自以官高，又恃家世[562]，欲以暗懦[563]待我邪？在都之日，公等皆不愿我来，恐见病败[564]耳。我今来此，正欲观公等所为，斩公辈耳！公今畏死，莫肯尽力，谓我不能杀公邪？"诸将咸战惧[565]失色。帝因留止[29]城西数里，御六合城[566]。高丽诸城各坚守不下。右翊卫大将军来护兒帅江、淮水军，舳舻数百里，浮海先进，入自浿水[567]，去平壤六十里，与高丽相遇，进击，大破之。护兒欲乘胜趣其城，副总管周法尚止之，请俟[568]诸军至俱进。护兒不听，简精甲[569]四万，直造[570]城下。高丽伏兵于罗郭[571]内空寺中，出兵与护兒战而伪败，护兒逐之入城，纵兵俘掠[572]，无复部伍[573]。伏兵发，护兒大败，仅而获免，士卒还者不过数千人。高丽追至船所，周法尚整陈[574]待之，高丽乃退。护兒引兵还屯海浦[575]，不敢复留应接诸军。

左翊卫大将军宇文述出扶余道，右翊卫大将军于仲文出乐浪道，左骁卫大将军荆元恒出辽东道，右翊卫将军薛世雄[576]出沃沮道，右[30]屯卫将军辛世雄出玄菟道，右御卫将军张瑾出襄平道，右武候将军赵孝才[577]出碣石道，涿郡太守检校左武卫将军崔弘昇[578]出遂城[579]道，检校右御卫虎贲郎将卫文昇出增地[580]道，皆会于鸭绿水[581]西。述等兵自泸河、怀远二镇，人马皆给百日粮，又给排甲[582]、枪稍并衣资、戎具、火幕[583]，人别三石[584]已上，重莫能胜致。下令军中遗[31]弃米粟者斩。士卒[32]皆于幕下掘坑埋之，才行及中路[585]，粮已将尽。

赋税，设置郡县，以便管理。

夏，五月初四日壬午，纳言杨达去世。

众将领东征时，隋炀帝亲自告诫他们说：“今日出兵是为了抚慰百姓，讨伐罪逆，不是为了建功立名。各位将领有的不了解朕的本意，打算轻兵偷袭，孤军独斗，建立个人的功名来求得封赏，这不是这次大军征伐的原则。你们进军，应当分为三路，要是发动攻击，一定要三路相互配合，不要轻军独进，导致失败。又，凡是军事上的进止，都须奏报，等待回复，不得专擅。”辽东高丽兵几次出战不利，于是环城固守，隋炀帝命令各军进攻他们。又敕令诸将，高丽人如果投降，就立即安抚接纳，不得纵兵进攻。辽东城即将陷落，城中高丽人就说要求投降，诸将奉圣旨不敢抓住战机，而是先派人飞马奏报隋炀帝，等到批奏回来，城中防守也完备了，随后出兵抵抗。像这样重复了好几次，隋炀帝始终没有醒悟。结果城池久攻不下。六月十一日己未，隋炀帝巡视辽东城东南郊，察看城池形势，于是把众将领召集起来斥责说：“你们自以为官位高，又依仗是官宦世家，想把我当成是糊涂懦弱的人吗？在京师的时候，你们都不愿我来，担心打了败仗蒙受羞耻。我现今来到这里，正是要看看你们的作为，斩杀你们而已！你们现在怕死，没人肯尽力，认为我不能杀你们吗？”众将领都吓得发抖变了脸色。隋炀帝便停留在城西几里外的地方，亲临六合城。高丽各城坚守，不能攻破。右翊卫大将军来护兒率领江淮水军，船舰相连几百里，横渡黄海，首先进入高丽境土，沿浿水前进，距离平壤六十里，与高丽兵遭遇，便发动进攻，大败高丽兵。来护兒想乘胜奔赴平壤城，副总管周法尚阻止他，请求等待各路大军到达后一同前进。来护兒不听，精选了四万名甲士，一直到达城下。高丽人在外城的空寺庙中设下伏兵，出城与来护兒交战，伪装失败，来护兒追击入城，放纵士兵抢劫，不再有战斗队列。高丽伏兵发起袭击，来护兒大败，仅自身逃出，士兵回来的不过几千人。高丽人追击到停船的地方，周法尚整阵以待，高丽兵才退走。来护兒率军后撤返回，驻扎海滨，不敢再留下来接应各路军队。

左翊卫大将军宇文述进军扶余道，右翊卫大将军于仲文进军乐浪道，左骁卫大将军荆元恒进军辽东道，右翊卫将军薛世雄进军沃沮道，右屯卫将军辛世雄进军玄菟道，右御卫将军张瑾进军襄平道，右武候将军赵孝才进军碣石道，涿郡太守检校左武卫将军崔弘昇进军遂城道，检校右御卫虎贲郎将卫文昇进军增地道，全都到鸭绿水西岸会师。宇文述等各军从泸河、怀远二镇启程，人马都配备一百天的粮食，又供给铠甲、刀枪、长矛，以及衣物、攻城用具、取暖帐篷等，每人都负担三石以上，这个重量没有人能够成功到达。于是下令将军中丢弃粮食的人斩首。士兵便都在营帐下挖坑把粮食等物埋起来，队伍才走到半路，粮食已即将吃光。

高丽遣大臣乙支文德[586]诣其营诈降，实欲观虚实。于仲文先奉密旨："若遇高元及文德来者，必擒之。"仲文将执之，尚书右丞刘士龙为慰抚使[587]，固止之。仲文遂听[588]文德还，既而悔之，遣人绐文德曰："更欲有言，可复来。"文德不顾，济鸭绿水而去。仲文与述等既失文德，内不自安，述以粮尽，欲还。仲文议以精锐追文德，可以有功，述固止之[33]，仲文怒曰："将军仗十万之众，不能破小贼，何颜以见帝？且仲文此行，固知无功，何则？古之良将能成功者，军中之事，决在一人，今人各有心，何以胜敌？"时帝以仲文有计画[589]，令诸军谘禀[590]节度[591]，故有此言。由是述等不得已而从之，与诸将渡水追文德。文德见述军士有饥色，故欲疲之[592]，每战辄走。述一日之中，七战皆捷，既恃骤胜[593]，又逼群议[594]，于是遂进，东济萨水[595]，去平壤城三十里，因山为营。文德复遣使诈降，请于述曰："若旋师者，当奉高元朝行在所[596]。"述见士卒疲弊，不可复战，又平壤城险固，度[597]难猝拔[598]，遂因其诈而还。述等为方陈而行，高丽四面钞击，述等且战且行[599]。秋，七月壬寅[600]，至萨水，军半济[601]，高丽自后击其后军，右屯卫将军辛世雄战死。于是诸军俱溃，不可禁止，将士奔还，一日一夜至鸭绿水，行四百五十里。将军天水王仁恭[602]为殿[603]，击高丽，却之。来护兒闻述等败，亦引还。唯卫文昇一军独全。

初，九军度辽，凡三十万五千，及还至辽东城，唯二千七百人，资储[604]器械巨万计，失亡荡尽。帝大怒，锁系述等。癸卯[605]，引还。

初，百济王璋[606]遣使请讨高丽，帝使之觇[607]高丽动静，璋内与高丽潜通。隋军将出，璋使其臣国智牟来请师期[608]，帝大悦，厚加赏赐，遣尚书起部郎[609]席律诣百济，告以期会[610]。及隋军渡辽，百济亦严兵[611]境上，声言助隋，实持两端。

是行也，唯于辽水西拔高丽武厉逻[612]，置辽东郡[613]及通定镇[614]而已。八月，敕运黎阳、洛阳、洛口、太原等仓谷向望海顿[615]，使民部尚书庐江[34]樊子盖[616]留守涿郡。九月庚寅[617]，车驾至东都。

冬，十月甲寅[618]，工部尚书宇文恺卒。

十一月己卯[619]，以宗女为华容公主，嫁高昌。

高丽派遣大臣乙支文德到隋军军营诈降，其实是想打探虚实。于仲文事先接到密旨："如果遇到高元和乙支文德来，一定要抓获他们。"于仲文将抓捕乙支文德，尚书右丞刘士龙担任慰抚使，坚决制止，于仲文便听任乙支文德返回，但马上就后悔了，派人骗乙支文德说："另外还有话说，可以再回来。"乙支文德头也不回，渡过鸭绿水离去。于仲文与宇文述等人已经让乙支文德跑掉了，自己心里不安。宇文述因为粮食没了，想要返回。于仲文建议派精兵追赶乙支文德，可以立功，宇文述坚决阻止他，于仲文生气地说："将军拥有十万之众，不能打败一个小贼，有什么脸面去见皇上？况且我于仲文这次出征，本来就知道不能成功。为什么呢？古代良将之所以成功，军中事务，一人决断，现今人各有心，怎么能够战胜敌人呢？"当时，隋炀帝认为于仲文有谋略，命令各军向他咨询，听从指挥，所以他才说这话。因此宇文述等不得已听从了于仲文，和众将一起渡过鸭绿水追赶乙支文德。乙支文德看到宇文述兵士面有饥色，因此有意使他们疲劳，每次与隋军交战就逃走，宇文述在一天之中，七战全胜。既自恃多次打了胜仗，又迫于众人议论，于是进军，向东渡过萨水，离平壤城三十里，依山扎营。乙支文德又派使者诈降，向宇文述请求说："如果大军回撤，一定让国王高元到行在所朝见。"宇文述看到士兵疲弊，不能再交战，加上平壤城池险要坚固，估计难以迅速攻取，于是趁着高丽人的假投降顺水推舟撤军。宇文述列方阵行进，高丽人从四面包抄攻击，宇文述等人一边作战，一边撤走。秋，七月二十四日壬寅，到达萨水，部队渡过一半，高丽人从后面攻击隋军的后卫军，右屯卫将军辛世雄战死，于是各军全都溃败，不能制止，将士逃回，一天一夜到达鸭绿水，走了四百五十里。将军天水人王仁恭殿后，反击高丽，打退了高丽兵。来护兒得知宇文述等兵败，也率军撤回。只有卫文昇一军保全。

当初，九路大军渡过辽河，共三十万五千人，等到返回辽东城，只有二千七百人，价值以万亿计的军资器械丧失殆尽。隋炀帝大怒，上枷锁拘捕了宇文述等人，七月二十五日癸卯，率军返回。

当初，百济国王余璋遣使请求讨伐高丽，隋炀帝派他侦察高丽的动静，余璋暗中与高丽勾结。隋军即将出征时，余璋派遣使臣国智牟前来请求了解出兵日期，隋炀帝大为高兴，厚加赏赐，派尚书起部郎席律前往百济，通报会师的日期。等到隋军渡过辽水，百济也在边境上整顿军队，声称支援隋军，实际是首尾两端。

这一次东征，隋军只在辽水西岸攻占了高丽武厉逻，设置了辽东郡和通定镇而已。八月，隋炀帝敕令运送黎阳、洛阳、洛口、太原等地仓库的粮食到望海顿，委派民部尚书庐江人樊子盖留守涿郡。九月十三日庚寅，隋炀帝车驾回到东都。

冬，十月初八日甲寅，工部尚书宇文恺去世。

十一月初三日己卯，将宗室女封为华容公主，嫁高昌王。

宇文述素有宠于帝，且其子士及[620]尚帝女南阳公主[621]，故帝不忍诛。甲申[622]，与于仲文等皆除名为民，斩刘士龙以谢天下。萨水之败，高丽追围薛世雄于白石山[623]，世雄奋击，破之，由是独得免官。以卫文昇为金紫光禄大夫。诸将皆委罪[624]于于仲文，帝既释诸将，独系仲文。仲文忧恚[625]，发病困笃[626]，乃出之[627]，卒于家。

是岁，大旱，疫[628]，山东尤甚。

张衡既放废[629]，帝每令亲人觇衡所为。帝还自辽东，衡妾告衡怨望，谤讪[630]朝政，诏赐尽[631]于家。衡临死大言曰[35]：“我为人作何等事，而望久活？”监刑者塞耳，促令杀之。

【段旨】

以上为第五段，写隋炀帝大业八年（公元六一二年）御驾亲征高丽，详细载述了这一战役的全过程。隋朝出动百余万大军征伐一个弹丸小国，出兵之盛，旷古未闻。结果大败而归，并没有出人意外。兵未发，有识之士已预见其败。百万大军，行动迟缓，敌方早做好准备，此其一。隋炀帝亲征，又刚愎自用，还要亲自指挥，不知阵前变化，众将无所适从，连连丧失战机，此其二。兵马未动，粮草先行。隋军后勤辎重粮秣，基地在涿郡，距离辽东仍然遥远，进军平壤，兵士自负粮秣辎重，实际上没有后勤支持，兵愈多，其败愈速，此其三。可以说这是一个残虐之主发动的一次必败的战争，教训是极为深刻的。

【注释】

[469]阙达度设：人名，处罗可汗之弟。设，突厥官名，主管军队。[470]会宁：郡名，治所鸣沙县，在今甘肃敦煌。[471]特勒：突厥官名，可汗子弟为特勒。据突厥文《阙特勤碑》，“特勒”应为“特勤”。[472]楼烦：郡名，治所静乐县，在今山西静乐。[473]车驾：马驾的车。又作帝王的代称。[474]嵩高：山名，即嵩山。在今河南登封西北。[475]嵩阳观：道观名，当在嵩高山上。观，道教的庙宇。[476]华屋：金碧辉煌的房屋。华，光辉、光彩。[477]石胆、石髓：石胆，石脂类，可入药。石髓，石钟乳，可以入药。[478]斛：古代容量名，十斗为一斛。[479]锁：拘系。[480]兵解：古代学仙的人谓脱去凡骨登仙为尸解，潘诞称被兵器所杀为兵解。[481]梵摩天：又称梵天。佛经有梵众天，为梵民所居；梵辅天，为梵佐所居；大

宇文述一向受到隋炀帝的宠信，并且他的儿子宇文士及娶了皇上的女儿南阳公主，所以隋炀帝不忍心诛杀宇文述。十一月初八日甲申，宇文述与于仲文等都被罢官除名，贬为平民，把刘士龙斩首以谢天下。萨水溃败时，高丽军追击薛世雄，包围在白石山，薛世雄奋勇反击，打败了高丽军，因此只有他一人没有被罢官。隋炀帝任命卫文昇为金紫光禄大夫。众将领都把罪过推到于仲文身上，隋炀帝赦免了众将领后，只拘系了于仲文。于仲文又忧愁又怨恨，生病垂危，便被放出狱，死在家中。

这一年，大旱，瘟疫流行，山东地区尤为严重。

张衡被免官放归乡里后，隋炀帝经常命张衡的亲属监视张衡的行为。隋炀帝从辽东回来，张衡的小妾告发张衡怀恨在心，诽谤朝政，隋炀帝下诏赐张衡在家自尽。张衡临死前大喊道："我替人做了那样的大事，还能指望长久活命吗？"监刑的人堵住耳朵，赶快下令杀死张衡。

梵天，为梵王所居，统称为梵天。㊽不：通"否"。㊾威灵：尊严的神灵。此处指帝王的威望。㊹方略：计谋策略。㊺兼行：加倍赶路。㊻事机：事情的机会；时机。㊼右尚方署：官署名，隶少府监，掌造军器。㊽监事：官名，监管作工。㊾耿询（？至公元六一八年）：字敦信，丹阳（今江苏南京）人，历仕陈、隋，官至太史丞。传见《隋书》卷七十八、《北史》卷八十九。㊾壬午：正月初二日。㊾镂方、长岑、溟海、盖马句：以上地名多用汉时郡县旧名。镂方、长岑、朝鲜属乐浪郡（治今朝鲜平壤南）。盖马，属玄菟郡（治今辽宁抚顺东）。辽东，汉郡名，治今辽宁辽阳。溟海，汉乐浪郡海溟县。建安、南苏、扶余，皆高丽国城守之处。沃沮，古地名，在今朝鲜咸镜道境内。㊾黏蝉、含资、浑弥句：以上地名也多是汉时郡县、国旧名。黏蝉、含资、浑弥、提奚、东暆、带方等县，属乐浪郡。候城、襄平属辽东郡。临屯，汉郡名，治今朝鲜江原南道。蹋顿，即汉末辽西乌丸蹋顿所居。肃慎，古国名，其地在今黑龙江松花江流域。碣石，在今朝鲜平壤西南。〖按〗东暆，疑为"东暆"之误。㊾引途：上路。㊾平壤：地名，高丽国都城，在今朝鲜平壤。㊾馈运者倍之：指运送军需物资的人数与出征兵士相比又加倍。㊾宜社：即祭社。㊾桑干水：河名，源出于山西马邑桑干山，东入河北及北京郊外，下流入大清河（即永定河）。㊾类上帝：祭祀名，即祭天。以事类而祭天，求便宜。㊾马祖：马神名，指天驷（房星）。500蓟城：即蓟县城，涿郡治所蓟县，在今天津。501亚将：即副将。502铠胄、缨拂、旗旛：铠胄，盔甲和头盔。缨拂，结头盔的缨穗。旗旛，旗帜。503受降使者：官名，掌管接受与处理敌方投降事宜。504承诏：指直接受皇帝指使，受诏命。505散兵：古代非正式编制而在军中服役的兵士。506挟之：夹持。之，指辎重、散兵。507仪法：法

度。⑱癸未：正月初三日。⑲日遣：每天派出。⑳发乃尽：指军队才出发完毕。㉑三台：官署名，包括御史、谒者与司隶三台。㉒五省：官署名，包括尚书省、门下省、内史省、秘书省和殿内省。㉓九寺：官署名，包括太常、光禄、卫尉、宗正、太仆、大理、鸿胪、司农、太府等九寺。㉔甲辰：正月二十四日。㉕壬戌：二月十二日。㉖观德王雄：杨雄封为观王，德为谥号，故称。㉗段文振（？至公元六一二年）：北海期原（今山东青州）人，历仕北周、隋，官至兵部尚书。赠北平侯，谥曰襄。传见《隋书》卷六十、《北史》卷七十六。㉘异日：他日。㉙烽候：即烽火台。古代边防用烽燧报警的土堡哨所。㉚兵曹郎：官名，即兵部侍郎。隋炀帝改尚书诸曹侍郎为郎。㉛斛斯政（？至公元六一三年）：河南（今河南）人，仕隋，官至兵部侍郎。传见《隋书》卷七十、《北史》卷四十九。㉜器干：办事才能。㉝险薄：邪恶轻薄。㉞辽东小丑：对高丽国的蔑称。㉟六师：即六军。古代天子有六军。㊱万乘：周制，天子地方千里，出兵万乘。后以万乘称天子。㊲防拟：提防。㊳降款：降服；服罪。㊴淹迟：迟缓。淹，停滞。㊵星驰：如流星飞驰。形容迅速。㊶本根：草本的根茎，比喻事物的根基。㊷不时：不及时。㊸脱：副词。倘若。㊹秋霖：秋天的霖雨。霖，连绵大雨。㊺辛卯：三月十二日。㊻癸巳：三月十四日。㊼辽水：水名，即今辽河。从辽宁昌图折西南，流至盘山湾入海。㊽阻水：依靠辽水。阻，恃、依仗。㊾麦铁杖（？至公元六一二年）：始兴（今广东韶关市东南）人，历仕陈、隋，官至左屯卫大将军。赠宿国公，谥曰武烈。传见《隋书》卷六十四、《北史》卷七十八。㊿頞：鼻梁。541治黄：治黄热病。此病热则头痛，故燃艾炙于鼻梁。热则上壅塞鼻，瓜蒂味苦寒，故喷鼻以治鼻塞。542荷国恩：承受国家恩惠。荷，承受。543良杀：好死。544趣：同“趋”。趋赴、趋向。545正议大夫：官名，文散官，取秦大夫掌议论之意，无职掌。546辽东城：即辽东郡城。在今辽宁辽阳。547慑惮：畏惧。此处作使动用法。548尚书右丞：官名，与尚书左丞分掌尚书诸司纠驳。549刘士龙（？至公元六一二年）：弘农（今河南灵宝）人，仕隋，官至尚书右丞。事散见《隋书》卷四、六十、六十六、七十四等。550给复：给予免除徭役赋税。551统摄：管理。552壬午：五月初四日。553吊民伐罪：抚慰人民，讨伐有罪。吊，慰问。554立一身之名：树立己身的名声。555勋赏：功劳奖赏。556非大军行法：不是这次大军征伐的原则。557辽东：指据守辽东的高丽。558纵兵：放纵兵士任意杀伤。559赴机：乘机而入。赴，趋往、投入。560比：及。561己未：六月十一日。562家世：家阀和世系。即家庭出身。563暗懦：糊涂懦弱。564病败：因失败而受耻辱。病，耻辱。565战惧：恐惧发抖。战，通“颤”。566六合城：略如大业四年所造行城，城周围八里，城及女墙高七八丈。567浿水：河名，在朝鲜境内。即今清川江。568俟：等待。569简精甲：挑选精锐的甲士。简，挑选、选拔。精甲，精锐的甲士。570直造：一直到达。造，到、去。571罗郭：外城。罗，即罗城，古代为加强防守，在城墙外加建的凸出形小城圈。572俘掠：俘虏敌兵与抢掠财物。573部伍：指战斗队列。574整陈：整顿军队，摆成阵列。陈，同“阵”。575海浦：通海之口。浦，河流注入江海的地方。⑤⑦⑥薛世雄（公元五五二至六一四年）：字世英，本河东汾阴（今山西万荣西南）人，历仕周、隋，官至右翊卫将军。传见《隋书》卷六十五、《北史》卷七十六。⑤⑦⑦赵孝才（公元五四七至六一九年）：名才，字孝才，张掖酒泉（今甘肃张掖）人，历仕北周、隋，官至右候卫大将军。传见《隋书》卷六十五、《北史》卷七十八。⑤⑦⑧崔弘昇（公元五五三至六一二年）：字上客，博陵安平（今河北安平）人。历仕北周、隋，官至涿郡太守。传附《隋书·崔弘度传》《北史·崔辩传》。⑤⑦⑨遂城：县名，县治在今河北保定市徐水区西北遂城镇。⑤⑧⓪增地：地名，在今朝鲜清川江入海处。⑤⑧①鸭绿水：水名，古名马訾水，一名益州江。其水色绿如鸭头，故名鸭绿江。源出白头山，经集安至丹东市南入黄海。⑤⑧②排甲：即盾牌。⑤⑧③火幕：取暖的帐幕。⑤⑧④石：重量单位。一百二十斤为一石。⑤⑧⑤中路：行程的一半；半道。⑤⑧⑥乙支文德：人名，高丽大臣。乙支，高丽复姓。⑤⑧⑦慰抚使：朝廷临时差遣的官职，到某地行安抚之职。⑤⑧⑧听：听任；允许。⑤⑧⑨计划：计虑；谋划。⑤⑨⓪谘禀：有事要商量禀告。谘，商量、征询。⑤⑨①节度：部署；节制调度。⑤⑨②疲之：使其疲惫。之，指宇文述军士。⑤⑨③骤胜：屡次胜利。骤，屡次、频频。⑤⑨④逼群议：受大家议论的逼迫。⑤⑨⑤萨水：水名，在今朝鲜境内。⑤⑨⑥行在所：又称行在，指封建帝王所在的地方。⑤⑨⑦度：估计；揣度。⑤⑨⑧猝拔：突然攻克。猝，突然。古代多作“卒”。拔，攻克。⑤⑨⑨且战且行：一边战斗，一边撤走。且，表示两件事同时进行。⑥⓪⓪壬寅：七月二十四日。⑥⓪①半济：渡过一半。⑥⓪②王仁恭（公元五五八至六一七年）：字符实，天水上邦（今甘肃天水）人，仕隋，官至马邑太守。传见《隋书》卷六十五、《北史》卷七十八。⑥⓪③为殿：为后军断后。⑥⓪④资储：物资储备。⑥⓪⑤癸卯：七月二十五日。⑥⓪⑥百济王璋：百济国王余璋。璋继余昌王之后立为百济王。事见《隋书·百济传》《北史·百济传》。⑥⓪⑦觇：窥视；侦察。⑥⓪⑧师期：发兵日期。⑥⓪⑨尚书起部郎：官名，属工部尚书，即工部郎中，掌兴造、工匠、诸公廨屋宇等。⑥①⓪告以期会：将起兵之期与会师日期告诉国智牟。⑥①①严兵：整顿军队。严，整肃。⑥①②武厉逻：高丽于辽水之西设置的警戒观察哨所。⑥①③辽东郡：郡名，治所通定镇，在今辽宁沈阳新民东北。⑥①④通定镇：镇名，故址在今辽宁沈阳新民东北。⑥①⑤望海顿：地名，故址在今辽宁锦州南。⑥①⑥樊子盖（公元五四五至六一六年）：字华宗，庐江（今安徽合肥西）人，历仕北周、隋，官至民部尚书，封济公。传见《隋书》卷六十三、《北史》卷七十六。⑥①⑦庚寅：九月十三日。⑥①⑧甲寅：十月初八日。⑥①⑨己卯：十一月初三日。⑥②⓪士及：即宇文士及（？至公元六四二年），雍州长安（今陕西西安）人，历仕隋、唐，官至中书令。传见《旧唐书》卷六十三、《新唐书》卷一百。⑥②①南阳公主：隋炀帝之长女。传见《隋书》卷八十、《北史》卷九十一。⑥②②甲申：十一月初八日。⑥②③白石山：山名，在今朝鲜境内。⑥②④委罪：把罪责推委给别人。⑥②⑤忧恚：忧虑而怨恨。⑥②⑥困笃：病重垂危。⑥②⑦出之：谓从监狱中放出于仲文。⑥②⑧疫：瘟疫，流行性传染病的通称。⑥②⑨放废：谓罢免官职，放还乡里。⑥③⓪谤讪：毁谤、讥刺。⑥③①赐尽：赐其自杀。

【校记】

［24］达：原无此字。据章钰校，十二行本、乙十一行本、孔天胤本皆有此字，张敦仁《通鉴刊本识误》同，今据补。［25］娑：原作“婆”。据章钰校，十二行本、孔天胤本皆作“娑”，张敦仁《通鉴刊本识误》同，今据改。〖按〗《隋书·炀帝纪下》《北史·炀帝纪》皆作“娑”。［26］书：原作“事”。据章钰校，十二行本、乙十一行本、孔天胤本皆作“书”，张敦仁《通鉴刊本识误》同，今据改。［27］拜：原作“拜官”。据章钰校，十二行本、乙十一行本、孔天胤本皆无“官”字，熊罗宿《胡刻资治通鉴校字记》同，今据删。［28］悟：原作“寤”。据章钰校，十二行本、乙十一行本、孔天胤本皆作“悟”，熊罗宿《胡刻资治通鉴校字记》同，今据改。［29］止：原无此字。据章钰校，十二行本、乙十一行本、孔天胤本皆有此字，张敦仁《通鉴刊本识误》同，今据补。［30］右：原作“左”。据章钰校，十二行本、乙十一行本、孔天胤本皆作“右”，张敦仁《通鉴刊本识误》同，今据改。〖按〗《通鉴纪事本末》卷二六作“右”。［31］遗：“遗”上原有“士卒有”三字。据章钰校，十二行本、乙十一行本、孔天胤本皆无此三字，张敦仁《通鉴刊本识误》同，今据删。〖按〗《通鉴纪事本末》卷二六无此三字。［32］士卒：原作“军士”。据章钰校，十二行本、乙十一行本、孔天胤本皆作“士卒”，张敦仁《通鉴刊本识误》同，今据改。〖按〗《通鉴纪事本末》卷二六作“士卒”。［33］之：原无此字。据章钰校，十二行本、乙十一行本、孔天胤本皆有此字，张敦仁《通鉴刊本识误》、张瑛《通鉴校勘记》同，今据补。［34］庐江：原无此二字。据章钰校，十二行本、乙十一行本、孔天胤本皆有此二字，张敦仁《通鉴刊本识误》、张瑛《通鉴校勘记》同，今据补。［35］曰：原无此字。据章钰校，十二行本、乙十一行本、孔天胤本皆有此字，张敦仁《通鉴刊本识误》同，今据补。

【研析】

本卷所记公元六〇八至六一二年五年间事，隋统一国家由极度强盛走向没落，引起这一巨大转折的是炀帝的“暴政”。

所谓“暴政”，并不只是指统治者生性残暴，严刑峻法。历史上各种演义性的作品，总是热衷于将炀帝描述成一个暴虐、毫无人性的统治者，这并不是历史的真相。本卷记嵩山道士潘诞自称已活了三百岁，愿意为炀帝炼制长生不老药。“帝为之作嵩阳观，华屋数百间，以童男童女各一百二十人充给使，位视三品，常役数千人，所费巨万。”结果搞了六年，并没炼成所谓金丹，面对炀帝质问，潘诞竟称未能采集到炼丹必需的石胆、石髓，“若得童男女胆髓各三斛六斗，可以代之”。炀帝大怒，“锁诣涿郡，斩之”。虽然醉心于长生不老，但在道士要求取“童男女胆髓”时，反被炀帝处死，他显然还没有丧失基本的人性。炀帝的“暴政”，主要表现在为了自己的政治目标，短时间内进行大规模的工程建设，发动举国动员的战争，超越了民众可以忍受的极限。秦朝、隋朝均因“暴政”二世而亡，后果相同，但“暴政”呈现的形式并不一样。

炀帝的“暴政”，主要表现在修建东都、大运河以及对高丽失败的战争。兹予以申说。

公元六〇四年十月，炀帝即位不久，下令修建东京洛阳，后改名东都。北周宣帝时就曾下令在洛阳进行大规模建设，以为东京，因周宣帝暴亡，文帝执政后下令停建，改而在原长安城以北修建新的都城，即大兴城，整个国家的政治军事布置以及财富转运活动，围绕关中地区展开。与文帝相比，炀帝更关注经济文化更为发达的东方与南方，他长期坐镇扬州的经历，即位之初杨谅在东方发动的反叛，无疑也是促使其将帝国政治中心移至洛阳的动因。术士章仇太翼所说：“陛下木命，雍州为破木之冲，不可久居。又谶云：‘修治洛阳还晋家。’”则是修建洛阳的直接原因。

东都洛阳的修建，工程浩大。“发大江之南、五岭以北奇材异石，输之洛阳。又求海内嘉木异草，珍禽奇兽，以实园苑。”为保证洛阳的供给，修筑洛口仓与回洛仓两大仓储系统，“置洛口仓于巩东南原上，筑仓城，周回二十余里，穿三千窖，窖容八千石以还，置监官并镇兵千人。十二月，置回洛仓于洛阳北七里，仓城周回十里，穿三百窖”。工程急促，每月征调二百万民工，劳役辛苦，生活没有保障，“役丁死者什四五，所司以车载死丁，东至成皋，北至河阳，相望于道”。原本是根据政治、经济形势的变化，修建一个伟大的帝国都城，却成了隋王朝自掘坟墓之举。

隋朝大运河也以洛阳为中心展开。公元六〇五年三月，征发黄河以南各地民工百余万人，自洛阳西苑引谷、洛之水达于黄河，又从河南荥阳东北的板渚引黄河入汴水，再从今开封之东引汴水入泗水，而泗水连接淮河，这条利用黄河、淮河支流，沟通两大水系的运河，被称为“通济渠”；同年又征调淮河以南民工十余万人，整修春秋战国以来不断利用的沟通淮河、长江的水道，即“邗沟”。公元六〇八年，又征发河北各地民工百余万人，从洛阳附近的黄河北岸，引沁水东流入今天津附近的清河（卫河），复经白河（沽水）、桑干河（永定河）而达今北京市一带的涿郡，这一段运河被称为“永济渠”。公元六一〇年，隋朝下令开建连通镇江与杭州间的“江南河”，“自京口至余杭，八百余里，广十余丈，使可通龙舟，并置驿官、草顿，欲东巡会稽”。这几段运河构成了隋大运河的全貌，连通黄河、淮河、长江、钱塘江、海河五大水系，全长二千七百公里。隋大运河中的各段在此前的历史中均有开建利用，如永济渠在曹操时代已见雏形，邗沟自春秋战国时即已不断利用，南朝时即有连接会稽与建康的水路，这些实际就是隋江南河的前身，而黄河、淮河间的水路交通，魏晋南北朝时期也断断续续地在利用与拓展，但毕竟只有在隋朝统一的条件下才得以贯通、扩建，使之真正成为南北交通的大动脉。隋大运河的出现，使中国历史上统一国家政治、经济重心从此明显偏于东方，南方在国家政治、经济中的重要性也越来越得到加强，而此前围绕黄河流域而进行的东西对峙逐渐成为历史。

尽管隋大运河所蕴含的历史意义，无论如何讲都不算夸张，但对于全凭人力修建这一伟大工程的隋朝百姓来说，大运河直接带给他们的只是痛苦。如果不是炀帝这样好大喜功的皇帝，隋大运河不可能在如此短的时间内完成。皇帝的暴政与当时百姓的痛苦，构建起日后华夏民族光荣的历史记忆，这或许就是历史的悖论。

炀帝时期，以建设东都、修建大运河为标志，国家政治、经济重心向黄河中下游转移，或者说向东部转移，这成为隋炀帝发动高丽战争的一个促动因素。汉代即已形成的高丽政权，统治今朝鲜半岛北部，其北进策略，影响及松花江流域与辽河流域，汉魏以来便是东北边疆的不稳定因素。南北朝时期，高丽为了自身利益，与南方政权往来不断，先后与草原的柔然、突厥人发生政治联系，对付中原政权，与北魏、北齐政权都发生过某种形式的冲突。北朝后期至于隋唐，朝鲜半岛东南面的百济、新罗等小国逐渐发展起来，积极投靠中原政权，以与北边的高丽抗衡，使中原政权与高丽的关系更趋复杂。隋文帝晚年发动高丽之战，以失败告终。防范突厥坐大，一直是隋政权的既定国策，而高丽虽向隋朝表示臣服，却仍往突厥派出使臣。炀帝北巡塞北，欲震慑突厥，“帝之幸启民帐也，高丽使者在启民所，启民不敢隐，与之见帝”。这再次引起了隋朝统治者的警惕，攻打高丽，不只是要使高丽彻底臣服，也是为了遏制突厥的政治野心。

隋文帝曾攻打高丽失败，后来英明如唐太宗晚年也要奋力进攻高丽，炀帝发起对高丽的战争，是北朝到唐代中原王朝与高丽冲突关系中的一个环节，不能说全是炀帝的过错。但建东都、修运河，在连续大规模徭役征发之后，再一次进行全国总动员，超过了百姓的承受能力。高丽之役正式发起前的后勤保障动员中，东莱海边造船的民夫，“自腰以下皆生蛆，死者什三四”，而运送军需“往还在道常数十万人，填咽于道，昼夜不绝，死者相枕，臭秽盈路，天下骚动”。战争还没开始，“百姓困穷，财力俱竭，安居则不胜冻馁，死期交急，剽掠则犹得延生，于是始相聚为群盗”。公元六一一年五月，“山东、河南大水，漂没三十余郡”，次年又发生大旱，加剧了局势的严重性，“所在群盗蜂起，不可胜数，徒众多者至万余人，攻陷城邑”。

第一次高丽之战的过程，与其说是战争，不如说是炀帝更大规模的巡幸活动。既是战争，原本应命一大将，率军“倍道兼行，出其不意”，全权指挥，临机应敌。对小国的作战，有利则进，无利则止，原本不需倾国而动。但炀帝进行了长达一年多的战争动员，仅战斗部队就调集了一百一十三万人，编组为数众多的团队，“其铠胄、缨拂、旗旛，每团异色”，“进止立营，皆有次叙仪法”。日发一军，前军出发已有四十天，最后一军才开拔，“近古出师之盛，未之有也”。同时，炀帝将作战的目标定为“吊民伐罪”，禁止将领相机赴敌，“轻兵掩袭，孤军独斗，立一身之名以邀勋赏”，“凡军事进止，皆须奏闻待报，毋得专擅”。可以说举全国之力而发起的战争，目标并不明确，炀帝似乎还沉浸在巡幸塞北、突厥人望尘而败的喜悦之中，企图有征无战。结果在错误的时间，以错误的方式，同错误的敌人打了一场目的不明的战争，“九军度辽，凡三十万五千，及还至辽东城，唯二千七百人，资储器械巨万计，失亡荡尽”。

高丽战争的失败，意味着炀帝通过突显皇帝个人权威以震慑人心的统治策略失败，“帝自（大业）八年以后，每夜中眠恒惊悸，云有贼，令数妇人摇抚，乃得眠”。这应当是高丽战争失利带给他的长期心理恐惧。为找回面子，重新获得控制国家的威信，炀帝又连续发动了两次攻打高丽的战争，结果高丽未亡，国内百姓暴动、统治上层离心，隋帝国分崩离析。

卷第一百八十二　隋纪六

起昭阳作噩（癸酉，公元六一三年），尽旃蒙大渊献（乙亥，公元六一五年），凡三年。

【题解】

本卷载述公元六一三至六一五年，共三年史事，当隋炀帝大业九年至十一年。三年中，隋炀帝又两征高丽，平定杨玄感之乱，在雁门受困于突厥，民变四起，遍布全国。隋炀帝面临四面楚歌，仍执迷不悟，因隋军貌似强大，隋炀帝之令，尚能行于朝野。但人民起义的烈火，却是越烧越旺，隋军征讨，胜利越多，杀戮越重，民变愈炽，正如老子所说："民不畏死，奈何以死惧之。"

【原文】

炀皇帝中

大业九年（癸酉，公元六一三年）

春，正月丁丑①，诏征天下兵集涿郡。始募民为骁果②，修辽东古城③以贮军粮。

灵武④贼帅白瑜娑劫掠牧马，北连突厥，陇右多被其患，谓之"奴贼"。

戊戌⑤，赦天下。

己亥⑥，命刑部尚书卫文昇等辅代王侑留守西京。

二月壬午⑦，诏："宇文述以兵粮不继，遂陷王师⑧，乃军吏⑨失于支料⑩[1]，非述之罪，宜复其官爵。"寻又加开府仪同三司。

帝谓侍臣曰："高丽小虏，侮慢⑪上国⑫，今拔海移山⑬，犹望克

【语译】

炀皇帝中

大业九年（癸酉，公元六一三年）

春，正月初二日丁丑，隋炀帝下诏征调全国军队到涿郡集结。开始招募平民组建骁勇敢死队。修建辽东古城以便囤积军粮。

灵武贼帅白瑜娑抢夺牧马，北面与突厥联合，陇右地区大多受他祸害，人们称之为“奴贼”。

正月二十三日戊戌，大赦天下。

正月二十四日己亥，隋炀帝命令刑部尚书卫文昇等辅佐代王杨侑留守西京。

二月壬午日，隋炀帝下诏说：“宇文述因军粮接继不上，才打了败仗，这是军吏失于支度料理，不是宇文述的罪过，应当恢复他的官爵。”没多久，又加封为开府仪同三司。

隋炀帝对侍臣说：“高丽小虏，侮慢上国，如今移山填海，隋朝也有望办到，何

果⑭，况此虏乎？”乃复议伐高丽。左光禄大夫⑮郭荣⑯谏曰：“戎狄失礼，臣下之事，千钧⑰之弩，不为鼷鼠⑱发机⑲，奈何亲辱⑳万乘以敌小寇乎？”帝不听。

三月丙子㉑，济阴孟海公㉒起为盗，保据周桥㉓，众至数万，见人称引书史，辄杀之。

丁丑㉔，发丁男十万城大兴㉕。

戊寅㉖，帝幸辽东，命民部尚书㉗樊子盖等辅越王侗留守东都。

时所在㉘盗起：齐郡王薄、孟让、北海㉙郭方预、清河张金称、平原郝孝德、河间㉚格谦、勃海㉛孙宣雅各聚众攻剽㉜，多者十余万，少者数万人，山东苦之。天下承平日久，人不习兵[2]，郡县吏每与贼战，望风沮败㉝。唯齐郡丞阌乡张须陀㉞得士众心，勇决善战。将郡兵击王薄于泰山下，薄恃其骤胜，不设备，须陀掩击，大破之。薄收余兵将[3]北渡河，须陀追击于临邑㉟，又破之。薄北连孙宣雅、郝孝德等十余万攻章丘㊱，须陀帅步骑二万击之，贼众大败。贼帅裴长才等众二万掩至㊲城下，大掠，须陀未暇集兵，帅五骑与战，贼竞赴㊳之，围百余重，身中数创㊴，勇气弥厉㊵。会城中兵至，贼稍退却，须陀督众击之，长才等败走。庚子㊶，郭方预等合军攻陷北海，大掠而去。须陀谓官属曰：“贼恃其强，谓我不能救，吾今速行，破之必矣。”乃简精兵倍道进击，大破之，斩数万级，前后获贼辎重不可胜计。

历城罗士信㊷，年十四，从须陀击贼于潍水㊸上。贼始布陈，士信驰至陈前，刺杀数人，斩一人首，掷空中，以矟盛之，揭㊹以略陈，贼徒愕眙㊺，莫敢近。须陀因引兵奋击，贼众大溃。士信逐北㊻，每杀一人，劓㊼其鼻怀之，还以验㊽杀贼之数，须陀叹赏，引置左右。每战，须陀先登，士信为副。帝遣使慰谕，并画须陀、士信战陈之状而观之。

夏，四月庚午㊾，车驾渡辽。壬申㊿，遣宇文述与上大将军杨义臣趣平壤。

左光禄大夫王仁恭出扶余道。仁恭进军至新城(51)，高丽兵数万拒战，仁恭帅劲骑(52)一千击破之，高丽婴城固守。帝命诸将攻辽东，听

况这个小虏?”于是重议讨伐高丽。左光禄大夫郭荣进谏说:“戎狄失礼,是臣下处理的事情,千钧大弩,不会向小老鼠发箭,怎能亲辱圣驾去对付一个小虏呢?”隋炀帝不听。

三月初二日丙子,济阴人孟海公起来造反,占据周桥,部众达到数万。他看到有人说话引经据典,就杀掉那人。

三月初三日丁丑,征发十万民工修筑大兴城。

三月初四日戊寅,隋炀帝巡视辽东,命令民部尚书樊子盖等人辅佐越王杨侗留守东都。

当时到处盗贼群起:齐郡人王薄、孟让,北海人郭方预,清河人张金称,平原人郝孝德,河间人格谦,勃海人孙宣雅各自聚众攻城抢劫,人数多的达十余万,少的也有几万,崤山以东多受其苦。天下太平的日子长了,人们不熟习军事,郡县的官吏每次与贼兵交战,望风溃逃,只有齐郡郡丞阌乡人张须陀得士众之心,勇敢果断,善于打仗。他率领郡兵在泰山下进攻王薄,王薄依仗自己多次打胜仗,不设防备,张须陀率兵突袭,大败王薄。王薄搜集残余部众,将要北渡黄河,张须陀追击到临邑,再次打败了他。王薄向北联合孙宣雅、郝孝德等部十余万人攻打章丘,张须陀率领步兵、骑兵两万人迎击,贼兵大败。贼帅裴长才等部众两万突然到了章丘城下,大肆劫掠。张须陀没有时间集合军队,带领五名骑兵迎战。贼兵争先恐后地奔上前,把张须陀包围了一百余重,张须陀身上多处受伤,越战越勇。正好城里官兵赶到,贼兵渐退,张须陀指挥部众攻击,裴长才等人败逃。三月二十六日庚子,郭方预等部合兵攻陷北海,大肆抢掠后离去。张须陀对部属说:“贼兵依仗自己强大,以为我无力救援,我们现在急速进军,一定能大败他们。”于是挑选精兵日夜兼程,大破贼兵,斩首数万,前后缴获的贼兵辎重物资难以计数。

历城人罗士信,十四岁,跟随张须陀在潍水攻打贼兵。贼兵刚开始布阵,罗士信驰马冲到阵前,刺杀了几个人,斩下一个人头,抛向空中,再用长矛接住,高挑人头在阵前疾驰而过。贼众惊得目瞪口呆,没有人敢靠近。张须陀趁机率兵奋力进攻,贼众大败,罗士信追杀败兵,每杀一人,就割下他的鼻子揣在怀中,回营之后用以查对所杀贼兵的数目。张须陀很赞赏他,就把他留在自己身边。每次打仗,张须陀冲锋在前,罗士信紧随其后。隋炀帝派遣使者慰问,并画下张须陀、罗士信阵前作战情形来观赏。

夏,四月二十七日庚午,隋炀帝车驾渡过辽水。二十九日壬申,隋炀帝派遣宇文述与上大将军杨义臣进军平壤。

左光禄大夫王仁恭进军扶余道。王仁恭挺进到新城,几万名高丽兵进行抵抗,王仁恭率领精壮骑兵一千人打败了高丽军,高丽人环城固守,隋炀帝命令众将攻打

以便宜从事。飞楼[53]、橦[54]、云梯[55]、地道四面俱进，昼夜不息，而高丽应变拒之，二十余日不拔，主客[56]死者甚众。冲梯[57]竿长十五丈，骁果吴兴沈光[58]升其端，临城与高丽战，短兵接，杀十数人，高丽竞击之而坠，未及地，适[59]遇竿有垂緪[60]，光接而复上。帝望见，壮之，即拜朝散大夫，恒置左右。

【段旨】

以上为第一段，写大业九年（公元六一三年）隋炀帝第二次亲征高丽，沉重苛严的征兵征徭，扰动天下，即将进一步激发起全国农民大起义。隋军在河北、山东讨伐，虽然屡次获胜，但无法扑灭农民起义。

【注释】

①丁丑：正月初二日。②骁果：勇猛敢死之士。③辽东古城：城名，隋大业八年置辽东郡，治所通定镇，故址在今辽宁新民东北。④灵武：郡名，治所回乐县，在今宁夏灵武西南。⑤戊戌：正月二十三日。⑥己亥：正月二十四日。⑦壬午：二月乙巳朔，无壬午。壬午疑为“壬子”之误。壬子，二月初八日。⑧陷王师：使王师遭受失败。陷，没入、沉落。王师，指帝王的军队。⑨军吏：在军队中供职的低级官员。⑩支料：支度料理。⑪侮慢：侮辱轻慢。⑫上国：诸侯称帝室为上国。此是隋炀帝以隋朝大国而自居。⑬拔海移山：形容艰难费力。⑭克果：能达到目的。克，能。果，决定、结局。⑮左光禄大夫：官名，文散官，无职事。⑯郭荣（公元五四七至六一四年）：自称太原（今山西太原）人，历仕北周、隋，官至右候卫大将军。传见《隋书》卷五十、《北史》卷七十五。⑰钧：古代重量单位名，三十斤为一钧。⑱鼷鼠：小老鼠。⑲发机：发动弩机。⑳辱：屈；枉。㉑丙子：三月初二日。㉒孟海公：济阴（今山东曹县西北）人，隋末农民起义领袖。事散见《隋书》相关各传。㉓周桥：地名，故址在今山东曹县西北。㉔丁丑：三月初三日。㉕城大兴：修筑大兴城。城，筑城。大兴，即西京长安。㉖戊寅：三月初四日。㉗民部尚书：官名，隋炀帝改户部尚书为民部尚书。㉘所在：到处；处处。㉙北海：郡名，治所益都县，在今山东青州。㉚河间：郡名，治所河间县，在今河北河间。㉛勃海：郡名，治所饶安县，在今河北盐山县西南。㉜攻剽：攻劫掠夺。㉝望风沮败：远远望见敌人便溃败。沮，败坏、毁坏。㉞张须陀（公元五六三至六一四年）：

辽东，允许众将相机行事。隋军用高楼、冲车、云梯、地道，绕城四面同时进攻，昼夜不停，而高丽兵也随机应变，进行抵抗，二十多天没有攻破，双方死伤都很惨重。冲车云梯拍竿长十五丈，骁果战士吴兴人沈光爬到顶端，靠近城墙与高丽兵交战，短兵相接，沈光杀死了十几个敌兵，高丽士兵群起攻击沈光，沈光从城墙上掉下来，还没落到地面上，恰好遇上冲车拍竿上垂下的绳子。沈光抓住绳子又向上爬。隋炀帝看见了，认为他很勇敢，立即任命他为朝散大夫，经常带在身边。

弘农閺乡县（今河南灵宝）人，仕隋，官至荥阳通守。传见《隋书》卷七十一、《北史》卷八十五。㉟临邑：县名，县治在今山东济南北。㊱章丘：县名，县治在今山东济南市章丘区西北。㊲掩至：乘其不备突然而至。㊳竞赴：争先恐后地奔去。㊴创：创伤。㊵弥厉：更加振奋。㊶庚子：三月二十六日。㊷罗士信（公元六〇三至六二二年）：齐州历城（今山东济南市）人，历仕隋、唐，官至绛州总管，封剡国公。传见《旧唐书》卷一百八十七上、《新唐书》卷一百九十一。㊸潍水：水名，在今山东潍坊东，源于诸城，北流经昌邑，北入莱州湾。㊹揭：高举。㊺愕眙：惊视。眙，直看。㊻逐北：追击败逃的敌兵。北，败北、败逃。㊼劓：割除；割下。㊽验：查对；核查。㊾庚午：四月二十七日。㊿壬申：四月二十九日。(51)新城：地名，故址在今辽宁抚顺北。(52)劲骑：精壮的骑兵。(53)飞楼：古代攻城的战具。(54)橦：古代攻陷敌阵的冲车。(55)云梯：古代攻城的战具。以大木做床，下设六轮，上立二梯，各长二丈余，中施转轴，用人力推进，可以爬越城墙，或窥视城中。(56)主客：指敌我双方。高丽兵守城，称主；隋兵攻城，称客。(57)冲梯：冲是古代用来冲撞城墙的战车。冲梯是冲车上的梯子。(58)沈光（公元五九〇至六一七年）：字总持，吴兴（今浙江湖州市吴兴区南）人，仕隋，官至折冲郎将。传见《隋书》卷六十四、《北史》卷七十八。(59)适：恰巧。(60)垂絙：下垂的绳索。絙，大绳、粗绳。

【校记】

［1］料：原作“科”。据章钰校，十二行本、乙十一行本、孔天胤本皆作“料”，张敦仁《通鉴刊本识误》同，今据改。〖按〗《通鉴纪事本末》卷二六、《通鉴纲目》卷三七上皆作“料”。［2］兵：原作“战”。据章钰校，十二行本、乙十一行本、孔天胤本皆作“兵”，今据改。〖按〗《通鉴纪事本末》卷二六、《通鉴纲目》卷三七上皆作“兵”。［3］将：原无此字。据章钰校，十二行本、乙十一行本、孔天胤本皆有此字，今据补。〖按〗《隋书·诚节·张须陀传》有此字。

【原文】

礼部尚书杨玄感，骁勇，便骑射[61]，好读书，喜宾客，海内知名之士多与之游。与蒲山公李密[62]善，密，弼之曾孙也，少有才略，志气雄远，轻财好士，为左亲侍[63]。帝见之，谓宇文述曰："向者左仗[64]下黑色小儿，瞻视异常，勿令宿卫！"述乃讽密使称病自免，密遂屏人事，专务读书。尝乘黄牛读《汉书》[65]，杨素遇而异之，因召至家，与语，大悦，谓其子玄感等曰："李密识度如此，汝等不及也！"由是玄感与为深交。时或侮之，密曰："人言当指实，宁可面谀？若决机两陈之间，喑呜[66]咄嗟[67]，使敌人震慑，密不如公；驱策[68]天下贤俊，各申[69]其用，公不如密。岂可以阶级[70]稍崇而轻天下士大夫邪？"玄感笑而服之。

素恃功骄倨[71]，朝宴[72]之际，或失臣礼，帝心衔而不言，素亦觉之。及素薨，帝谓近臣曰："使素不死，终当夷族[73]。"玄感颇知之，且自以累世贵显[74]，在朝文武多父之故吏[75]，见朝政日紊[76]，而帝多猜忌，内不自安，乃与诸弟潜谋[77]作乱。帝方事[78]征伐，玄感自言："世荷国恩，愿为将领。"帝喜曰："将门必有将，相门必有相，固[79]不虚也。"由是宠遇日隆[80]，颇预朝政。

帝伐高丽，命玄感于黎阳督运[81]，遂与虎贲郎将王仲伯、汲郡[82]赞治[83]赵怀义等谋，故[84]逗遛漕运，不时[85]进发，欲令渡辽诸军乏食。帝遣使者促之，玄感扬言水路多盗，不可前后而发。玄感弟虎贲郎将玄纵，鹰扬郎将万石[86]，并从幸辽东，玄感潜遣人召之，二人皆亡还。万石至高阳[87]，为监事[88]许华所执，斩于涿郡。

时右骁卫大将军来护兒以舟师自东莱将入海趣平壤，玄感遣家奴伪为使者从东方来，诈称护兒反。六月乙巳[89]，玄感入黎阳县[4]，闭城，大索男夫[90]，取帆布[91]为牟[92]、甲，署官属，皆准开皇之旧[93]。移书傍郡，以讨护兒为名，各令发兵会于仓所[94]。郡县官有干用[95]者，玄感皆以运粮追集之，以赵怀义为卫州刺史，东光[96]尉元务本为黎州刺史，河内郡[97]主簿[98]唐祎为怀州刺史。

【语译】

礼部尚书杨玄感，骁勇，熟悉骑马射箭，爱好读书，喜欢交朋友，全国知名人士大多与他交往。杨玄感与蒲山公李密是好朋友。李密是李弼的曾孙，从小就有才能谋略，志向远大，轻财好士，担任左亲侍。隋炀帝看到李密，对宇文述说："刚才在左翊卫队列中那个皮肤黑黑的青年，目光尖锐，非同一般，不要让他担任宿卫!"宇文述便暗示李密，让他假说有病，自己辞职。李密于是断绝与人来往，一心一意读书。李密曾经骑在黄牛身上读《汉书》，杨素碰上了很是惊异，于是把李密召到家中，和他交谈，大为高兴，对他的儿子杨玄感等说："李密的识见气度如此，你们赶不上他!"因此，杨玄感和李密结交成为好朋友。有时杨玄感故意欺侮李密，李密说："人说话应该诚实，怎么能当面奉承？如果两军阵前交战，吼叫呵斥，使敌人震惊慑服，我李密不如您；如果驱使天下贤士俊杰，使他们各自发挥才能，您不如我李密。怎么能因为官爵等级较高就轻视天下的士大夫呢？"杨玄感笑了，十分佩服他。

杨素居功自傲，在朝廷宴会上，有时失去人臣礼节，隋炀帝怀恨在心但没说出口，杨素也觉察到了。等到杨素去世，隋炀帝对近臣说："如果杨素不死，最终会被灭族。"杨玄感很清楚这一情况，而且自以为累世显贵，朝中文武大臣很多人都是父亲旧部，他看到朝政日益混乱，隋炀帝又多猜疑忌恨，内心非常不安，便和他的几个弟弟暗中谋划作乱。隋炀帝这时正忙于征伐高丽，杨玄感自言："我家世代蒙受国恩，愿意担任将领。"隋炀帝高兴地说："将门必有将，相门必有相，确实不假。"因此对杨玄感的宠信一天比一天隆盛，常常让杨玄感参与朝政。

隋炀帝征伐高丽，命令杨玄感在黎阳督运军资。杨玄感于是和虎贲郎将王仲伯、汲郡赞治赵怀义等人谋划，故意拖延漕运，不按时进发，想使渡过辽河的各路隋军缺乏军粮。隋炀帝派遣使者催促，杨玄感扬言水路多盗，不能前后接连发运。杨玄感的弟弟虎贲郎将杨玄纵、鹰扬郎将杨万石，都随从隋炀帝到了辽东，杨玄感暗中派人召他们回来，二人都逃了回来。杨万石到达高阳，被监事许华抓住，在涿郡斩首。

当时右骁卫大将军来护兒率领水军，将要从东莱渡海赶赴平壤，杨玄感派家奴伪装成使者从东边来，谎称来护兒反叛。六月初三日乙巳，杨玄感进入黎阳县，关闭城门，大规模搜索男丁，用帆布制作头盔、铠甲，委任官职，都按照隋文帝开皇年间的旧制。向附近各郡行文，以讨伐来护兒为名，命令各郡发兵到黎阳仓集合，郡县官吏中有才干的人，杨玄感就用押运粮草的名义将他们赶快召集起来，任命赵怀义为卫州刺史，东光县尉元务本为黎州刺史，河内郡主簿唐祎为怀州刺史。

治书侍御史[99]游元[100]，督运在黎阳，玄感谓曰："独夫[101]肆虐，陷身绝域[102]，此天亡之时也。我今亲帅义兵以诛无道，卿意如何？"元正色[103]曰："尊公荷国宠灵[104]，近古无比，公之弟兄，青紫[105]交映，当谓竭诚尽节，上答鸿恩[106]。岂意坟土未干，亲图反噬[107]？仆有死而已，不敢闻命[108]！"玄感怒而囚之，屡胁以兵[109]，不能屈，乃杀之。元，明根之孙也。

玄感选运夫少壮者得五千余人，丹阳[110]、宣城[111]篙梢[112]三千余人，刑三牲[113]誓众，且谕之曰："主上无道，不以百姓为念，天下骚扰[114]，死辽东者以万计。今与君等起兵以救兆民[115]之弊，何如？"众皆踊跃称万岁[116]。乃勒兵部分。唐祎自玄感所逃归河内。

先是玄感阴遣家僮至长安，召李密及弟玄挺赴黎阳。及举兵，密适至[117]，玄感大喜，以为谋主[118]，谓密曰："子[119]常以济物为己任，今其时矣！计将安出？"密曰："天子出征，远在辽外，去幽州犹隔千里。南有巨海，北有强胡[120]，中间一道，理极艰危。公拥兵出其不意，长驱入蓟，据临渝[121]之险，扼[122]其咽喉。归路既绝，高丽闻之，必蹑[123]其后，不过旬月，资粮皆尽，其众不降则溃，可不战而擒，此上计也。"玄感曰："更言其次。"密曰："关中四塞[124]，天府[125]之国，虽有卫文昇，不足为意。今帅众鼓行而西，经城[126]勿攻，直取长安，收其豪杰，抚其士民[127]，据险而守之。天子虽还，失其根本，可徐图[128]也。"玄感曰："更言其次。"密曰："简精锐，昼夜倍道，袭取东都，以号令四方。但恐唐祎告之，先已固守。若引兵攻之，百日不克，天下之兵四面而至，非仆[129]所知也。"玄感曰："不然，今百官家口并在东都，若先取之，足以动其心。且经城不拔，何以示威？至公之下计，乃上策也。"遂引兵向洛阳，遣杨玄挺将骁勇千人为前锋，先取河内。唐祎据城拒守，玄挺无所获。

祎又使人告东都越王侗与樊子盖等勒兵为备，修武[130]民相帅守临清关[131]。玄感不得度[132]，乃于汲郡南度河，从之者如市[133]。使弟积善将兵三千自偃师[134]南缘洛水西入，玄挺自白司马坂[135]逾邙山[136]南入，玄感将三千余人随其后，相去十里许，自称大军。其兵皆执单刀柳楯[137]，无弓矢甲胄。东都遣河南[138]令达奚善意[139]将精兵五千人拒积善，将作监、

治书侍御史游元，在黎阳督运军粮，杨玄感对他说："独夫肆虐，陷身在绝远地区，这是上天要灭亡他的时候。我现今亲自率领正义之军诛灭无道之君，您意下如何?"游元端庄严肃地说："你父亲蒙受国家的恩宠，近古以来无人可比。你的兄弟，青绶紫绶交映，你应当竭诚尽节，用来报答洪恩。哪里会想到你父亲坟土未干，你却图谋造反? 我只有一死而已，不敢听命!"杨玄感大怒，把游元囚禁起来，多次用刀威逼他，没能让他屈服，于是杀了他。游元，是游明根的孙子。

杨玄感挑选年轻力壮的运粮民夫五千人，丹阳、宣城的舵手三千多人，宰杀牛、羊、猪三牲祭旗，聚众誓师，并且晓谕众人说："皇上无道，不顾念老百姓，天下动乱，战死在辽东的人数以万计。现今我和大家一同起兵拯救亿万百姓，怎么样?"众人都跳跃欢呼。于是杨玄感统率军队，部署任务。唐祎从杨玄感那里逃回河内。

此前，杨玄感暗中派家童回到长安，召李密和弟弟杨玄挺到黎阳。等到起兵时，李密刚好赶到，杨玄感非常高兴，用李密为谋主，对李密说："你经常以拯救苍生为己任，现在正是时候! 你认为该怎样谋划?"李密说："天子出征，远在辽水之外，距离幽州还有一千里，南边有大海，北边有强大的胡人，中间只有一条通道，按理说极其艰险。你率领军队出其不意，长驱直入占据蓟城，据守临渝关之险，锁住他的咽喉。他的归路切断了，高丽人得知，一定紧随在他后边，不过一月光景，军资粮草全没有了，他的东征军不投降也要溃散，可以不战就抓住皇上，这是上策。"杨玄感说："再说第二策。"李密说："关中四面都是屏障，称为天府之国，虽然有卫文昇，但不必在意。现今率领部队，大张旗鼓向西挺进，所经过的城池不必攻取，直取长安，招收那里的豪杰，安抚那里的士民，据险而守。天子即使从高丽回来，失去了根本，我们可以一步一步地筹划。"杨玄感说："你另外再说下策。"李密说："选取精锐士兵，昼夜兼程，袭取东都，用以号令四方。但担心唐祎通报东都，提前做好了防守。如果领兵攻打，一百天还攻不下来，天下之兵从四面八方到来，那就不是我能预料的了。"杨玄感说："不对，如今百官的家属都在东都，如果先攻占了它，足以动摇皇家军心。再说，经过的城池不攻占，怎能显示我们的军威? 你说的下策，才真上策。"杨玄感于是领兵南下洛阳，派杨玄挺率领一千名骁勇士兵为先锋，首先夺取河内。唐祎占据河内城坚守，杨玄挺一无所获。

唐祎又派人通告留守东都的越王杨侗与樊子盖等部署军队作防备，修武县的民众自动组织起来守护临清关，杨玄感无法通过，便在汲郡南边渡过黄河，追随的人如同市集。杨玄感派他的弟弟杨积善率领三千名士兵从偃师南边沿着洛水向西进入东都，杨玄挺从白司马坂翻过邙山从南边进入东都，杨玄感率领三千多人紧随其后，相距十里左右，自称主力大军。杨玄感的士兵都拿着单刀和柳木盾牌，没有弓箭、头盔、铠甲。东都派出河南令达奚善意率领五千精兵抵抗杨积善，将作监、河南赞

河南赞治裴弘策将八千人拒玄挺。善意渡洛南，营于汉王寺[140]。明日，积善兵至，不战自溃，铠仗[141]皆为积善所取。弘策出至白司马坂，一战，败走，弃铠仗者太半，玄挺亦不追。弘策退三四里，收散兵，复结陈以待之。玄挺徐至，坐息良久，忽起击之，弘策又败，如是五战。丙辰[142]，玄挺直抵太阳门[143]，弘策将十余骑驰入宫城，自余无一人返者，皆归于玄感。

玄感屯上春门[144]，每誓众曰："我身为上柱国[145]，家累[146]钜万金，至于富贵，无所求也。今不顾灭族者，但为天下解倒悬之急[147]耳！"众皆悦。父老争献牛酒，子弟诣军门请自效[148]者，日以千数。

【段旨】

以上为第二段，写杨玄感顺应民心思变，起兵反隋。杨玄感野心勃勃，急于称帝，不听李密上计——置隋炀帝于死地，而妄想侥幸取胜，采用下策向西进兵东都，响应者从之如云。

【注释】

61便骑射：熟悉骑马射箭。便，熟悉。62李密（公元五八二至六一八年）：字玄邃，一字法主，本辽东襄平（今辽宁辽阳）人，袭爵蒲山公。先从杨玄感起兵，后又加入翟让领导的起义军，被称为魏公，后又降唐，拜光禄大夫。因谋反被杀。传见《隋书》卷七十、《北史》卷六十、《旧唐书》卷五十三、《新唐书》卷八十四。63左亲侍：官名，隶属左翊卫，侍卫之官。64左仗：仪仗队之左。凡朝会仪卫分为五仗，此其一。65《汉书》：书名，东汉班固著，记西汉二百三十年史事。66喑呜：吼叫声。67咄嗟：斥责声。咄，呵斥。68驱策：驱使、鞭策。69申：通"伸"。施展。70阶级：官阶等级。71骄倨：骄傲；傲慢。72朝宴：朝会与饮宴。73夷族：消灭家族。夷，削平。74贵显：高贵，显赫。75故吏：旧吏。76日紊：日渐紊乱。77潜谋：暗中谋划。潜，暗中。78方事：正从事。方，正在。79固：的确；确实。80日隆：一天比一天重厚。81督运：掌督管运送军事物资。82汲郡：郡名，治所卫县，在今河南淇县东。83赞治：官名，隋炀帝改州为郡，置郡太守；罢长史、司马，置赞务一人为副长官。《隋书》作赞务，即赞治，因《隋治裴弘策率领八千人抵抗杨玄挺。达奚善意渡过洛水，在南岸汉王寺扎营。第二天，杨积善兵到来，官兵不战自溃，铠甲兵器全被杨积善的军队缴获。裴弘策出兵到达白司马坂，与杨玄挺的军队一交战就败逃，丢弃了一大半铠甲兵器，杨玄挺也不追击。裴弘策后退三四里，收拢散兵，重新列阵等待敌军。杨玄挺慢慢赶来，士兵坐下休息了很长时间，突然发起攻击，裴弘策又战败了，就这样一连五战。六月十四日丙辰，杨玄挺直达太阳门，裴弘策带领十几名骑兵驰入宫城，其余没有一个人返回，全都归附了杨玄感。

杨玄感屯驻在上春门，每次誓师对部众说："我身为上柱国，家中聚积亿万黄金，对于富贵，我一无所求。现今我不顾灭族的原因，只是为了解救天下老百姓倒悬的危难啊！"部众都非常高兴。父老乡亲争着献上牛肉美酒，到军营门口请求投军效力的青年人，每天有数千。

书》成书于唐，避高宗讳，故改"治"为"务"。⑭故：故意；有意。⑮不时：不按时；不及时。⑯万石（？至公元六一三年）：人名，仕隋，官至鹰扬郎将。传附《北史·杨敷传》。⑰高阳：县名，县治在今河北高阳东。⑱监事：官名，掌库、仓署事。⑲乙巳：六月初三日。⑳索男夫：搜索男丁以为兵士。㉑帆布：施于船上做帆的布。㉒牟：通"鍪"。兜鍪，即战士戴的头盔。㉓准开皇之旧：以文帝开皇初旧官制为准。㉔仓所：指黎阳仓所在地。㉕干用：有办事的才干。㉖东光：县名，县治在今河北东光东。㉗河内郡：郡名，郡治野王县，在今河南沁阳。㉘主簿：官名，掌文书簿记。㉙治书侍御史：官名，属御史台，掌管律令。㉚游元（？至公元六一三年）：字楚客，广平任县（今河北任县东）人，仕隋，官至朝请大夫，兼治书侍御史。传见《隋书》卷七十一、《北史》卷八十五。㉛独夫：众叛亲离的统治者。犹言一夫。此指隋炀帝。㉜绝域：极远的地域。㉝正色：表情端庄严肃。㉞宠灵：恩宠、宠异。㉟青紫：汉制，丞相、太尉金印紫绶，御史大夫银印青绶，三府崇贵，后称贵官。㊱鸿恩：大恩。多指皇恩。鸿，通"洪"。㊲反噬：反咬一口。比喻受人恩惠反加陷害，或犯罪者诬指检举者为反噬。噬，咬。㊳闻命：听命；服从命令。㊴胁以兵：用兵器威胁。兵，兵器。㊵丹阳：郡名，治所石头城，在今江苏南京。㊶宣城：郡名，治所宛陵县，在今安徽宣城。㊷篙梢：熟练的驾船人。篙，指撑篙的人。梢，指掌舵的人。㊸刑三牲：宰杀猪、牛、羊。刑，杀。三牲，指祭祀用的牛、羊、猪。㊹骚扰：扰乱；政局动乱不安。㊺兆民：指万民，极言数量之多。兆，数名，古代下数以十万为亿，十亿为兆；中数以万万为亿，万亿为兆；上数以亿亿为兆。㊻称万岁：叫好。万岁，原为古代饮酒上寿时的祝词，上下通用。㊼适

至：正好来到。适，恰巧、正好。⑱ 谋主：主谋的人。⑲ 子：您。古时对男子的尊称，也是通称。⑳ 强胡：指靺鞨、契丹等少数民族。㉑ 临渝：即临榆。关名，故址在今河北秦皇岛市抚宁区东榆关。㉒ 扼：掐住，引申为据守。㉓ 蹑：紧随在后。㉔ 四塞：四面险要。旧说关中东有函谷关，南有武关，西有散关，北有萧关，故称关中为四塞之地。㉕ 天府：天，尊称。府，藏物之所。在这里是物产丰富的意思。㉖ 经城：指西取长安沿途所经过的城市。㉗ 士民：士子和庶民。㉘ 徐图：慢慢地计议。徐，缓慢。㉙ 仆：本指供役使的人。此是自身谦称。㉚ 修武：县名，县治在今河南修武。㉛ 临清关：关名，故址在今河南新乡东北。㉜ 度：通"渡"。过。㉝ 如市：如集市上的人一样拥挤。㉞ 偃师：县名，县治在今河南洛阳市偃师区东南。㉟ 白司马坂：即白马山。故址在今河南洛阳北邙山北麓。㊱ 邙山：在今洛阳北。㊲ 柳楯：用柳树条编制的盾。楯即盾牌。㊳ 河南：县名，县治在今河南洛

【原文】

内史舍人韦福嗣[149]，洸之兄子也，从军出拒玄感，为玄感所获，玄感厚礼之，使与其党胡师耽共掌文翰[150]。玄感令福嗣为书遗樊子盖，数[151]帝罪恶，云："今欲废昏立明，愿勿拘小礼，自贻[152]伊戚[153]。"樊子盖新自外藩[154]入为京官，东都旧官多慢之，至于部分军事，未甚承禀。裴弘策与子盖同班[155]，前出讨贼失利，子盖更使出战，不肯行，子盖命引出斩之以徇。国子祭酒河东杨汪[156]，小有不恭，子盖又将斩之，汪顿首流血，乃得免。于是将吏震肃，无敢仰视，令行禁止。玄感尽锐攻城，子盖随方拒守，玄感不能克。然达官子弟应募从军者，闻弘策死，皆不敢入城。韩擒虎子世谔[157]、观王雄子恭道、虞世基子柔、来护儿子渊、裴蕴子爽、大理卿郑善果[158]子俨、周罗睺子仲等四十余人皆降于玄感，玄感悉以亲重要任委之。善果，译之兄子也。

玄感收兵得五万余人，分五千人[5]守慈磵道[159]，五千守伊阙道[160]，遣韩世谔将三千人围荥阳[161]，顾觉将五千人取虎牢[162]。虎牢降，以觉为郑州刺史，镇虎牢。

代王侑使刑部尚书卫文昇帅兵四万救东都，文昇至华阴[163]，掘杨素

阳。⑬⑨达奚善意：人名，达奚为复姓，善意为名。⑭⓪汉王寺：古寺名，故址在今河南洛阳市偃师区西南。⑭①铠仗：铠甲与兵器。铠，古代战士用以护身的铁甲。⑭②丙辰：六月十四日。⑭③太阳门：《隋书·地理志》：东都东面三门，有建阳门，无太阳门，疑误。⑭④上春门：城门名，东京外郭城东面三门，最北的称上春门，唐改上东门。⑭⑤上柱国：官名，勋官，用于酬功劳。又为武散官，无职事。⑭⑥累：堆集；积聚。⑭⑦倒悬之急：比喻处境极困苦危急。倒悬，头向下，脚向上地被倒挂。⑭⑧自效：自我尽力效劳。

【校记】

［4］县：原无此字。据章钰校，十二行本、乙十一行本、孔天胤本皆有此字，张敦仁《通鉴刊本识误》同，今据补。

【语译】

内史舍人韦福嗣，是韦洸哥哥的儿子。他从军抵抗杨玄感，被杨玄感俘获。杨玄感对他厚礼相待，让他和自己的亲信胡师耽共同掌管文书。杨玄感命韦福嗣写信给樊子盖，历数隋炀帝的罪恶。信中说："今日我要废黜昏君另立明主，希望你不要拘泥小节，给自己遗留祸患。"樊子盖刚从地方州郡调入东都做京官，东都旧官大多轻视他，至于军事部署，很少向他汇报请示。裴弘策和樊子盖官居同列，前些天出城讨伐贼兵失利，樊子盖又派裴弘策出战，裴弘策不肯出战，樊子盖就下令将裴弘策拉出去斩首示众。国子监祭酒河东人杨汪对樊子盖略有不敬，樊子盖又要杀他，杨汪磕头流血，才得免死。于是东都的将领官吏都震惊畏惧，没有人敢抬头看他，令出即行，有禁则止。杨玄感集中全部精兵攻城，樊子盖根据情况顽强抵抗，杨玄感久攻不克。但是应募从军的贵族高官子弟，听到裴弘策被处死，都吓得不敢进城。韩擒虎的儿子韩世谔、观王杨雄的儿子杨恭道、虞世基的儿子虞柔、来护兒的儿子来渊、裴蕴的儿子裴爽、大理卿郑善果的儿子郑俨、周罗睺的儿子周仲等四十余人都投降了杨玄感，杨玄感把全部亲近显贵的要职都授予了他们。郑善果，是郑译哥哥的儿子。

杨玄感招募士兵得到五万余人，他分出五千人把守慈硐道，五千人把守伊阙道，派韩世谔率三千人包围荥阳，顾觉率五千人攻取虎牢。虎牢守军投降，杨玄感任命顾觉为郑州刺史，镇守虎牢。

代王杨侑命令刑部尚书卫文昇率军四万救援东都，卫文昇到达华阴，挖掘杨素

冢，焚其骸骨，示士卒以必死，遂鼓行出崤、渑[164]，直趋东都城北。玄感逆拒[165]之，文昇且战且行，屯于金谷[166]。

辽东城久不拔，帝遣[167]造布囊百余万口，满贮土，欲积为鱼梁大道[168]，阔三十步，高与城齐，使战士登而攻之，又作八轮楼车[169]，高出于城，夹鱼梁道，欲俯射城内，指期[170]将攻，城内危蹙[171]。会杨玄感反书至，帝大惧，引纳言苏威入帐中，谓曰："此儿聪明，得无为患[172]？"威曰："夫识是非，审[173]成败，乃谓之聪明，玄感粗疏[174]，必无所虑。但恐因此寖[175]成乱阶[176]耳。"帝又闻达官子弟皆在玄感所，益忧之。兵部侍郎斛斯政素与玄感善，玄感之反，政与之通谋，玄纵兄弟亡归，政潜遣之。帝将穷治玄纵等党与，政内不自安，戊辰[177]，亡奔高丽。庚午[178]，夜二更[179]，帝密召诸将，使引军还，军资、器械[180]、攻具[181]，积如丘山，营垒、帐幕，按堵[182]不动，皆弃之而去。众心恟惧[183]，无复部分，诸道分散。高丽即时觉之[184]，然不敢出，但于城内鼓噪。至来日午时，方渐出外，四远[185]觇侦[186]，犹疑隋军诈之。经二日，乃出数千兵追蹑[187]，畏隋军[6]之众，不敢逼，常相去八九十里。将至辽水，知御营[188]毕渡，乃敢逼后军。时后军犹数万人，高丽随而抄击[189]，最后羸弱数千人为所杀略[190]。

初，帝再征高丽，复问太史令庾质曰："今段[191]何如？"对曰："臣实愚迷[192]，犹执[193]前见，陛下若亲动万乘，劳费实多。"帝怒曰："我自行犹不克，直遣人去，安得有功？"及还，谓质曰："卿前不欲我行，当为此耳。玄感其有成乎？"质曰："玄感地势[194]虽隆，素非人望[195]，因百姓之劳，冀[196]幸成功。今天下一家[197]，未易可动。"

帝遣虎贲郎将陈棱[198]攻元务本于黎阳，又遣左翊卫大将军宇文述、左[7]候卫将军屈突通乘传发兵以讨玄感。来护兒至东莱，闻玄感围东都，召诸将议旋军[199]救之。诸将咸以无敕，不宜擅还[200]，固执不从，护兒厉声曰："洛阳被围，心腹之疾，高丽逆命[201]，犹疥癣[202]耳。公家之事，知无不为？专擅[203]在吾，不关诸人，有沮议[204]者，军法从事！"即日回军。令子弘、整[205]驰驿奏闻。帝时还至涿郡，已敕护兒救东都，见弘、整，甚悦，赐护兒玺书曰："公旋师之时，是朕敕公之日，君臣

的坟墓，焚烧了杨素的尸骨，向士卒们显示必死的决心。于是卫文昇击鼓进军，穿过崤谷、渑池，直奔东都城北。杨玄感率军迎击，卫文昇且战且行，屯驻金谷。

辽东城好久不能攻取，隋炀帝派人制作一百多万个布袋，装满泥土，想堆积成为鱼梁大道，宽三十步，高与城墙相等，派战士登上鱼梁大道攻城，又制造八个轮子的楼车，高出城墙，夹在鱼梁大道两旁，想俯射城内。隋军在规定日期准备攻城，城内危急。恰好杨玄感造反的公文到达，隋炀帝大为惊慌，便带领纳言苏威进入军帐，对苏威说："这小子很聪明，莫非要造成祸患？"苏威说："能识别是非，判断成败，才叫作聪明，杨玄感为人粗疏，不必忧虑。只是害怕由此逐渐成为祸乱的开端。"隋炀帝听说高官显贵的子弟都在杨玄感那儿，更加忧虑。兵部侍郎斛斯政一向与杨玄感交情好，杨玄感造反，斛斯政与他暗通信息，杨玄纵兄弟得以逃回，其实是斛斯政偷偷放走的。隋炀帝即将彻底追查杨玄纵等人的同党，斛斯政内心惶恐不安。六月二十六日戊辰，斛斯政出逃投奔高丽。二十八日庚午，夜里二更时分，隋炀帝秘密召见众将领，命令他们率军撤回，军用物资、辎重器械、攻城器具，堆积如山。营垒、帐幕，原地不动，全部丢弃而去。隋军人心惶恐不安，组织混乱，各路队伍分散。高丽马上发现了，但是不敢出击，只在城内击鼓呐喊。到了第二天中午，才逐渐派兵出城，四处远远侦察，仍然怀疑隋军诈退。过了两天，才出动几千人尾随追踪，害怕隋军众多，不敢逼近，常常与隋军相距八九十里。即将到达辽水，得知隋炀帝御营已全部渡过辽水，才敢逼近隋军的殿后部队。当时隋军的殿后军队还有几万人，高丽军队随后从两侧包抄袭击，杀死了走在最后面的几千名老弱隋兵。

当初，隋炀帝准备再次征讨高丽，又问太史令庚质："今后一段情况将怎么样？"庚质回答："臣确实愚昧，还是坚持上次的意见，陛下若是御驾亲征，劳苦耗费实在太多。"隋炀帝生气地说："我亲自征伐尚不能取胜，只派别人去，岂能成功？"等到隋炀帝从高丽回来，对庚质说："你以前不想让我去，应当是为了这桩事。杨玄感能成功吗？"庚质回答："杨玄感虽位高权重，但一向不是人们所仰望，他想借着百姓的力量，希望侥幸成功。如今天下统一，不易动摇。"

隋炀帝派遣虎贲郎将陈稜往黎阳攻打元务本，又派遣左翊卫大将军宇文述、左候卫将军屈突通乘驿站的传车发兵讨伐杨玄感。来护兒到达东莱，听说杨玄感包围东都，于是召集诸将商讨回师救援。诸将都认为没得到皇帝的敕命，不宜擅自回师，坚持不听从来护兒的建议。来护兒厉声说道："洛阳被包围，是心腹之患，高丽抗拒王命，犹如皮肤上的疥癣而已。朝廷大事，既然知道了处于危难，怎么能不行动？擅自行动的责任由我一人承担，跟各位无关，再有阻拦回师之事的，军法从事！"于是即日回师。来护兒命令儿子来弘、来整先乘驿马飞报隋炀帝，隋炀帝当时已经回到涿郡，并且已下令让来护兒救援东都。隋炀帝见到来弘、来整，非常高兴，赐给来护兒玺书说："你回师之时，正是我给你下令之日，君臣心投意合，虽距离遥远，

意合，远同符契[206]。”

先是，右武候大将军李子雄坐事除名，令从军自效，从来护兒在东莱，帝疑之，诏锁子雄送行在所。子雄杀使者，逃奔玄感。卫文昇以步骑二万渡瀍水[207]，与玄感战，玄感屡破之。玄感每战，身先士卒，所向摧陷[208]，又善抚悦[209]其下，皆乐为致死，由是每战多捷，众益盛，至十万人。文昇众寡不敌，死伤太半且尽，乃更进屯邙山之阳[210]，与玄感决战，一日十余合。会杨玄挺中流矢[211]死，玄感军乃稍却。

秋，七月癸未[212]，余杭民刘元进起兵以应玄感。元进手长尺余[213]，臂垂过膝[214]，自以相表非常，阴有异志。会帝再发三吴[215]兵征高丽，三吴兵皆相谓曰："往岁天下全盛，吾辈父兄征高丽者犹太半不返。今已罢弊[216]，复为此行，吾属[217]无遗类矣！"由是多亡命。郡县捕之急，闻元进举兵，亡命者云集，旬月[218]间，众至数万。

始，杨玄感至东都，自谓天下响应，功在朝夕[8]。得韦福嗣，委以心膂[219]，不复专任李密。福嗣每画策[220]，皆持两端[221]。密揣[222]知其意，谓玄感曰："福嗣元[223]非同盟，实怀观望，明公初起大事而奸人在侧，听其是非[224]，必为所误，请斩之！"玄感曰："何至于此？"密退，谓所亲曰："楚公[225]好反而不欲胜，吾属今为虏矣！"

李子雄劝玄感速称尊号[226]，玄感以问密，密曰："昔陈胜[227]自欲称王，张耳[228]谏而被外。魏武[229]将求九锡[230]，荀彧[231]止而见诛。今者密欲正言，还恐追踪二子[232]，阿谀顺意，又非密之本图。何者？兵起以来，虽复频捷，至于郡县，未有从者，东都守御尚强，天下救兵益至，公当挺身力战，早定关中，乃亟欲自尊[233]，何示人不广也？"玄感笑而止。

屈突通引兵屯河阳，宇文述继之，玄感问计于李子雄，子雄曰："通晓习兵事，若一得度河，则胜负难决，不如分兵拒之。通不能济，则樊、卫[234]失援。"玄感然之，将拒通；樊子盖知其谋，数击其营，玄感不得往。通济河，军于破陵[235]。玄感分为两军，西抗文昇，东拒通。子盖复出兵大战，玄感军屡败，与其党谋之，李子雄曰："东都援军益

却相合如同符命。”

此前，右武候大将军李子雄因罪被免官除名，在军队中效力，他跟随来护兒到东莱，隋炀帝怀疑他，诏令将他上枷锁送到皇帝行官。李子雄杀死押护使者，逃奔杨玄感。卫文昇率领步骑兵两万人渡过瀍水，与杨玄感交战，杨玄感多次打败了他。杨玄感每次战斗都身先士卒，摧敌陷阵。他还善于抚慰部下，大家都乐意为他效命，所以每次作战大多取胜，部众愈来愈多，达到十万人。卫文昇寡不敌众，部下死伤大半，快要全军覆没，于是前进到邙山的南面屯驻，与杨玄感决战，一天之内双方交战十多次。恰巧杨玄挺中流箭而死，杨玄感的军队才稍稍后退。

秋，七月十一日癸未，余杭人刘元进起兵响应杨玄感。刘元进手长一尺有余，手臂垂下来超过膝盖，他自认为相貌非凡，早就暗存谋反之心，正逢隋炀帝再次征调三吴军队征伐高丽，三吴士兵都互相议论说：“往年国家全盛之时，我们这些人的父兄中出征高丽的尚且大半回不来。如今国家已经疲困，又要被征调去打高丽，我们这些人恐怕都会死光！”因此很多人都逃亡。郡县官吏急加搜捕，逃亡的人听说刘元进起兵，云集到一起，一个月内，部众达到几万人。

起先，杨玄感到达东都，他自认为天下响应，很快就能成功。俘获韦福嗣后，把他当作亲信，不再专用李密。韦福嗣每次出谋划策，都模棱两可。李密揣摩到韦福嗣的心意，就对杨玄感说：“韦福嗣原本不是我们的同盟，他确实心存观望，你刚起来办大事，就有奸邪小人在身边，若听从他判断，一定会被他所误，请你杀了他！”杨玄感说：“哪里要到这一步？”李密退下来对他亲近的人说：“楚公喜欢谋反，却不想获胜，我们这些人将要成为俘虏了！”

李子雄劝杨玄感赶快称帝，杨玄感询问李密，李密说：“从前陈胜自己想称王，张耳谏阻，却被排斥在外边。魏武帝曹操想得到九锡，荀彧阻止而被杀害。今天我李密要说出正确意见，恐怕就要追随张耳、荀彧去了，但阿谀奉承，随顺上意，又不是李密愿意的。为什么呢？我们起兵以来，虽然多次打胜仗，但说到郡县，没有一个响应的，东都防守的力量还很强大，全国的救兵越来越多地到达，你应当带头奋起作战，早一点平定关中，你却要急于称尊号，为什么要向人展示心胸不广呢？”杨玄感一笑作罢。

屈突通率领军队屯驻河阳，宇文述领兵相继于后。杨玄感向李子雄询问计策，李子雄说：“屈突通懂得用兵，一旦让他渡过了黄河，就胜负难料了，我们不如分出一部分兵力抵抗他。屈突通不能渡过黄河，那么樊子盖、卫文昇就失去了援兵。”杨玄感赞成这个意见，将去抵抗屈突通；樊子盖得知了这个计谋，多次攻打杨玄感的军营，杨玄感不能前往阻击屈突通。屈突通渡过黄河，驻扎在破陵。杨玄感分兵为二，向西抵抗卫文昇，向东抵抗屈突通。樊子盖又出兵大战，杨玄感军一再战败，杨玄感和他的同党商议对策，李子雄说：“东都的援军越来越多，我军屡败，不可久

至[236]，我军数败，不可久留，不如直入关中，开永丰仓[237]以振贫乏[238]，三辅[239]可指麾而定。据有府库[240]，东面而争天下，亦霸王之业也。”李密曰：“弘化[241]留守元弘嗣握强兵在陇右，可声言其反，遣使迎公，因此入关，可以绐众。”

会华阴诸杨[242]请为乡导[243]，壬辰[244]，玄感解东都围，引兵西趣潼关[245]，宣言：“我已破东都、取关西[246]矣！”宇文述等诸军蹑之。至弘农宫[247]，父老遮[248]说玄感曰：“宫城空虚，又多积粟，攻之易下。”玄感以为然。弘农[249]太守蔡王智积[250]谓官属曰：“玄感闻大军将至，欲西图关中，若成其计，则难克也。当以计縻之[251]，使不得进，不出一旬，可以成擒。”及玄感军至城下，智积登陴[252]詈[253]之，玄感怒，留攻之。李密谏曰：“公今诈众西入，军事贵速，况乃追兵将至，安可稽留[254]？若前不得据关[255]，退无所守，大众一散，何以自全？”玄感不从，遂攻之，烧其城门，智积于内益火，玄感兵不得入。三日不拔，乃引而西。至閿乡[256]，宇文述、卫文昇、来护兒、屈突通等军追及之[9]于皇天原[257]。玄感上槃豆[258]，布陈亘五十里，且战且行，玄感一日三败。八月壬寅[259]，玄感陈于董杜原[260]，诸军击之，玄感大败，独与十余骑奔上洛[261]。追骑至，玄感叱之，皆反走[262]。至葭芦戍[263]，独与弟积善徒步走，自度不免，谓积善曰：“我不能受人戮辱[264]，汝可杀我！”积善抽刀斫杀之，因自刺，不死，为追兵所执，与玄感首俱送行在所。磔[265]玄感尸于东都市，三日，复脔[266]而焚之[267]。玄感弟玄奖为义阳[268]太守，将赴玄感，为郡丞周旋玉所杀。仁行为朝请大夫，伏诛于长安。

玄感之围东都也，梁郡[269]民韩相国举兵应之，玄感以为河南道[270]元帅，旬月间众十余万，攻剽郡县。至襄城[271]，闻玄感败，众稍散，为吏所获，传首东都。

帝以元弘嗣，斛斯政之亲也，留守弘化郡，遣卫尉少卿李渊[272]驰往执之，因代为留守，关右[273]十三郡[274]兵皆受征发。渊御众宽简，人多附之。帝以渊相表[275]奇异，又名应图谶，忌之。未几，征诣行在所，渊遇疾未谒，其甥[276]王氏在后宫，帝问曰：“汝舅来何迟[277]？”王氏以疾对，帝曰：“可得死否？”渊闻之，惧，因纵酒纳赂以自晦[278]。

留，不如直入关中，打开永丰仓救济贫苦百姓，关中三辅地区就可很快平定，我们占据府库，向东争夺天下，也是霸王之业。”李密说：“弘化郡留守元弘嗣拥有强兵盘踞陇右，我们可以扬言说他谋反，派使者来迎接你，趁这机会进入关中，可以蒙蔽部众。”

适逢华阴县杨氏宗族人请求作向导，七月二十日壬辰，杨玄感解除对东都的包围，领兵西赴潼关，大肆扬言说：“我军已经攻破了东都，现在要夺取关西了！”宇文述等各支隋军紧紧尾随在杨玄感军后面。杨玄感到达弘农宫，父老们挡在路上劝杨玄感说：“弘农宫城空虚，又有很多囤积的粮食，攻打它很容易攻下来。”杨玄感认为很对。弘农太守蔡王杨智积对官属们说：“杨玄感得知东都救援大军就要到达，想西进夺取关中，如果让他的计谋成功，那么就难以打败他了。应当用计谋来牵制他，使他无法前进，要不了十天，就可以抓获他。”等到杨玄感兵临城下，杨智积登上城上女墙大骂杨玄感，杨玄感发怒，就留下来攻城，李密谏阻说：“你如今是蒙蔽众人向西进军，兵贵神速，况且追兵即将到来，怎么可以停留？如果前进不能占据潼关，后退没有地方可以据守，大军一旦溃散，你拿什么保全自己？”杨玄感不听从，于是攻城，烧弘农城的城门，杨智积在内把火加大，杨玄感的士兵不能进入，三天没有攻克，杨玄感便率军西去。到达阌乡，宇文述、卫文昇、来护兒、屈突通等各路军队在皇天原追上了杨玄感。杨玄感据守槃豆，列阵连绵五十里，边战边走，一天之内败了三次。八月初一日壬寅，杨玄感在董杜原布阵，各路官军一起进攻，杨玄感大败，独自与十多个骑兵向上洛逃奔，追赶的骑兵到了，杨玄感大声呵斥，追兵都转身逃走。杨玄感到了葭芦戍，只身和弟弟杨积善徒步逃亡，他自料无法幸免，对杨积善说：“我不能遭受别人诛杀侮辱，你可杀掉我！”杨积善抽刀将杨玄感杀死，然后自杀，没有死，被追兵抓住，杨积善和杨玄感的首级都被送到隋炀帝的行宫。隋炀帝在东都闹市将杨玄感车裂分尸，过了三天，又切成细块焚烧。杨玄感的弟弟杨玄奖担任义阳太守，准备投奔杨玄感，被郡丞周旋玉杀死。杨仁行担任朝请大夫，在长安被处死。

杨玄感包围东都时，梁郡人韩相国举兵响应杨玄感，杨玄感封韩相国为河南道元帅，一个月内部众就有十余万人，率兵攻掠郡县。打到襄城时，得知杨玄感失败，部众逐渐散去，韩相国被官吏抓获，首级传送东都。

隋炀帝因元弘嗣是斛斯政的亲戚，留守弘化郡，就派卫尉少卿李渊驰马前往抓捕，趁此代替元弘嗣为留守，关西十三个郡的兵力都受李渊调遣。李渊对待部下宽厚简约，人们大多愿意依附他。隋炀帝认为李渊相貌奇特怪异，名字又与图谶相应，就猜忌他。没有多久，隋炀帝征召李渊到行在所，李渊正逢生病没有去拜见隋炀帝，李渊的外甥女王氏是后宫的嫔妃，隋炀帝便问王氏：“你舅舅为什么这么迟缓？”王氏用李渊生了病来回答，隋炀帝说：“能够病死吗？”李渊听到了这话，心怀恐惧，于是放纵饮酒，收受贿赂，用来隐蔽自己。

【段旨】

以上为第三段，写杨玄感志大才疏，刚愎自用，屯兵于东都坚城之下，又屡误战机、用人不专，西进入关不速，很快兵败身亡。

【注释】

⑭⑨ 韦福嗣（？至公元六一三年）：京兆杜陵（今陕西长安）人，隋荆州总管韦世康次子，官至内史舍人。传附《隋书·韦世康传》《北史·韦孝宽传》。⑮⓪ 文翰：指信札、公文书等。⑮① 数：责备；述说。⑮② 贻：遗留。⑮③ 伊戚：忧患；悲哀。⑮④ 外藩：地方州郡。⑮⑤ 同班：同为赞治次留守立班，故称同班。⑮⑥ 杨汪（？至公元六二一年）：字符度，本弘农华阴（今陕西华阴）人，曾祖时迁居河东，历仕北周、隋，官至吏部尚书。传见《隋书》卷五十六、《北史》卷七十四。⑮⑦ 世咢：河南东垣（今河南新安）人，韩擒虎之子，袭父爵为上柱国。不知所终。传附《隋书·韩擒虎传》《北史·韩擒虎传》。⑮⑧ 郑善果（？至公元六二九年）：郑州荥泽（今河南郑州西北）人，历仕隋、唐，官至礼部尚书。传见《北史》卷九十一、《旧唐书》卷六十二、《新唐书》卷一百。⑮⑨ 慈磵道：地名，故址在今河南宜阳境。⑯⓪ 伊阙道：地名，故址在今河南伊川县西南。⑯① 荥阳：县名，县治在今河南荥阳。⑯② 虎牢：镇名，故址在今河南荥阳汜水镇。⑯③ 华阴：县名，县治在今陕西华阴。⑯④ 崤、渑：崤，崤谷，即函谷。故址在今河南灵宝南，是秦的东关。东自崤山，西至潼津，深险如函，通名函谷。渑，即渑池。县名，县治在今河南渑池县东。⑯⑤ 逆拒：迎面抵抗。⑯⑥ 金谷：谷名，故址在今河南洛阳西北。⑯⑦ 遣：命令。⑯⑧ 鱼梁大道：筑道如同鱼梁的样子，中间高，两边低。⑯⑨ 八轮楼车：楼车下装有八个轮子。楼车，古代战车，上设望楼，可以瞭望敌人。⑰⓪ 指期：规定日期。⑰① 危蹙：危急、紧迫。⑰② 得无为患：莫非要造成祸患。⑰③ 审：仔细观察、研究。⑰④ 粗疏：粗鲁而不缜密。⑰⑤ 寖：逐渐。⑰⑥ 乱阶：动乱的台阶。指成为发生祸乱的开端和途径。⑰⑦ 戊辰：六月二十六日。⑰⑧ 庚午：六月二十八日。⑰⑨ 二更：古代把一夜分为甲、乙、丙、丁、戊五段。二更约为夜间十至十一点钟左右。⑱⓪ 器械：用具的总称。⑱① 攻具：攻城的器具，如云梯、楼车等。⑱② 按堵：同“安堵”，安居、安定。⑱③ 恟惧：震动恐惧。恟，忧恐。⑱④ 觉之：指发现了隋军的撤退行动。⑱⑤ 四远：四方边远之地。⑱⑥ 觇侦：侦察。⑱⑦ 追蹑：追赶；尾随。蹑，紧紧跟随在后面。⑱⑧ 御营：隋炀帝所在的军营。⑱⑨ 抄击：从两侧袭击。抄，指斜行而出其前。⑲⓪ 杀略：屠杀和劫夺。⑲① 今段：指自今以后一段事。即隋炀帝再征高丽一事。⑲② 愚迷：愚昧而迷惑。⑲③ 执：持；坚持。⑲④ 地势：地位；权势。⑲⑤ 人望：声望；众人所仰望。⑲⑥ 冀：希望。⑲⑦ 一家：一个家庭，比喻天下统一。⑲⑧ 陈稜：字长威，庐江襄安（今安徽巢湖）人，仕隋，官至右御卫将军。传见《隋书》卷六十四、《北史》卷七十八。⑲⑨ 旋军：回军。旋，返还。⑳⓪ 擅还：擅自回军。⑳① 逆命：违抗朝廷命令。⑳② 疥癣：疥疮与癣

疮，皆为皮肤病。比喻为小患。⑳专擅：专断擅命。㉔沮议：阻止回军的动议。沮，阻止、败坏。㉕弘整：来护儿之子来弘、来整。来弘（？至公元六一七年），仕隋，官至果毅郎将、金紫光禄大夫。来整（？至公元六一七年），仕隋，官至武贲郎将、右光禄大夫。事附《隋书·来护兒传》《北史·来护兒传》。㉖符契：符命。指来护兒回军与君主符命一致。符，古代朝廷用以传达命令、调兵遣将的凭证。契，投合、符合。㉗瀍水：水名，即瀍河。源出于河南洛阳西北谷城山，南流经洛阳城东，入于洛水。㉘摧陷：摧垮敌人，攻陷敌阵。㉙抚悦：安抚部下，使人心悦。㉚邙山之阳：邙山的南面。阳，山的南面称阳。㉛流矢：无目标而飞来的箭。㉜癸未：七月十一日。㉝手长尺余：指从手指顶端至手腕横纹处的长度。㉞臂垂过膝：是说双臂垂下则其手过膝。㉟三吴：地名，说法不同：一是称吴兴、吴郡、会稽为三吴。二是称吴郡、吴兴、丹阳为三吴。三是称苏州、润州、湖州为三吴。㊱罢弊：疲困。罢，通“疲”，疲劳。㊲吾属：我们。属，辈、类。㊳旬月：一整月。旬，十天。㊴心膂：膂，脊骨。心和膂都是人体重要部分，因以比喻亲信和作为骨干的人。㊵画策：计划；谋划。㊶持两端：动摇不定，怀有二心。㊷揣：忖度；推测。㊸元：通“原”，原来、本来。㊹是非：判断是非。㊺楚公：指杨玄感。玄感袭父爵楚国公，故称他为楚公。㊻尊号：指称皇帝之号。㊼陈胜：秦末率众起事，自立为王。传见《史记》卷四十八、《汉书》卷三十一。㊽张耳：秦末起兵反秦，后与陈胜分裂。传见《史记》卷八十九。㊾魏武：即魏武帝曹操，三国魏国的奠基者。谥号武王。传见《三国志》卷一。㊿九锡：传说古代帝王尊礼大臣所给的九种器物。一般指衣服、车马、弓矢、斧钺、虎贲、秬鬯、命珪、朱户、纳陛。[231]荀彧：曹操谋臣，因反对曹操进爵为魏公，饮药自杀。传见《三国志》卷十。[232]追踪二子：走张耳、荀彧的老路。[233]自尊：指称尊号。[234]樊、卫：指樊子盖、卫文昇。[235]破陵：地名，故址在今河南洛阳市孟津区东。[236]益至：来的越来越多。益，更、愈加。[237]永丰仓：隋著名粮仓名，故址在今陕西华阴东北渭河口上。[238]振贫乏：救济贫困的人。振，通“赈”，救济。[239]三辅：此指汉三辅之地，包括长安在内的近畿之地扶风、冯翊、京兆等地。[240]府库：仓库。[241]弘化：郡名，治所合水县，在今甘肃庆阳。[242]华阴诸杨：指在华阴县故乡的杨玄感的宗党。[243]乡导：即向导、带路人。乡，通“向”，方向。[244]壬辰：七月二十日。[245]潼关：关名，地处今陕西、山西、河南三省的要冲，历代皆为军事重地。故址在今陕西潼关境。[246]关西：地区名，指潼关以西的关中之地。[247]弘农宫：行宫名，故址在今河南灵宝境内。[248]遮：拦住。[249]弘农：郡名，治所弘农县，在今河南灵宝。[250]蔡王智积（？至公元六一六年）：隋文帝弟杨整之子，袭父爵为蔡王。传见《隋书》卷四十四、《北史》卷七十一。[251]縻之：谓牵制杨玄感军，使其不得离开弘农郡。縻，牛鼻绳，此处用为动词。[252]陴：城上女墙，上有孔穴，可以窥外。[253]詈：骂；责备。[254]稽留：停留。稽，停、留止。[255]据关：据守关口。关，此指潼关。[256]閿乡：据《隋书》卷七十、《北史》卷四十一，当作“阌乡”，县名，县治在今河南灵宝西。[257]皇天原：地名，故址在今河南灵宝西北。[258]槃豆：

地名，故址在今河南灵宝西。㉙壬寅：八月初一日。㉖董杜原：地名，故址在今陕西潼关县东。㉑上洛：郡名，治所上洛县，在今陕西商洛市商州区。㉒反走：反身回跑。走，跑。㉓葭芦戍：戍名，故址在今河南卢氏西。㉔戮辱：刑辱。戮，杀、惩罚。㉕磔：车裂分尸。㉖脔：碎割。㉗焚之：指把尸体焚烧。㉘义阳：郡名，治所义阳县，在今河南信阳。㉙梁郡：郡名，治所宋城县，在今河南商丘。㉚河南道：地区名，即隋河南地区。包括今河南、山东大部和安徽、江苏的部分地区。㉛襄城：郡名，治所襄城县，在今河南襄城。㉜李渊（公元五六六至六三五年）：陇西狄道（今甘肃临洮）人，仕隋，为太原留守，后起兵灭隋，创立唐朝，成为开国皇帝。庙号高祖。事见《旧唐书》卷一、《新唐书》卷一。㉝关右：关西；函谷关以西。㉞十三郡：包括天水、陇西、金城、枹罕、临洮、汉阳、灵武、朔方、平凉、弘化、延安、雕阴、上郡等。㉟相表：外貌。㊱甥：外甥。㊲何迟：为什么迟缓。㊳自晦：自我隐藏。晦，隐藏。

【原文】

癸卯[279]，吴郡[280]朱燮、晋陵[281]管崇聚众寇掠江左。燮本还俗[282]道人，涉猎经史，颇知兵法，形容[283]眇小[284]，为昆山县[285]博士[286]，与数十学生起兵，民苦役者赴之如归。崇长大，美姿容，志气倜傥，隐居常熟[287]，自言有王者相[288]，故群盗相与奉之。时帝在涿郡，命虎牙郎将[289]赵六兒将兵万人屯扬子[290]，分为五营以备南贼[291]。崇遣其将陆颉渡江，夜袭六兒，破其两营，收其器械军资而去，众益盛，至十万。

辛酉[292]，司农卿[293]云阳赵元淑[294]坐杨玄感党伏诛。帝使大理卿郑善果、御史大夫裴蕴、刑部侍郎骨仪[295]与留守樊子盖推玄感党与。仪，本天竺[296]胡人也。帝谓蕴曰："玄感一呼而从者十万，益知天下人不欲多，多即相聚为盗耳。不尽加诛，无以惩后。"子盖性既残酷，蕴复受此旨，由是峻法治之，所杀三万余人，皆籍没其家，枉死[297]者太半，流徙[298]者六千余人。玄感之围东都也，开仓赈给百姓。凡受米者，皆坑之于都城之南。玄感所善文士会稽虞绰[299]、琅邪王胄[300]俱坐徙边，绰、胄亡命，捕得，诛之。

帝善属文[301]，不欲人出其右[302]。薛道衡死，帝曰："更[303]能作'空梁

【校记】

[5] 人：原无此字。据章钰校，十二行本、乙十一行本、孔天胤本皆有此字，今据补。〖按〗《通鉴纪事本末》卷二七有此字。[6] 军：原作“兵”。据章钰校，十二行本、乙十一行本、孔天胤本皆作“军”，今据改。[7] 左：原作“右”。据章钰校，十二行本、乙十一行本皆作“左”，今据改。〖按〗《通鉴纪事本末》卷二七作“左”。[8] 功在朝夕：原无此四字。据章钰校，十二行本、乙十一行本皆有此四字，张敦仁《通鉴刊本识误》同，今据补。〖按〗《通鉴纪事本末》卷二七有此四字。[9] 之：原无此字。据章钰校，十二行本、乙十一行本、孔天胤本皆有此字，张敦仁《通鉴刊本识误》同，今据补。

【语译】

八月初二日癸卯，吴郡人朱燮、晋陵人管崇聚众抢掠江东一带。朱燮本是个还俗道人，涉猎经史，颇通兵法，形体瘦小，为昆山县博士，他和几十名学生起兵，饱受赋役之苦的百姓都像回家一样去投奔他。管崇身材高大，相貌俊美，志气不凡，隐居在常熟，自称有帝王之相，因此群盗一齐拥戴他为首领。当时隋炀帝在涿郡，命令虎牙郎将赵六兒领兵一万人驻守扬子，分为五营，以防备南面的贼人。管崇派部将陆颢渡江，夜袭赵六兒，攻破两个营垒，缴获他们的武器物资后离去。管崇的部众越来越多，达到十万人。

八月二十日辛酉，司农卿云阳人赵元淑因为是杨玄感的同党被株连判罪而死。隋炀帝派大理卿郑善果、御史大夫裴蕴、刑部侍郎骨仪与东都留守樊子盖追查杨玄感的同党。骨仪原是天竺的胡人。隋炀帝对裴蕴说：“杨玄感振臂一呼，响应的人就有十万，我越发知道天下的人不应太多，人多了就相聚为盗。不把造反的人完全杀绝，就无法惩戒后人。”樊子盖本性就残酷，裴蕴又接受了隋炀帝的这个旨意，因此，用严刑峻法惩治杨玄感同党，屠杀了三万多人，抄没他们的全都家产，冤枉而死的人有一大半，流放发配边地的有六千余人。杨玄感包围东都时，打开粮仓赈济百姓。凡是收受粮米的人，都被活埋于东都城南。与杨玄感交好的文士会稽人虞绰、琅邪人王胄也被罚流放边疆。虞绰、王胄逃亡，抓获后，处死了他们。

隋炀帝善写文章，不愿别人超过他。薛道衡被赐死，隋炀帝说：“还能写‘空梁

落燕泥’否?”王胄死，帝诵其佳句曰:“‘庭草无人随意绿’，复能作此语邪?”帝自负才学㉚，每骄天下之士，尝谓侍臣曰:“天下皆谓朕承藉绪余㉟而有四海，设㊱令朕与士大夫㊲高选，亦当为天子矣。”

帝从容谓秘书郎㉘虞世南㉙曰:“我性不喜人谏，若位望通显㉚而谏以求名者[10]，弥所不耐。至于卑贱之士，虽少宽假㉛，然卒[11]不置之地上。汝其知之!”世南，世基之弟也。

帝使裴矩安集㉜陇右，因之会宁，存问㉝曷萨那可汗部落，遣阙度设寇掠吐谷浑以自富，还而奏状㉞，帝大赏之。

九月己卯㉟，东海㊱民彭孝才起为盗，有众数万。

甲午㊲，车驾至上谷㊳，以供费㊴不给㊵，免太守虞荷等官。闰月己巳㊶，幸博陵㊷。

冬，十月丁丑㊸，贼帅吕明星围东郡㊹，虎贲郎将费青奴击破之。

刘元进帅其众将渡江，会杨玄感败，朱燮、管崇共迎元进，推以为主，据吴郡，称天子，燮、崇俱为尚书仆射，署置百官，毗陵、东阳、会稽、建安㊺豪杰多执长吏㊻以应之。帝遣左屯卫大将军代人吐万绪㊼、光禄大夫下邽鱼俱罗㊽将兵讨之。

十一月己酉㊾，右候卫将军冯孝慈讨张金称于清河，孝慈败死。

杨玄感之西也，韦福嗣亡诣东都归首㊿，是时如其比者[331]皆不问。樊子盖收玄感文簿[332]，得其书草[333]，封以呈帝，帝命执送行在。李密亡命[334]，为人所获，亦送东都。樊子盖锁送福嗣、密及杨积善、王仲伯等十余人诣高阳，密与王仲伯等窃谋亡去，悉使出其所赍金以示使者曰:“吾等死日，此金并留付公，幸用相瘗[335]，其余即皆报德。”使者利其金，许诺，防禁渐弛。密请通市[336]酒食，每宴饮，喧哗竟夕[337]，使者不以为意，行至魏郡[338]石梁驿[339]，饮[340]防守者皆醉，穿墙而逸[341]。密呼韦福嗣同去，福嗣曰:“我无罪，天子不过一面[342]责我耳。”至高阳，帝以书草示福嗣，收付大理[343]。宇文述奏:“凶逆[344]之徒，臣下所当同疾，若不为重法，无以肃将来。”帝曰:“听公所为。”十二月甲申[345]，述就野外，缚诸应刑者于格[346]上，以车轮括[347]其颈，使文武九品以上皆持

落燕泥’吗?”王胄被处死，隋炀帝吟诵他的佳句，说:“‘庭草无人随意绿’，还能写这样的句子吗?”隋炀帝自负有文才学问，常傲视天下的文士，曾对侍臣说:“天下人都认为朕继承先帝的遗业才拥有天下，实际上即使让朕和士大夫一样参加选拔，我也应当做天子。”

隋炀帝闲谈时对秘书郎虞世南说:“我生性不喜欢别人进谏，如果是位高望重还想通过进谏来搏取名声的人，我更加不能容忍。至于地位卑贱的士人，虽然可以稍许宽容，但最终也不会让他有安身立命之地。你要知道!”虞世南，是虞世基的弟弟。

隋炀帝派裴矩安抚陇右，裴矩于是到了会宁，慰问曷萨那可汗部落，派阙度设劫掠吐谷浑来增加自己的财富。裴矩回到京都把情况向隋炀帝奏报，隋炀帝大加赞许。

九月初八日己卯，东海郡人彭孝才起来造反，有数万之众。

九月二十三日甲午，隋炀帝车驾到达上谷，因为供应的费用不足，罢免了太守虞荷等人的官职。闰九月二十八日己巳，幸临博陵。

冬，十月初七日丁丑，贼人的首领吕明星包围东郡，虎贲郎将费青奴打败了他。

刘元进率领部众将渡过长江，恰逢杨玄感败亡，朱燮、管崇一起迎接刘元进，推举他为头领，攻占吴郡，自称天子，朱燮、管崇都担任尚书仆射，设置百官，毗陵、东阳、会稽、建安等郡的地方豪绅，大都抓捕了地方长官，响应刘元进。隋炀帝派遣左屯卫大将军代郡人吐万绪、光禄大夫下邽人鱼俱罗领兵讨伐。

十一月初九日己酉，右候卫将军冯孝慈在清河郡讨伐张金称，冯孝慈战败而死。

杨玄感向西进兵的时候，韦福嗣逃到东都投案自首，当时像他这样的人都不追究。樊子盖收缴了杨玄感的文书信札，发现了韦福嗣所写的文书草稿，密封呈送隋炀帝，隋炀帝下令把韦福嗣押送到行在所。李密逃亡，被人抓获，也被押送到东都。樊子盖给韦福嗣、李密，以及杨积善、王仲伯等十多个人上了枷锁，押送到高阳，李密与王仲伯等人暗中策划逃亡，让大家拿出了身边所带的全部金子给使者看，并说:“我们死的那一天，这些金子全部留下交给你，请你用来给我们安葬，剩余的金子你收下算是我们报答你的恩德。”使者贪图金子，答应了，逐渐放松了防备。李密请求使者允许到酒店买酒食，每次宴饮，喧哗通宵，使者满不在意。走到魏郡石梁驿，让防守的人都喝醉了，李密等人凿穿墙壁逃走。李密叫韦福嗣一起逃走，韦福嗣说:“我没有罪，天子不过见一次面训斥我罢了。”到了高阳，隋炀帝把缴获的文书草稿出示给韦福嗣，把他收押交给大理寺。宇文述上奏说:“凶恶叛逆之徒，臣下都应该痛恨，如果不处以重刑，就不能警戒后来。”隋炀帝说:“任你处置。”十二月十五日甲申，宇文述到野外，把那些应该受刑的人绑在木头支架上，用车轮套住头颈，让九品以上的文武官员全都手持兵器又砍又射，乱箭射到受刑者身上如同刺

兵[348]斫射，乱发矢如猬毛[349]，支体糜碎[350]，犹在车轮中。积善、福嗣仍加车裂，皆焚而扬之。积善自言手杀玄感，冀得免死。帝曰："然则枭类[351]耳！"因更其姓曰枭氏。

唐县[352]人宋子贤，善幻术[353]，能变佛形，自称弥勒出世，远近信惑，遂谋因无遮大会[354]举兵袭乘舆，事泄，伏诛，并诛党与千余家。

扶风[355]桑门[356]向海明亦自称弥勒出世，人有归心者，辄获吉梦，由是三辅人翕然[357]奉之，因举兵反，众至数万。丁亥[358]，海明自称皇帝，改元白乌。诏太仆卿杨义臣击破之。

帝召卫文昇、樊子盖诣行在，慰劳之，赏赐极厚，遣还所任[359]。

刘元进攻丹阳[360]，吐万绪济江击破之，元进解围去，绪进屯曲阿[361]。元进结栅拒绪，相持百余日，绪击之，贼众大溃，死者以万数。元进挺身[362]夜遁，保其垒。朱燮、管崇等屯毗陵，连营百余里，绪乘胜进击，复破之。贼退保黄山[363]，绪围之，元进、燮仅以身免，于陈[364]斩崇及其将卒五千余人，收其子女三万余口，进解会稽[365]围。鱼俱罗与绪偕行[366]，战无不捷，然百姓从乱者如归市[367]，贼败而复聚，其势益盛。

元进退据建安，帝令绪进讨，绪以士卒疲弊，请息甲[368]待来春，帝不悦。俱罗亦以贼非岁月[369]可平，诸子在洛京[370]，潜遣家仆迎之，帝怒。有司希旨，奏绪怯懦，俱罗败衄[371]，俱罗坐斩，征绪诣行在，绪忧愤，道卒。

帝更遣江都[372]丞王世充发淮南[373]兵数万人讨元进。世充渡江，频战皆捷，元进、燮败死于吴[374]，其余众或降或散。世充召先降者于通玄寺[375]瑞像[376]前焚香为誓，约降者不杀。散者始欲入海为盗，闻之，旬日[12]之间，归首略尽，世充悉坑之于黄亭涧[377]，死者三万余人。由是余党复相聚为盗，官军不能讨，以至隋亡。帝以世充有将帅才，益加宠任。

是岁，诏为盗者籍没其家。时群盗所在皆满，郡县官因之各专威福，生杀任情矣。

章丘杜伏威[378]与临济辅公祏[379]为刎颈交[380]，俱亡命为群盗。伏威

猬毛，受刑者肢体糜烂破碎，仍被套在车轮之中。杨积善和韦福嗣另外还要处以车裂之刑，都焚尸扬灰。杨积善说自己亲手杀死了杨玄感，希望能免一死。隋炀帝说：“那么你就是枭鸟之类的东西罢了!”便改杨积善的姓为枭。

唐县人宋子贤，擅长幻术，能变幻成佛的形像，自称是弥勒出世。远近的人被迷惑相信，宋子贤于是图谋利用举行无遮大会的机会举兵袭击隋炀帝车驾，事情泄露，宋子贤被诛杀，牵连被杀的同党有一千多家。

扶风和尚向海明也自称是弥勒出世，想要归附他的人，就会做吉利的梦，因此三辅地方的人都纷纷信奉他，向海明于是起兵造反，部众达到数万人。十二月十八日丁亥，向海明自称皇帝，改年号为白乌。隋炀帝下诏命令太仆卿杨义臣攻打向海明，打败了他。

隋炀帝宣召卫文昇、樊子盖前往行宫，慰劳他们，赏赐极为丰厚，命令他们回到自己的任上。

刘元进攻打丹阳，吐万绪渡江打败了他，刘元进解围离去，吐万绪进军驻屯曲阿。刘元进构筑栅栏抵抗吐万绪，双方相持百余日，吐万绪发起进攻，刘元进部众大败，死者数万。刘元进脱身夜遁，坚守营垒。朱燮、管崇等人驻守毗陵，军营连绵一百多里。吐万绪乘胜进击，又把朱燮、刘元进等人击败。朱、刘等人退保黄山，吐万绪包围了他们，刘元进、朱燮仅只身逃出，官军在阵前斩杀管崇及其将士五千余人，俘获其子女三万余人，还进军解了会稽之围。鱼俱罗与吐万绪一起出征，战无不胜，但是百姓随从造反的人多得如同赶集一样，贼兵失败后又聚集起来，声势更加壮大。

刘元进退守建安，隋炀帝命令吐万绪进军讨伐，吐万绪因士卒疲惫不堪，请求停战等来年春天，隋炀帝很不高兴。鱼俱罗也认为造反的人不是短期可以平定的，他的几个儿子都在东都洛阳，暗地派家奴来接鱼俱罗，隋炀帝很生气。主管官员迎合隋炀帝的旨意，上奏说吐万绪懦弱怯敌，鱼俱罗常打败仗，鱼俱罗获罪被斩，隋炀帝征召吐万绪到行宫，吐万绪忧惧悲愤，在途中死去。

隋炀帝另外派遣江都郡丞王世充征调淮南兵几万人讨伐刘元进。王世充渡江，屡战皆胜，刘元进、朱燮在吴县兵败身亡，他们的残余部众有的投降，有的逃散。王世充召集先投降的人在通玄寺的佛像前焚香盟誓，约定不杀投降的人。逃散的人起先想入海为盗，听到这个消息，十天之内，几乎全部回来自首，王世充把这些人全部活埋在黄亭涧，死的人有三万多名，因此，其余的人又相聚为盗，官军不能讨伐平定，以至隋亡。隋炀帝认为王世充有将帅之才，对他更加宠信重用。

这一年，隋炀帝下诏，凡做盗贼的人，抄没其家。当时到处都是成群的盗贼，各地郡县官吏借机作威作福，随意生杀。

章丘人杜伏威和临济人辅公祏是生死之交，他们一起逃亡聚众为盗。杜伏威年十六，每出则居前[381]，入则殿后[382]，由是其徒推以为帅。下邳苗海潮亦聚众为盗，伏威使公祏谓之曰："今我与君同苦隋政[383]，各举大义[384]，力分势弱，常恐被擒，若合为一，则足以敌隋矣。君能为主，吾当敬从。自揆[385]不堪，宜来听命，不则一战以决雌雄[386]。"海潮惧，即帅其众降之。伏威转掠淮南，自称将军，江都留守遣校尉[387]宋颢讨之，伏威与战，阳为不胜，引颢众入葭苇[388]中，因从上风纵火，颢众皆烧死。海陵[389]贼帅赵破陈以伏威兵少，轻之[390]，召与并力[391]，伏威使公祏严兵[392]居外，自与左右十人赍牛酒入谒，于座杀破陈，并其众。

【段旨】

以上为第四段，写隋炀帝平定杨玄感之乱，并未警悟戒惧，而是变本加厉施行暴政，信用群小，赏罚颠倒。民不堪命，江淮地区民众暴动，成了大起义的中心。

【注释】

㉗⁹癸卯：八月初二日。⑳吴郡：郡名，治所吴县，在今江苏苏州。㉘¹晋陵：郡名，治所晋陵县，在今江苏常州。㉘²还俗：出家为僧道后，再回家为俗人，称还俗。㉘³形容：容貌、体形。㉘⁴眇小：细小。㉘⁵昆山县：县名，县治在今江苏苏州。㉘⁶博士：县博士不见于《隋志》，大概位在曹佐、市令之下。㉘⁷常熟：县名，县治在今江苏常熟境。㉘⁸王者相：帝王的相貌。㉘⁹虎牙郎将：武官名，隋代十二卫虎贲郎将的副将，掌宿卫。㉚扬子：地名，故址在今江苏仪征东南。㉚¹南贼：指在江南一带活动的刘元进、朱燮、管崇等反隋军队。㉚²辛酉：八月二十日。㉚³司农卿：官名，司农寺长官，掌仓市薪米、园池果实等。㉚⁴赵元淑（？至公元六一三年）：博陵（今河北定州）人，寓居云阳（今陕西泾阳西北）。历仕北周、隋，官至司农卿。传见《隋书》卷七十、《北史》卷四十一。㉚⁵骨仪（？至公元六一七年）：京兆长安（今陕西西安）人，仕隋，官至刑部侍郎。传附《隋书·阴寿传》《北史·阴寿传》。㉚⁶天竺：古国名，即今印度。㉚⁷枉死：受冤枉而死的。枉，冤屈。㉚⁸流徙：流放。㉚⁹虞绰（公元五六一至六一三年）：字士裕，会稽余姚（今浙江余姚）人，历仕陈、隋，官至著作佐郎。传见《隋书》卷七十六、《北史》卷八十三。㉛王胄（公元五五八至六一三年）：字承基，琅邪临沂（今山东临沂）人，历仕陈、隋，官至朝散大夫。传见《隋书》卷七十六、《北史》卷八十三。㉛¹属文：写作。属，撰

十六岁，每次出战都冲锋在前，撤退时他便在最后断敌，因此同伙推举他为首领。下邳人苗海潮也聚众为盗，杜伏威派辅公祏对苗海潮说："如今我和您都深受隋朝苛政之苦，各举义旗，力量分散，势力弱小，常常担心被擒获。如果我们合而为一，那么就足以对抗隋朝了。要是您能当领袖，我当恭敬相从，要是您估量自己不能胜任，就应前来听从我的命令，否则我们只能一战以决雌雄。"苗海潮害怕，随即率领部众归降了杜伏威。杜伏威在淮南一带转战劫掠，自称将军。江都留守派校尉宋颢率兵讨伐，杜伏威与宋颢交战，假装不胜，把宋颢部众引入芦苇丛中，乘机在上风向放火，宋颢部众全被烧死。海陵贼人首领赵破陈认为杜伏威兵少，看不起他，想把杜伏威召来兼并。杜伏威派辅公祏布兵在外，自己和身边十个人带着牛肉美酒进入赵破陈的营帐拜见他，把赵破陈杀死在座位上，兼并了他的部众。

写。㉚2 右：上。古人常以右为尊。㉚3 更：还；再。㉚4 才学：才能与学问。㉚5 承藉绪余：指承继帝王之业。承藉，凭借。藉，借。绪余，业余、遗业。指帝王绪业之余。㉚6 设：假使；假若。㉚7 士大夫：古代指居官有职位的人。㉚8 秘书郎：官名，隶秘书省，掌校写经籍图书。㉚9 虞世南（公元五五八至六三八年）：字伯施，越州余姚（今浙江余姚）人，历仕陈、隋与唐三代，官至银青光禄大夫、弘文馆学士。有文集三十卷。传见《旧唐书》卷七十二、《新唐书》卷一百二。㉛0 通显：谓官位高，名声大。㉛1 宽假：宽贷；宽容。假，宽容。㉛2 安集：安抚聚集。㉛3 存问：慰问；问候。㉛4 奏状：把情况上奏朝廷。状，状况、情状。㉛5 己卯：九月初八日。㉛6 东海：郡名，治所朐山县，在今江苏连云港市海州区。㉛7 甲午：九月二十三日。㉛8 上谷：郡名，治所易县，在今河北易县。㉛9 供费：供应的费用。㉜0 不给：不足。给，丰足。㉜1 己巳：闰九月二十八日。㉜2 博陵：郡名，治所鲜虞县，在今河北定州。㉜3 丁丑：十月初七日。㉜4 东郡：郡名，治所瑕丘，在今山东济宁市兖州区。㉜5 毗陵、东阳、会稽、建安：皆郡名。毗陵郡，治所晋陵县，在今江苏常州。东阳郡，治所金华县，在今浙江金华。建安郡，治所闽县，在今福建福州。㉜6 长吏：县令、长、丞等皆称长吏，泛指地方官中地位较高的人。㉜7 吐万绪（？至公元六一三年）：字长绪，代郡（今山西代县）鲜卑族人，历仕北周、隋，官至左屯卫大将军。传见《隋书》卷六十五、《北史》卷七十八。㉜8 鱼俱罗：冯翊下邽（今陕西渭南北）人，仕隋，官至车骑将军。传见《隋书》卷六十四、《北史》卷七十八。㉜9 己酉：十一月初九日。㉝0 归首：投案自首。㉝1 如其比者：与韦福嗣相类似的。比，类似。㉝2 文簿：公文案卷。㉝3 书草：指给樊子盖书信的草稿。㉝4 亡命：逃亡在外。㉝5 瘗：埋葬。㉝6 通市：通商。此指以金买物。㉝7 竟夕：终夜。竟，穷、终。㉝8 魏郡：郡名，治所安阳县，在今

河南安阳。[339]石梁驿：驿站名，故址在今河南安阳。[340]饮：使防守者饮酒。[341]逸：逃亡。[342]一面：一次会面。[343]大理：官署名，即大理寺，掌刑法狱案。[344]凶逆：凶恶的反叛者。凶，恶。[345]甲申：十二月十五日。[346]格：支架。[347]括：捆束。[348]持兵：手拿兵器。兵，兵器。[349]猬毛：刺猬毛。形容箭矢之多。[350]糜碎：又烂又碎。糜，烂。[351]枭类：枭鸟之类。枭，鸟名，猫头鹰。古时传说枭食其母，故以枭比喻恶人。[352]唐县：县名，县治在今河北唐县西。[353]幻术：幻化的法术；魔术。幻，假而似真，虚而不实。[354]无遮大会：佛教举行的一种以布施为中心的法会，梵语般闍于瑟。华言解免。每五年举行一次，故也称般遮大会或五年大会。[355]扶风：郡名，治所雍县，在今陕西宝鸡市凤翔区。[356]桑门：僧。梵语。即“沙门”的不同译法。[357]翕然：聚合趋附的样子。翕，合、聚。[358]丁亥：十二月十八日。[359]遣还所任：命他们各自返回留守任所。[360]丹阳：据胡三省注，此丹阳不是《隋志》之丹阳郡，而是润州管下丹阳县。[361]曲阿：丹阳县治，在今江苏丹阳。[362]挺身：引身；脱身。[363]黄山：山名，一名笔架山，在今江苏苏州西南。[364]陈：通“阵”。[365]会稽：郡名，治所山阴县，在今浙江绍兴。[366]偕行：相伴而行。偕，共同、一起。[367]归市：拥向集市。形容人多而踊跃。[368]息甲：解除盔甲，停战之意。[369]岁月：年月；时序。此指短期间内。[370]洛京：指洛阳。洛阳为隋东都，故称为洛京。[371]败衄：战败。衄，挫折、失败。[372]江都：郡名，治所江阳，在今江苏扬州。[373]淮南：泛指淮河以南地区，大致为今江苏、安徽两省长江以北、淮河以南的地方。[374]吴：指吴县。吴郡治所，在今江苏苏州。[375]通玄寺：寺名，故址在今河南洛阳内。[376]瑞像：指佛像。[377]黄亭

【原文】

十年（甲戌，公元六一四年）

春，二月辛未[393]，诏百僚议伐高丽，数日，无敢言者。戊子[394]，诏复征天下兵，百道俱进。

丁酉[395]，扶风贼帅唐弼立李弘芝为天子，有众十万，自称唐王。

三月壬子[396]，帝行幸涿郡，士卒在道，亡者相继。癸亥[397]，至临渝宫[398]，祃祭[399]黄帝[400]，斩叛军者以衅鼓[401]，亡者亦不止。

夏，四月，榆林[402]太守成纪董纯[403]与彭城贼帅张大虎战于昌虑[404]，大破之，斩首万余级。

甲午[405]，车驾至北平[406]。

涧：山涧名，故址在今河南巩义西南。378杜伏威（？至公元六二二年）：齐州章丘（今山东济南市章丘区西北）人，起兵反隋后，占有江东、淮南之地。后降唐，官至太子太保，兼行台尚书令。传见《旧唐书》卷五十六、《新唐书》卷九十二。379辅公祏（？至公元六二二年）：齐州临济（今山东济南市章丘区西北）人，与杜伏威一同起兵反隋，后降唐，又反，被杀。传见《旧唐书》卷五十六、《新唐书》卷八十七。380刎颈交：指友谊深挚，可以同生死共患难的朋友。381出则居前：每出战则冲锋在前。382入则殿后：回营则在最后断敌。退却在后的意思。殿，行军的尾部，容易受敌人袭击。383苦隋政：为隋政所苦。384举大义：指起义兵反隋。385自揆：自己揣度。揆，测度、度量。386决雌雄：决定胜负。387校尉：武官名，隋炀帝设置鹰扬府郎将，每府置越骑校尉二人，掌骑兵；步兵校尉二人，掌步兵。388葭苇：芦苇。389海陵：县名，县治在今江苏泰州。390轻之：指轻视杜伏威。391并力：合力。392严兵：严密布置军队。

【校记】

［10］者：原无此字。据章钰校，十二行本、乙十一行本、孔天胤本皆有此字，张敦仁《通鉴刊本识误》同，今据补。［11］卒：原无此字。据章钰校，十二行本、乙十一行本皆有此字，张敦仁《通鉴刊本识误》同，今据补。〖按〗《通鉴纪事本末》卷二六、《通鉴纲目》卷三七上皆有此字。［12］日：原作“月”。据章钰校，十二行本、乙十一行本、孔天胤本皆作“日”，今据改。〖按〗《通鉴纪事本末》卷二六作“日”。

【语译】

十年（甲戌，公元六一四年）

春，二月初三日辛未，隋炀帝下诏百官商议讨伐高丽。一连几天，都没有人敢说话。二十日戊子，下诏再次征调全国军队，被征调的各路军队同时进发。

二月二十九日丁酉，扶风的贼人首领唐弼拥立李弘芝为天子，有部众十万，自称唐王。

三月十四日壬子，隋炀帝出行驾临涿郡，途中士兵不断逃亡。二十五日癸亥，隋炀帝到达临渝宫，在野外祭祀黄帝，斩杀叛离部队的士兵，用他们的血祭鼓，但逃亡也未能被禁止。

夏，四月，榆林太守成纪人董纯与彭城贼兵首领张大虎在昌虑交战，把张大虎打得大败，斩杀一万多人。

四月二十七日甲午，隋炀帝车驾到达北平。

五月庚申[407]，延安[408]贼帅刘迦论自称皇王，建元[409]大世，有众十万，与稽胡相表里为寇。诏以左骁卫大将军屈突通为关内讨捕大使[410]，发兵击之，战于上郡[411]，斩迦论并[13]将卒[412]万余级，虏男女数万口而还。

秋，七月癸丑[413]，车驾次怀远镇。时天下已乱，所征兵多失期[414]不至，高丽亦困弊。来护兒至毕奢城[415]，高丽举兵逆战，护兒击破之，将趣平壤，高丽王元惧，甲子[416]，遣使乞降，囚送斛斯政。帝大悦，遣使持节召护兒还。护兒集众曰："大军三出，未能平贼，此还不可复来，劳而无功，吾窃耻[417]之。今高丽实困，以此众击之，不日[418]可克，吾欲进兵径围平壤，取高元，献捷而归，不亦善乎？"答表请行，不肯奉诏[419]。长史崔君肃固争，护兒不可，曰："贼势破矣，独以相任，自足办之。吾在阃外[420]，事当专决，宁得高元还而获谴[421]，舍此成功，所不能矣！"君肃告众曰："若从元帅违拒[422]诏书，必当闻奏，皆应获罪。"诸将惧，俱请还，乃始奉诏。

八月己巳[423]，帝自怀远镇班师。邯郸[424]贼帅杨公卿帅其党八千人，抄[425]驾后第八队，得飞黄上厩[426]马四十二匹而去。冬，十月丁卯[427]，上至东都。己丑[428]，还西京。以高丽使者及斛斯政告太庙，仍征高丽王元入朝，元竟不至。敕将帅严装[429]，更图后举[430]，竟不果行。

初，开皇之末，国家殷盛[431]，朝野皆以高丽为意[432]，刘炫独以为不可，作《抚夷论》[433]以刺之，至是，其言始验。

十一月丙申[434]，杀斛斯政于金光门[435]外，如杨积善之法，仍烹[436]其肉，使百官啖之，佞者或啖[437]之至饱，收其余骨，焚而扬之。

乙巳[438]，有事[439]于南郊，上不斋于次[440]。诘朝[441]，备法驾[442]，至即行礼。是日，大风。上独献[443]上帝，三公分献五帝[444]。礼毕，御马疾驱而归。

乙卯[445]，离石胡[446]刘苗王反，自称天子，众至数万。将军潘长文讨之，不克。

汲郡[447]贼帅王德仁拥众数万，保林虑山[448]为盗。

帝将如东都，太史令庾质谏曰："比岁[449]伐辽，民实劳弊[450]，陛下宜镇抚关内，使百姓尽力农桑，三五年间，四海稍丰实，然后巡省[451]，

五月二十三日庚申，延安贼兵首领刘迦论自称皇王，建年号为大世，拥有部众十万人，与稽胡部落里应外合抄掠抢劫。隋炀帝下诏任命左骁卫大将军屈突通为关内讨捕大使，发兵攻打刘迦论，在上郡交战，屈突通杀了刘迦论和他的一万多部众，俘虏男女数万人而回。

秋，七月十七日癸丑，隋炀帝车驾停驻怀远镇。当时全国大乱，征调的士兵多数不能按期到达，高丽国也困乏疲惫。来护兒到达毕奢城，高丽发兵迎战，来护兒打败高丽军队，将要奔赴平壤，高丽王高元害怕了。二十八日甲子，派遣使者请求投降，把斛斯政用囚车送还。隋炀帝大为高兴，派使者持节召来护兒回师。来护兒集合众将说："隋朝大军三次出征，没有能够平定高丽，这次回去不可能再来了，劳而无功，我个人深感羞愧。如今高丽确实困窘，拿我们这些军队攻击它，要不了几天就可打败他们，我打算进兵直接包围平壤，抓获高元，献上战果然后班师，不是更好吗?"于是来护兒回报奏表请求进兵，不肯接受回军的诏命。长史崔君肃坚决反对，来护兒不听，说："高丽的兵势已经崩溃，只需我们这一路军队，足以平定。我现在统兵在外，遇事可以独断专行，宁愿抓获高元回去而被皇上治罪，舍弃这次成功，我做不到啊!"崔君肃告诉众将官说："如果听从元帅违抗诏命，我一定要上奏皇上，大家都要被治罪。"众将官都害怕了，全都请求回师，来护兒这才听从了诏命。

八月初四日己巳，隋炀帝从怀远镇班师。邯郸县贼军首领杨公卿率领他的同党八千人，抢劫皇上车驾后面的第八队官兵，获得飞黄上厩所养御用骏马四十二匹后离去。冬，十月初三日丁卯，隋炀帝到达东都洛阳。二十五日己丑，返回西京长安。隋炀帝用高丽使者和斛斯政祭告太庙，便征召高丽王高元入朝觐见，高元最终没来。隋炀帝下令将帅严装待命，准备再次东征高丽，结果没有成行。

当初，开皇末年，朝廷殷实强盛，朝野上下都想讨伐高丽，只有刘炫认为不可，作了《抚夷论》来批评，到这时，他的话才得到验证。

十一月初二日丙申，在金光门外杀了斛斯政，就像杀杨积善的方法一样，还把他的肉下锅煮熟，让百官们吃，一些奸佞之徒甚至吃饱了肚子，最后收取剩下的骨头，烧成灰散扬。

十一月十一日乙巳，在南郊祭天，皇上没有至斋戒处斋戒。第二天早上，备好法驾，到达南郊立即举行祭祀典礼。当天，大风，皇上单独向昊天上帝献祭，三公分别向五方帝献祭。礼仪完毕，隋炀帝乘马飞奔回宫。

十一月二十一日乙卯，离石郡胡人刘苗王造反，自称天子，部众达到数万。隋军将领潘长文讨伐他，没有取胜。

汲郡贼军首领王德仁拥有部众几万人，据守林虑山为盗。

隋炀帝将往东都，太史令庾质谏阻说："近年征伐辽东，百姓实在劳苦疲惫，陛下应该安抚关内，使百姓致力农桑，三五年内，国家逐渐殷实富裕了，然后巡视各

于事为宜。”帝不悦。质辞疾不从，帝怒，下质狱，竟死狱中。十二月壬申[452]，帝如东都，赦天下。戊子[453]，入东都。

东海贼帅彭孝才转掠沂水[454]，彭城[455]留守董纯讨擒之。纯战虽屡捷，而盗贼日滋[456]。或谮纯怯懦，帝怒，锁纯诣东都，诛之。

孟让自长白山寇掠诸郡，至盱眙[457]，众十余万，据都梁宫[458]，阻淮为固[459]。江都丞王世充将兵拒之，为五栅以塞险要，羸形[460]示弱。让笑曰：“世充文法小吏[461]，安能将兵？吾今生缚取[462]，鼓行入江都耳。”时民皆结堡自固，野无所掠，贼众渐馁，乃少留兵，围五栅，分人于南方抄掠。世充伺其懈，纵兵出击，大破之，让以数十骑遁去，斩首万余级。

齐郡贼帅左孝友众十万屯蹲狗山[463]，郡丞张须陀列营逼之，孝友窘迫[464]出降。须陀威振东夏[465]，以功迁齐郡通守[466]，领河南道十二郡黜陟讨捕大使[467]。涿郡贼帅卢明月众十余万军祝阿[468]，须陀将万人邀之。相持十余日，粮尽，将退，谓将士曰：“贼见吾退，必悉众来追，若以千人袭据[469]其营，可有大利。此诚危事，谁能往者？”众莫对，唯罗士信及历城秦叔宝[470]请行。于是须陀委[471]栅而遁，使二人分将千兵伏葭苇中，明月悉众追之。士信、叔宝驰至其栅，栅门闭，二人超升其楼，各杀数人，营中大乱。二人斩关[472]以纳外兵，因纵火焚其三十余栅，烟焰涨天。明月奔还，须陀回军奋击，大破之，明月以数百骑遁去，所俘斩[473]无算[474]。叔宝名琼，以字行[475]。

【段旨】

以上为第五段，写大业十年（公元六一四年），隋军在全国各地镇压起义军，各路隋军多次打胜仗，但起义的人却越来越多，在全国形成了燎原之势。

【注释】

[393]辛未：二月初三日。[394]戊子：二月二十日。[395]丁酉：二月二十九日。[396]壬子：三月十四日。[397]癸亥：三月二十五日。[398]临渝宫：行宫名，故址在今河北卢龙境。[399]祃祭：古代行军在野外祭神称祃祭。[400]黄帝：古代传说中的五帝之一。他曾于阪泉打败炎

地，这样才比较合宜。”隋炀帝听了不高兴。于是庾质借口有病不跟随皇上出行，隋炀帝很生气，把庾质关进监狱，庾质竟死在狱中。十二月初九日壬申，隋炀帝前往东都，大赦天下。二十五日戊子，隋炀帝进入东都。

东海反贼军首领彭孝才辗转抢掠到沂水，彭城留守董纯讨伐并把他擒获。董纯虽然屡战屡捷，但是造反的人却一天比一天多。有人进谗言说董纯怯懦，隋炀帝大怒，将董纯戴上枷锁押往东都，把他杀了。

孟让从长白山寇掠各郡，到达盱眙，有部众十多万，占据都梁行宫，凭借淮水固守。江都丞王世充领兵抵抗孟让，构建了五个营寨阻塞险要地方，外露衰疲，以示势弱。孟让笑着说：“王世充是个文法小吏，哪能带兵？我今天要活捉他，击鼓行进，攻入江都。”当时百姓都构筑堡垒自守，野外没有可抢掠的物资，孟让的军队渐渐饥饿，于是留下少量兵力，包围王世充的五处营寨，分兵到南方抢掠。王世充趁孟让松懈，纵兵出击，大败孟让，孟让带了几十个骑兵逃走，官军斩杀一万多人。

齐郡贼军首领左孝友的十万部众屯驻蹲狗山，齐郡郡丞张须陀列阵进逼蹲狗山，左孝友走投无路，只得出山投降。张须陀威振东夏，因功升迁齐郡通守，兼任河南道十二郡黜陟讨捕大使。涿郡贼军首领卢明月的部众十多万人驻扎在祝阿县，张须陀带兵一万人截击他。双方相持十多天，粮食吃光了，将要撤退，张须陀对将士们说：“贼兵看见我们后退，一定全部出动来追击，如果用一千人袭击并占据他们的大营，可以建立大功，这当然是危险事，谁能前往？”大家没有作声，只有罗士信和历城人秦叔宝请求前往。于是张须陀弃营退走，让罗士信和秦叔宝分别率领一千名士兵埋伏在芦苇丛中，卢明月出动所有部众追击张须陀。罗士信、秦叔宝奔驰到卢明月营寨，营门紧闭，二人爬过栅栏登上门楼，各杀死数人，营中大乱。二人砍开营门，放外面士兵进入，于是纵火烧毁了卢明月的三十多处营寨，烟火满天。卢明月飞奔回营，张须陀回军奋击，大败卢明月。卢明月率领几百骑逃走，官军俘获杀死的敌人不计其数。秦叔宝名琼，以字号行世。

帝，又于涿鹿之野杀死蚩尤，从而平定天下，诸侯尊他为天子。此指隋炀帝祃祭黄帝是为了求福。㊶衅鼓：杀人用血涂鼓。衅，血祭。杀牲后，以牲血涂于器物的缝隙也称衅。㊷榆林：郡名，治所榆林县，在今内蒙古准格尔旗东北。㊸董纯（？至公元六一四年）：字德厚，陇西成纪（今甘肃静宁西南）人，仕隋，官至榆林太守。传见《隋书》卷六十五、《北史》卷七十八。㊹昌虑：县名，县治在今山东滕州东南。㊺甲午：四月二十七日。㊻北平：郡名，治所新昌县，在今河北卢龙。㊼庚申：五月二十三日。㊽延安：郡名，治所肤施县，在今陕西延安东。㊾建元：设立年号。㊿讨捕大使：官名，隋炀帝

临时特派去镇压各地反叛的使节。(411)上郡：郡名，治所洛交县，在今陕西富县。(412)并将卒：及其将卒；连同将卒。(413)癸丑：七月十七日。(414)失期：超过规定的日期。(415)毕奢城：城名，即卑沙城，在今辽宁大连东北。(416)甲子：七月二十八日。(417)窃耻：私下认为是耻辱。窃，自谦之词，指自己、私下。(418)不日：不久；没几天。(419)奉诏：奉行诏令。(420)阃外：指统兵在外。阃，指郭门、国门。(421)获谴：受到治罪。谴，罪过。(422)违拒：违背抗拒。(423)己巳：八月初四日。(424)邯郸：县名，县治在今河北邯郸。(425)抄：掠夺；抢劫。(426)飞黄上厩：饲养御马的场所。隋尚乘局置左、右六闲，其一是左、右飞黄闲。厩，马棚。(427)丁卯：十月初三日。(428)己丑：十月二十五日。(429)严装：也作“严妆”。整齐装束。(430)后举：指以后再兴兵讨伐高丽的举动。(431)殷盛：富足强盛。殷，富裕。(432)以高丽为意：以讨伐高丽为自己的愿望。意，愿望、意图。(433)抚夷论：文章名，其意以为高丽不可伐，用以讽劝人们。(434)丙申：十一月初二日。(435)金光门：城门名，即大兴城西三门之中的中门。(436)烹：古代用鼎镬煮人的酷刑。(437)啖：吃。(438)乙巳：十一月十一日。(439)有事：指祭祀。(440)次：指祭祀前斋戒之处。(441)诘朝：明旦；明朝。(442)法驾：皇帝的车驾。也称法车。隋炀帝改开皇制度，法驾由六乘改为十二乘。(443)献：献祭。(444)五帝：指天上五方之帝。东方苍帝，西方白帝，南方赤帝，北方黑帝，中央黄帝。(445)乙卯：十一月二十一日。(446)离石胡：离石，郡名，治所离石县，在今山西吕梁市离石区。离石胡即指居住在离石郡一带的胡人。(447)汲郡：郡名，治所卫县，在今河南淇县东。(448)林虑山：山名，一名隆虑山。故址在今河南林州西。(449)比岁：近年。(450)劳弊：疲劳破弊。(451)巡省：

【原文】

十一年（乙亥，公元六一五年）

春，正月，增秘书省官百二十员[476]，并以学士[477]补之。帝好读书著述，自为扬州总管，置王府学士至百人，常令修撰[478]，以至为帝，前后近二十载，修撰未尝暂停。自经术[479]、文章、兵、农、地理、医、卜、释、道乃至蒱博[480]、鹰狗，皆为新书，无不精洽[481]，共成三十一部，万七千余卷。初，西京嘉则殿有书三十七万卷，帝命秘书监柳顾言[482]等诠次[483]，除其复重猥杂[484]，得正御本[485]三万七千余卷，纳于东都修文殿。又写五十副本，简为三品[486]，分置西京、东都宫、省、官府，其正御[14]书皆装翦华净，宝轴[487]锦褾[488]。于观文殿前为书室十四间，巡视。巡，察看。省，察看。㊺②壬申：十二月初九日。㊺③戊子：十二月二十五日。㊺④沂水：水名，今称沂河，源出今山东沂源鲁山，南流经临沂入江苏境。㊺⑤彭城：郡名，治所彭城县，在今江苏徐州。㊺⑥日滋：一天比一天增多。滋，增长。㊺⑦盱眙：县名，县治在今江苏盱眙东北。㊺⑧都梁宫：行宫名，故址在今江苏盱眙境。㊺⑨阻淮为固：以淮水相阻隔进行固守。㊻⓪羸形：虚弱。㊻①文法小吏：只懂得法令条文的小官。文法，法制、法令条文。㊻②生缚取：活捉。㊻③蹲狗山：山名，以形似蹲坐的狗而得名。故址在今山东济南附近。㊻④窘迫：困迫；无路可走。㊻⑤东夏：中国的东部。夏，中国的古称。㊻⑥通守：官名，隋炀帝改州为郡，郡置太守，又各加置通守一人，位在太守下，佐助太守，治理郡事。㊻⑦黜陟讨捕大使：官名，天子临时差遣，掌督察官吏与讨伐反叛。黜，降职。陟，升迁。㊻⑧军祝阿：驻军祝阿。祝阿，县名，县治在今山东禹城市西南。㊻⑨袭据：袭破而占据。㊼⓪秦叔宝（？至公元六三八年）：名琼，齐州历城（今山东济南）人，先仕隋，后加入李密军，最终归唐，官至左武卫大将军，封翼国公。传见《旧唐书》卷六十八、《新唐书》卷八十九。㊼①委：丢弃。㊼②斩关：杀死营门守兵。㊼③俘斩：俘虏与斩首。㊼④无算：无从计算；不可胜数。㊼⑤以字行：以字行世。古人有名有字，以字代名，称以字行。

【校记】

［13］并：原无此字。据章钰校，十二行本、乙十一行本、孔天胤本皆有此字，张敦仁《通鉴刊本识误》、张瑛《通鉴校勘记》同，今据补。

【语译】

十一年（乙亥，公元六一五年）

春，正月，增加秘书省官员一百二十名，都以学士补任。隋炀帝喜好读书写文章，自从做扬州总管，设置的晋王府学士多达一百人，常常命令学士编撰典籍，直到他登上帝位，前后将近二十年，编撰从没有中断过。从儒家经典、文学、军事、农业、地理、医药、占卜、佛教、道教，以至赌博、猎鹰犬马等，都编撰成新书，无不精审博洽，总计成书三十一部，一万七千多卷。当初，西京嘉则殿有藏书三十七万卷，隋炀帝命令秘书监柳顾言等人分类编次整理，剔除其中重复和烦琐的书籍，精选出供皇帝御览的正本三万七千余卷，收藏在东都的修文殿。又抄写了五十部副本，列为三等，分别存放在西京、东都的宫内、省署和官府中。正本书全都装帧华美整洁，珍贵的卷轴，锦缎的裱被，隋炀帝在观文殿前设置十四间藏书室，

窗户床褥厨幔，咸极珍丽，每三间开方户，垂锦幔。上有二飞仙，户外地中施机发[489]。帝幸书室，有宫人执香炉[490]，前行践机[491]，则飞仙下，收幔而上，户扉[492]及厨扉皆自启。帝出，则垂闭复故。

帝以户口逃亡，盗贼繁多，二月庚午[493]，诏民悉城居[494]，田随近给。郡县驿亭[495]村坞[496]皆筑城。

上谷[497]贼帅王须拔自称漫天王，国号燕。贼帅魏刀兒自称历山飞。众各十余万，北连突厥，南寇燕、赵。

初，高祖梦洪水没都城，意恶之，故迁都大兴。申明公李穆薨，孙筠袭爵。叔父浑忿其吝啬[498]，使兄子善衡贼杀[499]之，而证其从父弟瞿昙，使之偿死。浑谓其妻兄左卫率宇文述曰："若得绍封[500]，当岁奉[501]国赋[502]之半。"述为之言于太子，奏高祖，以浑为穆嗣。二岁之后，不复以国赋与述，述大恨之。帝即位，浑累官至右骁卫大将军，改封郕公，帝以其门族强盛，忌之。会有方士[503]安伽陁言李氏当为天子，劝帝尽诛海内凡[504]李姓者。浑从子将作监敏，小名洪兒，帝疑其名应谶[505]，常面告之，冀其引决[506]。敏大惧，数与浑及善衡屏人私语，述谮之于帝，仍遣虎贲郎将河东裴仁基[507]表告浑反。帝收浑等家，遣尚书左丞元文都[508]、御史大夫裴蕴杂治之，按问数日，不得反状，以实奏闻。帝更遣述穷治之，述诱教敏妻宇文氏为表[509]，诬告浑谋因度辽，与其家子弟为将领者共袭取御营，立敏为天子。述持入，奏之，帝泣曰："吾宗社[510]几倾[511]，赖公获全耳。"三月丁酉[512]，杀浑、敏、善衡及宗族三十二人，自三从[513]以上皆徙边徼[514]。后数月，敏妻亦鸩死。

有二孔雀自西苑飞集宝城[515]朝堂前，亲卫校尉[516]高德儒等十余人见之，奏以为鸾[517]，时孔雀已飞去，无可得验，于是百官[15]称贺。诏以德儒诚心冥会[518]，肇见嘉祥[519]，擢拜朝散大夫，赐物百段，余人皆赐束帛。仍于其地造仪鸾殿。

己酉[520]，帝行幸太原。夏，四月，幸汾阳宫避暑。宫城迫隘[521]，百官士卒布散山谷间，结草为营而居之。

以卫尉少卿李渊为山西[522]、河东抚慰大使[523]，承制[524]黜陟选补郡县文武官，仍发河东[525]兵讨捕群盗。渊行至龙门[526]，击贼帅毋端兒，破之。

藏书室的门窗、床褥、书橱、帷幔都极尽珍贵华丽。每三间藏书室开一个方形门，悬挂丝锦帷幔，上面有两个飞仙，大门之外的地下埋设机关，隋炀帝驾临藏书室时，有宫人手持香炉，走在前面脚踏机关，飞仙就会降下，把帷幔卷上去，门窗和书橱都自动打开。隋炀帝出去后，帷幔自动垂下，门窗和书橱关闭，恢复如故。

隋炀帝因为户口逃亡，造反的人众多，二月初七日庚午，诏令平民全都居住城内，就近分给耕地。郡县、驿亭、村落全都筑城。

上谷郡贼军首领王须拔自称漫天王，国号为燕。贼军首领魏刀兒自称历山飞。他们的部众各有十多万，北边与突厥勾结，南边寇掠燕赵地区。

当初，高祖梦见洪水淹没都城，心里很厌恶旧部，所以迁都大兴。申明公李穆去世，孙子李筠继承爵位。他的叔父李浑痛恨李筠吝啬，就派侄儿李善衡杀害了李筠，而李浑却指证堂弟李瞿昙是凶手，让李瞿昙抵命。李浑对他妻兄左卫率宇文述说："如果我能继承申明公的爵位，我每年一定把一半国赋进献给你。"宇文述就替李浑在太子杨广面前说情，上奏高祖，高祖就让李浑继承了李穆的爵位。两年以后，李浑就不再给宇文述国赋，宇文述痛恨李浑。隋炀帝即位，李浑不断升官一直做到右骁卫大将军，改封为郕公。隋炀帝因李浑家族强盛，就猜忌他。适逢有方士安伽陁说李氏当为天子，劝说隋炀帝将全国凡是李姓的人全部杀死。李浑的侄儿将作监李敏，小名洪儿，隋炀帝怀疑这个名字应验了谶语，曾当面告诉李敏，希望李敏自杀。李敏大为恐惧，多次与李浑及李善衡屏退旁人私下商议，宇文述在隋炀帝面前说李浑的坏话，还指使虎贲郎将河东人裴仁基上表告发李浑谋反，隋炀帝逮捕李浑等人全家，派尚书左丞元文都、御史大夫裴蕴共同审理此案。审问了几天，没有获得谋反证据，据实奏报隋炀帝。隋炀帝改派宇文述彻底追查李浑，宇文述诱使李敏的妻子宇文氏上表，诬告李浑企图利用隋炀帝渡辽河的机会，和李家为将的子弟共同袭击御营，立李敏为天子。宇文述拿着宇文氏的揭发奏表进宫，上奏皇上，隋炀帝哭着说："我的宗庙社稷差点儿倾覆，全靠你才得到保全。"三月初五日丁酉，杀李浑、李敏、李善衡以及其宗族三十二人，三亲以内的家人都被发配到边疆。几个月后，李敏妻子也被毒死。

有两只孔雀从西苑飞落宝城朝堂前面，亲卫校尉高德儒等十几个人看见了，上奏说是鸾鸟。当时孔雀已经飞离，无从验证，于是百官称贺。隋炀帝认为高德儒心地虔诚暗合于天，首先看到美好的祥瑞，提升他为朝散大夫，赏赐绢帛一百段，其余的人都得到一束帛的赏赐。后来便在孔雀降临地建造仪鸾殿。

三月十七日己酉，隋炀帝巡幸太原。夏，四月，驾临汾阳宫避暑。宫城狭小，百官和士兵分散在山谷间，搭盖草棚栖身。

隋炀帝任命卫尉少卿李渊为山西、河东抚慰大使，可以秉承制命任免郡县文武官吏，并征调河东军队讨捕群盗。李渊行进到龙门，进攻贼军首领毋端兒，击败了他。

秋，八月乙丑[527]，帝巡北塞[528]。

初，裴矩以突厥始毕可汗部众渐盛，献策分其势，欲以宗女[529]嫁其弟叱吉设，拜为南面可汗，叱吉不敢受，始毕闻而渐怨。突厥之臣史蜀胡悉多谋略，为始毕所宠任，矩诈与为互市，诱至马邑[530]下，杀之。遣使诏始毕曰："史蜀胡悉叛可汗来降，我已相为[531]斩之。"始毕知其状[532]，由是不朝。

戊辰[533]，始毕帅骑数十万谋袭乘舆，义成公主先遣使者告变[534]。壬申[535]，车驾驰入雁门[536]，齐王暕以后军保崞县[537]。癸酉[538]，突厥围雁门，上下惶怖[539]，撤[540]民屋为守御之具，城中兵民十五万口，食仅可支二旬，雁门四十一城，突厥克其三十九，唯雁门、崞不下。突厥急攻雁门，矢及御前[541]，上大惧，抱赵王杲而泣，目尽肿。

左卫大将军宇文述劝帝简精锐数千骑溃围[542]而出，纳言苏威曰："城守[543]则我有余力，轻骑[544]乃彼之所长，陛下万乘之主，岂宜轻动？"民部尚书樊子盖曰："陛下乘危徼幸[545]，一朝狼狈[546]，悔之何及！不若据坚城以挫其锐，坐征四方兵使入援。陛下亲抚循士卒，谕以不复征辽，厚为勋格[547]，必人人自奋，何忧不济？"内史侍郎萧瑀[548]以为："突厥之俗，可贺敦预知军谋，且义成公主以帝女嫁外夷，必恃大国之援。若使一介[549]告之，借使[550]无益，庸[551]有何损？又，将士之意，恐陛下既免突厥之患，还事高丽，若发明诏，谕以赦高丽、专讨突厥，则众心皆安，人自为战矣。"瑀，皇后之弟也。虞世基亦劝帝重为赏格[552]，下诏停辽东之役。帝从之。

帝亲巡将士，谓之曰："努力击贼，苟能保全，凡在行陈，勿忧富贵，必不使有司弄刀笔[553]破汝勋劳。"乃下令："守城有功者，无官直除[554]六品，赐物百段，有官以次[555]增益。"使者慰劳，相望于道[556]，于是众皆踊跃[557]，昼夜拒战，死伤甚众。

甲申[558]，诏天下募兵。守令[559]竞来赴难，李渊之子世民[560]，年十六，应募隶屯卫将军[561]云定兴，说定兴多赍旗鼓为疑兵，曰："始毕敢举兵围天子，必谓我仓猝[562]不能赴援故也。宜昼则引旌旗令[16]数十里不

秋，八月初五日乙丑，隋炀帝巡幸北地关塞。

当初，裴矩因为突厥始毕可汗部众逐渐增多，就向隋炀帝献策分解突厥始毕可汗的势力，打算把宗室女嫁给始毕的弟弟叱吉设，封他为南面可汗，叱吉设不敢接受，始毕知道后就逐渐产生怨恨。突厥的大臣史蜀胡悉足智多谋，被始毕可汗宠爱信任。裴矩假称要与史蜀胡悉商谈双方贸易，把史蜀胡悉引诱到马邑，杀害了他。派使者向始毕下诏说："史蜀胡悉背叛可汗前来投降，我已经替您杀了他。"始毕知道实情，从此不再朝见。

八月初八日戊辰，始毕可汗率领几十万骑兵谋划袭击隋炀帝车驾，义成公主先派使者向隋炀帝告发变故。十二日壬申，隋炀帝车驾驰入雁门城，齐王杨暕率领后军防守崞县。十三日癸酉，突厥包围雁门郡，隋军上下恐惧，拆毁民房制作守城器具，城中军民有十五万人，粮食仅能维持二十天，雁门郡所属四十一座城池，突厥攻陷了其中三十九座，只剩下雁门、崞县没有攻克。突厥军队急攻雁门，箭射到了隋炀帝面前，隋炀帝大惊，抱住幼子赵王杨杲哭泣，眼睛全肿了。

左卫大将军宇文述劝说隋炀帝挑选精锐骑兵数千人突围出去，纳言苏威说："守城我方尚有余力，使用轻骑兵则是对方长处，陛下是万乘之主，怎么能轻举妄动?"民部尚书樊子盖说："陛下身处危境而希图侥幸，一旦陷入窘迫，后悔莫及！不如固守坚城，挫伤敌人的锐气，坐守城池，征召全国各地兵马前来救援，陛下亲自抚慰士卒，宣谕不再征伐辽东，增加功勋赏格，一定人人奋勇作战，何必担忧不能成功?"内史侍郎萧瑀认为："按照突厥的习俗，可汗的妻子可贺敦能够参与军事谋议，况且义成公主以皇帝女儿的身份嫁给外夷，也一定依仗大国做后援。如果派一个使者告诉她现在的情况，即使没有益处，难道会有什么损害？另外，将士们的想法，是怕陛下解除了突厥的祸患，又去征伐高丽，如果颁下明诏，宣布赦免高丽，专心讨伐突厥，那么大家心里都安定下来，就会有人自行作战。"萧瑀，是萧皇后的弟弟。虞世基也劝隋炀帝加重赏格，下诏停止征伐辽东。隋炀帝听从了他们的意见。

隋炀帝亲自巡视将士，对他们说："你们努力杀敌，如能保住城池，凡是参加战斗的人，不必担忧没有富贵，保证不会让主管部门的官吏舞文弄墨毁了你们的功劳。"于是颁布命令："守城有功的人，没有官职的直接提升为六品，赏赐绢帛一百段，已经有官职的按官职高低依次增加。"派出去慰问将士的使者，在路上一批接一批往来不断，于是大家踊跃杀敌，昼夜抵抗，死伤的人很多。

八月二十四日甲申，隋炀帝下诏向全国招募士兵。郡守县令纷纷前来解救危难。李渊的儿子李世民，十六岁，应募隶属屯卫将军云定兴，他劝说云定兴多带旗鼓作为疑兵。李世民说："始毕可汗敢于兴兵围攻天子，一定是认为我们仓促匆忙间不能赶赴救援。我们应当在白天高举旌旗，使其连绵几十里不断，夜晚钲鼓之声互相呼

绝，夜则钲鼓[563]相应，虏必谓救兵大至，望风遁去。不然，彼众我寡，若悉军来战，必不能支。”定兴从之。

帝遣间使求救于义成公主，公主遣使告始毕云：“北边有急。”东都及诸郡援兵亦至忻口[564]。九月甲辰[565]，始毕解围去。帝使人出侦[566]，山谷皆空，无胡马，乃遣二千骑追蹑，至马邑，得突厥老弱二千余人而还。

丁未[567]，车驾还至太原。苏威言于帝曰：“今盗贼不息，士马疲弊，愿陛下亟[568]还西京，深根固本[569]，为社稷计。”帝初然之。宇文述曰：“从官妻子多在东都，宜便道[570]向洛阳，自潼关而入。”帝从之。

冬，十月壬戌[571]，帝至东都，顾眄[572]街衢[573]，谓侍臣曰：“犹大有人在。”意谓向日[574]平杨玄感，杀人尚少故也。苏威追论勋格太重，宜加斟酌[575]，樊子盖固请，以为不宜失信，帝曰：“公欲收物情[576]邪？”子盖惧，不敢对。帝性吝官赏[577]，初平杨玄感，应授勋[578]者多，乃更置戎秩[579]：建节尉[580]为正六品，次奋武、宣惠、绥德、怀仁、秉义、奉诚、立信[581]等尉，递降[582]一阶。将士守雁门者万七千人，得勋者才千五百人，皆准平玄感勋，一战得第一勋者进一阶，其先无戎秩者止得立信尉，三战皆[17]得第一勋者至秉义尉，其在行陈而无勋者四战进一阶，亦无赐。会仍议伐高丽，由是将士无不愤怨。

初，萧瑀以外戚有才行，尝事帝于东宫[583]，累迁至内史侍郎，委以机务。瑀性刚鲠[584]，数言事忤旨，帝渐疏之。及雁门围解，帝谓群臣曰：“突厥狂悖[585]，势何能为？少时未散，萧瑀遽相恐动，情不可恕。”出为河池郡[586]守，即日遣之。候卫将军[587]杨子崇[588]从帝在汾阳宫，知突厥必为寇，屡请早还京师，帝不纳，及解围[18]，帝怒之[19]曰：“子崇怯懦，惊动众心，不可居爪牙之官[589]。”出为离石郡守。子崇，高祖之族弟也。

杨玄感之乱，龙舟水殿皆为所焚，诏江都更造，凡数千艘，制度仍大于旧者。

壬申[590]，卢明月帅众十万寇陈、汝[591]。

东海李子通[592]，有勇力，先依长白山贼帅左才相，群盗皆残忍，而子通独宽仁[593]，由是人多归之，未半岁，有众万人。才相忌之，子通引

应，敌人必定认为我方援军大量到达，望风逃走。否则，敌众我寡，如果对方全军来战，我军肯定不能支撑。”云定兴听从了李世民的意见。

隋炀帝派密使向义成公主求救，公主派人告诉始毕可汗说：“北边有紧急情况。”这时东都和各郡援兵也到达忻口。九月十五日甲辰，始毕可汗解围离去。隋炀帝派人出去侦察，山谷都空了，没有突厥的兵马，便派遣两千名骑兵追踪，到了马邑，俘获突厥老弱两千多人而回。

九月十八日丁未，隋炀帝车驾回到太原。苏威对隋炀帝说：“如今盗贼没有止息，兵马疲惫，希望陛下尽快回到西京，巩固根本，为国家着想。”隋炀帝最初同意了。宇文述说：“扈从官员的妻子儿女多在东都，应当走便道去洛阳，从潼关进京。”隋炀帝听从了。

冬，十月初三日壬戌，隋炀帝到达东都，沿街左顾右盼，对侍臣们说：“还大有人在。”意思是说往日平定杨玄感，杀的人还是少了。苏威提出追叙功勋赏格太重，应该加以斟酌，樊子盖再三请求，认为不应该失信，隋炀帝说：“你想收买人心吗?”樊子盖很恐惧，不敢回答。隋炀帝生性吝啬官职和奖赏，当初平定杨玄感，应当授任勋官的人很多，便重新建置军职的品秩：建节尉为正六品，以下依次是奋武、宣惠、绥德、怀仁、秉义、奉诚、立信等尉，顺次降低一级。守卫雁门的将士有一万七千人，得到勋位的才一千五百人，都按照平定杨玄感时行赏的标准，一次作战得第一功的人晋升一级，先前无军职品秩的人只能得到立信尉；三次作战都得第一功的人提升秉义尉；那些四次参加作战但未立功的人晋升一级，没有物品赏赐。适逢隋炀帝又商议讨伐高丽，因此将士无不愤怒。

当初，萧瑀因为有外戚身份，又有才干德行，曾经在东宫奉侍隋炀帝，屡次升迁后官至内史侍郎，被委以机密重任。萧瑀性情刚强耿直，多次言事忤旨，隋炀帝逐渐疏远了他。等到雁门之围解除后，隋炀帝对群臣说：“突厥狂妄悖逆，能有多大作为？突厥人短期没有散开，萧瑀就马上恐吓动摇大家，不可宽恕。”于是隋炀帝把萧瑀调出为河池郡守，当天就派他赴任。候卫将军杨子崇跟随隋炀帝在汾阳宫，知道突厥必定来犯，多次请求隋炀帝早日返回京城，隋炀帝不听，等到突厥解围而去，隋炀帝生他的气说：“杨子崇胆小懦弱，动摇军心，不能担任捍卫王室的武官。”把他调出为离石郡守。杨子崇是高祖的族弟。

杨玄感作乱时，龙舟水殿全被烧毁，隋炀帝诏令江都重新建造，共几千艘，规模比以前更为庞大。

十月十三日壬申，卢明月率领部众十万人劫掠陈州、汝州。

东海人李子通勇猛有力，起先依附长白山贼军首领左才相，群盗都很残忍，只有李子通宽厚仁慈，因此很多人归附他，没有半年，拥有部众一万人，左才相猜忌

去，渡淮，与杜伏威合。伏威选军中壮士养为假子，凡三十余人，济阴王雄诞⑭、临济阚稜⑮为之冠。既而李子通谋杀伏威，遣兵袭之。伏威被重创坠马，雄诞负之逃葭苇中，收散兵复振。将军来整击伏威，破之。其将西门君仪之妻王氏，勇而多力，负伏威以逃，雄诞帅壮士十余人卫之，与隋兵力战，由是得免。来整又击李子通，破之，子通帅其余众奔海陵，复收兵得二万人，自称将军。

城父朱粲⑯始为县佐史⑰，从军，遂亡命聚众为盗，谓之"可达寒贼"，自称迦楼罗王，众至十余万，引兵转掠荆、沔⑱及山南⑲郡县，所过噍类⑳无遗。

十二月庚寅㉑[20]，诏民部尚书樊子盖发关中兵数万击绛㉒贼敬盘陀等。子盖不分臧否㉓，自汾水之北，村坞尽焚之，贼有降者皆坑之。百姓怨愤，益相聚为盗。诏以李渊代之。有降者，渊引置左右，由是贼众多降，前后数万人，余党散入他郡。

【段旨】

以上为第六段，写大业十一年（公元六一五年），隋炀帝因猜忌杀逐李浑，巡幸北疆，受困雁门，差一点被突厥人抓获。隋炀帝脱险后，仍执迷不悟，虐政不改，西部地区，西京山南郡县，也遍地民变。

【注释】

⑯增秘书省官百二十员：隋炀帝改官制，于秘书省增少监一人，减校书郎为十人，加置佐郎四人，又置儒林郎十人，文林郎二十人，增加校书郎员四十人，加置楷书郎员二十人，共一百一十七人。⑰学士：学者；文人。⑱修撰：编纂。⑲经术：即儒家经学。⑳蒱博：古代的博戏叫摴蒱，如同后世的掷色子。今通称摴蒱为赌博。㉑精洽：精审博洽。洽，周遍、广博。㉒柳顾言：名䛒，字顾言，本河东人，西晋永嘉之乱，徙家襄阳（今湖北襄阳市襄州区）。历仕后梁与隋，官至秘书监。传见《隋书》卷五十八、《北史》卷八十三。㉓诠次：分类编次整理。㉔猥杂：杂滥；烦琐。㉕正御本：供皇帝观看的本子。㉖三品：三等。㉗轴：书画卷轴。㉘褾：同"裱"。书轴、画轴正面四边裱的丝织物。也指裱被。㉙机发：安装机关，能自动开闭。㉚香炉：焚香炉。用金属或陶

他，李子通率部离去，渡过淮河，与杜伏威联合。杜伏威挑选军中的壮士收养为义子，共三十多人，济阴王雄诞、临济阚稜是其中最杰出的两位。不久李子通谋杀杜伏威，派兵袭击他。杜伏威遭受重伤跌落马下，王雄诞背着他逃到芦苇丛中，收拢逃散的士兵重新振作起来。隋朝将军来整袭击杜伏威，并打败了杜伏威。杜伏威的部将西门君仪的妻子王氏，勇敢力大，背着杜伏威逃跑，王雄诞率领壮士十几个人保护他们，与隋军竭力死战，因此得免于难。来整又袭击李子通，打败了李子通。李子通率领他的残余部队逃往海陵，重新招收士兵，得到两万人，自称将军。

城父人朱粲起初为县佐吏，后来从军，于是逃跑聚众为盗，叫作“可达寒贼”，自称迦楼罗王，部众达到十余万。朱粲率领士兵辗转掠夺荆州、沔阳以及长安南山以南的郡县，所过之处不再有一个活人。

十二月庚寅日，隋炀帝下诏命令民部尚书樊子盖征调关中数万名官兵攻打绛郡贼人敬盘陀等，樊子盖不分好坏，从汾水以北，村落全部焚毁，投降的敌人全部活埋。百姓怨恨，更加聚集起来造反。隋炀帝下诏任用李渊替代樊子盖，有投降的人，李渊带来安置在自己的身边，因此造反的人多有降附，前后有几万人，余众逃散到其他郡县。

瓷做成，以供陈设、熏衣、供佛、祀神等用。㊾践机：踩动机关。㊾户扉：门扇。㊾庚午：二月初七日。㊾城居：谓筑城而居。㊾驿亭：古代驿传有亭，为行人休息之所，称为驿亭。㊾村坞：村庄。坞，周围高而中间低的地方。㊾上谷：郡名，治所易县，在今河北易县。㊾吝啬：小气。啬，悭吝。㊾贼杀：杀害。贼，杀害。㊿绍封：继承李穆的封爵。绍，承继。㉛岁奉：每年进献。奉，给予。㉜国赋：本指国家的税收。此指李穆食封户上缴的赋税。㉝方士：方术之士。指古代求仙、炼丹、自言能长生不死的人。㉞凡：凡是；只要是。㉟应谶：与“李氏当为天子”的谶语相应。因高祖文帝曾梦洪水淹没都城，洪水即以为“洪儿”李敏。㊱引决：自裁；自杀。㊲裴仁基（？至公元六一九年）：字德本，河东（今山西永济西南）人，仕隋至光禄大夫，后归顺李密义军，又为王世充俘获。传见《隋书》卷七十、《北史》卷三十八。㊳元文都（？至公元六一八年）：河南洛阳（今河南洛阳）人，历仕北周、隋，官至左骁卫大将军，封鲁国公。传见《隋书》卷七十一、《北史》卷十七。㊴为表：写表文。㊵宗社：宗庙和社稷。古代作为国家的代称。㊶几倾：几乎倾覆。㊷丁酉：三月初五日。㊸三从：指同高祖以下的宗亲。㊹边徼：边疆。徼，边界。㊺宝城：即东都洛阳皇城。又说在洛城罗郭之内，自为一城。㊻亲卫校尉：武官名，掌亲卫。亲卫是亲、勋、武三卫之一。㊼鸾：凤凰之类的

神鸟。⑱冥会：默契；暗合。冥，暗昧。⑲肇见嘉祥：肇见，首先发现。肇，开始、最早。嘉祥，祥瑞。⑳己酉：三月十七日。㉑迫隘：狭隘。㉒山西：太行山以西。㉓抚慰大使：官名，天子临时差遣，掌安抚慰恤之事。㉔承制：秉承皇帝旨意。㉕河东：郡名，治所蒲阪县，在今山西永济西南。㉖龙门：县名，县治在今山西河津西。㉗乙丑：八月初五日。㉘北塞：北部边塞。㉙宗女：皇帝同宗族的女儿。㉚马邑：郡名，治所善阳县，在今山西朔州。㉛相为：为你；替你。㉜状：状况；内情。㉝戊辰：八月初八日。㉞告变：告发非常事变。㉟壬申：八月十二日。㊱雁门：郡名，治所雁门县，在今山西代县。㊲崞县：县名，县治在今山西原平北。㊳癸酉：八月十三日。㊴惶怖：恐惧。㊵撤：撤除；拆掉。㊶矢及御前：箭矢已射到隋炀帝跟前。御前，天子跟前。㊷溃围：突围。溃，水冲破堤防而出。㊸城守：城市守备。指守城。㊹轻骑：轻装的骑兵。㊺儌幸：同“侥幸”。求利不止，意外获得成功或免于不幸。㊻狼狈：比喻为难、窘迫。㊼勋格：作战立功受勋赏的等级。㊽萧瑀（公元五七四至六四七年）：字时文，后梁明帝萧岿之子。历仕隋、唐，官至尚书左仆射，封宋国公。传见《北史》卷九十三、《旧唐书》卷六十三、《新唐书》卷一百一。㊾一介：一人。㊿借使：假使。借，假设之词，假使。551庸：副词。岂，难道。552赏格：悬赏所定的等差、标准。553刀笔：指主办文案的官吏。554直除：直接任命。除，拜官授职。555以次：按照官秩次序。556相望于道：使者络绎不绝，形容使者频繁出动。557踊跃：欢欣奋起的样子。558甲申：八月二十四日。559守令：郡守县令。泛指地方官。560世民：即唐太宗李世民（公元五七七至六四九年），唐高祖第二子，唐朝第二代皇帝。事见《旧唐书》卷二、卷三，《新唐书》卷二。561屯卫将军：武官名，隋十二卫之一，掌禁卫。562仓猝：也作“仓卒”。匆促。猝，突然。563钲鼓：古代军中所用乐器名。敲钲以作为鼓节。564忻口：地名，故址在今山西忻州北。565甲辰：九月十五日。566出侦：出去侦察情况。567丁未：九月十八日。568亟：赶快；急速。569深根固本：谓加强西京的防守。隋以西京为根本。570便道：方便、有利的道路。571壬戌：十月初三日。572顾眄：视；回头看。顾，回头看。眄，斜看。573街衢：街道。衢，四通八达的道路。574向日：往日；旧时。575斟酌：仔细考虑。筛酒不满叫斟，满叫酌。576物情：人心；人情。577吝官赏：吝惜官职和奖赏。578授勋：指授任勋官。579戎秩：军职的品秩。580建节尉：戎秩官名，无职事。581奋武宣惠绥德句：皆戎秩官名，无职事。582递降：顺次降低。递，顺次。583事帝于东宫：指炀帝做太子时，萧瑀即在东宫侍奉。584刚鲠：刚直。585狂悖：狂妄背理；猖獗。悖，违犯、逆乱。586河池郡：郡名，治所梁泉县，在今陕西凤县凤州镇。587候卫将军：武官名，掌侍从警卫。588杨子崇（？至公元六一七年）：隋文帝族弟，官至候卫将军。传见《隋书》卷四十三、《北史》卷七十一。589爪牙之官：捍卫王室的武官。590壬申：十月十三日。591陈、汝：皆州名。陈州，治所宛丘县，在今河南周口市淮阳区。汝州，治所承休县，在今河南汝州东。592李子通（？至公元六二二年）：东海丞（今江苏连云港）人，早年起事反隋，后降唐。传见《旧唐书》卷五

十六、《新唐书》卷八十七。⑬宽仁：宽大仁厚。⑭王雄诞（？至公元六二二年）：曹州济阴（今山东曹县西北）人，先起事反隋，后归唐，官至歙州总管。传见《旧唐书》卷五十六、《新唐书》卷九十二。⑮阚稜（？至公元六二二年）：齐州临济（今山东章丘西北）人。传见《旧唐书》卷五十六、《新唐书》卷九十二。⑯朱粲（？至公元六二一年）：亳州城父（今安徽亳州城父镇）人，早年仕隋，后占山称王，又降王世充，封龙骧大将军。传见《旧唐书》卷五十六、《新唐书》卷八十七。⑰县佐史：官名，在县府中参谋议。⑱荆、沔：皆州名，荆州，治所江陵，在今湖北江陵。沔州，治所沔阳县，在今湖北沔阳西南。⑲山南：指长安南山之南。⑳噍类：活人。㉑庚寅：十二月己未朔，无庚寅。〖按〗《隋书》《北史》皆作"庚辰"。庚辰，十二月二十二日。㉒绛：郡名，治所正平县，在今山西新绛。㉓臧否：善恶；得失。臧，善。否，恶。

【校记】

［14］御：原无此字。据章钰校，十二行本、乙十一行本、孔天胤本皆有此字，张敦仁《通鉴刊本识误》同，今据补。［15］官：原作"僚"。据章钰校，十二行本、乙十一行本、孔天胤本皆作"官"，今据改。〖按〗《通鉴纲目》卷三七作"官"。［16］令：原无此字。据章钰校，十二行本、乙十一行本、孔天胤本皆有此字，今据补。〖按〗《通鉴纪事本末》卷二八、《通鉴纲目》卷三七上皆有此字。［17］皆：原无此字。据章钰校，十二行本、乙十一行本、孔天胤本皆有此字，今据补。［18］帝不纳，及解围：原无此六字。据章钰校，十二行本、乙十一行本、孔天胤本皆有此六字，张敦仁《通鉴刊本识误》、张瑛《通鉴校勘记》同，今据补。［19］之：原无此字。据章钰校，十二行本、乙十一行本、孔天胤本皆有此字，张敦仁《通鉴刊本识误》同，今据补。［20］庚寅：张敦仁《通鉴刊本识误》作"庚辰"。〖按〗《通鉴纪事本末》作"庚寅"，未知孰是。

【研析】

本卷反映公元六一三至六一五年间，黄河中下游地区的民众暴动，规模与声势越来越大，江南地区亦卷入其中。但这些暴动，基本上以民众逃避暴政、求得生存为目的，缺乏明显的政治诉求，对隋政权尚未构成致命的威胁。隋地方政府，仍在有效地运作，但炀帝独断专行，丧失调整政策的机会。以杨玄感起事、炀帝被突厥围困于雁门为标志，隋朝统治内部发生了分裂，突厥再次对隋政权构成强大威胁，炀帝为此放弃了重振江山社稷的雄心。兹就炀帝个人性格与隋政乱亡的关系作一些分析。

《陈书·帝纪总论》说："古人有言，亡国之主，多有才艺。考之梁、陈及隋，信非虚论。然则不崇教义之本，偏尚淫丽之文，徒长浇伪之风，无救乱亡之祸矣。"与文帝"不知学""性不喜书"不同，炀帝喜以文化人自居，颇以文才自负："帝自负才学，每骄天下之士，尝谓侍臣曰：‘天下皆谓朕承藉绪余而有四海，设令朕与士大夫高选，亦当为天子矣。’”皇帝位子可以通过选才而获得，不失为一个有趣的想法，学界一般认为中国古代科举制度的直接起源，正是炀帝大业二年设立进士科。作为颇有文学修养的帝王，炀帝不乏浪漫气质，他曾“于景华宫征求萤火，得数斛，夜出游山，放之，光遍岩谷”。他“好读书著述”，从他以晋王、扬州总管身份坐镇扬州，到当皇帝，一直招聚文人学士编撰新书，“前后近二十载，修撰未尝暂停。自经术、文章、兵、农、地理、医、卜、释、道乃至蒱博、鹰狗，皆为新书，无不精洽，共成三十一部，万七千余卷。”当然这些书籍是他资助文人学士完成的。他还下令整理、缮写长安皇宫三十七万卷散乱的藏书，复制五十套，“皆装翦华净，宝轴锦褾”，“分置西京、东都宫、省、官府”。他还为自己开设颇为精致的私人图书室，“窗户床褥厨幔，咸极珍丽，每三间开方户，垂锦幔。上有二飞仙，户外地中施机发。帝幸书室，有宫人执香炉，前行践机，则飞仙下，收幔而上，户扉及厨扉皆自启。”这些史实，均见于《资治通鉴》记录。对于传统文化的保存与发展，炀帝无疑做出过自己的贡献。

喜读书，好著述，自诩为文人领袖，“不欲人出其右”，促成隋炀帝妒才护短的个性。薛道衡所著诗篇中有“暗牖悬蛛网，空梁落燕泥”一联，透过环境细节的描写，刻画出思妇孤独寂寞的心境，具有很高的艺术上独创性。炀帝境界难臻于此，颇为妒忌，以至于薛道衡死后，他竟说：“更能作‘空梁落燕泥’否？”这种极度自尊的性格，使其不愿意听取别人的意见，他自称：“我性不喜人谏，若位望通显而谏以求名者，弥所不耐。至于卑贱之士，虽少宽假，然卒不置之地上。”这种性格表现在政治上，则为“恃才矜己，傲狠明德，内怀险躁，外示凝简，盛冠服以饰其奸，除谏官以掩其过”，“猜忌臣下，无所专任”。

明君贤相，相辅相成，是中国古代“盛世”政治上的一个典型特征。炀帝“恃才矜己”，只愿意听好话，不愿意了解真实的情况，臣下为自保，只能察颜色以顺其意。苏威便是一个典型。隋文帝时，苏威颇有作为，与高颎辅佐文帝，成开皇之治，“所修格令章程，并行于当世”。炀帝时，苏威“与左翊卫大将军宇文述、黄门侍郎裴矩、御史大夫裴蕴、内史侍郎虞世基参掌朝政，时人称为‘五贵’”，却鲜有作为。《隋书·苏威传》称：“及大业末年，尤多征役，至于论功行赏，威每承望风旨，辄寝其事。时群盗蜂起，郡县有表奏诣阙者，又诃诘使人，令减贼数。故出师攻讨，多不克捷。”同书《虞世基传》称，世基“虽居近侍，唯诺取容，不敢忤意。盗贼日甚，郡县多没。世基知帝恶数闻之，后有告败者，乃抑损表状，不以实闻。是后外间有变，帝弗之知也”。裴矩亦“承望风旨，与时消息”。宇文述则“善于供奉，俯仰折旋，容止便辟，宿卫者咸取则焉。又有巧思，凡有所装饰，皆出人意表。数以奇服异物进献宫掖，由是帝弥悦焉。时述贵幸，言无不从，势倾朝廷”。大臣们的心思全用在如何取悦皇帝，而不是如何协助皇帝治理好国家，政治腐败、国家乱亡就难以避免。唐朝初创时，苏威晚年曾有机会在洛阳进见秦王李世民，但自称“老病不能拜起”，李世民表示拒绝接见：“公隋朝宰辅，政乱不能匡救，遂令品物涂炭，君弑国亡。见李密、王充，皆拜伏舞蹈。今既老病，无劳相见也。”但如果炀帝如李世民一样虚怀纳谏，恐怕苏威同样能在大业时代成就又一个盛世，李世民也就没有机会成为一代明君。在专制政治下，君明方能臣贤，隋朝乱亡，苏威等投机取容，难逃其咎，但祸乱的根源还是炀帝本人。

应该说，尽管大业十一年以后，“所在盗起”，炀帝仍有改弦更张、重新稳定局势的机会。黄河中下游地区大大小小的暴动集团之所以被称作“群盗”，是因为他们并没有提出过推翻隋政权的政治主张，也没有将隋政权地方政府作为主要的攻击目标。暴动的原因主要是连续不断地征发徭役使生产难以进行，黄河中下游地区又发生严重的水旱灾害，生存危机迫使他们“聚众攻剽”而已。在本卷所记的年代内，隋朝地方政府虽因“天下承平日久，人不习兵，郡县吏每与贼战，望风沮败”，但群盗尚未长期占领任何有影响的郡县城邑，最多不过袭扰劫掠而退。杨玄感以贵族子弟举兵，以“为天下解倒悬之急，救黎元之命”为名，但如李密所说，玄感“虽复频捷，至于郡县，未有从者，东都守御尚强，天下救兵益至”。炀帝被围困于雁门时，“大惧，抱赵王杲而泣，目尽肿”。萧瑀建议说：“将士之意，恐陛下既免突厥之患，还事高丽，若发明诏，谕以赦高丽、专讨突厥，则众心皆安，人自为战。”加上虞世基也“劝帝重为赏格，下诏停辽东之役”，炀帝亲自巡视将士，答应重赏有功者，“于是众皆踊跃，昼夜拒战，死伤甚众”。“诏天下募兵。守令竞来赴难”。这些都表明隋政权尚未丧失对局势的掌控，实时调整政策，仍有可能挽救。

但因前述炀帝个人性格上的原因，官员们“各求苟免，上下相蒙”，使他可能并不知道真实的情况，即使知道，他也不可能如汉武帝晚年那样，下诏罪己，与民更始，缓解危机。对于民众暴动，炀帝采取残酷镇压的办法，“诏为盗者籍没其家。时群盗所在皆满，郡县官因之各专威福，生杀任情”，矛盾进一步激化。在天下已呈土崩瓦解之势的背景下，炀帝还因先前巡幸的水殿龙舟在杨玄感叛乱时焚毁，“诏江都更造，凡数千艘，制度仍大于旧者”。炀帝“性吝官赏”，从雁门逃至洛阳后，守雁门有功者一万七千人，得勋者只一千五百人，不仅无实质性的赏赐，连虚勋也不愿授予。原本已下诏表示“停辽东之役”，到了洛阳又举行会议，商量再次进攻高丽，“由是将士无不愤怨”。隋政权在炀帝统治下，已无继续存在下去的可能性。

卷第一百八十三　隋纪七

起柔兆困敦（丙子，公元六一六年），尽强圉赤奋若（丁丑，公元六一七年）五月，凡一年有奇。

【题解】

本卷载述公元六一六至六一七年五月，共一年半史事，当隋炀帝大业十二年、恭皇帝义宁元年上半年。大业十二年是隋末农民起义的第六年，全国黄河南北、江淮地区全面爆发大起义，隋炀帝却在权奸的包围下昏暴自恣。同年，隋炀帝又违众强行巡幸江都，连杀几位劝谏的大臣，倒行逆施，不可救药。大业十三年李密兵围东都，李渊谋反，隋朝根基动摇。十一月李渊攻克长安，犹立傀儡皇帝恭皇帝，史称义宁元年。恭皇帝杨侑，十三岁，隋炀帝之孙，元德太子杨昭之子。

【原文】

炀皇帝下

大业十二年（丙子，公元六一六年）

春，正月，朝集使①不至者二十余郡，始议分遣使者十二道发兵讨捕盗贼。

诏毗陵通守路道德集十郡兵数万人，于郡东南起宫苑②，周围十二里，内为十六离宫③，大抵仿东都西苑之制，而奇丽过之。又欲筑宫于会稽，会乱，不果成。

三月上巳④，帝与群臣饮于西苑水上，命学士杜宝⑤撰《水饰图经》⑥，采古水事七十二，使朝散大夫黄衮⑦以木为之，间以妓航、酒船，人物自动如生，钟磬筝瑟，能成音曲。

【语译】

炀皇帝下

大业十二年（丙子，公元六一六年）

春，正月，有二十多个郡的朝集使没有到达京师，朝廷开始商议分派十二路使者到各地征调军队讨捕盗贼。

隋炀帝下诏命令毗陵郡通守路道德集中十郡兵数万人，在毗陵郡东南建造行宫苑囿，周围十二里，内建十六所离宫，大体仿效东都西苑的规制，而更加新奇华丽。还想在会稽建筑离宫，适逢大乱，没有建成。

三月上巳节，隋炀帝与群臣在西苑水滨宴饮，命令学士杜宝撰写《水饰图经》，采集了古代水上游乐的七十二个故事，让朝散大夫黄衮用木头制作出来，并配上乐妓坐船、酒船，人物自己能够活动，栩栩如生，钟磬筝瑟，能够演奏音乐曲调。

己丑[8]，张金称陷平恩[9]，一朝杀男女万余口。又陷武安[10]、钜鹿[11]、清河诸县，金称比诸贼尤残暴，所过民无孑遗[12]。

夏，四月丁巳[13]，大业殿西院火，帝以为盗起，惊走，入西苑，匿草间，火定乃还。帝自八年以后，每夜眠中[1]恒惊悸[14]，云有贼，令数妇人摇抚，乃得眠。

癸亥[15]，历山飞别将甄翟兒众十万寇太原，将军潘长文败死[16]。

五月丙戌朔[17]，日有食之，既。

壬午[18]，帝于景华宫[19]征求萤火[20]，得数斛，夜出游山，放之，光遍岩谷。

帝问侍臣盗贼，左翊卫大将军宇文述曰："渐少。"帝曰："比从来少几何[21]？"对曰："不能什一[22]。"纳言苏威引身隐柱[23]，帝呼前问之，对曰："臣非所司，不委[24]多少，但患渐近。"帝曰："何谓也？"威曰："他日贼据长白山，今近在汜水[25]。且往日租赋丁役，今皆何在？岂非其人皆化为盗乎？比见奏贼皆不以实[26]，遂使失于支计[27]，不时翦除。又昔在雁门，许罢征辽，今复征发，贼何由息？"帝不悦而罢。寻属五月五日，百僚多馈珍玩，威独献尚书[28]。或谮之曰："尚书有《五子之歌》[29]，威意甚不逊。"帝益怒。顷之[30]，帝问威以伐高丽事，威欲帝知天下多盗，对曰："今兹[31]之役，愿不发兵，但赦群盗，自可得数十万，遣之东征。彼喜于免罪，争务立功，高丽可灭。"帝不怿。威出，御史大夫裴蕴奏曰："此大不逊！天下何处有许多贼？"帝曰："老革[32]多奸，以贼胁我！欲批其口[33]，且复隐忍[34]。"蕴知帝意，遣河南[35]白衣[36]张行本奏："威昔在高阳典选，滥授[37]人官，畏怯突厥，请还京师。"帝令按验[38]，狱成，下诏数威罪状，除名为民。后月余，复有奏威与突厥阴图不轨者，事下裴蕴推之[39]，蕴处[40]威死。威无以自明，但摧谢[41]而已。帝悯而释之，曰："未忍即杀。"遂[2]并其子孙三世皆除名。

秋，七月壬戌[42]，济景公樊子盖卒。

江都新作龙舟成，送东都。宇文述劝幸江都，帝从之[3]。右候卫大将军酒泉赵才[43]谏曰："今百姓疲劳，府藏[44]空竭，盗贼蜂起，禁

三月初三日己丑，张金称攻陷平恩县，一个早晨就杀了男女一万多人。又攻陷了武安、巨鹿、清河等县。张金称比其他盗贼尤为残暴，所过之地，没有留下一个活人。

夏，四月初一日丁巳，大业殿西院发生火灾，隋炀帝以为发生了盗贼，惊慌而逃，进入西苑，躲藏在草丛中，火灭了才回宫。隋炀帝从大业八年以后，每天夜里睡觉经常惊醒，说有贼，让几个女人在身边摇动抚摩才能入睡。

四月初七日癸亥，历山飞的部将甄翟兒率领部众十万进犯太原，将军潘长文战败身亡。

五月初一日丙戌，发生日全食。

壬午日，隋炀帝在景华宫搜求萤火虫，得到好几斛，夜里出来游山时，把萤火虫放出来，荧光遍布山谷。

隋炀帝向侍臣询问盗贼情况，左翊卫大将军宇文述说："逐渐减少。"隋炀帝说："比过去少多少?"宇文述回答，说："不到过去的十分之一。"纳言苏威后退躲在殿柱后面，隋炀帝把他叫到座前问他，苏威回答，说："臣不主管这方面，不甚详细有多少盗贼，只忧虑盗贼离我们越来越近。"隋炀帝问："这是什么意思?"苏威说："先前盗贼占据长白山，如今已近在汜水县。而且先前征收租赋，征用徭役，现在到哪里征到？这岂不是人们都变成盗贼了吗？近来各地奏报的贼情都不真实，致使朝廷支计失误，不能及时剿灭盗贼。另外，以前在雁门时，许诺不再征伐辽东，现在又征调士兵，盗贼怎么能够平息?"隋炀帝很不高兴，就退朝了。不久临近五月五日，百官大多进献珍玩，唯独苏威献上《尚书》。有人诋毁苏威说："《尚书》中有《五子之歌》，苏威用意极不恭敬。"隋炀帝更加恼怒。不久，隋炀帝向苏威询问征伐高丽的事情，苏威想让隋炀帝知道天下有很多盗贼，就回答说："现今征辽之役，希望不要征调军队，只要赦免群盗，即能得到几十万人，派他们东征，他们高兴被赦免罪过，一定会争着立功，可以消灭高丽。"隋炀帝很不高兴。苏威出来，御史大夫裴蕴上奏说："这太不恭敬了！天下哪里有如此多的盗贼?"隋炀帝说："这老兵奸诈颇多，拿盗贼威胁我！真想打他嘴巴，暂且再忍耐一下。"裴蕴知道隋炀帝的心意，便让河南郡平民张行本上奏："苏威从前在高阳负责选拔官员时，滥授人官职；又惧怕突厥，请求返回京师。"隋炀帝令人审理查验，构成罪案，于是下诏历数苏威的罪状，将他削除官籍，贬为平民。一个多月后，又有人奏报苏威勾结突厥暗中图谋不轨，这事交给裴蕴追查审理，裴蕴判苏威死刑，苏威无法为自己辩白，只是悲痛谢罪而已，隋炀帝怜悯他，把他放了，说："不忍心立即诛杀。"于是苏威和他的子孙三代都削除官籍。

秋，七月初八日壬戌，济景公樊子盖去世。

江都重新制造了龙舟，送到东都。宇文述劝隋炀帝巡幸江都，炀帝同意了。右候卫大将军酒泉人赵才谏阻说："现今百姓疲惫，府库空虚，盗贼蜂起，禁令无人执

令不行，愿陛下还京师，安兆庶[45]。”帝大怒，以才属吏[46]，旬日，意解，乃出之。朝臣皆不欲行，帝意甚坚，无敢谏者。建节尉任宗上书极谏，即日于朝堂杖杀之。甲子[47]，帝幸江都，命越王侗与光禄大夫段达[48]、太府卿元文都、检校民部尚书韦津[49]、右武卫将军皇甫无逸[50]、右司郎[51]卢楚[52]等总留后事。津，孝宽之子也。帝以诗留别宫人曰：“我梦江都好，征辽亦偶然。”奉信郎[53]崔民象以盗贼充斥，于建国门[54]上表谏，帝大怒，先解其颐，然后斩之。

戊辰[55]，冯翊孙华举兵为盗。虞世基以盗贼充斥，请发兵屯洛口仓，帝曰：“卿是书生，定犹恇怯[56]。”戊辰[57]，车驾至巩[58]。敕有司移箕山、公路[59]二府于仓内，仍令筑城以备不虞[60]。至汜水，奉信郎王爱仁复上表请还西京，帝斩之而行。至梁郡[61]，郡人邀[62]车驾上书曰：“陛下若遂幸江都，天下非陛下之有。”又斩之。是时李子通据海陵，左才相掠淮北，杜伏威屯六合[63]，众各数万。帝遣光禄大夫陈稜将宿卫精兵八千讨之，往往克捷。

八月乙巳[64]，贼帅赵万海众数十万，自恒山[65]寇高阳。

冬，十月己丑[66]，许恭公宇文述卒。初，述子化及、智及[67]皆无赖。化及事帝于东宫，帝宠昵[68]之，及即位，以为太仆少卿。帝幸榆林，化及、智及冒禁与突厥交市，帝怒，将斩之，已解衣辫发，既而释之，赐述为奴。智及弟士及，以尚主之故，常轻智及，惟化及与之亲昵。述卒，帝复以化及为右屯卫将军，智及为将作少监。

【段旨】

以上为第一段，写隋炀帝不听忠言以安抚天下，而是在民变蜂起、烈火燎原的背景下巡幸江都，有识者知其不返。

行，希望陛下返回京师，安定百姓。”隋炀帝大怒，把赵才交给司法官吏。过了十天，隋炀帝怒气消解，才把他放出来。朝中大臣都不愿隋炀帝出行，但隋炀帝出行之意极为坚决，没有人敢谏阻。建节尉任宗上书极力劝谏，当天就在朝堂上被刑杖打死。七月初十日甲子，隋炀帝巡幸江都，命越王杨侗与光禄大夫段达、太府卿元文都、检校民部尚书韦津、右武卫将军皇甫无逸、右司郎卢楚等人共同掌理留守政务。韦津是韦孝宽的儿子。隋炀帝作诗向宫人作别：“我梦江都好，征辽亦偶然。”奉信郎崔民象因为盗贼充斥全国，在建国门上表谏阻，隋炀帝大怒，先割下崔民象的下巴，然后把他杀了。

七月十四日戊辰，冯翊郡人孙华起兵造反。虞世基认为盗贼充斥全国，请求隋炀帝派兵屯驻洛口仓，隋炀帝说：“你真是个书生，天下安定还这么胆小怕事。”十四日戊辰，隋炀帝到达巩县，敕令有关部门将箕山、公路二府移到洛口仓内，并命令修筑城池以备不测。隋炀帝到达汜水县，奉信郎王爱仁又上表请求隋炀帝返回西京，隋炀帝将他斩首后继续南行。到达梁郡，梁郡有人拦阻车驾上书说：“陛下如果如愿到达江都，天下就不是陛下的了。”隋炀帝又斩了上书人。这时，李子通占据海陵，左才相劫掠淮北，杜伏威屯兵六合，各有部众几万人。隋炀帝派光禄大夫陈稜率领八千宿卫精兵讨伐他们，官军连连获胜。

八月二十一日乙巳，贼军首领赵万海部众数十万，从恒山郡进犯高阳郡。

冬，十月初六日己丑，许恭公宇文述去世。当初，宇文述的儿子宇文化及、宇文智及都是无赖。宇文化及曾在东宫侍奉隋炀帝，隋炀帝非常宠爱、亲近他。等到隋炀帝即位，任用宇文化及为太仆少卿。隋炀帝巡幸榆林时，宇文化及、宇文智及违犯禁令与突厥人做买卖，隋炀帝很生气，准备处死两人，已经解开了他们的衣服和发辫，随即又赦免了他们，将他们赏赐给宇文述做奴仆。宇文智及的弟弟宇文士及，因为娶了公主为妻的缘故，常轻视宇文智及，只有宇文化及与宇文智及亲近。宇文述死了以后，隋炀帝又任命宇文化及为右屯卫将军，宇文智及为将作少监。

【注释】

①朝集使：官名，各郡派往京城参加元旦大朝会谒见皇帝的使者。②宫苑：宫殿和苑囿。苑，古代养禽兽的园林。③离宫：古代帝王于正式宫殿之外，别筑宫室，以便随时游处，谓之离宫，意思是说与正式宫殿分离。④上巳：农历每月上旬的巳日。三月上巳，为古代节日。汉以前，上巳必取巳日，但不必为三月初三；自魏以后，一般习用三月初三，但不一定为巳日。⑤杜宝：官至著作郎，参与修撰《隋书》，因见其中记述隋炀帝事迹有缺漏，遂著《大业杂记》，加以弥补。⑥《水饰图经》：书名，内容不详。⑦黄

衮：仕隋，官至散骑侍郎。传附《隋书·何稠传》《北史·何稠传》。⑧己丑：三月初三日。⑨平恩：县名，县治在今河北曲周东南。⑩武安：县名，县治在今河北武安。⑪钜鹿：县名，县治在今河北巨鹿西北。⑫孑遗：残存；剩余。孑，单。遗，余。⑬丁巳：四月初一日。⑭惊悸：因惊恐而心跳加剧。悸，惊惧、心跳。⑮癸亥：四月初七日。⑯败死：在战斗中失败而死。⑰丙戌朔：五月初一日。⑱壬午：五月丙戌朔，无壬午。疑作"甲午"。甲午，五月初九日。⑲景华宫：宫名，位于东都西苑之内。⑳萤火：虫名，即萤火虫，夜间能发出微弱亮光。㉑几何：多少。㉒什一：十分之一。㉓引身隐柱：把身体隐藏在柱后。㉔不委：不详细；不确实。委，确实。㉕汜水：县名，县治在今荥阳汜水镇。㉖以实：据实。㉗支计：收支会计之事。㉘尚书：书名，也称《书》或《书经》。我国最早的历史文献汇编，是商、周两代统治者的讲话记录及东周、战国时期根据远古材料加工编成的虞、夏史事记载。㉙《五子之歌》:《尚书·夏书》篇名,《尚书·序》说，太康失国，昆弟五人会于洛汭，作《五子之歌》。后人用作臣子劝诫之辞。㉚顷之：不久。㉛兹：代词。此，这个。㉜老革：老兵。革，兵。㉝批其口：打他的嘴巴。批，手击。㉞隐忍：克制和忍耐。㉟河南：郡名，治所洛阳县，在今河南洛阳。㊱白衣：即布衣，古代未仕者穿布衣。㊲滥授：不当授而授。滥，过度、失实。㊳按验：审查；查验。㊴推之：推究追查苏威的罪行。㊵处：判定；处理。㊶摧谢：痛心谢罪。摧，伤痛。谢，道歉、认错。㊷壬戌：七月初八日。㊸赵才（公元五四六至六一八年）：张掖酒泉（今甘肃酒泉东南）人，历仕北周、隋，官至右候卫大将军。传见《隋书》卷六十五、《北史》卷七十八。㊹府藏：库府贮备。㊺兆庶：指百姓。㊻属吏：交给官吏，以治其罪。㊼甲子：七月初十日。㊽段达（？至公元六二一年）：武威姑臧（今甘肃武威）人，仕隋，官至左骁卫大将军。传见《隋书》卷八十五、《北史》卷七十九。㊾韦津：京兆杜陵（今陕西长安）人。历仕隋、唐，官至检校民部尚书。传附《隋书·韦世康传》《北

【原文】

李密之亡也，往依郝孝德，孝德不礼之。又入王薄，薄亦不之奇[69]也。密困乏，至削树皮而食之，匿于淮阳村舍，变姓名，聚徒教授[70]。郡县疑而捕之，密亡去，抵其妹夫雍丘[71]令丘君明。君明不敢舍[72]匿[4]，转寄密于游侠[73]王秀才家，秀才以女妻之。君明从侄怀义告其事，帝令怀义自赍敕书与梁郡通守杨汪[74]相知收捕。汪遣兵围秀才宅，适值[75]密出外，由是获免，君明、秀才皆死。

史·韦孝宽传》《旧唐书·韦安石传》《新唐书·韦安石传》。㊿ 皇甫无逸：字仁俭，安定乌氏（今宁夏固原东南）人，历仕隋、唐，官至民部尚书。传见《旧唐书》卷六十二、《新唐书》卷九十一、《隋书》卷七十一、《北史》卷七十。51 右司郎：官名，隶尚书都司，掌都省之职。52 卢楚（？至公元六一八年）：汲郡范阳（今河北定兴西南）人，仕隋，官至尚书左丞。传见《隋书》卷七十一、《北史》卷八十五。53 奉信郎：官名，隶属谒者台，掌出使慰抚。54 建国门：城门名，东都洛阳罗城门，正南门即建国门。55 戊辰：七月十四日。56 恇怯：懦弱；胆小。恇，恐惧。57 戊辰：此"戊辰"重出。58 巩：县名，县治在今河南巩义东。59 箕山、公路：二府名。〖按〗《隋书·地理志》不载，《新唐书》卷三十八载河南有巩洛府等三十九府，不载此府名，疑移于仓城内，遂合并为巩洛府。60 不虞：没有意料到的事。虞，意料、料度。61 梁郡：郡名，治所陈县，在今河南商丘市睢阳区。62 邀：阻截；拦住。63 六合：县名，县治在今江苏南京市六合区。64 乙巳：八月二十一日。65 恒山：郡名，治所真定县，在今河北正定南。66 己丑：十月初六日。67 化及、智及：宇文述之子。宇文化及（？至公元六一八年），仕隋，官至奉屯卫将军，后杀隋炀帝。传见《隋书》卷八十五、《北史》卷七十九。宇文智及（？至公元六一八年），仕隋，官至将作少监。传附《隋书·宇文化及传》《北史·宇文化及传》。68 宠昵：宠爱亲近。

【校记】

［1］中：原无此字。据章钰校，十二行本、乙十一行本、孔天胤本皆有此字，张敦仁《通鉴刊本识误》同，今据补。［2］遂：原无此字。据章钰校，十二行本、乙十一行本、孔天胤本皆有此字，今据补。〖按〗《通鉴纪事本末》卷二六有此字。［3］帝从之：原无此三字。据章钰校，十二行本、乙十一行本、孔天胤本皆有此三字，张敦仁《通鉴刊本识误》同，今据补。

【语译】

李密逃亡时，前去投靠郝孝德，郝孝德没有以礼相待。李密又去王薄那里，王薄也不认为他有特别的才能。李密穷困疲乏，以至于剥树皮充饥，躲藏在淮阳郡的乡村里，改名换姓，招收学生传授学业。郡县官员怀疑他派人前去抓他，李密逃走，抵达他妹夫雍丘县令丘君明那儿。丘君明不敢收留藏匿，就把李密转送到游侠王秀才家寄居，王秀才把女儿嫁给李密。丘君明的堂侄丘怀义告发了这件事，隋炀帝命令丘怀义亲自携带敕书与梁郡通守杨汪通报消息，抓捕李密。杨汪派兵包围了王秀才住宅，正巧碰上李密外出，李密因此幸免于难。丘君明、王秀才都被处死。

韦城翟让[76]为东郡[5]法曹[77]，坐事当斩。狱吏黄君汉奇其骁勇，夜中潜谓让曰：“翟法司，天时人事，抑[78]亦可知，岂能守死狱中乎？”让惊喜，叩头[6]曰：“让，圈牢[79]之豕，死生唯黄曹主[80]所命。”君汉即破械出之。让再拜曰：“让蒙再生之恩则幸矣，奈黄曹主何？”因泣下。君汉怒曰：“本以公为大丈夫，可救生民之命，故不顾其死以奉脱[81]，奈何反效儿女子涕泣相谢乎？君但努力自免，勿忧吾也！”让遂亡命于瓦岗[82]为群盗。同郡单雄信[83]，骁健，善用马槊，聚少年往从之。离狐徐世勣[84]家于卫南[85]，年十七，有勇略，说让曰：“东郡[86]于公与勣皆为乡里，人多相识，不宜侵掠。荥阳[87]、梁郡，汴水所经，剽行舟[7]商旅，足以自资。”让然之，引众入二郡界，掠公私船，资用丰给，附者益众，聚徒至万余人。

时又有外黄王当仁、济阳王伯当[88]、韦城周文举、雍丘李公逸[89]等皆拥众为盗。李密自雍丘[8]亡命，往来诸帅间，说以取天下之策，始皆不信。久之，稍[90]以为然，相谓曰：“斯人公卿子孙[9]，志气若是。今人人皆云杨氏[91]将灭，李氏将兴。吾闻王者不死，斯人再三获济[92]，岂非其人乎？”由是渐敬密。

密察诸帅唯翟让最强，乃因[93]王伯当以见让，为让画策[94]，往说诸小盗，皆下之[95]。让悦，稍亲近密，与之计事，密因说让曰：“刘、项[96]皆起布衣为帝王。今主昏于上，民怨于下，锐兵尽于辽东，和亲绝于突厥，方乃巡游扬、越[97]，委弃东都，此亦刘、项奋起之会[98]也。以足下雄才大略，士马精锐，席卷二京，诛灭暴虐，隋氏不足亡也！”让谢曰：“吾侪[99]群盗，旦夕偷生草间[100]，君之言者，非吾所及也。”会[101]有李玄英者，自东都逃来，经历诸贼，求访李密，云“斯人当代隋家[102]。”人问其故，玄英言：“比来民间谣歌[103]有《桃李章》曰：‘桃李子，皇后[104]绕扬州，宛转花园里。勿浪语[105]，谁道许？’‘桃李子’，谓逃亡者李氏之子也；皇与后，皆君也；‘宛转花园里’，谓天子在扬州无还日，将转于沟壑[106]也；‘莫浪语，谁道许’者，密也。”既与密遇，遂委身事之。前宋城[107]尉齐郡房彦藻[10]，自负其才，恨不为时用，预于杨玄感之谋，变姓名亡命。遇密于梁、宋之间[108]，遂与之俱游汉、

韦城人翟让担任东郡法曹，犯罪当斩首。狱吏黄君汉赏识翟让的骁勇，便在夜里暗中对翟让说："翟法司，天时人事，或许能够看清楚，怎能守在狱中等死呢？"翟让又惊又喜，磕头说："我翟让，是关在圈里的猪，是生是死只能听从黄曹主吩咐。"黄君汉立刻打开了翟让的脚镣手铐，把他放出，翟让再三拜谢说："我蒙您的再生之恩，实在幸运，但黄曹主您怎么办呢？"于是流下泪来。黄君汉生气地说："我原本认为你是个大丈夫，可以拯救百姓的生命，所以不顾自己生死解救你，你怎么反而学儿女子弟用哭泣流泪来感谢我呢？您尽管努力逃命，不必担忧我！"翟让于是逃亡到瓦岗作盗贼。同郡人单雄信骁勇矫健，擅长在马上使用长矛，招集了一群青年人去投奔翟让。离狐人徐世勣家在卫南县，十七岁，有勇有谋，劝说翟让："东郡对你和我来说都是家乡，人们大多相识，不宜侵扰掠夺。荥阳、梁郡是汴水流经的地方，到那里抢夺过往舟船和商旅，足以满足我们的用度。"翟让表示赞同，率领部众进入荥阳、梁郡两郡境内，抢掠公私船只，资用丰足，依附的人越来越多，聚集部众达一万多人。

当时又有外黄人王当仁、济阳人王伯当、韦城人周文举、雍丘人李公逸等都拥众为盗。李密从雍丘逃亡，在各个首领之间来往，用取天下的策略来游说他们，他们开始都不相信。时间长了，逐渐有人认为李密说得对，彼此议论说："这个人是公卿子孙，有这样的志气。现今人人都说杨氏将要灭亡，李氏将要兴起。我听说命当称王的人大难不死，这个人多次逃脱危难，莫非称王的就是这个人吗？"因此，他们渐渐敬重李密。

李密调查了解到各部首领只有翟让势力最强，便通过王伯当的引荐见到了翟让，为翟让出谋划策，去游说其他小股造反部众，他们都归附了翟让。翟让很高兴，渐渐亲近李密，与他一起议事，李密于是劝翟让说："刘邦、项羽都出自平民而做了帝王，如今皇帝在上面昏庸无道，百姓在下面怨愤不平；精兵全都丧失在辽东，断绝了与突厥的和亲，现在仍在巡游扬、越，抛弃东都，这正是效法刘邦、项羽奋起的大好时机。凭您的雄才大略、兵马精锐，席卷东西二京，诛灭暴君，推翻隋朝并不是难事！"翟让推辞说："我辈身为群盗，日夜在草野间苟且偷生，你所说的，不是我做得到的。"恰巧有个叫李玄英的人，从东都逃出来，走过各支反隋部队，求访李密，说"这个人当取代隋家天下。"别人问他缘故，李玄英说："近来民间歌谣有一首叫《桃李章》，说道：'桃李子，皇后绕扬州，宛转花园里。勿浪语，谁道许？''桃李子'，是说逃亡的人是李氏之子；皇与后都是指国君；'宛转花园里'，是说隋炀帝在扬州回不来了，将会葬身于沟壑；'莫浪语，谁道许'是密字。"不久他遇到李密，便委身投靠李密。原宋城县尉齐郡人房彦藻，自恃才学，恨自己不被当世重用，曾参与过杨玄感的谋乱，后来改名换姓逃亡。在梁郡、宋城之间遇见了李密，于是就和李密一起游历汉、沔地区，广泛深入各部反隋军，游说其中的豪杰之士，返回时，

沔[109]，遍入诸贼，说其豪杰，还日，从者数百人，仍为游客[110]，处于让营。让见密为豪杰所归，欲从其计，犹豫未决。

有贾雄者，晓阴阳[111]占候[112]，为让军师[113]，言无不用。密深结于雄，使之托术数[114]以说让，雄许诺，怀之未发。会让召雄，告以密所言，问其可否，对曰："吉不可言。"又曰："公自立恐未必成，若立斯人，事无不济。"让曰："如卿言，蒲山公[115]当自立，何来从我？"对曰："事有相因。所以来者，将军姓翟，翟者，泽也，蒲[116]非泽不生，故须将军也。"让然之，与密情好日笃[117]。

密因说让曰："今四海糜沸[118]，不得耕耘，公士众虽多，食无仓廪[119]，唯资野掠[120]，常苦不给[121]。若旷日持久[122]，加以大敌临之，必涣然[123]离散。未若先取荥阳，休兵馆谷[124]，待士马肥充[125]，然后与人争利。"让从之，于是破金堤关[126]，攻荥阳诸县，多下之。

荥阳太守郇王庆[127]，弘之子也，不能讨，帝徙张须陁为荥阳通守以讨之。庚戌[128]，须陁引兵击让，让向数为须陁所败，闻其来，大惧，将避之。密曰："须陁勇而无谋，兵又骤胜，既骄且狠，可一战擒也。公但列陈以待，密保为公破之。"让不得已，勒兵将战，密分兵千余人伏于大海寺[129]北林间。须陁素轻让，方陈而前，让与战，不利，须陁乘之，逐北十余里，密发伏掩之[130]，须陁兵败。密与让及徐世勣、王伯当合军围之，须陁溃围[131]出，左右不能尽出，须陁跃马[132]复入救之，来往数四，遂战死。所部兵昼夜号哭，数日不止，河南郡县为之丧气。鹰扬郎将河东贾务本为须陁之副，亦被伤，帅余众五千余人奔梁郡，务本寻卒。诏以光禄大夫裴仁基为河南道[11]讨捕大使，代领其众，徙镇虎牢[133]。

让乃令密建牙[134]，别统所部，号蒲山公营。密部分[135]严整，凡号令士卒，虽盛夏，皆如背负霜雪[136]。躬[137]服俭素，所得金宝，悉颁赐麾下，由是人为之用。麾下士卒多为让士卒所陵辱[138]，以威约[139]有素，不敢报[140]也。让谓密曰："今资粮粗足[141]，意欲还向瓦岗，公若不往，唯公所适[142]，让从此别矣。"让帅辎重东引，密亦西行至康城[143]，说下数城，大获资储[144]。让寻悔，复引兵从密。

有几百人跟从他们，李密仍以说客身份，留在翟让的营寨内。翟让看见豪杰都归附李密，打算听从李密的计谋，但仍然犹豫不决。

有一个叫贾雄的人，通晓阴阳占卜，是翟让的军师，他说的话没有不被采用的。李密与贾雄深交，让他用占卜之术劝说翟让，贾雄答应了，心中盘算好了但尚未行动。适逢翟让召见贾雄，把李密劝说自己称王的事告知贾雄，询问是否可行。贾雄回答说："大吉大利，不可言说。"又说："你自己称王恐怕未必成功，如果让李密当王，事情没有不成功的。"翟让说："照你的说法，蒲山公应当自己称王，何必来追随我？"贾雄回答说："事情是相辅相成的。他之所以到你这来，因为将军姓翟，翟是水泽的意思，蒲草不在水泽中就不能生存，所以必须依靠将军你啊。"翟让相信了，与李密的感情日益深厚。

李密便对翟让说："如今全国如一锅沸腾的烂粥，百姓不得耕种，您的兵马虽然众多，但吃食没有仓储，只有依靠在民间掠夺，经常苦于供给不足，如果旷日持久，再加上大敌来临，一定会分崩离析。不如先攻取荥阳，驻兵休整，就地取粮，等到兵强马壮后，然后与别人较量高低。"翟让听从了李密的计谋，于是攻破金隄关，攻打荥阳等县城，多数县城被攻占了。

荥阳郡太守郇王杨庆，是杨弘的儿子，不能讨伐翟让，隋炀帝调张须陁为荥阳通守讨伐翟让。十月二十七日庚戌，张须陁率军攻打翟让，翟让先前多次被张须陁打败，听说他来，大为恐惧，将要躲避他。李密说："张须陁有勇无谋，他的军队又屡次打胜仗，既骄傲又凶狠，可以一战擒获他。您只管摆开阵势等待，我保证为您打败他。"翟让不得已，部署军队准备交战，李密分兵一千多人埋伏在大海寺北面的树林中。张须陁一向轻视翟让，排方阵向前推进，翟让与张须陁交战，战败，张须陁乘胜追击，追赶败兵十余里，李密发动伏兵突然袭击，张须陁兵败。李密与翟让以及徐世勣、王伯当等合兵包围了张须陁，张须陁冲破重围，但他身边的人没有全部逃出，张须陁又跃马冲入包围去救援，冲出冲入，来回好几次，于是战死。张须陁的部众日夜号哭，一连几天都没有停止。河南各郡县因此而士气低落。鹰扬郎将河东人贾务本是张须陁的副手，也受了伤，率领残兵五千多人逃往梁郡，贾务本不久也死了。隋炀帝诏令光禄大夫裴仁基为河南道讨捕大使，接替张须陁统领这支队伍，移镇虎牢关。

翟让于是让李密建立幕府，另外率领所属的部众，称为蒲山公营。李密部署严明整肃，凡是对士兵下达号令，即使是盛夏，士兵们都像背负霜雪一样。李密自己穿戴节俭朴素，所得金银财宝，全部分给部属，因此，人人乐意为他效劳。他的部下士卒很多受到翟让士卒的凌辱，但由于李密一向约束森严，没有人敢报复。翟让对李密说："如今军资粮食大体充足，我心里想回到瓦岗，你如果不去，随便你到哪里，我翟让自此和你告别。"翟让携带辎重向东走，李密也向西行到达康城，劝说几座城池归降，获得了大批军资粮食。翟让不久后悔了，便又率领部众追随李密。

【段旨】

以上为第二段，写瓦岗军兴起，翟让、李密计败张须陁，从此，在北方地区，农民起义军占据了主导地位。

【注释】

⑲不之奇：即不奇之，不以为李密有特殊才能。奇，特异、稀罕。⑳教授：传授学业。㉑雍丘：县名，县治在今河南杞县。㉒舍：留住；住宿。㉓游侠：敢于反抗、救人急难的人。㉔杨汪（？至公元六二一年）：字符度，弘农华阴（今陕西华阴）人，曾祖时，徙居河东。历仕北周、隋，官至大理卿。传见《隋书》卷五十六、《北史》卷七十四。㉕适值：恰巧遇上。适，恰好。值，相遇。㉖翟让（？至公元六一七年）：韦城（今河南滑县东南）人，隋末聚众起事，成为反隋主力之一。后被李密所杀。事散见《隋书》卷七十、卷七十一等。㉗法曹：官名，掌司法。㉘抑：连词，表示选择，相当于“或者”“还是”。㉙圈牢：饲养家畜的地方。牢，养牲畜的栏圈。㉚黄曹主：黄君汉大概是狱吏中的主持人，故称为曹主。㉛奉脱：开脱；解脱。奉，对别人的敬称。㉜瓦岗：地名，在今河南滑县东。翟让军以瓦岗寨为根据地。㉝单雄信（？至公元六二一年）：曹州（今山菏泽市定陶区西南）人，隋末反隋骁将。传见《旧唐书》卷五十三、《新唐书》卷八十四。㉞徐世勣（公元五九二至六六七年）：曹州离狐（今山东菏泽西北李家集）人，唐朝赐姓李氏，因避讳太宗，单名勣。先参加隋末民众起义，后降唐，官至尚书左仆射、司空。传见《旧唐书》卷六十七、《新唐书》卷九十三。㉟卫南：县名，县治在今河南滑县东。㊱东郡：郡名，治所滑台，在今河南滑县东。㊲荥阳：郡名，治所成皋县，在今河南荥阳西北。㊳王伯当（？至公元六一八年）：济阴（今山东曹县西北）人，隋末反隋义军骁将。事散见《隋书》卷七十等。㊴李公逸：汴梁雍丘（今河南杞县）人。传见《旧唐书》卷一百八十七上、《新唐书》卷一百九十一。㊵稍：逐渐。㊶杨氏：指隋杨氏王朝。㊷获济：得到救助。济，救助、接济。㊸因：凭借；通过。㊹画策：计划；谋划。画，谋划、计策。㊺下之：降服；归顺。㊻刘、项：刘指刘邦，项指项羽，于秦末起义，刘邦建立汉朝称帝，项羽曾称西楚霸王。㊼扬越：指扬州一带和越州一带（即今浙江绍兴一带）。因隋炀帝改州为郡，故扬、越指古地名。㊽会：时机；机会。㊾吾侪：我辈。侪，辈、类。㊿草间：野间。草，草野、野间。(101)会：恰巧；适逢。(102)隋家：隋王朝。(103)谣歌：即歌谣。古代以曲合乐伴奏者称歌，随口唱者称谣。(104)皇后：君主。皇，大。后，君。(105)浪语：随便乱说。浪，轻率。(106)沟壑：溪谷；山沟。古人讳称死曰填沟壑。(107)宋城：县名，县治在今河南商丘西南。(108)梁、宋之间：指梁郡宋城县一带。梁郡，治所宋城县，在今河南商丘西南。(109)汉沔：指汉水与沔水流域。沔水，一名沮水，源出陕西略阳，东南流至勉县，西南入汉水。为汉水的上游段。(110)游客：从事游说活动的人。(111)阴阳：古代以阴阳解释万物化生，凡天地、日月、昼夜、男女以至腑脏、气血等皆属

阴阳。⑫ 占候：古代视天象变化以测吉凶。⑬ 军师：为主人出谋划策的人。⑭ 术数：用阴阳五行相生相克的数理，来推断人事吉凶，如占候、卜筮、星命等。⑮ 蒲山公：指李密。李密袭爵蒲山公。⑯ 蒲：草名，生长在沼泽江河水里。⑰ 情好日笃：情谊一天比一天深厚。日，日渐。笃，笃厚、真诚。⑱ 糜沸：言如锅里煮的粥一样沸腾。比喻动乱纷扰。糜，粥。⑲ 仓廪：储藏米谷的仓库。廪，粮仓。⑳ 野掠：在民间掠夺。㉑ 不给：供给不足。㉒ 旷日持久：空废时日，相持长久。旷，荒废。㉓ 涣然：流散的样子。㉔ 馆谷：居其馆，食其谷。㉕ 肥充：肥壮而繁多。充，满、繁多。㉖ 金隄关：关名，在今河南荥阳东北。㉗ 郇王庆：隋河间王杨弘之子，袭爵为郇王。后降唐，官至宜州刺史。传附《隋书·河间王弘传》《北史·河间王弘传》。㉘ 庚戌：十月二十七日。㉙ 大海寺：寺名，故址在今河南荥阳北。㉚ 发伏掩之：出动伏兵，突然袭击张须陁。㉛ 溃围：冲破包围。㉜ 跃马：策马驰骋腾跃。㉝ 虎牢：即汜水县，县治在今荥阳汜水镇。北临黄河，绝岸峻壁，自古为戍守要地。㉞ 建牙：牙，军前大旗。古代出兵，在军前树立的大旗称牙，后来也称兴兵建幕府或武将出镇为建牙。此指让李密建立幕府。㉟ 部分：处分整治。㊱ 如背负霜雪：形容李密军威整肃，士兵威服，背冒冷汗。㊲ 躬：亲自；自身。㊳ 陵辱：侵侮。陵，侵犯、欺侮。㊴ 威约：约束森严。约，约束、制约。㊵ 报：回答；报复。㊶ 粗足：稍微充足。粗，粗略。㊷ 所适：所往；去什么地方。适，往、去。㊸ 康城：地名，故址在今河南禹州西北。㊹ 资储：储备；积蓄。

【校记】

［4］匿：原无此字。据章钰校，十二行本、乙十一行本、孔天胤本皆有此字，张敦仁《通鉴刊本识误》同，今据补。〖按〗《通鉴纪事本末》卷二七有此字。［5］东郡：严衍《通鉴补》改作“东都”，今据以校正。［6］叩头：原无此二字。据章钰校，十二行本、乙十一行本、孔天胤本皆有此二字，张敦仁《通鉴刊本识误》、张瑛《通鉴校勘记》同，今据补。［7］舟：“舟”下原有“掠”字。据章钰校，十二行本、乙十一行本、孔天胤本皆无“掠”字，今据删。〖按〗《通鉴纪事本末》卷二七、《通鉴纲目》卷三七下皆无“掠”字。［8］雍丘：原作“雍州”。据章钰校，十二行本、乙十一行本、孔天胤本皆作“雍丘”，张敦仁《通鉴刊本识误》同，今据改。〖按〗《通鉴纪事本末》卷二七、《通鉴纲目》卷三七下皆作“雍丘”。［9］孙：原作“弟”。据章钰校，十二行本、乙十一行本、孔天胤本皆作“孙”，张敦仁《通鉴刊本识误》同，今据改。〖按〗《通鉴纪事本末》卷二七、《通鉴纲目》卷三七下皆作“孙”。［10］房彦藻：原作“房玄藻”。据章钰校，十二行本、乙十一行本、孔天胤本皆作“房彦藻”，张敦仁《通鉴刊本识误》同，今据改。〖按〗《通鉴纪事本末》卷二七、《通鉴纲目》卷三七下皆作“房彦藻”。［11］道：原无此字。据章钰校，十二行本、乙十一行本、孔天胤本皆有此字，张敦仁《通鉴刊本识误》同，今据补。〖按〗《通鉴纪事本末》卷二七有此字。

【原文】

鄱阳[145]贼帅操师乞自称元兴王，建元始兴，攻陷豫章郡[146]，以其乡人林士弘[147]为大将军。诏治书侍御史刘子翊[148]将兵讨之。师乞中流矢死，士弘代统其众，与子翊战于彭蠡湖[149]，子翊败死。士弘兵大振，至十余万人。十二月壬辰[150]，士弘自称皇帝，国号楚，建元太平。遂取九江、临川、南康、宜春[151]等郡，豪杰争杀隋守令，以郡县应之。其地北自九江，南及番禺[152]，皆为所有。

诏以右骁卫将军唐公李渊为太原[153]留守，以虎贲郎将[154]王威、虎牙郎将[155]高君雅为之副，将兵讨甄翟兒，与翟兒遇于雀鼠谷[156]。渊众才数千，贼围渊数匝[157]，李世民将精兵救之，拔渊于万众之中，会步兵至，合击，大破之。

帝疏薄骨肉[158]，蔡王智积每不自安，及病，不呼医，临终，谓所亲曰："吾今日始知得保首领[159]没于地矣!"

张金称、郝孝德、孙宣雅、高士达、杨公卿等寇掠河北，屠陷郡县。隋将帅败亡[12]相继，唯虎贲中郎将[160]蒲城王辩[161]、清河郡丞华阴杨善会[162]数有功，善会前后与贼七百余战，未尝负败[163]。帝遣太仆卿杨义臣讨张金称。金称营于平恩[164]东北，义臣引兵直抵临清[165]之西，据永济渠为营，去金称营四十里，深沟高垒，不与战。金称日引兵至义臣营西，义臣勒兵擐甲[166]，约与之战，既而不出。日暮，金称还营，明旦，复来。如是月余，义臣竟不出。金称以为怯，屡逼其营詈辱[167]之，义臣乃谓金称曰："汝明旦来，我当必战。"金称易[168]之，不复设备。义臣简精骑二千，夜自馆陶[169]济河[170]，伺金称离营，即入击其累重[171]。金称闻之，引兵还，义臣从后击之，金称大败，与左右逃于清河之东。月余，杨善会讨擒之。吏立木于市，悬其头，张[172]其手足，令仇家割食之，未死间，歌讴[173]不辍。诏以善会为清河通守。

涿郡通守郭绚[174]将兵万余人讨高士达。士达自以才略不及窦建德，乃进建德为军司马[175]，悉以兵授之。建德请士达守辎重，自简精兵七千人拒绚，诈为与士达有隙而叛，遣人请降于绚，愿为前驱，击士

【语译】

鄱阳郡贼军首领操师乞自称元兴王，建年号为始兴，攻陷豫章郡，任用同乡人林士弘为大将军。隋炀帝下诏命令治书侍御史刘子翊领兵讨伐他。操师乞中了流箭死去，林士弘接替统领他的部众，与刘子翊在彭蠡湖交战，刘子翊战败身亡，林士弘军威大振，部队达到十多万人。十二月初十日壬辰，林士弘自称皇帝，国号楚，建年号为太平。林士弘于是乘胜攻占了九江、临川、南康、宜春等郡，各地豪杰都争先恐后杀死隋朝的郡守县令，献出郡县归附林士弘。这一地区北起九江，南到番禺，全被林士弘占有。

隋炀帝下诏任命右骁卫将军唐公李渊为太原留守，任命虎贲郎将王威、虎牙郎将高君雅为李渊的副将。率兵讨伐甄翟兒，在雀鼠谷与甄翟兒相遇。李渊部众只有几千人，甄翟兒的军队将李渊包围了好几层，李世民率领精兵救援，把李渊从万众重围中救出来，正好步兵也赶到了，合兵攻击，大败甄翟兒。

隋炀帝对亲生骨肉疏远刻薄，蔡王杨智积常常恐惧不安，后来他患病，不喊医生治疗，临死时，对他亲近的人说："我今天才知道能够保全头颅而葬于地下了！"

张金称、郝孝德、孙宣雅、高士达、杨公卿等抢掠河北，攻陷郡县，大肆屠杀。隋朝的将帅接连败亡，只有虎贲中郎将蒲城人王辩、清河郡丞华阴人杨善会多次立功。杨善会前后与敌人交战七百多次，未曾战败，隋炀帝派遣太仆卿杨义臣讨伐张金称，张金称在平恩县东北扎营，杨义臣率兵直抵临清的西边，紧靠永济渠扎营，距离张金称的营地四十里。杨义臣深挖壕沟，高筑营垒，不出来交战。张金称每天进兵到杨义臣军营西边挑战，杨义臣率领士兵，身穿铠甲，约定日期交战，到时却不出来。直到太阳落山，张金称率军返回营地。第二天早晨，张金称又来挑战。就这样过了一个多月，杨义臣始终没有出来交战。张金称认为杨义臣胆怯，一再逼近杨义臣的军营辱骂杨义臣。杨义臣于是对张金称说："你明天早上再来，我一定接战。"张金称不当一回事，不再警戒。杨义臣挑选精锐骑兵两千人，在夜里从馆陶渡河，趁张金称离开营地之时，立即偷袭张金称的家累辎重。张金称得知消息，领兵返回，杨义臣从后面袭击他，张金称大败，和随身侍从逃到清河的东边。一个多月后，杨善会出击抓获了张金称。隋朝官吏在闹市中立了一根木柱，把张金称的头吊起来，展开他的手脚，命令张金称的仇人割张金称的肉吃，张金称没死的时候，还不断唱歌。隋炀帝下诏，任命杨善会为清河郡通守。

涿郡通守郭绚领兵一万多人讨伐高士达。高士达自认为才能谋略赶不上窦建德，于是就提拔窦建德为军司马，把兵权全部交给他。窦建德请高士达看守辎重，自己挑选精兵七千人抵抗郭绚，诈称与高士达有矛盾而叛变，派人向郭绚请求投降，表示愿意做郭绚的前锋，进攻高士达，自建功劳。郭绚相信了他，率兵跟随窦建德到

达以自效[176]。绚信之，引兵随建德至长河[177]，不复设备。建德袭之，杀虏数千人，斩绚首，献士达，张金称余众皆归建德。杨义臣乘胜至平原[178]，欲入高鸡泊讨之。建德谓士达曰："历观隋将，善用兵者无如义臣，今灭张金称而来，其锋[179]不可当[180]。请引兵避之，使其欲战不得，坐费[181]岁月，将士疲倦，然后乘间击之，乃可破也。不然，恐非公之敌。"士达不从，留建德守营，自帅精兵逆击义臣，战小胜，因纵酒高宴，建德闻之曰："东海公[182]未能破敌，遽自矜大[183]，祸至不久矣。"后五日，义臣大破士达，于陈斩之，乘胜逐北，趣其营，营中守兵皆溃。建德与百余骑亡去，至饶阳[184]，乘其无备，攻陷之，收兵，得三千余人。义臣既杀士达，以为建德不足忧，引去。建德还平原，收士达散兵，收葬死者，为士达发丧，军复大振，自称将军。先是，群盗得隋官及士族[185]子弟，皆杀之，独建德善遇[186]之。由是隋官稍以城降之，声势日盛，胜兵[187]至十余万人。

内史侍郎虞世基以帝恶闻[188]贼盗，诸将及郡县有告败求救者，世基皆抑损[189]表状[190]，不以实闻，但云："鼠窃狗盗[191]，郡县捕逐，行当殄尽[192]，愿陛下勿以介怀[193]。"帝良以为然，或杖其使者，以为妄言，由是盗贼遍海内，陷没郡县，帝皆弗之知[194]也。杨义臣破降河北贼数十万，列状[195]上闻，帝叹曰："我初不闻贼顿[196]如此，义臣降贼何多也？"世基对曰："小窃虽多，未足为虑，义臣克之，拥兵不少，久在阃外[197]，此最非宜。"帝曰："卿言是也。"遽追义臣，放散其兵，贼由是复盛。

治书侍御史韦云起劾奏："世基及御史大夫裴蕴职典[198]枢要[199]，维持内外，四方告变，不为奏闻。贼数实多，裁减言少，陛下既闻贼少，发兵不多，众寡悬殊，往皆不克，故使官军失利，贼党日滋。请付有司结正[200]其罪。"大理卿郑善果奏："云起诋訾[201]名臣，所言不实，非毁[202]朝政，妄作威权[203]。"由是左迁云起为大理司直[204]。

帝至江都，江、淮郡官谒见者，专问礼饷[205]丰薄，丰则超迁丞、守[206]，薄则率从停解[207]。江都郡丞王世充献铜镜屏风，迁通守。历阳郡[208]丞赵元楷[209]献异味[210]，迁江都郡丞。由是郡县竞务刻剥[211]，以充贡献。民外为盗贼所掠，内为郡县所赋，生计无遗。加之饥馑[212]无食，

达长河，不再防备。窦建德袭击郭绚，杀死和俘虏了几千人，砍下郭绚的首级献给高士达。张金称的残余部众也全部归附了窦建德。杨义臣乘胜到达平原郡，打算进入高鸡泊讨伐高士达。窦建德对高士达说："我逐个了解隋朝将领，善于用兵的人，没有一个赶得上杨义臣，他如今灭了张金称前来，兵锋不可阻挡，请你率领部众避开他，让他想战却不能战，白白浪费时间，等到将士疲惫，然后找机会袭击他，才可以打败他。不这样，恐怕你赢不了他。"高士达不听从，留下窦建德守卫军营，亲自率领精兵迎战杨义臣，初战小胜，便大肆饮酒庆祝，窦建德知道后说："东海公还没打败敌人，马上就自高自大，不久就要大祸临头了。"过了五天，杨义臣大败高士达，在阵前杀了高士达，乘胜追击败兵，直奔军营，营中守兵全都逃散。窦建德与一百多名骑兵逃离，到达饶阳县，趁官兵没有防备，攻占了饶阳县，招集士兵，得到了三千多人。杨义臣已经杀了高士达，认为窦建德不值得忧虑，就领兵而去。窦建德返回平原郡，收编高士达的散兵，埋葬死了的人，替高士达办了丧事，军威又重新振作起来，窦建德自称将军。此前，各路反隋军抓获隋军官吏和士族子弟，全都杀了，只有窦建德善待他们。因此，隋朝官员逐渐纷纷献城投降，窦建德的军队声势日益强盛，精兵达到了十多万人。

内史侍郎虞世基因隋炀帝厌恶听到盗贼的情况，诸将及郡县报告战败请求救援的，虞世基全都加以限制，不据实奏报，只说："鼠窃狗盗之辈，郡县搜捕追逐，快要消灭干净了，请陛下不要放在心上。"隋炀帝认为说得很对，有时还杖打报告实情的使者，认为他们胡说，因此盗贼遍布天下，攻陷郡县，隋炀帝全然不知。杨义臣击败并收降河北贼众几十万，他条列情状上奏隋炀帝，隋炀帝感叹道："我当初不知道盗贼一下子多到如此地步，杨义臣降服的贼人怎么这样多？"虞世基回答说："小贼虽然多，不值得担心，杨义臣击败小贼，却拥兵不少，长久在京城之外，这是最不妥当的。"隋炀帝说："你说得对。"立刻派人追回杨义臣，遣散他的部众，盗贼因此又多了起来。

治书侍御史韦云起上奏弹劾："虞世基和御史大夫裴蕴执掌枢要机密，维持朝廷内外联系，四方告急，却不上奏皇上，盗贼的数量实际很多，他们削减数量说是很少，陛下既然听说贼少，发兵不多，众寡悬殊，前往讨伐的官兵都不能取胜，所以导致官军失败，贼党一天比一天增多。请将他们二人交付有关部门结案定罪。"大理卿郑善果上奏："韦云起诬蔑名臣，他所说的都不属实，诽谤朝政，妄自作威作福。"因此贬韦云起为大理司直。

隋炀帝到达江都，江、淮各郡来谒见的官员，隋炀帝只问进献礼物多少，礼物丰富则越级升迁为郡丞、郡守，礼物微薄则一律停职罢官。江都郡丞王世充进献铜镜屏风，升迁为通守。历阳郡丞赵元楷进献珍美食品，升迁为江都郡丞。因此各郡县争相刻剥搜刮，用来充实贡献的礼品。平民外受盗贼抢掠，内被郡县征税逼迫，

民始采树皮叶，或捣藁为末，或煮土而食之，诸物皆尽，乃自相食[213]。而官食犹充牣[214]，吏皆畏法，莫敢振救[215]。王世充密为帝简阅[216]江淮民间美女献之，由是益有宠。

河间贼帅格谦拥众十余万，据豆子䴚，自称燕王，帝命王世充将兵讨斩之。谦将勃海高开道[217]收其余众，寇掠燕地[218]，军势复振。

初，帝谋伐高丽，器械资储，皆积于涿郡，涿郡人物殷阜[219]，屯兵数万。又，临朔宫多珍宝，诸贼竞来侵掠。留守官虎贲郎将赵什住等不能拒，唯虎贲郎将云阳罗艺[220]独出战，前后破贼甚众，威名日重，什住等阴忌之。艺将作乱，先宣言以激其众曰："吾辈讨贼数有功，城中仓库山积，制[221]在留守之官，而莫肯散施[222]以济贫乏，将何以劝将士？"众皆愤怨。军还，郡丞出城候艺，艺因执之，陈兵而入。什住等惧，皆来听命，乃发库物以赐战士，开仓廪以赈贫乏，境内咸悦[13]。杀不同己者勃海太守唐祎等数人，威振燕地，柳城、怀远并归之。艺黜[223]柳城[224]太守杨林甫，改郡为营州，以襄平太守邓暠为总管，艺自称幽州总管。

突厥数寇北边，诏晋阳留守[225]李渊帅太原道兵与马邑太守王仁恭[226]击之。时突厥方强，两军众不满五千，仁恭患之。渊选善骑射者二千人，使之饮食舍止[227]一如突厥，或与突厥遇，则伺便[228]击之，前后屡捷，突厥颇惮之。

【段旨】

以上为第三段，写河北、江淮起义如火如荼，而隋炀帝在江都信用权奸，花天酒地，充耳不闻。隋炀帝甚至猜忌功臣，斥逐杨义臣，自毁长城。等到罗艺造反，预示着隋朝官吏基础动摇，隋炀帝的末日为期不远了。

没有了活路。加上饥荒缺粮，平民开始采集树皮、树叶，或者把稻草捣成碎末，或煮泥土来充饥，各种能吃的东西都吃光了，于是人吃人。而官方粮食仍然充足，官吏都害怕法制，没有人敢开仓救济灾民。王世充暗中挑选江淮美女进献隋炀帝，因此更加受到宠信。

河间郡贼军首领格谦拥有部众十多万人，占据豆子䴚，自称燕王。隋炀帝命令王世充率兵讨伐，杀了格谦。格谦的部将勃海人高开道搜罗余部，劫掠燕地，军势重新振作起来。

当初，隋炀帝图谋征伐高丽，把器械军资和粮食贮备都集中在涿郡，涿郡人口众多、物产殷实，屯兵数万。另外，涿郡临朔宫有很多珍宝，各地的贼寇纷纷前来抢掠。留守官虎贲郎将赵什住等人没办法抵抗，只有虎贲郎将云阳人罗艺独自出战，前后打败贼兵很多人，威名越来越高，赵什住等人暗中嫉妒他。罗艺想要造反，他先公开扬言激励他的部众，说："我们讨贼屡建战功，城中的仓库粮食堆积如山，但被控制在留守官手中，不肯发放用来救济贫苦困乏的百姓，这怎么能够勉励将士?"大家听后都极为愤怒。军队回城，郡丞出城迎候罗艺，罗艺便把郡丞抓起来，列队入城。赵什住等人很恐惧，都前来听命，于是打开府库赏赐战士，打开粮仓救济贫苦困乏的百姓，涿郡境内都很高兴。罗艺杀了勃海太守唐祎等几个与自己不同心的人，声威震动燕地，柳城、怀远等郡都归附了罗艺。罗艺罢免了柳城太守杨林甫，改郡为营州，任命襄平太守邓暠为营州总管，罗艺自称幽州总管。

突厥多次侵扰北方边境，隋炀帝下诏晋阳留守李渊率领太原道的兵马与马邑太守王仁恭攻打突厥。当时突厥正强，李渊、王仁恭两军部众不满五千人，王仁恭很担忧。李渊挑选善于骑射的两千人，让他们饮食起居与突厥人完全一样，与突厥人相遇，就找机会袭击他们，前后多次告捷，突厥人很害怕他们。

【注释】

⑭⑤鄱阳：郡名，治所鄱阳县，在今江西鄱阳北。⑭⑥豫章郡：郡名，治所南昌县，在今江西南昌。⑭⑦林士弘（？至公元六二二年）：饶州鄱阳（今江西鄱阳北）人。传见《旧唐书》卷五十六、《新唐书》卷八十七。⑭⑧刘子翊（公元五四八至六二二年）：彭城丛亭（今江苏徐州）人，仕隋，官至治书侍御史。传见《隋书》卷七十一、《北史》卷八十五。⑭⑨彭蠡湖：湖名，即今鄱阳湖，在今江西九江与鄱阳之间。⑮⓪壬辰：十二月初十日。⑮①九江、临川、南康、宜春：皆郡名。九江郡，治所湓口城，在今江西九江。临川郡，治所临汝县，在今江西抚州市临川区西北。南康郡，治所赣县，在今江西赣州。宜春郡，治所宜春县，在今江西宜春。⑮②番禺：地名，南海郡治所，在今广东广州。⑮③太

原：郡名，治所太原县，在今山西太原西南。⑭ 虎贲郎将：武官名，隋十二卫将军之副官，掌禁卫。⑮ 虎牙郎将：武官名，虎贲郎将之副官，掌禁卫。⑯ 雀鼠谷：山谷名，故址在今山西灵石境内。⑰ 数匝：好几周。匝，环绕一周叫一匝。⑱ 骨肉：比喻至亲。父母对于子女，子女对于父母，都称为骨肉之亲。⑲ 保首领：指保全头颈。领，颈项。⑳ 虎贲中郎将：《隋书·百官志》无中郎将。《隋书·王辩传》作“虎贲郎将”，《北史》本传同。“中”字衍，当删。㉑ 王辩（公元五六二至六一七年）：字警略，冯翊蒲城（今陕西蒲城）人。仕隋，官至虎贲郎将。传见《隋书》卷六十四、《北史》卷七十八。㉒ 杨善会：字敬仁，弘农华阴（今陕西华阴）人，仕隋，官至清河通守。传见《隋书》卷七十一、《北史》卷八十五。㉓ 负败：失败。负，败。㉔ 平恩：县名，县治在今河北曲周东南。㉕ 临清：县名，县治在今河北临西县。㉖ 擐甲：穿戴盔甲。擐，贯、穿。㉗ 詈辱：辱骂。詈，骂、责怪。㉘ 易：轻视；小看。㉙ 馆陶：县名，县治在今河北馆陶。㉚ 河：指清河。㉛ 累重：指家属与资产。累，家室。㉜ 张：伸展；张开。㉝ 歌讴：同“讴歌”。讴，也作“呕”，歌唱、吟诵。㉞ 郭绚（？至公元六一三年）：河东安邑（今山西运城东北）人，仕隋，官至涿郡通守，兼领留守。传见《隋书》卷七十三、《北史》卷八十六。㉟ 军司马：官名，掌军事、用兵作战。㊱ 自效：自我立功，以表示自己的真诚。效，功效、效验。㊲ 长河：县名，县治在今山东德州东。㊳ 平原：郡名，治所安德县，在今山东德州市陵城区。㊴ 锋：锋芒。比喻军队的锐气。㊵ 当：抵挡。㊶ 坐费：自然消耗。坐，副词，无故、自然而然。㊷ 东海公：指高士达。高士达自号东海公。㊸ 矜大：骄傲自大。㊹ 饶阳：县名，县治在今河北饶阳。㊺ 士族：又称“世族”或“势族”。是东汉以后逐渐形成的世家大族，世代为官，经学传世。在政治、经济等方面享有特权。到了隋朝，士族已处于衰落阶段。㊻ 善遇：很好地对待。㊼ 胜兵：足以克敌制胜的军队。㊽ 恶闻：厌恶听到。㊾ 抑损：限制；减少。㊿ 表状：给朝廷的上疏奏表。表，臣子给君主上言的文表。多用于陈述衷情。状，文体的一种，向上级陈述事实的文书。(191) 鼠窃狗盗：也作“鼠窃狗偷”。指小窃小盗。(192) 殄尽：消灭光。殄，断绝、灭绝。(193) 介怀：同“介意”。指放在心上。(194) 弗之知：不知道这些事。弗，不。(195) 列状：条列情状。(196) 顿：顿

【原文】

恭皇帝㉙上[14]

义宁元年（丁丑，公元六一七年）

春，正月，右御卫将军㉚陈稜讨杜伏威，伏威帅众拒之。稜闭壁㉛不战，伏威遗以妇人之服，谓之“陈姥㉜”。稜怒，出战，伏威奋击，大破

时；实时。⑲⑰ 阃外：指统兵在外。阃，门槛，指郭门或国门。⑲⑧ 典：掌管；主持。⑲⑨ 枢要：中心。指中央政权中机要部门或官职。⑳⓪ 结正：结案判定。⑳① 诋訾：诬蔑；诋毁。訾，诋毁。⑳② 非毁：诋毁；讥讽。非，讥讽。⑳③ 威权：威势和权力。⑳④ 大理司直：官名，隶属大理卿，不署曹事，只复理御史劾奏之事。⑳⑤ 礼饷：献给天子的礼物。⑳⑥ 超迁丞守：破格提拔为郡丞、太守（或通守）。⑳⑦ 率从停解：率，一概。停解，停职或罢免官职。解，罢任。⑳⑧ 历阳郡：郡名，治所历阳县，在今安徽和县。⑳⑨ 赵元楷：天水（今甘肃天水西南）人，仕隋，官至江都郡丞，兼领江都宫使。传附《隋书·赵芬传》《北史·赵芬传》。㉑⓪ 异味：异常的美味。㉑① 刻剥：侵夺；侵害。㉑② 饥馑：无谷吃叫饥，无菜吃叫馑。㉑③ 自相食：指人吃人。㉑④ 充牣：充满。牣，盈满、塞。㉑⑤ 振救：救济。振，通“赈”。救助。㉑⑥ 简阅：考察；挑选。㉑⑦ 高开道（？至公元六二〇年）：沧州阳信（今山东阳信东南）人，曾参加隋末反隋起义，自称燕王。传见《旧唐书》卷五十五、《新唐书》卷八十六。㉑⑧ 燕地：战国时燕国旧境，包括今北京市及河北中部地区、辽宁西部。㉑⑨ 殷阜：富实。阜，肥大、多。㉒⓪ 罗艺（？至公元六二七年）：字子延，本襄阳人，寓居京兆云阳（今陕西泾阳西北），历仕隋、唐，官至左翊卫大将军。传见《旧唐书》卷五十六、《新唐书》卷九十二。㉒① 制：节制；控制；制止。㉒② 散施：发放。施，给予、发布。㉒③ 黜：废免。㉒④ 柳城：县名，辽西郡治所，在今辽宁朝阳。㉒⑤ 晋阳留守：即太原留守。太原有晋阳宫，故也称晋阳留守。㉒⑥ 王仁恭（公元五五八至六一七年）：字符实，天水上邽（今甘肃天水）人，仕隋，官至光禄大夫，领马邑太守。传见《隋书》卷六十五、《北史》卷七十八。㉒⑦ 舍止：住宿；止宿。㉒⑧ 伺便：找机会。

【校记】

［12］亡：原作“亡者”。据章钰校，十二行本、乙十一行本、孔天胤本皆无“者”字，今据删。〖按〗《通鉴纪事本末》卷二六、《通鉴纲目》卷三七下皆无“者”字。［13］悦：原作“服”。据章钰校，十二行本、乙十一行本、孔天胤本皆作“悦”，今据改。〖按〗《通鉴纲目》卷三七下作“悦”。

【语译】

恭皇帝上

义宁元年（丁丑，公元六一七年）

春，正月，右御卫将军陈稜讨伐杜伏威，杜伏威率领部众抵抗。陈稜紧闭营垒不出战，杜伏威送妇人衣服给陈稜，称他为“陈姥”。陈稜很生气，出营作战，杜伏之，稜仅以身免。伏威乘胜破高邮[233]，引兵据历阳，自称总管，以辅公祏为长史，分遣诸将徇[234]属县，所至辄下，江淮间小盗争附之。伏威常选敢死之士五千人，谓之“上募”，宠遇甚厚，有攻战，辄令上募先击之，战罢阅视，有伤在背者即杀之，以其退而被击故也。所获资财，皆以赏军士。有战死者，以妻、妾徇葬[235]。故人自为战[236]，所向无敌。

丙辰[237]，窦建德为坛于乐寿[238]，自称长乐王，置百官，改元丁丑[239]。

辛巳[240]，鲁郡[241]贼帅[15]徐圆朗[242]攻陷东平，分兵略地，自琅邪[243]以西，北至东平[244]，尽有之，胜兵二万余人。

卢明月转掠河南，至于淮北，众号四十万，自称无上王。帝命江都通守王世充讨之，世充与战于南阳[245]，大破之，斩明月，余众皆散。

二月壬午[246]，朔方[247]鹰扬郎将梁师都[248]杀郡丞唐世宗，据郡，自称大丞相，北连突厥。

马邑太守王仁恭，多受货赂[249]，不能振施。郡人刘武周[250]，骁勇喜任侠[251]，为鹰扬府校尉[252]，仁恭以其土豪，甚亲厚之，令帅亲兵屯阁[253]下。武周与仁恭侍儿[254]私通，恐事泄，谋作乱，先宣言曰：“今百姓饥馑，僵尸满道，王府君[255]闭仓不赈恤[256]，岂为民父母[257]之意乎？”众皆愤怒。武周称疾卧家，豪杰来候问，武周椎牛[258]纵酒，因大言曰：“壮士岂能坐待沟壑？今仓粟烂积[259]，谁能与我共取之？”豪杰皆许诺。己丑[260]，仁恭坐听事[261]，武周上谒，其党张万岁等随入，升阶，斩仁恭，持其首出徇，郡中无敢动者。于是开仓以赈饥民，驰檄[262]境内属城，皆下之，收兵得万余人。武周自称太守，遣使附于突厥。

李密说翟让曰：“今东都空虚，兵不素练[263]。越王冲幼[264]，留守诸官政令不壹[265]，士民离心。段达、元文都，暗[266]而无谋，以仆料之，彼非将军之敌。若将军能用仆计，天下可指麾而定也[16]。”乃遣其党裴叔方觇东都虚实，留守官司觉之，始为守御之备，且驰表[267]告江都。密谓让曰：“事势如此，不可不发。兵法曰：‘先则制于己，后则制于人[268]。’今百姓饥馑，洛口仓多积粟，去都百里有余，将军若亲帅大众，轻行[269]掩袭，彼远未能救，又先无豫备，取之如拾遗[270]耳。比[271]其闻知，吾已

威奋勇攻击，大败官军，陈稜仅只身逃脱。杜伏威乘胜攻破高邮，带兵占据历阳，自称总管，任命辅公祏为长史，分别派遣将领攻取江都郡所属各县，大军所到之处，城池全都投降，江淮间小股反隋军争相归附杜伏威。杜伏威选拔敢死勇士五千人，称之为“上募”，对这支队伍特别宠爱厚待。有战斗，就命令上募首先攻打，战斗结束后逐一检查将士，凡背上有伤的立即处死，因他是转身后退才被敌人击伤的。所缴获的军资财物，全都用来赏赐战士。士兵有战死的，杜伏威就用女人作为死者的妻妾以殉葬。所以上募军人人奋勇作战，所向无敌。

正月初五日丙辰，窦建德在乐寿县设坛，自称长乐王，设置百官，改年号丁丑。

正月三十日辛巳，鲁郡反隋军首领徐圆朗攻陷东平，分兵攻占土地，从琅邪以西，北边到东平，全都占有，拥有能战士兵两万余人。

卢明月转移劫掠河南，到达淮北，部众号称有四十万人，自称无上王。隋炀帝令江都通守王世充讨伐卢明月，王世充与卢明月在南阳交战，大败卢明月，杀了他，卢明月残余部众全都溃散。

二月初一日壬午，朔方郡鹰扬郎将梁师都杀了郡丞唐世宗，占据郡城，自称大丞相，向北勾结突厥。

马邑太守王仁恭，大量收受财物贿赂，不能赈济百姓。马邑郡人刘武周骁勇，喜欢行侠仗义，担任鹰扬府校尉。王仁恭因为刘武周是本郡豪族，特别亲近厚待他，让他率领亲兵驻防内宅大门旁边的小门。刘武周与王仁恭的侍女私通，担心事情败露，就图谋作乱，先扬言说：“如今百姓闹饥荒，死尸满路，王府君关闭粮仓不加赈济抚恤，这哪里是做父母官的思想呢？”大家听了都非常愤怒。刘武周借口有病躺在家里，当地豪杰前来问候，刘武周杀牛饮酒，放出大话说：“壮士怎么可以坐着等死？如今仓里堆积的粮食已经腐烂，谁能和我一起去取粮？”在场的豪杰都答应愿意前往。二月初八日己丑，王仁恭坐在厅堂里办理公事，刘武周上堂谒见，他的党羽张万岁等人随他进入，登上台阶，杀了王仁恭，拿着王仁恭的首级出来示众，郡内无人敢动。于是刘武周打开粮仓赈济饥民，向郡属各县迅速发布文告，各县全都降附，招集到士兵一万余人。刘武周自称太守，派遣使者归附突厥。

李密劝翟让说：“如今东都空虚，守城士兵平时缺乏训练。越王杨侗年幼，留守官员政令不能统一，军民离心，段达、元文都，昏庸没有谋略，我估计，他们不是将军您的对手，如果将军能够用我的计策，天下一挥手就可安定。”于是派遣同党裴叔方侦察东都虚实，留守东都的官员发觉了，开始了防御准备，并且驰马上表到江都报告。李密对翟让说：“形势既然这样，不能不发兵攻击。兵法说：‘抢先下手主动权控制在自己手中，后动手就会被别人控制。’如今百姓饥饿，洛口仓有很多积粮，距离东都一百多里，将军如果亲自率领大军，轻装行军，突然偷袭，敌人因为路远不能救援，事先又没有防备，夺取洛口仓如同拾起失物。等到敌人得知消息，我们

获之，发粟以赈穷乏，远近孰不归附？百万之众，一朝可集，枕威养锐[272]，以逸待劳，纵[273]彼能来，吾有备矣。然后檄召[274]四方，引贤豪而资计策，选骁悍[275]而授兵柄[276]，除亡隋之社稷，布[277]将军之政令，岂不盛哉？”让曰：“此英雄之略，非仆所堪[278]。惟君之命[279]，尽力从事，请君先发，仆为后殿。”庚寅[280]，密、让将精兵七千人出阳城[281]北，逾方山[282]，自罗口[283]袭兴洛仓，破之。开仓恣[284]民所取，老弱襁负[285]，道路相属[286]。

朝散大夫[287]时德叡以尉氏[288]应密，前宿城[289]令祖君彦[290]自昌平[291]往归之。君彦，珽之子也，博学强记，文辞赡敏[292]，著名海内，吏部侍郎薛道衡尝荐之于高祖，高祖曰：“是歌杀[293]斛律明月人儿邪？朕不须此辈！”炀帝即位，尤疾其名，依常调[294]选东平郡〔17〕书佐[295]，检校[296]宿城令。君彦自负其才，恒〔18〕郁郁思乱，密素闻其名，得之大喜，引为上客，军中书檄[297]，悉〔19〕以委之。

越王侗遣虎贲郎将刘长恭、光禄少卿房崱[298]帅步骑二万五千讨密。时东都人皆以密为饥贼盗米，乌合[299]易破，争来应募，国子三馆[300]学士及贵胜亲戚皆来从军，器械修整[301]，衣服鲜华[302]，旌旗钲鼓甚盛。长恭等当其前，使河南讨捕大使裴仁基等将所部兵自汜水西〔20〕入以掩其后，约十一日会于仓城[303]南，密、让具知其计。东都兵先至，士卒未朝食[304]，长恭等驱之渡洛水，陈于石子河[305]西，南北十余里。密、让选骁雄[306]，分为十队，令四队伏横岭下以待仁基，以六队陈于石子河东。长恭等见密兵少，轻之。让先接战，不利，密帅麾下横冲之。隋兵饥疲，遂大败，长恭等解衣潜窜[307]得免，奔还东都，士卒死者什五六。越王侗释长恭等罪，慰抚之。密、让尽收其辎重器甲[308]，威声大振。

让于是推密为主，上密号为魏公。庚子[309]，设坛场[310]，即位，称元年，大赦。其文书行下[311]，称行军元帅府。其魏公府置三司[312]、六卫[313]，元帅府置长史以下官属。拜翟让为上柱国[314]、司徒、东郡公，亦置长史以下官，减元帅府之半。以单雄信为左武候大将军，徐世勣为右武候大将军，各领所部。房彦藻为元帅左长史，东郡邴元真为右长史，杨德方为左司马，郑德韬为右司马，祖君彦为记室，其余封拜各有差[315]。

已经夺取到手，发放粮食救济穷困百姓，远近的人谁不来归附？百万大军，一个早晨就可集结，坐枕军威，养精蓄锐，以逸待劳，即使敌人能够前来，我军已有防备了。然后传檄号召四方，招揽豪杰贤士，向他们询问计策，选拔骁勇强悍的将军，交给他们兵权，除掉隋朝的社稷，颁行将军的政令，难道不是壮举吗？”翟让说：“这是英雄的谋略，不是我能胜任的。我完全听从你的号令，拼尽全力去办，请你首先出发，我殿后。”二月初九日庚寅，李密、翟让率领精兵七千人从阳城北边出发，翻过方山，从罗口偷袭兴洛仓，攻占了它。开仓听凭百姓随意取粮，老人、弱小、背负婴儿的妇女，沿路络绎不绝。

朝散大夫时德叡率领尉氏县响应李密，原宿城县令祖君彦从昌平前往归附李密。祖君彦，是祖珽的儿子，博学强记，文章辞藻详赡快捷，著称国内。吏部侍郎薛道衡曾经将他推荐给高祖隋文帝，高祖说：“他就是用歌谣杀害了斛律明月的那个人的儿子吗？朕不要这种人！”隋炀帝即位，尤其嫉妒祖君彦的名声，按正常的迁转把他选调到东平郡做书佐，为宿城县候补县令。祖君彦自恃有才，总是郁郁不得志，考虑作乱。李密平时听说了他的名声，得到他非常高兴，把他待为上宾，军中书信文告，全部交给祖君彦办理。

越王杨侗派虎贲郎将刘长恭、光禄少卿房崱率领步兵、骑兵共两万五千人讨伐李密。当时东都人都认为李密是抢粮的饥饿盗贼，乌合之众，容易打败，争着前来应募，国子、太学、四门三馆的学子，以及贵族豪富皇亲国戚也来从军，兵器整齐，衣服新鲜华丽，旌旗钲鼓，声势极为壮观。刘长恭等人率领军队正面攻击，让河南讨捕大使裴仁基等率领本部兵马从汜水关西进入掩袭李密的后方，约定于二月十一日在兴洛仓南面会师。李密、翟让知道了这个计谋的全部。东都官兵先到达兴洛仓，士兵没有吃早饭，刘长恭驱赶他们渡过洛水，在石子河西岸布阵，南北十多里。李密、翟让挑选骁勇善战的士兵，分为十队，命令四个队埋伏在横岭下拦截裴仁基，用六个队在石子河东边布阵。刘长恭等看见李密兵少，不放在眼里。翟让先与隋兵交战，不占上风，李密率领部下横冲过去，隋军又饿又乏，于是大败。刘长恭等人脱掉官服，暗中逃窜得以脱身，跑回东都，士兵死亡十之五六。越王杨侗免了刘长恭等人兵败之罪，慰问安抚他们。李密、翟让收缴了隋军的全部辎重兵器，声威大震。

翟让于是推举李密为全军的主帅，尊奉李密为魏公。二月十九日庚子，设置坛场，李密即位，称元年，大赦天下。向下级发布的文告命令，称为行军元帅府。魏公府设置三司、六卫，元帅府设置长史以下的官员。拜授翟让为上柱国、司徒、东郡公，也设置长史以下官员，数量减为元帅府的一半。任命单雄信为左武候大将军，徐世勣为右武候大将军，各自统领所辖部众。任命房彦藻为元帅左长史，东郡人邴元真为右长史，杨德方为左司马，郑德韬为右司马，祖君彦为记室，其他的人都有

于是赵、魏[316]以南，江、淮以北，群盗莫不响应，孟让、郝孝德、王德仁及济阴房献伯、上谷王君廓[317]、长平李士才、淮阳魏六兒、李德谦、谯郡张迁、魏郡李文相、谯郡黑社、白社、济北张青特、上洛周比洮、胡驴贼等皆归密。密悉拜官爵，使各领其众，置百营簿以领之。道路降者不绝如流，众至数十万。乃命其护军[318]田茂广筑洛口城[319]，周[21]四十里而居之，密遣房彦藻将兵东略地[320]，取安陆、汝南、淮安[321]、济阳[322]，河南郡县多陷于密。

雁门郡丞河东陈孝意[323]与虎贲郎将王智辩共讨刘武周，围其桑干镇[324]。壬寅[325]，武周与突厥合兵击智辩，杀之，孝意奔还雁门。三月丁卯[326]，武周袭破楼烦郡，进取汾阳宫，获隋宫人，以赂突厥始毕可汗。始毕以马报之[327]，兵势益振，又攻陷定襄[328]。突厥立武周为定杨可汗[329]，遗以狼头纛[330]。武周即皇帝位，立妻沮氏为皇后，改元天兴。以卫士杨伏念为尚书左仆射，妹婿同县苑君璋为内史令。武周引兵围雁门，陈孝意悉力[331]拒守，乘间出击武周，屡破之。既而外无救援，遣间使诣江都，皆不报[332]。孝意誓以必死，旦夕向诏敕库[333]俯伏流涕，悲动左右。围城百余日，食尽，校尉张伦杀孝意以降。

梁师都略定雕阴[334]、弘化[335]、延安等郡，遂即皇帝位，国号梁，改元永隆。始毕遗以狼头纛，号为大度毗伽可汗。师都乃引突厥居河南[336]之地，攻破盐川郡[337]。

左翊卫[338]蒲城郭子和坐事徙榆林。会郡中大饥[339]，子和潜结敢死士十八人攻郡门，执郡丞王才，数[340]以不恤[341]百姓，斩之，开仓赈施[342]。自称永乐王，改元丑平。尊其父为太公，以其弟子政为尚书令，子端、子升为左右仆射。有二千余骑，南连梁师都，北附突厥，各遣子为质以自固，始毕以刘武周为定杨天子，梁师都为解事天子[343]，子和为平杨天子[344]，子和固辞不敢当，乃更以为屋利设。

汾阴薛举[345]，侨居[346]金城[347]，骁勇绝伦[348]，家赀巨万，交结豪杰，雄于西边，为金城府校尉[349]。时陇右盗起，金城令郝瑗募兵得数千人，使举将而讨之。夏，四月癸未[350]，方授甲，置酒飨士[351]，举与其子

不同等级的封拜。于是赵、魏以南，江、淮以北，反隋军莫不响应，孟让、郝孝德、王德仁以及济阴人房献伯、上谷人王君廓、长平人李士才、淮阳人魏六兒和李德谦、谯郡人张迁、魏郡人李文相、谯郡人黑社和白社、济北人张青特、上洛人周比洮和胡驴贼等全都归附李密。李密对他们全都封官授爵，同时让他们各自率领原有部众，并设置百营簿来统领他们。道路上归降的人源源不绝，部众达到数十万。于是李密命令护军田茂广修筑洛口城，方圆四十里，以供居住。李密派房彦藻率兵往东掠取土地，夺取了安陆、汝南、淮安、济阳，黄河以南的郡县大部分都被李密攻占。

雁门郡丞河东人陈孝意与虎贲郎将王智辩讨伐刘武周，包围他的据点桑干镇。二月二十一日壬寅，刘武周与突厥人合兵攻打王智辩，杀死了他，陈孝意逃回雁门郡。三月十七日丁卯，刘武周袭取楼烦郡，进兵夺取了汾阳宫，俘获隋朝官人，把这些官人作为礼品送给了突厥的始毕可汗。始毕可汗用马匹回报刘武周，刘武周兵势更加强大，又攻陷了定襄。突厥立刘武周为定杨可汗，送给他狼头大旗。刘武周即皇帝位，立妻沮氏为皇后，改元天兴。任命卫士杨伏念为尚书左仆射，妹夫同县人苑君璋为内史令。刘武周率军包围雁门，陈孝意全力防守，伺机出击刘武周，一再打败了他。不久因外面没有援兵，陈孝意多次派密使前往江都告急，都没有答复。陈孝意誓死坚守，每日早晚向存放皇帝诏敕的库房跪拜哭泣，悲恸之情感动了左右的人。雁门被包围一百多天，粮尽，校尉张伦杀了陈孝意后投降。

梁师都攻占了雕阴、弘化、延安等郡，于是即皇帝位，国号梁，改年号为永隆。始毕可汗送给他狼头大旗，号称大度毗伽可汗。梁师都便引领突厥人入居河南之地，攻破盐川郡。

左翊卫蒲城人郭子和因事获罪流放榆林。适逢榆林郡饥荒严重，郭子和暗地结交敢死之士十八人进攻郡门，抓获了郡丞王才，斥责他不体恤百姓疾苦，于是把他杀了，同时开仓赈济百姓。郭子和自称永乐王，改年号丑平。尊称他的父亲为太公，任命他的弟弟郭子政为尚书令，郭子端、郭子升为左右仆射。郭子和拥有两千多名骑兵，南面联络梁师都，北面依附突厥，向两方各送儿子作为人质，以使自己的地位得到稳固。始毕可汗封刘武周为定杨天子，梁师都为解事天子，郭子和为平杨天子，郭子和坚决推辞不敢接受，于是改封他为屋利设。

汾阴人薛举，侨居金城，骁勇绝伦，家财亿万，与豪杰之士结交，称雄于西边，担任金城府校尉。当时陇右盗贼起事，金城令郝瑗招募到几千名士兵，命薛举率领他们讨伐盗贼。夏，四月初三日癸未，正给新募士兵发放铠甲，摆设酒宴犒劳将士，

仁果[352]及同党十三人，于座劫瑗发兵，囚郡县官，开仓赈施。自称西秦霸王，改元秦兴。以仁果为齐公，少子仁越为晋公，招集群盗，掠官牧马。贼帅宗罗睺帅众归之，以为义兴公。将军皇甫绾将兵一万屯枹罕[353]，举选精锐二千人袭之，遂克枹罕[22]。岷山[354]羌酋锺利俗拥众二万归之，举兵大振。更以仁果为齐王，领东道行军元帅，仁越为晋王，兼河州[355]刺史，罗睺为兴王，以副仁果。分兵略地，取西平[356]、浇河[357]二郡。未几，尽有陇西之地，众至十三万。

李密以孟让为总管、齐郡公，己丑[358]夜，让帅步骑二千入东都外郭[359]，烧掠丰都市[360]，比晓[361]而去。于是东京居民悉迁入宫城[362]，台省府寺[363]皆满。巩县[364]长柴孝和、监察御史郑颋以城降密，密以孝和为护军，颋为右长史。

裴仁基每破贼得军资，悉以赏士卒，监军御史[365]萧怀静不许，士卒怨之。怀静又屡求仁基长短劾奏之。仓城之战，仁基失期不至，闻刘长恭等败，惧不敢进，屯百花谷[366]，固垒[367]自守，又恐获罪于朝。李密知其狼狈[368]，使人说之，啖以厚利[369]。贾务本之子闰甫在军中，劝仁基降密，仁基曰：“如萧御史何？”闰甫曰：“萧君如栖[370]上鸡，若不知机变，在明公一刀耳。”仁基从之。遣闰甫诣密请降。密大喜，以闰甫为元帅府司兵参军[371]兼直[372]记室事，使之复命，遗仁基书，慰纳之[373]，仁基还屯虎牢。萧怀静密表其事，仁基知之，遂杀怀静，帅其众以虎牢降密。密以仁基为上柱国、河东公。仁基子行俨[374]，骁勇善战，密亦以为上柱国、绛郡公。

密得秦叔宝及东阿程咬金[375]，皆用为骠骑[376]。选军中尤骁勇者八千人，分隶四骠骑以自卫，号曰“内军”，常曰：“此八千人足当百万。”咬金后更名知节。罗士信、赵仁基皆帅众归密，密署为总管，使各统所部。

癸巳[377]，密遣裴仁基、孟让帅二万余人袭回洛[378]东仓，破之，遂烧天津桥[379]，纵兵大掠。东都出兵击之，仁基等败走，密自帅众屯回洛仓。东都兵尚二十余万人，乘城击柝[380]，昼夜不解甲。密攻偃师[381]、金墉[382]，皆不克。乙未[383]，还洛口。

东都城内乏粮，而布帛山积[384]，至以绢为汲绠[385]，然[386]布以爨[387]。越

薛举和他的儿子薛仁果以及同党十三人，在筵席座位上劫持郝瑗，举兵造反，囚禁郡县官吏，开仓赈济。薛举自称西秦霸王，改年号秦兴。封薛仁果为齐公，幼子薛仁越为晋公。薛举招集群盗，抢掠官府牧马。贼兵首领宗罗睺率众归附，封为义兴公。将军皇甫绾率兵一万人屯驻枹罕，薛举挑选精兵两千人袭击他，攻下了枹罕。岷山羌人酋长锺利俗拥有部众两万人，归附了薛举，薛举兵势大振。改封薛仁果为齐王，兼领东道行军元帅，薛仁越为晋王，兼河州刺史，宗罗睺为兴王，任薛仁果的副将。薛举分兵攻掠土地，夺取了西平、浇河二郡。不久，薛举全部占有陇西之地，部众达到十三万人。

李密任命孟让为总管，封为齐郡公。四月初九日己丑夜晚，孟让率领步兵、骑兵共两千人进入东都外城，焚烧抢掠丰都内城，到天快亮时离去。于是东京居民全都迁入宫城，台、省、府、寺都住满了人。巩县县长柴孝和、监察御史郑颋献城投降李密，李密任命柴孝和为护军，郑颋为右长史。

裴仁基每次打败敌兵缴获了军粮物资，全都用来赏赐士卒，监军御史萧怀静不同意，士卒们因此怨恨他。萧怀静又多次寻找裴仁基的过失上奏弹劾他。洛口仓城之战，裴仁基误期没有赶到，他听说刘长恭等人战败，害怕不敢进城，屯驻在百花谷，加固堡垒自守，又害怕被朝廷治罪。李密侦知裴仁基处境窘迫，派人劝他投降，用厚利引诱。贾务本的儿子贾闰甫在裴仁基军中，也劝裴仁基投降李密。裴仁基说："怎样处置萧怀静御史呢?"贾闰甫说："萧君就像鸡窝里的鸡，如果他不懂得随机应变，就在于您的一刀而已。"裴仁基听从了，派遣贾闰甫前往李密军营请求投降。李密大为高兴，任命贾闰甫为元帅府司兵参军兼任记室事，派他向裴仁基复命，并送给裴仁基一封信，安慰接纳裴仁基。裴仁基返回虎牢关镇守。萧怀静秘密上表奏报这件事，裴仁基知道了此事，于是杀了萧怀静，率领部众献出虎牢关投降了李密。李密任命裴仁基为上柱国、河东公。裴仁基的儿子裴行俨，骁勇善战，李密也任命他为上柱国、绛郡公。

李密得到了秦叔宝和东阿人程咬金，任命二人为骠骑将军。李密挑选军中特别勇敢的士兵八千人，分别隶属于四位骠骑将军，用来保卫自己，称为"内军"。他经常说："这八千人足以抵挡百万大军。"程咬金后来改名为程知节。罗士信、赵仁基都率领部众归附李密，李密任命他们为总管，让他们各自统领原有部众。

四月十三日癸巳，李密派遣裴仁基、孟让率领两万人袭击回洛东仓，打下了东仓，接着放火焚烧天津桥，纵兵大掠。东都出兵攻打他们，裴仁基等战败逃走，李密亲自率领部众屯驻回洛仓。东都的军队还有二十多万，登城敲巡夜用的木梆，昼夜都不脱铠甲。李密攻打偃师、金墉，都没有攻克。十五日乙未，返回洛口。

东都城内缺粮，而布帛堆积如山，甚至用丝绢作汲水的绳子，烧布煮饭。越王

王侗使人运回洛仓米入城，遣兵五千屯丰都市，五千屯上春门[388]，五千屯北邙山，为九营，首尾相应，以备密。

丁酉[389]，房献伯陷汝阴[390]，淮阳太守赵陀举郡降密。

己亥[391]，密帅众三万复据回洛仓，大修营堑[392]以逼东都，段达等出兵七万拒之。辛丑[393]，战于仓北，隋兵败走。丁未[394]，密使其幕府移檄[395]郡县，数炀帝十罪，且曰："罄[396]南山之竹，书罪无穷；决[397]东海之波，流恶[398]难尽。"祖君彦之辞也。

越王侗遣太常丞元善达间行[399]贼中，诣江都奏称："李密有众百万，围逼东都，据洛口仓，城内无食。若陛下速还，乌合必散；不然者，东都决没[400]。"因歔欷呜咽，帝为之改容。虞世基进曰："越王年少，此辈诳之。若如所言，善达何缘[401]来至？"帝乃勃然[402]怒曰："善达小人，敢廷辱[403]我！"因使经贼中向东阳[404]催运[405]，善达遂为群盗所杀。是后人人杜口[406]，莫敢以贼闻[407]。

世基容貌沈审[408]，言多合意，特为帝所亲爱，朝臣无与为比。亲党凭之[409]，鬻官卖狱，贿赂公行，其门如市[410]。由是朝野共疾怨之。内史舍人封德彝[411]托附世基，以世基不闲[412]吏务，密为指画[413]，宣行诏命，谄顺帝意，群臣表疏忤旨者，皆屏而不奏。鞫狱[414]用法，多峻文深诋，论功行赏，则抑削就薄。故世基之宠日隆而隋政益坏，皆德彝所为也。

【段旨】

以上为第四段，写魏公李密兵围东都。

【注释】

[229]恭皇帝：隋朝第三代皇帝杨侑，元德太子杨昭之子，隋炀帝之孙。《谥法》：尊贤让善曰恭。公元六一七年十一月至六一八年五月在位。[230]右御卫将军：武官名，隋十二卫将军之一，掌禁兵。[231]闭壁：关闭营垒门。[232]陈姥：陈老太婆。陈稜闭垒不敢出战，怯如老太婆，故用此语以羞辱他。姥，通"姆"。老太太。[233]高邮：县名，县治在今江苏高邮西北。[234]徇：夺取。[235]徇葬：用人或物陪葬。徇，通"殉"，用人从葬。[236]人自

杨侗派人把回洛仓的米运入城内，派五千名士兵驻守丰都市，五千名士兵驻守上春门，五千名士兵驻守北邙山，分为九营，首尾呼应，用以防备李密。

四月十七日丁酉，房献伯攻陷汝阴，淮阳太守赵陀献出郡城投降李密。

四月十九日己亥，李密率领部众三万人又占据回洛仓，大规模修筑营垒壕堑逼近东都，段达等出兵七万抵抗李密军。二十一日辛丑，两军在回洛仓的北边交战，隋军败退。二十七日丁未，李密让他的幕府向各郡县发布檄文，列举隋炀帝十条罪状，说："砍尽南山的竹子做成竹简，书写他的罪过，无穷无尽；决开东海的水，难以洗尽暴君的罪恶。"这是祖君彦撰写的文辞。

越王杨侗派遣太常丞元善达秘密穿过李密军的控制区域，前往江都向隋炀帝奏报，说："李密拥有部众百万，围逼东都，占据了洛口仓，东都城内没有粮食。如果陛下迅速返回东都，乌合之众一定四散；否则，东都必定陷落。"于是呜咽流泪，隋炀帝也变了脸色。虞世基进言说："越王年纪轻，这些人欺骗了他。如果局势真像元善达说的那样，元善达为何能到这里来？"隋炀帝便勃然大怒，说："元善达小人，竟敢在朝廷上侮辱我！"于是派元善达经过敌军的控制区回到东阳去催运粮食，元善达因此被敌军所杀。此后，人人闭口不言，没有人敢把敌军情况向隋炀帝报告。

虞世基容貌沉稳，所言大多投合隋炀帝的心意，特别受到隋炀帝的信任宠爱，朝臣没有人能与他相比。虞世基的亲朋党与依仗他的势力，鬻官卖狱，贿赂公行，门庭若市。因此，朝野上下都痛恨虞世基。内史舍人封德彝依附虞世基，因为虞世基不熟悉官吏事务，封德彝暗中替他出谋划策，发布诏命，以迎合隋炀帝的心意，群臣表章疏奏有违忤皇上旨意的，都丢在一边不上奏。审讯囚犯，执法用刑，多引用严厉苛刻的条文，深加诬陷；论功行赏，则抑制削弱，采用最低标准。所以，隋炀帝对虞世基的宠爱日益隆盛，而隋朝的政治日益败坏，这都是封德彝干的。

为战：人人主动奋战。㉗丙辰：正月初五日。㉘乐寿：县名，县治在今河北献县。㉙改元丁丑：义宁元年（公元六一七年）即丁丑年，窦建德以干支作年号。㊵辛巳：正月三十日。㊶鲁郡：郡名，治所瑕丘县，在今山东济宁市兖州区。㊷徐圆朗：兖州人，先参加隋末民众起义，后归唐，官至兖州总管。传见《旧唐书》卷五十五、《新唐书》卷八十六。㊸琅邪：郡名，治所临沂县，在今山东临沂。㊹东平：郡名，治所郓城县，在今山东郓城东南。㊺南阳：郡名，治所穰县，在今河南邓州。㊻壬午：二月初一日。㊼朔方：郡名，治所岩绿县，在今陕西靖边东北。㊽梁师都（？至公元六二八年）：夏州朔方（今陕西靖边东北）人，仕隋为鹰扬郎将，后归唐，又叛。传见《旧唐书》卷五十六、《新唐书》卷八十七。㊾货赂：以财货贿赂人。㊿刘武周（？至公元六二〇年）：河

间景城（今河北沧州西景城）人，仕隋为鹰扬府校尉，后叛。传见《旧唐书》卷五十五、《新唐书》卷八十六。㉛任侠：打抱不平，仗义行事。㉜鹰扬府校尉：武官名，掌鹰扬府兵。鹰扬府，官署名，隋十二卫下属官署，由骠骑将军府所改。㉝阁：大门旁的小门。㉞侍儿：侍女。㉟王府君：指王仁恭。府君，尊称太守为府君。㊱赈恤：救济。恤，忧念、救济。㊲为民父母：古代称郡县地方官为父母官。㊳椎牛：杀牛。椎，捶击的工具。㊴烂积：仓谷长期堆积，以致腐烂变质。㊵己丑：二月初八日。㊶坐听事：坐在厅里处理政事。㊷驰檄：迅速传檄。檄，文书。古代官方文书用木简，长一尺二寸，多做征召、晓谕、申讨等用。若有急事，则插上羽毛，称为羽檄。后泛称这类官文书为檄。㊸素练：平时训练。素，平素、往常。㊹冲幼：年幼。冲，幼小在位称为冲。㊺政令不壹：政令不统一。壹，通"一"，一致、统一。㊻暗：昏昧。㊼驰表：驰马上表。㊽"先则制于己"二句：意思是先发制人，后发则为人所制。㊾轻行：轻装行进。㊿拾遗：拾取他人遗失的东西为己有。遗，丢失、遗失。㉑比：及；等到。㉒枕威养锐：坐枕军威，养精蓄锐。㉓纵：即使。㉔檄召：用文书召告。㉕骁悍：勇猛。骁，勇捷。悍，勇敢。㉖兵柄：兵权。柄，器物的把，比喻权力。㉗布：发布；颁行。㉘堪：能承当。㉙惟君之命：绝对服从你的命令。㉚庚寅：二月初九日。㉛阳城：县名，县治在今河南登封东南。㉜方山：山名，故址在今河南登封北。㉝罗口：地名，故址在今河南巩义南。㉞恣：任意；放纵。㉟襁负：用襁褓背负小儿的人。㊱属：接连。㊲朝散大夫：官名，文散官，无职事。㊳尉氏：县名，县治在今河南尉氏。㊴宿城：县名，县治在今山东东平东。㊵祖君彦（？至公元六一八年）：范阳（今北京市）人，北齐尚书仆射祖珽之子。仕隋，官至检校宿城令。后加入李密军。传见《北齐书》卷三十九、《隋书》卷七十六、《北史》卷四十七、《新唐书》卷八十四。㊶昌平：县名，县治在今北京市昌平东南。㊷赡敏：详赡快捷。㊸歌杀：谓编歌谣而杀害。歌杀斛律光事详见本书卷一百七十一陈纪五宣帝太建四年。㊹常调：正常的迁转。㊺书佐：官名，州郡皆有书佐，主办文书。㊻检校：未得实授的加官称为检校。㊼书檄：泛指军中的文书。㊽房崱：人名。㊾乌合：仓卒集合之众，如乌鸦忽聚忽散。㊿三馆：隋朝以国子、太学、四门为三馆。㉛修整：装饰很整齐。㉜鲜华：新鲜而华丽。㉝仓城：指兴洛仓城。㉞朝食：吃早饭。㉟石子河：水名，故址在今河南巩义境。㊱骁雄：指勇猛善战的军队。㊲解衣潜窜：脱掉武官服，穿上便服，偷偷逃跑。㊳器甲：指器械衣甲。㊴庚子：二月十九日。㊵坛场：在平坦的土地上，用土筑的高台。古代以坛为祭天神及远祖之所，遇大事如朝会、盟誓、封拜都立坛以表示郑重。㊶文书行下：指对部下所颁发的文书。㊷三司：即三公。东汉改大司马为太尉，与司徒、司空并称三公，亦称三司。㊸六卫：隋唐武职有十六卫，六卫所指不详。㊹上柱国：官名，隋置上柱国、柱国，以赏有功勋之人，并为散官，不理事。而李密所拜上柱国则与此不同，既赏功勋，又开府置僚佐，当是理事的武官。㊺差：等差；差别。㊻赵、魏：地区名，指战国时期赵国、魏国旧地，大致包括今山西、河北、河南东部、山东南部与安徽西北部。㉛⑦王君廓（？至公元六二八年）：并州石艾（今山西平定南）人，先参加隋末民众起事，后归唐，官至左领军大将军。传附《旧唐书·庐江王瑷传》《新唐书》卷九十二。㉛⑧护军：武官名，隋诸卫各置护军，以作为将军之副将。㉛⑨洛口城：城名，洛水入黄河之口，故址在今河南巩义东南。㉜⓪略地：攻占土地。略，掠夺、占领。㉜①安陆、汝南、淮安：皆郡名。安陆郡，治所安陆县，在今湖北安陆。汝南郡，治所汝阳县，在今河南汝南。淮安郡，治所比阳县，在今河南泌阳。㉜②济阳：县名，县治在今河南兰考东北堌阳镇。㉜③陈孝意（？至公元六一七年）：河东（今山西永济西南）人，仕隋，官至雁门郡丞。传见《隋书》卷七十一、《北史》卷八十五。㉜④桑干镇：镇名，故址在今山西朔州东南。㉜⑤壬寅：二月二十一日。㉜⑥丁卯：三月十七日。㉜⑦报之：回报刘武周。报，报答。㉜⑧定襄：郡名，治所大利县，在今内蒙古和林格尔西北。㉜⑨定杨可汗：据《大唐创业起居注》，刘武周攻占楼烦郡，自称天子，国号定杨，故始毕可汗立他为定杨可汗。定杨就是灭隋的意思。㉝⓪狼头纛：绣有狼头的大旗。相传突厥为狼的后裔（即图腾是狼），牙门建狼头纛，以表示承袭狼的机智狠猛和不忘本。㉝①悉力：全力。悉，尽。㉝②不报：置之而不答复。㉝③诏敕库：存放诏敕的屋舍。㉝④雕阴：郡名，治所上县，在今陕西绥德。㉝⑤弘化：郡名，治所合水县，在今甘肃庆阳。㉝⑥河南：指河套以南地区。㉝⑦盐川郡：郡名，治所五原县，在今陕西定边。㉝⑧左翊卫：官署名，隋十二卫府之一。㉝⑨大饥：大荒年。饥，五谷不熟、荒年。㉞⓪数：数落；责备。㉞①恤：救济；顾惜。㉞②赈施：以财物救济。赈，救济。施，给予。㉞③解事天子：精明干练者称为解事，解事天子亦略取此意。㉞④平杨天子：胡三省注："平杨，犹定杨也。"㉞⑤薛举（？至公元六一八年）：河东汾阴（今山西万荣西南）人，仕隋为金城府校尉，后叛，自称西秦霸王。传见《旧唐书》卷五十五、《新唐书》卷八十六。㉞⑥侨居：寓居。㉞⑦金城：郡名，治所金城县，在今甘肃兰州。㉞⑧绝伦：无与伦比。㉞⑨金城府校尉：武官名，掌管金城郡军事的长官。㉟⓪癸未：四月初三日。㉟①飨士：犒赏兵士。㉟②仁果（？至公元六一八年）：薛举长子。传附《旧唐书·薛举传》《新唐书·薛举传》。㉟③枹罕：郡名，治所枹罕县，在今甘肃临夏西南。㉟④岷山：山名，故址在今甘肃岷县境。㉟⑤河州：即枹罕郡。枹罕原为河州，隋炀帝改河州为枹罕郡。㉟⑥西平：郡名，治所湟水县，在今青海海东市乐都区。㉟⑦浇河：郡名，治所河津县，在今青海黄河南岸贵德。㉟⑧己丑：四月初九日。㉟⑨外郭：即外城。㊱⓪丰都市：隋东都三市，此为东市。唐以其在洛水南，故叫南市。其内东西南北居两坊之地，一百二十行，三千余店肆。㊱①比晓：到天将亮时。㊱②宫城：又称紫微城，是皇帝与臣下议事和寝宫所在地，位于郭城西北隅，皇城以北。㊱③台省府寺：官署名，皆中央官署。㊱④巩县：县名，县治在今河南巩义东北。㊱⑤监军御史：官名，以御史监军，故称监军御史，掌监军事。㊱⑥百花谷：山谷名，故址在今河南巩义东南。㊱⑦固垒：加固堡垒。㊱⑧狼狈：进退两难，为难窘迫。㊱⑨啖以厚利：用厚利来引诱。啖，以利诱人。㊲⓪栖：栖息的地方，此指鸡窝。㊲①司兵参军：武官名，掌参谋军事。372 直：值班；值勤。此指兼作记室事。373 慰纳之：指李密接纳了裴仁基的投降，并以书信安慰他。374 行俨：裴仁基子裴行俨（？至公元六一九年），河东（今山西永济西南）人，先降李密，后降王世充，封为左辅大将军。传附《北史·裴仁基传》。375 程咬金（？至公元六六五年）：后改名知节，济州东阿（今山东东阿西南）人，先参加了李密义军，后降王世充，又归唐，官至左卫大将军。传见《旧唐书》卷六十八、《新唐书》卷九十。376 骠骑：武官名，此用开皇官制，隋炀帝改为鹰扬郎将。377 癸巳：四月十三日。378 回洛：地名，故址在今河南洛阳市孟津区东。隋在此曾建回洛仓。379 天津桥：桥名，位于东都城内洛水之上。因洛水横贯东都，有河汉之象，故名其桥为天津桥。380 柝：巡夜时所敲的木梆。381 偃师：县名，县治在今河南洛阳市偃师区东南。382 金墉：城名，故址在今河南洛阳东北。383 乙未：四月十五日。384 山积：堆积如山。385 汲绠：汲水器上的绳索。386 然："燃"的本字。387 爨：炊；做饭。388 上春门：隋东都洛阳外郭城东面三门，北面的称上春门，唐改称上东门。389 丁酉：四月十七日。390 汝阴：郡名，治所汝阴县，在今安徽阜阳。391 己亥：四月十九日。392 营堑：军营及周围的沟池。393 辛丑：四月二十一日。394 丁未：四月二十七日。395 移檄：传送檄书。移，传送。396 罄：器中空。引申为尽、完。397 决：导引水流。398 流恶：冲刷罪恶。流，用水冲洗。399 间行：行动隐秘。400 决没：肯定失陷。401 何缘：凭借什么。缘，凭借、因。402 勃然：突然。403 廷辱：在朝廷上当面污辱人。404 东阳：郡名，治所金华县，在今浙江金华。405 催运：催促运输粮草。406 杜口：闭口不说话。407 以贼闻：把贼军的情况上报朝廷。408 沈审：深沉而慎重。沈，同"沉"。审，周密、慎重。409 凭之：凭借隋炀帝对虞世基的亲爱。410 其门如市：比喻去他家的人众多。411 封德彝（公元五六八至六二七年）：名伦，字德彝，观州蓨县（今河北景县）

【原文】

初，唐公李渊娶于神武肃公窦毅，生四男，建成、世民、玄霸、元吉[415]，一女，适太子千牛备身临汾柴绍[416]。

世民聪明勇决，识量过人，见隋室方乱，阴有安天下之志，倾身[417]下士[418]，散财结客，咸得其欢心。世民娶右骁卫将军长孙晟之女。右勋卫[419]长孙顺德[420]，晟之族弟也，与右勋侍[421]池阳刘弘基[422]皆避辽东之役，亡命在晋阳依渊，与世民善。左亲卫[423]窦琮[424]，炽之孙也，亦亡命在太原，素与世民有隙，每以自疑，世民加意待之，出入卧内，琮意乃安。

晋阳宫监[425]猗氏裴寂[426]，晋阳[427]令武功刘文静[428]，相与同宿，见城人，历仕隋、唐，官至尚书左仆射，封赵国公。传见《旧唐书》卷六十三、《新唐书》卷一百。㊷不闲：不熟悉。闲，熟练。㊸指画：指点规划。㊹鞫狱：审讯囚犯。鞫，审讯、查问。

【校记】

[14]上：原无此字。据章钰校，十二行本、乙十一行本、孔天胤本皆有此字，今据补。[15]帅：原无此字。据章钰校，十二行本、乙十一行本、孔天胤本皆有此字，今据补。〖按〗《通鉴纪事本末》卷二六有此字。[16]也：原无此字。据章钰校，十二行本、乙十一行本、孔天胤本皆有此字，张敦仁《通鉴刊本识误》同，今据补。[17]郡：原无此字。据章钰校，十二行本、乙十一行本、孔天胤本皆有此字，张敦仁《通鉴刊本识误》同，今据补。[18]恒：原作“常”。据章钰校，十二行本、乙十一行本、孔天胤本皆作“恒”，今据改。〖按〗《通鉴纪事本末》卷二七作“恒”。[19]悉：原作“一”。据章钰校，十二行本、乙十一行本、孔天胤本皆作“悉”，张敦仁《通鉴刊本识误》同，今据改。[20]西：原作“而”。据章钰校，十二行本、乙十一行本、孔天胤本皆作“西”，张瑛《通鉴校勘记》、熊罗宿《胡刻资治通鉴校字记》同，今据改。〖按〗《通鉴纪事本末》卷二七作“西”。[21]周：原作“方”。据章钰校，十二行本、乙十一行本、孔天胤本皆作“周”，张敦仁《通鉴刊本识误》同，今据改。[22]遂克枹罕：原无此四字。据章钰校，十二行本、乙十一行本、孔天胤本皆有此四字，张敦仁《通鉴刊本识误》、张瑛《通鉴校勘记》同。〖按〗《通鉴纪事本末》卷二七有此四字，今据补。

【语译】

当初，唐公李渊娶了神武肃公窦毅的女儿为妻，生有四男，李建成、李世民、李玄霸、李元吉，一个女儿，嫁给太子千牛备身临汾人柴绍。

李世民聪明、勇敢、果决，见识器量过人，他看到隋王室开始混乱，暗怀安定天下的志向。他侧身对人，谦恭对待贤士，散发钱财，结交宾客，得到众人的拥护。李世民娶了右骁卫将军长孙晟的女儿。右勋卫长孙顺德，是长孙晟的族弟，他和右勋侍池阳人刘弘基都曾躲避辽东征役，逃亡到晋阳依附李渊，与李世民关系好。左亲卫窦琮是窦炽的孙子，也逃亡在太原，一向与李世民有隔阂，常常疑虑不安，李世民特意善待他，让他出入自己的卧房，窦琮的心情才安定下来。

晋阳宫监猗氏县人裴寂，和晋阳令武功人刘文静，两人一起同住，看到城上的

上烽火，寂叹曰："贫贱如此，复逢乱离，将何以自存？"文静笑曰："时事可知，吾二人相得，何忧贫贱？"文静见李世民而异之，深自结纳，谓寂曰："此非常人，豁达类汉高㊉，神武同魏祖㊉，年虽少，命世才㊉也。"寂初未然之。

文静坐与李密连昏㊉，系太原狱，世民就省之。文静曰："天下大乱，非高、光㊉之才，不能定也。"世民曰："安知其无？但人不识耳。我来相省，非儿女子之情㊉，欲与君议大事也。计将安出？"文静曰："今主上南巡江、淮，李密围逼东都，群盗殆以万数。当此之际，有真主㊉驱驾而用之，取天下如反掌㊉耳。太原百姓皆避盗入城，文静为令㊉数年，知其豪杰，一旦收集[23]，可得十万人，尊公所将之兵复且数万，一言出口，谁敢不从？以此乘虚入关，号令天下，不过半年，帝业成矣。"世民笑曰："君言正合我[24]意。"乃阴部署宾客，渊不之知也。世民恐渊不从，犹豫久之，不敢言。

渊与裴寂有旧，每相与宴语，或连日夜。文静欲因寂关说㊉，乃引寂与世民交。世民出私钱数百万，使龙山㊉令高斌廉与寂博，稍以输之，寂大喜，由是日从世民游，情款益狎㊉。世民乃以其谋告之，寂许诺。

会突厥寇马邑，渊遣高君雅将兵与马邑太守王仁恭并力拒之，仁恭、君雅战不利㊉，渊恐并获罪，甚忧之。世民乘间屏人说渊曰："今主上无道，百姓困穷，晋阳城外皆为战场。大人若守小节，下有寇盗，上有严刑，危亡无日㊉。不若顺民心，兴义兵，转祸为福，此天授之时也！"渊大惊曰："汝安得为此言？吾今执汝以告县官㊉！"因取纸笔，欲为表。世民徐曰㊉："世民观天时㊉人事如此，故敢发言，必欲执告，不敢辞死！"渊曰："吾岂忍告汝？汝慎勿出口！"明日，世民复说渊曰："今盗贼日繁㊉，遍于天下，大人受诏讨贼，贼可尽乎？要之㊉，终不免罪。且世人皆传李氏当应图谶㊉，故李金才无罪，一朝族灭。大人设能㊉尽贼，则功高不赏，身益危矣！唯昨日之言，可以救祸，此万全之策也，愿大人勿疑。"渊乃叹曰："吾一夕思汝言，亦大有理。今日破家亡躯㊉亦由汝，化家为国㊉亦由汝矣！"

先是，裴寂私以晋阳宫人侍渊，渊从寂饮，酒酣，寂从容言曰：

烽火，裴寂叹息说："我们这样贫贱，又遇上战乱，骨肉分离，靠什么生存下去呢？"刘文静笑着说："现在的事情可以看得清楚，我们二人意志相投，何必担忧贫贱？"刘文静看到李世民非常惊异，深意和他结交，并对裴寂说："这人不是平常人，他豁然大度类似汉高祖，神采英武如同魏武帝，年纪虽轻，却是著名一世的杰出人才。"裴寂起初并不这样看。

刘文静因和李密联姻而获罪，囚禁在太原监狱，李世民去探望他。刘文静说："天下大乱，没有汉高祖、汉光武帝那样的大才，不能安定天下。"李世民说："怎么知道没有那样的人才呢？只是人们不认识罢了。我来看望你，不是出于儿女之情，是想来和你商议大事，你有什么好计谋？"刘文静说："如今皇上南巡江淮，李密包围逼近东都，群盗差不多以万计。在这个时候，有真命天子出来驱使驾驭这些人，夺取天下易如反掌。太原郡百姓全都进城躲避群盗，文静当县令数年，知道其中的豪杰人士，一旦收拢起来，可以得到十万人。你父亲率领的军队又有几万，一声令下，谁敢不听从？用这些兵力乘虚入关，号令天下，用不了半年，帝王之业就建成了。"李世民笑着说："你的话正合我的心意。"于是暗中部署宾客，李渊不知道此事。李世民担心李渊不赞同，犹豫了很久，一直没敢说。

李渊和裴寂是老朋友，常常在一起宴饮交谈，有时夜以继日。刘文静想通过裴寂劝说李渊，便引荐裴寂和李世民结交。李世民拿出自己的几百万钱款，让龙山令高斌廉与裴寂赌博，渐渐地输给裴寂，裴寂大为高兴，因此每天与世民在一道游乐，感情越来越亲密。李世民就把自己的谋划告诉了裴寂，裴寂答应相助。

适逢突厥人侵犯马邑，李渊派遣高君雅率兵与马邑太守王仁恭合力抵抗突厥人，王仁恭、高君雅与突厥交战失利，李渊害怕被牵连获罪，很是忧虑。李世民乘机屏退左右劝李渊说："如今主上无道，百姓穷困，晋阳城外都成了战场。大人您如果谨守小节，下有群盗，上有严刑，大祸随时来临。不如顺应民心，兴兵起义，转祸为福，这是天赐良机啊！"李渊大吃一惊，说："你怎么说出这种话？我现在把你抓起来报告皇上！"于是拿起纸笔，要写奏表。李世民不紧不慢地说："我看天时人事已经这样，所以才敢说这话，如果一定要把我抓起来告发，我不怕一死！"李渊说："我哪里忍心告发你？你千万谨慎不要口出胡言！"第二天，李世民又劝李渊说："如今盗贼一天多似一天，遍布天下，大人受诏讨贼，贼众能消灭干净吗？总之，最终还是免不了获罪。况且世人都传言李氏当应验图谶，所以李金才没有任何罪过，却一天之间被诛灭全族。大人您即使能把贼众完全剿灭，那么功劳特高没法得到赏赐，自身更加危险了！只有昨天的话可以免除灾祸，这是万全之策，希望大人不要疑虑。"李渊于是叹息说："我一夜都在思考你的话，也是十分有道理。今天就是家破人亡也由你，变家为国也由你了！"

此前，裴寂私自用晋阳的官人侍候李渊，李渊和裴寂一起饮酒，喝到兴头，裴

“二郎[452]阴养士马，欲举大事，正为寂以宫人侍公，恐事觉并诛，为此急计耳。众情已协[453]，公意如何?”渊曰:“吾儿诚有此谋，事已如此，当复奈何，正须从之耳。”

帝[454]以渊与王仁恭不能御寇，遣使者执诣[455]江都，渊大惧，世民与寂等复说渊曰:“今主昏[456]国乱，尽忠无益。偏裨[457]失律[458]，而罪及明公[459]。事已迫矣，宜早定计。且晋阳士马精强，宫监蓄积巨万，以兹举事，何患无成?代王幼冲，关中豪杰并起，未知所附，公若鼓行[460]而西[461]，抚而有之，如探囊[462]中之物耳。奈何受单使[463]之囚，坐取夷灭乎?”渊然之，密部勒[464]，将发。会帝继遣使者驰驿赦渊及仁恭，使复旧任，渊谋亦缓。

渊之为河东讨捕使也，请大理司直[465]夏侯端[466]为副。端，详之孙也，善占候及相人[467]，谓渊曰:“今玉床[468]摇动，帝座[469]不安，参墟得岁[470]，必有真人[471]起于其分，非公而谁乎?主上猜忍，尤忌诸李，金才既死，公不思变通，必为之次矣。”渊心然之。及留守晋阳，鹰扬府司马[472]太原许世绪[473]说渊曰:“公姓在图箓，名应歌谣，握五郡[474]之兵，当四战之地[475]，举事则帝业可成，端居[476]则亡不旋踵，唯公图之。”行军司铠[477]文水武士彟[478]、前太子[479]左勋卫唐宪[480]、宪弟俭[481]皆劝渊举兵。俭说渊曰:“明公北招戎狄，南收豪杰，以取天下，此汤、武之举[482]也。”渊曰:“汤、武非所敢拟[483]，在私则图存，在公则拯乱[484]，卿姑[485]自重，吾将思之。”宪，邕之孙也。时建成、元吉尚在河东，故渊迁延未发。

刘文静谓裴寂曰:“先发制人，后发制于人[486]。何不早劝唐公举兵，而推迁[487]不已?且公为宫监，而以宫人侍客，公死可尔，何误唐公也?”寂甚惧，屡趣[488]渊起兵。渊乃使文静诈为敕书，发太原、西河[489]、雁门、马邑民年二十已上五十已下悉为兵，期岁暮[490]集涿郡，击高丽，由是人情恟恟[491]，思乱者益众。

及刘武周据汾阳宫，世民言于渊曰:“大人为留守，而盗贼窃据离宫，不早建大计[492]，祸今至矣!”渊乃集将佐谓之曰:“武周据汾阳宫，吾辈不能制，罪当族灭，若之何?”王威等皆惧，再拜请计。渊曰:“朝廷用兵，动止[493]皆禀节度。今贼在数百里内，江都在三千里外，加以道路险要，

寂从容地说："二郎暗中蓄养兵马，想要举兵起事，只因我让宫女侍候您，害怕事情败露一并被杀头，才做出这应急的计划。大家的思想已统一了，您的心意如何？"李渊说："我的儿子真的有了这个图谋，事情到了这一步，又能怎样呢，只须听从他了。"

隋炀帝因为李渊与王仁恭不能抵御突厥人，派使者拘捕他们送到江都，李渊非常恐惧。李世民与裴寂等又劝李渊说："如今主上昏庸，国家动乱，尽忠没有益处，将佐打了败仗，而要加罪于您。事情已经十分紧迫了，应当及早拿定主意。况且晋阳兵马精悍，宫监积蓄的军资物品价值亿万，利用这些来举事起义，何愁不能成功？代王年幼，关中豪杰纷纷起来造反，不知道依附谁，您如果击鼓西进，招抚他们为自己的部属，如同探囊取物。怎么能接受一介之使的囚禁，坐等灭族呢？"李渊认为说得对，秘密部署军队，即将起事。恰好隋炀帝接着派使者乘驿马赶来赦免李渊和王仁恭，让他们官复原职，李渊的谋划也延缓下来。

李渊任职河东讨捕使的时候，请求大理司直夏侯端做他的副手。夏侯端，是夏侯详的孙子，善于占卜天象和给人看相。夏侯端对李渊说："如今玉床星座摇动，帝座星也不安定，岁星进入参宿的位置，一定有帝王从参宿的分野兴起，不是您还是谁呢？主上猜忌多疑而残忍，尤其猜忌姓李的人，李金才已经死了，您不考虑变通，一定是下一个李金才。"李渊心里很赞同。等到李渊为晋阳留守，鹰扬府司马太原人许世绪劝李渊说："您的姓氏在图谶上，名字应验歌谣，手握五郡兵马，处在四战之地，起事则帝业可成，平居很快就会灭亡，希望您筹谋此事。"行军司铠文水人武士彟、前太子左勋卫唐宪、唐宪弟弟唐俭都劝李渊起兵。唐俭劝李渊说："明公您北面招抚戎狄，南面收揽豪杰，拿这些来夺取天下，这是商汤王、周武王一样的举动啊。"李渊说："我不敢与商汤王、周武王相比，论私是为了生存，论公是为拯救祸乱，你暂且自我珍重，我将认真考虑。"唐宪，是唐邕的孙子。当时李建成、李元吉还在河东，所以李渊一再拖延，没有起兵。

刘文静对裴寂说："先发制人，后发就为人所制，您为何不早劝唐公起兵，而没完没了地推故拖延？况且您身为宫监，却用宫女侍候他人，您死也就算了，为何要误唐公呢？"裴寂极为恐惧，多次催促李渊起兵。李渊就让刘文静伪造敕书，征调太原、西河、雁门、马邑等地年在二十岁以上、五十岁以下的人全部当兵，约定年底在涿郡集合，去攻打高丽。因此人心扰动，想作乱的人更多了。

等到刘武周占据汾阳宫，李世民对李渊说："大人您担任留守，而盗贼窃据离宫，如果不早定大计，大祸就要临头了！"李渊于是召集将佐属吏，对他们说："刘武周占据汾阳宫，我们这些人没能制止，罪当灭族，怎么办？"王威等都很害怕，拜了又拜，求问对策。李渊说："朝廷用兵，任何军事行动都要奏报请求。如今贼众在数百里之内，江都在三千里之外，加上道路险要，又有其他盗贼盘踞，用只够环城

复有他贼据之，以婴城胶柱[494]之兵，当巨猾[495]豕突[496]之势，必不全矣。进退维谷，何为而可？”威等皆曰：“公地[497]兼亲贤[498]，同国休戚[499]，若俟奏报，岂及事机？要在平贼，专之可也。”渊阳若[500]不得已而从之者，曰：“然则[501]先当集兵。”乃命世民与刘文静、长孙顺德、刘弘基等各募兵，远近赴集，旬日间近万人，仍密遣使召建成、元吉于河东，柴绍于长安。

王威、高君雅见兵大集，疑渊有异志，谓武士彟曰：“顺德、弘基皆背征[502]三侍[503]，所犯当死，安得将兵[504]？”欲收按[505]之。士彟曰：“二人皆唐公客，若尔，必大致纷纭。”威等乃止。留守司兵[506]田德平欲劝威等按募人之状[507]，士彟曰：“讨捕之兵，悉隶唐公，威、君雅但寄坐[508]耳，彼何能为？”德平亦止。

晋阳乡长[509]刘世龙[510]密告渊云：“威、君雅欲因晋祠[511]祈雨，为不利。”五月癸亥[512]夜，渊使世民伏兵于晋阳宫城之外。甲子[513]旦，渊与威、君雅共坐视事，使刘文静引开阳府[514]司马胙城刘政会[515]入立庭中，称有密状。渊目威等取状视之，政会不与，曰：“所告乃副留守事，唯唐公得视之。”渊阳惊曰：“岂有是邪？”视其状，云[25]：“威、君雅潜引突厥入寇。”君雅攘袂[516]大诟曰：“此乃反者欲杀我耳。”时世民已布兵塞衢路，文静因与刘弘基、长孙顺德等共执威、君雅系狱。丙寅[517]，突厥数万众寇晋阳，轻骑入外郭北门，出其东门。渊命裴寂等勒兵为备，而悉开诸城门，突厥不能测，莫敢进。众以为威、君雅实召之也，渊于是斩威、君雅以徇。渊部将王康达将千余人出战，皆死，城中恟惧[518]。渊夜遣军潜出城，旦则张旗[519]鸣鼓自他道来，如援军者。突厥终疑之，留城外二日，大掠而去。

炀帝命监门将军[520]泾阳庞玉、虎贲郎将霍世举将关内兵援东都。柴孝和说李密曰：“秦地[521]山川之固，秦、汉所凭以成王业者也。今不若使翟司徒[522]守洛口，裴柱国[523]守回洛，明公自简精锐西袭长安。既克京邑[524]，业固兵强，然后东向以平河、洛[525]，传檄而天下定矣。方今隋失其鹿[526]，豪杰竞逐，不早为之，必有先我者，悔无及矣！”密曰：“此诚上策，吾亦思之久矣。但昏主[527]尚存，从兵[528]犹众，我所部皆山

自守而动辄受制的军队，来抵抗十分狡诈狂奔乱窜的盗贼，必定不能保全。现在进退两难，怎么办才好呢?”王威等人都说:“您的门第既是皇亲，又是贤臣，同国家命运休戚与共，如果等着奏报，怎么赶得上事情的有利时机?关键在于平定盗贼，专擅行事也是可以的。”李渊假装无可奈何而听从的样子，说:“既然如此就应当先征集兵士。”于是让李世民与刘文静、长孙顺德、刘弘基等人各自招募军队，远近百姓前往汇聚，十天之内募得近一万人。又暗中派人到河东召回李建成、李元吉，到长安召回柴绍。

王威、高君雅看到军队大规模集中，怀疑李渊要造反，对武士彟说:“长孙顺德、刘弘基两人都是逃避征辽的三侍官员，犯的是死罪，怎么能带兵?”想把两人逮捕治罪。武士彟说:“两人都是唐公的客人，如果这样做，肯定导致大的纷争。”王威等这才作罢。留守司兵田德平想劝王威等人调查招募军人的情况，武士彟说:“讨伐敌人搜捕盗贼的军队，全部隶属于唐公，王威、高君雅不过是寄居唐公身边，他们能干什么?”田德平也只好作罢。

晋阳乡长刘世龙秘密告诉李渊说:“王威、高君雅想利用到晋祠祷祈求雨的机会，对您下手。”五月十四日癸亥夜晚，李渊让李世民在晋阳宫城之外埋伏军队。十五日甲子早晨，李渊与王威、高君雅坐在一起议事，派刘文静带领开阳府司马胙城人刘政会进入站在厅堂上，宣称有机密的状子禀报。李渊用眼睛示意王威等去取状子来看，刘政会不给，说:“所要告发的是副留守的事，只有唐公能看状子。”李渊假装吃惊地说:“难道有这等事?”李渊看过状子，说:“王威、高君雅暗地勾引突厥前来侵犯。”高君雅挽起袖子举臂大骂说:“这是造反的人想杀害我罢了。”这时李世民已经部署军队阻断了交通道路，刘文静就和刘弘基、长孙顺德等人一起把王威、高君雅抓起来关入监狱。十七日丙寅，几万名突厥兵入侵晋阳，突厥轻骑从外城北门进入，从东门出去。李渊命令裴寂等人部署军队防备，而打开全部城门，突厥人不能探知虚实，不敢进城。众将领都认为确实是王威、高君雅召来的，李渊于是杀了王威、高君雅示众。李渊部将王康达率领一千多人出战，全部战死，城中震动恐惧。李渊夜里暗中派军队出城，天亮后悬旗鸣鼓从另一条道路上开来，好像是援军。突厥始终狐疑不决，在城外停留两天，大肆抢劫一番离去。

隋炀帝命令监门将军泾阳人庞玉、虎贲郎将霍世举率领关内军救援东都。柴孝和劝李密说:“秦地山川险固，是秦、汉赖以成就帝业之处。现在不如派翟司徒防守洛口，裴柱国防守回洛，明公您亲自挑选精锐部队西袭长安。攻下京师后，基业稳固，兵强马壮，然后再向东平定河、洛地区，只要发布一纸文告，天下就会平定了。如今隋朝已失其鹿，天下豪杰竞相追逐，如果不早下手，必定有人抢在我们之前，那时后悔就来不及了!”李密说:“这确实是上策，我也考虑好久了。但是昏君还在，随从他的军队还很多，我所辖部下都是华山以东的人，看到洛阳没有攻下，谁肯跟

东人，见洛阳未下，谁肯从我西入？诸将出于群盗，留之各竞雌雄，如此，则大业隳矣。”孝和曰：“然则大军既未可西上，仆请间行观衅㉙。”密许之。孝和与数十骑至陕县㉚，山贼归之者万余人。时密兵锋甚锐，每入苑㉛，与隋兵连战。会密为流矢所中，卧[26]营中，丁丑㉜，越王侗使段达与庞玉等夜出兵，陈于回洛仓西北。密与裴仁基出战，达等大破之，杀伤太半㉝，密乃弃回洛，奔洛口。庞玉、霍世举军㉞于偃师，柴孝和之众闻密退，各散去。孝和轻骑归密，杨德方、郑德韬皆死。密以郑颋为左司马，荥阳郑乾象为右司马。

李建成、李元吉弃其弟智云㉟于河东而去，吏执智云送长安，杀之。建成、元吉遇柴绍于道，与之偕行㊱。

【段旨】

以上为第五段，写唐公李渊在其次子李世民推动下策划反隋的过程。

【注释】

⑮建成、世民、玄霸、元吉：唐太宗李世民的三位同胞兄弟，李渊窦氏所生的四个儿子。建成（公元五八八至六二六年），唐高祖李渊长子，先封为太子，玄武门之变时被杀。传见《旧唐书》卷六十四、《新唐书》卷七十九。玄霸（公元五九九至六一四年），李渊第三子，早卒。传见《旧唐书》卷六十四、《新唐书》卷七十九。元吉（公元六〇三至六二六年），李渊第四子，封齐王，玄武门之变时，与李建成同时遇害。传见《旧唐书》卷六十四、《新唐书》卷七十九。⑯柴绍（？至公元六三八年）：字嗣昌，晋州临汾（今山西临汾）人，历仕隋、唐，官至左卫大将军。传见《旧唐书》卷五十八、《新唐书》卷九十。⑰倾身：侧身，对人谦虚之意。⑱下士：谦恭对待贤士。⑲右勋卫：武官名，掌宿卫。⑳长孙顺德：河南洛阳（今河南洛阳）人。历仕隋、唐，官至左骁卫大将军。传见《旧唐书》卷五十八、《新唐书》卷一百五。㉑右勋侍：武官名，隋炀帝改右勋卫为右勋侍，亦掌宿卫。㉒刘弘基（公元五八二至六五〇年）：雍州池阳（今陕西三原北）人，历仕隋、唐，官至辅国大将军，封夔国公。传见《旧唐书》卷五十八、《新唐书》卷九十。㉓左亲卫：武官名，开皇时置亲、勋、武三卫，此是其一。掌宿卫。㉔窦琮（？至公元六二二年）：扶风平陵（今陕西咸阳西北）人。历仕隋、唐，官至右领军大将军。传附《旧唐书·窦威传》《新唐书·窦威传》。㉕晋阳宫监：官名，隋离宫皆置宫监，总领宫事。㉖裴寂（公元五七〇至六二九年）：字玄真，蒲州桑泉（今山西临

随我西进入关？众将领都是盗贼出身，留在这里各自争夺高下，这样，大业就败毁了。”柴孝和说：“既然大军不能西进，我请求从小路去探察实情，寻找机会。”李密同意了。柴孝和与几十名骑兵到了陕县，归附他的山区盗贼有一万多人。当时李密军队士气正旺，常常攻入东都西苑与隋兵交战。恰巧李密被流箭射中，躺在营中养伤。五月二十八日丁丑，越王杨侗派段达和庞玉等人乘夜出兵，在回洛仓西北布阵，李密与裴仁基出战，段达等人大败李密，杀伤对方的军队过半。李密便放弃回洛，逃奔洛口。这时庞玉、霍世举驻军偃师，柴孝和的部众听到李密败退，各自散去，柴孝和轻骑回到李密军中，杨德方、郑德韬全都战死。李密任命郑颋为左司马，荥阳人郑乾象为右司马。

李建成、李元吉把弟弟李智云丢在河东后离去，当地官吏抓住李智云送到长安，把他杀死。李建成、李元吉在路上遇到柴绍，和他同行。

猗）人，历仕隋、唐，官至尚书左仆射，唐开国功臣。传见《旧唐书》卷五十七、《新唐书》卷八十八。㉗晋阳：县名，县治在今山西太原西南。㉘刘文静（公元五六八至六一九年）：字肇仁，自称彭城人，世居京兆武功（今陕西武功西北）。历仕隋、唐，官至纳言，封鲁国公，唐开国功臣之一。传见《旧唐书》卷五十七、《新唐书》卷八十八。㉙汉高：即汉高祖刘邦。㉚魏祖：即魏武帝曹操。㉛命世才：著名于一世的杰出人才。㉜连昏：联姻。昏，通“婚”。㉝高光：高，指汉高祖刘邦。光，指光武帝刘秀。二人为两汉开国皇帝。㉞儿女子之情：即儿女情，指男女恋爱或亲人之间的感情。㉟真主：真命天子。㊱反掌：比喻事情轻而易举。㊲为令：指做晋阳县令。㊳关说：通关节以进游说之辞。关，通。㊴龙山：胡三省注说，当时没有龙山县，疑高斌廉在开皇中曾为龙山县令，此处以旧官书之。但赵绍祖《通鉴注商》引温大雅《大唐创业起居注》龙山作“辽山”。据此，“龙山”当改作“辽山”。辽山在今山西太原附近。㊵情款益狎：情谊更加诚挚融洽。㊶仁恭、君雅战不利：王仁恭于同年二月为刘武周所杀。这是追述往年李渊起兵由来之事。㊷无日：无时日，实时间不久、随时。㊸县官：朝廷。也指皇帝。㊹徐曰：不紧不慢地说。㊺天时：自然运行的时序。㊻日繁：一天比一天多。㊼要之：总之。㊽应图谶：指应“李氏当为天子”的谶言。㊾设能：如果能。设，假设。㊿亡躯：指被杀身死。⑤①化家为国：把家变为国。意指夺得天下。⑤②二郎：李世民为李渊第二子，故称世民为二郎。⑤③众情已协：大家想法一致。协，相同、相合。⑤④帝：此指隋炀帝。⑤⑤执诣：拘捕并送到。⑤⑥主昏：君主昏庸。⑤⑦偏裨：偏将与裨将。将佐的通称。⑤⑧失律：行军无纪律。假借为行军作战失利之称。⑤⑨明公：对李渊的尊称。明，英明。⑥⓪鼓行：古代行军，击鼓则进，鸣金则止，因称行进为鼓行。⑥①而西：指向关中长安进发。⑥②探囊：伸手到袋中取东西，比喻极容易办到的事。囊，口袋。⑥③单使：一介之使。⑥④部勒：部署

约束。⑯大理司直：官名，隶属大理卿，不署曹事，只管复查御史所检劾之事。⑯夏侯端（？至公元六二七年）：寿州寿春（今安徽寿县）人，历仕隋、唐，官至秘书监。传见《旧唐书》卷一百八十七上、《新唐书》卷一百九十一。⑯相人：通过观察人的形貌以占测其命运。⑯玉床：天上星座名，据《晋书·天文志》载，紫宫门内有六星，称天床（即玉床）。⑯帝座：星座名，在天市垣内，候星西。今属武仙座。⑰参墟得岁：参墟，参为晋星，故以晋阳为参墟。得岁，称岁星移居参星之位为得岁。⑰真人：谓帝王。⑰鹰扬府司马：武官名，在鹰扬府掌军事。⑰许世绪：并州（今山西太原西南）人，历仕隋、唐，官至蔡州刺史。传见《旧唐书》卷五十七、《新唐书》卷八十八。⑰五郡：指太原、雁门、马邑、楼烦、西河等五郡。⑰四战之地：四面平坦，无险可守，容易受攻击之地。⑰端居：平居。⑰行军司铠：官名，掌衣甲兵器。⑰武士彟（公元五七七至六三五年）：并州文水（今山西文水东）人，仕唐，官至工部尚书，封应国公。传见《旧唐书》卷五十八、《新唐书》卷二百六。⑰前太子：指隋文帝长子杨勇。勇先被立为太子，后被废。⑱唐宪：历仕隋、唐，官至金紫光禄大夫。传附《新唐书·唐俭传》。⑱宪弟俭：据《新唐书·唐俭传》作"俭弟宪"。疑此有误。唐俭（公元五七九至六五六年），字茂约，并州晋阳（今山西太原西南）人，仕唐，官至民部尚书。传见《旧唐书》卷五十八、《新唐书》卷八十九。⑱汤武之举：指商汤灭夏桀、周武王灭商纣王的举动。⑱拟：比，自比于君主。⑱拯乱：治乱。拯，援救、整治。⑱姑：姑且；暂且。⑱后发制于人：后发者为人所制。发，行动。⑱推迁：推故迁延。⑱趣：催促；从速。⑱西河：郡名，治所隰城县，在今山西汾阳。⑲期岁暮：约定年底以年终为期。岁暮，一年将尽时。⑲人情恟恟：人心惶惶，纷扰不安的样子。⑲大计：重大的谋划。此指起兵灭隋。⑲动止：行动举止。此指军事行动。⑲胶柱：鼓瑟的人要转动弦柱，以调节音量的高低，如胶其柱，则音量无法调节。比喻拘泥而不知变通。⑲巨猾：十分狡诈；大奸大恶。⑲豕突：豕受惊骇则奔突难制，因此用以比喻人的横冲直撞，流窜侵扰。豕，猪。⑲地：门地。同"门第"。⑲亲贤：与隋炀帝有亲戚关系，人品又贤良。⑲休戚：喜乐与忧虑。休，喜庆。戚，难过。⑳阳若：假装好像。阳，通"佯"。⑳然则：既然如此，那么。⑳背征：违背征兵令，即逃避兵役，指避辽东之役而亡命。⑳三侍：隋炀帝改制，把开皇时的亲、勋、武三卫改为亲、勋、武三侍，三侍也皆分左、右。⑳将兵：统领军队。⑳收按：收捕而推案其罪。⑳留守司兵：武官名，留守僚佐，参谋军事。⑳按募人之状：审查招募人的具体情况。⑳寄坐：是说王威等无实权，不过寄身在留守座间。⑳乡长：官名，地方基层官。开皇初，在地方置保长、党长，乡长也是此类地方官，维护地方治安与征收赋税。㉑刘世龙：曾改名义节，并州晋阳（今山西太原西南）人，历仕隋、唐，官至鸿胪卿。传见《旧唐书》卷五十七、《新唐书》卷八十八。㉑晋祠：祠名，即晋阳晋王祠，故址在今山西太原西南悬瓮山下。㉑癸亥：五月十四日。㉑甲子：五月十五日。㉑开阳府：府名，按《新唐书·地理志三》，太原郡有府十八个，此其一。开阳，

《新唐书》作“闻阳”。⑮刘政会（？至公元六三五年）：滑州胙城（今河南延津东北）人，历仕隋、唐，官至刑部尚书，封邢国公。传见《旧唐书》卷五十八、《新唐书》卷九十。⑯攘袂：揎袖捋臂，奋起的样子。袂，古代称衣袖为袂。⑰丙寅：五月十七日。⑱恼惧：震动恐惧。⑲张旗：悬挂旗帜。⑳监门将军：武官名，隶属监门府，分左、右，掌宫殿门禁及守卫事。㉑秦地：指关中地区。习称陕西为秦。㉒翟司徒：翟让封为司徒，故称翟司徒。㉓裴柱国：裴仁基被封为上柱国，故称他为裴柱国。㉔京邑：指京都长安。邑，都城。㉕河洛：黄河与洛水。此指两河流域地区。㉖隋失其鹿：《史记·淮阴侯列传》说：“秦失其鹿，天下共逐之。”后因称统治者失去政权为失其鹿。㉗昏主：昏庸的君主。此指隋炀帝。㉘从兵：随从的兵士。㉙观衅：看准空隙而欲有所图。衅，嫌隙。㉚陕县：县名，县治在今河南三门峡西。㉛苑：此指西苑，在洛阳宫城西。㉜丁丑：五月二十八日。㉝太半：过半。太，通“大”“泰”。㉞军：驻扎。㉟智云（公元六〇四至六一七年）：本名稚诠，唐高祖李渊第五子，后追封为楚王。传见《旧唐书》卷六十四、《新唐书》卷七十九。㊱偕行：相伴出发。偕，共同；一起。

【校记】

［23］集：原作“拾”。据章钰校，十二行本、乙十一行本、孔天胤本皆作“集”，张敦仁《通鉴刊本识误》同，今据改。〖按〗《通鉴纪事本末》卷二六、《通鉴纲目》卷三七下皆作“集”。［24］我：原作“吾”。据章钰校，十二行本、乙十一行本皆作“我”，熊罗宿《胡刻资治通鉴校字记》同，今据改。〖按〗《通鉴纪事本末》卷二六作“我”。［25］云：原作“乃云”。据章钰校，十二行本、乙十一行本、孔天胤本皆无“乃”字，今据删。〖按〗《通鉴纪事本末》卷二六无“乃”字。［26］卧：原作“尚卧”。据章钰校，十二行本、乙十一行本、孔天胤本皆无“尚”字，张瑛《通鉴校勘记》、熊罗宿《胡刻资治通鉴校字记》同，今据删。

【研析】

本卷所记公元六一六年及六一七年上半年事，以炀帝巡幸江都为转折点，炀帝失去了对全国局势的掌控，隋朝各地政治势力开始抛弃隋炀帝，称王称帝，自图发展。四五年来，蔓延至黄河中下游的“群盗”，在反隋的旗号下聚集起来，形成黄淮间李密、河北窦建德两股强大的势力。唐公李渊起兵太原，进占长安，立炀帝之孙杨侑为隋帝，以中央政府的名义相号召，尽管只控制晋陕一带，却对炀帝江都政权的合法性提出了最为严峻的挑战。为什么炀帝巡幸江都会引起政局的巨大变化，而炀帝又不顾一切要南巡江都呢？下面予以申述。

由于隋政权源于西魏北周，以关陇为立国之基，关陇地区对于隋政权的重要性，不只是周秦汉以来长期形成的历史传统，还在于现实的政治、军事布局。隋朝统一后，西魏北周成长起来的统治集团，亦即关陇集团，仍是隋帝国的统治核心与政治支柱，掌握着全国政治与经济资源。隋朝实行府兵制，并在统一以后实行兵农合一制度，军府主要布置在关中及其周边地区，隋文帝曾多次发布命令收缴民间兵器，关中地区并不在收缴范围之内。从开皇十一年（公元五九一年）开始，原北齐统治的黄河中下游地区发生越来越严重的民众暴动，并向淮南、江南蔓延，但关陇地区并没出现大的动荡。如前两卷所分析的那样，民众暴动主要由于生存危机所致，并没有明确的政治意图，关陇地区稳定，意味着隋政权的根基并没有发生动摇，隋政权仍有足够的政治资源维系对全国的控制。

大业后期，一些政治人物已注意到，要夺取政权，必须夺得关中，而要实现稳定，也必须保证对关中的控制。杨玄感举兵时，魏公李密即向其建议："关中四塞，天府之国……今帅众鼓行而西，经城勿攻，直取长安。收其豪杰，抚其士民，据险而守之。天子虽还，失其根本，可徐图也。"后玄感久攻洛阳不下，其部将李子雄亦主张："直入关中，开永丰仓以振贫乏，三辅可指麾而定，据有府库，东面而争天下，亦霸王之业也。"后李密招聚瓦岗等群盗，以洛口仓为主要争夺对象，柴孝和对他说："秦地山川之固，秦、汉所凭以成王业者也。今不若……简精锐西袭长安。既克京邑，业固兵强，然后东向以平河、洛，传檄而天下定矣。方今隋失其鹿，豪杰竞逐，不早为之，必有先我者，悔无及矣！"李密本人亦曾向杨玄感作如此建议，作为西魏六大柱国之一李弼之孙，他自然知道关中的重要性，无奈其网罗的"群盗"均是"山东人"，且大都满足于现实的利益，没有政治远见，对西向入关没有热情，李密虽"思之久矣"，也只能作罢。唐公李渊在太原举兵后，鼓行入关，兵不血刃地占据长安，终移隋鼎，建立唐朝，并利用关陇地区的政治军事资源，削平群雄，重新实现全国的统一。

炀帝即位以后，总在"巡幸"之中，又常以东都洛阳作为驻跸之地，对关中地区并没给予足够的关注，在全国形势稳定，中央政权政令畅通的情况下，这并不会引起严重的政治问题。但当黄河中下游地区"群盗"蜂起的情形下，对国家政治、军事中心区域的切实控制，便成了维系国家稳定的重要手段。大业十年（公元六一四年）十一月，炀帝征辽返回后，欲再次驻跸东都，太史令庾质即进谏说："比岁伐辽，民实劳弊，陛下宜镇抚关内，使百姓尽力农桑，三五年间，四海稍丰实，然后巡省，于事为宜。"炀帝"不悦"，未予采纳，庾质亦因此死于狱中。次年八月，炀帝逃脱突厥雁门之围到达晋阳，苏威对炀帝说："今盗贼不息，士马疲弊，愿陛下亟还西京，深根固本，为社稷计。"炀帝最初同意这一意见，但仍因"从官妻子多在东都"而返归洛阳。大业十二年（公元六一六年）八月，炀帝七月准备从洛阳巡幸江都，"朝臣皆不欲行，帝意甚坚，无敢谏者"。右候卫大将军赵才谏阻："今百姓疲劳，府藏空竭，盗贼蜂起，禁令不行，愿陛下还京师，安兆庶。"被投进监狱，奉信郎崔民象谏阻，被处死。"至汜水，奉信郎王爱仁复上表请还西京，帝斩之而行。至梁郡，郡人邀车驾上书曰：'陛下若遂幸江都，天下非陛下之有。’又斩之。”炀帝随驾部队“多关中人”，长安、关中在政治上的重要性显而易见，炀帝却执意前往扬州，甚至处死谏阻者。唐代人朱敬则在其《隋炀帝论》中故作解人说：“岂不是色醉其心，天夺其鉴，窜吴夷以避其地，虚宫阙以候圣人？盖为大唐之驱除也。”

在当时人看来，炀帝在天下大乱之际，拒绝回到长安，反而南投江都，无异于自弃天下，但如果认为炀帝此次南巡扬州，是“色醉其心”，仅仅是贪图享受，则大谬不然。这年正月，朝廷大会，“朝集使不至者二十余郡”，炀帝再糊涂，也知道国家已然失控，其内心的恐惧与日俱增。《隋书·五行志》中说炀帝“饮酒大醉，因赋五言诗，其卒章曰：‘徒有归飞心，无复因风力。’令美人再三吟咏，帝泣下沾襟，侍御者莫不歔欷。帝因幸江都。”诗歌是内心世界的流露，炀帝诗中的“归飞心”当指回长安，而他认为无“风力”可以凭借，这只迷途的鸟儿决意飞向江都：“我梦江都好，征辽亦偶然。”既是对征辽的错误的间接承认，亦是他将江都作为政治与生命归宿的表现。

其实，在最终决定南奔江都前半年，炀帝即已开始作退守江南的准备。“诏毗陵通守路道德集十郡兵数万人，于郡东南起宫苑，周围十二里，内为十六离宫，大抵仿东都西苑之制，而奇丽过之。又欲筑宫于会稽，会乱，不果成。”炀帝曾坐镇扬州长达十年，对南方文化颇为熟悉，他擅长诗文，文化心理上倾向南方。扬州也是他政治上成功的关键，他在这里曾做过“据淮海，复梁、陈之旧”的政治准备，这我们在卷一百七十九的研析中，已有论述。炀帝当上皇帝后，在长安只盘桓数月。文帝取周建隋之初，特地下诏“前代品爵，皆依旧不降”，而炀帝在大业五年（公元六〇九年）下令：“魏、周官不得为荫”，也就是不承认关陇集团在西魏、北周时期累积的政治资本。大业时期，炀帝所信任的大臣除坐镇扬州时的晋王“藩邸”人员外，主要就是文帝时受压制的南方人或有梁、陈政治背景的人，如裴蕴、裴矩、虞世基、姚察、许善心、来护兒、麦铁杖等。当其在雁门被突厥围困时，特地令许善心“领江南兵宿卫殿省”，在他看来，真正可以信任的是江南人以及江南人组成的军队。总之，炀帝在对全国失控之时，决意南下江都，乃因其心理上更亲近南方，其政治根基亦在南方，关中是隋及唐代前期政治的重心所在，对于炀帝来说，却并非如此。

炀帝南巡江都，筑宫江南，事实上放弃了重新掌控全国局势的努力。《隋书》卷七十末史家评论说：“炀帝魂褫气慑，望绝两京，谋窜身于江湖，袭永嘉之旧迹。”如本卷所记，李密因此劝说翟让：“今主昏于上，民怨于下，锐兵尽于辽东，和亲绝于突厥，方乃巡游扬、越，委弃东都，此亦刘、项奋起之会也。”炀帝巡幸江都而不返，虽然并不是如前引朱敬则《隋炀帝论》所说，“为大唐之驱除”，给唐王朝腾出空间，但确实在炀帝南奔江都以后，李密、窦建德、梁师都、刘武周以及李渊等，才开始其割据一方、称王称帝的活动。要结束隋末群雄并起的局面，不仅需要英明的政治领袖，还有待率先控制关陇的政治集团，唐王朝应运而生。

卷第一百八十四　隋纪八

起强圉赤奋若（丁丑，公元六一七年）六月，不满一年。

【题解】

本卷载述公元六一七年六月至十二月，不足一年。当隋炀帝大业十三年之下半年，又称恭皇帝义宁元年。这一时期，事烦变剧，述史头绪繁多，分为十四段。这是隋王朝崩溃前的垂死挣扎时期，全国烽烟遍地，战争最为激烈。东都争夺是主战场，李密率领瓦岗军围困东都，隋王朝全力救援，隋军云集，四面空虚。于是河北、江淮农民起义军中窦建德、杜伏威等皆称王，西北梁师都、刘武周、薛举、李轨等形成边塞军阀割据。李渊乘间起兵，夺取了关中，拥立代王杨侑为恭皇帝，为隋唐禅代奠基。

【原文】

恭皇帝下

义宁元年（丁丑，公元六一七年）

六月己卯①，李建成等至晋阳。

刘文静劝李渊与突厥相结，资②其士马以益兵势。渊从之，自为手启③，卑辞厚礼④，遗始毕可汗云："欲大举义兵⑤，远迎主上⑥，复与突厥和亲，如开皇之时。若能与我俱南，愿勿侵暴⑦百姓；若但和亲，坐受宝货，亦唯可汗所择。"始毕得启，谓其大臣曰："隋主为人，我所知也，若迎以来，必害唐公而击我无疑矣。苟⑧唐公自为天子，我当不避盛暑，以兵马助之。"即命以此意为复书。使者七日而返，将佐皆喜，请从突厥之言，渊不可。裴寂、刘文静等[1]皆曰："今义兵虽集而戎马⑨殊乏⑩，胡兵⑪非所须，而马不可失，若复稽回⑫，恐其有悔。"渊曰："诸君

【语译】

恭皇帝下

义宁元年（丁丑，公元六一七年）

六月己卯日，李建成等人到达晋阳。

刘文静劝李渊与突厥结交，借助它的兵马来扩大自己的军事势力。李渊赞同了这个建议，亲自写了一封信，言辞谦卑，礼品丰厚，送给始毕可汗。信中说："我想大兴正义之师，到远方去迎接皇上，重新与突厥和亲，就如同开皇年间一样。如果可汗能和我一同去南方，希望不要侵暴百姓，如果只是和亲，就能坐收金银财宝，请可汗选择。"始毕可汗得到这封信，对他的大臣们说："隋朝皇上的为人，我是了解的，如果把他迎接回来，一定加害唐公并攻击我们，这是毋庸置疑的。如果唐公自己做天子，我一定不避盛暑，用我们的兵马帮助他。"随即下令按这个意思写了回信。使者第七天回来了，李渊部将都很高兴，请求李渊听从突厥可汗的话，李渊不同意。裴寂、刘文静等人都说："如今正义之师虽然集结，但特别缺乏战马，突厥兵不是我们需要的，而战马不能失去，如果拖延回信，恐怕突厥会后悔。"李渊说："诸

宜更思其次。”寂等乃请尊天子[13]为太上皇，立代王为帝，以安隋室。移檄郡县，改易旗帜，杂用绛白[14]，以示突厥。渊曰：“此可谓‘掩耳盗钟[15]’，然逼于时事，不得不尔[16]。”乃许之，遣使以此议告突厥。

西河郡不从渊命，甲申[17]，渊使建成、世民将兵击西河，命太原[18]令太原温大有[19]与之偕行，曰：“吾儿年少，以卿参谋军事；事之成败，当以此行卜之[20]。”时军士新集，咸未阅习，建成、世民与之同甘苦，遇敌则以身先之。近道菜果，非买不食，军士有窃之者，辄求其主偿之，亦不诘窃者，军士及民皆感悦[21]。至西河城下，民有欲入城者，皆听其入。郡丞[22]高德儒闭城拒守，己丑[23]，攻拔之。执德儒至军门，世民数之曰：“汝指野鸟为鸾，以欺人主，取高官，吾兴义兵，正为诛佞人[24]耳！”遂斩之。自余不戮一人，秋毫无犯[25]，各尉抚[26]使复业，远近闻之大悦。建成等引兵还晋阳，往返凡九日。渊喜曰：“以此行兵，虽横行天下可也。”遂定入关之计。

渊开仓以赈贫民，应募者日益多。渊命为三军，分左右，通谓之义士。裴寂等上渊号为大将军，癸巳[27]，建大将军府，以寂为长史，刘文静为司马，唐俭及前长安尉温大雅[28]为记室，大雅仍与弟大有共掌机密，武士彟为铠曹[29]，刘政会及武城崔善为[30]、太原张道源[31]为户曹[32]，晋阳长[33]上邽姜謩[34]为司功参军，太谷长殷开山[35]为府掾[36]，长孙顺德、刘弘基、窦琮及鹰扬郎将高平王长谐、天水姜宝谊[37]、阳屯为左、右统军[38]，自余文武，随才授任。又以世子建成为陇西公、左领军大都督，左三统军隶焉；世民为敦煌公、右领军大都督，右三统军隶焉；各置官属。以柴绍为右领军府长史，谘议[39]谯人刘赡领西河通守。道源名河，开山名峤，皆以字行。开山，不害之孙也。

李密复帅众向东都，丙申[40]，大战于平乐园[41]。密左骑，右步[42]，中列强弩，鸣千鼓以冲之，东都兵大败，密复取回洛仓。

突厥遣其柱国康鞘利等送马千匹诣李渊为互市[43]，许发兵送渊入关，多少随所欲。丁酉[44]，渊引见康鞘利等，受可汗书，礼容尽恭，赠遗康鞘利等甚厚。择其马之善者，止市[45]其半，义士[46]请以私钱市其余，渊曰：“虏饶马[47]而贪利，其来将不已，恐汝不能市也。吾所以少

位应当另想别的办法。”裴寂等人于是请求尊奉隋炀帝为太上皇，立代王杨侑为帝，以安定隋王室。传布檄文到各郡县，改换旗帜，杂用绛色和白色，按这样做给突厥看。李渊说：“这样可以说是‘掩耳盗铃’，但是迫于形势，不得不这样。”于是同意这样做，派使者把这个决议通告突厥。

西河郡不服从李渊的命令，六月初五日甲申，李渊派李建成、李世民领兵攻打西河郡，命令太原令太原人温大有与军同行。李渊对温大有说：“我儿子年轻，请你参谋军事，事情的成败，就拿这次出征的结果做预测。”当时士兵都是新近招募来的，全都没有经过训练。李建成、李世民与士兵们同甘共苦，遇到敌人就身先士卒，道路两旁的蔬菜瓜果，不是买的不准吃，兵士有偷吃的，就找到物主给予赔偿，也不责怪偷吃的人，士兵及百姓们全都又感激又高兴。大军到达西河城下，百姓有想进城的，都听任他们进入。西河郡丞高德儒紧闭城门坚守，初十日己丑，李建成攻取了西河城，把高德儒押到军营门口，李世民责备高德儒说：“你指野鸟为凤凰，欺骗人主，获取高官，我们兴义兵，就是为了诛灭像你这样的奸佞之人！”于是杀了高德儒。其余官员一个不杀，秋毫无犯，派人分头抚慰百姓，让他们各复其业，远近的人听到消息大为高兴。李建成等人率军返回晋阳，往返一共九天。李渊高兴地说：“以这个样子用兵，就是横行天下也是可以的。”于是决定了进兵关中的计划。

李渊打开粮仓赈济贫民，应募当兵的人一天比一天多。李渊命令设置三军，又分左、右军，通称为义士。裴寂等人给李渊奉上大将军的尊号。六月十四日癸巳，李渊设置大将军府，任命裴寂为长史，刘文静为司马，唐俭和前长安尉温大雅为记室，温大雅仍然和他弟弟温大有共同掌管机密，任命武士彟为铠曹，刘政会和武城人崔善为、太原人张道源都为户曹，晋阳长上邽人姜謩为司功参军，太谷长殷开山为府掾，长孙顺德、刘弘基、窦琮以及鹰扬郎将高平人王长谐、天水人姜宝谊、阳屯为左、右统军，其余的文武僚佐，随才授任。又以世子李建成为陇西公、左领军大都督，左三统军隶属他；以李世民为敦煌公、右领军大都督，右三统军隶属他，二人各自设置官府僚属。任命柴绍为右领军府长史，谘议谯县人刘赡任西河通守。张道源名河，殷开山名峤，都以字号行世。殷开山，是殷不害的孙子。

李密又率部众前往东都，六月十七日丙申，与隋军在平乐园大战。李密左边是骑兵，右边是步兵，中间列队强弩，擂动千面战鼓冲击敌军，东都隋军大败，李密再次夺取了回洛仓。

突厥派他们的柱国康鞘利等人送一千匹马到李渊处做交易，答应发兵送李渊入关，兵马的数量听从李渊的想法。六月十八日丁酉，李渊召见康鞘利等人，接受了可汗的书信，礼仪容止都非常恭敬，赠送康鞘利等人的礼物极为丰厚。李渊挑选其中的良马，只买下一半，义士们请求用自己的钱购买余下的马匹，李渊说：“胡人马匹很多，又贪图利益，他们会不断地送马来，恐怕你们没钱买了。我之所以少买，

取者，示贫，且不以为急故也，当为汝贯㊽之，不足为汝费。”

乙巳㊾，灵寿㊿贼帅郗士陵帅众数千降于渊，渊以为镇东将军、燕郡公，仍置镇东府，补僚属，以招抚山东郡县。

己巳㊿¹，康鞘利北还。渊命刘文静使于突厥以请兵，私谓文静曰：“胡骑入中国，生民之大蠹㊿²也。吾所以欲得之者，恐刘武周引之共为边患。又，胡马行牧，不费刍粟㊿³，聊欲藉之以为声势耳。数百人之外，无所用之。”

秋，七月，炀帝遣江都通守王世充将江、淮劲卒，将军王隆帅邛黄蛮㊿⁴，河北大使㊿⁵太常少卿韦霁㊿⁶、河南大使㊿⁷虎牙郎将王辩等各帅所领同赴东都，相知讨李密。霁，世康之子㊿⁸也。

壬子㊿⁹，李渊以子元吉为太原太守，留守晋阳宫，后事并[2]委之。癸丑⑥⁰，渊帅甲士三万发晋阳，立军门誓众⑥¹，并移檄郡县，谕以尊立代王之意。西突厥阿史那大奈⑥²亦帅其众以从。甲寅⑥³，遣通议大夫⑥⁴张纶将兵徇稽胡。丙辰⑥⁵，渊至西河，慰劳吏民，赈赡⑥⁶穷乏。民年七十以上，皆除散官⑥⁷，其余豪俊，随才授任，口询功能，手注官秩，一日除千余人。受官者[3]皆不取告身⑥⁸，各分渊所书官名而去。渊入雀鼠谷。壬戌⑥⁹，军贾胡堡⑦⁰，去霍邑⑦¹五十余里。代王侑遣虎牙郎将宋老生帅精兵二万屯霍邑，左武侯大将军屈突通将骁果数万[4]屯河东以拒渊。会积雨⑦²，渊不得进，遣府佐沈叔安等将羸兵还太原，更运一月粮。乙丑⑦³，张纶克离石⑦⁴，杀太守杨子崇⑦⁵。

刘文静至突厥，见始毕可汗，请兵，且与之约曰：“若入长安，民众土地入唐公，金玉缯帛⑦⁶归突厥。”始毕大喜，丙寅⑦⁷，遣其大臣级失特勒先至渊军，告以兵已上道。

是因为想表示贫穷，而且也不急用。我当为你们赊欠下来，不必用你们的钱。”

六月二十六日乙巳，灵寿县贼兵首领郗士陵率领部众几千人投降李渊，李渊任命郗士陵为镇东将军、燕郡公，并设置镇东府，补充镇东府僚属，以此来招抚潼关以东的各个郡县。

己巳日，康鞘利返回北方。李渊派刘文静出使突厥请求出兵，李渊私下告诉刘文静说：“胡人骑兵进入中原，是百姓的一大祸害。我之所以要得到突厥的骑兵，是怕刘武周勾结他们一起成为边境上的祸害。还有，胡马放牧饲养，不用耗费草料，聊且借助突厥人来壮大声势而已。几百人以外，就无所用了。”

秋，七月，隋炀帝派江都通守王世充率领江、淮精兵，将军王隆率领邛地黄蛮，河北大使太常少卿韦霁、河南大使虎牙郎将王辩等人各自率领所辖部队一同赶赴东都，互相配合讨伐李密。韦霁，是韦世康的儿子。

七月初四日壬子，李渊任命儿子李元吉为太原太守，留守晋阳宫，后方事务全都交给他。初五日癸丑，李渊统率甲士三万人从晋阳出发，站在军营门前誓师，并向各郡县发布檄文，晓谕大家尊立代王为帝的意图。西突厥阿史那大奈也率领他的部众随从。初六日甲寅，李渊派出通议大夫张纶领兵攻打稽胡。初八日丙辰，李渊到达西河，慰劳官吏百姓，救济贫困民众。七十岁以上的老百姓，都授给散官的头衔，其他的豪杰英俊，依据个人的才能授给职务。亲口询问求职人的功绩才能，亲手写出授给的官职品秩，一天任用了一千多人。得到官职的人都不拿委任状，各自拿着李渊书写的官名离去。李渊进入雀鼠谷。十四日壬戌，驻军贾胡堡，距离霍邑五十多里。代王杨侑派遣虎牙郎将宋老生率领精兵两万屯守霍邑，左武侯大将军屈突通率勇猛敢死之士数万人屯守河东，用以抵抗李渊。适逢连续大雨，李渊不能进军，派府佐沈叔安等率领老弱士卒返回太原，再运一个月的粮食。十七日乙丑，张纶攻克离石郡，杀了太守杨子崇。

刘文静到达突厥，见到始毕可汗，请求派兵援助，并且与始毕可汗约定说：“如果进入长安，民众土地归唐公，金玉缯帛归突厥。”始毕可汗大为高兴。七月十八日丙寅，始毕可汗派大臣级失特勒先到达李渊的军队，通知李渊突厥援兵已经上路。

【段旨】

以上为第一段，写李渊起兵，连结突厥，解除了后顾之忧，传檄郡县，大举南进。

【注释】

①己卯：六月庚辰朔，无己卯。〖按〗此干支源于《大唐创业起居注》，当为五月三十日，误记于六月。②资：凭借；依托。③手启：亲笔写信。启，书信。④卑辞厚礼：言辞卑谦，礼品丰厚。此时李渊为求助于突厥，向始毕可汗称臣。⑤义兵：正义之师。⑥主上：指隋炀帝。⑦侵暴：侵略与糟蹋。暴，欺侮、糟蹋。⑧苟：假若；如果。⑨戎马：战马；军马。⑩殊乏：特别缺乏。殊，极、甚。⑪胡兵：指突厥兵。⑫稽回：停留。稽，停、留止。⑬天子：此天子仍指隋炀帝。⑭杂用绛白：旗帜掺杂用绛色、白色。隋朝崇尚红色，今改用绛色并掺杂白色，以表示不完全是为了隋朝，消除突厥的疑虑。⑮掩耳盗钟：是说盗钟人因盗钟时怕耳朵听到钟声，于是捂上耳朵去偷。比喻自欺而不能欺骗别人。一般习称"掩耳盗铃"。掩，捂着。⑯不尔：不这样。⑰甲申：六月初五日。⑱太原：县名，县治在今山西太原西南。⑲温大有（？至公元六一八年）：字彦将，太原祁县（今山西祁县）人，历仕隋、唐，官至中书侍郎。传附《旧唐书·温大雅传》《新唐书·温大雅传》。⑳以此行卜之：把这次进攻西河郡的成败作为估量起兵的结果。卜，估量。㉑感悦：又感激又高兴。㉒郡丞：官名，佐助郡太守治理郡政。㉓己丑：六月初十日。㉔佞人：善于花言巧语、阿谀奉承的人。㉕秋毫无犯：不取民一点一滴。常形容行军纪律严明。秋毫，鸟兽之毛，至秋更生，毛细而末端尖锐，称作秋毫。㉖尉抚：安抚。尉，通"慰"。㉗癸巳：六月十四日。㉘温大雅（？至公元六二八年）：字彦弘，太原祁县（今山西祁县）人，历仕隋、唐，官至礼部尚书，封黎国公。著有《大唐创业起居注》三卷。传见《旧唐书》卷六十一、《新唐书》卷九十一。㉙铠曹：此为李渊开大将军府所置官署，掌兵甲。㉚崔善为：贝州武城（今山东武城西北）人，历仕隋、唐，官至大理卿。传见《旧唐书》卷一百九十一、《新唐书》卷九十一。㉛张道源（？至公元六二四年）：太原祁县（今山西祁县）人，仕唐，官至太仆卿。传见《旧唐书》卷一百八十七上、《新唐书》卷一百九十一。㉜户曹：也是李渊大将军官署，掌户口、财税与土地。㉝晋阳长：官名，晋阳县长，掌一县之行政。㉞姜謩（？至公元六二七年）：秦州上邽（今甘肃天水市）人，历仕隋、唐，官至陇州刺史。传见《旧唐书》卷五十九、《新唐书》卷七十一。㉟殷开山（？至公元六二三年）：名峤，字开山，雍州鄠县（今陕西西安市鄠邑区）人，历仕隋、唐，官至吏部侍郎，兼陕东道大行台吏部尚书。传见《旧唐书》卷五十八、《新唐书》卷九十。㊱府掾：官名，佐助府主治事。㊲姜宝谊（？至六二〇年）：秦州上邽（今甘肃天水）人。传见《新唐书》卷八十八。㊳左右统军：李渊分为三军，各分左右。下文有左三统军、右三统军。㊴谘议：官名，此大将军府谘议

参军，咨询谋议军事。㊵丙申：六月十七日。㊶平乐园：地名，由平乐观所改。故址在今河南洛阳东。㊷“密左骑”二句：左军为骑兵，右军为步兵。㊸互市：往来贸易。多指中国与周边少数民族物物交换。㊹丁酉：六月十八日。㊺止市：只买。止，只、仅。市，购买。㊻义士：一般指有节操的人。此指李渊的义兵。㊼虏饶马：指突厥游牧民族有很多的马。饶，富足、多。㊽贳：赊欠。㊾乙巳：六月二十六日。㊿灵寿：县名，县治在今河北灵寿西北。51己巳：六月庚辰朔，无己巳。〖按〗《大唐创业起居注》卷三己巳作“乙巳”。这里取材于《起居注》，当以“乙巳”为是。乙巳，六月二十六日。52大蠹：大害。蠹，蛀虫。53刍粟：饲养牲口的草和料。刍，喂牲口的草。54邛黄蛮：中国古代西南地区的少数民族名。邛，指今四川邛崃一带。55河北大使：官名，派往河北主持镇压起事民众的临时差遣官。56韦霁：京兆杜陵（今陕西长安东北）人。仕隋，位至太常少卿，封安邑县伯。传附《隋书·韦世康传》《北史·韦孝宽传》。57河南大使：官名，派往河南主持镇压起事民众的临时差遣官。58世康之子：据《隋书·韦世康传》《周书·韦孝宽传》及《北史·韦孝宽传》，韦霁乃韦孝宽之子，非韦世康之子。59壬子：七月初四日。60癸丑：七月初五日。61誓众：誓师。62阿史那大奈：即史大奈（？至公元六三八年），原突厥人，归隋，历仕隋、唐，官至左武卫大将军。传见《旧唐书·突厥传下》《新唐书》卷一百十。63甲寅：七月初六日。64通议大夫：官名，文散官，无职事。65丙辰：七月初八日。66赈赡：用财物周济人。67散官：官职的一种。有官名而无职事的官，但有品秩和俸禄。隋朝开始定散官之制。68告身：委任官职的文凭。69壬戌：七月十四日。70贾胡堡：地名，故址在今山西灵石西南。71霍邑：县名，县治在今山西霍州。72积雨：连续下雨。积，多。73乙丑：七月十七日。74离石：郡名，治所离石县，在今山西吕梁市离石区。75杨子崇（？至公元六一七年）：隋文帝族弟，仕隋，官至候卫将军。传见《隋书》卷四十三、《北史》卷七十一。76缯帛：丝织物的总称，古代称为帛，汉代称为缯。77丙寅：七月十八日。

【校记】

［1］等：原无此字。据章钰校，十二行本、乙十一行本、孔天胤本皆有此字，今据补。［2］并：原作“悉以”。据章钰校，十二行本、乙十一行本、孔天胤本皆作“并”，今据改。〖按〗《通鉴纪事本末》卷二六作“并”。［3］者：原无此字。据章钰校，十二行本、乙十一行本、孔天胤本皆有此字，今据补。〖按〗《通鉴纪事本末》卷二六有此字。［4］将骁果数万：原无此五字。据章钰校，十二行本、乙十一行本、孔天胤本皆有此五字，张敦仁《通鉴刊本识误》、张瑛《通鉴校勘记》同，今据补。

【原文】

渊以书⑱招李密。密自恃兵强，欲为盟主。己巳⑲[5]，使祖君彦复书曰："与兄派流虽异⑳，根系本同㉑。自唯㉒虚薄，为四海英雄共推盟主。所望左提右挈㉓，戮力同心，执子婴㉔于咸阳，殪商辛㉕于牧野㉖，岂不盛哉？"且欲使渊以步骑数千自至河内㉗，面结盟约。渊得书，笑曰："密妄自矜大㉘，非折简㉙可致。吾方有事关中，若遽绝之，乃是更生一敌，不如卑辞推奖㉚以骄其志，使为我塞成皋之道㉛，缀东都之兵，我得专意西征。俟关中平定，据险养威，徐观蚌鹬[6]之势㉜，以收渔人之功，未为晚也。"乃使温大雅复书曰："吾虽庸劣㉝，幸承余绪，出为八使㉞，入典六屯㉟，颠而不扶㊱，通贤㊲所责。所以大会义兵，和亲北狄㊳，共匡天下，志在尊隋。天生烝民㊴，必有司牧㊵，当今为牧，非子而谁？老夫年逾知命㊶，愿不及此。欣戴㊷大弟㊸，攀鳞附翼㊹，唯弟早膺图箓，以宁兆民！宗盟之长，属籍㊺见容，复封于唐，斯荣足矣。殪商辛于牧野，所不忍言，执子婴于咸阳，未敢闻命。汾晋㊻左右，尚须安辑，盟津㊼之会，未暇卜期㊽。"密得书甚喜，以示将佐曰："唐公见推，天下不足定矣！"自是信使㊾往来不绝。

雨久不止，渊军中粮乏。刘文静未返，或传突厥与刘武周乘虚袭晋阳。渊召将佐谋北还。裴寂等皆曰："宋老生、屈突通连兵据险，未易猝下⑪⓪。李密虽云连和，奸谋难测。突厥贪而无信，唯利是视⑪①。武周，事胡者也。太原一方都会，且义兵家属在焉，不如还救根本，更图后举。"李世民曰："今禾菽⑪②被野，何忧乏粮？老生轻躁⑪③，一战可擒。李密顾恋⑪④仓粟，未遑⑪⑤远略⑪⑥。武周与突厥外虽相附，内实相猜。武周虽远利太原，岂可近忘马邑？本兴大义，奋不顾身以救苍生，当先入咸阳⑪⑦，号令天下。今遇小敌，遽已班师，恐从义之徒一朝解体，还守太原一城之地为贼耳，何以自全？"李建成亦以为然。渊不听，促令引发⑪⑧。世民将复入谏，会日暮，渊已寝。世民不得入，号哭于外，声闻帐中。渊召问之，世民曰："今兵以义动，进战则克，

【语译】

李渊写信招抚李密，李密自恃兵力强盛，想当盟主。七月二十一日己巳，他让祖君彦回信说："我和兄长虽然支派不同，但祖系相同，我自己觉得势单力薄，却被天下英雄共同推举为盟主。希望你提携辅助，同心协力，在咸阳活捉子婴，在牧野杀死商辛，这难道不是盛举吗？"并且李密想要李渊亲自率领几千名步骑兵到河内郡，当面缔结盟约。李渊接到回信，笑着说："李密狂妄自大，不是一封信就可以招来的，我正要进兵关中，如果立即和他断绝，就是又出来一个敌人，不如用谦恭的言辞推崇鼓励他，使他更加骄傲，让他替我阻断成皋的道路，牵制东都的军队，使我们能够专心西征。等到平定了关中，据守险要，养精蓄锐，静观鹬蚌相争，坐收渔人之利，也为时不晚。"于是李渊让温大雅回信说："我虽然平庸愚劣，却很幸运继承了祖宗的遗业，出朝为巡行天下的使者，入朝掌管六军，国家颠危却不扶持，大贤所责。因此，我大规模聚集正义之师，与突厥和亲，共同匡正天下，志在尊奉隋朝。上天降生了众多的民众，一定要有治理的官吏，当今主宰万民的人，不是你还是谁呢？老夫我已经过了知命之年，没有了主宰人民的心意。我十分高兴拥戴老弟，攀龙附凤，希望老弟早日应验图谶，也好安定亿万民众！你是宗族的盟长，能容纳我们这一支同宗，又封我在唐地，这样的殊荣足够了。在牧野杀死商辛，我不忍心说这样的话，在咸阳活捉子婴，我不敢接受这样的命令。汾晋一带，还须我去安抚，到盟津会盟，我还没有卜定日期。"李密得到回信极为高兴，拿信给部将们看，说："唐公拥护我，天下就很容易平定了！"从此双方信使往来不绝。

雨下了很久都没有停止，李渊军中缺粮。刘文静没有回来，有传言说突厥与刘武周乘虚袭击晋阳。李渊召集部将商量返回北方。裴寂等人都说："宋老生、屈突通联军据守险要，不容易很快攻下，李密虽然说和我们联合，他的阴谋诡计很难猜测。突厥贪婪而无诚信，唯利是图。刘武周，是奉侍突厥的人。太原是一个地区的都会，并且又是义军家属所在，不如回去挽救我们的根基，再筹划以后的行动。"李世民说："现今禾谷豆子遍地都是，何愁无粮？宋老生轻佻急躁，一战就可抓获，李密留恋粮仓，来不及做长远打算，刘武周和突厥表面上互相依附，其实心里互相猜疑。刘武周虽然远出贪图太原，但岂能忘记附近的马邑？我们原来是兴举大义，奋不顾身拯救天下苍生，应当抢先进入咸阳，号令天下。如今遇上小小敌人，就立即班师，恐怕跟随起义的人一旦散离，我们只能回去守住太原一城之地做贼罢了，依靠什么能保全自己呢？"李建成也认为是这样。李渊不听，催促领队出发。李世民将要进去再次劝谏，正赶上天色晚了，李渊已经睡下。李世民不能进入营帐，在外哭喊，声音传入帐中，李渊召进李世民，问他，李世民说：

退还则散。众散于前，敌乘于后⑲，死亡无日，何得不悲？”渊乃悟曰：“军已发，奈何？”世民曰：“右军⑳严㉑而未发，左军虽去，计㉒亦未远，请自追之。”渊笑曰：“吾之成败皆在尔㉓，知复何言，唯尔所为。”世民乃与建成分道[7]夜追左军复还。丙子㉔，太原运粮亦至。

【段旨】

以上为第二段，写李渊用计连结李密，仍畏首畏尾，李世民挺身而出，坚定了李渊的信心。

【注释】

⑱书：书函；书信。⑲己巳：七月二十一日。⑳派流虽异：李渊为李虎之孙，李密是李弼后裔，二人出身世系不同，即所谓异派。㉑根系本同：李弼的祖先，本辽东襄平人。李虎的祖先，本陇西成纪人。所谓根系，是说二人同为李姓。㉒唯：同“惟”，思。㉓左提右挈：相互扶持。㉔子婴：秦代最后一位君主。刘邦进攻咸阳，子婴出城投降。㉕殪商辛：杀死商辛。商辛，即商纣王。周武王伐纣，牧野之战，纣兵败自焚而死。㉖牧野：地名，故址在今河南淇县南。㉗河内：郡名，治所野王县，在今河南沁阳。㉘妄自矜大：狂妄自大。矜，骄傲。㉙折简：古人以竹简做书，简长二尺四寸，短者为其一半。折简，折半之简，此指书信。㉚推奖：推崇鼓励。㉛塞成皋之道：指阻断江都隋炀帝的使者往来的通道。成皋在今河南荥阳汜水镇。㉜蚌鹬之势：即鹬蚌相持之势。㉝庸劣：平庸愚劣。㉞八使：汉顺帝曾派遣八使巡察地方。此泛指临时差遣的使节。李渊为河东讨捕使，故称为八使。㉟六屯：隋制为六军十二卫，掌宿卫。李渊曾为右骁卫将军，故称入典六屯。㊱颠而不扶：跌倒而不去扶持。颠，倒、仆。㊲通贤：犹言大贤。㊳北狄：此指突厥。㊴烝民：众民；百姓。㊵司牧：治理百姓的官吏。㊶年逾知命：《论语》：“五十而知天命”。年龄已超过五十岁。㊷欣戴：乐于拥护。欣，喜悦。㊸大弟：对年轻同辈的

【原文】

武威㉕鹰扬府司马㉖李轨㉗，家富，好任侠。薛举作乱于金城，轨与同郡曹珍、关谨、梁硕、李赟、安脩仁等谋曰：“薛举必来侵暴，郡官庸怯，势不能御，吾辈岂可束手并妻孥㉘为人所虏邪？不若相与并

"如今大军为了大义而出动，进兵交战就胜利，退还就要离散。部众在前面溃散，敌人趁机在后追击，死期就在眼前，怎么不伤心?"李渊才醒悟过来，说:"军队已经出发了，怎么办?"李世民说:"右路军整装而没有出发，左路军虽然离去，估计没有走多远，我请求亲自去追回来。"李渊笑着说:"我的成败全在你了，我知道了，你还说什么？只随你去做。"李世民就与李建成分路乘夜追左路军回来。七月二十八日丙子，太原运送的粮食也到了。

亲近称呼。⑭攀鳞附翼：比喻依附帝王以立功业。⑮属籍：宗属之籍。李渊与李密同为李姓，故自称为同宗。⑯汾晋：地区名，指今山西太原周围地区。⑰盟津：地名，在今河南洛阳市孟津区东。周武王伐纣，曾在这里大会诸侯。⑱卜期：预测日期。古代迷信，常以占卜的方法预测吉凶，选定吉日。⑲信使：古称使者为信，也叫信使。⑳未易猝下：不能轻易一举攻下。猝，突然。㉑唯利是视：只看到利益。㉒禾菽：粮食。禾，泛指谷类。菽，泛指豆类。㉓轻躁：轻佻急躁。㉔顾恋：眷念留恋。㉕未遑：未及。遑，来得及。㉖远略：长远的打算。㉗咸阳：地名，原是秦朝都城，此处用咸阳借喻隋都长安。㉘引发：领队出发。㉙乘于后：利用对方后退的机会进行袭击。乘，利用、趁机会。㉚右军：古代作战分为三军，称中军、左军、右军。㉛严：穿戴装束。指戎装严整，处于戒备状态。㉜计：计算；估计。㉝尔：你。㉞丙子：七月二十八日。

【校记】

［5］己巳：原无此二字。据章钰校，十二行本、乙十一行本、孔天胤本皆有此二字，张敦仁《通鉴刊本识误》同，今据补。〖按〗《通鉴纪事本末》卷二六有此二字。［6］蚌鹬：原作"鹬蚌"。据章钰校，十二行本、乙十一行本、孔天胤本二字皆互乙，今据改。〖按〗《通鉴纪事本末》卷二六作"蚌鹬"。［7］分道：原无此二字。据章钰校，十二行本、乙十一行本、孔天胤本皆有此二字，张敦仁《通鉴刊本识误》同，今据补。〖按〗《通鉴纪事本末》卷二六有此二字。

【语译】

武威鹰扬府司马李轨家中富有，喜欢行侠仗义。薛举在金城作乱，李轨和同郡人曹珍、关谨、梁硕、李赟、安脩仁等商量说:"薛举一定会前来侵犯施暴，郡官昏庸胆小，肯定不能抵御，我们怎能捆住双手连同妻子儿女一起被人俘虏呢？不如大

力拒之，保据河右[129]，以待天下之变。”众皆以为然，欲推一人为主，各相让，莫肯当。曹珍曰：“久闻图谶李氏当王，今轨在谋中，乃天命也。”遂相与拜轨，奉以为主。丙辰[130]，轨令脩仁集诸胡，轨结民间豪杰，共起兵，执虎贲郎将谢统师、郡丞韦士政。轨自称河西大凉王，置官属并拟开皇故事[131]。关谨等欲尽杀隋官，分其家赀，轨曰：“诸人既逼以为主，当禀[132]其号令。今兴义兵以救生民，乃杀人取货，此群盗耳，将何以济[133]？”于是以统师为太仆卿，士政为太府卿[134]。西突厥阙度设据会宁川[135]，自称阙可汗，请降于轨。

薛举自称秦帝[136]，立其妻鞠氏为皇后，子仁果为皇太子。遣仁果将兵围天水[137]，克之，举自金城徙都之[138]。仁果多力，善骑射，军中号万人敌[139]。然性贪而好杀。尝获庾信子立[140]，怒其不降，磔于火上[141]，稍割以啖军士。及克天水，悉召富人，倒悬之，以醋灌鼻，责[142]其金宝。举每戒之曰：“汝之才略足以办事，然苛虐[143]无恩，终当覆我国家。”

举遣晋王仁越将兵趋剑口[144]，至河池郡[145]，太守萧瑀拒却之。又遣其将常仲兴济河击李轨，与轨将李赟战于昌松[146]，仲兴举军败没。轨欲纵遣之，赟曰：“力战获俘，复纵以资敌，将焉用之？不如尽坑之。”轨曰：“天若祚[147]我，当擒其主，此属[148]终为我有。若其无成，留之何益？”乃纵之。未几，攻张掖、敦煌[149]、西平、枹罕，皆克之，尽有河西五郡之地。

【段旨】

以上为第三段，写李轨、薛举乘乱分别割据河西、陇右之地。

家同心协力合力抵抗，据守河西，以等待天下局势变化。”大家都认为有道理，想推选一个人为首领，每个人互相推让，没有人肯当首领。曹珍说：“我很早就听到图谶上说李氏应当为王，今天李轨参加了我们的谋划，这是天命。”于是大家一起参拜李轨，推举他为首领。丙辰日，李轨命令安脩仁召集各部落胡人，李轨集结民间豪杰，共同起兵，抓捕了虎贲郎将谢统师、郡丞韦士政。李轨自称河西大凉王，建置官府僚属都仿照开皇年间的制度。关谨等人想把隋朝官吏杀光，瓜分他们的家财，李轨说：“各位既然逼我当首领，就应当接受我的号令。如今我们是兴起义兵拯救百姓，如果杀人越货，这就是一群强盗，我们如何能成功？”于是李轨任命谢统师为太仆卿，韦士政为太府卿。西突厥的阙度设占据会宁川，自称阙可汗，请求投降李轨。

薛举自称秦皇帝，册立妻子鞠氏为皇后，儿子薛仁果为皇太子。薛举派薛仁果率军包围天水，攻下了天水，薛举从金城迁都天水。薛仁果力气大，善于骑马射箭，军中称他为万人敌。但是生性贪婪，喜欢杀人。薛仁果曾经抓获庾信的儿子庾立，他因为庾立不投降而发怒，就把庾立剁成肉块，扔进火中，一点点割成碎片让士兵们吃。当攻下天水的时候，薛仁果叫来全部富人，把他们倒吊起来，用醋灌鼻，索取金银财宝。薛举常常告诫他说：“你的才干谋略足以办成大事，但你苛刻暴虐，没有恩德，最终要毁灭我的朝廷。”

薛举派晋王薛仁越率军赶赴剑口，到达河池郡时，河池太守萧瑀出兵抵抗，把薛仁越打退。薛举又派他的部将常仲兴渡过黄河攻打李轨，与李轨的部将李赟在昌松交战，常仲兴全军战败覆没。李轨要把俘虏全部释放，李赟说：“我们奋力作战，抓获了俘虏，又放掉他们，送给敌军，为什么要这样做呢？不如全部活埋。”李轨说：“上天如果赐福给我，就应当活捉他们的首领，这些人终归为我所有。如果事情不能成功，留下他们又有什么好处？”于是释放了俘虏。不久，李轨进攻张掖、敦煌、西平、枹罕，全部攻克，河西五郡之地全部占有了。

【注释】

⑫⑤武威：郡名，治所姑臧县，在今甘肃武威。⑫⑥鹰扬府司马：官名，各郡置鹰扬府，有郎将、副郎将、长史、司马。司马掌军事。⑫⑦李轨（？至公元六一九年）：字处则，武威姑臧（今甘肃武威）人，原仕隋，后叛，自称河西大凉王，为李渊所灭。传见《旧唐书》卷五十五、《新唐书》卷八十六。⑫⑧妻孥：妻子儿女。⑫⑨河右：即河西。指黄河以西的地区，相当于今宁夏回族自治区与甘肃一带。⑬⓪丙辰：七月己酉朔，丙辰当是七月初八日，不当在丙子之后，疑误。⑬①拟开皇故事：拟，仿效。开皇故事，隋文帝开皇年间的典章制度。故事，先例、旧日的典章制度。⑬②禀：承受。⑬③济：成事。⑬④太府卿：

官名，太府寺长官，掌左右库藏及尚方、司染、甄官等署。⑬会宁川：地名，故址在甘肃永登东南。⑬秦帝：薛举原自称西秦霸王，改元秦兴，今称尊号，故称秦帝。⑬天水：郡名，治所上邽县，在今甘肃天水西南。⑬徙都之：都城由金城郡迁往天水郡。徙，迁移。⑬万人敌：一人可敌万人，极言其勇武过人。⑭立：庾立（？至公元六一七年），南阳新野（今河南新野）人，庾信之子。嗣父爵为义城县侯。传附《北史·庾信传》。⑭磔于火上：剁成肉块，扔进火中。磔，剁。⑭责：求；索取。⑭苛虐：苛刻暴虐。⑭剑口：地名，即剑门关口。故址在今四川剑阁东北剑门关。⑭河池郡：郡名，治所梁泉县，在今陕西凤县东北凤州镇。⑭昌松：县名，县治在今甘肃武威东南。⑭祚：福；赐福。指赐以皇位。⑭此属：此辈；这些人。⑭敦煌：郡名，治所敦煌县，在今甘肃敦煌西。

【原文】

炀帝诏左御卫大将军涿郡留守薛世雄将燕地精兵三万讨李密，命王世充等诸将皆受世雄节度，军[8]所过盗贼，随便诛翦⑮。世雄行至河间，军于七里井⑮，窦建德士众惶惧，悉拔诸城南遁，声言还入豆子航。世雄以为畏己，不复设备⑮，建德谋还袭之。其处去世雄营百四十里，建德帅敢死士二百八十人先行，令余众续发⑮，建德与其士众约曰："夜至，则击其营，已明，则降之。"未至二[9]里所，天欲明，建德惶惑议降。会天大雾，人咫尺⑮不相辨，建德喜曰："天赞⑮我也！"遂突入其营击之，世雄士卒大乱，皆腾栅⑮走。世雄不能禁，与左右数十骑遁归⑮涿郡，惭恚⑮发病卒。建德遂围河间。

【段旨】

以上为第四段，写隋炀帝身在江都，仍遥控军事。涿郡薛世雄兵败，隋朝河北军事力量枯竭。

【语译】

隋炀帝下诏命令左御卫大将军涿郡留守薛世雄率领燕地三万精兵讨伐李密，命令王世充等将领都受薛世雄指挥，大军沿途遇见盗贼，随便诛杀。薛世雄行进到河间，驻军在七里井。窦建德部众惊惶恐惧，撤离所占领的全部城池，向南逃走，扬言要回豆子䴚。薛世雄认为窦建德害怕自己，不再布置防备，窦建德密谋回军袭击薛世雄。窦建德军队的驻地距薛世雄的军营有一百四十里，窦建德率领敢死队二百八十人先出发，命令其余的人随后陆续出发，与士兵约定说："如果夜晚到达，就进攻敌军营垒，如果到达时天已经大亮，就向薛世雄投降。"当大军走到距离敌军营垒二里处，天就要亮了，窦建德惶惑不安，和大家商议是否投降。正巧天降大雾，人相距咫尺，互相都看不清对方。窦建德高兴地说："这是老天爷帮助我啊！"于是率军突然闯入薛世雄军营袭击，薛世雄士卒大乱，全都翻越营寨逃走。薛世雄无法制止，只好与左右几十名骑兵逃回涿郡。薛世雄惭愧愤恨，发病而死。窦建德于是包围河间。

【注释】

⑮⓪诛翦：杀戮翦灭。翦，同"剪"。⑮①七里井：地名，故址在今河北河间南近郊。⑮②设备：布置防备。⑮③续发：接续先行部队出发。⑮④咫尺：一咫为八寸。咫尺比喻距离很近。⑮⑤赞：助。⑮⑥腾栅：翻过木栅。腾，跳跃。⑮⑦遁归：逃回。遁，逃走。⑮⑧惭恚：羞愧而怨恨。恚，发怒、怨恨。

【校记】

[8] 军：原无此字。据章钰校，十二行本、乙十一行本、孔天胤本皆有此字，张敦仁《通鉴刊本识误》同，今据补。[9] 二：原作“一”。据章钰校，十二行本作“二”，张敦仁《通鉴刊本识误》云：“无注本亦作‘二’。”今据改。〖按〗《通鉴纪事本末》卷二七、《通鉴纲目》卷三七下皆作“二”。

【原文】

八月己卯[159]，雨霁[160]。庚辰[161]，李渊命军中曝[162]铠仗[163]行装。辛巳[164]旦，东南由山足细道[165]趣霍邑。渊恐宋老生不出，李建成、李世民曰：“老生勇而无谋，以轻骑挑之[166]，理无不出。脱[167]其固守，则诬以贰[168]于我。彼恐为左右所奏，安敢不出？”渊曰：“汝测之善，老生不能逆战贾胡[169]，吾知其无能为也！”渊与数百骑先至霍邑城东数里以待步兵，使建成、世民将数十骑至城下，举鞭指麾[170]，若将围城之状，且诟之。老生怒，引兵三万自东门、南门分道而出，渊使殷开山趣召后军。后军至，渊欲使军士先食而战，世民曰：“时不可失。”渊乃与建成陈于城东，世民陈于城南。渊、建成战小却[171]，世民与军头[172]临淄段志玄[173]自南原引兵驰下，冲老生陈，出其背，世民手杀数十人，两刀皆缺，流血满袖，洒之[174]复战。渊兵复振，因传呼曰：“已获老生矣！”老生兵大败，渊兵先趣其门，门闭，老生下马投堑[175]，刘弘基就斩之，僵尸[176]数里。日已暮，渊即命登城，时无攻具，将士肉薄[177]而登，遂克之。

渊赏霍邑之功，军吏疑奴应募者不得与良人[178]同，渊曰：“矢石[179]之间，不辨贵贱，论勋之际，何有等差？宜并从本勋授。”壬午[180]，渊引见霍邑吏民，劳赏如[181]西河，选其丁壮使从军。关中军士欲归者，并授五品散官[182]，遣归。或谏以官太滥，渊曰：“隋氏吝惜勋赏，此所以失人心也，奈何效之？且收众以官，不胜于用兵乎？”

丙戌[183]，渊入临汾郡[184]，慰抚如霍邑。庚寅[185]，宿鼓山[186]。绛郡[187]通

【语译】

八月初一日己卯，雨停天晴。初二日庚辰，李渊命令部队在太阳下晒铠甲、武器、行装。初三日辛巳早晨，队伍沿着东南山麓小路赶赴霍邑。李渊担心宋老生不出战，李建成、李世民说：“宋老生勇而无谋，用轻骑兵向他挑战，按理他不会不出战。假如他固守不出战，我们就造谣说他将投降我们。他害怕被左右的人奏报，怎敢不出战？”李渊说：“你推测得很好，宋老生不敢在贾胡堡迎战我军，我就知道他没什么本事！”李渊与几百名骑兵先到达霍邑城东面几里远的地方等待步兵，派李建成、李世民率领几十名骑兵进到城下，举起鞭子指指点点，好像即将围城的样子，还大骂宋老生。宋老生大怒，领兵三万人从东门、南门分路出击，李渊派殷开山迅速召集后续部队。后续部队赶到，李渊想让军士先吃饭再交战，李世民说：“时机不可丧失。”李渊于是与李建成在城东布阵，李世民在城南布阵。李渊、李建成刚一交战稍稍后退，李世民与军头临淄人段志玄从南原领兵飞驰而下，冲击宋老生的军阵，从背后打击，李世民亲手杀死几十个人，两把刀都砍缺了口，敌兵的血流满衣袖，李世民甩掉鲜血又投入战斗。李渊的军队又振作起来，乘势大喊：“已抓到宋老生了！”宋老生的军队大败，李渊的士兵先冲到城门，城门已经关闭，宋老生下马跳入护城河，刘弘基赶上斩杀了他，隋军的死尸散布数里。天已经黑下来了，李渊立即命令登城，当时没有攻城器具，将士们肉搏登城，终于攻下了霍邑。

李渊赏赐攻打霍邑的战功，军官们疑心应募的奴仆不能和良家子弟同样论功，李渊说：“箭与石之间，不认贵贱，论功的时候，哪有等级差别？应当一律按功劳大小颁赏授官。”八月初四日壬午，李渊接见霍邑的吏民，慰劳赏赐，比照攻克西河郡，挑选其中的壮士让他们从军。关中的军士想回家的，一律授五品散官，遣送回家。有人谏阻，认为授官太滥，李渊说：“隋朝吝惜勋位赏赐，这是大失人心的原因啊，怎么能效法它？况且用官位来收揽人心，不是比用兵要好吗？”

八月初八日丙戌，李渊进入临汾郡，像在霍邑那样抚慰吏民。十二日庚寅，在

守陈叔达[188]拒守，辛卯[189]，进攻，克之。叔达，陈高宗之子，有才学，渊礼而用之。

癸巳[190]，渊至龙门[191]，刘文静、康鞘利以突厥兵五百人、马二千匹来至。渊喜其来缓，谓文静曰："吾西行及河，突厥始至，兵少马多，皆君将命之功也。"

汾阳[192]薛大鼎[193]说渊："请勿攻河东，自龙门直济河，据永丰仓，传檄远近，关中可坐取也。"渊将从之。诸将请先攻河东，乃以大鼎为大将军府察非掾[194]。

河东县[195]户曹任瓌[196]说渊曰："关中豪杰皆企踵[197]以待义兵。瓌在冯翊[198]积年[199]，知其豪杰，请往谕之，必从风而靡。义师自梁山[200]济河，指韩城[201]，逼郃阳[202]。萧造文吏，必[10]望尘请服。孙华之徒，皆当远迎，然后鼓行而进，直据永丰[203]，虽未得长安，关中固已定矣。"渊悦，以瓌为银青光禄大夫。

时关中群盗，孙华最强，丙申[204]，渊至汾阴，以书招之。己亥[205]，渊进军壶口[206]，河滨之民献舟者日以百数，仍置水军。壬寅[207]，孙华自郃阳轻骑渡河见渊。渊握手与坐，慰奖之，以华为左光禄大夫、武乡县[208]公，领冯翊太守，其徒有功者，委华以次授官，赏赐甚厚。使之先济[209]，继遣左右统军王长谐、刘弘基及左领军长史陈演寿、金紫光禄大夫史大奈将步骑六千自梁山济，营[210]于河西[211]以待大军。以任瓌为招慰大使，瓌说韩城，下之。渊谓长谐等[11]曰："屈突通精兵不少，相去五十余里，不敢来战，足明其众不为之用。然通畏罪，不敢不出。若自济河击卿等，则我进攻河东，必不能守；若全军守城，则卿等绝其河梁[212]。前扼其喉，后拊其背[213]，彼不走必为擒矣。"

鼓山住宿。绛郡通守陈叔达守城抵抗，十三日辛卯，李渊进攻，打下了绛郡。陈叔达，是陈高宗的儿子，有才学，李渊以礼相待，任用他做官。

八月十五日癸巳，李渊到达龙门，刘文静、康鞘利带领突厥兵五百人，马两千匹到来。李渊非常高兴突厥缓缓而来，对刘文静说："我向西进兵到达黄河，突厥才到来，而且兵少马多，这都是你奉命行动的功劳。"

汾阳人薛大鼎劝李渊说："请不要进攻河东，从龙门直接渡过黄河，占据永丰仓，向远近各地发布檄文，可以坐取关中。"李渊想要听从。众将请求先攻打河东，于是任用薛大鼎为大将军府察非掾。

河东县户曹任瓌劝李渊说："关中豪杰都踮起脚跟等待义军，我在冯翊郡多年，知晓那里的豪杰，请让我前去晓谕他们，一定会像随风一边倒一样来归附。义军从梁山渡过黄河，指向韩城，进逼郃阳。萧造是一个文官，一定是看到尘土飞起就会请求投降。孙华这样的人，都会远远迎接，然后击鼓而行，向前进军，直接攻占永丰仓，虽然没有得到长安，关中基本已经平定了。"李渊很高兴，任命任瓌为银青光禄大夫。

当时关中群盗，孙华最强，八月十八日丙申，李渊到达汾阴，用书信招抚孙华。二十一日己亥，李渊进军壶口，黄河岸边献船的民众每天数以百计，李渊便设置了水军。二十四日壬寅，孙华从郃阳轻骑渡过黄河来见李渊。李渊和孙华握手一起坐下，慰问嘉奖，任命孙华为左光禄大夫、武乡县公，兼冯翊太守，他的部属中有功的人，授权孙华依次授予军职，赏赐极为丰厚。李渊让孙华先渡过黄河，随即又派遣左、右统军王长谐、刘弘基以及左领军长史陈演寿、金紫光禄大夫史大奈率领步骑兵共六千人从梁山渡过黄河，在黄河西岸扎营等待主力大军。任命任瓌为招慰大使，任瓌到韩城游说，韩城投降了。李渊对王长谐等人说："屈突通精兵不少，离我军五十多里，他不敢来战，这足以表明他的部众已经不肯效命了。但是屈突通害怕获罪，又不敢不出战。如果他亲自渡河袭击你们，那我就进攻河东，河东一定不能守住。如果屈突通用全部军力守城，那么你们就拆除河上的桥梁。前面扼住他的咽喉，后面攻击他的脊背，他不逃走，一定会被我们活捉。"

【段旨】

以上为第五段，写李渊克霍邑，下临汾，渡龙门，进兵关中，一路势如破竹。

【注释】

⑮9己卯：八月初一日。⑯0霁：雨停。⑯1庚辰：八月初二日。⑯2曝：日晒。曝，本作“暴”，后人加“日”旁。⑯3铠仗：铠甲与兵器。⑯4辛巳：八月初三日。⑯5细道：小路。⑯6挑之：挑战宋老生。⑯7脱：如果；假如。⑯8贰：两属；脚踏两条船。⑯9贾胡：指贾胡堡。李渊曾于此地驻军。⑰0指麾：本指手的动作，引申为发令调遣。麾，同“挥”。⑰1小却：稍微后退。却，退。⑰2军头：武官名，一军之长。⑰3段志玄（公元五九八至六四二年）：齐州临淄（今山东淄博东北）人，仕唐，官至右卫大将军，封樊国公。传见《旧唐书》卷六十八、《新唐书》卷八十九。⑰4洒之：谓把衣袖的血抖落。⑰5投堑：跳进护城河。堑，壕沟、护城河。⑰6僵尸：倒毙的尸体。僵，死。⑰7肉薄：即肉搏。两军相近，用短兵或徒手搏斗。⑰8良人：平民；良家子。⑰9矢石：箭与石。古代作战，发矢抛石以打击敌人。矢，箭。⑱0壬午：八月初四日。⑱1如：比照。⑱2五品散官：隋炀帝置散官九大夫，朝请大夫为正五品，朝散大夫为从五品。⑱3丙戌：八月初八日。⑱4临汾郡：郡名，治所临汾县，在今山西临汾南。⑱5庚寅：八月十二日。⑱6鼓山：地名，故址在今山西新绛北。⑱7绛郡：郡名，治所正平县，在今山西新绛。⑱8陈叔达（？至公元六三五年）：字子聪，吴兴长城（今浙江长兴）人，陈宣帝第十六子。历仕陈、隋、唐三代，官至侍中，封江国公。传见《旧唐书》卷六十一、《新唐书》卷一百。⑱9辛卯：八月十三日。⑲0癸巳：八月十五日。⑲1龙门：县名，县治在今山西河津。⑲2汾阳：旧、新《唐书·薛大鼎传》，“汾阳”皆作“汾阴”。据此，“阳”应改为“阴”字。汾阴，县

【原文】

骁果从炀帝在江都者多逃亡[12]，帝患之，以问裴矩，对曰：“人情非有匹偶㉑4，难以久处，请听军士于此纳室㉑5。”帝从之。九月，悉召江都境内寡妇、处女集宫下，恣将士所取，或先与奸者听自首，即以配之。

武阳㉑6郡丞元宝藏以郡降李密，甲寅㉑7，密以宝藏为上柱国、武阳公。宝藏使其客钜鹿魏徵㉑8为启谢密，且请改武阳为魏州，又请帅所部西取魏郡㉑9，南会诸将取黎阳仓。密喜，即以宝藏为魏州总管，召魏徵为元帅府文学参军㉒0，掌记室㉒1。徵少孤贫，好读书，有大志，落拓㉒2不事生业㉒3。始为道士，宝藏召典书记。密爱其文辞，故召之。

初，贵乡㉒4长弘农魏德深㉒5，为政清静，不严而治。辽东之役，征

名，县治在今山西万荣西南。⑲³ 薛大鼎（？至公元六五四年）：蒲州汾阴（今山西万荣西南）人，仕唐，官至鸿胪少卿。传见《旧唐书》卷一百八十五上、《新唐书》卷一百九十七。⑲⁴ 察非掾：官名，掌纠察。⑲⁵ 河东县：县名，河东郡治所，县治在今山西永济西南。⑲⁶ 任瓌（？至公元六二九年）：字玮，庐州合肥（今安徽合肥）人，历仕陈、隋、唐三代，官至徐州总管，封管国公。传见《旧唐书》卷五十九、《新唐书》卷九十。⑲⁷ 企踵：踮起脚跟。企，踮起脚。⑲⁸ 冯翊：郡名，治所冯翊县，在今陕西大荔。⑲⁹ 积年：多年。⑳⁰ 梁山：山名，故址在今陕西韩城西北。⑳¹ 韩城：县名，县治在今陕西韩城。⑳² 郃阳：县名，县治在今陕西合阳。⑳³ 永丰：即永丰仓。因位于广通渠旁，又称广通仓。位于今陕西大荔境。⑳⁴ 丙申：八月十八日。⑳⁵ 己亥：八月二十一日。⑳⁶ 壶口：山名，故址在今山西吉县西南黄河岸边。⑳⁷ 壬寅：八月二十四日。⑳⁸ 武乡县：县名，本为华阴县，西魏改称武乡县，隋炀帝又改为冯翊。县治在今陕西大荔。⑳⁹ 先济：此指先渡过黄河。济，渡。㉑⁰ 营：安营扎寨。㉑¹ 河西：指黄河西岸。㉑² 河梁：河上桥梁。此指蒲津桥。㉑³ 拊其背：在后面攻击其背部。拊，拍、轻击。

【校记】

［10］必：原作“必当”。据章钰校，十二行本、乙十一行本皆无“当”字，今据删。〖按〗《通鉴纪事本末》卷二六、《通鉴纲目》卷三七下皆无“当”字。［11］等：原无此字。据章钰校，十二行本、乙十一行本、孔天胤本皆有此字，今据补。

【语译】

跟从隋炀帝到江都的骁果勇士大多逃亡了，隋炀帝十分忧心，就此事询问裴矩，裴矩回答说：“人之常情，没有配偶，难以在一个地方久居，请求听任军士在这里娶妻。”隋炀帝听从了。九月，把江都境内的寡妇、处女全部召集在宫门前，让将士随意选取，有原来就有奸情的人，让他们自首，然后即正式婚配为夫妻。

武阳郡丞元宝藏献出郡城投降李密。九月初六日甲寅，李密封元宝藏为上柱国、武阳公。元宝藏让他的门客钜鹿人魏徵写信感谢李密，并且请求把武阳郡改为魏州，又请求让自己率领所部向西攻打魏郡，南下会合众将攻取黎阳仓。李密非常高兴，立即任命元宝藏为魏州总管，征召魏徵为元帅府文学参军，掌管记室。魏徵小时候死了父亲，家境贫寒，喜欢读书，胸怀大志，穷困潦倒不从事谋生之业。魏徵最初做道士，元宝藏召他掌管文书事务。李密喜欢魏徵的文辞，因此征召他。

当初，贵乡县长弘农人魏德深，为政清静无为，不用严法，却治理得很好。征

税百端㉖，使者旁午㉗，责成郡县，民不堪命，唯贵乡闾里不扰，有无相通㉘，不竭其力，所求皆给。元宝藏受诏捕贼，数调器械，动以军法从事。其邻城营造㉙，皆聚于听事，官吏递㉚相督责㉛，昼夜喧嚣，犹不能济。德深听随便修营，官府寂然㉜，恒若无事，唯戒吏以不须过胜余县，使百姓劳苦。然民各自竭心，常为诸县之最㉝，县[13]民爱之如父母。宝藏深害其能，遣将千兵赴东都。所领兵闻宝藏降密，思其亲戚，辄出都门，东向恸哭㉞而返。或劝之降密，皆泣曰："我与魏明府㉟同来，何忍弃去？"

河南、山东大水，饿殍㊱满野，炀帝诏开黎阳仓赈之，吏不时㊲给，死者日数万人。徐世勣言于李密曰："天下大乱，本为饥馑。今更得黎阳仓，大事济矣。"密遣世勣帅麾下五千人自原武㊳济河，会元宝藏、郝孝德、李文相及洹水㊴贼帅张升、清河贼帅赵君德共[14]袭破黎阳仓，据之，开仓恣民就食㊵，浃旬㊶间，得胜兵二十余万。武安、永安、义阳、弋阳、齐郡㊷相继降密。窦建德、朱粲之徒亦遣使附密。密以粲为扬州总管、邓公㊸。泰山道士徐洪客献书于密，以为："大众久聚，恐米尽人散，师老㊹厌战，难可成功。"劝密"乘进取之机，因㊺士马之锐，沿流东指，直向江都，执取独夫㊻，号令天下。"密壮其言，以书招之，洪客竟不出，莫知所之㊼。

乙卯㊽，张纶徇龙泉、文成㊾等郡，皆下之，获文成太守郑元璹㊿。元璹，译之子也。

【段旨】

以上为第六段，写隋炀帝日暮途穷仍困守江都。李密军夺取黎阳仓，河北群雄归服，势力达到了鼎盛。

伐辽东之役，税征繁多，使者前后交错，苛求郡县，百姓都承受不了。唯独贵乡县乡里没有受到骚扰，互通有无，没有耗竭百姓的财力，上边需求的都能供给。元宝藏受诏讨捕盗贼，几次征调武器和军用辎重，动不动就以军法论处。贵乡县的邻县把营造工匠都集中在县衙厅堂，官吏轮流监督催促，昼夜喧嚣，还无法完成任务。魏德深听凭工匠随意选择场所修造，官府里安安静静，常像没有事一样。他只是告诫官吏们，无须比邻县造得多造得好，使百姓劳苦。然而工匠们各自尽心竭力造作，常常为各县之冠，县民爱戴魏德深如同父母。元宝藏对他的才能深为妒忌，派他率领一千名士兵赶赴东都。魏德深率领的战士听到元宝藏投降李密的消息，大家思念自己的亲戚，常常走出东都城门，面向东方放声痛哭，然后返回城内。有人劝他们投降李密，大家哭着说："我们与魏明府一同来，怎能忍心弃他而去?"

河南、山东发大水，饿死的人满山遍野，隋炀帝下诏打开黎阳仓赈济饥民，但官吏们不及时发放粮食，饿死的人每天有数万。徐世勣对李密说："天下大乱，本来就是因为饥荒，现在如果再夺取黎阳仓，大事成功了。"李密派徐世勣率领部众五千人从原武渡过黄河，会同元宝藏、郝孝德、李文相，以及洹水贼军首领张升、清河贼军首领赵君德共同攻破黎阳仓，占据了它，然后开仓听任饥民取食，十天之内，得到二十余万能作战的兵士。武安、永安、义阳、弋阳、齐郡相继投降李密。窦建德、朱粲等也派遣使者表示归附李密。李密任命朱粲为扬州总管，封邓公。泰山道士徐洪客向李密呈献书信，认为："大量部众长久聚集，恐怕粮尽人散，军队士气衰落，讨厌作战，难以成功。"他劝李密"乘着有利进取的时机，凭借军队的锐气，沿运河东下，直指江都，捉拿独夫，号令天下。"李密认为他的建议壮伟，写信召他来。但徐洪客始终没有出山，没有人知道他的下落。

九月初七日乙卯，张纶攻打龙泉、文成等郡，全部攻占了，抓获文成太守郑元璹。郑元璹，是郑译的儿子。

【注释】

㉑④匹偶：配偶。㉑⑤纳室：娶妻。室，妻。㉑⑥武阳：郡名，治所贵乡县，在今河北大名东北。㉑⑦甲寅：九月六日。㉑⑧魏徵（公元五八〇至六四三年）：字玄成，钜鹿曲城（今河北巨鹿西北）人，小时曾出家为道士，后参加反隋义军，随李密归唐，官至侍中，封郑国公。极言直谏，为贞观名臣。曾主持《隋书》的编纂工作。传见《旧唐书》卷七十一、《新唐书》卷九十七。㉑⑨魏郡：郡名，治所安阳县，在今河南安阳。㉒⓪文学参军：官名，掌侍奉，参议军事。㉒①记室：官名，掌章表书记文檄。㉒②落拓：穷困潦倒。㉒③生业：谋

生之业。㉔贵乡：县名，武阳郡治所，县治在今河北大名东北。㉕魏德深（？至公元六一七年）：本钜鹿（今河北巨鹿西北）人，家居弘农（今河南灵宝），仕隋，官至贵乡县长。传见《隋书》卷七十三、《北史》卷八十六。㉖百端：多种多样。指赋税繁多。㉗旁午：交错；纷繁。㉘有无相通：互通有无。通，流通、交换。㉙营造：制作；建造。㉚递：交替；顺次更迭。㉛督责：监督催促。㉜寂然：寂静无事。㉝最：考绩居上者称最。㉞恸哭：痛哭。恸，极其悲痛。㉟魏明府：对魏德深的尊称。古代州县官习称府君，英明者称明府。㊱饿殍：饿死的人。殍，饿死。㊲不时：不及时；不准时。㊳原武：县名，县治在今河南原阳西南。㊴洹水：县名，县治在今河北魏县西南旧魏县。㊵就食：把人移至粮多处，就地吃饭。㊶浃旬：十天；一旬。浃，周匝。㊷武安永安义阳弋阳齐：皆郡名。武安郡，治所永年县，在今河北永年东南。永安郡，治所新城县，在今河南光山县。义阳郡，治所义阳县，在今河南信阳。弋阳郡，治所光城县，在今河南光山县。齐郡，治所历城县，在今山东济南市。㊸邓公：爵位名，李密以朱粲做扬州总管，封为邓

【原文】

屈突通遣虎牙郎将桑显和将骁果数千人夜袭王长谐等营，长谐等战不利，孙华、史大奈以游骑[251]自后击显和，大破之。显和脱走[252]入城，仍自绝河梁。丙辰[253]，冯翊太守萧造降于李渊。造，脩之子也。

戊午[254]，渊帅诸军围河东，屈突通婴城自守。

将佐复推[255]渊领太尉，增置官属，渊从之。时河东未下，三辅豪杰至者日以千数。渊欲引兵西趣长安，犹豫未决。裴寂曰："屈突通拥大众[256]，凭坚城，吾舍之而去。若进攻长安不克，退为河东所踵[257]，腹背受敌，此危道也。不若先克河东，然后西上。长安恃通为援，通败，长安必破矣。"李世民曰："不然。兵贵神速，吾席[258]累胜[259]之威，抚归附[15]之众，鼓行而西，长安之人望风震骇，智不及谋[260]，勇不及断[261]，取之若振槁叶[262]耳。若淹留[263]自弊于坚城之下，彼得成谋[264]修备[265]以待我，坐费日月，众心离沮[266]，则大事去矣。且关中蜂起之将，未有所属，不可不早招怀也。屈突通自守虏耳，不足为虑。"渊两从之，留诸将围河东，自引军而西。

公。㉔④师老：军队丧失了锐气。老，暮气、衰落。㉔⑤因：凭借。㉔⑥独夫：指隋炀帝。㉔⑦所之：所到之地。之，往。㉔⑧乙卯：九月初七日。㉔⑨龙泉文成：两郡名。龙泉郡，治所隰川县，在今山西隰县。文成郡，治所吉昌县，在今山西吉县。㉕⓪郑元璹（？至公元六四六年）：荥阳开封（今河南开封）人。历仕隋、唐，官至鸿胪卿。传附《隋书·郑译传》《北史·郑译传》《旧唐书·郑善果传》《新唐书·郑善果传》。

【校记】

［12］亡：原作“去”。据章钰校，十二行本、乙十一行本、孔天胤本皆作“亡”，张敦仁《通鉴刊本识误》同，今据改。［13］县：原无此字。据章钰校，十二行本、乙十一行本、孔天胤本皆有此字，张敦仁《通鉴刊本识误》同，今据补。〖按〗《通鉴纪事本末》卷二七、《通鉴纲目》卷三七下皆有此字。［14］共：原作“兵”。据章钰校，十二行本、乙十一行本、孔天胤本皆作“共”，张敦仁《通鉴刊本识误》、张瑛《通鉴校勘记》同，今据改。

【语译】

屈突通派虎牙郎将桑显和率领骁果军数千人乘夜偷袭王长谐等人的军营，王长谐等交战失利，孙华、史大奈用游骑从背后袭击桑显和，大败桑显和。桑显和脱身逃入河东城，便自己断绝了河桥。九月初八日丙辰，冯翊太守萧造投降了李渊。萧造，是萧脩的儿子。

九月初十日戊午，李渊率领各路军队包围河东，屈突通环城自守。

众将领又推举李渊兼职太尉，增设太尉府僚属，李渊听从了。当时河东郡还没有攻下，三辅地区的豪杰来投奔李渊的日以千计。李渊打算率军西赴长安，犹豫不决。裴寂说：“屈突通拥有大量军队，依靠坚固的城池，我军抛开他向前推进，如果进攻长安而打不下来，退兵时遭到河东隋军的追击，腹背受敌，这是危险的途径。不如先攻下河东，然后西上。长安依靠屈突通为外援，屈突通战败，一定攻破长安。”李世民说：“不是这样。兵贵神速，我军凭借连胜的军威，安抚归顺的民众，击鼓而行，向西进军，长安的人就会望风震恐，有智慧的人来不及谋划，有勇力的人来不及决断，夺取长安如同摇动枯木的叶子。我们如果滞留，自弊于坚城之下，使敌人有时间完成谋划、整治武备来等待我们，而我军却待在这里浪费时间，军心离散，士气沮丧，那么大事就全完了。况且关中蜂拥而起的将领，没有归属，不能不尽早招抚。屈突通只是一个自守巢穴的敌人，不值得忧虑。”李渊听从了双方的意见，留下众将包围河东，自己率军西进。

朝邑[267]法曹武功靳孝谟，以蒲津[268]、中潬[269]二城降，华阴令李孝常[270]以永丰仓降，仍应接河西诸军。孝常，圆通之子也。京兆诸县亦多遣使请降。

【段旨】

以上为第七段，写李渊分兵围河东，自己亲率大军直进关中。隋朝关中郡县望风请降。

【注释】

[251]游骑：无固定防地，流动出击的骑兵。[252]脱走：脱身逃走。[253]丙辰：九月初八日。[254]戊午：九月初十日。[255]推：推举。[256]拥大众：拥有多数之人。[257]所踵：追逐；跟随。[258]席：凭借；倚仗。[259]累胜：接连打胜仗。[260]智不及谋：有智谋的人来不及谋划。形容动作神速。[261]勇不及断：勇武之士来不及决断。[262]槁叶：枯木上的叶子。槁，干枯

【原文】

王世充、韦霁、王辩及河内通守孟善谊、河阳郡尉[271]独孤武都[272]各帅所领会东都，唯王隆后期[273]不至。己未[274]，越王侗使虎贲郎将刘长恭等帅留守兵，庞玉等帅偃师兵，与世充等合十余万众，击李密于洛口，与密夹洛水相守。炀帝诏诸军皆受世充节度。

帝遣摄[275]江都郡丞冯慈明[276]向东都，为密所获，密素闻其名，延[277]坐劳问，礼意甚厚，因谓曰："隋祚已尽，公能与孤[278]共[16]立大功乎？"慈明曰："公家历事先朝，荣禄兼备。不能善守门阀[279]，乃与玄感举兵，偶脱罔罗[280]，得有今日，唯图反噬，未谕高旨。莽、卓、敦、玄[281]非不强盛，一朝夷灭，罪及祖宗。仆死而后已，不敢闻命！"密怒，囚之。慈明说防人席务本，使亡走。奉表江都，及致书东都论贼形势，至雍丘[282]，为密将李公逸所获，密又义而释之。出至营门，翟让杀之。慈明，子琮之子也。

朝邑县法曹武功人靳孝谟献出蒲津、中潬两座城池投降李渊，华阴县令李孝常献出永丰仓投降，还前去接应河西的各路李渊军队。李孝常，是李圆通的儿子。京兆各县也大多派遣使者请求投降。

的树木。㉖③淹留：滞留；停留不前。㉖④成谋：考虑成熟的计谋。㉖⑤修备：整治武备。修，整治。㉖⑥离沮：人心离散，士气沮丧。㉖⑦朝邑：县名，县治在今陕西大荔东朝邑镇。㉖⑧蒲津：城名，于蒲津所修之城，扼守津口。故址在今山西永济境。㉖⑨中潬：城名，在今山西永济、陕西大荔之间蒲津关下黄河中流沙洲上。㉗⓪李孝常（？至公元六二八年）：京兆泾阳（今陕西咸阳东北）人。先仕隋，后降唐，封义安王。传附《北史·李圆通传》。

【校记】

[15] 附：原作“顺”。据章钰校，十二行本、乙十一行本、孔天胤本皆作“附”，张敦仁《通鉴刊本识误》同，今据改。〖按〗《通鉴纪事本末》卷二六、《通鉴纲目》卷三七下皆作“附”。

【语译】

王世充、韦霁、王辩以及河内通守孟善谊、河阳郡尉独孤武都各自率领所辖部队会师东都，只有王隆过了期限还没到达。九月十一日己未，越王杨侗派虎贲郎将刘长恭等率领东都的留守部队，庞玉等率领偃师的军队，与王世充等部合兵在一起有十多万人，在洛口攻打李密，与李密军队隔着洛水相互对峙，隋炀帝下诏命令各军都受王世充指挥。

隋炀帝派遣江都代理郡丞冯慈明前往东都，被李密抓获。李密一向听说冯慈明的大名，请他上座，慰劳问候，礼节很隆重，便对冯慈明说：“隋朝国运已到尽头，您能和我一同建立大业吗?”冯慈明说：“你们家几代人侍奉先朝，荣华富贵和高官厚禄都兼有了，却不能很好地守住世家门第，而与杨玄感起兵造反，侥幸漏网逃脱，活到今天，仍只是一门心思造反，不懂得高深的真理。王莽、董卓、王敦、桓玄不是不强盛，一旦诛灭，罪及祖宗。我只求一死，不敢从命!”李密大怒，囚禁了冯慈明。冯慈明说通看管他的席务本，让自己逃走了。冯慈明向江都上表，又写信给东都陈述盗贼的形势，到达雍丘后，被李密的部将李公逸抓获，李密又一次仗义释放了他。冯慈明走到营门，被翟让杀死。冯慈明，是冯子琮的儿子。

密之克洛口也，箕山府郎将张季珣[283]固守不下，密以其寡弱，遣人呼之。季珣骂密极口[284]，密怒，遣兵攻之，不能克。时密众数十万在其城下，季珣四面阻绝[285]，所领不过数百人，而执志弥固[286]，誓以必死。久之，粮尽水竭，士卒羸病[287]，季珣抚循[288]之，一无离叛，自三月至于是月，城遂陷。季珣见密不肯拜，曰："天子爪牙[289]，何容[290]拜贼?"密犹欲降之，诱谕[291]终不屈，乃杀之。季珣，祥之子也。

【段旨】

以上为第八段，写隋朝地方官吏冯慈明、张季珣尽忠殉国。

【注释】

㉗①郡尉：隋制，旧有兵处，由州刺史统管。隋炀帝罢州置郡，另置都尉领兵。〖按〗《北史》卷六十一《独孤武都传》作"都尉"。"郡"应作"都"。都尉正四品，领兵，与郡不相知。㉗②独孤武都（？至公元六一九年）：云中（今山西大同）人。隋大业末，官至河阳都尉。㉗③后期：比指定的日期晚。㉗④己未：九月十一日。㉗⑤摄：代理。㉗⑥冯慈明（公元五五〇至六一七年）：字无佚，信都长乐（今河北衡水市冀州区）人，历仕北齐、周与隋三代，官至尚书兵曹郎，摄江都郡丞。传见《隋书》卷七十一、《北史》卷五十五。㉗⑦延：引进；接待。㉗⑧孤：古代帝王的谦称。意思是少德之人。㉗⑨门阀：指祖先建立功勋者的家世。谓名门贵族。㉘⓪罔罗：渔猎的工具。此指法网。㉘①莽、卓、

【原文】

庚申[292]，李渊帅诸军济河。甲子[293]，至朝邑，舍于长春宫[294]，关中士民归之者如市。丙寅[295]，渊遣世子建成、司马刘文静帅王长谐等诸军数万人屯永丰仓，守潼关以备东方兵，慰抚使窦轨[296]等受其节度。敦煌公世民帅刘弘基等诸军数万人徇渭北[297]，慰抚使殷开山等受其节度。轨，琮之兄也。

冠氏长于志宁[298]、安养尉颜师古[299]及世民妇兄长孙无忌[300]谒见渊于长春宫。师古名籀，以字行。志宁，宣敏之兄子。师古，之推之孙也。

李密攻克洛口时，箕山府郎将张季珣坚守不降，李密认为他兵少势弱，派人喊他投降，张季珣破口大骂李密，李密大怒，派兵攻打他，未能攻克。当时李密有几十万军队在张季珣城下，此城四面交通被切断，张季珣所率领的部众只有几百人，但意志坚定，誓死不屈。时间长了，粮食吃完，水也没有了，士兵体弱多病，张季珣安抚慰问，没有一个背叛的人，从三月一直坚守到九月，城池终于被攻陷。张季珣见了李密不肯下拜，说："天子的武将，岂容向贼人下拜？"李密仍想让他投降，劝诱告谕，张季珣始终不屈，于是杀了他。张季珣，是张祥的儿子。

敦、玄：古代的四大乱政权臣。莽，指王莽，西汉末皇戚，后篡汉称帝，为绿林军所杀。卓，指董卓，东汉末年豪强，后被吕布杀死。敦，指王敦，东晋初掌军权的人，后叛晋，兵败而死。玄，指桓玄，于东晋末年叛晋，兵败被杀。㉘²雍丘：县名，县治在今河南杞县。㉘³张季珣（公元五九〇至六一七年）：京兆（今陕西西安）人。仕隋，大业末，为鹰扬郎将。传见《隋书》卷七十一、《北史》卷八十五。㉘⁴极口：极力地说。㉘⁵阻绝：受阻而隔绝。㉘⁶执志弥固：保持意志更为坚固。㉘⁷羸病：瘦弱而有病。羸，瘦弱、疲病。㉘⁸抚循：同"拊循"，安抚。㉘⁹爪牙：爪和牙。引申指武臣。㉙⁰容：容许；允许。㉙¹诱谕：劝诱告谕。

【校记】

［16］共：原无此字。据章钰校，十二行本、乙十一行本、孔天胤本皆有此字，今据补。〖按〗《通鉴纪事本末》卷二七、《通鉴纲目》卷三七下皆有此字。

【语译】

九月十二日庚申，李渊率领各路军队渡过黄河。十六日甲子，到达朝邑，住在长春宫，前来归附的关中士人、百姓像赶集一样多。十八日丙寅，李渊派遣世子李建成、司马刘文静率领王长谐等各路军队几万人屯驻永丰仓，据守潼关以防备东边的军队，慰抚使窦轨等人受李建成的指挥。敦煌公李世民率领刘弘基等各路军队几万人进攻渭北，慰抚使殷开山等人受李世民的指挥。窦轨，是窦琮的哥哥。

冠氏县长于志宁、安养县尉颜师古，以及李世民的妻兄长孙无忌在长春宫谒见李渊。颜师古名籀，以字行世。于志宁，是于宣敏哥哥的儿子。颜师古，是颜之推

皆以文学知名，无忌仍有才略。渊皆礼而用之，以志宁为记室，师古为朝散大夫，无忌为渭北行军典签[301]。

屈突通闻渊西入，署鹰扬郎将汤阴尧君素[302]领河东通守，使守蒲坂[303]，自引兵数万趣长安，为刘文静所遏。将军刘纲戍潼关，屯都尉[304]南城[305]，通欲往依之，王长谐先引兵袭斩纲，据城以拒通，通退保北城。渊遣其将吕绍宗等攻河东，不能克。

柴绍之自长安赴太原也，谓其妻李氏[306]曰："尊公举兵，今偕行则不可，留此则及祸，奈何？"李氏曰："君弟[307]速行，我一妇人，易以潜匿[308]，当自为计。"绍遂行。李氏归鄠县别墅[309]，散家赀，聚徒众。渊从弟神通[310]在长安，亡入鄠县山中，与长安大侠[311]史万宝等起兵以应渊。西域商胡何潘仁入司竹园[312]为盗，有众数万，劫前尚书右丞李纲[313]为长史，李氏使其奴马三宝[314]说潘仁与之就神通，合势攻鄠县，下之。神通众逾一万，自称关中道行军总管，以前乐城[315]长令狐德棻[316]为记室。德棻，熙之子也。李氏又使马三宝说群盗李仲文、向善志、丘师利等，皆帅众从之。仲文，密之从父。师利，和之子也。西京留守屡遣兵讨潘仁等，皆为所败。李氏徇盩厔、武功、始平[317]，皆下之，众至七万。左亲卫段纶，文振之子也，娶渊女，亦聚徒于蓝田[318]，得万余人。及渊济河，神通、李氏、纶各遣使迎渊。渊以神通为光禄大夫[319]，子道彦[320]为朝请大夫，纶为金紫光禄大夫，使柴绍将数百骑并[321]南山迎李氏。何潘仁、李仲文、向善志及关中群盗，皆请降于渊，渊一一以书慰劳授官，使各居其所，受敦煌公世民节度。

刑部尚书领京兆内史[322]卫文昇年老，闻渊兵向长安，忧惧成疾，不复预事，独左翊卫将军阴世师[323]、京兆郡丞骨仪[324]奉代王侑乘城拒守。己巳[325]，渊如蒲津。庚午[326]，自临晋[327]济渭，至永丰仓[17]劳军，开仓赈饥民。辛未[328]，还长春宫。壬申[329]，进屯冯翊[330]。世民所至，吏民及群盗归之如流，世民收其豪俊以备僚属，营于泾阳[331]，胜兵九万。李氏将精兵万余会世民于渭北，与柴绍各置幕府，号"娘子军[332]"。

先是，平凉[333]奴贼数万围扶风太守窦琎[334]，数月不下，贼中食尽。丘师利遣其弟行恭[335]帅五百人负米麦持牛酒诣奴贼营，奴帅长揖，行

的孙子。都以文学闻名，长孙无忌也有才干谋略。李渊都以礼相待，任用他们，任命于志宁为记室，颜师古为朝散大夫，长孙无忌为渭北行军典签。

屈突通听说李渊西入关中，就署用鹰扬郎将汤阴人尧君素兼领河东通守，让他守卫蒲坂，自己领兵数万人奔赴长安，被刘文静拦阻。隋朝将军刘纲戍守潼关，屯驻在都尉南城，屈突通想去依附他，王长谐先领兵袭杀了刘纲，占据城池抵御屈突通，屈突通退守北城。李渊派他的部将吕绍宗等攻打河东，没能攻下。

柴绍从长安赶往太原的时候，对他的妻子李氏说："你父亲起兵，如今你不能和我一起走，你留在这里就要遭受灾祸，怎么办呢？"李氏说："你只管快走，我是一个妇人，容易潜藏，我自己想办法。"柴绍于是走了。李氏回到鄠县的别墅，拿出家产，聚集部众。李渊的堂弟李神通住在长安，逃入鄠县山中，与长安大侠史万宝等人起兵响应李渊。西域的胡商何潘仁进入司竹园做盗贼，有部众几万人，劫持前尚书右丞李纲为长史，李氏派家奴马三宝劝说何潘仁，和她一起投奔李神通，合兵攻打鄠县，攻了下来。李神通部众超过一万人，他自称关中道行军总管，任命前乐城长令狐德棻为记室。令狐德棻是令狐熙的儿子。李氏又派马三宝劝说群盗李仲文、向善志、丘师利等人，他们都率众相随。李仲文，是李密的堂叔。丘师利，是丘和的儿子。西京留守多次派兵讨伐何潘仁等，都被何潘仁等打败。李氏攻打盩厔、武功、始平，全部攻克，部众达到七万人。左亲卫段纶是段文振的儿子，娶了李渊的女儿，也在蓝田聚众起兵，得到一万余人。等到李渊渡过黄河，李神通、李氏、段纶各自派遣使者迎接李渊。李渊任命李神通为光禄大夫，李神通的儿子李道彦为朝请大夫，段纶为金紫光禄大夫，派柴绍率领几百名骑兵顺着南山迎接李氏。何潘仁、李仲文、向善志，以及关中的群盗，全都请求归降李渊，李渊一一去信慰劳，授予官职，让他们各居其地，接受敦煌公李世民的指挥。

刑部尚书兼领京兆内史卫文昇年老，听说李渊兵向长安，忧惧成疾，不能参与政事，只有左翊卫将军阴世师、京兆郡丞骨仪辅佐代王杨侑登城抵抗防守。九月二十一日己巳，李渊前往蒲津。二十二日庚午，李渊从临晋渡过渭河，到永丰仓慰劳守军，开仓救济饥民。二十三日辛未，李渊回到长春宫。二十四日壬申，李渊进军屯驻冯翊。李世民所到之处，官吏平民以及群盗像流水一样归附他，李世民从中挑选出豪杰之士用来补充僚属，在泾阳扎营，能作战的士兵有九万人。李氏率领精兵一万多人在渭北与李世民会师。李氏与柴绍各自设置幕府，李氏的部众号称"娘子军"。

此前，平凉郡几万奴仆贼军包围了扶风太守窦琎，几个月没有攻下来，贼军粮尽。丘师利派他的弟弟丘行恭率领五百人背着米麦带着牛和酒到奴贼的军营，奴帅

恭手斩之，谓其众曰："汝辈皆良人，何故事奴为主，使天下谓之奴贼?"众皆俯伏曰："愿改事公。"行恭即帅其众与师利共谒世民于渭北，世民以为光禄大夫。琎，琮之从子也。隰城[336]尉房玄龄[337]谒世民于军门，世民一见如旧识，署记室参军，引为谋主。玄龄亦自以为遇知己，罄竭[338]心力，知无不为。

渊命刘弘基、殷开山分兵西略扶风，有众六万，南渡渭水，屯长安故城[339]。城中出战，弘基逆击，破之。世民引兵趣司竹[340]，李仲文、何潘仁、向善志皆帅众从之，顿于阿城[341]，胜兵十三万，军令严整，秋毫不犯。乙亥[342]，世民自盩厔遣使白渊，请期日[343]赴长安。渊曰："屈突[344]东行不能复西，不足虞矣!"乃命建成选仓上精兵自新丰[345]趣长乐宫[346]，世民帅新附诸军北屯长安故城，至并听教[347]。延安、上郡、雕阴[348]皆请降于渊。丙子[349]，渊引军西行，所过离宫园苑皆罢之，出宫女还其亲属。冬，十月辛巳[350]，渊至长安，营[351]于春明门[352]之西北，诸军皆集，合二十余万。渊命各依壁垒，毋得入村落侵暴。屡遣使至城下谕卫文昇等以欲尊隋之意，不报。辛卯[353]，命诸军进围城。甲午[354]，渊迁馆于安兴坊[355]。

【段旨】

以上为第九段，写李渊成功地阻隔屈突通，用重兵围长安。

【注释】

[292]庚申：九月十二日。[293]甲子：九月十六日。[294]长春宫：离宫名，故址在今陕西大荔东朝邑镇。[295]丙寅：九月十八日。[296]窦轨（？至公元六三〇年）：字士则，扶风平陵（今陕西咸阳西北）人，历仕隋、唐，官至右卫大将军。传附《旧唐书·窦威传》《新唐书·窦威传》。[297]渭北：泛指渭水以北地区。[298]于志宁（公元五八八至六六五年）：雍州高陵（今陕西西安市高陵区）人，历仕隋、唐，官至尚书左仆射、同中书门下三品，监修国史，封燕国公。著有《于志宁集》二十卷。传见《旧唐书》卷七十八、《新唐书》卷一百四。[299]颜师古（公元五八一至六四五年）：名籀，字师古，雍州万年（今陕西西安）

向丘行恭长揖下拜，丘行恭趁机亲手杀了奴帅，对大家说："你们都是良民，为什么要把奴仆当主人对待，让天下的人称你们为奴贼呢？"大家都伏在地上说："愿意侍奉您。"丘行恭当即率领这些人与丘师利一起到渭北谒见李世民，李世民任命丘行恭为光禄大夫。窦琎是窦琮的侄子。隰城县尉房玄龄到军门谒见李世民，李世民一见就像是老朋友，便署用房玄龄为记室参军，请他作谋主，房玄龄也自认为遇见了知己，竭尽心力，凡是知道的就努力去做。

李渊命令刘弘基、殷开山分兵向西进攻扶风，拥有部众六万人，向南渡过渭水，屯驻在长安故城。长安故城中的隋军出战，刘弘基迎击，打败了隋军。李世民率兵奔赴司竹，李仲文、何潘仁、向善志都率众跟随他，屯驻在阿城，有能作战士兵十三万人，军纪严整，秋毫不犯。九月二十七日乙亥，李世民从盩厔派使者向李渊报告，请求约定日期进军长安，李渊说："屈突通向东行军，无法再向西，已不必忧虑了！"于是命令李建成挑选在永丰仓的精兵，从新丰赶赴长乐宫；李世民率领新归附的各军北进驻扎在长安故城，到达预定的地点听候命令。延安、上郡、雕阴等郡都向李渊请求投降。二十八日丙子，李渊率军西进，所经过的隋炀帝离宫园苑都予以罢废，放出宫女交还她们的亲属。冬，十月初四日辛巳，李渊到达长安，在春明门西北扎营，各路军队全部会合，共二十余万人。李渊命令部队各自留在营垒，不得进村落侵扰百姓。李渊多次派使者到城下对卫文昇等人说明自己尊奉隋室的心意，没有答复。十四日辛卯，李渊命令各军进兵围城。十七日甲午，李渊把中军指挥部迁到安兴坊。

人，历仕隋、唐，官至秘书监、弘文馆学士。曾为《汉书》作注，有文集六十卷。传见《旧唐书》卷七十三、《新唐书》卷一百九十八。㉚⓪长孙无忌（？至公元六五九年）：字辅机，河南洛阳（今河南洛阳）人，唐太宗长孙皇后之兄。官至尚书右仆射、太尉，封齐国公，唐初功臣。传见《旧唐书》卷六十五、《新唐书》卷一百五。㉚①典签：官名，自亲王府至州郡皆有此官，职责是掌管文书。㉚②尧君素（？至公元六一八年）：魏郡汤阴（今河南汤阴东）人，仕隋，历官鹰扬郎将，领河东通守。传见《隋书》卷七十一、《北史》卷八十五。㉚③蒲坂：古地名，河东郡治所，故址在今山西永济西南。㉚④都尉：官名，潼关有守兵，故隋设都尉以镇守。㉚⑤南城：与下文中的"北城"当是扼守潼关的南、北二城。㉚⑥李氏：指唐高祖女平阳公主（？至公元六二三年）。平阳公主曾聚众配合李渊起兵，所部号"娘子军"。传见《新唐书》卷八十三。㉚⑦弟：同"第"。只管、尽管。㉚⑧潜匿：躲藏。㉚⑨别墅：于本宅外另建的园林游息处所。也称别业、别馆。㉛⓪神通（？至公元六三〇年）：唐高祖从父弟，仕唐，官至开府仪同三司，封淮安王。传见《旧唐书》卷

六十、《新唐书》卷七十八。㉛大侠：有名的见义勇为的侠客。㉜司竹园：地名，故址在今陕西周至境。㉝李纲（公元五四七至六三一年）：字文纪，观州蓨县（今河北景县）人，历仕隋、唐，官至太子少师。传见《旧唐书》卷六十二、《新唐书》卷九十九。㉞马三宝：平阳公主家奴。事附《旧唐书·柴绍传》《新唐书·裴寂传》。㉟乐城：县名，县治在今广东德庆东。㊱令狐德棻（公元五八三至六六六年）：宜州华原（今陕西耀州）人，历仕隋、唐，官至太常卿、金紫光禄大夫。曾修撰《晋书》《五代史志》和《周书》等史书。传见《旧唐书》卷七十三、《新唐书》卷一百二。㊲盩厔、武功、始平：皆县名，盩厔县治在今陕西周至，武功县治在今陕西武功西，始平县治在今陕西兴平东南。㊳蓝田：县名，县治在今陕西蓝田。㊴光禄大夫：官名，隋代文散官，无职事。㊵道彦：李神通之子，仕唐，官至凉州都督，封胶东公。传附《旧唐书·李神通传》《新唐书·李神通传》。㊶并：通“傍”。沿着。㊷京兆内史：官名，隋炀帝改京兆、河南尹为内史，掌治都城。㊸阴世师（公元五六五至六一七年）：武威（今甘肃武威）人。仕隋，官至左翊卫将军。传附《隋书·阴寿传》《北史·阴寿传》。㊹骨仪（？至公元六一七年）：京兆长安（今陕西西安）人，仕隋，官至京兆郡丞。传附《隋书·阴寿传》《北史·阴寿传》。㊺己巳：九月二十一日。㊻庚午：九月二十二日。㊼临晋：即朝邑县，古称临晋。㊽辛未：九月二十三日。㊾壬申：九月二十四日。㊿冯翊：县名，冯翊郡治所，县治在今陕西大荔。[331]泾阳：县名，县治在今陕西泾阳。[332]娘子军：因平阳公主李氏置幕府，故称娘子军。[333]平凉：郡名，治所平高县，在今宁夏固原。[334]窦琎（？至公元六三

【原文】

巴陵[356]校尉[357]鄱阳董景珍、雷世猛、旅帅[358]郑文秀、许玄彻、万瓒、徐德基、郭华、沔阳张绣等谋据郡叛隋，推景珍为主。景珍曰：“吾素寒贱，不为众所服。罗川[359]令萧铣[360]，梁室[361]之后，宽仁大度，请奉之以从众望。”乃遣使报铣。铣喜从之，声言讨贼，召募得数千人。铣，岩之孙也。

会颍川[362]贼帅沈柳生寇罗川，铣与战不利，因谓其众曰：“今天下皆叛，隋政不行[363]，巴陵豪杰起兵，欲奉[364]吾为主。若从其请以号令江南，可以中兴梁祚[365]，以此召柳生，亦当从我矣。”众皆悦，听命，乃自称梁公，改隋服色旗帜皆如梁旧。柳生即帅众归之，以柳生为车骑

三年）：字之推，历仕隋、唐，官至秘书监，封邓国公。传附《旧唐书·窦威传》《新唐书·窦威传》。㉟行恭（公元五八六至六六五年）：丘和之子，仕唐，官至右武候大将军。传附《旧唐书·丘和传》《新唐书·丘和传》。㊱隰城：县名，县治在今山西汾阳。㊲房玄龄（公元五七九至六四八年）：字乔，齐州临淄（今山东淄博市东临淄区）人，历仕隋、唐，官至尚书左仆射。监修国史，主撰《晋书》。封梁国公，为贞观名相。传见《旧唐书》卷六十六、《新唐书》卷九十六。㊳罄竭：竭尽；不遗余力。罄，空、尽。㊴长安故城：城名，故址在今陕西西安西北。㊵司竹：即司竹园，故址在今陕西周至东。㊶阿城：即秦阿房宫城，故址在今陕西西安西南。㊷乙亥：九月二十四日。㊸期日：约定日期。㊹屈突：即隋将屈突通。时欲西救长安，为刘文静所阻。㊺新丰：县名，县治在今陕西西安市临潼区东北。㊻长乐宫：故汉宫名，故址在今陕西长安西北。㊼至并听教：至所预定之地听从教令。教，太子与王的命令称教。㊽雕阴：郡名，治所上县，在今陕西绥德。㊾丙子：九月二十八日。㊿辛巳：十月初四日。(351)营：安营；驻扎。(352)春明门：城门名，长安东面三门之中门。(353)辛卯：十月十四日。(354)甲午：十月十七日。(355)安兴坊：坊名，胡三省注说在安兴门外。唐长安城东面三门之南门延兴门，隋时为安兴门。

【校记】

［17］仓：原无此字。据章钰校，十二行本、乙十一行本、孔天胤本皆有此字，张瑛《通鉴校勘记》同，今据补。〖按〗《通鉴纪事本末》卷二六有此字。

【语译】

巴陵校尉鄱阳人董景珍、雷世猛、旅帅郑文秀、许玄彻、万瓒、徐德基、郭华、沔阳人张绣等人图谋占据巴陵郡反叛隋朝，推举董景珍为盟主。董景珍说："我一向贫贱，不为众人所信服。罗川县令萧铣是梁王室的后代，他宽仁大度，请你们拥戴他为盟主以顺从众望。"于是派使者报告萧铣。萧铣高兴地接受了，他声称讨贼，招募到了几千人。萧铣，是萧岩的孙子。

恰逢颍川贼兵首领沈柳生侵犯罗川，萧铣交战失利，便对自己的部众说："现在天下都反叛了，隋朝政令不能推行，巴陵的豪杰起兵，要推举我为盟主。如果接受他们的请求来号令江南，就可以中兴梁氏社稷，以此召纳沈柳生，他也会跟随我们。"大家都很高兴，愿意听从命令。于是萧铣自称梁公，把隋朝的服色、旗帜换成梁朝旧制。沈柳生随即率众归附了萧铣，萧铣任命沈柳生为车骑大将军。起兵五

大将军。起兵五日，远近归附者至数万人，遂帅众向巴陵。景珍遣徐德基帅郡中豪杰数百人出迎，未及见铣，柳生与其党谋曰："我先奉梁公，勋居第一。今巴陵诸将，皆位高兵多，我若入城，返出其下。不如杀德基，质[366]其首领，独挟梁公进取郡城，则无出我右[367]者矣。"遂杀德基。入白铣，铣大惊曰："今欲拨乱反正[368]，忽自相杀，吾不能为若[369]主矣。"因步出军门。柳生大惧，伏地请罪，铣责而赦之，陈兵入城，景珍言于铣曰："徐德基建义[370]功臣，而柳生无故擅杀[371]之，此而不诛，何以为政？且柳生为盗日久，今虽从义，凶悖不移[372]，共处一城，势必为变。失今不取，后悔无及！"铣又从之。景珍收柳生，斩之，其徒皆溃去。丙申[373]，铣筑坛燔燎，自称梁王，改元鸣凤。

壬寅[374]，王世充夜渡洛水，营于黑石[375]，明日，分兵守营，自将精兵陈于洛北。李密闻之，引兵渡洛逆战，密兵大败，柴孝和溺死。密帅麾下精骑渡洛南，余众东走月城[376]，世充追围之。密自洛南策马[377]直趣黑石，营中惧，连举六烽，世充释月城之围，狼狈自救。密还与战，大破之，斩首三千余级。

【段旨】

以上为第十段，写后梁宗室萧铣起兵于巴陵，自称梁王，以及隋将王世充救援东都，与李密交战。

【注释】

[356]巴陵：郡名，治所巴陵县，在今湖南岳阳。[357]校尉：官名，由大都督所改，掌管军事。[358]旅帅：官名，由帅都督所改，掌管军事。[359]罗川：县名，县治在今湖南汨罗北。[360]萧铣（公元五八四至六二二年）：兰陵（今山东枣庄东南峄城镇西）人。后梁宣帝曾孙，仕隋为罗川令，后叛，称帝，为唐所灭。传见《旧唐书》卷五十六、《新唐书》

天，远近前来归附的达到几万人，于是萧铣率众向巴陵进军。董景珍派徐德基率领巴陵郡的几百豪杰出城迎接，还没来得及见到萧铣，沈柳生就与他的同党商议说："我首先拥戴梁公，功勋应列第一。现在巴陵众将都位高兵多，我如果进城，反而要位列他们之下。不如杀了徐德基，扣留他们的首领做人质，独自挟持梁公进兵夺取巴陵郡城，那就没有人在我之上了。"于是杀了徐德基，进入军帐报告萧铣，萧铣大惊，说："如今朝廷打算拨乱反正，突然自相残杀，我不能做你们的盟主了。"于是走出军门。沈柳生非常恐惧，伏地请罪，萧铣责备后赦免了他，列队入城。董景珍对萧铣说："徐德基是起义的功臣，而沈柳生无故独断专行杀害了他，这样的人如果不杀，怎能当政？况且沈柳生长时间为盗，如今虽然归附义军，凶残悖逆的本性很难改变，同在一个城中，势必叛变。失掉今天抓他的机会，后悔就来不及了！"萧铣又听从了。董景珍抓捕了沈柳生，把他杀了，沈柳生的部众溃散离去。十月十九日丙申，萧铣筑坛焚烧柴火祭祀上天，自称梁王，改年号为鸣凤。

十月二十五日壬寅，王世充夜里渡过洛水，在黑石扎营。第二天，王世充分兵守营，自己率领精兵在洛水北岸布阵。李密得知消息，领兵渡过洛水迎战，李密的军队大败，柴孝和淹死。李密率领手下精锐骑兵渡过洛水到达南岸，其余部众向东逃入月城，王世充追赶，包围了月城。李密从洛水南岸策马直奔黑石，营中隋军恐惧，接连高举六次烽火，王世充解除了对月城的包围，狼狈回军自救。李密掉头和他交战，大败王世充，斩首三千多级。

卷八十七。㉛梁室：指后梁宗室后裔。㉜颍川：郡名，治所颍阴县，在今河南许昌。㉝不行：指隋朝政令不能推行。㉞奉：辅助；拥戴。㉟梁祚：后梁国运。㊱质：抵押；作人质。㊲我右：在我之上。右，上。古者以右为尊。㊳拨乱反正：谓治理乱世，使之恢复正常安定。㊴若：你；你们。㊵建义：树立义旗。㊶擅杀：任意、随便杀人。擅，独断专行。㊷凶悖不移：凶恶违乱的本性不改。悖，违反、逆乱。移，改变。㊸丙申：十月十九日。㊹壬寅：十月二十五日。㊺黑石：地名，故址在今河南巩义西南。㊻月城：指临洛水修筑的偃月城，为城外所筑的半圆形小城，作为防御掩护之用，与仓城相呼应。㊼策马：以鞭击马。策，马鞭，此处用为动词。

【原文】

甲辰㊳㊽，李渊命诸军攻城，约“毋得犯七庙及代王、宗室，违者夷三族!”孙华中流矢卒。十一月丙辰㊳㊾，军头雷永吉先登，遂克长安。代王在东宫，左右奔散，唯侍读㊳㊿姚思廉㊳㊶侍侧。军士将登殿，思廉厉声诃㊳㊷之曰:“唐公举义兵、匡帝室，卿等毋得无礼!”众皆愕然㊳㊸，布立㊳㊹庭下。渊迎王于东宫，迁居大兴殿后㊳㊺，听思廉扶王至顺阳阁下，泣拜而去。思廉，察之子也。渊还，舍于长乐宫，与民约法十二条，悉除隋苛禁㊳㊻。

渊之起兵也，留守官发其坟墓，毁其五庙㊳㊼。至是，卫文昇已卒，戊午㊳㊽，执阴世师、骨仪等，数以贪婪苛酷，且拒义师，俱斩之，死者十余人，余无所问。

马邑郡丞三原李靖㊳㊾，素与渊有隙，渊入城，收靖[18]，将斩之。靖大呼曰:“公兴义兵，欲平暴乱，乃以私怨杀壮士乎?”世民为之固请，乃舍之。世民因召置幕府㊴㊿。靖少负志气，有文武才略，其舅韩擒虎每抚之曰:“可与言将帅之略者，独此子耳!”

【段旨】

以上为第十一段，写李渊破长安，护代王，释李靖。

【注释】

㊳㊽甲辰：十月二十七日。㊳㊾丙辰：十一月初九日。㊳㊿侍读：官名，掌给帝王讲学。㊳㊶姚思廉（公元五五七至六三七年）：字简之，雍州万年（今陕西西安）人，历仕隋、唐，官至散骑常侍。曾受诏与魏徵修史，撰成《梁书》五十卷、《陈书》三十卷。传见《旧唐书》卷七十三、《新唐书》卷一百二。㊳㊷诃：同“呵”，怒斥、大声呵斥。㊳㊸愕然：惊讶的样子。㊳㊹布立：排列而立。布，陈列。㊳㊺大兴殿后：大兴殿是隋宫正殿，因

【语译】

十月二十七日甲辰，李渊命令各军攻打长安城，约定“不得侵犯隋皇室七庙，以及代王、宗室，违犯的人夷灭三族！”孙华被流矢射中死了。十一月初九日丙辰，军头雷永吉首先登上城墙，于是攻克了长安。代王在东宫，身边的人都逃散了，只有侍读姚思廉陪伴在身旁。军士将要登上殿堂，姚思廉大声怒斥说：“唐公兴起义兵，匡正帝室，你们不得无礼！”大家都非常惊讶，站列在殿庭下。李渊到东宫迎接代王，迁居到大兴殿后宫，听任姚思廉扶着代王杨侑到顺阳阁下，流泪叩拜后离去。姚思廉，是姚察的儿子。李渊返回，住在长乐宫，与百姓约法十二条，全部废除了隋朝的苛刻法令。

李渊起兵时，长安的留守官挖了李渊的祖坟，毁掉了李氏的五庙。到这时，卫文昇已死。十一月十一日戊午，李渊抓获了阴世师、骨仪等人，斥责他们贪婪苛酷，以及抗拒义师的罪行，全都斩首，死了十几个人，其他的人没有追究。

马邑郡丞三原人李靖，一向与李渊有矛盾，李渊入城，抓拿了李靖要杀掉他。李靖大叫着说：“您兴起义兵，想平息暴乱，就因私怨而杀壮士吗？”李世民坚持替李靖求情，李渊才放了他。李世民便把李靖安置在自己的幕府。李靖小时就很有志气，有文武才略，他的舅舅韩擒虎常常抚摸着他说：“可以和他谈论将帅谋略的人，只有这个孩子而已！”

代王未即皇位，故居于殿后。㊳86 苛禁：苛刻的禁令。㊳87 五庙：隋制，诸公立五庙，即二昭二穆和太祖庙。李渊袭爵为唐公，故得以立五庙。㊳88 戊午：十一月十一日。㊳89 李靖（公元五七一至六四九年）：本名药师，雍州三原（今陕西三原东北）人，历仕隋、唐，官至兵部尚书、尚书右仆射，封卫国公。撰有《李卫公兵法》一书，为兵家名著。传见《旧唐书》卷六十七、《新唐书》卷九十三。㊳90 幕府：将帅在外的营帐。军旅无固定的住所，以帐幕为府署，故称幕府。

【校记】

［18］收靖：原无此二字。据章钰校，十二行本、乙十一行本、孔天胤本皆有此二字，张瑛《通鉴校勘记》同，今据补。〖按〗《通鉴纪事本末》卷二六有此二字。

【原文】

王世充自洛北之败，坚壁[391]不出。越王侗遣使劳之[392]，世充惭惧，请战于密。丙辰[393]，世充与密夹石子河[394]而陈，密布陈南北十余里。翟让先与世充战，不利而退，世充逐之，王伯当、裴仁基从旁横断其后[395]，密勒中军击之，世充大败，西走。

翟让司马王儒信劝让自为大冢宰[396]，总统[19]众务，以夺密权，让不从。让兄柱国荥阳公弘，粗愚[397]人也，谓让曰："天子汝当自为，奈何与人？汝不为者，我当为之！"让但[398]大笑，不以为意，密闻而恶之。总管崔世枢自鄢陵[399]初附于密，让囚之私府，责其货，世枢营求[400]未办，遽欲加刑。让召元帅府记室邢义期博，逡巡[401]未就，杖之八十。让谓左长史房彦藻曰："君前破汝南，大得宝货，独与魏公，全不与我。魏公我之所立，事未可知。"彦藻惧，以状告密，因与左司马郑颋共说密曰："让贪愎[402]不仁，有无君之心，宜早图之。"密曰："今安危未定，遽相诛杀，何以示远？"颋曰："毒蛇螫[403]手，壮夫[20]解腕[404]，所全者大故也。彼先得志，悔无所及。"密乃从之，置酒召让。戊午[405]，让与兄弘及兄子司徒府长史摩侯同诣密，密与让、弘、裴仁基、郝孝德共坐，单雄信等皆立侍[406]，房彦藻、郑颋往来检校[407]。密曰："今日与达官饮，不须多人，左右止留数人[21]给使[408]而已。"密左右皆引去，让左右犹在。彦藻白密曰："今方为乐，天时甚寒，司徒左右，请给酒食。"密曰："听司徒进止[409]。"让应[22]曰："甚佳。"乃引[410]让左右尽出，独密下壮士蔡建德持刀立侍。食未进，密出良弓，与让习射，让方引满，建德自后斫之，踣[411]于床前，声若牛吼，并弘、摩侯、儒信皆杀之。徐世勣走出，门者斫之伤颈，王伯当遥诃止之。单雄信叩头请命，密释之。左右惊扰，莫知所为，密大言曰："与君等同起义兵，本除暴乱。司徒专行贪[23]虐，陵辱群僚，无复上下[412]。今所诛止其一家，诸君无预也。"命扶徐世勣置幕下，亲为傅疮[413]。让麾下欲散，密使单雄信前往宣慰[414]，密寻独骑[415]入其营，历[416]加抚谕[417]，令世勣、雄信、伯当分领

【语译】

王世充自从洛水北岸战败后，坚守营垒不出战。越王杨侗派使者慰劳他，王世充既惭愧又忧惧，就向李密挑战。十一月初九日丙辰，王世充与李密在石子河夹岸布阵，李密布下的阵列南北长十多里。翟让先与王世充交战，不利而后退，王世充追击翟让，王伯当、裴仁基从侧面横击切断王世充的后队，李密指挥中军攻击，王世充大败，向西逃走。

翟让的司马王儒信劝说翟让自任大冢宰，总管众务，剥夺李密的权力，翟让没有听从。翟让的哥哥柱国荥阳公翟弘，是个粗鲁愚笨的人，他对翟让说："天子你应该自己来当，为什么让给别人？你不做天子，我就来做！"翟让只是哈哈大笑，并不在意，但李密听说后，很厌恶这件事。总管崔世枢刚从鄢陵归附李密时，翟让把他囚禁在自己私宅，向他索取钱财，崔世枢设法筹措没有凑足，翟让立即想给崔世枢加刑。翟让召元帅府记室邢义期来赌博，邢义期迟疑徘徊没有来，翟让杖击邢义期八十棍。翟让对左长史房彦藻说："你从前攻破汝南，得到大量金银财宝，只送给了魏公，一点也不给我。魏公是我拥立的，事情的结果还不知道。"房彦藻害怕，把情况报告了李密，便与左司马郑颋一起劝李密说："翟让贪婪刚愎，不讲仁义，心目中没有君王，应该尽早除掉他。"李密说："现在我们的安危还未确定，突然互相残杀，怎能昭示远人归附？"郑颋说："毒蛇咬手，壮士砍断手腕，是为了保全性命。如果他们先得手，您后悔就来不及了。"李密于是听从了他们的劝告，便摆设酒席叫来翟让。十一月十一日戊午，翟让和他哥哥翟弘及侄子司徒府长史翟摩侯一起前往造访李密。李密和翟让、翟弘、裴仁基、郝孝德坐在一起，单雄信等人站着侍卫，房彦藻、郑颋来往检查。李密说："今天和各位高官饮酒，不需要很多人，身边只留几个供差遣的就可以了。"李密身边的人全都退出，翟让身边的人还在。房彦藻对李密说："今天正好饮宴作乐，天气很冷，司徒左右的侍卫，请赏给酒食。"李密说："听司徒的安排。"翟让回答说："很好。"于是房彦藻就把翟让左右侍卫全部带出去了，只有李密手下壮士蔡建德持刀站立侍卫。酒菜还没端上来，李密拿出一把良弓，交给翟让试射。翟让刚拉满了弓，蔡建德从背后砍杀翟让，翟让仆倒在坐床前面，叫声如同牛吼，蔡建德把翟弘、翟摩侯、王儒信全都杀了。徐世勣逃出，看门人砍伤了他的颈子，王伯当在远处呵斥制止，单雄信磕头请求饶命，李密放了他。身边的人惊慌扰乱，不知道怎么办，李密高声地说："我和各位一同兴起义兵，原本是平息暴乱。翟司徒专行贪婪暴虐，凌辱僚属，不再有尊卑上下。今天只诛杀翟让一家，与各位没有关系。"李密命人把徐世勣安置在幕帐下，亲自为他伤口敷药。翟让的部属打算逃散，李密让单雄信前去宣慰安抚。不一会，李密单人独骑进到翟让军营，一一加以安抚劝说，命令徐世勣、单雄信、王伯当分别率领翟让的部众，于是内外安

其众，中外[418]遂定。让残忍，摩侯猜忌，儒信贪纵，故死之日，所部无哀之者。然密之将佐始有自疑之心矣。始，王世充知让与密必不久睦[419]，冀其相图[420]，得从而乘之。及闻让死，大失望，叹曰："李密天资明决[421]，为龙为蛇，固不可测也！"

【段旨】

以上为第十二段，写瓦岗军内哄，李密火并翟让，削弱凝聚力和战斗力。

【注释】

㊴①坚壁：坚守壁垒，不与敌方决战。壁，营垒、壁垒。㊴②劳之：即慰劳王世充。㊴③丙辰：十一月九日。〖按〗前文已有丙辰、戊午，作者分别叙西京、东都事，使时间不相乱，故重出。㊴④石子河：水名，即今河南巩义东石河。为洛河支流。㊴⑤横断其后：冲断王世充军的后队。㊴⑥大冢宰：官名，在《周礼》为辅导天子之官。郑玄曾注释说：总领百官称为冢，列职于王则称为大。后世因以大冢宰为宰相之称。㊴⑦粗愚：粗鲁而蠢笨。㊴⑧但：只；仅仅。㊴⑨鄢陵：县名，县治在今河南鄢陵。㊵⓪营求：设法求取。营，谋划。㊵①逡巡：迟疑徘徊，欲行又止。㊵②贪愎：贪婪而刚愎自用。㊵③螫：毒虫刺人。㊵④壮夫解腕：毒蛇咬手，勇士砍断自己的手腕，以防危及全身。比喻做事到要害关头，须下定决心，当机立断。㊵⑤戊午：十一月十一日。因分别叙述东都与西京事，使不相乱，故重复出现。㊵⑥立侍：站立侍卫。㊵⑦检校：查核。㊵⑧给使：供差遣使唤。㊵⑨进止：进退；去留。㊶⓪引：带

【原文】

壬戌[422]，李渊备法驾迎代王即皇帝位于天兴殿[423]，时年十三，大赦改元[424]，遥尊炀帝为太上皇。甲子[425]，渊自长乐宫入长安。以渊为假黄钺[426]、使持节、大都督内外诸军事、尚书令、大丞相，进封唐王。以武德殿为丞相府，改教[427]称令[428]，日于虔化门[429]视事。乙丑[430]，榆林、灵武、平凉、安定[431]诸郡皆遣使请命。丙寅[432]，诏军国机务，事无大

定下来。翟让为人残忍，翟摩侯猜疑妒忌，王儒信贪婪放纵，因此他们死的那一天，所属部众没有一个人为他们哀悼。但是，李密的部将从此有了惧疑之心。最初，王世充知道翟让与李密一定不会长期和睦，希望他们互相残杀，自己可以得到机会乘虚而入，等到他听说翟让已死，大失所望，叹息说："李密天资英明果断，是龙是蛇，实在不能预测！"

领。㊶踣：僵仆；仆倒。㊷上下：指尊卑、贵贱等界限。㊸傅疮：在创伤上敷药。傅，同"敷"。㊹宣慰：安抚。㊺独骑：即独自一人骑马，不带随从侍卫。㊻历：依次；一一。㊼抚谕：安抚劝说。㊽中外：内外。指翟让营内外。中，内。㊾久睦：长期和睦相处。㊿相图：相互图谋杀害。(421)明决：英明果断。

【校记】

［19］统：原作"领"。据章钰校，十二行本、乙十一行本、孔天胤本皆作"统"，今据改。〖按〗《通鉴纪事本末》卷二七作"统"。［20］夫：原作"士"。据章钰校，十二行本、乙十一行本、孔天胤本皆作"夫"，张敦仁《通鉴刊本识误》同，今据改。〖按〗《通鉴纪事本末》卷二七作"夫"。［21］数人：原无此二字。据章钰校，十二行本、乙十一行本、孔天胤本皆有此二字，张敦仁《通鉴刊本识误》同，今据补。〖按〗《通鉴纪事本末》卷二七有此二字。［22］应：原无此字。据章钰校，十二行本、乙十一行本、孔天胤本皆有此字，张敦仁《通鉴刊本识误》同，今据补。〖按〗《通鉴纪事本末》卷二七有此字。［23］贪：原作"暴"。据章钰校，十二行本、乙十一行本、孔天胤本皆作"贪"，今据改。〖按〗《通鉴纪事本末》卷二七、《通鉴纲目》卷三七下皆作"贪"。

【语译】

十一月十五日壬戌，李渊备办法驾迎接代王杨侑在天兴殿即皇帝位，当时杨侑十三岁。大赦天下，改换年号，遥尊隋炀帝为太上皇。十七日甲子，李渊从长乐宫进入长安。恭帝任命李渊为假黄钺、使持节、大都督内外诸军事、尚书令、大丞相，进位封唐王。以武德殿为丞相府，改教称令，每天在虔化门处理政事。十八日乙丑，榆林、灵武、平凉、安定等郡都派遣使者来请求听命。十九日丙寅，恭帝下诏，军

小，文武设官，位无贵贱，宪章[433]赏罚，咸归相府。唯郊祀天地，四时[434]禘祫[435]奏闻。置丞相府官属，以裴寂为长史，刘文静为司马。何潘仁使李纲入见，渊留之，以为丞相府司录[436]，专掌选事。又以前考功郎中[437]窦威[438]为司录参军，使定礼仪。威，炽之子也。渊倾府库以赐勋人[439]，国用不足，右光禄大夫刘世龙献策，以为"今义师数万，并在京师，樵苏[440]贵而布帛贱，请伐六街[441]及苑中树为樵，以易布帛，可得数十万匹。"渊从之。己巳[442]，以李建成为唐世子[443]，李世民为京兆尹、秦公，李元吉为齐公。

【段旨】

以上为第十三段，写李渊拥立隋恭帝掩人耳目，大权独揽丞相府。

【注释】

[422]壬戌：十一月十五日。[423]天兴殿：胡三省注："当作大兴殿。"大兴殿，隋宫正殿。《隋书·恭帝纪》作"上即皇帝位于大兴殿"，据此，"天"应改作"大"。[424]改元：即将大业十三年改为义宁元年。[425]甲子：十一月十七日。[426]假黄钺：以黄金装饰的钺称为黄钺，天子所用。为尊崇李渊，也假以天子仪仗。假，借。钺，大斧。[427]教：文体名，朝

【原文】

河南诸郡尽附李密，唯荥阳太守郇王庆，梁郡太守杨汪尚为隋守。密以书招庆，为陈利害，且曰："王之先[24]世，家[25]住山东，本姓郭氏，乃非杨族。芝焚蕙叹[444]，事不同此。"初，庆祖父元孙早孤，随母郭氏养于舅族。及武元帝[445]从周文帝[26]起兵关中，元孙在邺，恐为高氏[446]所诛，冒姓郭氏，故密云然。庆得书惶恐，即以郡降密，复姓郭氏。

十二月癸未[447]，追谥唐王渊大父襄公[448]为景王，考[449]仁公[450]为元

国机要事务，无论大小，文武官员的设置，无论职位高低，法令制定，功罪赏罚，全部归丞相府处理。只有在郊外祭祀天地以及四季祭祀宗庙时奏报皇帝。李渊设置丞相府官属，任命裴寂为长史，刘文静为司马。何潘仁派李纲入京觐见，李渊留下李纲，任命他为丞相府司录，专门掌管选用官员事宜。又任命前考功郎中窦威为司录参军，让他制定礼仪。窦威，是窦炽的儿子。李渊拿出府库中所有的财物赏赐给有功的人，国家财用不够，右光禄大夫刘世龙献策，认为“现在义军有几万人，都在京师，柴草昂贵而布帛便宜，请求砍伐长安城中六街以及皇家苑囿中的树木为柴，用来换取布帛，可以得到几十万匹。”李渊听从了这个建议。二十二日己巳，李渊册封李建成为唐世子，封李世民为京兆尹、秦公，封李元吉为齐公。

廷大臣告众之词。㊽令：文体名，皇后、太子、诸侯王发布的指示或文告。㊾虔化门：在大兴殿东。㊿乙丑：十一月十八日。431安定：郡名，治所安定县，在今甘肃泾川县北。432丙寅：十一月十九日。433宪章：典章制度。434四时：四季。435禘祫：古代祭祀名，四季祭祀宗庙，夏祭称禘，又说三年一祭称祫，五年一祭称禘。436司录：官名，总录丞相府事。437考功郎中：官名，属吏部，掌考第及孝秀贡士。438窦威（？至公元六一八年）：字文蔚，扶风平陵（今陕西咸阳西北）人，历仕隋、唐，官至内史令。传见《旧唐书》卷六十一、《新唐书》卷九十五。439勋人：有功之人。勋，大功劳。440樵苏：柴草。樵，柴。苏，草。441六街：长安城中左右有六条大街。442己巳：十一月二十二日。443世子：即帝王和诸侯的正妻所生的长子。

【语译】

河南诸郡全都归附李密，只有荥阳太守郇王杨庆、梁郡太守杨汪还为隋朝守城。李密写信招抚郇王杨庆，向他陈述利害，并说：“您的先世，家住在山东，原本姓郭，不是杨氏家族。虽然芝草被焚，蕙草也会叹息，您的事情与此不同。”当初，杨庆的祖父元孙早年丧父，跟随母亲郭氏在舅舅家养育长大。等到隋武元帝杨忠跟随周文帝宇文泰在关中起兵，元孙在邺城，担心被北齐高氏杀害，就冒姓郭，所以李密才这样说。杨庆收到信很惶恐，立即献出郡城投降李密，又改姓郭。

十二月初七日癸未，恭帝追赠唐王李渊的祖父襄公李虎谥号为景王，父亲仁公

王，夫人窦氏[451]为穆妃。

薛举遣其子仁果寇扶风，唐弼据汧源[452]拒之。举遣使招弼，弼乃杀李弘芝，请降于举，仁果乘其无备，袭破之，悉并其众。弼以数百骑走诣扶风请降，扶风太守窦琎杀之。举势益张[453]，众号三十万，谋取长安。闻丞相渊已定长安，遂围扶风。渊使李世民将兵击之。又使姜謩、窦轨俱出散关[454]，安抚陇右，左光禄大夫李孝恭[455]招慰山南，府户曹[456]张道源[457]招慰山东。孝恭，渊之从父兄子也。

癸巳[458]，世民击薛仁果于扶风，大破之，追奔至垅坻[459]而还。薛举大惧，问其群臣曰："自古天子有降事乎？"黄门侍郎钱唐褚亮[460]曰："赵佗归汉[461]，刘禅仕晋[462]，近世萧琮，至今犹贵。转祸为福，自古有之。"卫尉卿郝瑗趋进曰："陛下失问。褚亮之言又何悖也！昔汉高祖屡经奔败[463]，蜀先主[464]亟亡妻子，卒成大业。陛下奈何以一战不利，遽为亡国之计乎？"举亦悔之曰："聊以此试君等耳。"乃厚赏瑗，引为谋主。

乙未[465]，平凉留守张隆，丁酉[466]，河池太守萧瑀及扶风、汉阳郡[467]相继来降。以窦琎为工部尚书、燕国公，萧瑀为礼部尚书、宋国公。

姜謩、窦轨进至长道[468]，为薛举所败，引还。渊使通议大夫[469]醴泉刘世让[470]安集唐弼余党，与举相遇，战败，为举所虏。

李孝恭击破朱粲，诸将请尽杀其俘，孝恭曰："不可，自是以往，谁复肯降矣？"皆释之[27]。于是自金川[471]出巴[472]、蜀[473]，檄书所至，降附者三十余州。

屈突通与刘文静相持月余，通复使桑显和夜袭其营，文静与左光禄大夫段志玄悉力苦战，显和败走，尽俘其众，通势益蹙。或说通降，通泣曰："吾历事两主[474]，恩顾[475]甚厚。食人之禄[476]而违其难，吾不为也！"每自摩[477]其颈曰："要当为国家受一刀。"劳勉[478]将士，未尝不流涕，人亦以此怀之。丞相渊遣其家僮[479]召之，通立斩之。及闻长安不守[480]，家属悉为渊所虏，乃留显和镇潼关，引兵东出，将趣洛阳。通适去，显和即以城降文静。文静遣窦琮等将轻骑与显和追之，及于稠桑[481]。通结陈自固，窦琮遣通子寿[482]往谕之，通骂曰："此贼何来？昔与汝为父子，今与汝为仇雠[483]！"命左右射之。显和谓其众曰："今京

李昞谥号为元王，李昞的夫人窦氏为穆妃。

薛举派他的儿子薛仁果侵犯扶风郡，唐弼据守汧源抵抗薛仁果。薛举派使者招降唐弼，唐弼便杀死自己所立唐王李弘芝，向薛举请求归降。薛仁果乘唐弼没有防备，袭击并打败了唐弼，全部吞并了唐弼的部众。唐弼率领几百名骑兵逃往扶风郡请求投降，扶风太守窦琎杀了他。薛举的势力更加强大，部众号称三十万人，图谋攻取长安。听说丞相李渊已经平定长安，便包围了扶风。李渊派李世民率兵攻打薛举。又派姜謩、窦轨都从散关出发，安抚陇右，左光禄大夫李孝恭招抚山南，府户曹张道源招抚崤山以东。李孝恭，是李渊的堂侄。

十二月十七日癸巳，李世民在扶风郡攻打薛仁果，把他打得大败，追击逃兵到达垅坻后回军。薛举大为恐惧，问他的臣属说："自古以来天子有投降的事情吗？"黄门侍郎钱唐人褚亮说："赵佗归附汉朝，刘禅当晋朝的臣子，近世则有萧琮，他的子孙到现在还享受荣华富贵。转祸为福的事，自古以来就有。"卫尉卿郝瑗快步上前说："陛下不该问这种话。褚亮的回答又是多么荒谬！从前汉高祖经过多次逃亡失败，蜀汉先主刘备多次失去妻子儿女，他们最终建立了大业。陛下怎么能因为一次战役失败，马上做亡国的打算呢？"薛举也后悔了，说："我不过聊且用这样的问话试探一下各位罢了。"于是重赏郝瑗，请他为谋主。

十二月十九日乙未，平凉留守张隆，二十一日丁酉，河池太守萧瑀以及扶风、汉阳郡相继来投降，李渊任命窦琎为工部尚书、燕国公，萧瑀为礼部尚书、宋国公。

姜謩、窦轨进军到长道县，被薛举打败，领军退还。李渊派遣通议大夫醴泉人刘世让安抚收容唐弼的残余部众，刘世让与薛举相遇，战败，被薛举俘虏。

李孝恭打败朱粲，众部将请求全部杀掉俘虏，李孝恭说："不行，从此以后，谁还肯投降？"把俘虏都放了。于是从金川到巴蜀，檄文所到之处，投降归附的有三十多州。

屈突通和刘文静相持了一个多月，屈突通又派桑显和夜里袭击刘文静军营。刘文静和左光禄大夫段志玄一起竭力苦战，桑显和败逃，刘文静全部俘获了桑显和的部众，屈突通的处境更加艰难。有人劝说屈突通投降，屈突通流着泪说："我接连侍奉两代皇上，恩宠甚厚，吃人家的俸禄而在危难时背叛人家，我不做这样的事！"他常常摸着自己的脖子说："终究应当为朝廷挨一刀。"他慰劳鼓励将士，未曾不痛哭流涕，大家也因此心向着他。丞相李渊派屈突通的家童去招降，屈突通立刻杀了家童。等到听说长安已经失守，家属都被李渊俘获，便留下桑显和镇守潼关，自己率军东下，即将奔向洛阳。屈突通刚走，桑显和就献出城池投降了刘文静，刘文静派窦琮等人率领轻骑兵同桑显和一起去追赶屈突通，在稠桑追上了。屈突通列阵自守，窦琮派屈突通的儿子屈突寿前去劝说他，屈突通骂道："你这个贼子怎么来了？过去我和你是父子，现在我和你是仇敌！"便命令身边的人用弓箭射屈突寿。桑显和对屈突

城已陷，汝辈皆关中人，去欲何之？”众皆释仗[484]而降。通知不免，下马东南向再拜号哭曰：“臣力屈至此，非敢负国，天地神祇[485]实知之！”军人执通送长安，渊以为兵部尚书，赐爵蒋公，兼秦公元帅府长史。

渊遣通至河东城下招谕尧君素，君素见通，歔欷不自胜[486]，通亦泣下沾衿[487]，因谓君素曰：“吾军已败，义旗所指，莫不响应，事势如此，卿当[28]早降。”君素曰：“公为国大臣，主上[488]委公以关中，代王付公以社稷，奈何负国生降[489]，乃更为人作说客[490]邪？至公所乘马，即代王所赐也，公何面目乘之哉？”通曰：“吁[491]，君素，我力屈而来。”君素曰：“方今力犹未屈，何用多言？”通惭而退。

东都米斗三千[29]，人饿死者什二三。

庚子[492]，王世充军士有亡降李密者，密问：“世充军中何所为？”军士曰：“比见益募兵，再飨将士，不知其故。”密谓裴仁基曰：“吾几落奴度中[493]，光禄[494]知之乎？吾久不出兵，世充刍粮将竭，求战不得，故募兵飨士，欲乘月晦[495]以袭仓城耳，宜速备之。”乃命平原公郝孝德、琅邪公王伯当、齐郡公孟让勒兵分屯仓城之侧以待之。其夕三鼓[496]，世充兵果至，伯当先遇之，与战，不利。世充兵即陵城，总管鲁儒拒却之，伯当更收兵击之，世充大败，斩其骁将费青奴，士卒战溺死者千余人。世充屡与密战，不胜，越王侗遣使劳之，世充诉以兵少，数战疲弊，侗以兵七万益之。

刘文静等引兵东略地[497]，取弘农郡[498]，遂定新安[499]以西。

甲辰[500]，李渊遣云阳令詹俊、武功县正[501]李仲衮徇[502]巴、蜀，下之。

乙巳[503]，方与[504]贼帅张善安袭陷庐江郡[505]，因渡江，归林士弘[506]于豫章[507]。士弘疑之，营于南塘[508]上。善安恨之，袭破士弘，焚其郛郭[509]而去，士弘徙居南康[510]。萧铣遣其将苏胡兒袭豫章，克之，士弘退保余干[511]。

通的部众说：“如今京城已经陷落，你们都是关中人，离去后想到哪里去呢？”屈突通的部众都放下武器投降。屈突通知道自己不能脱身，下马面向东南方向磕头大哭说：“臣用尽了力量落到这个地步，我不敢辜负国家，天地神明都是知道的！”军士抓住屈突通押送长安，李渊任命他为兵部尚书，赐爵为蒋公，兼任秦公李世民元帅府长史。

李渊派屈突通到河东城下招抚晓谕尧君素，尧君素见了屈突通，禁不住悲伤叹息，屈突通也流泪浸湿了衣襟，便对尧君素说：“我军已经战败，义军旌旗所指之处，没有不响应的。事势到了这个地步，您应该尽早投降。”尧君素说：“您身为国家大臣，皇上把关中交给您，代王把国家托付给您，为什么辜负国家活着投降，竟然又为人做说客呢？您所骑的马，就是代王所赐啊，您还有什么脸面骑它呢？”屈突通说：“唉，君素啊，我是力量用尽了才来的。”尧君素说：“现今我的力量还没有用尽，何必多说？”屈突通羞愧地离开了。

东都的一斗米值三千，饿死的人十成占了两三成。

十二月二十四日庚子，王世充的士兵有逃亡去投降李密的，李密问：“王世充在军中做什么呢？”降兵回答说：“近来见他扩充招兵，一再犒劳将士，不知其中缘故。”李密对裴仁基说：“我差点落入王世充这个奴才的算计中，裴光禄你知道是什么缘故吗？我长时间没有出兵，王世充的草料粮食即将罄竭，求战不得，所以招募士兵犒赏将士，想趁月黑昏暗之夜袭击仓城，我们要尽快防备。”于是命令平原公郝孝德、琅邪公王伯当、齐郡公孟让率领军队分别驻扎在仓城的两旁等待敌军。当天夜里三更时分，王世充的军队果然来到，王伯当首先遭遇敌军，交战不利，王世充的军队立即登城，总管鲁儒率军把敌人打了回去，王伯当又集结军队攻击，王世充大败，王伯当杀死了王世充的骁将费青奴，士兵战死溺死的有一千多人。王世充多次与李密交战，没有取胜，越王杨侗派使者慰问，王世充诉说兵力太少，多次作战，疲惫不堪，杨侗给他增加了七万兵力。

刘文静等领兵向东攻城略地，夺取了弘农郡，于是平定了新安以西。

十二月二十八日甲辰，李渊派云阳县令詹俊、武功县正李仲衮攻打巴蜀，攻占了这些地方。

十二月二十九日乙巳，方与县的贼帅张善安袭取了庐江郡，趁势渡江，到豫章郡归附林士弘。林士弘猜疑张善安，让张善安在南塘上扎营。张善安对林士弘怀恨在心，偷袭打败了林士弘，焚烧了豫章郡的外城后离去，林士弘移居南康县城。萧铣派他的部将苏胡兒袭击豫章，攻下了豫章城，林士弘退守余干县。

【段旨】

以上为第十四段，写河南、陇右、关中、巴蜀各地的战斗，主战场仍是争夺东都，李密与王世充对决，陷入胶着状态。

【注释】

㊹芝焚蕙叹：比喻同类相感。芝、蕙，皆香草名。㊺武元帝：指杨忠，隋高祖之父，高祖即位追谥为武元皇帝。㊻高氏：指北齐皇帝高氏。㊼癸未：十二月初七日。㊽大父襄公：大父，祖父。襄公，即李虎，仕北魏，官至左仆射。追封唐国公，谥曰襄。㊾考：亡父。㊿仁公：即李昞。北周安州总管、柱国大将军。谥曰仁。(451)窦氏：窦毅之女。唐高宗上元元年（公元六七四年），改上尊号为太穆顺圣皇后。传见《旧唐书》卷五十一、《新唐书》卷七十六。(452)汧源：县名，县治在今陕西陇县。(453)势益张：势力更加强大。张，大、强大。(454)散关：关名，关中四关中的西关。故址在今陕西宝鸡西南。(455)李孝恭（公元五九一至六四〇年）：襄武王李琛之子，仕唐，官至礼部尚书，封河间郡王。传见《旧唐书》卷六十、《新唐书》卷七十八。(456)府户曹：指丞相府户曹参军。(457)张道源（？至公元六二四年）：并州祁县（今山西祁县）人，仕唐，官至大理卿。传见《旧唐书》卷一百八十七上、《新唐书》卷一百九十一。(458)癸巳：十二月十七日。(459)垅坻：地名，故址大约在今陕西陇县西陇山一带。(460)褚亮：字希明，杭州钱塘（今浙江杭州西）人，历仕陈、隋、唐三代，官至通直散骑常侍、文学馆学士。传见《旧唐书》卷七十二、《新唐书》卷一百二。(461)赵佗归汉：赵佗本为秦南海龙川令，秦灭，自立为南越武王，后归汉，吕后当政时，叛汉自立为南越武帝，文帝时去帝号，向汉称臣。(462)刘禅仕晋：刘禅为三国蜀后主，魏灭蜀，降魏，封安乐公。后仕晋。(463)奔败：败逃。(464)蜀先主：三国时刘备，于成都创建蜀国，称帝。(465)乙未：十二月十九日。(466)丁酉：十二月二十一日。(467)汉阳郡：郡名，治所上禄县，在今甘肃礼县。(468)长道：县名，县治在今甘肃礼县东北长道镇。(469)通议大夫：官名，隋初置为文散官，无职事。(470)刘世让（？至公元六二三年）：字元钦，雍州礼泉（今陕西礼泉北）人，历仕隋、唐，官至广州总管。传见《旧唐书》卷六十九、《新唐书》卷九十四。(471)金川：县名，县治在今陕西安康。(472)巴：指巴州，治所化成县，在今四川巴中。(473)蜀：指蜀郡，治所成都县，在今四川成都。(474)两主：指隋文帝与隋炀帝。(475)恩顾：指受皇帝的恩宠。(476)禄：俸禄。(477)摩：摸；抚摩。(478)劳勉：慰劳、鼓励。勉，鼓励。(479)家僮：对男女奴仆的通称。(480)不守：失守。(481)稠桑：驿站名，故址在今河南灵宝北。(482)通子寿：即屈突通之子屈突寿。传附《旧唐书·屈突通传》《新唐书·屈突通传》。(483)仇雠：仇人。雠，仇敌。(484)释仗：放下兵器。仗，兵仗。(485)神祇：天地之神。祇，地神。(486)不自胜：自己经受不起。胜，经得起；受得住。(487)沾衿：浸湿衣襟。沾，浸湿。衿，同“襟”。衣襟。(488)主上：指隋炀帝。(489)生降：活着投降敌人。(490)说客：

游说的人。㊹㊉ 吁：叹词。⑱ 庚子：十二月二十四日。⑲ 几落奴度中：几乎陷入王世充的算计之中。几，几乎。奴，指王世充。度，忖度、揣度。⑳ 光禄：指裴仁基。仁基时任光禄大夫。㉑ 月晦：月色昏暗。晦，昏暗。㉒ 三鼓：三更。也称丙夜，即夜半。古代把一夜分为一鼓、二鼓、三鼓、四鼓、五鼓，也称一更、二更、三更、四更、五更。㉓ 略地：攻占地盘。略，攻略、掠夺。㉔ 弘农郡：郡名，治所弘农县，在今河南灵宝。㉕ 新安：县名，县治在今河南新安。㉖ 甲辰：十二月二十八日。㉗ 县正：官名，隋炀帝改县尉为县正，掌管一县治安，纠察奸宄。㉘ 徇：攻取。㉙ 乙巳：十二月二十九日。㉚ 方与：县名，县治在今山东鱼台西。㉛ 庐江郡：郡名，治所合肥县，在今安徽合肥西。㉜ 林士弘（？至公元六二二年）：饶州鄱阳（今江西鄱阳）人，曾于隋末起义中，自称皇帝。传见《旧唐书》卷五十六、《新唐书》卷八十七。㉝ 豫章：郡名，治所南昌县，在今江西南昌。㉞ 南塘：地名，在今江西南昌南。㉟ 郛郭：外城。㊱ 南康：郡名，治所南康县，在今江西赣州西南。㊲ 余干：县名，县治在今江西余干。

【校记】

［24］先：原作“家”。据章钰校，十二行本、乙十一行本、孔天胤本皆作“先”，张敦仁《通鉴刊本识误》、张瑛《通鉴校勘记》同，今据改。［25］家：原作“本”。据章钰校，十二行本、乙十一行本皆作“家”，张敦仁《通鉴刊本识误》同，今据改。〖按〗《通鉴纲目》卷三七上作“家”。［26］帝：原无此字。据章钰校，十二行本、乙十一行本、孔天胤本皆有此字，今据补。〖按〗《通鉴纲目》卷三七下有此字。［27］皆释之：原无此三字。据章钰校，十二行本、乙十一行本、孔天胤本皆有此三字，张敦仁《通鉴刊本识误》、张瑛《通鉴校勘记》同，今据补。〖按〗《通鉴纪事本末》卷二六、《通鉴纲目》卷三七下皆有此三字。［28］当：原作“宜”。据章钰校，十二行本、乙十一行本、孔天胤本皆作“当”，今据改。〖按〗《通鉴纪事本末》卷二六、《通鉴纲目》卷三七下皆作“当”。［29］三千：原作“三钱”。据章钰校，十二行本、乙十一行本“钱”作“千”。孔天胤本“三”作“千”，张瑛《通鉴校勘记》同，今据改。〖按〗《通鉴纲目》卷三七下“钱”作“千”。

【研析】

本卷记公元六一七年下半年事，以李渊起兵太原，进据长安，另立自己控制的隋中央政府为主线。兹结合上一卷相关内容，就以下两个问题作些分析：其一，李渊起兵与“称臣突厥”；其二，李渊何以能迅速进据长安。

《资治通鉴》本卷开头即称：李渊谋举兵，“刘文静劝李渊与突厥相结，资其士马以益兵势。渊从之，自为手启，卑辞厚礼，遗始毕可汗云：‘欲大举义兵，远迎主上，复与突厥和亲，如开皇之时。若能与我俱南，愿勿侵暴百姓；若但和亲，坐受宝货，亦唯可汗所择。'" 突厥始毕可汗答应"以兵马助之"，李渊对此表示疑虑，让刘文静、裴寂等再思良策，"寂等乃请尊天子为太上皇，立代王为帝，以安隋室。移檄郡县，改易旗帜，杂用绛白，以示突厥。"

隋末政乱，突厥复兴于草原。《通典》卷一百九十七综述其事说："及隋末乱离，中国人归之者甚众，又更强盛，势陵中夏……薛举、窦建德、王世充、刘武周、梁师都、李轨、高开道之徒，虽僭尊号，俱北面称臣，受其可汗之号。东自契丹，西尽吐谷浑、高昌诸国，皆臣之。控弦百万，戎狄之盛，近代未有也。"也就是说，隋末北方群雄，起兵举事、据地称王称帝者，对突厥均以臣属自处。《资治通鉴》一百八十三卷记本年三月："梁师都略定雕阴、弘化、延安等郡，遂即皇帝位，国号梁，改元永隆。始毕遗以狼头纛，号为大度毗伽可汗……始毕以刘武周为定杨天子，梁师都为解事天子，子和为平杨天子，子和固辞不敢当，乃更以为屋利设。"诸人虽自称皇帝，却接受突厥的庇护，接受突厥授予的封号，打着突厥人的狼头旗。李渊欲举兵，亦得看突厥的脸色行事，亲自写信，"卑辞厚礼"以求获得始毕可汗的支持，但李渊又不愿突厥大兵随自己南下进入长安，最后商量了一个折中的办法，"改易旗帜，杂用绛白，以示突厥"。这究竟是一个什么办法，何以李渊认为这不过是一个掩耳盗铃之举，却又不得不加以采用呢？

陈寅恪先生在《论唐高祖称臣突厥事》一文中，对此有精彩的考证。隋朝朝服、旗帜采用绛色，即深红色，而突厥人的旗帜为白色，所谓旗帜"杂用绛白"，即李渊举兵时，既打隋朝的旗帜，也打突厥人的旗帜。"唐高祖之不肯竟改白旗而用调停之法兼以绛杂半续之者，盖欲表示一部分之独立而不纯服从突厥之意……实表示维持中夏之地位而不纯臣服于突厥之意。"就本卷所记我们可以知道，李渊起兵时，与突厥联络，甚至愿意打突厥的旗帜，本意并不是借突厥以壮大声势，而是防止突厥支持马邑的"定杨天子"刘武周进攻晋阳，使自己进退失据。在举兵南下过程中，李渊一方面尽量避免冒犯突厥，一方面又小心翼翼地拒绝大量的突厥军队直接参与自己的军事行动。考察其原因，一来突厥军队直接与李渊进入关中，李渊将难以遏止突厥人的抢掠活动，"胡骑入中国，生民之大蠹也"，如此他便难以获得关中人民的真心拥护；一来突厥军队直接参战，李渊创建政权后，便很难摆脱突厥的控制，形同傀儡，难以在与群雄的争逐中，占据道义上的优势。形势所迫，必须利用突厥的影响，又为将来考虑，与突厥保持相当的距离，这不能不说是李渊的高明之处。当然，李渊毕竟曾经臣事突厥，这意味着唐朝初年，与突厥的关系将面临一个艰难的调整过程。

李渊自六月于晋阳举兵，七月誓众，兵指长安，仅三万军队。十月底兵围长安，已有二十万人，最后几乎是兵不血刃地夺取长安，在隋末群雄中异军突起，迅速确立起对全国的号召力。李渊的成功，可以从以下两个方面加以理解。

第一，李渊本人为隋朝统治集团的核心成员，容易获得关陇集团的认可。李渊的祖父李虎来自武川，与宇文泰、独孤信等“以功参佐命”，为西魏最初统兵的六柱国之一，北周建立时，追封为唐国公，李氏家族属于关陇集团的核心家族，在西魏北周的政治地位甚至高于杨氏。李渊之父李昞，娶独孤信第四女为妻，与隋文帝杨坚为连襟，李渊与隋炀帝杨广，政治上虽是君臣，血缘上则为姑表兄弟。李渊本人七岁时袭封唐国公，其妻窦氏为周武帝之姐襄阳长公主的女儿，也就是说，从血缘上讲，李渊又是周武帝的外甥女婿。与周、隋皇室这种千丝万缕的血缘关系，使李渊在关陇集团中具有天然的政治影响力，在隋末乱局中，他奋而起兵，也就具有得天独厚的优势，能够获得隋朝统治集团的支持。

第二，李渊从晋阳起事，到进入长安，一直以“尊隋”义举相号召，宣扬自己的政治目标是恢复隋朝的统治秩序，这使他容易被关中拥隋政治势力所接受，减少进入长安的阻力。李渊起兵晋阳，召募兵士，“通谓之义兵”，以隋大将军身份挥师长安，而不是急于独树一帜，如刘武周、梁师都辈，直接称帝，将自己与隋统治集团对立起来。李密致信于他，要求以自己为首进行联合，共同反隋。李渊表示自己“所以大会义兵，和亲北狄，共匡天下，志在尊隋”，并不是要推翻隋朝的统治：“殪商辛于牧野，所不忍言，执子婴于咸阳，未敢闻命”。围攻长安前，“屡遣使至城下谕卫文昇等以欲尊隋之意”，因卫文昇坚决不投降，只得攻城，仍下令“毋得犯七庙及代王、宗室，违者夷三族!”取得长安后，以代王杨侑为隋帝，“遥尊炀帝为太上皇”，在炀帝仍在时，不与决裂，同样有利于笼络拥隋势力。

政治目标决定政治手段运用。起兵之初，西河郡不从，李建成、李世民奉命往攻，“近道菜果，非买不食，军士有窃之者，辄求其主偿之，亦不诘窃者，军士及民皆感悦”，攻下西河后，因守将高德儒曾为讨炀帝喜欢，“指野鸟为鸾”而得官，以“义军”的名义将其处死，“自余不戮一人，秋毫无犯，各慰抚使复业，远近闻之大悦。”充分展示了“义军”的形象，赢得了政治声誉。“关中豪杰皆企踵以待义兵”，兵至河东，“三辅豪杰至者日以千数”。李渊军队进入关中后，“京兆诸县亦多遣使请降”；“关中士民归之者如市”；“何潘仁、李仲文、向善志及关中群盗，皆请降于渊”。长安城虽是攻而克之，但攻占以后，只处死“贪婪苛酷，且拒义师”的阴世师、骨仪等十几个人，“余无所问”。即使是为炀帝坚守河东、“力屈”被俘获的屈突通，李渊也任命他为兵部尚书，“赐爵蒋公，兼秦公元帅府长史”，从而最大限度地争取到隋朝原有政治力量的支持。

总之，李渊的政治身份及其举兵后“尊隋”旗号下的政治举措，是其能够顺利取隋而代之的根本原因。李渊取隋建唐，如同杨坚代周建隋，只是皇室姓氏变化，政权的政治基础并没发生实质性的变化，这正是李唐政权能够迅速平定隋末群雄，重新恢复统一秩序的关键。